客家通論

曾逸昌　著

「客家概論」出版誌念

客家本色

李登輝

副總統用牋

不是過客
是台灣的主人

呂秀蓮

祖 堂 前 留 影

祖 堂 內 留 影

客　廳　留　影

台大演講客家學留影

頭份古厝留影

范 序

「唐山流寓化巢痕，潮惠章泉鹵最繁。二百年來簪衍后，寄生小草已深根。」邱逢甲《台灣竹枝詞》詩中，清楚的寫下台灣移民社會的族群特質。

來自原鄉唐山的漢族人，無分先後，冒死險渡黑水溝，在一片陌荒的新天地，用馬偕形容的「大自然最嚴格的模式鑄成」的勇敢、刻苦精神，由西而東，自平原到狹丘，一步一腳印，移墾台灣這塊洪荒未闢的世外新桃源。

客家人，台灣拓荒的漢族族群之一，由寄生而深根，不計犧牲，用「義民精神」認同自己血汗所灌溉的新故鄉，和其他族群一起做這塊土地的共同主人，是客家族群人長久以來努力不懈的目標。

然而，因著政治、社會因素的影響，客家族群在台灣，卻逐漸居於弱勢，語言、文化傳承流失迅速，尤其族群重要表徵的語言，估計以每年百分之五的比率快速消失，令客家知識分子，憂心忡忡，終於在一九八八年的「還我母語」運動中發出了自己的聲音，掀起了客家人的文化覺醒浪潮。

客家文化振興的熱潮中，客家知識份子一方面積極爭取，催生客家文化基金會、文化會館、客家事務委員會……等的設立；一方面親身投入關懷客家文化的行列，關切客家文化的保存與承傳。這些都是為了延續族群的命脈，是客家知識份子責無旁貸的任務。

曾逸昌先生身為客家知識份子之一，關心文化事務，長期以來，不斷深入探究台灣政治、社會、文化現象，自一九九六年起陸續出版《文化發展與建設史綱》、《悲情島國四百年》等文化專著，頗受好評。近年，戮力於客家文化的著述工作，費心蒐羅資料，編著《客家概論》一書，系統介紹台灣客家的源流、語言及生活習慣、信仰，乃至音樂、藝術、文學、戲劇等，將台灣客家的生活及文化梗概，完整呈現，是一本認識客家文化的入門百科，可供各界人士參考運用。

文化的本質，是調適、是學習、是分享的過程。面對全球化的衝擊，台灣客家族群應該追求的是以多元文化為基礎的在地化，方能在調適、學習與分享的過程中，建構客家文化的在地新生命。身為客家子弟，曾逸昌先生熱情致力於台灣客家文化在地化的實踐工作，茲值其《客家概論》即將付梓之際，謹綴數言，以表達內心之欣悅與感佩。

台灣省政府主席　范光群　謹識

2002 年 12 月

葉 序

「客家人是什麼樣的族群」、「台灣有多少客家人」、「客家特色是什麼」，這些疑問，相信不但是客家人經常自我面對的問題，也是不同族群朋友最好奇的部份。特別是在社會日益開放的情況下，客家人已經不再當「隱形人」，並逐漸重返公共領域，如何增進社會大眾對客家的興趣與瞭解，從而認識客家、喜愛客家，更成爲重要課題。

長久以來，有關台灣客家之論述，雖時常散見於報章期刊，但一直未見有系統之整理著作，殊爲可惜。本書是近年來少見的客家學專業著作，以完整的章節，詳細論述台灣客家的源流，對於客家的風俗禮儀、生活文化，更有許多深入淺出的描述，對想要瞭解客家、認識客家的讀者，闢建了一條通往客家的便捷道路。

特別要指出的是，本書作者以在地的觀點，跳出傳統客家「中原正統」的窄化迷思，代之以「台灣的客家」、「客家的台灣」爲思考基礎，建構台灣客家的主體性思考。如此，不但讓客家能夠跳脫傳統框框，爲客家在本土化過程中開展寬闊的視野，同時也爲新時代的客家人以在地族群的角色，讓客家在台灣不再當缺席者。這樣的轉變，不但與行政院客家委員會宣示的「以客家豐富台灣的多元文化」施政理念相契合，如何讓客家族群成爲台灣族群對話的平台，促進族群和諧；讓客家在台灣社會的發展進程中有所貢獻、贏得尊敬、獲得友誼，也非常值得吾人省思。

行政院客家委員會爲打造台灣成爲世界客家研究中心，正積極建立各項客家基礎資料，以做爲世界客家中心之基礎工程，其中「客家學」研究風氣的推動，更是讓客家進入知識體系的基礎工作。非常欣喜見到「客家概論」之出版，樂爲之序。

行政院客家委員會主委　葉菊蘭

2002 年 12 月

張　序

不是過客——《客家概論》讀後

曾逸昌先生窮五年時光蒐集資料、潛心研究，增補修訂，最後完成一百二十萬字的《客家概論》，是近年研究客家歷史文化的新收穫。作爲逸昌先生的同事、知友，我不能不表示一點意見。

所謂客家人，相傳在公元四世紀初，即西晉末永嘉年間，住在黃河流域的一部份漢人，因躲避戰亂南徙渡江，至唐末（九世紀末）及南宋末（十三世紀末）又大批過江南下，移民到江西、福建、廣東等地，當時被稱爲「客家」，以別於當地的原住百姓。後來相沿而成爲這一部份人的稱呼。這些客家人質樸、勤勞，而且保守性強，他們語言保留較多的漢語古音韻，後稱「客家話」。

我曾跟逸昌開玩笑說：你不必擔心客家話的消失，只要台灣有客家人，客家話是消失不了的。客家歷史文化，源遠流長，因爲客家人的保守性格，帶有強烈的韌性。它是難以被這個有耐心有毅力的族群忘卻的。

逸昌在《客家概論》中談論客家話的語音特點，值得參考。詞彙中如女孩子稱「妹仔」，男孩子稱「孻仔」；

句法中如「多著一件衫」，是說多穿一件衣服，「今晡日比昨晡日過冷」，則是今天比昨天冷。同普通話有些差異。總的說來，客家話比漢人方言易懂，而且音韻甚美。

逸昌出身苗栗頭份客家望族，他自輔仁大學畢業，曾留學英國卡迪夫大學、美國西肯塔基大學深造，獲得碩士學位後回台，進入行政院文化建設委員會服務。他和我交往有十餘年。他對台灣歷史文化頗有研究。一九八九年秋，我將赴菲律賓中華中學擔任領導工作，特地到自立晚報附設台語班學習。逸昌也報名參加。每天下午六時，我倆從文建會搭計程車到了濟南路，先在小館吃晚飯，然後再去聽課。同學中有電影導演、中學教師，而且有一位台灣籍的同學。

「爲什麼你還學台灣語？」我起初茫漠不解，問起此事。

原來他從小讀書，與父母聚首機會少，逐漸疏離了母語，因此進入社會工作，對台灣話反而感到生疏。我進入菲律賓社會，無論應酬、即興演講，閩南話是重要工具。它在菲華僑界比英語、西班牙語還重要些。

我原想邀同逸昌一起赴菲，擔任英文部主任。但因菲國動盪不安，他的胞兄曾肇昌律師捨不得他離開台北，只有作罷。

逸昌勤於寫作，十年來陸續完成五本巨著。他對台灣歷史文化的研究，客家文化的探討，都非常執著、勤奮，這是讓我自愧弗如的事。

逸昌的《客家概論》，我認爲書名過份謙虛，與內容稍有出入，應該正名爲《客家通論》。這本書的前面，呂秀蓮總統的題詞，貼切而優美：「不是過客，是台灣的主人」。

資深作家　張放
青年日報 94.4.26

邱　序

廿一世紀初的台灣，在全球化的巨大浪潮中，實具有關鍵性的地位與重要性，是環太平洋中一顆閃亮的明珠，是東亞四小龍之一，是華人世界中頗受各民主國家所矚目的美麗島。

第二次世界大戰結束後，台灣人民脫離了大日本帝國的殖民統治，開始有機會爭取獨立自主，經過漫長的半個多世紀的政治變遷，現今的台灣已是一個主權獨立的國家，一九九六年的中華民國總統、副總統選舉，首度由台灣人民直接普選，由中國國民黨的李登輝當選總統、連戰當選副總統；再經二〇〇〇年的中華民國總統、副總統選舉，再度由台灣人民直接普選，卻改由民主進步黨的陳水扁當選總統、呂秀蓮當選副總統；政黨輪替，新政府成立，使在台灣的中華民國已儼然成爲一個名副其實的主權獨立的民主國家。

今日檢視台灣人民，實包含有四大族群：⑴南島語系台灣人（即台灣原住民）、⑵閩南語系台灣人（即台灣閩南人、台灣福佬人或台灣鶴佬人）、⑶客家語系台灣人（即台灣客家人）、⑷外省語系台灣人（即台灣外省人）。這四大族群皆有其獨特的歷史與文化，且與台灣的發展有著密不可分的關係。其中，客家文化正面臨即將被滅絕的命運，因而，在一九八七年戰後台灣解嚴前後，有一群台灣客家青年首先發難創辦《客家風雲雜誌》（現改稱為《客家雜誌》），勇敢地站起來大聲疾呼：尊重客家，搶救客家文化。一股狂熱的「客家熱」浪潮，激起了世界各國客家人士的反省和再思考，重新認識客家、重新探討客家及重新開創客家的新局面，進而使得「客家學」逐漸成為顯學，與另一股從事「台灣研究」的熱潮並駕齊驅，相輔相成。

台灣著名的作家曾逸昌先生，出身台灣苗栗頭份望族，自輔仁大學畢業後，在英國卡迪夫大學和美國西肯塔基大學深造，獲得碩士學位，回國後曾擔任行政院文化建設委員會研究員，從事文化建設的工作，並一直熱衷於台灣研究和客家研究。

近幾年來，他勤於寫作，陸續完成了五本巨著：《文化發展與建設史綱》、《為平等而長征》、《悲情島國四百年》、《希望之島》、《客家概論》等，著重於兩個方面：一為探討台灣的歷史與文化發展；二為關於台灣的客家歷史與文化。他那種充滿理想色彩，熱誠地懷抱著台灣的歷史與文化，強烈地企圖精簡扼要地解說台灣的客家歷史與文化，真是令人敬佩與感動。

多年來我與逸昌兄交遊，深感他資質聰穎純樸，敦厚實在，性情溫和，待人真誠，做事謹慎小心，富理想色彩，具有創作的才華與狂熱，努力認真，意志堅強，肯吃苦耐勞，其寫作的毅力、耐力和恆心，令人驚奇；劍及履及，說到做到，實踐力特強，也耐得住寂寞、孤獨，生活儉樸，但頗懂得生活和自娛娛人，與他交往，感覺相當好，相當甘甜，他是我的良師益友，亦是我討論台灣歷史與文化、客家歷史與文化的好伙伴。

過去，我在台灣大學開授「台灣政治分析」、「台灣史專題研究」、「台灣政治史專題研究」等課程，由於逸昌兄的大作內容相當豐富，史料不少，頗值得參考，因而也將其大作列為主要的參考書目。

此次曾君的新作品——《客家概論》，對於何謂客家人和客家學？客家的歷史與文化、台灣客家的現況與危機、台灣客家人的主張、台灣的客家政策等，有一全面的、有系統的、有條理的概括性簡要說明，實為一本相當不錯的瞭解台灣客家的歷史與文化的「客家入門」書籍，對於今後台灣大學及其他大學院校開授「客家課程」。將頗有助益，很值得吾人參考，故樂為之作序。

台灣大學教授　邱榮舉

2002年12月25日

曾逸昌書寫客家傳統精髓

客家作家 著述重考證

爲客家文化研究不可多得人才

【記者李思儀採訪報導】相信許多致力於客家文化研究的人對「客家概論」一書並不陌生，本書作者曾逸昌是苗栗頭份人，其家族人才輩出，鼎鼎大名的律師曾肇昌就是曾逸昌的胞兄，家族成員均爲高知識份子，堪稱爲地方望族，曾家顯然正是客家人重視教育的最佳例證。

曾逸昌現爲全職作家，著有「客家概論」、「文化發展與建設史綱」、「悲情島國四百年」、「爲平等而長征」等多本著作，是客家文化研究不可多得的人才，他表示自己寫書時均參考許多文獻，翻開他的書籍每一章節末尾皆清楚標明資料來源，顯見他在考證工作上下的苦工，也因此，曾逸昌對自己的出版品非常有自信，尤其是「客家概論一書」幾乎台北市客委會人手一本，成爲推動客家文化工作的參考書。

看到曾逸昌眾多著作會以爲他是歷史系或中文系畢業，其實他畢業於輔仁大學傳播系，並前往英國卡迪夫大學戲劇研究所及美國西肯塔基大學傳播研究所進修，他笑說自己年輕時想當導演所以選擇唸傳播一途，不過回國後就到行政院文建會上班，從此投身文化工作，反而沒有實現年輕時的導演夢想。

從小即與書本爲伍

雖然身爲客家人，曾逸昌其實對客家農村生活沒有深刻的體驗，因爲家族本身是書香世門第，從小就埋首於書本之中，對他這個讀書人而言，傳統的客庄農村生活體驗不深，因此，問他對客家庄最深刻的印象何，曾逸昌一時間答不出來，只記得小時候都與書本爲伍。

這番談話不難發現曾逸昌從小就是個品學兼優的好學生，但他表示，自己得會讀書應該歸功於家庭基因優良，不只是因爲他勤學。

他指出自己兩個哥哥，一個是名律師，一個是醫生、五個姊姊不是教師就是公務員，在日據時代女孩子能讀高學歷並任公職的相當難得，曾氏一族對子女教育的重視程度可見一斑。

出國留學本是件花錢的事，但曾逸昌並沒有讓家裡花太多錢供他出國進修，他表示他在英國兩年當中只繳了一年的學費，因爲成績優異的他用獎學金抵扣學費，在美國也只讀了一年多就拿到學位，所以他實際上並沒有花到家裡太多錢。

儘管曾逸昌放洋求學幫家裡省下了不少錢，但不代表完全不用花錢，在早年出國留學仍舊是有錢人的專利，雖然省了一半，另一半仍是筆爲數不小的金額，而曾家的兄弟姊妹都是高知識份子，這些栽培子女的費用加起來相當可觀，沒錯，曾家正是當地的大地主，並且製茶製糖，其實是戶富裕人家。

出身望族家教嚴謹

曾氏一族發達於曾逸昌的祖父曾貴秀，曾貴秀胼手胝足開荒闢野，製茶製糖富甲一方，並榮任日治當局拔擢爲竹東郡富興聯合保甲會長，外祖父是日據時代前總督府評議委員，換言之，曾逸昌的父母均生於日治時期的官宦世家，家世顯赫。

生長在這麼富裕的環境，曾逸昌及其兄弟姊妹待人卻相當平和，絲毫不見富家子弟的驕縱氣息，反而平易近人急公好義，也是相當難能可貴之處，可見其家教之嚴謹。

曾逸昌本身也結交許多政壇聞人，他拿出自己的著作表示，他的每一本書都有人爲他題字，李登輝、陳水扁、吳伯雄、連戰、謝長廷、張植珊、姚嘉文、鍾肇政等人均曾在他的書中題字。

對於客家文化未來的發展，曾逸昌認爲政府大力支持才是延續客家文化的根本，雖然行政院客委會有在做事，但是需要努力的地方還很多，他指出像客家文字也是客家文化流失的危機之一，雖然有了客家電視台有助於保存客家語言，但在客家文字方面仍需政府統一字形，才更利於保留客家文化。

此外，曾逸昌也提出行政院客委會的經費太少了，應該從文建會挪一部份過去，他認爲台灣文化建設發展至今大多已經完成使命，「能建設都建設完了嘛！」政府可把文建會的預算應用到客委會來，讓客委會能夠爲客家文化做更多事情。（客家郵報 92.9.24~30）

自序

茲在自序之前，首先要向全民敬愛的台灣民主之父李前總統登輝先生；高瞻遠矚，柔性治國的呂副總統秀蓮女士；前行政院客家委員會主委，現台灣省政府主席范光群先生；前交通部部長，現行政院客家委員會主委葉菊蘭女士；資深作家張放；前台大法學院副院長，文化總會副秘書長，邱榮舉教授，在百忙中寵賜題字，鴻文為序，深致謝忱外，又非常感謝《客家郵報》李思儀記者的採訪報導。

《客家概論》第一版在民國九十二年（西元2003年）二月出版，共有562頁；第二版增訂版於民國九十二年（西元2003年）九月出版，共有645頁；第三版的再增訂版於民國九十三年（西元2004年）九月出版，共有847頁。由於在不斷的增補以及理論性的加強方面，使之在客家學的領域裏面，幾乎已經達到了一個相當成熟、完整的地步，故於民國九十四年（西元2005年）九月，所出版的《客家概論》，共有1136頁，因而把它更名為《客家通論》，希望大家能夠繼續愛護與支持。

根據台北市教育局的統計資料顯示，九十學年度台北市國小學童選修客語的只有一千一百七十人，選修閩南語的則有三萬二千五百多人，爲前者的二十八倍，而九十一年的調查顯示差距更爲懸殊，此一現象反映，客家話已被擠出家庭，可能不久的將來將會被擠出台灣。古語說：「人必自侮，而後人侮之」。生長在一個自稱是中原正朔、人才傑出、血統純正的客家子弟，長期以來在台灣由於受到強勢人口與政治的雙重壓力下，其情形有如，在民國七十五年（西元 1986 年）調查時，台灣有四百六十萬講客話的客家人，目前會講客話的客家人大約只有三百萬人的狀態下，而不得不成爲一個隱形的族群。然而自民國七十六年（西元 1987 年）十二月二十八日，在「國語至上」的政策下，客家權益會發動萬名客家人，舉行「還我客家語運動」大遊行，提出全面開放客語及各方言廣電節目、修改廣電法對方言的限制條款、國語與母語教育並重等多項訴求。這也是台灣首次以「語言平等」爲訴求的還我母語以及文化重建的群眾街頭運動以來，在台灣的客家人，除了必須放棄「客而家焉」的在自己的土地上作客的心態外，更須積極的自我認同，以及發揚固有的優良傳統文化爲己任，如此才不會在語言的快速流失下，而有被同化的隱憂。

最近半世紀，台灣深受現代化和全球化浪潮的衝擊影響。在台灣開發的歷史上，除了眾人所熟知的閩籍移民外，客家先民對於這塊土地的貢獻同樣卓著，他們遠從大陸來到這個新天地，盡一切力量與大自然搏鬥，也致力於與其他族群和平相處，共謀彼此最大的利益，因此客家先民所付出的努力不應該被忽視，而有及時彰顯、表揚以及詮釋介紹台灣客家庄的文化，讓台灣人、中國人乃至全世界的人都能認識進而欣賞、尊重客家文化的必要。基於生爲客家子弟的一份子，爲了不讓客家文化斷送在我們這一代，因而從最基本的客家族群分佈、文化、風俗習慣、宗教信仰、語言……等開始，把它分爲十四章（1.何謂客家人；2.源遠流長的客家歷史；3.客家語言、文學與期刊；4.民間信仰；5.歲時節慶；6.客家人的食、衣、住、行；7.客家音樂；8.客家戲劇；9.客家舞蹈；10.客家美術；11.休閒；12.生命禮俗；13.客家生活雜記；14.客家文化的淪喪與振興）等，不過，有些諸如散播在各地的客家先民在台的開拓歷史，或是目前在台的客家人口調查……等方面，均非個人所能獨力完成外，又加上長期以來客家人不受官方的重視，也得不到台灣各個族群的認同或是民間團體的鍾愛下，只能在相當有限以及非常貧乏的資料中，把它點點滴滴的拼湊，做個比較完整而有系統的介紹而已！其中，值得注意的是，在各篇章的前面，均會把它的根源以及它和現今社會各個層面的文化狀態，做一個比較的同時，希望我們的客家文化能夠不斷的吸收他人的長處，改善自身的缺失，並保持與世界先進文明同步，做爲永續發展的基礎外，更要積極的發揚客家人的大無畏以及不屈不撓的大埔（即客家）精神，如此客家人，才會有美好的明天，以及光明的未來。

曾逸昌　謹識

2005年9月9日

客家通論

目 錄

前 言

立足台灣．定根台灣

日本學者關屋牧於一九九一年（民國 80 年）十一月翻譯日本靜岡大學教授高木桂藏所研究的《客家（Hakka）》一書時表示：「如果說身爲客家人而不知道客家的歷史、文化、以及客家人在中國現代化過程中所扮演的角色，和許許多多偉大的客家人的種種光榮、感人的事蹟，豈不是一件十分可悲的事嗎？」他又說：「事實上譯者所認識的眾多客屬友人，尤其是台灣的客家朋友和學生，他們對自己這個族群的過去以至現在的種種，所知極爲有限，甚至少得可憐。當然，這也難怪，因爲台灣無論在日據時代和二次世界大戰以後，無論是學校教育，或者是大眾傳播媒體上，都從來不提有關客家的歷史、文化，和目前各地客家人的動態等等，而坊間也沒有此類專門書刊，實在令人痛心不已。」

客家人過去在台灣社會是隱形人，客家庄是閉塞的，以往不少客家鄉親認爲「叫客家實在太沉重了」。什麼是客家文化？台灣客家庄的入墾歷史及其特殊產業究竟有哪些？我們該到什麼地方去找尋客家先民的遺跡，及其先民們爲子孫所留下的珍貴遺產？文化的本質，是調適、是學習、是分享的過程。面對全球化的衝擊，台灣客家族群應該追求的是以多元文化爲基礎的在地化，方能在調適、學習與分享的過程中，建構客家文化的在地新生命。

根據邱逢甲的「唐山流寓化巢痕，潮惠章泉齒最繁。二百年來藩衍后，寄小草已深根。」《台灣竹枝詞》，以及黃卓權的《生根》：「橫舟強渡黑水溝，立業開基不低頭；從此蟠根誌風土，誓將蓬島埋客愁。」的詩中清楚的描寫了當代台灣移民的族群特質。

來自原鄉唐山的漢族，無分先後，冒險橫渡黑水溝，在一片陌荒的新天地，用「義民精神」，由西而東，自平原到狹丘，一步一腳印的努力開拓、耕耘，而逐漸成爲視這塊台灣爲「財富累積」和「生活安逸」的新主人。

然而，近二、三十年來，這些先民所遺留的許多珍貴文化資產，從有形的建築、文物、田園到無形的母語、文化認同、鄉土情懷等等，由於受到政治、社會因素的影響，客家族群在台灣漸居弱勢，語言、文化傳承，每年估計以百分之五的速度快速流失，令客家知識份子，憂心忡忡，終於在民國七十六年（西元 1987 年）七月解嚴後的同年十月二十五日，有一群台灣客家青年首先發難創辦《客家風雲雜誌》（現改稱爲《客家雜誌》），勇敢地站起來大聲疾呼：尊重客家，搶救客家文化。其後，第二年在民國七十七年（西元 1988 年）十二月二十八日的「還我母語」大遊行，對國民黨政權的「獨尊國語」政策提出了強烈抗議的同時，也委婉的表示對強勢福佬族群文化的所謂「自然同化」壓力的反對抗爭活動中，終於激起了世界各國客家人士的反省和再思考，重新認識客家、重新探討客家及重新開創客家新局面的覺醒浪潮。

客家人是什麼樣的族群？台灣有多少客家人？客家特色是什麼？這些疑問，相信不但是客家人經常自我面對的問題，也是不同族群朋友最好奇的部份。特別是在社會日益開放的情況下，客家人已經不再是本著過去「客而家焉」的心態，一再地充當「隱形人」，並有逐漸重返公共領域，如何增進社會大眾對客家的興趣與瞭解，從而認識客家、喜愛客家，更成爲當今最重要的課題。

吉普賽是一個漂泊不定有如無根萍草的族群，而客家人又有被部份人稱爲是一個時時爲客，處處爲家的走來走去的流浪人。既然我們的祖先爲了逃避過去明、清時代的腐敗統治或是天然災害，以及追求政治自由和經濟獨立的理想，千辛萬苦的來到視台灣爲「財富累積」和「生活安逸」的美麗之島上，凡我客家人更應該發揚客家人大無畏以及不屈不撓的大埔（即客家）精神，不斷的在逆境中能夠本著獨立自主和追求熱愛自由的情感，繼續奮鬥，並擺脫長期以來，台灣的客家人在強勢人口與政治的雙重壓力下，爲了求生存，不得不隱藏自己所出身的族群外，就是碰到自己客家人，也不使用本身族群的語言交談，這種的自卑心態，使之活生生四、五百萬的客家人，在自己的故鄉——台灣，始終未能受到應有的尊重。

客家人，三、四百年來，寄居在別人不要或是沒法征服的貧瘠丘陵和山地之間，克勤克儉的開發與建設，其貢獻決不亞於其他族群。然而客家人雖然如此勤奮，又是台灣的第二大族群，卻未見這個族群有什麼茁壯，尤其是在近三、四十年來，反而有日漸萎縮，逐漸被同化的隱憂。

一、在政治狀態方面：客家人是台灣人民的一份子，在追求台灣全體居民的幸福前途上，在過去似乎有「入山惟恐不深，入林惟恐不密」的恐懼壓迫，如今台灣已是一個民主、法治的社會，客家人應該擺脫恐懼以及台灣社會邊緣人的地位，發揚其不可推卸的責任，發揮我客族積極開拓、堅忍不拔的傳統，來振我客家魂，爭我客家光。

二、在經濟方面：在過去是生活在一個土地不沃的丘陵山坡，從事蕃薯、花生、水果、蔬菜、茶葉……等的農業生產，如今已是進入一個工、商業取勝的時代，應該是一個轉機，並且是一個發揮有所作爲，追求新契機以及邁向安康富裕的大時代的來臨。

三、在社會方面：客家人由於沒有廣大的群眾做後盾，往往視投身政壇爲畏途，或是抱怨政治資源的分配不均，然而在主權在民的時代，應該擺脫自囿於弱勢族群的情結，以及長期的自我封閉，團結客家力量，並本著服務社會的精神與態度，來贏得其他族群的尊敬，使之客族不至於與先住民對比時，被分類爲漢人，與福佬人對比時，被劃出歷史書寫的範圍之外，而與新住民對比時，總是被列爲被打壓的對象。

四、在政府政策方面：在過去廣電法的限制方言播放，以及在學校禁止學生說方言的時代，已成過去，並且於民國八十二年（西元 1993 年）七月間，立法院已經通過廢除該條文的同時，教育部也已同意開放各級學校實施雙語教學。在民國八十九年（西元 2000 年）五月二十日民進黨執政以來，於民國九十年（西元 2001 年）六月十三日，行政院客家委員會正式掛牌運作，在政治上的意義是佔有台灣人口至少百分之十五（四百萬）的客家人，首度被國家體制承認，這也是客家菁英十多年來從事社會運動的一項重大成就。在民國九十二年（西元 2003 年）七月一日，客家電視台已經正式開播，服務客家鄉親的同時，在民國九十二年（西元 2003 年）十二月九日，又通過修正有線廣播電視法第三十七條之一規定：「為保障客家、原住民語言、文化，中央主管機關得視情形，指定系統經營者免費提供固定頻道，播送客家語言、原住民語言之節目。」等，將過去方言限制條款改為母語保障條款的情況下，客家人應該不再是看不見的族群，而其語言，也應該是不再是一個沒有聲音的語言。

五、在流浪、遷徙思想方面：古語說：「人必自侮而後人侮之。」在基本上，為了贏得各族群對客家族群的尊重，首先應該確認台灣是我們流浪的終點站，我們必須放棄「客而家焉」的在自己的土地上作客的精神與態度，與各族群攜手合作，為台灣前途打拚，爭取自身族群應有的權益及尊嚴的同時，在複雜的政治生態下發揮「關鍵少數」的功能，讓各黨各派都能相當重視客家的存在。

總之，現今的客族，爲在這塊土地上活得有尊嚴、有意義，我們除了要有「立足台灣，定根台灣」的堅定決心，以及關心台灣的潮流變化、兩岸關係的發展、以及世界局勢的演變外，更要深切的時時用真心去愛、去包容、去了解這塊土地的同時，積極參與、奉獻，不做台灣歷史創造的缺席者，如此客家人才有未來，才有希望的同時，也是目前保障客家尊嚴的最佳途境。

第一章：何謂客家人

第一節：全球客家顯學的研究

民族學作爲一門的科學，是起源於十九世紀六、七十年代的西歐和美洲各國。這門學問被有系統的介紹到中國，是在二十世紀的二、三十年代開始。在有關引起西方傳教士和人類學者研究的動機方面，根據近代英國的民族學奠基人之一約翰·盧克伯在其《文明的開端》一書中指出：「研究野蠻人的生活，對英國特別重要，因爲它是一個大國，它的殖民地遍佈世界各大洲，它的公民處於一切文明的階段。」①前蘇聯著名的民族學家托卡列夫，也曾明確的指出：「對各民族，尤其是對非歐洲國家的各族人民研究興趣的增長，在一定程度上是由實際需要決定的。最強大的歐洲國家已經變成了殖民主義的強國，統治殖民地需要有關這些居民生活和文化的某些最起碼的知識」、「爲了同非歐洲國家的居民做生意，必須了解他們的習慣、口味和需求。不了解這些，就會造成直接的虧損。」②

在有關客家學的研究方面，自從羅香林教授在 1930 年代提出「客家學」(Hakkaology)的名詞以後，客家學的研究已經受到世人的重視。所謂的「客家學」，簡單的說，它是一門研究客家民系歷史、現狀和未來發展規律的一門學科。在它的研究內涵上，除了須探索其源流、語言、社會、政治、經濟、文化、風俗習慣、民系情感與意識等的發生、發展及其演進過程外，還要從歷史學、社會學、民族學、人類學、文化區域學、歷史人文地理學等眾多學科的角度，並透過田野調查與文獻材料的綜合分析，以及家族譜牒與正史文獻的相互印證等手段，做一個全面性、綜合性的研究、比較、分析的同時，並進而提出它對台灣人民、華夏民族，乃至對整個人類所作出的重大貢獻。至於，在有關研究此學問的困難，在根據族譜方面，在中國，大凡同一姓，都有一個共同的淵源、姓氏和祖先傳說。在有關族譜的功能方面，根據楊文玲文史工作者在《客家》第一七三期中指出其優點有：1.記載著家族的歷史。2.展示了每一個客家後裔的根，及其祖先輾轉遷徙的歷程。3.補充了正史和方誌的不足。4.反映了漢族與少數民族的融合情況。5.記載了許多古代的民情風俗。6.記載許多禮教戒律。7.頌揚大德爲晚輩立楷模等。③不過，事實上族譜除了因戰亂、災患而導致遷徙失譜、世系失記、宗支離散、採用新名……等，難以追根查考外，其情形大致還有：

一、中國平民的家世族譜，直到宋朝，才開始有編集保存今日我們所認識的現代格式的族譜。

二、在中國的傳統史籍中，一向都只注重官場上的政治事件，而忽視了對人民生產、生活等方面的記錄。

三、在私家譜牒文獻中，又大多只重視家族血脈的衍續，以及支系的播遷，而少有其他諸如生產生活情況、生活理念、民間禮俗、宗教祭祀、文化娛樂……等方面的記錄。

四、在譜牒的不實或僞造方面，在無意的過錯中，在重新整理家譜時，往往由於錯認、誤讀，而有諸如：

(1)唐代學者顏師古曾說：「私譜之文，出於閭巷，家自爲說，事非經典。」(2)明末史學家黃宗羲說：「氏族之譜……大抵子孫粗讀書者爲之。掇拾訛傳，不知考究，牴牾正史，徒詒嗤笑。」④的情形發生。在有意的誇大事實方面，它除了出現有「昨日卑細，今日便成士流」的情形外，諸如有：(1)梁武帝蕭衍，曾對譜牒的真實性感到懷疑，而認爲「譜牒訛誤，詐僞多緒，人物雅俗，莫肯留心。是以冒襲良家，即成冠族；妄修邊幅，便爲雅士。」⑤(2)當代史學大師譚其驤先生也指出：「譜牒之不可靠者，官階也，爵秩也，帝皇作之祖，名人作之宗也。」⑥……等，對於一般的譜牒，似乎有冒充門望或對某人的政治事功、學養才德等做出不實記載的傾向與看法。

在有關西方人士，對「客家」研究，具有代表性的著作方面，有美國人羅伯．史密斯的《中國的客家》，肯貝爾的《客家源流與遷移》，拜爾德耳的《客話通易》、《客話淺說》，韓廷敦的《自然淘汰與中華民族性》，英國人愛德爾的《客家人種志略》、《客家歷史綱要》，史祿國的《中國東部和廣東的人種》，以及法國人賴里查斯的《客法詞典》等等。⑦

在中國人本身對「客家」的關注方面，在清代中期有徐旭曾的《豐湖雜記》，其內容大略為：「今日之客家，其先乃宋之中原衣冠舊族」、「家人語言，雖與內地各行省小有不同，而其讀書之音，則甚正，……行經內地，隨處都可相通」、「客家人之風俗，勤儉樸厚，故其人崇禮讓，重廉恥，習勞耐苦，質而有文。」⑧其後，有鎮平（今廣東蕉嶺）人黃釗，在《石窟一徵》中，特闢「方言」二卷，介紹梅州一帶的客家方言。在有關一般中國人對客家人的觀感方面，客家人對東北人而言，似乎是非常的生疏，對廣東、福建、江西、廣西等華南地區的中國人而言，他們往往視從北方流浪而來的客家人為「闖入自己土地的異類」、「侵犯自己既得權益的生人」、「威脅自己生活的外地人」、或是他們心中的「二等國民」。在十九世紀五、六十年代，由於太平天國農民運動的主要發起人和重要幹部，基本上都是客家人，因而引起越來越多人或官方對客家民系關注的同時，廣東西路發生六邑（高要、高明、鶴山、恩平、開平、新寧）的土客大械鬥，並不斷擴大，死傷人數高達數十萬之多，從而進一步的刺激了人們對客家源流的探討。在清·咸豐六年（西元 1856 年）到清·同治六年（西元 1867 年），持續十二年的土客械鬥中，站在當地土著的立場，客家人被視為一種「好鬥」、「刁滑」、「凶狠」、「野蠻」的民族，而有在《新會縣志》和《四會縣志》中，把客家的「客」字加上反犬旁，把它表記為

「狢家」，用來侮辱客家的人格。在清．同治年間所編修的《興國縣志》中，也有許多侮辱客家人的字眼外，一九〇五年，順德人黃節在《廣東鄉土歷史》中，更稱客家人「非粵種，亦非漢族」的把客家族群排除在漢民族共同體之外，來增加土著對客家人的鄙視與仇恨。

相反的，站在以客家爲主體的著作或是有關客家正面的記述方面，在中國方面，有黃遵憲的《己亥雜詩》、《梅水詩傳序》，羅香林的《客家研究導論》、《客家源流考》，王東的《客家學導論》，房學嘉的《客家源流探奧》，謝劍和房學嘉合著的《圍不住的圍龍屋》，蔡策的《客家民俗——談贛南》，謝重光的《客家源流新探》、《海峽兩岸的客家人》，李映川的《梅縣方言的一些詞彙》，何耿豐的《廣東東北部客家方言詞彙點滴》，詹伯慧的《現代漢語方言》……等。在香港、台灣方面，有郭壽華的《客家源流新志》，廖偉光的《客家民系研究》，張奮前的《客家民系之演化》，陳夢林編的《諸羅縣志》，王瑛曾修的《重修鳳山縣志》，鍾壬壽編的《六堆鄉土誌》，陳運棟的《客家人》、《新竹風雲錄》，張祖基等人合著的《客家舊禮俗》，鄧迅之的《客家源流研究》，雨青的《客家人尋根》，鄧榮坤、李勝良合著的《台灣新客家人》，曾慶國的《彰化縣三山國王廟》，劉還月的《台灣的客家人》、《處處爲客處處爲家》、《台灣的客家族群與信仰》、《台灣客家風土誌》，曾喜城的《台灣客家文化研究》，江運貴的《客家與台灣》，黃鼎松的《苗栗的開拓與史蹟》，簡炯仁的《屏東平原的開發與族群關係》，邱彥貴和吳中杰合著的《台灣客家地圖》，黃榮洛的《台灣客家民俗文集》，朱真一的《台灣客家叢書㈠海外客家台灣人的心與情》，施正鋒的《台灣客家族群政治與政策》，黃心穎的《台灣客家戲》，謝一如、徐進堯的《客家三腳採茶戲與客家採茶大戲》，劉慧真的《台北客家人文腳蹤》，吳聲淼編著的《客家傳說故事》，涂春景的《客話正音講義》，羅肇錦的《台灣的客家話》，羅肇錦、彭欽清、鍾榮富、呂嵩雁的《客家語言》，古國順、范文芳的《客家文字》，楊兆禎的《客家諺語拾穗》，馮輝岳的《客家謠諺賞析》，鄧榮坤的《生趣客家話》，李允斐的《客家建築》，鄭榮興的《客家戲劇》，黃恆秋的《客家文學》，楊兆禎、謝俊達的《客家山歌》，李寶珍的《台灣客家山歌》，邱榮舉的《台灣客家研究》，詹益雲的《海陸客語字典》，漢聲的《台灣的客家人專集》……等。在博、碩士論文方面，有羅肇錦的《四縣客語語法研究》，余秀敏的《苗栗客家話音韻研究》，方美琪的《美濃山歌調查研究》，彭素枝的《美濃山歌研究》，邱春美的《客家民間故事》……等。

至於，在日本方面，有伊能嘉矩的《台灣文化志》，片崗巖的《台灣風俗志》，鈴木清一郎的《台灣舊慣習俗信仰》，茂木計一郎等人合著的《中國民居研究——關於客家的方形、環形土樓》，周達生的《客家文化考》，高木桂藏的《客家》、《由客家了解亞洲》，中川學的《華人社會與客家史研究的現代課題》，松本一男的《客家人的力量》……等。⑨

第二節：客家概況

第一項：何謂客家人？

依一九九〇年人口普查比率推算，在中國境內的客家人據估計有四千五百萬人以上，佔漢族人口的百分之四點三八（張衛東《客家文化》一九九一版），而從分佈來看，無論粵、閩、贛、桂、湘、川或台灣各省，客家人都是那個省份的少數。幾千年來，歷史上的客家人，似乎只用「遷徙民族」四字便足以概括。事實上，自南宋以來，客家族群也一直因天災地變、政治不安、糧食短缺或戰亂的關係，不斷向華南移動，入居較遲，在當地不具備自主的特性，而處處爲「客」，常被稱爲社會中的模糊隱形人，或是東方的吉卜賽人，以及東方的猶太人。

長久以來，客家人一直受到耕地、糧食之不足，以及深居山區、交通不便的半隔絕地域條件下，一方面迫使客家人不斷向其他地方發展的同時，缺乏與其他文化交流融合的機會，而一直保有許多傳統的語言、衣冠文物、房舍規制、以及一切習俗。在二十世紀的三〇年代，國內外學術界曾對客家源流、語言、文化等，做了多方面的探討研究，有人從民族學角度，說客家人是南蠻東夷未開化的少數民族；有人說是蚩尤一族的後代；有的外國學者惡意貶稱爲狗人，不屬於漢族；有人從戶籍角度，把南遷到閩粵之地的漢人，托庇於大姓，出現了所謂的給客制度，而把客家人與客籍等同起來。⑩

在有關來自中原的客家人方面，所謂的「中原」之地，根據羅香林的《客家源流考》，指出主要是「黃河流域以南，長江流域以北，淮水流域以西，漢水流域以東等，即所謂中原舊地」外，他又認爲「客家先民東晉以前的居地，實北起并州上黨，西屆司州弘農，東達揚州淮南，中至豫州新蔡、安豐，換言之，即漢水以東，潁水以西，淮水以北，北達黃河以至上黨，皆爲客家先民的居地。」⑪在對所謂「中原」更清楚的說法，廣義的說，應該是指黃河中、下游或整個的黃河流域。狹義的說，應該是指以今日的河南省爲中心，向北包括今日山西省東南一隅，向東包括了今日安徽省和江蘇省北部一小部份地區而言。⑫在有關客家人的自我認定方面，根據清代中葉嘉慶年間廣東和平徐旭曾先生說：「今日之客人，其先乃宋之中原衣冠舊族，忠義之後也。」外，又有人認爲客家先民的主體是中原「官有世胄，譜有世官」的士族後裔之說。在近代方面，在學術上，有人認爲構成客家民族或客家民系的條件，除須考慮血統外，尚須考慮是否具有共同的地域、共同的語言、共同的經濟生活、共同的文化背景、以及共同的社會心理等，以血統爲鈕帶、語言爲標誌、地域爲基礎、文化意識爲根源、族群認同爲關鍵的嚴苛因素的同時，有的學者還認爲，北方漢族人南遷，必須經歷五、六次遷徙到南方定居，取得「客籍」、「客戶」資格的人，才能稱之爲客家人。不過，目前一般具有更廣義和普遍性的說法，應該是把它認爲漢族人南遷，不論幾次，只要確定是中原漢民族，又具備客家人的共同利益，以及其他共同穩定的特徵，包括語言、習俗、感情心態（精神）等，就能稱之爲客家人外，甚至，有人主張在血統、語言和主觀認同等三大認定要素下，諸如有人承認自己有客家血緣，但已被他族同化不會說客家話者；在血統方面混淆不清，客家話大概會聽不會說，但是他或她對客家有主觀上的認同者；或是在選舉時，才承認自己是客家人的政治人物方面，爲了方便以及鼓勵大家對客家人的認同，也應當把他（她）們視爲廣義的客家人之一。至於，在台灣方面，由於長期以來客族備受無理的打壓，而有所謂的「本土客家」和「外來客家」的問題。對於任何企圖把台灣推向冷酷、專制、沒有人權的地區或國家，並且視台灣爲跳板，而根本不認同台灣這塊土地之人，在學理上，應該被視爲另類，而不能被視爲是一種本土化、在地化的客家人。

在有關外國人對客家人的一般認識方面，一位英國傳教士肯貝爾（George Camphell），在客家地區傳教多年，於西元一九一二年在《客家源流與遷移》（Origin and Migration of the Hakkas）中指出：「嶺東之客家，十有八九皆稱其祖先係來自福建汀州府寧化縣石壁村者。按諸事實，每一姓的第一祖先離開寧化而至廣東時，族譜上必登載著他的名字。這種大遷徙運動，自始至終皆在十四世紀時代，於此可見廣東之初來客族，距今已是五、六百年前的事了」。大英百科全書，對客家人的介紹爲：「客家，Hakka。中國一部份漢族人的自稱，聚居在廣東梅縣、興寧、大埔、五華、惠陽等縣。以及四川、廣西、湖南、福建和台灣、海南島部份地區的一百二十餘縣。先世居黃河流域的中原地區。西晉末年（四世紀初）、唐代後期（九世紀末）因戰亂大批南下。十三世紀七十年代南宋滅亡以後又遷至贛、閩粵等地。自稱『客家』或『來人』，以區別於本地人。客家話是漢語廣東方言之一，保留較多古代漢語音韻，山歌習俗傳統，婦女均天足，參加勞動生產。不受世俗陋習的約束，勇於進取，富有勤勞積極性。近代太平天國革命失敗以後，不少客家人被迫分散在更廣闊的地區，有的轉徙台灣、香港或僑居南洋一帶。」⑬外，又根據雨青所編著的《客家人尋根》一書中，所引用大英百科全書對客家人的介紹爲：「客家是一群生活在華南、福建、台灣、廣西和海南的人民，他們的主要分佈中心是廣東省梅縣，而嘉應是他們的中心。早在西元前第三世紀時，他們就依據祖上的傳統居住在揚子江以北的山東以及其他的省份。他們爲了逃避韃靼、蒙古或其他中國侵略者的騷擾，避難到了揚子江的南岸。他們不接受外來的生活約束，因此他們只好憑藉多方面的適應能力，不斷地戰鬥與抗拒。他們是中國的『山地人』，同時他們語言保持著古代中國話的型式。客家人在廣東和廣西兩省常有突出的表現，華南一帶最勇敢、最堅強的政治領袖和軍事將領中，有許多都是客家人。他們是強有力的個人主義者，男人是勇敢的戰士，婦女則是精力充沛的勞動者。」在日本方面，竹越三郎說：「台灣客家人最爲開化，最爲頑強，最富民族意識，是不易統治的民族，他們的團結力尤爲驚人。」在談到有關婦女方面：

一、根據英國人愛德爾(E. J. Eitel)在西元一八七〇年所出版的《中日訪問記錄》（Notes and Queries on China Japan）一書中說：「客家是中國許多民族中最進步的民族，而客家婦女更是中國最優越的婦女典型。」

二、根據美籍傳教士羅伯史密斯（Robert Smith）於西元一九〇五年發表於《美國人雜誌》，有關〈中國的客家〉一文中說：「客家婦女真是我所見到的，比任何婦女都值得讚歎的婦女，在客家的社會裏，一切艱苦的日常工作，幾全由她們來承擔著，看來似乎都是屬於她們的份內責任。原來客家因多居山區，壯年男子大都到南洋一帶謀生去，或到軍政界服務去，留在家中的多是年老或幼小，因而婦女便成了家庭中的主幹。」又說：「客家婦女對她們的丈夫都是非常尊敬和順從的。」、「客家婦女除刻苦勤勞、尊敬丈夫是她們的美德外，聰穎熱情和在文化上的成就也是值得可佩的，因爲勞動的需要，客家婦女有歷史以來就沒有纏足的陋習，她們迷信的程度，也遠不及其她婦女來的深重。」、「客家民族是牛乳上的乳酪，這光輝至少有百分之七十是應歸功於客家婦女的。」

三、根據日本人山口縣造，在《東洋雜誌》上發表〈客家與中國革命〉一文中說：「日本女人向以溫柔順從著稱於世，而客家婦女在這方面，較諸日本婦女亦毫無遜色。可是日本婦女之所以溫柔順從是病態的，因爲她們的生活須靠男子，不得不藉以求憐固寵；而客家婦女則不然，她們的溫柔順從是健康的，因爲她們都能夠獨立生活，她們這樣的美德作法，那純然是出於真摯的愛心，和對丈夫傳統崇敬的養成而來。」⑭

第二項：客家名稱的由來及其一般概況

客籍的原鄉是一個山鄉，自明到清，客民在這個山鄉，一直過著純粹的農耕生活方式。他們不但擅長河谷平原、丘陵地和山地的農耕技能，同時也養成團結互助和知足常樂的生活態度。在華夏民族的漫長發展中，客家人形成一支特殊的「客家文化圈」，除因共同的語言和生活方式所造成的凝聚力外，「耕讀傳家」，注重後代教育，也使客家人具備了一種特有的文化氣質。今將有關客家的一般概況方面，把它大致分爲下列數點，簡介之：

一、在客家名稱的由來方面：

在五胡亂華時，根本沒有「客家」這個名詞，政府把從北方，爲逃避戰亂、災荒或賦役而流離失所的漢人，通通稱爲「流人」、「流民」，而這些流人在思鄉心切下，往往在自己的家門上譜牒上標示著自己故鄉、官封名號或是曾經有過顯赫業績的州郡之名，其情形有如，從東海來的，就寫「東海堂」，南陽來的，就寫「南陽堂」外，李氏除有隴西望、趙郡望外，還有以其他州郡爲郡望的情形；王氏除有太原望外，還有瑯琊望；陳氏除有潁川望外，還有河東陳氏；謝氏除有陳郡望外，還有會稽謝氏；曾氏除有魯國堂外，還有三省堂。以及或是李氏必稱隴西，王氏必稱太原，陳氏必稱潁川，曾氏必稱魯國，謝氏必稱陳郡，鄭氏必稱滎陽，何氏必稱廬江等情形外，⑮又有鍾姓的潁川堂，在對聯常貼「高山流水，舞鶴飛鴻」（高山流水取鍾子期、俞平伯知音的故事）；李姓的隴西堂，在對聯常貼「猶龍世第、旋馬家聲」（猶龍世第爲唐朝皇帝姓李，旋馬家聲爲李文靖公廳室前僅容旋馬）；謝姓的東山堂、寶樹堂，在對聯常貼「東山世第、寶樹家聲」（謝東山、謝寶樹事蹟請看「世說新語」）；鄭姓的「滎陽堂」，在對聯常貼「家傳詩教、聲響蓬萊」（鄭玄傳詩經）；胡姓的安定堂，在對聯常貼「春秋心典、理學宗功」（胡瑗字安定，爲理學大師）；蘇姓的武陵堂，在對聯常貼「三蘇望族、五鳳喬年」（三蘇爲蘇洵父子）；曾姓的三省堂，在對聯常貼「三班判押、兩浙屏藩」（三省取曾子三省吾身，兩浙屏藩爲曾國藩）；戴姓的礁國堂，在對聯常貼「註禮家聲遠、傳爐世澤良」（大戴、小戴註禮記）；蕭姓的河南堂，在對聯常貼「相傳八葉、文著六朝」（八葉爲相傳當初逃難分八支，六朝爲蕭統編昭明文選）；陶姓的潯陽堂，在對聯常貼「百梅望重、五柳名高」（五柳爲陶潛）；呂姓的河東堂，在對聯常貼「岳陽仙客、渭水耆英」

（岳陽仙客爲呂洞賓）；彭姓的隴西堂，在對聯常貼「隴畝養心、年高八百」（年高八百指彭祖）。⑯

在「客」字的出現方面，雖然它出自晉元帝「給客制度」的詔書。但此「客」應該是指廣義的「客」，而不是單純的指今日客家人的「客」。在宋朝遼人、金人的先後入侵，江、淮一帶居民紛紛南遷至廣東、福建一帶時，此時廣東各府州縣，幾乎都是漢畲雜處，當時政府爲了方便管理，開始設置戶籍，把原先居住的畲猺稱之爲「主籍」，從北方遷來的漢人，稱之爲「客籍」，而被推定爲現在客家名稱的起源外，也有人認爲，所謂的客家人應該是「客戶——主戶」這個相對稱的稱呼，久而久之，客戶的名稱就變成客家人名稱的來源的同時，又有人認爲客家先民大多數曾爲「佃客」「佣夫」之故，而得其名。不過，又根據黃榮洛學者在客家雜誌第二十五期，所發表的研究，推測爲：「宋朝廷除了『諡名』『孺人』或女人可帶龍頭手鐲的榮譽賜予客家人之外，在口頭上，或文書上，爲感謝這一群人，常常讚譽這一群人是宋朝廷坐上客，或客卿，這一群人認爲非常光榮，自認是宋朝廷的客卿、客人，以後就自稱他們是『客人』以自負自尊，這一群說原中原語的一族群人，遂成爲客人，滿清入侵後則稱爲客家人」。⑰至於，在「客家」一詞的產生方面，根據羅肇錦的〈客家歷史的解構與重建〉一文中指出，它早在清．嘉慶十三年（西元 1808 年）廣東和平縣人徐旭曾就已經提出，之後學者溫仲和《光緒嘉應州志》（1898）、黃遵憲《梅水詩傳》（1901）、羅香林《客家研究導論》（1933）都受其影響，尤其羅氏以後，客家差不多已成定論，經半個世紀沒有再討論，直到台灣解嚴，中國大陸改革開放，客家問題才再度搬上檯面，引起熱烈討論，對羅氏說法有人懷疑有人反駁，紛紛提出新看法，於是「客家」一詞的界定，已非一家之言了。其情形諸如陳美豪（1989）指出：「客家人」是「夏家人」。由於客家人有強烈的祖先崇拜概念，不忘自己的祖先是「夏」的後代，因此，認爲「客家人」這個稱謂是由「夏家」變來外，還有其他十多種不同的解釋與說法。⑱在台灣方面，根據福建福佬話中的說法，西元一七一七年出版的《諸羅縣志》，僅以一個「客」字來稱呼這些從廣東而來的移民。此後，大部份的台灣地方志都以「客人」、「客子（仔）」或「客民」等冠上「客」的詞彙來稱呼他們。台灣在日治時期，雖然已從中文輸入「客家」這個詞彙，但除官方正式場合、文書不太常使用外，台灣的客家人，也一直以「客人」自稱。直到國民黨政府遷台後，國語成爲主流語言時，爲了和一般做客的「客人」有所區別，「客家」一詞才真正的普遍化。⑲

二、在客家人的分佈方面：

它分佈地域很廣，根據目前最新狀況爲，今日客家人聚居最多的省份是福建、廣東、海南島、台灣。其次是廣西、江西、四川。再其次是湖南、湖北、雲南和貴州等十一個省都有客家人，其中還包括有純客家住縣和非純客家住縣在內。至於，另外，也有基於某些理由不加入民族移動，而留在陝西、河南和山西等華北各省的客家人，但人數並不多。在海外方面，客家人遍佈於亞、非、歐、美、大洋洲等國家與地區，其中主要是分佈於印尼、馬來西亞、新加坡、泰國、越南和菲律賓等國。在大陸的客家人聚集地方面，應該被認定爲贛南、閩西、粵東等三省交會的三角地帶。尤其是嘉應所屬梅縣、興寧、五華、平遠、蕉嶺等五縣，由於人口密集，文物豐盛，一向被視爲客家的中心地區。

三、在人口方面：

這個「雖小猶大」的客家民族，根據西元一九九〇年的戶口普查，佔中國十一億三千三百萬人口的四％。住在中國以外的漢民族中三分之一是客家人外，⑳又根據陳運棟學者的說法是，廣東一、五〇〇萬人、福建四〇〇萬人、江西五〇〇萬人，合計二、四〇〇萬人。佔全國客家總人口四、〇〇〇萬人的百分之六十。而閩、粵、贛三省結合地區的客家人又多屬純客家縣總人口不下一、四〇〇萬人。㉑

四、在生活環境方面：

客家人是屬於「後至移民」，可種之地，可耕之野，已爲土著及先至者所有，故不得不在山區和內河上游盆地尋找出路，篳路藍縷，斬棘披荊，使之一部客家的全程歷史，可以說是一部血淚和辛酸交織而成的山區拓荒史詩。其情形，有如在地理方面，根據《贛州府志．形勝》引歷代文人文辭曰：「贛地最大，山長谷荒。接甌閩百粵之區，介溪谷萬山之阻。江湖樞鍵，嶺表咽喉。」外，又根據明·嘉靖《贛州府志》卷一《地理》中，指出其概況為「地大而俗囂，山寬而田狹。俗囂故以躁；田狹故易以飢。」在氣候方面，根據明·嘉靖《贛州府志》云：「贛據江西上游，所隸十邑，阻山帶川。地勢稍偏，天氣隨之燥濕。寒燠之候，較之中土不倫。每歲正月既望，陰霾日多，晴霽日少。三四月天氣郁蒸，礎石皆潤。暴雨時作。節屆夏至，間有雷震雲簇，雨不移時。雖隔二三里亦異。冬深陰雨，斷而復繼。雲封山嶺，或旬日不解。大凡芒種之前，綿衣袷服，唯視雨陽為節。芒種以後，則日迫於熱矣。」外，又根據二十世紀三十年代，廣東省地方政府曾對粵東北客家人居住區的水旱情形做過調查。其中略曰：「森林荒廢，不足以涵養水源，河床填高，無法以收容水量。故一旦暴雨，則洪水泛濫，一瀉千里，潰決防堤，淹沒田舍，為害甚巨；但數日無雨，則又以山無泉源，河水乾涸，高坡田地輒有旱魃之虞。潮梅水旱之慘為各江冠，而興寧、梅縣、大埔三縣，災情尤重。每年於夏秋之間，連日降雨，發生水災，每年兩三次，而至四五次不等。旱災亦然，小旱每年必一二次，大旱每隔一二年間必發生一次」等。㉒天候不佳，窮鄉僻壤，交通不甚發達的隔絕地理環境的同時，使得社會動盪、改朝換代等重大政治事變，很少被波及，而相對的成為一個獲得立腳、生息與發展之地。

五、在獨特語言方面：

客家話起源於何時？目前尚未有定論，如果起源於五胡亂華，由南遷的中原人保存下來的古語，那麼至少有一千五百年的歷史。如果從唐宋之間有「客家」名稱算起，也有一千多年。根據東南亞研究專家許雲樵教授在「客家話音韻研究」一文中指出，客家話和閩、粵語言無關係，它與中州音韻卻有不少相通的地方。清朝陳芝甫的《切韻考》一書說：「客人語言，證之周德清《中原音韻》無不合。」美國耶魯大學韓廷敦教授在《種族的品性》一書中說，客家人原出北方，他們的方言，實在是一種官話，像（河南）中州的話。在上述的論著中，可以證實，客家人是來自於中原外，又由於長期定居他鄉，吸收了一些諸如當地畲、瑤、黎等少數民族的方言成份，但從整體看來，仍保持客家話的主體性。㉓

六、在民俗事象方面：

民俗事像是一種反映基本的人文精神和價值體系，在客家大本營地區，到了明代中期以後，就有漸趨一致的現象，今將根據明代中期所修的各州縣地方志擇要簡述如下，在贛南方面，根據明．嘉靖《贛州府志》，卷一，風俗條記載，一、在興國縣爲：「剛悍勁險，尙氣喜爭。崇尙家禮，好積古器。民鮮商販，惟務農業。風俗儉約。」二、在寧都縣爲：「（民）果而挾氣，勇而好爭。民善治生，有勤儉風、士知務學，無浮靡習。」在閩西方面，根據明．嘉靖《汀州府志》，卷一，風俗條記載，一、在連城縣爲：「土壤脊磽，人民貧嗇。士知讀書尙禮，俗重登科取名，工務勤勞，女安儉樸。」二、在清流縣爲：「士勵詩書而科甲有，人民務耕種，而言動知俗稍乎信義，心尙惑於鬼神。」在粵東北方面，根據明．嘉靖《惠州府志》，卷五，土俗條記載，一、在河源縣爲：「士習詩書，不下它邑。農勤耕稼，不務商賈。質而不華，直而懼法。故詞訟簡而易治。」二、在龍川縣爲：「民樸無詐，唯務農力田，習技爲商者寡。頗讀書好禮。……病必祭神。」綜觀上述，在客家大本營地區的民性方面，是相當的質直好儉，喜讀書並重鬼神等現象的出現。

七、在文化、教育方面：

在農業社會裡，「讀書耕田，忠臣孝子」對客家人來說，認爲與其做一個文弱書生型的讀書人，倒不如一面耕田，一面努力讀書較爲理想；同時要孝敬父母和老年人，並且不忘愛國的精神。在「日出而作，日入而息，鑿井而飲，耕田而食」的平和生活裏，由於居地的隔閡、生活方式的差異，這些漢族移民憑著人數、經濟和文化的優勢，在和土著民相互吸收、融合中，所逐漸孕育出的三綱五常、忠孝節義、仁義禮智信等文化內涵中，非常重名節而薄功利，重孝悌而薄強權，重文教而薄無知，重信義而薄小人等，做爲爲人處世的道德價值觀。在傳統教育上，在農耕文明背景下的客家人，具有濃厚的「書中自有黃金屋，書中自有顏如玉」等士大夫的觀念。在向外發展上，由於山多田少，除謀生不易外，又不想做「灶下䳘」、「捉泥卵」（務農）等工作，因此在出外謀生，以及學習謀生技能前，首先須知書識字，而促成客家教育的發達。在民俗、宗教上，不論衣食住行、婚喪喜慶、歲時節慶均有一套獨特的習俗。

第三節：客家人的性格、精神與特徵

性格是人格的一個組成部份。所謂的人格，根據魏拓學者指出，它就是「感覺、認知、情緒、價值、信仰及其生化反應諸要素的整合的產物，是個體在社會過程中所形成的內部穩定和持久的動力組織。它著重於內在心力和自我意識。」㉔客家人由於受到傳統的信仰、倫理、語言、習俗等各種社會遺勢所支配，而形成一種特有的移墾社會的特性，其特徵：

一、根據天主教主教法蘭西斯・福特（Francis Ford）闡明，客家人具有「邊境拓荒族群的特徵；樂意互相幫助，克服大自然艱困的環境，愛護家庭而能吃苦耐勞，有嚴格的道德標準。」㉕

二、根據臧澤宣的對客家人的描述為：「如婦女的堅苦耐勞，自重自立，男子的愛潔好淨，儉樸質直，而尤其和現在北方人不同的特性便是客家人非常好動，樂於冒險，只知進取。客家人生性好動，普遍男子，無論貧富貴賤，都在外經營各業，如所營成就，則更以出外為榮；若所營不遂，則以為將為社會所薄，不敢輕易返里，必定想法在外自立；客家人更生性冒險，只知進取，只知出路，至於前途如何完全不管，他們所怕沒有路走，生死時常不計，所以他們常說：『情願在外討飯吃，不願在家掌灶爐』。」

三、根據英國學者愛德爾（E. J. Eitel）在其所著的《客家史綱》中提到：「一般而言，中華民族的特性是保守、守舊的，唯有客家人是例外。他們是革命性的，充滿進取的精神。」、「他們是剛柔相濟的，而在剛毅仁愛的同時，也不受欺負的強悍性格，具有不侮弱小不畏強暴的特性。」、「典型的客家人是勤勞、剛毅、愛國又熱情的。」

四、根據日本歷史學者山口縣造說：「在中國近代史中，客家人幾乎參與了每一次政治動亂……甚至可以說：有客家人的地方，就有中國的革命。」㉖

在上述外國人對客家人的認知方面，似乎不像中國人那麼的平淡沈靜、樂天知命、安於現狀，而是一個好動、勇猛，並且充滿熱情有勁、堅忍不拔和無畏無懼的族群。在有關客家人的精神與行爲、性格方面，有人說客家精神簡單的說就是「忠義精神」和「硬耿精神」。根據：

一、白眉、鄧華東等指出「客家精神」的內涵爲 *1.* 刻苦耐勞，勤奮創業；*2.* 團結奮鬥，不畏強暴；*3.* 崇文尚武，衛國保家；*4.* 解放婦女，渴望自由；*5.* 自立自強，質樸守信；*6.* 崇宗孝祖，溯源尋根。（見《五華鄉情錄》）

二、新加坡吳慶豪認爲「客家精神」應該含蓋下列精神：*1.* 刻苦耐勞；*2.* 剛強弘毅；*3.* 劬勤創業；*4.* 團結奮鬥。（見《世界客屬人物大全》）

三、黃順炘所主編的《客家風情》雜誌說：「『客家精神』即勇於開拓、艱苦創業、勤儉質樸、革命進取、愛

國愛鄉、誠摯團結、敬祖睦宗。」㉗

四、日本高木桂藏教授指出所謂的「客家精神」有1.強烈的團結心；2.進取和尙武的精神；3.維護文化和傳統的自信；4.重視教育；5..對政治的高度趣向；6.女性的勤勉等。㉘

從上述大致可以歸納，客家人所標榜的「硬耿」精神，應當是具有正義感和威武不能屈的堅忍精神，而不是食古不化，冥頑不靈的「硬殼」（硬頸）精神。在客家人所強調的「忠義」精神方面，在民主化的現代國家中，它應當對所生長的土地和人民而言有所盡忠。在有關客家人的行爲與性格方面，根據范揚松指出值得批評反省的傳統，有：

1.現實入世精神，2.家庭倫理觀念，3.重義輕利作風，4.名節面子主義，5.勤儉樸素傳統，6.忠誠正直的態度，7.人際與人情取向，8.保守中庸性格，9.重功名輕實業，等的特質外，㉙讓我們再更進一步的深入分析，其情形大致又有如下的情形：

一、開拓、進取方面：由於客家人長期受到周遭人無理的歧視與壓迫，使之客家人不斷的自覺到必須本著不可畏縮、自卑，並且須經常保持抬頭挺胸、光明正大，以及充滿著戰鬥性的同時，客家地區山多田少，勞動力過剩，不得不本著「一條褲腰帶」闖蕩世界，使之只要有太陽照射的地方，就有客家人的事實。然而，在外冒險奮鬥時，總是過著非常艱苦的生活，因而有「要吃得苦中苦，方爲人上人」、「扭緊眉毛做贏人」、「再苦再難也要忍，不可半路『轉水』，『田雞倒令』（指青蛙跳入水中後，常潛回的習性），而被旁人看衰。」、「窮人自有通天志，船到灘頭水路開」、「人窮志氣高，情願過水不過橋」、「好馬不吃回頭草」、「天無絕人之路」、「沒有過不去的溝」、「東門不開，西門筆殺（即裂縫之意）」……等，艱苦卓絕的奮鬥精神外，還要有任勞、任怨和任謗的態度。其中，在任勞方面，不管是勞心或勞力，做一個中上層的領導人，不但要盡心盡力，而且要有慈有智。在任怨方面，就是要不怕困難，堅忍毅力全力付出，做出無悔的奉獻。在任謗方面，就是要任由人莫名的誹謗、踐踏，還能自在、努力上進等，做爲告誡青年男女努力向外開拓的話語的同時，尤其在面對大自然天災的考驗時，往往會展現出一種永不放棄的堅韌生命力。。

二、刻苦耐勞、務實避虛方面：客家話的「忙」字就是「當無閒」之意。在這萬花筒的社會裡，客家人很少有忙著約會打屁、忙著上網聊天、忙著簽樂透、忙著串門子打麻將、甚至忙著等百貨公司開門或逛街逛夜市……等，沒有目標的「窮忙」。由於客家人的長期隱退山居，不問世事，以致經濟衰退，自然影響到後代人的生活與發展，也養成了勤勞節儉的習慣和忍耐的個性。在「做了，不一定有；沒做，鐵定沒有」的原則下，「在過去孔雀東南飛，現今連麻雀也東南飛了。」的離鄉奮鬥過程中，在勤奮方面，根據傳統歌謠，有所謂的「百般武藝，不値鋤頭落地」的務實情形，在兄弟方面，除恪遵「三兄四弟一條心，門前土地變黃金」的古訓外，又有所謂的「早起三朝當一天」與「懶人屎尿多」的俗諺。在婦女方面，一般年輕的客家女性，通常大多均穿著一身黑色的衣服在田裏工作，根據民國《赤溪縣志》，卷一，《輿地》風俗條，記載朱玉鑾的竹枝詞云：「早出勤勞暮始還，任它風日冒雲鬢。過客莫嫌容貌醜，須知妾不尙紅顏」等情形外，客家婦女常因丈夫出外謀生，還要挑起生活的一切重擔，諸如贍養公婆、教育子女、插秧、除草、割稻、砍柴、養雞鴨、挑水、煮飯、洗衣、紡織、縫補衣裳……等，「家頭教尾」、「田頭地尾」、「灶頭鍋尾」、「針頭線尾」等繁重的工作，爲了適應環境以及生存的自食需要，因而首先獲得了「束胸」、「纏足」的解放。至於，對於小孩的教育方面，也可從童謠見其一斑：「一歲嬌、二歲嬌、三歲撿柴爹娘燒、四歲學織麻、五歲學紡紗、六歲學做花、七歲做出牡丹花……。」等，不投機取巧，講究實際，不尙幻想的積極走向現實入世精神外，在早期台灣鐵路的建設，由於鐵路沿線的工作需要付出大量勞力，而且在社會地位較低的考量下，一般人多半不會以此作爲謀生工具。但是對客家人來說，只要能改善生活環境困頓的現況，爲了家計、爲了糊口，即使是成爲這樣一個出賣勞力的藍領階級，客家人還是願意竭盡心力，完成本份內的工作。

三、個性剛強、弘毅方面：硬耿性格幾乎成了客家人的招牌。硬耿精神是一種擇善固執的表現，而這種堅強的意志力，它除了來自於困苦環境的磨練，爲了求生存必須堅持到底外，另一方面就和客家人重視讀書的氣節有關，只要認爲是正確的事情，就會產生強烈主觀，不輕易妥協、放棄的情緒或性格的表現，因此經常可以聽到開口前先表白自己的心跡而說：「我是直腸直肚的」、「君子坦蕩蕩，有話當面講」、「要打當面鼓，莫敲背後鑼」以及「我的脾氣是剛硬的，有什麼就說什麼」等，毫不隱瞞自己的心跡與觀點。然而，由於過於坦率，性格「硬耿」，而時常發生反目成仇的缺點，因而常常會聽到「好心著雷打」、「好心當作驢肝肺」……等的抱怨之語外，「有人的地方，就有是非」，一般客家人通常還具有不說是事、不傳是非、以及消融是非的特質。

四、質樸無華、節儉方面：由於客家人大多居住於交通不便之處，而且沒有很好的土地資源，常常物資短缺，經濟上較爲困苦，對於金錢的使用，尤其是對柴、米、油、鹽、醬、醋、茶、以及衣著方面，也較爲節省，而自然養成一種忍耐粗食，忘了飢餓的節儉遺傳習性，其情形有如，在客家人當中，常有「一粒一米，當思來處不易，半絲半縷，恆念物力維艱。」的老掉牙的一席話的同時，又根據魏汀瀛的《贛州府志》，卷二十，《輿地志》風俗記載「齊民不求華，服不求侈，飲食不求異，器用不求奇」外，又有如一把破敗的扇子也捨不得丟棄，而自我安慰說：「爛扇多風」的情形。其中，就以客家人自己來比，住在土地貧瘠、地形崎嶇、水源得來不易的山區客家人，往往是比平地客家人來得更爲節儉現象。

五、我群意識以及好客方面：爲克服自然環境以及人爲因素的不利影響，不得不力謀團結，合群奮鬥，眾族而居，來共抗外侮的同時，而自然形成一種互相提攜的我群意識，其情形，有如孫文喜歡常說的「甘苦來時要共嘗」外，又根據羅香林所撰的《客家研究導讀》謂：「客人尙自重、喜自尊，無論走到那裏，都不肯捨棄固有的語言和習慣……，往往足跡所至，即有其特別村舍，一切習俗，不肯與外人同化。昔時甚且不肯與外族或外系通婚，不肯學外族外系的語言，這確是一種特殊現象。」在台灣方面，由於早期客家人移民來台，是屬於少數族群，爲了生存，彼此之間就必須相當互助外，在部隊裏，在過去還沒有推行國語的年代，由於語言溝通不良，常被欺負，因此客家人就相互扶持，團結起來抵抗，使之有客家人很團結的說法不脛而走外，自古以來，「硬耿」精神的因子在客家人的身體裡流動，讓他們在改朝換代的過程中，選擇「忠義」，隨著前朝君主逃亡異地。雖然無法擺脫不斷遷徙的宿命，但是客家人團結、提攜鄉親的美德，讓客家族群不致因此而消失不見的同時，尤其是具有群體利益至上的濃厚客家精神者，往往喜歡在別人面臨困頓時，用真情來關懷，並扮演適當的「貴人」角色，來加以協助的同時，對於被協助者，往往也有「吃人一口，還人一斗」的重情重義的感恩表現。至於，對於好客方面，由於居住在山巒重疊、溝壑縱橫的地理環境中，有客來訪，表示看得起自己，因此全家雀躍，出門迎接。爲款待客人，常有殺雞、殺鴨、買酒割肉宴請客人。當客人要離開時，還送了一程又一程。

六、重視教育、敬重文明方面：自古以來，客家人素以重文風、崇聖賢稱著外，一般客家人都擁有「晴耕雨讀」的耕以爲生，讀以存志的傳統習尙，而教育的重點，大都以飽讀儒學爲主，以考取功名爲最終目標外，絕大多數的人，也希望孩子長大後，能夠當個教師、公務員或在公營事業機構上班。在有關教育方面，據說現在的中國，平均四人有一人不識字，其中百分之七十五是農民。與此相比，泰半是農民的客家的非識字率幾近零，是令人十分驚訝的事實。其情形有如根據法國天主教神父賴里查斯，曾在梅縣傳教二十餘年，於西元一九〇一年著有《客法詞典》，在自序中說：「在嘉應州（今梅州市），這個不到三、四十萬人的地方，我們可以看到隨處都是學校，一個不到三萬人的城中，便有十餘間中學和數十間小學，學生的人數，幾乎超過城內居民的一半。在鄉下每一個村落，儘管那裏只有三、五百人，至多也不過三、五千人，便有一個以上的學校。因爲客家人每一個村落都有祠堂，那就是他們祭祀祖先的所在，而那個祠堂也就是學校。全境六、七百個村落，都有祠堂，也就有六、七百個學校，這真是一駭人聽聞的事實，按人口比例來說，不但全國沒有一個地方可以和它相比較，就是較之歐美各國也毫無遜色。」外，又根據清．《嘉應州志》記載：「士喜讀書，多舌耕，雖窮困至老，不肯輟止，近年應童子試者萬餘人。」自廢科舉後，梅縣又以倡設新學最多而爲世矚目，在國民黨政府執政期間，僅梅縣一縣，約三十萬的人口中，於民國二十八年（西元一九三九年）時，就有各類中等學校三十所，其中省立四所，縣立七所，聯立一所，私立十八所，學生達一萬一千九百五十八人；小學則有中心國民學校五十三所，國民學校四百四十所，縣立小學一所，私立小學一百五十三所，共計六百四十七所，學生五萬九千三百六十四人。㉚

除了上述史實外，在艱困環境中，爲了求得一技之長，以利謀生，不得不讀書識字，因而文風鼎盛，其情形又有如：「萬般皆下品，唯有讀書高」、「有子不讀書、不如養大豬」、「不讀詩書，有目（眼）無珠」、「不讀書不成器」……等諺語在不斷的告誡子女，甚至在童謠中，還有「蟾蜍婆，蟾蜍婆，羅咯羅，唔（不）讀書，無老婆」的情形，在鼓勵子女勤讀書的同時，也普遍的相當尊重教師。至於，在敬重文明方面，對於與文明有關的神祉，如文昌帝君、制字先師、魁星夫子、韓文公、孔夫子、朱熹夫子……等的敬重，也極爲虔誠。

在上述的優良品格中，也相對的產生了限制自我發展的另一面，其情形諸如有，重鬼神、信天命、心胸狹窄、剛愎自用以及保守、安命等弱點。

一、重鬼神、信天命方面：有人稱西方基督文化是「天學」，印度佛教文化是「鬼學」，偏向消極出世；中國傳統文化是「人學」，屬於積極入世的文化。客家老人認爲，神無處不在，無時不有；祖宗有靈，祂會隨時回家監察子孫的言行外，在多神信仰下，還到處可看到神龕廟宇。在聽天命方面，在舊時代交通極其不便，形成與外界隔絕狀態，又加上自然災害接連不斷，容易依賴天命，聽任自然主宰。他們常說：「命中只有八合米，走遍天下不滿升」、「閻王注定三更死，決不留人到五更」、「富貴輪流轉，明天到我家」……等，充滿著崇信天命，重視鬼神之說的心理依賴，也重視巫術中的吉凶禍福。這種隨著主觀的感情與興趣，而產生時而奮鬥進取，時而樂天安命的現象。

二、心胸狹窄、剛愎自用方面：由於客家人有好強、好勝、好面子的習氣，除具有勁毅而狷介、悍勁伉健獷訐外，又帶來「輕生尚武」好鬥、好意氣用事及尚空談的性格。在待人接物上，除了不易協調，缺少變通，不善於周旋外，又自然產生一種孤傲清高、剛愎自用，而無涵養深厚、深謀遠慮的現象的同時，所展現的心胸，也過於狹窄，常因一點小事爭得面紅耳赤。

三、在保守、安命方面：由於顛沛流離之故，並居住在丘陵地自取自足，或是生活在封閉的村莊內，尤其是老一輩的人幾乎就在同一個地方終老一生，沒有機會見識外面的世界，導致性格上較為保守，眼光不夠開濶的同時，也不太願意出外經商貿易與人爭長論短，或是冒險做較大的投資，所養成一種流浪意識危機與社會分工簡單、生產過程周而復始的傳統小農的保守與排外的「重農抑商」的農民性格外，諸如在婚嫁上，自古以來，就有「擇來擇去擇到爛瓠勺」、「好女不外嫁」、「客家人娶客家人」的排外習俗的同時，也非常的安命保守，而有「嫁雞隨雞、嫁狗隨狗」、「嫁狐狸滿山走，嫁乞食扛布袋斗」……等，安於天命以及現狀的話語。在做人方面，有執著太多權、利、名、勢、位的「擁有」，而有上台容易下台難的傾向。在歌曲方面，山歌曲調也一成不變。在飲食方面，也沒有隨著時代的改變，來加強衛生的改善，而有「不乾不淨，吃了也沒病」的觀念甚重外，對於早婚、多育、重男輕女的傳統觀念，仍然頑固的表現著，因而有「早生貴子」、「多子多福」「有子萬事足」、「六十無孫、老樹無根」的諺語出現，造成了客家人要打破封閉心態，轉向開放與包容；打破守舊觀念，轉向創新與改革；打破依賴意識，轉向自主自決；打破功名思想，轉向事業競爭；打破一元模式，轉向多元思考……等，走向現代化的嚴重障礙。

在上述談了許多有關客家人的性格與特徵的優劣點外，又根據小說家吳錦發先生曾細心觀察到「客家人的兩面性格」，譬如「既保守又激進」、「既含蓄又開放」、「既寬容又固執」、「既自卑又自大」……等現象外，又有人說客家人還具有浪漫、熱情、理想主義及悲劇精神的可愛性格。㉛事實上隨著現今台灣社會逐漸民主化、本土化的興起，以及在目前工商業發達的狀態下，過去客家人的基本精神也變異不少，諸如根源意識、族群意識的日漸淡薄，刻苦耐勞、實幹精神的變弱，以及個人主義與商業意識的抬頭，使之現今客家文化產生巨大的變化。在介紹客家文化之前，首先簡單的介紹一下什麼叫做文化？文化對一般人而言，只是一個耳熟能詳而且很流行的專有名詞而已！

很少人有機會能夠深入了解其內涵，因此在此用比較大的篇幅來加以介紹，希望客家朋友借此能有更深一層的認識與了解。

第一項　文化的定義

壹、何謂文化？

人一生下來，就必須接受文化的薰陶與洗禮。因此人的一言一行，可以說是無不表達一種文化的同時也無不受到文化的制約。那麼什麼叫做「文化」呢？簡言之，它是人類生活的表徵與文明的累積。但深言之，文化涵義甚廣，包括文化的內容、文化的功能、文化的承傳、文化的差異或文化的普遍性而言，它反而難以界說清楚，其情形有如羅威勒（A. Lawrence Lowell）說：「在這個世界上，沒有別的東西比文化更難捉摸。我們不能分析它，因為它的成份無窮無盡；我們不能敘述它，因為它沒有固定形狀。我們想用字來範圍它的意義，這正像要把空氣抓在手裡似的：當著我們尋找文化時，它除了不在我們手裡以外，它無所不在」㉜之外，又如美國人類學家克魯伯（A.L. Krober）和克魯克罕（C. Kluck Huhn）。在其所合著的《文化：概念和定義的評論》中說，自一八七一年至一九五一年間，有關文化的定義多達一百六十四種，仍然處於眾說紛紜的狀態下，其主要原因是「文化」這個觀念用以代表、述說、指涉不同層次的抽象概念之故。因此，至今還沒有一個令人全然滿意的定義。

一、文化的定義，及其範疇

文化一詞中的「文」，在《說文解字》中說：「文，錯畫也，象交紋。」它在《周易集解》引虞翻曰：「乾坤相親，故成天地之文，物相雜故日『文』也。」司馬光在《答孔文仲司戶書》中說：「古之所謂文者，乃詩書禮樂之文，升降進退之容，絃歌雅頌之聲。」「文」動詞，唸成「ㄨㄣˋ」。「文者遮蓋，修飾之意也。」也就是說，把原有的加以潤飾、加以美化、真化。「化」就是轉化、亨通之意。周易賁卦象辭有云：「觀乎天文，以察時變；觀乎人文，以化成天下。」又云：「賁亨，柔來而文剛，故亨。分剛上而文柔。」通過文質相濟的方法，轉化自然世界，創造出合乎人性需求之宜人世界的亨通現象。這個「人文化成」的整個動態過程就叫做「文化」。文化一詞在辭源之解釋爲「文治教化」，或說「國家及民族文明進步曰文化。」劉向對文化的看法，在他的說苑指武篇中說：「聖人之治天下也，先文德而後武力。凡武之興，爲不服也，文化不改，然後加誅。夫下愚不移，純德之所不能化，而後武力加焉。」又根據晉人束晳的《補亡詩》中有：「文化內輯，武力外悠。」以及南齊王融三月三日的《曲水詩序》中，對文化有：「設神理以景俗，敷文化以柔遠」的說法。另一個比「文化」還要早的「文明」一詞。它出現於《尚書．舜典》中，有「睿哲文明，溫恭永塞。」的記載，以及在《易．大有．彖傳》中，有「其德剛健而文明」的記載外，在周易乾文中，又有「見龍在田，天下文明」的記載。有關「文明」的解釋方面，它在辭源之解釋爲「文理光明」，又云：「今謂文化已開者曰文明。」王弼在文明的看法方面，說：「止物不以威武，而以文明，人之文也。」在吳澂注中又有：「文明者，文采著明，在人，五典之敘，五禮之秩，粲然有文，而安其所止，故曰人文。」以上我國對於「文化」與「文明」之關係的解釋，仍然相當模糊不清。同樣的文化（Culture）和文明（Civilization）在西方的文字中也是非常的混亂，有時彼此可相互解釋，交替使用。然而有時卻被認爲在意義上有極大的差異。文化這個名詞在西方方面，無論在英文、法文或德文裡，出現比文明較晚。「文化」一詞，在拉丁文（Cultura）中，其原義帶有神明祭拜、土地耕耘，動植物的栽培，以及精神的修養等涵養。德文的文化（Kultur）和英文的文化（Culture），在字源上，可說是都由拉丁文轉化而來。它最早出現在德文字典中，大約是在西元一七九三年，出現在牛津大字典上，是在西元一九三三年。大英百科全書，對「文化」一辭解釋爲：「人類社會由野蠻至於文明，其努力所得之成績，表現於各方面的，如科學、藝術、宗教、道德、法律、學術、思想、風俗習慣、器用、制度等，其綜合體，則謂之文化。」然而文化一詞的廣泛應用與推廣方面，是美國在民族大溶爐的背景下，於一九三〇年代中期，研究境內印第安人和其他少數種族文化上的差異，以期建立全國各種族共同生活方式的齊一意識外，又爲了在國際上扮演重要的角色，有了解其他社會或民族生活方式的必要，而專注此「文化」方面的研究與探討。

文化所含蓋的範圍，隨著時代的進步與發展，而在不斷的擴大之中，因此人人對於「文化」方面，均會有不同的看法，其情形有如，諸如「文化是靠學習而來」的見解方面，根據洛維（Lowie）說：「我們所了解的文化，是一個人從他的社會所獲得的事物之總和，這些事物包括信仰、風俗、藝術形式、食物習慣、和手工業。這些事物並非由他自由的創造活動而來，而係由過去正式或非正式的教育所傳遞下來的。」㉝又根據陳奇祿學者，在「民族與文化」中，認爲，「人類和動物最易見的分別是人類會說話，人類有語言。語言不是與生俱來，而是要經學習的，而且每個族群有其固定特有的語言。有了語言，上一代的人能將他們所獲得的經驗告訴下一代，一代又一代的經驗積聚，便形成了這個族群的固定特有的生活方式，即所謂文化。文化除了語言外，人類每個族群都有一套應付自然環境的固定方式。爲了避風遮雨，有居處；爲了禦寒卻熱，有被服；爲了延續生命，有食物。由此衍生，各族群都有其獨特的器用，技藝、舟車……等等，這些大部份都是有形的，人類學者把這些有形的文化稱爲物質文化。」㉞至於在人類生活方式中，還有建立在物質文化上的另一種精神文化。人們在這兩種文化的「取得」方面，是非遺傳，而是靠學習得來。在文化的更進一步的發展上，它是透過教育來做「文化的繁衍」和「文化的創造」，使之靜態的文化能夠轉化成實際生活上的文明表現。至於在其他方面，對於「文化」的定義與看法方面，也因人而異，今例舉一些歷史上的學者、專家對「文化」所下的定義爲：

1. 泰勒氏（E. B. Taylor）：英國人類學家，他於西元一八七一年在「原始文化」（Primitive Culture）中，說：「文化，或文明，……是一個複合的整體（Complex Whole），包括知識、信仰、藝術、道德、法律、風俗和一個人以社會一份子的關係而取得之任何其他的能力與習慣。」泰勒氏又說：「文化使人異於動物」，也就是說只有人類才有文化了。
2. 克羅孔（Clyde Kluckhon）和凱利（Kelly）說：「一切」在歷史的進展中爲生活而創造出的設計（design）；包含外顯的和潛隱的，也包括理性的（rational）、不理性的（irrational）、和非理性的（nonrational）一切；在其特定時間內，爲人類行爲潛在的指針。㉟克羅孔又說：「當我們把一般的文作看作一個敘述的概念時，意即指人類創造所累積起來的寶藏：書籍、繪畫、建築等。除此之外，還有我們適應人事和自然環境的知識、語言、風俗、成套的禮儀、倫理、宗教和道德，都在文化的範圍之內。」㊱
3. 葛慈（Gerrtz）說：文化就社會互動發生的角度看來，是一個意義和象徵的有序體系（Ordered system）。就個人對其世界的界定，情感的情達，判斷的決定等角度而言，在文化的層次有一個信仰、表現性的象徵、以及價值的架構……。就人類對其經驗的解釋和行動的指導角度而言，文化是一種的意義構造……。（Geertz 1957：33-34）葛慈又說：從任何特定個人的眼光而言，「文化」的象徵主要是與生俱來的。當個人出生時，這些象徵已在社群中流通；而當他死後它們還繼續流通，只是經過了一些增、減，以及局部的變更。（Geertz 1966 C：57）㊲

4. 潘倫齊阿（Panunzio）說：「文化是一種創造型模的秩序。文化也是概念系統與效用、組織、技巧、和工具之複合的全體。人類藉著這複合的全體，可以處理物理的、生物的、以及人性的因素，來滿足自己的需要。」㊳

5. 梁啓超在《中國歷史研究法》一書中說：「文化是人類思想的結晶。」又在《中國文化史》上說：「文化者，人類心能所開積出來之有價值的共業也。易言之，凡人類心能所開創，歷代積累起來，有助於正德、利用、厚生之物質的和精神的一切共同的業績，都叫做文化。」㊴

6. 黃文山對文化的看法爲：「文化是人類爲著生存的需求，在交互作用中，根據某種物質環境，由動作、思想和創造產生出來的偉大的叢體或體系」，伸義爲：「文化是人類爲著滿足生存的需要，憑藉語言系統、技術發明、社會組織與習慣，累世承襲創建出來的有價值的『工具實在』（Instrumental Reality）。」㊵

7. 蔣總統介石先生，於民國五十七年，慶祝 國父誕辰紀念大會上致詞中指出：「所謂文化者，並不只是指狹義的文藝、文物、文學等而言，乃是涵蓋了民族的精神、思想、心理、志節，以及政治的制度組織，社會的風氣習尙，與倫理秉彝的道德，乃至人民的生活言行，以及青年的灑掃應對進退鞠躬，皆在文化範疇之內，且莫不受其民族文化的影響。」㊶

8. 嚴靜波學者認爲：「文化是一個民族成長過程中，生活經驗的結晶，歷史生命的累積。」所以文化必須具有兩個條件：一個是「群體性」，不是個體的；一個是「延續性」，有傳統的因素在。文化的群體性，乃是民族道統的承繼與開展。因而文化所代表的意義，就是一個民族的生命，一個民族的精神。民族的文化越璀璨，民族的生命越充實，民族的精神也越飽滿，民族的歷史也越輝煌。宋儒張橫渠（張載）說：「爲天地立心，爲生民主命，爲往聖繼絕學，爲萬世開太平。」這個崇高的理想，實際上也就是文化的使命與價值的所在。㊷

9. 蔡憲昌學者對文化的看法：「文化乃人類群體爲求生存及種族延續，以群體智慧對於外在物質（地理）

環境（如苦地、惡劣氣候或遷徙至新地）或人事環境（如異族戰爭、蠻族壓迫）不斷「挑戰」所作不斷成功的「回應」，累世承襲所創造發明的文（精神）、物（器具）、制度。因此文化需具有生物性、地理性（物質環境）、社會性（群體創造發明）、歷史性（賡續性）而能適應「外部環境及內部要求」的偉大叢體或體系的「工具實在（體）」。㊸

10. 張大君對文化的看法爲：「文化是人類群體性生活的累積，智能的開創，除了人類的災害和戰爭外，舉凡有益人生的共業，如政治、經濟、教育、宗教、倫理、道德、學術思想、藝術、科學等，這些延續性的共業，我們便稱它爲文化。」

11. 梁漱溟在所著的《中國文化要義》中說：「文化，就是吾人生活所依靠之一切。」「如吾人生活，必依靠農工生產。農工如何生產，凡其所有器具及其相關之社會制度等，便都是文化之一大重要部份。又如吾人生活，必依靠於社會之治安，必依靠於社會之有條理、有秩序而後可。那麼，所有產生此治安，此條理秩序，且維持它底，如國家政治、法律制度、宗教信仰、道德習慣、法庭、警察、軍隊等，亦莫不爲文化重要部份。又如吾人生來一無所能，一切都靠後天學習而後能之。於是一切教育設施，遂不可少；而文化之傳播與不斷進步，亦即在此。那當然，若文字圖書、學術學校、及其相關相類之事，更是文化了。俗常以文字、文學、思想、學術、教育、出版等爲文化，乃是狹義底。我今說文化就是吾人生活所依靠之一切，意在指示人們，文化是極其實在的東西。文化之本義，應在經濟、政治、乃至一切無所不包。然則，若音樂戲劇及一切文學藝術，是否亦在吾人生活所依靠之列？答：此誠爲吾人所享受，似不好說爲『所依靠』。然而人生需要，豈徒衣食而止？故流行有『精神食糧』之語。從其條暢涵詠吾人之精神，而培養吾人增益吾人之精力以言之，則說爲一種依靠，亦未爲不可耳。」㊹

12. 蕭新煌學者在台灣民間文化的發展中，對於文化定義如下：文化是一個社會的人群思維活動所創造的集體成果。它的範疇包括：政治與法律、思想、道德、宗教、語言、文學、美術、音樂、舞蹈、建築、戲劇、體育、攝影、雕刻、電視、飲食、風俗、電影……等等。一般談論文化可以有兩層意涵。就廣義而言，文化是人類社會之一切活動的總和，所以民風習俗、科學、法律、宗教、政治、文藝、語言……都是文化的一部份。就狹義的文化觀：文化是文學、藝術、哲學、歷史等這一類的精神活動和累積。㊺

從上述許多的學者、專家對文化的看法中，可以知曉「生活即是文化」，文化可說是人在整個生活過程中的一切紀錄，所有一切精神文明、物質文明的表現，不管是日常生活中具體的製作，生活秩序中的禮儀法則及典章文物等無所不包。然而為了在學理上方便對「文化」方面的認知，把它做概括性的定義為：文化是人類為應付自然、群居和未知環境所創造出一切精神和物質生活價值的總體。文化又有通義和學義之分。所謂的文化，在通義方面，一般人直覺的認為它涵蓋著道德、文章、氣質和情操等方面。它表現在一個人的「文明」象徵方面，則是指一個人的文雅舉止、得體談吐，而且對於文學藝術具有高度的修養而言。學義的文化，是指基本文化而言。它是一個民族或一個地區的居民在適應環境與改善生活的經驗累積，也是民族智慧的結晶，舉凡衣、食、住、行、育、樂、婚喪祭祀儀式、生命禮俗、生計經濟、家庭組織、親屬群體、社會結構（階級、制度）、倫理規範、宗教信仰等一切人類的精神活動，乃至於器物文明的發展都屬於文化的範疇，而由這方面所產生的一切活動都可說是文化活動。

二、文化的特質

在上述文化的定義中，大概的了解到什麼叫做文化之後，對於文化的本質，即在文化上，所擁有的特徵方面，也加以分析介紹如下：

1. 文化在空間上的周遍性——任何一個原始部落或文明先進國家，都有他們的文化，而在這些文化中，只有高、低級之別，而無「有」或「無」的問題存在。因此在文化上，它是涵蓋著整個族群的完整體系，而非在空間上的孤立狀態。

2. 文化在時間上的延續性——文化是由全體或大多數人所形成的一種有機性的生活方式，它不因個人生命的存亡而中斷，也不因政體的改變而徹底的摧毀，它是在不斷的吸收和改善中，世世相傳，延綿不息。
3. 文化的累積性——文化是人類交往、社會互動的結果，它不是一天造成的，而是在長遠的時間中，從一斧一鑿、一器一皿的發明到複雜有系統的知識、信仰、藝術、道德、法律、風俗習慣之點點滴滴累積前人的智慧結晶，並加以擴大或修正所形成的。
4. 文化的演化性——任何一個民族很少在數百年而保持不變的文化，尤其是交通越發達，與外界接觸越頻繁的地區，其在文化上，不但接受外來事物或文化的影響而逐漸改變的同時，也不斷的把自身的文化向外界傳播，因此要保存一個雞犬相聞，而老死不相往來的文化孤立狀態，在現今交通便利的世界裡實在不容易。
5. 文化的功能性——文化具有萬古常新，放諸四海皆準的特性，它往往被用來當成維持社會秩序的憑藉之一，也就是任何一種的文化，一旦被形成集體的共識後，它具有強烈排他性，以防止陌生文化入侵之特質的同時，對內具有維護固有倫理、道德、民情風俗等價值與行爲規範上的方便性與實用性，使之在文化中，有部份衝突和失調之處，能在文化功能性的約束下，求得大致的和諧與統一。

三、文化的分類

在談到文化的分類之前，首先須了解的是，一般人認為文化有精神文化（文明）和物質文化（文明）兩種。在物質的方面，它通常包括有種種自然界或現代人工所製造的東西而言。而精神的方面，它往往包括一個民族的聰明才智、感情和理想而言。這種文化表面上看起來好像是相對立的。但實質上，它們兩者是相輔相成，合而為一的。因為精神文明通常是建立在物質的基礎之上，並隨著物質文明的發達與便利，而更使得精神文明又更進一步的提高，來滿足人們精神上的需求。在精神文化（文明）和物質文化（文明）的相互提攜、共同開創、努力服務人群以來，自然會產生出所謂的「鄉土文化」和「精緻文化」了。

什麼叫做鄉土文化？以及它在整個文化體系中扮演著什麼樣的角色呢？一般說來，精緻文化是國家民族文化的花果；鄉土文化則是國家民族文化的根本。從文化發展的最初階段和素質而言，文化大致可區分為兩個層次或類別：一是基層文化或常民文化，它是人類在適應其生活環境過程中，最初創造出來的，最足以表現一個族群或民族的原始特色；另一是高層文化或精緻文化，為根據前者繼續不斷的改進、揀選、增益發展出來的，它不但可表現一個族群或一個民族的生活特色，也可反映一個族群或一個民族的開化程度與生活水準。所謂的「鄉土文化」便是指某一個地區所保有的文化而言，在它的種種活動中，除了能引發懷古幽思之情外，在這種的文化中，往往隱含著濃厚宗教禮俗、倫理孝行、社會道德、行爲規範和生活習慣等傳統文化的特徵。鄉土文化又可分爲狹義和廣義的鄉土文化。前者是指創始於該一地區而爲本地區所特有的文化；後者是指由於跟其他地區的來往，與其他地區文化接觸交流，吸取他種文化的精華與特色，融匯而成本地區文化的一部分而言。一般說來，狹義的鄉土文化大致與前述的基層文化或常民文化相當。雖然這種鄉土文化當中，仍不乏有些已臻相當精緻的程度而爲全族群或全民族所接納，並成爲足以代表該族群或該民族特色的高層文化，不過由於種種客觀因素的限制，它主要仍舊屬於較爲粗劣的基礎層面，就其發展階段言，它往往是一個族群或一個民族主要文化的濫觴；就其精粗程度而言，它是各種主要精緻文化的最早雛形。因此鄉土文化，特別是狹義的鄉土文化，陳以超學者，在《文化傳播叢書》中，指出它有 *1.* 樸拙純實，地域色彩濃厚；*2.* 與常民生活密切結合，實用價值高；*3.* 爲全族群所熟知、認同、親和力強；*4.* 代代沿襲，傳承自然容易等幾項特質。㊻

文化在具有周遍性的特質基礎上，文化的等級或層次並無絕對清楚的劃分界限，但爲學術之研究與探討方便，鄭貞銘學者，在「文化建設與大眾傳播媒介」一文中，以傳播界的角度，把文化分爲下列五種層次：

㈠上層文化：即是指創造者與使用者都受過高等教育的上層或中層人士，主要任職學術圈或專業界。他們重視的文化產品架構，如：形式、內容、方法，外顯的涵意與內隱的象徵等。

㈡中上層文化：泛指專業人員、行政官員、經理人員等受過較好的學院或大學教育。美國的時代週刊、新聞週刊均是以這群大眾為對象而編寫的。

㈢中下層文化：受眾（被接受傳播之人）為基層行業中的中下級人士。較注重使用者導向，不注重創造者，是今日美國主要的品味文化及大眾。

㈣下層文化：主要構成份子是工廠或服務業技術型的工人，或白領階級工人，受過高中或高職教育。他們欣賞的是描寫獨行俠式的英雄人物與主題清楚的動作片。

㈤擬鄉土下層文化：多為從事非技術性的勞動或服務業，喜歡連環漫畫、西部片、冒險故事等。㊼

上述文化概括性的分類，有時會因個人欣賞角度和興趣之不同而超越上述之分類。又由於近二、三十年來，大眾傳播媒體發達，它透過文字、聲光、形象、符號，持續地，普遍地輸入人心，而逐漸形成一種較符合大眾需求的大眾式的題材與文化。因此在文化的分類上，又可分為精緻文化（Refined Culture）、通俗文化（Mediocre Culture）又稱為大眾文化，和粗俗文化（Brutal Culture）又稱為低級文化（Low Culture）等三類。

1. 精緻文化——又稱為高級文化（High Culture）或優秀文化（Superior Culture），它多由俊秀之士所創造，具有深度的精神內涵與理性境界。由於這些內容較為嚴肅而內涵深入豐富，人們須經長期學習體會，才能欣賞領略其中之真性或美感。它所涵蓋的內容，通常包括具有高度藝術價值的音樂、繪畫、雕刻、塑像、攝影、詩詞、小說、散文、戲劇、哲學、思想和各種科學研究等方面。

2. 通俗文化——由於當今工商高速發達的社會，人們生活步調急促忙碌，往往從事於立即性感官上的滿足與追求，或是在情緒上得到相當的共鳴與衝擊，而無暇學習欣賞精緻文化，以及在傳播媒體事業發達後，本著以休閒觀念與消費社會爲主要基礎的輕鬆活潑娛樂性文化推波助瀾下，所逐漸形成或彰顯出來的一種複製及模倣成份很高，而且偏重於宣揚與肯定，但非批判某種道德取向爲其核心的較少嚴肅性與獨創性的文化形態。此通俗性的文化內容，在娛樂方面往往有音樂鬧劇、電視連續劇、連環圖畫、球賽、鴛鴦蝴蝶派的言情小說、偵探打鬥影片、刀光劍影的武俠小說電影、流行歌曲節目……等。在與日常生活習習相關的題材方面，於非物質文化方面，它不僅包括社會結構（初級的家庭制度、兒童教養方式）、社會互動所形成的價值觀念和與未知的信仰體系的同時，也涵蓋了土生的發明、科學、思想和表演藝術等。在物質文化方面，包括了工具和技術、民俗工藝、服飾、建築、以及用於節慶、宗教儀式、民俗醫術的有形器物……等等。

3. 粗俗文化——則可說是直接訴諸感官滿足，缺乏精神內涵與象徵意義等源遠流長的「美」和「知」的傳統性，而暴力犯罪影片、春宮照片、影片、黃色小說、鬥雞、賽馬、拳擊……等均屬於此類型的文化產品。

貳、傳統與社會革新中文化思想的抗拒與變遷

一、何謂傳統及其特質

在一個創新迭現，社會分化迅速而多元的二十世紀「大轉型」社會，「傳統」到底居何地位，人們會怎樣的態度來對待它？要探討此問題，首先需了解什麼叫傳統？它又有哪些的特性？傳統，是大家習用的名詞，爲人人所了解，根據張光濤學者指出，「傳統用意義學的觀點，去分析其涵義，它卻具有保存、組合、吸收、生長和發展的作用。其形成的過程，是與歷史不可分的。因爲人類生活行爲之取捨，是以效力、成敗、美感與快樂作根據，其目的是爲了生活的滿足與幸福。凡是認爲有價値的行爲經驗，經過了選擇、整理與組織，積累下來，逐漸形成法則律令典章制度，進而成爲行爲規範與生活方式。這些全部知識、經驗與成就，總稱之爲傳統。」㊽那麼傳統又具有什麼樣的特性呢？參見葉啓政學者，在「傳統」概念的社會學中，分析如下：

1. 傳統的第一特性——延續性

人是一種具有記憶和組織其經驗之能力的動物。記憶使人能夠把過去經歷的事件和對它的感想保留下來；組織

能力則使人能夠對其經歷的種種刺激加以整理、排比和汰選，而終成為具有體系的認知和系統。集體的認知體系往往經由種種制度化的社會管道來加以強化，而形成從過去傳遞到現在的長期一套特定的文化與行為模式，此即所謂的「傳統」。既然任何的「現在」都必然包含「過去」的成份在內，那麼「過去」要如何在「現在」之中展現，才稱得上是「傳統」。在時間上的界範上，有人認為至少要持續三個世代以上的「過去」，才足以稱之為「傳統」。至於一個世代要多長久，那就端視社會的情況而定了。對於一個變動迅速的社會而言，極可能十年即一世代；對於一個變動緩慢的社會而言，則可能五十年，乃至一百年，兩百年才夠得上稱為一世代。今就以時間持續的標準而言，延續三代以上才足稱傳統，基本上是一種武斷的選擇。但是值得一提的，那就是：若非持續一段相當長久時間（至少幾十年），一個文化體現不足以稱之為傳統則是被肯定的。

2. 傳統的第二特性——集體性

集體性乃意指相對所指涉之群體所佔的比重而言。一般說來，人的行為都可能有一定的模式，通常我們並不用「傳統」兩個字來形容，而僅稱之為習慣或個性。當一種行為、觀念、信仰、價值、或關係形式等被稱為傳統，則必定在社群中，有相當數目的成員所共同持有的意識與行為象徵。究竟有多少的比率，諸如百分之五十，百分之七十，或百分之九十，才夠資格稱之為傳統？這種數量的界定是一個有趣的量化問題。我們很難在人數上尋找出一個比較合理的數字比例來界定某個文化元素是否足夠成爲傳統，但是，傳統必然是有相當數目的成員所共認的文化元素，乃是不爭的事實。

3. 傳統的第三特性——優勢合法性

在某一文化元素未成爲傳統之初，是來自少數或是個人的獨特思想、行動、信仰、價值等的創新，經過社會認同時所產生之競爭、對立與衝突，再由「個性」轉爲「群性」的制度化的社會化過程中，有相當數目之成員接納、持用所形成的優勢合法性。這種的優勢合法性可說是構成「傳統」因素的重要特質。

4. 傳統的第四特性——潛意識性

在社會化過程中，在新成員沒有知悉和學習新的文化元素之前，基本上他們是處於無知覺的無意識狀態，然而具有優勢地位的舊成員，往往使用種種具有社會報酬意義的方式（包含獎賞和懲罰），來增強劣勢地位之新成員學習他們所預期的行爲和意識。使之新成員經常保持高度醒覺的意識，努力去區辨文化元素之性質和使用場合。這種潛化成爲習慣性的認知和行爲模式，我們稱之爲文化元素的潛意識化的同時，它也成爲傳統的一部份。

5. 傳統的第五特性——群屬認同性

在人與人交往中，往往有分享共同的經驗、行爲模式和認知的習慣。當某種文化元素，一旦被形成集體性的共識後，它具有神聖不可侵犯的意義，而任何企圖破壞此被群屬認同而被視爲「傳統」的規範者，必會遭受社會成員的抗拒與指責，而造成個人內心的衝突、焦慮和被迫轉化的代價。因此群屬的認同性可說是構成傳統要素的重要特性之一。

6. 傳統的第六特性——實用方便性

在「適者生存，不適者淘汰」的原理下，一個一再帶來災害，或顯示錯誤的傳統，將不可能持續下去。因此傳統之任何風俗、物質客體、觀念、信仰……等，一再地被接納和延續，乃是有它的實用性和方便性，使之人們往往有樂於維護傳統的習慣。

7. 傳統的第七特性——可塑性

任何社會的傳統都不可能保持歷久不變，否則，社會不可能產生變遷，人類文明也不可能有進展。一個人的活動都是以現在式來進行，其對日常生活的建構也是屬於現在的。當從過去傳遞下來具「傳統」意義的文化元素，加在行動者之身上時，倘若傳統文化模式不再配合，古老的法則不再適用，舊有的標準不合時宜，過去的慾望得不到滿足的情況下，個人會根據過去的經驗，當時之情境條件，和自己的期望，或多或少地重新賦予詮釋，或做部份的改變。由此可知「傳統」在實際社會化過程中，並非一成不變，它仍具有可塑性的特質。㊾

從上述所謂的「傳統」中，它代表著保守生長發展與創新各方面的意義，它是積極的、進步的，而不是錯誤的、落伍的。它又是因爲時間、地區、國家與民族之不同，其經驗之積累成就也因而不同。在下述現代社會革新中，文化思想的抗拒與變遷會有進一步的分析與探討。

二、近代思潮的演變概況

在討論現代化，人類對於任何社會制度的政治、經濟、社會、宗教、知識、心理……等方面的不斷要求改變、抗拒和蛻變下，首先探討人類內在對於文化思想的認知。

所謂人類現象本身即含有意義。在了解文化意義方面是須從人類現象的內部去捉摸它的意義和普遍的原理。因爲文化的存在方式是依據人們的需要、意向、動機、慾望及心理特徵而表現出，並塑造出文化的實體性，諸如生活形態、社交形式、習俗、行爲典範，甚至影響到法律的制定、政府的組成、宗教的信仰、人生的哲理……等。在文化的領域中，要認知一個文化的良窳，對於是非標準、道德準則和文化價値的評估時，必須考慮它的時代性和地域性。因爲所謂的眞理與意義的概念是隨著時空的變換和因不同之地域環境，在解釋上、認同上也有很大的差異。諸如我們有時會遇到一些外國的有宗教、風俗習慣或工藝品而言，在他們方面，他們認爲是標準的代表眞、善、美的產物，但依照我們的初步反應是既醜陋又不眞實的東西。在此情況下，我們應當根據當地的標準去「了解」，而根據我們的經驗去「判斷」它們。在文化的演化過程中，文化可說是，一個不是完全和諧的體系，它的變化可能產生於各制度之間的衝突、壓力或不平衡。今以現代化的社會，文化革新在國際方面爲例，就歷史而言，首先發生在西歐的現代化民族國家的形成（如英、法和北歐國家），其現代化過程，是發展自一個擁有共同文化傳統，而在政治單位上卻爲多元化的社會。雖然在許多方面現代化破壞了這個秩序的若干部份，在另一些方面，它卻因各類的社會、政治運動（如宗教性、知識性的團體或企業組織）跨越了國家或政治的疆域，加強了這個共同文化傳統的同一性。這種新形態的國際體系首先對中歐、東歐、南歐、以及後來中東地區，甚至到了中國比較「傳統」的統治者構成了一項挑戰，迫使他們必須建立一個大多是屬於技術性層面的有限現代化綱領，諸如滿清的洋務運動方面，以使他們能在新的國際架構之下固守舊有的局面。在另一方面，於這類統治者的嘗試以及這些社會之間日增的訊息交流下，產生了一種屬於他們自己的世界體系觀之時，而在其國內中，又發展出一種厭棄維新的保守做法，而逐漸形成一股反對統治者的革命原動力，有如辛亥革命的爆發即爲一例。同樣的，在日本方面，也受到了世界性的潮流影響。江戶幕府有鑑於爲了國家的強大、民族的尊嚴和人民的福祉下，很平和的把政權交給天皇治理，導致明治維新二十年，而使日本一躍成爲世界的經濟和軍事強權。此事實足以令人國人深省矣！

現代化中的社會解體、蛻變和抗拒方面：文化通過觀念而支配著生活，而人們亦從生活中形成觀念而改造文化。因此可說是文化決定觀念，觀念決定意義，意義決定生活方式的一連串垂直關係中，當文化要進行「新陳代謝」時，就正好相反，它必須先由觀念的革新來帶動並指導「意義」

解釋上的改變，依此而促成方法與方式上的調整，推動文化新形象、新模式的完成。在一個現代化和現代化中的社會，都必須面對社會在現代化中，因持續的變化而產生接踵而來的社會問題、各類團體間的分類和衝突、以及抗拒、抵制改變的運動，而包含著對既有生活模式的解體、社會秩序的脫節、以及朝向重塑共同的知識標準、價值觀念、行爲根基、生存維護、生命尊嚴、以及生計依託等的新生活架構。這種的社會變遷情形，諸如在都市化方面，人民不斷的自鄉間移居城市，經常瓦解了農村社區與舊式的都市環境。在工業化方面，機器取代人力生產，瓦解舊有的工作與生產模式，使許多舊日的技藝形同多餘，並減少了許多傳統農業和手工業所特有的傳統安全感。在民主化及生而平等的天賦人權觀下，削弱了舊式權力持有者（如各類顯貴集團、政治人物……）的身份和地位，也降低了他們權威感的重要性。在文化現代化、世俗化方面，疏離了長久以來被公認而既定的價值和傳統，以及它們的持有者和代表者的可靠。在團體與團體或團體與階層之間的利益衝突與調整，增加它們間的相互影響、相互依賴或甚至增加它們之間的衝突裂痕。在家庭方面，因女權運動的興起和青年思想在家庭中民主化、自由化下也動搖了家庭的穩定性。從上述種種社會之解體與重建過程中，每一個社會的文化也隨著文明的演進而不斷的創新和淘汰，當在抵抗外來新方式的入侵時，便有優勝劣敗的文化變動。

三、何謂文化的變遷？

文化的特質是會變的，每一個社會的文化總是連續不斷地對於所面臨之新環境加以調適，同時對於新需要，對於自己的傳統（諸如物質文化、倫理文化和精神文化）加以修正。在調適的過程中，要對於內生的新觀念、外來的刺激、傳統的經驗加以綜合與抉擇。當上述之一種或數種觀念與刺激爲大家接受，並溶入其生活方式中，而成爲一種新的生活方式，這便稱之爲文化變遷。

文化變遷的方式，可分爲兩類。一類爲演化變遷，另一則爲異化變遷。所謂的「演化變遷」，是某一社會之土生發明或外來的新觀念、新文化因素，經由社會的緩慢接受，而採取新舊並行階段、新舊相互整合調適時期或完全取代舊文化因素的過程中，由於它是內在傳統力量所構成的高度自主性演化方式。這種的文化變遷不易引起巨大的社會震憾與變動，其變遷後的歷史傳統精髓核心文化，仍能持續順延，維持自己文化的格調，並且能夠順利的渡過這個轉型期。「異化變遷」是由外來力量，外來文化影響，外來的刺激，或經由該文化中之少數人爲媒介所倡導的外來文化因素爲構成文化變遷的主力。這種採取快速而且斷然的把全部或某些部份的思想價值體系切掉或添入一些嶄新的價值成份之變遷。在變遷後，原有的核心文化受到重創，或不能持續而造成短暫文化失調的困頓現象。經過一段文化整合時期的掙扎、陣痛後，漸趨形成與外來文化類同的新生活方式。這種異化變遷現象，大都是出現在落後發展中國家，因爲他們爲了儘速達成進步或成長目標和他國競爭或維持均勢，而制訂許多計畫，加速現代化，使之該社會長期處於連環不斷的轉型期中。但大體對民族文化總體而言，僅管物質文化、倫理文化和精神文化隨著時代在變，潮流在變，不同的民族有其克服在「變」中種種困難的不同方法。因爲民族文化的適應與保存方面，有它穩定性和永恆性規律的文化保守性。這種的保守性對內能抵抗新奇風氣的起伏，對外能抵抗陌生方式的入侵，使之一個民族的習性、思想方式、集體性格在某種固有環境與歷史之下造成的「本國本位」或「民族本位」的生活習慣，不會因物質生活的驟變、思想學術日進千里、政治制度變化無常而隨之驟變。

第二項　現代化文化建設的基本觀念

「現代化」是一個近代全世界非常流行的口號與追求目標，它不管是在落後國家或是先進國家，也不管是在自由民主世界或是共產世界，到處都可以聽到或在報章、雜誌、標語上看到要工業現代化、農業現代化、生活現代化、觀念現代化，甚至軍事現代化的情形。回顧中國自清代末年以來，中國的有志之士便從事現代化的洋務運動技術改革，維新運動的制度改革，和五四運動的思想改革等工作，不知付出了多少的心血甚至生命，但仍被國際上認爲是落後國家。劉萬航學者，在「文化傳播叢書」中，指出，「即使在台灣，經濟及技術方面有了重大的進步，生產形態亦由農業轉爲工業，其富裕程度已超過大約二十年前的現代化國家，但在生活形態方面，我們仍難啓齒我們是一個現代化的國家。這原因是過去台灣所推行的現代化，以爲是建立幾個比較現代的工業或生產單位，及發展一點科技便可以了，而從沒有改造文化，建立新的行爲準則、道德規範、及典章制度著手。」㊿

要談現代化之前，首先必須了解現代化具有哪些的特徵。有人認爲現代化即是以最科學的方法，去運用所有的人力物力，以改善人類的生活。但是對於現代化的定義，到目前爲止，仍然眾說紛紜，莫衷一是。不僅社會、經濟、政治、歷史、人類學家，各有其說，就是同一學科的專家，也不盡相同。然而絕大多數的人都同意，有如葉啓政學者，在他所著的《理想與現實》一書中，所說的，「現代化」是一種觸及政治形態與態度、經濟體系與行爲、親屬結構、人際關係、生產方式、文化表徵、心理調適、人生觀、價值及理念形態等多層面的社會整體性動態變遷過程。㉛今就以歷史觀點來論現代化朝向某一類型的社會、經濟、政治及文化的演變歷程，做個說明。

1. 社會現代化方面：除有轉離農業，教育普及，居處變化，國民所得增加的普遍而明顯的改變外，在個人的活動和社會的制度結構方面，則走向高度的分殊和專門化而逐漸脫離比較傳統的以家庭、血緣或地緣爲基礎的社會領域。
2. 經濟現代化方面：新生產技術的不斷發展，分工日益細密，市場結構也日益複雜。在企業經營結構方面，由家庭商舖、小型工廠轉變成較集中、較龐大的生產單位而走向托辣斯市場壟斷的形態。

3.政治現代化方面：隨著交通工具和電訊事業的發達，使得世界距離縮小的同時，也使得國與國之間有形和無形疆域的日益擴張。在國內的權力結構方面，除強化了中央、法律、政治等機構的權力外，而真正的權力則逐漸散佈到社會中，具有潛在影響力的廣泛中產階級、企業、團體，而終至於所有成年的公民手中。在這尊重民意或透過民主選舉方式的社會演化過程中，對於過去假藉神意或世襲的統治群體而言，將會受到嚴厲的挑戰而有逐漸式微的傾向。

4.文化現代化方面：以現今宗教、哲學、科學爲基礎的文化下，對於人本、個人及理性逐漸受到凸顯與重視之際，在它的科學態度和自由、民主觀念的現代社會中，除對進步、改良、幸福加以熱切的期待追求與努力實踐外，視傳統只是例證，而非絕對權威的同時，強調個別性的道德價值、個人能力與情感的自然表現。

5.生活現代化方面：在社會結構變遷迅速、群體關係日益複雜的時代，人人終日忙於枯燥、單調、緊張的工作、以及金錢的追求。人們的社會地位，在行行出狀元的社會中，已經拋棄了傳統的士大夫品味，而逐漸以才幹、專技及職業性質或重要性來衡量一個人的社會地位。在人際關係上，人人天天生活在

「天涯若比鄰」以及「比鄰若天涯」的狀態中，而人與人的交往也由過去的黏稠性情感交流轉爲利益互惠稀淡關係之聯繫。在傳播事業發達，無孔不入的深入人們生活的每一層面之中，人人不斷的接受訊息，也不斷的發出訊息，而做睿智的選擇、適度的調節或加以主宰控制。在現代社會中，個人的社會流動機會相當大，諸如在交通方面，因交通事業的發達，人人可在遠處上班，形成「現代的遊牧民族」。在職業的選擇機會上不但增多，而且在「此處不留人，自有留人處」的職業變換上也相當的頻繁。

從上述這些種種特徵中，可以了解到，要達到現代化的國家，必須先從新、舊觀念的差異中加以改進，今列舉現有的現象如下：

(1)現代化生活所要求的是在法律之前人人平等，不能因某人的身份高低、性別不同、關係不一樣，或其他因素如黨派、種族、宗教信仰等，而使法律與規則的執行受到影響。然而現實社會，大多數人都很迷信人事關係、個人影響、感情因素及社會地位等，常喜法外施恩，託人關說，總覺得自己比別人有辦法，可以享受法則之外的特殊待遇與寬容。

(2)現代生活所要求的是公私利益分明、貢獻與報酬相當、權利與義務對等。然而現實社會則公私不分，人人只問報酬，不問貢獻，只享權利，不盡義務，千方百計奪取份外之財。

(3)現代生活所要求的是服從團體，講求合作，互相配合，不但重視個人價值、個人尊嚴的同時，也重視別人的價值、別人的尊嚴。然而現實社會則各自爲政、互不相讓、互相傾軋，似乎缺乏設身處地尊重他人的胸襟，能夠站在別人的立場，去了解他人的情況，他人的感受，他人的情緒和他人的行爲。

(4)現代生活講求公平理性、冒險進取、追求成就和重視溝通參與的意願；然而現實社會則強調獨善其身，走門路，投機取巧、詐騙豪奪，享受他人成就外，缺乏主動與別人溝通的意願與嘗試。

在上述現代化過程新、舊觀念的比較、分析中，要徹底完成現代化之思想與觀念的改造，是一項非常艱巨的工作。我們在前面也談了許多有關現代化的種種特徵與社會現象，但是仍然沒有能夠解釋出什麼叫做「現代化」？所謂的「現代化」，它應該不僅僅是意味著單純的「新穎」、「新潮」、「工業化」、「西化」……等，而是一種屬於「理性化」、「創新化」、「效率化」和「人道化」的產物。今就以現代化被用在文化建設方面所應把握的原則有：

在「理性化」方面，就是對任何事物均須抱著務實的態度去維護、發揚合乎時代需要的優良傳統文化，並去除諸如不合時宜的如「娶細姨」、「留長辮」、「裹小腳」、「父母在、不遠遊」之古老文化觀念。在「創新性」方面，就是要吸收世界之菁華，加以溶入我國固有文化，努力去創造新的文化。在「效率化」方面，對於文化活動的實施對象要普遍化、規劃地方文物內容要具特色化、文化展示設施要動態化、文化機構的管理要專業化等。至於「人道化」方面，就是以「人」的立場，本著尊重個人尊嚴和人格的角度去詮釋和欣賞古代的文物，才會產生歷史的意義和教育的價值。

第三項　文化建設的意義

文化建設是屬於一種長期的教育性工作外，它還具有培植、啓蒙、創新和發揚之意。在近程文化建設方面，須使全民認知文化建設的重要和了解有關我國固有歷史、文化優美特質的同時，鼓勵國人在傳統上去蕪存菁，建立一個合於時代性的生活文化。中程文化建設方面，在於積極推動、發展各項具體之文化軟、硬體建設與活動，使之我國成爲一個高度的文化國家。長程文化建設方面，在於使我國文化及文化建設成果宏揚於世界，進而躋身於世界文化大國，而爲世界文化之主流。在文化建設的實行具體意義上，它可分爲廣義和狹義的文化建設。廣義的文化建設，範圍相當廣泛，它包括了心理建設（在提倡力行實踐，消除畏難苟安的獨立自主思想之建立）、倫理建設（在培養國民愛國家、愛民族的國民道德建設）、社會建設（在於訓練人民重秩序、守紀律、愛團體、講組織的建設）、政治建設（以實現禮運大同篇的政治境界，來保障我國人民永恆的自由、和平與福祉的理想建設）、經濟建設（則是本著均富與安和的現代化經濟思想，來開創人人為我，我為人人的福國利民建設）等。狹義的文化建設，是指舉凡衣、食、住、行、育、樂、婚喪喜慶、宗教信仰、民俗活動……等，均屬於文化建設的範圍，而其中對於美術、音樂、舞蹈、戲劇、文學、雕塑等則為目前文化建設的重心。今就當前文化建設的目標與方針而言，亦是一個相當複雜的課題。

第四項　（當前）文化建設的目標

諺語有云：「當所有東西都歸於灰燼，只有文化不會消失。」在文化建設中的「建設」一詞，與文化本身無關，所謂的建設是指文化的傳播方式以及如何與社會大眾共享。在非集權國家中，文化可以視為個人對自己所處情況提出質疑的激發力量。而文化活動就其本質而言，是屬於個人自由及主觀性的範圍。政府似乎對個人或團體的自由文化選擇所秉持的中立態度，並不表示當局是漠不關心或毫無行動。台灣目前發展到將近成熟的現代化社會，已面臨了種種「文化陣痛」的現象，潛滋暗長的「文化失調」，將使道德基礎受到嚴重的侵蝕。如果我們不加強改善國民的文化品質，屆時將會形成一個「經濟大國，文化侏儒」的社會景象。政府除了在文化建設規劃中，所考慮的是人類未來需求與期許，以經濟成長與社會，文化進步的關係，及私人消費和公眾消費之間的關係外，政府在全國性、地區性或地方性的輔導方面，根據法律地位、重要程度、花費大小及輔導政策上，做個合理的選擇，而其所牽涉的範圍也是相當的廣泛，諸如：財政方面（人事費用的基本開銷和支助主辦單位的活動費用預算）；司法方面（自然保護法、古物古蹟維護保存法、著作權和版權之保障情形、均須考慮）；組織方面（部會間之關係，上下屬文化機關的職掌與權限、以及各文化機關與民間團體的連繫與協調工作）；設備及機構方面（博物館、美術館、劇院、文化中心，甚至中央研究院）。依據上述錯綜複雜的關係中，一個政策可以在各個不同單位分別做計劃，並且依其機構的功能，來完成有其保存、教育、創作和傳播之特殊任務。除了政府在文化工作倡導和贊助推行外，政府和民間共同參與文化推行工作的目標和注意事項有三，一是減低社會階層人士藝術溝通的經濟及心理障礙，儘可能的致力於大量的藝術作品的傳播與交流。二是消除訊息的缺乏，所造成國民參與藝文活動的阻礙；在積極的方面，透過大眾傳播媒體把娛樂、藝術和休閒活動傳播給大眾，使之更多的群眾能適時的參與藝術活動。三是呼籲國民轉化知識在文化中，使之有知識之人能將其豐富的知識，發揮在文化氣質中。

當前文化發展，政府與民間共同追求的文化理想具體目標可分為三個項目：

一、文化活動方面

文化活動的四個主要功能是將文學、藝術和紀念性遺產的保存、訓練（教育）、創作和傳播等，經由理念思想及作品的溝通來提昇社會的生活素質。此活動的四個次指標為，工作與休閒、知識性文化活動、表演藝術文化活動和國民觀光旅遊等。

㈠工作與休閒

工作與休閒不是對立的，所謂的休閒，事實上並非不工作，反而是發抒心靈去從事文化創作和對人生價值更進一步開拓創造性行為的另一段歷程。諸如，正當休閒活動、棋藝（象棋、圍棋）、花藝（插花、種花）、品茶、旅行、郊遊……都要講求藝術化，使之生活的目的以及生命的意義能夠昇華。

㈡知識性的文化活動

文化即是透過學習而獲得之永久的氣質，學習知識就等於學習文化，在知識性的文化領域中，它可分為，以學術機構為中心的專業知識和以一般性大眾傳播、報章、雜誌、圖書等的出版活動為對象。

㈢表演藝術及其他藝術文化活動

諺語有云：「人生有盡，藝術長存」而藝術又是最強有力的文化酵素之一。表演藝術包括四個類別，第一類別，是民俗曲藝，包括傳統或民俗的戲曲、音樂和舞蹈，諸如我國的宋江陣、舞龍、舞獅……等。第二類別為音樂，有國樂、民歌，甚至流行歌曲等。第三類為舞蹈，有戲劇性之舞蹈、土風舞，以及各種的現代舞蹈等。第四類爲戲劇，有歌仔戲、南管、平劇、布袋戲、傀儡戲、皮影戲、客家大戲……等。其他藝術方面，如美術繪畫、陶藝、雕刻、民俗藝術、電影以及電視等方面活動。除了上述有關本國藝術之活動外，吸收他國藝術之精華，亦是台灣藝術邁向國際化的重要課題，諸如在增加中西藝術創作交流的機會上，建立「世界藝術村」，好讓一流的外籍藝術家，能夠長期居住在所謂承傳中國文化爲職志的台灣，吸收其藝術靈氣外，並與本土的藝術創作工作者，相互切磋琢磨，啓開一條光輝燦爛的藝術先河。

㈣觀光活動

在古代，不分中外，觀光是一種稀有的活動，然而現今世界普遍的近程旅遊非常發達外，遠程的觀光活動也已經超越了國界，在異國風光的特殊景觀、歷史建築、人造虛幻景觀（如狄斯耐樂園、用現代科技創造夢想幻境，把自身投入在一個時空錯亂環境中，來感受最大刺激）下，使之國際觀光人士互訪頻繁，增進彼此文化上差異的了解外，對於地方民眾而言，也啓發了維護地方特有文化意識的抬頭。今以台灣之旅遊狀況而言，國人赴外國旅遊及赴大陸探親而「順便」觀光的人數大量激增，對台灣人民擴大文化視野的機會，有其正面的意義。

㈤綠色的饗宴

它應該是屬於一種自然的、健康的、放鬆的、悠閒的、簡單的、以及活化的體驗，它的重點在於使人的感受到大自然之美外，還能在此旅遊中享受到尊重、溫馨、親切與愉快的感受。

二、文化環境方面

在生活藝術中，環境是最古老也是影響人們生活品質最直接、最重要的一個因素。根據漢寶德學者指出：「英國首相邱吉爾說：『人塑造了空間，空間亦塑造了人』，這種人與環境的互相關係，隨著科技文明的進展，人類在改善物質生活的努力中，役使自然，逐漸脫離了原始的以自然爲主體的生活環境，而進入了人爲環境（man-made environment）的時代。」㊾

尤其台灣人口密度高居世界第二位，在有限空間的環境下，造成人們內心和生活實質上的壓迫感甚重，因此在文化環境空間方面須力求環境空間的創造來彌補此種的缺失。談到文化環境的指標方面，它包括有形和無形的文化環境。有形的文化環境包括人文環境，在政府方面所努力的目標，諸如充實圖書館和文化中心的設施，以及各種的藝術展示。在個人的日常生活環境方面，呼籲國人講求整齊、清潔、方便及室內環境的美化。尤其在文明的世界裡，裝飾是一種豐富生活不可缺少的藝術。因爲沒有裝飾，就如同失去笑容的女性，即使生有再美的面容，也無法爲生活帶來歡樂與愉悅。在自然環境方面，政府所該努力的目標，諸如，美化都市景觀和公共空間，平衡城市及鄉村計畫、獎勵特殊建築風格，興建國家公園、闢建生活休閒空間、對大自然的保護（如水土保持，稀有動、植物的保育……）、以及儘量防止空氣污染、水污染及噪音等。在個人日常生活周遭的環境方面，鼓勵居住在都市之人在屋頂上有空中花園，在室內或陽台栽種盆景，在鄉村，家家有花園。在無形文化環境方面，即是指種種文化創作的空間（諸如政府給予作家充分的創作自由空間，以及大力獎勵文化事業、減免電影、出版事業的稅負……）、以及在文化差異、生活理念、藝術欣賞……等方面的足夠認同空間。

三、文化素養方面

文化的水準，是反映於國民在日常生活中表現的行為規範、生活方式與生活態度。舉凡待人接物的態度，衣食住行的模式，對金錢、資源、自然景觀、生命與超自然力量的觀念與態度，以及在藝術、文學、戲劇、宗教、建築、科技等方面的表現，在在都顯示出各個國家文化發展的不同水準。具體的探討文化素養方面，可分為休閒的素養、欣賞的素養、創作（新）的素養、消費的素養、美的素養及人生的素養等。休閒的素養方面，休閒不只是吃、喝、賭，也不只是看電影、電視、聽音響、逛街、擠遊樂區等，積極的休閒乃是具有自我娛樂和再創造的休閒活動，它不但有益於身體的健康，也有益於心理的康樂，它不但對個人有益，它對社會、國家而言，也有它的價值與貢獻。欣賞的素養方面，就是培養國民具有鑑賞藝術的氣質，並點燃國民對各種藝術、文化資產價值欣賞的潛在興趣，諸如如何使傳統戲劇成為可懂、可親的藝術活動，必先消除觀賞者不看傳統戲劇的原因，有如唱法不易了解，聽不懂戲詞，對臉譜代表之意義不了解及看不懂的情形。至於，對於音樂、美術欣賞能力的培養方面也不例外。在古物、古蹟方面，如何透過專業人才的講解，使之觀賞者能夠深入去鑑賞、了解，把握住這些古物、古蹟在那個時代的性格與意義。消費的素養方面，就是讓國民懂得在人生中如何運用時間和花費金錢，諸如希望國人在金錢方面不要恐慌的賺，恐慌的揮霍，就像遭到某種瘟神的詛咒一樣永無盡日。創作的素養方面，由於長久以來，我國普遍缺乏自發性、缺乏內在的要求和在舊傳統觀念的窒礙下，已經逐漸失去創造力的活力，使之我國在民族生活中的文學、音樂、美術、建築在國際創意的舞台上缺席了。因此我們熱切的期待能夠恢復我國固有的創造能力，並逐漸消除淪爲抄襲、仿冒的附庸文化，來建立一個有創意、有自信，有屬於我們創造文化的世界地位。美的素養方面，雖然「美」是一個無法肯定下斷語的抽象名詞，但它卻反映著國家安定與社會繁榮與否的象徵了。對「美」而言，一般把它分爲自然美、社會美和藝術美等三種形態。自然美是指宇宙間日月星空、江湖河海、森林草原、山谷平川、鳥獸蟲魚花木等，生生不息的自然萬物爲對象的美。在它「美」的具體表現中，有名山勝水、奇花異木、珍禽怪獸和美麗的自然風光等。社會美，是指本著當代社會發展之規律，體現人們的理想與願望，並給予人們一種精神愉悅、發揮生命光輝的社會生活現象而言。社會美大致把它分爲社會事物和人的美兩種。在社會事物的美方面，它包括人與人之間關係的美，時代精神與社會理想的美，創造性實踐活動之美……等。這種的「美」往往側重於止於至善的「善」。所謂的「善」是指根據客觀的規律來實踐或推動社會普遍利益，以符合人們需要、目的和利益的思想與行爲而言。在人的美中，它分爲外在美和內在美。外在美，又稱爲儀態（表）美。它是指的容貌、體態、舉止、風度、談吐、表情、神態、服裝、化妝、髮式、佩戴等所構成的美；內在美，是指人的心靈和精神的美，它包括人的思想、感情、理想、智慧、品德、情操、氣質與精神境界等因素。它在「美」的行爲表現方面，往往有，高尙的行爲、文明的行爲、守紀的行爲、正義的行爲、純樸的行爲、友善的行爲、禮讓的行爲、英勇的行爲、坦率的行爲、質直的行爲……等。藝術的美，不單是純粹的把物質材料，例如語言、聲音、動作、色彩、線條、木、石、甚至氣味等，透過審美意識把它表現出來，而是廣泛的把藝術美應用在日常生活中，把一切的生活現象透過藝術化的精神，來加以提煉、取捨，使之社會生活能夠更典型、更理想、更強烈、更普遍的形態把藝術美表現出來。人生的素養方面，素養對現代文明人而言，是極爲重要的。所謂的「素養」，通常泛指一個人的學識、品德、誠正而言，諸如心胸曠達、急公好義、富而好禮是一種素養；己所不欲，勿施於人，行有不得，反求諸己是一種素養；講信修睦、誠懇謙和、篤志向善、淬礪自勉、互尊互諒、互敬互愛也是一種素養；信足以一異，義足以懷遠，公足以服眾，誠足以化怨，更是一種素養。而對於有遠見、有抱負、有擔當，事事總以國家利益、人民福祉爲念者，稱之爲政治家的素養；能容異己、肯納諍言，不以批評爲忤，不以諂媚爲忠，是民主素養；有大義凜然，當仁不讓，勇者不懼等嫉惡如仇的態度，來確保社會正義之長存者，是爲正直之素養；堅守言忠信、行篤敬的理念，來挺立人性的尊嚴與價值，是爲道德素養；能分清是非曲直，捍衛真理，不向暴力低頭，不向權威屈服，有所讓有所不讓，有所爲有所不爲者，是爲理性精神的素養等等。由於人在社會上所扮演的角色之不同，而所被要求的素養需求也不盡相同。但在人生的素養方面，不管在社會上、教育上無不在要求培養國人高尚的人生觀、價值觀、社會觀、世界觀，以求「人性尊嚴」的自我覺醒、自我要求、以及自我行爲的約束，而不任意出賣自己的「人格」爲目標。

第五項　文化建設的使命與任務

當前國家文化建設的任務，在於把「爲天地立心，爲生民立命」的文化中心思想，當作時代的指針，而對於固有傳統文化不斷地探討、批評、發掘自有的精神資產和價值體系外，並透過種種文化軟、硬體的建設和活動，來加強民族意識，重整倫理道德，提振精神生活，增進文化教養，以建設一個以倫理爲中心的生活文化，以民主爲中心的政治文化，和以科學爲中心的經濟文化外，並本著良知良能，宣導、改善兩岸人民生活現況，並期待人人均能生活在自由、民主和均富的環境之中。

以倫理爲中心的民族思想任務：以人本主義爲中心的新倫理道德思想與精神，結合傳統文化與現代需要，發揚推己及人的善良本性，掃除陳腐不合時代需要的舊道德、舊傳統，來開創一個富有和諧互助美德的仁民愛物和孝悌忠信之新倫理道德體系，以貫徹民族自由思想的時代任務。

以民主爲中心的民權思想任務：在以民本爲中心的公天下民主思想和自由精神下，以更明確、積極、主動、開放的作爲，來打破「中國不能沒有皇帝」的思想，以及掃除幾千年來的專制體制、官僚惡習，以期奠定真正自由、民主憲政的法治基礎外，並積極樹立內聖外王的王道文化，以貫徹主權在民的新時代任務。

以科學爲中心的民生思想任務：它除了必須建立在「還財於民」發揮個人天賦才能的基礎之上外，人人必須本著勤儉建國的態度，結合科學精神和科學方法，發展經濟，提高所得，並謀求生活品質的提高，改良不合時宜的生活觀念和方式，以期建設一個富而好禮的大同社會，來貫徹民生安和樂利的大時代任務。

第六項　文化建設的基本原則

一、繼往開來，結合傳統與創新原則

我國的文化精神，乃是在源遠流長，博大精深的傳統中不斷孕育新的生命，在創新中不斷發展傳統的活力。因此在繼往方面，是對優良傳統文化的繼承、弘揚與發展；

開來方面，是對國家發展、社會變遷中現代社會的文化革新、因應、開創與導引，來轉化台灣的經濟奇蹟，爲再創文化奇蹟以完成千秋不朽的自由化、民主化、本土化、國際化的偉大文化事業。

二、大衆參與，結合官方與民間力量原則

文化建設乃國家百年大計，除由官方致力推動外，還有賴於集合群策群力，本著民有、民治、民享的全民參與精神，來結合中央與地方的文化建設，以達成變化國民氣質、改善社會風氣和提昇生活品質之目標。

三、中原文化、西方文化與本土文化兼容並蓄原則

基於台灣獨特的地理環境和歷史處境，在「文化中國化」的終極理念、西方文化的某些優點、以及肯定台灣本土文化的實質優異成就中，對於中原文化、西方文化和本土文化三者，必須本著兼容並蓄和相輔相成的態度與原則，來落實現今「生活即是文化」以及文化發展必須和土地脈動息息相關的自然法則之中。

四、文化建設與教育工作相結合原則

爲期建立國家意識與民族自尊下，創造良好的文化環境，須協調學校教育機構共同致力於建設安定和諧的文化社會。因爲社會性的文化建設是重於理想層次的提昇，而學校教育工作則重於實施效果的講求，兩者是一體之兩面且相輔相成，尤其在推動自由、民主、博愛和和平的偉大進步思潮理念時，更須充實社會教育的設施與內容，力求擴大其影響力與社教功效，把固有的優良歷史文化精髓內化到人心裡面，並把倫理道德變爲日常生活的具體實踐。

中國、西方以及台灣的文化現況

中國人自詡中國爲擁有五千年歷史的文明古國，然而究竟在中國的傳統文化中，其本質到底是什麼？是人情味？乖順聽話？講面子？父母之命、媒妁之言？存天理，滅人欲？或是黨同伐異？夷夏之防？政治掛帥？老死不相往來？中國是屬於一種的大陸文化，在科技上曾經有過如陶瓷器、指南針、紙張、算盤、火藥、印刷術……等的發明。在民間社會上，仍然充滿著卜卦、拆字、看風水、命相、畫符…等情形。中國雖有一八九八年的百日維新，一九一一年的五四運動，但它仍偏重於知識與科技層面的提昇，可是在文化上卻原地踏步。使之，中國近百年來，在政治上過著「朕即天下」的相當封閉、專制的人治思想；在思想文化領域上，儒家思想被定於一尊，並且是「放諸四海而皆準」；在法律方面，也因送紅包、走後門、拉關係，而能產生一定的作用。㊹反之，在西方方面，他們著力於自然科學的研究、理性分析能力的培養，以及客觀務實態度的奠定。在法律觀念方面，強調法治，講究的是「法、理、情」，而不是「情」擺在前面「情、理、法」。在物質文明方面，他們發明了進步的醫藥、電燈、汽車、火車、輪船、飛機、照相機、手錶、電影、電話、收音機、電視、人造纖維、塑膠製品、摩天大樓、高速公路、電子計算機、電腦、人造衛星、超音波、太空船、動植物的品種改良、生物科技的研發……等。而在社會科學方面，有民主、選舉、議會、政黨、人權、自由、自治、人類學、物理學、生物學、心理學、社會主義、共產主義、資本主義……等。

在台灣方面，冒險橫渡「六死三留一回」黑水溝，來到台灣的先民們，由於受到四面環海因素的影響，而長期過著一種屬於具有冒險開創、奮鬥苦幹、隨遇而安、求新求變以及包容多元文化的海洋移民性格外，也充斥著黑金、色情、暴力、環境污染、功利主義、互相基礎薄弱的隱憂的同時，使之英國的經濟學人稱台灣人是貧窮的富翁，也有人說台灣是最富裕的貧民區（The Richest Slum Area），它似乎「窮得只剩下有錢」的一個沒有品味的國家。不管他們對我們現今負面的評價如何？不過，我們須基於「有傳統才有根，有創新才能永續」的原則，以及西方人士常說的：「經濟是一種現實的力量，而文化卻是一種信心的力量（Economics is the Power of Reality, but the Culture is the Power of Trust）。」下，爲了提高我們人民的素質，以及豐富我們的生活與內涵的使命裏，它正無時無刻的正在考驗著我們這一代人正在轉變中的智慧。

客家文化的何去何從？

在現今「去中國化」的時代裏，中國文化和中華文化應當有所區別，所謂的中國文化應該是以共產主義爲中心的大陸文化，而中華文化則是屬於諸如新加坡華人、歐美洲華人、台灣華人，對過去中國古代先賢有如李煜的詞、李白的詩、趙雲的無雙之勇、孔明的神算智計、孔子的微言大義、墨家的兼愛、老莊的無爲……等的博大精深的文化承傳。台灣文化與中華文化有很多交集的地方，但台灣文化並不必然是或等同於中華文化，其原因是台灣四百年來因緣際會的融合、吸收了中華文化、荷蘭文化、日本文化、歐美文化與南島文化等，所匯聚而成的在地性、海洋性以及移民性等多元的新台灣文化。在這中華文化又是台灣文化的一部份當中，有關客家文化的何去何從方面，由於生活在一張琴、一壺茶、以及乘坐牛車爲滿足的時代已成了過去。在延續客家母語、發揚客家文化、促進族群和諧、參與台灣建設、以及共創地球人類新文化的時代任務上，文化的本質，是調適、是學習、是分享的過程。面對全球化的衝擊，台灣客家族群基於所追求的是以多元文化爲基礎的在地化使命下，一方面需保持文化傳統的面貌，另一方面又要創造新時代的契機，因而產生有下列四種的論說。一、爲客家虛無論者，二、爲客家復興論者，三、爲接枝合壁論者，四、爲辨證創造論者。在客家虛無論者，認爲客家文化沒有什麼値得發揚之處外，還認爲那種文化正代表著落伍、守舊與不合潮流。在客家復興論者，認爲客家即代表中原正統，有著光榮的歷史，輝煌的藝術成就，因此在客家文化日漸式微之際，而振臂直呼要復興客家文化。在接枝合壁論者，認爲現代的客家文化，應用接枝手法，變成中西合壁方式，並朝西化邁進。在辨證創造論者，認爲客家文化須在自我反省、批判中，找出消極面，除加以更正外，更須吸收他族文化，包括西方文化在內的優點，加以融合、調整，使之能夠面對現實，實事求是，並把文化呈現多樣化、活潑化與豐富化。綜觀上述，不管上述那一種的說法較爲適合，只要能使客家文化能夠擺脫落後、無知，並且能夠邁向世界文明，這就是我們目前所該努力的方向的同時，在轉化的過程中，不須抱著失落感的態度或是透過陣痛性的「大躍進」方式邁進，而是須本著「心懷客家、認同本土、放眼世界」的態度，以及依循著「自然、理性、平和」的原則，來和全球先進文明接軌，共同創造出一個能符合世界潮流的既美麗又高貴的客家文化。

註解

① C.A.托卡列夫著，湯方正譯，《外國民族史》，頁25。
② 同上，頁24-25。
③ 楊文玲著，〈族譜與客家傳承〉，《客家》，頁 17、18，台北：客家雜誌第173期，2004-11。
④ 謝重光著，《海峽兩岸的客家人》，頁 6、7，台北：番薯藤文化叢書，2000。
⑤ 梁書·武帝紀。
⑥ 謝重光著，《海峽兩岸的客家人》，頁7，台北：番薯藤文化叢書，2000。
⑦ 王東著，《客家學導論》，頁37，台北：南天書局出版，1998。
⑧ 羅香林編著，《客家資料彙編》，香港客家學社，1965。
⑨ 王東著，《客家學導論》，頁 41、44，台北：南天書局出版，1998。
⑩ 李逢蕊著，《客家文化論叢》，頁 44，台北：中華文化復興運動總會出版，1994。
⑪ 謝重光著，《海峽兩岸的客家人》，頁3，番薯藤文化叢書出版，2000。
⑫ 謝重光著，《客家源流新探》，頁103，台北：武陵出版公司，1994。。
⑬ 《參見大不列顛百科全書》，頁305，台北：丹青圖書

公司出版，中文版第八卷。

⑭ 雨晴編著，《客家人尋「根」》，頁 34、40，台北：武陵出版公司，1996。

⑮ 參見謝重光著，《海峽兩岸的客家人》，頁 19、20，台北：番薯藤文化叢書，2000。

⑯ 台大客家文化研究社，〈客家人的姓氏與堂號〉，客家郵報，92.12.10～16。

⑰ 黃榮洛著，《究明「客戶」的意義》，《客家》第 32 期，頁 49，1993 年。

⑱ 羅肇錦的〈客家歷史的解構與重建〉,《第十五屆全國客家文化夏令營活動手冊》，頁 122，93 年 8 月。

⑲ 邱彥貴、吳中杰著，《台灣客家地圖》，頁 27，台北：貓頭鷹出版社，2001。

⑳ 江貴運著，徐漢斌譯，《客家與台灣》，頁 158，台北：常民文化事業出版，1996。

㉑ 李逢蕊著，《客家文化論叢》，頁 46，台北：中華文化復興運動總會出版，1994。

㉒ 鄧迅之著，《客家源流研究》，頁 178。

㉓ 李逢蕊，《客家文化論叢》，頁 47，台北：中華文化復興運動總會出版，1994。

㉔ 魏拓著，《中國人的性格》，「自序」，貴州人民出版社，1988。

㉕ 江運貴著，徐漢彬譯，《客家與台灣》，頁 205，台北：常民文化事業出版，1996 年。

㉖ 同上，頁 211。

㉗ 參見江彥震著，〈客家精神，客家族群文化象徵〉，客家郵報，*92.9.3.*，第七版。

㉘ 高木桂藏著、關屋牧譯，《客家》，頁 23，台北市松江路 206 號 4 樓 406 室，1991。

㉙ 范揚松著，〈客家族群特性與企業家性格之會通與轉化〉，《客家文化研討會論文集》，頁 365，台北：行政院文建會出版，1994。

㉚ 謝重光著，《海峽兩岸的客家人》，頁 124，台北：幼獅文化公司出版，2000。

㉛ 《客家》第 35 期，頁 38，1993。

㉜ 韋政通著，《中國文化概論》，頁 21，台北：水牛，81.8.1。

㉝ 同上，頁 4。

㉞ 陳奇祿著，《民族與文化》，頁 20，台北：黎明，70.12 月。

㉟ 基辛 R. Keesing 著，張恭啓、于嘉雲合譯，《文化人類學》，第二冊，頁 36，台北：巨流圖書，78.9 月。

㊱ 蔡憲昌著，《中華文化復興論叢》第二十集，頁 12、13，台北：中華文化復興運動推行委員會，77.11 月。

㊲ 基辛 R. Keesing 著，張恭啓、于嘉雲合譯，《文化人類學》第二冊，頁 46、99，台北：巨流圖書，78.9 月。

㊳ 韋政通著，《中國文化概論》，頁 6，台北：水牛，81.8.1。

㊴ 李鍌編著，《中國文化概論》，頁 17、18，台北：三民，60.8 月。

㊵ 《中華文化復興論叢》第二十集，頁 12、13，台北：中華文化復興運動推行委員會 77.11 月。

㊶ 《我國當前文化政策及其文化活動形態之實例研究》，頁 20，台北：行政院文建會，74 年。

㊷ 嚴靜波致詞，《傳統文化與現代生活研討會論文集》，頁 2，台北：中華文化復興運動推行委員會，71.12 月。

㊸ 《中華文化復興論叢》第二十集，頁 14，台北：中華文化復興運動推行委員會，77.11 月。

㊹ 梁漱溟著，《中國文化要義》第一章緒論，台北：正中。

㊺ 蕭新煌，《民國七十八年度中華民國文化發展之評估與展望》，頁 69，台北：行政院文建會，79.3 月。

㊻ 陳以超，《文化傳播叢書》第三冊，頁 13、14，台北：行政院文建會，76.4 月。

㊼ 鄭貞銘，《文化建設與大眾傳播媒介》，頁 28、29，台北：行政院文建會，74.4 月。

㊽ 張光濤，《傳統文化與現代生活研討會》〈傳統國劇與現代生活〉，頁 309，台北：中華文化復興運動推行委員會，71.12 月。

㊾ 參見葉啓政著，《傳統文化與現代生活研討會論文集》〈「傳統」概念的社會學分析〉，頁 67～90，台北：中華文化復興運動推行委員會 71.12 月，。

㊿ 劉萬航著，《文化傳播叢書》，頁 81-89 第一冊，台

北：行政院文建會，76.4 月。

㉛ 葉啓政著，《理想與現實》，頁 76，台北：時報文化出版社，73.3.10。

㉜ 漢寶德，《中華民國文化發展之評估與展望》，頁 75、81，台北：行政院文建會，78.3 月。

㉝ 曾逸昌編著，《文化發展與建設史綱》，頁 174-180，台北：文史哲出版社，1996。

㉞ 參見張燦鍙著，《文化：台灣問題的根源》，頁 21、32、33，台北：前衛，2003。

第二章：源遠流長的客家歷史

第一節：客家發展簡史

所謂的客家人，在「客」字方面，在過去有所謂的「來人」、「異國人」、「陌生人」、「新來者」、「訪問者」、「賓客」……等，被做爲一個概括性的稱呼。這個在歷史上被稱爲「客而家焉」的客家民族，究竟來自於何種種族？以及起源於何時？長久以來，一直爲各學派所討論的重點，而且一直也都沒有定論。

在屬於非漢人的說法當中：

一、根據嘉應大學客家研究所房學嘉教授在《客家源流探奧》一書中，指稱客家人不是來自中原地區的漢族，而是漢化頗深的土著。其主要論點是，如果客家人真是由北方南遷的漢人，那麼大陸北方爲何找不到客家人的聚落呢？

二、根據朱真一的〈客家台灣人的血緣：從生物學的觀點來看〉一文中，指出最常看到從生物學看血緣關係又有關客家台灣人資料的，有下列幾種：

㈠免疫球蛋白（Immnoglobulin）：中國的趙桐茂、日本的松本秀雄以及美國的Schanfield對此的研究都有一樣的結論，他們都發現蒙古族（黃種人）有南北之分，中國人包括漢人也有華北及華南兩種起源。趙的研究有中國 74 個群體，若將梅縣客人的免疫球蛋白異型體跟華南的少數民族及所謂中原地區（河南、陝西、山西）漢人免疫球蛋白異型體比較，由其基因頻率可算出中國的客家人只有 20 %是中原，而 80 %反是南方少數民族的血緣。其他華南的漢人也有類似的比率。

㈡HLA（Human Lymphocyte Antigen）人類淋巴球抗原：最近林瑪利分析台灣人各族群及鄰近各國HLA的資料，原住民的 HLA 跟中國的漢人很不同，也因此可用 HLA 來推算出目前台灣的客家及福佬人有 13 %原住民的血統。從 HLA 看來，台灣原住民（平埔族）可能漢化成客家及福佬人。

㈢葡萄糖六磷酸去氫酵素的突變體：這酵素缺乏就會產生所謂蠶豆症，台灣有十五種以上突變體，客家人較多缺乏症，但突變體種類跟福佬人類似。用此DNA突變體來分析，不少台灣人有的突變體在華南及東南亞各國也有，華南少數民族也有不少同樣的突變體。華北人極少有這種缺乏症。從這酵素突變體看來，台灣人主要源自南蒙古族，台灣客家人不少可能是華北中原南遷的。

㈣地中海型貧血（Thalassemia）基因：台灣最普通幾種突變體，也是華南地區少數民族常發現的突變體。想來跟蠶豆症一樣，華南及台灣的漢人與華南少數民族有同祖先傳留下來的相同的地中海貧血突變體。華北人極少有地中海型貧血基因。從這基因的突變體看來，客家及福佬台灣人主要是源自南亞族群，台灣的漢人主要不是華北的中原南遷的。

㈤其他生物學資料：其他的生物學資料都有類似，但有些有不太一樣的南北分界。譬如Cavalli－Sforza, Menozzi, Piazza 三人共寫了一本一千多頁很有份量的書，他們用各種統計學方法來研究許多的基因。用文、圖、族群遺傳樹及各種不同方法的分析，都很明顯指出亞洲人包括中國漢人，有南北兩起源之分。

總之，從各種生物學證據看來，客家台灣人是主要源自華南的族群，也有些原住民血統。不太可能主要是從北方南遷到華南再到台灣。原住民與中國漢人不同來源，台灣的客家人仍是跟華南的漢人在遺傳距離上最近，由生物學的研究來估計，目前台灣的漢人平均有約 10 ％到 20 ％的台灣原住民的基因，而台灣客家人只有 20 ％到 30 ％的是所謂的中原血統，其他 50 ％到 70 ％應是來自跟目前華南的少數民族同起源的南蒙古族群，可能就是歷史上所稱的百越，許多百越跟平埔族一樣漢化成漢人而消失。①

三、根據江運貴學者在《客家與台灣》一書中，根據去氧核酸（DNA）血液的檢測，大膽指出「客家人是屬於亞洲蒙古匈奴的遠親，蒙古人種通古斯支脈之同族」外，他認爲客家民族發軔於春秋戰國時代，而說：「兵荒馬亂的戰國時代，東夷在黃海西岸和周朝的華夏中原人劍拔弩張、兵戎相見，導致徐福與同族的東夷人遷徙到日本群島，遠離中國；而剩下的東夷族群，陸續向南長途跋涉，渡過長江到達中國南部，之後被取了一個新的名稱——客家，這群客家族群比向北和向東遷徙的子孫們更加『中國化』。其實，通古斯人、原始亞洲人、蒙古匈奴人都屬於蒙古通古斯民族，中國史冊上的東夷族群，語言上屬於阿爾泰語系，在人種誌方面，不僅顯示出蒙古通古斯人的特徵與痕跡，甚至其古老語言仍保持阿爾泰語的特有模式。」②外，他又說：「一支中國化的少數民族，或許出於懼怕被貼上『非中國人』的標籤，變成多數人迫害的對象，因此戴上中國人愛國心的面具，以保住自己族群的生存空間而不受他族排擠，這是一個人口稀少的少數民族，在面對多數的華夏中原民族時，企圖保全自己及土地，不受驅逐，採取和平相處的生存策略。」③

在客家人是屬於漢人的說法當中，根據日本靜岡大學教授高木桂藏所著的《客家（Hakka）》一書中，指出：「通常，北方的中國人身材高大、鼻樑長、頭部細長。相對的，南方人身材較小、圓臉、嘴唇向外翻、眼帶斜視、鼻子低。而客家人則具有北方人的臉部特徵，這也就表示他們有傳承自中原人的特徵。」④在有關漢人南遷以及客家民系形成的多種說法方面，中原客家人之所以南遷，其原因表面看來，似乎在逃避寇亂，然而從深一層的去研究、探討，便可發現他們為了擺脫中國帝王封建的專制，以及追求自由、平等或是新契機的渴望狀態下，所從事的一種隱形的長期民族奮鬥的崇高理想。漢人由隴西、陝西、河南一帶，為逃避戰亂、自然災害或開發南蠻等種種因素，南遷歷時兩千餘年，大約遷徙有五、六次之多，在遷移的角度上，根據王東的《客家學導論》參卓羅香林學者的《客家源流考》一書所繪的客家遷移路線圖為第一次東晉（懷帝永嘉五年，西元 311 年），五胡亂華，兩晉南北朝時期（中原地區部份漢人→江淮地區及長江中下游）。第二次唐宋黃巢事變，唐末五代（贛南、閩南→）。第三次宋朝受金人入侵，兩宋（粵東北→）。第四次明末滿清入侵，清初（廣東沿海、台灣等→）。第五次同治年間受廣東西路事件和太平天國事件影響，清・同治年間（零星遷往各地，及海外）。⑤台灣中央大學范綺教授認為客人來源有三：第一批來自秦朝，第二批為東晉南渡，第三批則為南宋南遷。⑥其中，值得注意的事，是秦始皇滅六國統一中國後（西元前 200 年），一、根據水經注云：「漣溪山即大庾嶺也，秦始皇三十三年，以謫徒五十萬戍五嶺，大庾其第一塞之嶺。」二、根據秦紀：「秦使屠睢，將兵十萬，守南楚之嶠。」三、根據史記：「秦攻百越，占領番禺」，番禺一般被認為是現在的廣州市等情形，以防南蠻入侵，秦傳二世亡國後，那些留居粵北的軍隊，不願北返，繼續留在當地，而成為南方客家人的遠祖。根據羅香林學者的五次說，再加上范綺的秦朝一次，即有六次之說。

在客家先民構成的多元論方面，根據王東的《客家學導論》一書指出，在兩晉南北朝第一次移民高潮之前居住在贛南、閩西和粵東北及江西北部的部份居民，稱之為「原生形態的客家先民」。在兩晉南北朝第一次移民高潮中，由中原遷入客家大本營地區，或遷入淮河南北以及長江中下游地區，至唐末再由這裏遷入贛南、閩西者，稱之爲「次生形態的客家先民」。在唐代中葉因安史之亂由北方遷入客家大本營地區，或遷入江西中北部，然後再由江西中北部遷入客家大本營者，稱之爲「再生形態的客家先民」。在兩宋之際及宋末元初因宋室南渡及元人南下由北方及周邊其他地區遷入客家大本營者，稱之爲「新生形態的客家先民」。⑦然而，根據羅香林學者的《客家研究導論》一書中，在論述客家先人南遷時說：「客家先民的移民運動，在五代或宋初是一種極其顯著的事象。『客家』一名亦必起於是時。」⑧又根據陳運棟學者所著的《客家人》一書中說：「客家先民的南遷，雖肇自東晉，然形成所謂『客家民系』，則推定在趙宋之後。」⑨至於，在有關閩粵贛一帶客家民系的形成方面，又有下列三種的不同說法：一、是五代宋初時，在閩粵贛交界地區，已從漢民族內形成一個新民系。二、是客家民系形成在中原漢民族大規模南遷之前的中原地區。三、是大約在南朝時，由古百越中的一支爲主體，和少數中原漢人混化後所形成。今將有關客家的重要發展簡述如下：

一、五胡亂華時期：

一般客家人所標榜的客家祖先發源於中原，即今之河南及山東西部、直隸山西之南部、陝西東部，以地居華夏之中故又曰中州。西晉末年，「八王之亂」國家元氣大傷，自從西晉末年永嘉至東晉元帝定都南京（西元 317 年）之時，一方面，由於中原地區戰亂頻繁，另一方面，又有長達一百多年的五胡（匈奴、烏桓、鮮卑、氐、羌）亂華，根據《晉書．王導傳》云：「洛京傾覆，中州士女避江左者十六七」，因而在當時有位於今日陝西、甘肅、山西的「秦雍流人」，位於今日河南、河北的「司豫流人」，以及位於今日山東、江蘇、安徽的「青徐流人」的產生。這些住在山西、河北、河南一帶各省之人，因五胡十六國的大混亂，有不少人越過黃河，經安徽省渡過長江，而落居於江西省北部的同時，也有一些南遷的中原冠帶紳耆，有的確實來到南方百粵南蠻之地，諸如根據江西石城《井溪村鄭氏六修族譜》載：「晉懷帝五年，海內大亂，獨江東稍安，中原士民避亂者多南遷奔吳，（鄭氏）避居豫章西山龍園梅井坪」，至「晉義熙八年壬子，兄弟遷徙南康揭陽縣石鼓逯速……後移居南橋嶺」。再如江西寧都《松陽賴氏重修族譜》記載：賴氏碩公於東晉安帝時避難從浙江松陽遷入福建，轉遷肖田浮源。南朝元嘉初年，因遭水患，其後人漂流至寧都雪竹坪（今梅江鎭）定居。又如梅縣《丘氏族譜傳序》載：「河南丘氏，先世自東晉五胡雲擾，渡江南，入閩南而汀之寧化石壁」外，有的是爲了逃避賦役，而遷入蠻人居住之地，有如《宋書．荊雍州蠻傳》記載：「賦役嚴苦，貧者不復堪命，多逃亡入蠻。」⑩這些冠帶紳耆來到南方，在經濟方面，拓展了南方的產業，在民族方面，不斷地和南方土著諸如蠻、俚、僚、奚等少數民族或部族相互融合的當中，有的中原漢族，在南部諸族中節節退縮，有的則走向門閥自高的狀態，仍然堅守著北方的舊音、古俗外，經過長期的演變，也有形成以南方少數民族爲其主要血統的同時，在文化上，暨區別於中原的漢族，也區別於南方其他漢族民系的情形。至於，在少數民族的漢化方面，根據王東的《客家學導論》中，指出，到了隋初，連漢中地區也「雜有僚戶，富室者頗參夏人爲婚，衣服居處語言，殆與華不別」；而益州地區，「又有獽、挻、蠻、賨，其居處風俗、衣服飲食，頗同於僚，而亦與蜀人相類」；原荊州地區，「多雜蠻左，其與華人雜處者，則與諸華不別」。⑪

二、唐中安史之亂，以及唐末五代十國時期：

在唐朝中期，唐玄宗天寶年間，發生安史之亂。根據《舊唐書・地理志》記載：「自至德後，中原多故，襄、鄧百姓，兩京衣冠，盡投湖湘。故荊南井邑，十倍其初。」又根據詩仙李白在〈爲宋中丞請都金陵表〉中說：「天下衣冠士庶，避地東吳，永嘉南遷，未盛於此。」由上可知在唐朝中期安史之亂時，有大規模的中原人民南遷。在唐末時，有爲時六年有餘的黃巢聚眾倡亂，使之中國文物毀壞殆盡，經濟衰退，百業蕭條，其所過殺戮，雞犬不寧，生靈嗷嗷，狼煙漫漫，尤其是在洛陽和長安方面，使之中原及江石一帶的大官顯要，將相巨賈，無不扶老攜幼，相率奔徙，絡繹於途。部份人則向江西省西部，福建省西部、南部，以及廣東省東部、北部遷徙。在黃巢之亂後，又開了五代十國的無政府，割據分立局勢，它除了引起移民的活動，有如《新五代史・南漢世家》云：「天下已亂，中期人士以嶺外最遠，可以避地，多游焉」外，也擴大了各地之間的方言差異，而逐漸形成諸多的體系，有如越海系（今江浙民系）、湘贛系、南海系（今兩廣的本地系）、閩海系（今閩粵福佬民系）、閩贛粵系（即所謂的客家民系）……等。其中，在位於客家大本營地區的政權，有分屬於南唐（贛南）、閩（閩西）和南漢（粵東北）等。

三、宋室南渡一百五十年期間：

西元九四七年，契丹入主中國，以「遼」為朝代名稱，定都北京。可是在西元一一一五年至一二三四年，又被金王國所取代。北宋末年，金兵南下，發生靖康之變（西元1125 年），自高宗南渡後，大批中原人民，其中是黃河流域的居民，迫於外患，不得不隨著宋室紛紛南遷於長江流域，其情形，根據《宋史》卷370《趙密傳》云，僅揚州一地，隨高宗南渡者便有「眾數萬」。在西元一一六一年，金完顏亮南侵時，也有不少的中原人民，其中是淮河流域的人民，紛紛南遷於長江流域，在西元一二七三年至一二七四年，蒙古南侵，在西元一二七五年元軍逼到臨安（杭州附近）國都時，文天祥在江西任地組織一萬人的義勇軍疾驅國都。在文天祥與元軍總司令官巴揚進行和平交涉時，被捕成為俘虜。可是往北移送中，在鎮江（江蘇省）脫逃，而廣泛呼籲「起兵救國」，並展開抗元的游擊戰。當南宋政府從杭州搬到福州後，又再從福州搬到廣東的硇州和崖山。原先居住在長江流域一帶的居民，也隨著政府的不斷南遷，而大規模的湧入廣東、福建一帶，並逐步深入山區拓荒耕稼。

在景炎二年（西元 1277 年）時，愛國志士文天祥、張世傑等人，曾號召組織義勇軍起兵抗敵，其情形有如元人吳萊在《滄海遺錄敘》中說：元軍南下時，「自江西初起，崎嶇山谷，購募義徒，耕莽峒丁，造轅門，請甲杖，不啻數萬」。⑫外，文天祥在《指南錄》中也說：「今已約贛州諸豪，凡溪峒剽悍輕生之徒，悉已糾集。」⑬在梅州一帶的客家先民方面，不分男女老幼，在閩粵贛邊區輾轉攻守，其戰況之慘烈，有如溫仲和在《嘉應州志》卷 32《叢談》中就曾說，元軍攻陷梅州後，全州各宗族中，只剩下楊、古、卜三姓，梅州全境幾乎全爲廢墟。梅州的松口卓姓，參加抗元義軍的據說有八百人，失敗後僅存卓滿一人。⑭在西元一二七九年，被逼到澳門西方崖山島的抗敵方面，有如愛國詩人黃公度的一首詩云：「男執干戈女甲裳，八千子弟走勤王；崖山舟覆沙蟲盡，重戴天來再破荒。」自文天祥在廣東海豐縣五坡嶺兵敗被伯顏生擒，張世傑隨後也被打敗時，陸秀夫則背幼帝昺，投海自盡。戰事到此稍告一段落後，文天祥則被押往燕京，三年後，於藥市口成仁期間，在元大都（今北京）獄中，作了「天地有正氣，雜然賦流形。下則爲河嶽，上則爲日星。」、「是氣所磅礴，凜然萬古存。當其貫日月，生死安足論！」的正氣歌，以及他所題的「人生自古誰無死，留取丹心照汗青」的視死如歸的精神後，蒙古人繼續搜捕追隨宋室南遷的客家男性，使之客家人生活在「入山惟恐不深，入林惟恐不密」的狀態外，所有的耕作、勞動、搬運等工作，則改由婦女擔任，而男人只好呆在家中從事於撫育、烹飪、手藝、讀書等男主內女主外的工作。

在有關人口的移入客家大本營方面，根據羅香林的《客家源考》一書中，指出有魏氏、徐氏、謝氏、饒氏、丘氏、華氏、鄧氏、劉氏、陳氏等九姓外，又根據鄧迅之的《客家源流研究》一書中，又增列了曾氏、巫氏、張氏、溫氏、羅氏、黃氏等六姓。其情形，有如：

㈠羅香林的《客家源考》引和平《徐氏族譜》云：「五祖德隆，實積之六世孫。王父曰喧，為宋寧宗時都統……卜居豫章之吉水。孫男二：道隆、德隆……元兵南下……德隆則隨宋帝度嶺而南……遂擇龍川烏龍鎮，居之。」

㈡同書引興寧黃陂《曾氏族譜》云：「淳，官封魯國公。宋政和壬辰年，由（江西）南豐徙福建寧化石壁下居焉。」

在有關福建的開發方面，根據明・嘉靖《邵武府志》，卷五云：「晉永嘉板蕩，乃有八姓入閩。歷南北朝而隋而唐，王氏以五千人渡江據有閩中地，始改辟民，始改聚，陵夷迄於五代。宋都杭，入閩之族益眾，始無不耕之地。」在人口的增長方面，根據乾隆《汀州府志》記載，南宋寶佑中期，汀州鏡內共有主客戶 223,432 戶，此戶口數，比離一百五十年前的北宋崇寧年間，快速增長了 141,978 戶。在語言的變遷方面，根據陳運棟的《台灣的客家人》，引羅香林學者說：「自元入主中國，華北漢語，變化尤鉅，四聲之入，今及合口之韻，即於是時消失。而閩北閩東，贛北贛西，及粵東中部與潮汕一帶，其先後遷至之漢人，亦以自唐宋以來與土著發生混化作用，即漸漸改其言語，雖其韻部與聲紐，與唐音或尚無隔異，然其語句氣息，已不能與唐音同日而語矣。」⑮

四、明末清初時期：

在明末以來，客家人自大本營向外地的播遷，其主要原因除了自身人口發展的結果外，也有一些的戰亂因素所致。在人口壓力方面，位於閩粵贛三角地區的客家人民，由於人口眾多，謀生不易，不得不向外做大規模的遷移，而形成了「有太陽的地方，就有中國人；有中國人的地方，就有客家人」的情形發生。在遷徙的路線方面，有：一、從粵東北客家聚居地出發，而輾轉遷往廣東東南沿海和廣東中、南部，甚至廣東全省各地的情形。二、從閩西和粵東北出發，除輾轉遷往江西中部、浙江南部外，也有遠遷至湖南、四川、貴州、台灣，甚至世界各地的情形。在有關因戰亂因素而遷移該地墾荒方面，在明末時，有張獻忠的農民起義，在清初時，又有「三藩之亂」，使之四川人口銳減，甚至成爲人煙絕跡之地，清廷於是採納湖廣總督祖遠澤的建議，號召廣東和福建一帶的客家人，遷四川者給予銀兩資助、自由獲得耕地、以及墾荒免稅的優惠政策，因而有「湖東塡四川」、「湖廣塡四川」的移民運動外，清初為了要應付鄭成功，而實行遷海政策，並於清・順治十八年時，限令閩、粵、江、浙、山東沿海居民內遷三十里、五十里不等，直到康熙二十三年（西元1684年），始准「復界」，此時位於江西、福建以及廣東惠、潮的客家人，乃相率移居於荒廢二十多年的荒地上墾殖的同時，還有部份的客家人，更遠走高飛，私自渡海外移。

五、清・乾嘉以後，進軍世界時期：

在「出南洋」的客家山歌中，有「山頭行出七洲洋，七日七夜渺渺茫。行船三日唔食飯，拿妹言語當乾糧」的描述外，當羅芳伯於西元一七七二年，三十四歲時，聽到在南洋婆羅乃島（今加里曼丹），只要付一年份的土地租金給蘇丹（回教國家的君主），就可以自由的從事採金工作時，他的那首「仰聞金山之勝地，時懷仙止之私衷」的詩，就道盡了當時他想到那邊賭一賭運動的心境。在清代中葉乾嘉以後，客家人開始向世界進軍，而有逐漸形成一支「日不落的族群」傾向，尤其在清代末葉時，在清・道光十八年（西元1838年）至二十二年，滿清為禁止英國的商人輸入鴉片，英人羞怒，以兵相逼，清廷應付無方，與英媾和，開「五口通商」，割讓香港等所謂的鴉片戰爭國門洞開後，由於海運交通工具的發達，位於大本營的客家人，在人口方面，由於人口過剩，除了不斷的向中國南方各省遷移外，也開始有機會大量飄洋過海，往東南亞移居。其情形有如溫仲和的《光緒嘉應州志》，卷八，《禮俗》云：「本朝休養生息，丁口滋蕃，故在國初，已有人多田少之患……今則謀生俞艱，所幸海禁已開，倚南洋爲外府……。」在政治因素方面，太平天國農民運動的主要領導人以及重要將領，大多爲客家人，自起義失敗後，不得不逃往海外避難。在其他的因素方面，自鴉片戰爭列強入侵後，西方殖民者在南洋各殖民地正需要大量勞力，許多的客家人，有的被做爲「豬仔」賣到異域外，也有的自願到海外從事勞動工作，以求生存者，其情形有如根據民國時所編修的《赤溪縣志》，卷八，《赤溪開縣事記》云：「至（同治）三年三月，染疫死者適二萬人。所餘之眾，因食不繼，遂各分途潛往赤水，及赤水田頭，有爲土人所虜獲者，於殺戮外，則擇其年輕男子，悉載出澳門，賣往南美洲秘魯、古巴等埠作苦工，名曰：『賣豬仔』。」外，又根據《赤溪開縣事記》云：「是時，客民因流離無依，自到澳門賣身往外埠作工得資，以周給親族者，亦不乏人。計被土（人）虜賣及自賣往南美洲客民數，殆爲一二萬。迨作工期滿，即准自營商業。至（同治）六年赤溪設廳後能積貲回溪創立家室者，俗人稱爲『豬仔客』焉，然回者亦僅百得一、二。」

海外的謀生狀態

在有關客家人在海外各地的工作狀態方面，客家移民的全球化開始甚早，有人說是大約從南宋開始，陸續經由廈門、汕頭、廣州、海口、虎門、香港等地，渡船外移到世界各地，而從台灣移出的客家人則是近二、三十年前的事情。在過去在世界各地，由於族裔勢力不強，必須接受他族的語言或文化標準。不過，由於人數較少而有較團結傾向的同時，必須強調教育，以專業人士的身分，打入傳統被他族壟斷的商業管道外，並有逐步成爲當地領航者的趨勢，因而在歷史上，有客家人是「華僑中的華僑」之稱的同時，在海外也有被另眼相待，把客家系華僑稱爲「華僑中的猶太人」的情形發生。在謀生方面，客家人在海外，當他們到達新土地之後，很少有像其他的華僑，從事「剃刀、剪刀、菜刀」（即理髮、縫紉、廚師）等「三刀」開始工作，其情形諸如聚集在東南亞的客家人，其初期工作，大多以採金錫礦、採集橡樹膠液、種植椰子以及捕魚農耕等爲主，其後，有從事碾米、建築、零售店、銀樓、金融業、警察、工地或工廠現場的工人、司機、與藥劑有關的工作。至於，在港澳方面，也有不少的客家人從事作家、編輯、評論家、記者、電腦技術人員等知性的職業。在日本方面，客家人佔在日華僑共五萬多人的一成中，幾乎全部的客家人，均來自於台灣。在工作上，大半從事柏青哥店等電玩業、旅館、茶館、中餐館、房地產業等，有一部份則從事醫生、學者、技術人員等層級較高的職業。⑯在美國方面，自西元一八四八年，第一批的兩男一女中國人，搭乘鷹號帆船到達舊金山後，在一八五〇年代引發了加州的淘金熱潮。在西元一八五二年時，在美國的中國人口至少有一萬八千人。到了西元一八六〇年時，大約有三萬五千的中國人湧入加洲，大部份在從事採金礦坑工作，其中有四分之一是屬於客家人。在西元一八八二年時，美國開始實施限制東方移民人數的「排華政策」，直到西元一九四三年始告終止。在從台灣到美國的移民方面，在日本治台的一九二〇年代時，從台灣去美國留學的人數，可說是寥寥無幾。自二次世界大戰戰後，尤其自西元一九五〇年（民國 39 年）開始，許多大專畢業生爲了吸取美國的先進知識，去到美國，由於當時台灣政治、經濟環境惡劣，多數留學生選擇長期定居美國，並從事受聘於大公司、醫院、科技研究機構、大學、聯邦或州政府……等，屬於專業性的工作外，近年來，還有一些以投資商人、親屬關係、特殊人才等身份進入美國，從事於房地產、觀光、保險、餐廳……等各式各樣的行業，其社會地位和往昔移民以勞力維生者截然不同。不過，又根據日本教授高木桂藏，於一九九一年十二月所出版的《客家》一書中，指出現在定居在美國各地的中國人大概接近五十萬人，客家人佔百分之十以上，主要是經營餐廳或洗衣店。⑰在做生意方面，自一九四九年，中華人民共和國創立後，華僑分爲大陸派和台灣派兩派。身爲華僑之一員的客家人，在華僑當中，是相當的關心政治。不過，在做生意上，認爲「錢並沒有紅白之分」，通常把政治予以排除，並堅持中立，與雙方政府保持良好關係的傾向。

海外的人口分佈

客家人在海外的人口分佈方面，長期以來一直處於眾說紛紜狀態，其原因是客家分佈區域尚未完全查清，而各種人口統計工作，除了台灣外，都沒有把「客家人」單列一項做科學的調查統計。今將姑且將有關資料摘錄如下，以供參考。一、根據江貴運的《客家與台灣》，一書指出：「一九三〇年，有八百萬以上的中國住民在世界各國，其中約三分之一是客家人，四分之三的移民分散在東印度群島、菲律賓、緬甸、印尼、泰國、馬來西亞、新加坡、越南和台灣。」⑱二、根據雨青所編著的《客家人尋根》一書中指出，全世界客家人的總人口數，據一般人口專家的估計，約在四千五百萬人左右，其中約有四千萬人住在國內，其餘的五百萬人，則僑居海外各地。三、根據松本一男的《客家人的力量》中指出，這四、五千萬的華僑人口數，可說是台灣總人口數的兩倍左右，而且掌握了東南亞各地的經濟，其力量不能說是不大。其中，客家人勢力在當地顯得特別大的國家，則是分佈在印尼、婆羅州、馬來西亞、文萊王國、帝汶、緬甸和越南等地。

在有關客家人在世界的分佈方面，根據雨青所編著的《客家人尋根》一書指出：越南自滿清同治初年，黑旗將軍劉永福因太平天國的失敗，曾率部隊從廣西進入越南，而有些人就從此定居下來。據一九五〇年（民國39年）八月，駐西貢總領事尹鳳藻的報告，那時在越南的華僑已達六十萬，而屬客家系統者約有十萬人。泰國，適居中南半島中部，據一九五〇年僑務委員會調查，華僑有三百五十萬人，屬於客家系統者，約有三十萬人，他們大多住在曼谷、清邁等地。緬甸，據一九四七年，駐仰光總領事的報告，華僑有三十六萬多人，屬於客家系統者，約有數萬人。

馬來西亞，自明朝開始即有華僑在該地發展。據一九五〇年的調查，有華僑一百九十八萬多人，其中屬於客家系統者，約在三十萬至四十萬之間。印尼，據一九五〇年僑務委員會調查，有華僑一百五十八萬九千多人，其中屬於客屬僑胞約佔百分之三十。印度爲亞洲南部三大半島之一。據一九三九年（民國 28 年）的調查，有華僑二萬五千多人，屬於客家系統者，約有數千人，他們大多住於加爾各達、馬德拉斯、新德里以及大吉嶺等地。日本，據一九七二年（民國 61 年），日本法務省統計，有華僑五萬二千人，屬於客家系統者，據估計約有四千餘人，分佈在各大小城市。菲律賓，位於亞洲東南邊緣，據一九五〇年的調查，有華僑十八萬人，屬於客家系統者僅有數千人，他們大多居住在馬尼拉。美國，華僑大量移民美國是始於清・道光二十八年。據一九四八年（民國 37 年）的調查，有華僑八萬零一百五十一人，屬於客家系統者，約一萬數千人，他們大多分佈於紐約、舊金山和檀香山等地。歐洲，據一九三九年（民國 28 年）的調查，有華僑三萬三千餘人，其人口大多分佈在法國的巴黎、里昂、馬賽，德國的柏林、漢堡，英國的倫敦、利物浦，荷蘭的海牙、鹿特丹等地。其中，屬於客家系統者，諸如集中在利物浦以及鹿特丹者約有數百人，他們大多從事航海爲業。非洲，爲世界第二大洲，據僑務委員會於西元一九五〇年的報告，有華僑二萬八千九百餘人，屬於客家系統者，大約有一萬人左右，他們大多分佈在約翰尼斯堡、慶伯利、東倫敦、依利薩伯港，與德爾班、模里斯島以及留尼旺島等地。位於印度洋的模里斯，於一九六八年宣佈獨立，據一九七〇年（民國59年）六月官方發表統計，在全國人口八十一萬一千餘人中，有華僑二萬五千人，其中屬於客家系統者，約佔百分之八十。留尼旺島有人口四十七萬，華僑有一萬八千人，其中屬於客家系統者，佔三分之一。澳洲，自清・道光咸豐年間，才開始有華僑向澳洲發展。據一九二〇年（民國9年）的調查，有華僑二萬二千多人，其中屬於客家系統者，約佔半數，他們大多居住於新金山（墨爾本）以及雪梨。

在近代方面，有關客家人在海外的人口增長方面，根據羅英祥在一九九四年（民國83年）所出版的《飄洋過海的客家人》一書，指出在世界的五大洲中，在亞洲方面，在印度尼西亞，有華僑600萬人，屬於客家系統者，有120萬人。馬來西亞有華僑453萬人，屬於客家系統者，有100萬人。泰國有華僑450萬人，屬於客家系統者，有60萬人。新加坡有華僑192萬人，屬於客家系統者，有50萬人。越南有華僑200萬人，屬於客家系統者，有5萬人。緬甸有華僑70萬人，屬於客家系統者，有2.7萬人。印度有華僑13.5萬人，屬於客家系統者，有2.2萬人。日本有華僑7.9萬人，屬於客家系統者，有1萬人。菲律賓有華僑100萬人，屬於客家系統者，有6千5百多人。在美洲方面，秘魯有華僑40萬人，屬於客家系統者，有15萬人。美國有華僑150萬人，屬於客家系統者，有10萬人。牙買加有華僑20萬人，屬於客家系統者，有10萬人。加拿大有華僑 45 萬人，屬於客家系統者，有 4.5 萬人。巴西有華僑 10 萬人，屬於客家系統者，有 2 千人。在歐洲方面，英國有華僑 15 萬人，屬於客家系統者，有 3.5 萬人。法國有華僑 11 萬人，屬於客家系統者，有 1 萬人。在非洲方面，毛里求斯有華僑 3 萬人，屬於客家系統者，有 2.5 萬人。南非有華僑 1.6 萬人，屬於客家系統者，有 1.5 萬人。留尼旺有華僑 2.5 萬人，屬於客家系統者，有 1.3 萬人。在大洋洲方面，澳大利亞有華僑 16 萬人，屬於客家系統者，有 1.1 萬人。⑲

海內外的客家組織與研究會

在有關海內、外著名的客家組織、研究會方面，自西元一九二一年九月二十九日，於香港，爲加強世界各地客屬彼此聯誼，擴大交流與合作促進共同發展外，並本著以客家「崇尚正義」的精神，所組成的香港崇正總會後，各地的分會、聯誼會、研究會……等，如雨後春筍般的蓬勃發展。其情形，諸如台灣有世界客屬總會（成立於民國 63 年，西元 1974 年）、台灣客家文經發展協會、中華道教褒忠義民崇正總會、台北中原崇正總會、台北市客家文化協會、台北市客家公共事務協會、六堆旅北同鄉會、台北縣客屬崇正會、成大客家社、台大客家社、師大客家文化研究社、政大客家文化研究社、淡大客家語研習社、逢甲大學客家社、花蓮師院哈客族、台東大學客家社、屏師客家文化研究社、文化哈客社；日本有留日崇正總會、東京崇正公會、橫濱崇正公會、關西崇正會；越南有越南崇正體育會；加拿大有安省崇正總會；美國有加州客家聯合會；南美洲有巴西聖保羅客屬崇正會；澳大利亞有維省客屬崇正會、澳洲雪梨崇正總會；歐洲有歐洲崇正總會、荷蘭洛塘崇正會等。帶有聯誼會、學會、研究會等性質的客家組織，諸如自八〇年代以來，在大陸上主要有，梅州市客家聯誼會、廣東省海外客家聯誼會、福建省客家學會暨聯誼會、福建省閩西客家研究會、北京客家海外聯誼會、河南省中原客家聯誼會、福建省汀州客家研究會、福建省寧化客家研究會、廣東省湛江客家聯誼會、江西省客家聯誼會、江西省贛州客家研究會、文化部華夏文化促進會客家研究所、福建社會科學院客家研究中心、梅州市客家聯誼會客家研究所、梅州嘉應大學客家研究所、江西師大客家研究所、廈門大學客家研究中心……等。⑳

海內外的傑出客家人

在有關海內、外著名的客家人方面，客家人不管是在那一個時代，或是那一個地方，人口總數總是佔當地的少部份。然而，它不管是在做官、從事學術研究或是在政治上、軍事上均有卓越的成就。今以科學、政軍、學術、文教、工商企業以及其他等方面，來加以探討：

一、在科舉方面：

中國的科舉制度始於隋朝，延續了一千數百年，一直到辛亥革命推翻滿清後才停止。進士是秀才中的秀才，是每四年在皇帝面前舉行一次的科舉中最高考試合格者的稱號。客家話是古代的中原語，它大致介於現今的北京話和廣東話之間，由於學習北京話，沒有太大的阻礙，因此大大的提高了客家人的科舉及第率。諸如根據有關廣東省梅縣《嘉應州志》記載：「梅人之登進士第者，唐代有黃僚，宋代有古成之、古宗悅、藍奎、古革、蔡若霖、蔡定夫、蔡蒙吉等人。元代有陳輿、謝祐等人。明代有羅惟政、張文寶、邱俊、謝蔭、張綱、李士淳等人，李士淳且入翰林院爲編修。清代有李象元、陳鶚荐等六十七人，其中李象元、陳鶚荐、李端、李直、丘玖華、李逢享、宋湘、王利享、李平、黃仲容、廖漸逵、李載熙、李光彥、余顯榮、溫仲和、吳啓賢、黃品璠等十七人，均入翰林院爲檢討編修庶吉士；張綱、李淳登進士第。……」依照當時的人口統計，客家人只佔全國人口的百分之一左右，可是進士合格者卻佔全體的百分之八，可說是保持驚人的高合格率。

其中，値得一提的是，在台灣方面，根據紀念鄭用錫二百年誕辰一文中，指出：鄭用錫號稱「開台黃甲」，是明、清以來台灣出生長大的第一位進士。鄭用錫的父親於乾隆四十年（西元 1775 年）由福建金門隨其父親移民到今苗栗後龍。他父親渡台後娶住在今苗栗頭份辦理團練起家的陳武生之女爲妻，鄭用錫的母親是客家人，鄭用錫生於乾隆五十三年（西元 1788 年）農曆五月十日，一家後來移居今新竹市。清．道光三年（西元 1823 年），鄭用錫入京會考中了進士。道光六年，他奉出巡台灣的閩浙總督之令，將新竹土牆改建成城樓。道光十四年，他去北京做官，不到三年，他因不習慣官場陋習及京都的生活，又回到新竹。

鄭用錫晚年在新竹北門建有「北郭園」。他著作不少，有「周禮解疑」、「周易折中衍義」及「北郭園全集」，前兩者已不存，他與堂弟鄭用鑑合編的「淡水廳志初稿」四卷亦未刊。他最爲人知曉而且流傳最廣的是他六十六歲（西元 1854 年）時，所寫六百多字勸解械鬥的「勸和論」。

二、在政、軍、商方面：

日本靜岡大學教授高木桂藏在《客家》一書中，指出：「知道客家人的活動情形，不僅可以知道中國的歷史，同時也可以預見中國人社會的未來，所以說『不知客家就不配談論中國』」。㉑客家人通常在專制政體下，即使反抗也無獲勝機會之時，忍耐性比較強外，順應性也比較高。反之，若認爲方法巧妙，就足以推翻現有不合正義的政權之時，可能形勢就會完全改觀，並且點燃熊熊的革命烈火。俗話說：「好男不當兵，好鐵不打釘」，一般說來，客家人是儘量避免捲入當地的政治圈。然而，有趣的是在客家人中，又流傳著一句與之相對應的「當軍人或強盜（革命家）必會成功」的諺語外，由於客家人比較不願意接受不合理的政治規範，以及當代的生活環境，因此，在古今中外出現了許多著名的政治家、革命家、軍人或改革者。諸如，在海外方面，有統一北婆羅州而在龐替雅那克建立「蘭芳大統制」共和國（西元 1777 年至 1854 年）的羅芳伯「大唐總長」。稱王於暹羅的鄭昭。首先建國於馬來西亞的葉來。完成新加坡建國的前總理李光耀，以及在西元一九九〇年，在新加坡繼任第二任總理的吳作棟。出身於客家、西班牙、馬來混血後裔的柯拉蓉・艾奎諾（Aquino, Corazon），其丈夫貝尼諾・艾奎諾於西元一九八三年被刺身亡後，她領導「人民力量」革命，而終結了菲迪南・馬可士二十一年的獨裁統治。在西元一九七四年至一九八一年，擔任緬甸總統的尼溫，在一九九〇年後，雖然放棄了正式領導的角色，但他仍然以獨裁者的身份繼續掌權。在從商方面，有如胡文虎、李嘉誠……等，有創辦經營各種的事業，而成爲國際的著名企業家。

在中國方面，有張九齡（西元673年至740年），韶州曲江（今廣東境內）人，唐玄宗時的中書侍郎，中書門下平章事（即爲宰相）。郭子儀（西元697年至781年），在唐朝連續四個皇帝手下獲得殊勳的著名客家將領。韓愈（西元768年至824年），河南昌黎人，是唐朝著名的詩人、政治家兼哲學家。歐陽修（西元1017年至1072年），江西廬陵人，宋朝著名的政治家兼學者，他強烈主張將儒家思想實際應用到政治中，著有《新五代史》、《新唐代史》、《歐陽文忠公集》，以及許多的詩作和批評文章。文天祥（西元1236年至1282年），吉州（江西省吉安縣）人，二十歲那年，即以首席高中進士後，成爲南宋官吏，是宋朝著名詩人兼將領，由於屢次拒絕降服，不改忠貞，終被處死，著有《正氣歌》。朱舜水，浙江人，在江戶前期從明朝即將滅亡之際，渡海亡命到日本，奠定了日本水戶學基礎的儒者。袁崇煥（在萬曆年間屢次擊退努爾哈赤與皇太極，捍衛明代江山。不過，由於明・崇禎皇帝，最後聽信皇太極的反間計，認定袁崇煥為內奸，將之處以一塊塊割去其肉的凌遲極刑。根據史料記載，在行刑過程中，袁崇煥長嘆不已，雖皮骨已盡，但「心肺之間，叫聲不絕，半日而止」。此事，直到袁崇煥死後一百五十年，清・乾隆年間編寫明史，袁崇煥的冤屈才得以昭雪。）㉒

洪秀全（西元1812年至1864年），生於廣東省花縣，三十二歲時，他成為基督教信徒。在清・道光三十年十二月初十（西元 1851 年 1 月 11 日時，洪秀全集合「拜上帝會」信徒（馮雲山、楊秀清、蕭朝貴、韋昌輝、石達開等五位開國元勳），在廣西省桂平縣金田村舉兵，宣稱要打倒滿清，創立太平天國。在十五年的抗滿革命中，太平軍曾攻下長江以南十八個省份中的十六個省，當洪秀全攻陷南京，改名天京時，還曾宣佈解除中國婦女纏足陋習，引進男女平等權利，土地重新分配，稅捐減輕，學習西方，以法治國，採用西曆外，並廢止中國男人蓄辮子等措施，至於，追隨洪秀全革命的重要客家將領有楊秀清、韋昌輝、石達開和洪宣嬌等人。在一八六四年時，南京陷落，洪秀全飲毒自殺身亡，太平天國政權大致宣告結束，不過，他所倡導的「平均給與」和「男女平等」的概念，卻留給成為往後興起中國共產黨的巨大遺產。康有為，清末變法維新的重要領導之一。梁啓超，戊戌政變的主腦人物，著有《飲冰室全集》。劉光第，戊戌六君子之一。黃遵憲（西元1848年至1905年，清末著名的學者、憲政改革者，曾駐倫敦和東京大使，努力提倡西方觀念和制度。

孫逸仙（西元1866年至1925年），點燃中國往後數十年內戰的孫中山先生，生於廣東省香山縣（現名爲中山市）翠亨村。一八九四年，孫文在夏威夷組織「興中會」革命團體，企圖打倒滿清。一九一一年，辛亥革命成功，「中華民國」誕生。一九一二年，孫中山就任爲中華民國政府臨時大總統。但不久後，改由軍人出身的袁世凱擔任大總統。孫文爲了逃避政局亂象而亡命日本，與同是爲中國而生或有人說是爲搞亂中國秩序而生的三位客家女人之一，宋慶齡結婚。一九二四年，孫文創立中國國民黨，正式以三民主義爲黨綱。一九二五年（民國14年）三月，他在北京協和醫院結束了六十歲的一生。自國民黨於民國三十八年撤退到台灣後，國民黨政府就強迫台灣人民膜拜孫文爲國父，至少有半個世紀之久，直到台灣民主化較成熟後，他的三民主義才被廢棄。廖仲凱（西元1878年至1925年），與孫逸仙共同主導聯俄的安排，負責管理國民黨的財務。

汪精衛（1883 － 1944年）名兆銘，字季新。祖籍浙江山陰，生於廣東番禺（今廣州市），十七歲時就中了廣州番禺縣第一名秀才。二十一歲時考取日本政治大學的官費生，東渡留學。一九〇五年八月，參加了孫中山在日本組成的中華革命同盟會，被推選爲評議部部長。一九〇九年（宣統元年），聯絡了黃復生和後來成爲他太太的陳璧君，潛入北京，行刺攝政王載灃，失敗被捕入獄。由於他是早期就和孫文一起行動的「革命英雄」，以及不久滿清政權就結束後，他在政壇上就一路竄紅，而擁有和蔣介石並列的經歷，曾任中央政治委員會主席、國民參政會議長、行政院院長等職。由於他與蔣介石不合，所以較接近日本。在抗日戰爭中，成立南京政權，與日本聯手，被在以重慶爲中心的中國國民黨政府視爲「叛徒」、「賣國奴」。其後，因舊疾（骨髓發炎），飛往日本就醫，於一九四四年病歿於日本名古屋，棺柩運回南京，被葬於梅花山。陳炯明（西元1878年至1933年），反清革命家，早期廣東省的民國都督兼軍事首領。

朱德（西元 1886 年至 1976 年），出生於四川省儀郎縣，是紅軍的建立者。郭沫若（西元1892年至1978年），四川省人，早期擔任孫中山所創立之黃埔軍校的政治部員，在「北伐」時從軍，後來在中華人民共和國成立後，擔任副總理、科學院院長、日中友好協會名譽會長等要職。在一九六六年，發生文化大革命時，他自我批判「我的著作應該燒燬，因爲毫無價值可言」。葉劍英（1898年－1989年），廣東梅縣人，萬里長征的設計者和領導者之一，在西元一九七八年時，被任命爲全國人民代表大會主席。宋慶齡（孫逸仙之妻）、宋藹齡（孔祥熙之妻）、宋美齡（蔣介石之妻）、宋子文（宋家三姊妹的弟兄，曾任國府的外交部長、財政部長、行政院長）。鄧小平，在一九〇四年八月二十三日，生於四川省廣安縣協興鄉，萬里長征毛澤東的同志，在文化大革命期間遭受迫害，後來重掌政權，繼續提倡社會主義市場經濟理論，並留下「不管白貓黑貓，只要能抓老鼠的貓就是好貓」的名言。在一九七八年時，他身爲黨主席、國家主席、軍事委員會主席，而成爲中華人民共和國最有權勢的人。楊尚昆，留學蘇聯，爲中華人民共和國主席，軍事將領，在西元一九八八年天安門事件的軍事鎮壓中，扮演重要的角色。李鵬，四川成都人，是周恩來的養子，在西元一九八七年被任命爲中華人民共和國的總理。

三、在學術、繪畫方面：

今參見高宗熹所編著的《客家人－東方的猶太人》一書指出：

1. 理學、陽明學：理學以朱熹爲代表，他生於一一三〇年至一二〇〇年，是福建尤溪人，十九歲便通過科舉考試，成爲進士。二十四歲擔任福建省同安縣的帳簿主任，任職四年後，便辭官歸鄉，鑽研學問。四十歲時，「朱子學」的思想體系大致確立。五十歲以後，歷任浙江省、福建省、湖南省等各州知府。朱熹可說是宋朝著名註釋家兼著作家。他對孔子著作的註釋，被認爲是儒家經典的權威解說。陽明學以王陽明（守仁）爲代表。王守仁（西元 1472 年至 1528 年），浙江餘姚人，明朝卓著的官吏、名作家。他採取「心即宇宙」的見解，並主張「知即行的開始，行是知的完成。」

2. 史書：有宋代曲江的余靖。明末寧化的李世態。清代的謝啓昆、梅縣的吳蘭修、大埔的溫丹銘、梅縣的黃遵憲（著有「日本國志」、「日本雜事詩」）等，以著述地志或史書留下不朽的著作。

3.語言學：有清代廖文英的「正字通」十二卷、嘉應溫定瀾所整理的「韻學經緯」五卷、大埔張對墀的「韻學釋同廣義」六卷、余效班的「語聲表」十六卷以及「說文經字考釋」一卷等。

4.天文學、數學：有巫三祝的「治天文學」、吳蘭修所整理的「塑閏表」、「算法統宗」、「方程正負式」、「星學入門」等。㉓

5.文學、詩歌：有宋湘的「自家曲子」詩集、黃遵憲的「我手寫我口」山歌整理、黃慎的「蛟湖詩鈔」四卷、溫仲和的「求在我齋集」、胡曦的「湛此心齋詩集」以及編有「鶯花梅」的地方民謠、丘逢甲的「嶺雲海日樓詩鈔」以及「柏莊詩草」、王曉滄的「金城唱和集」以及「鷓鴣村人詩稿」、范留淑的「化碧集」、葉碧華的「古香閣集」等。

6.繪畫：有黃慎（揚州八怪之一）、上官周（著有「笑晚堂畫傳」）、華岩、李燦、伊秉綬（有「默庵集錦」問世）、雷鋐、林風眠……等。

四、在開台貢獻、抵抗英法入侵、抗日犧牲者、音樂、文學、二二八受難精英、工商企業、做官以及其他方面：

由於在台有成就的客家人，不管是在「文」、「武」或工商企業方面，均枚不勝舉。我們除了表示可喜可賀外，至於，在不幸的受難者方面，我們也表示無限的哀思。今僅舉一些名人以供參考，其情形諸如有：

開台貢獻方面：姜秀鑾，廣東陸豐人，與竹塹的閩南人周邦正組成「金廣福」，開闢竹塹東南山地。黃南球，台灣苗栗人，撫蕃有功，賞戴藍翎，授五品銜。

抵抗英法入侵方面：根據淡新檔案記載，新竹北埔姜家與北埔墾戶一百五十人早在清．道光二十年（西元 1840 年）曾與中英鴉片戰爭，在淡水、雞籠拏獲逆夷多人；光緒十年（西元 1884 年）中法安南之戰，法兵侵犯雞籠，姜紹基奉台北知府陳星聚諭令，率領壯勇赴援，擊敗法軍，金廣福公館早年掛於中堂的「義聯枌社」匾額就是由此而來。

抗日犧牲者方面：吳湯興，字紹文，祖籍廣東梅縣，壯年時就來台定居在苗栗銅鑼樟樹林。在西元一八九四年八月到一八九五年三月的日、清甲午戰爭中，滿清戰敗，李鴻章力諫慈禧太后求和說：「台灣鳥不語，花不香，男無情，女無義，棄之不足惜」下，終於被出賣給日本。自日本於西元一八九五年（清．光緒 21 年，明治 28 年）五月二十九日，在澳底登陸台灣後，台北淪陷，保衛台灣抗日之戰，由北而南，志士奮起。苗栗義軍統領吳湯興即刻會同在苗栗頭份起義的徐驤，祭旗揮師北上，並約同北埔的姜紹祖，雲林的簡精華，趕赴北部，計畫在桃園新竹間，防禦日軍南下，進而收復台北。六月十二日後，日軍節節南下，義軍曾在楊梅、中壢與其遭遇，在湖口激戰，終因後援不濟而敗退，日軍緊追至新竹，知縣王國瑞潛逃，姜紹祖力戰不屈，不幸犧牲，新竹於六月二十二日陷入敵手。自竹南北方的尖筆山一帶的激戰、苗栗西北的營頭屯之戰後，苗栗終告失守，其後台中也相繼陷敵後，八月二十六日，義軍部署防禦彰化，以吳湯興、徐驤合守八卦山，在八卦山之役時，日軍增兵兩萬，大清帝國未派一兵一卒、一糧一餉的支援，終於在兵力懸殊下，吳湯興在八卦山麓壯烈成仁。㉔其後，他的英靈被入祀忠烈祠，而其衣冠塚則被建在三義鄉的第三公墓。

羅福星（1884 – 1914），字東亞，號國權，廣東鎮平人，是一位遺愛台灣的抗日先烈。參見劉慧真的《台北客家人文腳蹤》中指出，羅福星於一八八四年（一說一八八六年）生於印尼巴達維亞（今雅加達）。一九○三年（清·光緒 29 年），隨祖父來台，定居於苗栗造橋（苗栗－堡牛欄莊附近），就讀苗栗公學校。一九○六年，隨家人遷回廣東故鄉。一九一二年年底來台，與羅國亞等人，在台北大稻埕聚會，並以位於北門外的大瀛旅館為聯絡地點，組織抗日，羅福星負責在苗栗、台北兩地募集同志。一九一三年五月，日警探悉後龍地區有革命黨集結之風聲，又偵悉關廟也有革命黨，而於是年十月開始搜查，引起同志之憤慨，促成賴來等人的倉猝起事。不幸此事功敗垂成，影響革命大計，福星見機已洩，便潛蹤匿跡，匿於淡水李稻穗家中，於十二月十八日，在淡水準備登船時被捕，同時在中南部又先後發生四起抗日事件，他們是南投的陳阿榮、台南關廟的李阿齊、台中東勢角的賴來、以及大湖的張火爐。日人後來以羅氏之革命運動，與上述四起事件併在一起，把它稱之為「苗栗事件」。羅福星被捕後，在台北法院經過兩個多月的偵查後，於一九一四年三月三日於台北監獄被日軍絞刑。年僅31歲（一說29歲）。羅福星死後，被日人葬於台北瑞安街一帶的「叛民墓地」，直到民國四十一年（西元1952年）大湖義民廟即將完成時，由地方耆宿徐金福、劉傳村、王惟英、饒見祥等人，敦請曾與羅福星烈士同時繫獄十餘年的葉紹安先生，親詣台北監獄，請耆老指明前往日政時代所稱的「叛民墓地」——現台北市安東街四一二巷內，將羅福星、陳阿榮、張火爐、賴來、李阿齊等烈士忠骸，馨香告祭掘出，另奉厝於義民廟（即昭忠塔）與「褒忠義民萬姓同歸諸神位」同受盛典崇祀。自奉厝祭祀完後，再行文報請有關單位，將「義民宮」更名爲「昭忠塔」。民國四十二年，昭忠塔落成，先總統蔣公曾頒賜「忠烈永式」匾額，及台忠字第一號褒揚令，並特派四星上將何應欽代表主祭，中央及各院部長的題詞及輓聯，懸滿廟殿內外，金碧輝煌。㉕

新竹北埔的抗日方面：居住新竹北埔的姜紹祖，他所率領的義軍，其先人大多是大隘原野的拓荒者，在此戰役之時，姜紹祖寫了遺作二詩：㈠出師贈同學爲：書幃別出換戎衣，誓逐胡塵建義旂；士子何辜奔國難，匹夫有責安鄉畿。㈡自輓爲：邊戍孤軍自一枝，九迴腸斷事可知；男兒應爲國家計，豈敢偷生降敵夷。然後就悲壯的出征去，年紀輕輕的姜紹祖，年僅二十就壯烈的犧牲了。在清．光緒三十三年（西元1907年11月）時，峨眉鄉籍蔡清琳等人，密謀抗日的「北埔事件」發生，其慘烈的舉事，當時也曾轟動中外。由於北埔有連續兩次的抗日殉難事件發生，遭到日本軍警的徹底整肅，造成整個北埔政經情勢的逆轉外，也迫使許多優秀的北埔人隱姓埋名的遠離這塊傷心之地。

音樂方面：張福興，台灣苗栗人，在日治時代，以公費遊學東京音樂學校，返台執教，爲台灣音樂界之先進。鄧雨賢（西元 1905 年至 1944 年），桃園龍潭人，是名作曲家，其作品包括《雨夜花》、《月夜愁》和《望春風》等名曲。㉖江文也（西元 1910 年至 1983 年），台北縣淡水人，十三歲赴東京求學，是日本著名的現代音樂指揮家、作曲家和教授。從西元一九三二年到一九三七年，江文也每年都獲得日本全國音樂比賽獎，引起日本音樂界的注意。一九三六年，在柏林奧林匹克音樂比賽中，以管弦樂作品〈台灣舞曲〉獲得特別獎，而名聞國際。一九六〇年代的中國文化大革命，他曾經被無辜控告爲反革命右派分子和帝國主義者，深受政治迫害，大大的影響了他的心緒和作品。㉗

攝影方面：彭瑞麟（西元 1904 年至 1984 年），新竹竹東人，是台灣第一位的攝影學士，也是台灣最早的本土攝影教育工作者。鄧南光（西元 1907 年至 1971 年），本名鄧騰輝，新竹北埔人，是一位立足台北，對焦全台灣的光影先行者。

文學方面：賴和（西元 1894 年至 1943 年），彰化人，他的作品中常有反殖民和反封建的濃厚民族意識，被譽稱爲台灣近代文學之父。吳濁流（西元 1895 年至 1976 年），本名吳建田，新竹新埔人，是國際聞名的《亞細亞的孤兒》

（日文）作者，也是《台灣文藝雜誌》的創辦人。龍瑛宗，本名劉榮宗，新竹北埔人，他的《植有木瓜的小鎮》小說，在西元一九三七年獲得日本《改造》雜誌的小說獎，而揚名於台灣和日本的文壇。鍾理和（西元1915年至1960年），高雄美濃人，他著有五十多部的小說，被認為是二十世紀的台灣最有成就的多產作家。鍾肇政（西元1925年——），桃園龍潭人，是台灣文學泰斗，兼總統府資政。

二二八受難者方面：張七郎（西元1888年至1947年），醫生，花蓮縣參議會議長，制憲國大代表，在民國三十六年，二二八事件爆發，事件中，行政長官陳儀應全島各地「縣市長民選」的要求，准許各縣市推選縣市長候選人三名，再呈報陳儀圈定。結果，當時以國代身份宣傳國憲的張七郎，以最高票被推為縣長候選人。沒想到這份民眾的愛戴，卻埋下張七郎父子遇害的禍根。四月四日張宗仁代父（病中）參加歡迎「國軍」的晚宴回家後，張七郎與宗仁、依仁、果仁父子旋即遭國民黨士兵押解至連部。次男依仁，因其為現職軍醫上尉，而被放過一馬；其餘三人，皆於當天深夜十一時，於鳳林鎮郊公墓慘遭殺害，遺體被丟棄在同一墓穴中。㉘吳鴻麒（西元1902年至1947年)，台灣高等法院推事，不曾參加任何政治抗爭活動，二二八事件後，被國民政府秘密警察從高等法院強行帶走殺害。李瑞漢（西元1906年至1947年），苗栗竹南人，日本中央大學法科卒業，台北律師公會副會長，戰後，他向新政權提出改革建議，強調司法獨立，起用台灣人，在民國三十六年，被捕拷打致死，而他的弟弟李瑞峰，亦是中央大學卒業的律師，也同時被憲兵帶走，一去不回，音訊杳然。葉秋木（西元1907年至1947年），屏東人，是屏東市參議會副議長、市長。二二八事件發生時，被推舉爲聯絡人，以緩和人民和國民政府之間的衝突。但一星期後，被指爲「暴亂首謀」。國民政府士兵在市立公園，用酷刑後，並拖出遊街示眾，再予以槍決。江德興（西元1917年至1951年），出生於苗栗，台北高等學校畢業後，獲得名古屋帝國大學的醫學博士學位，是台中有名的外科醫生。在日治時期，他是「台灣地方自治聯盟」的會員。國民政府逮捕他，說他把一張僅寫有「梧棲港、大肚山」六個字的「台中港地圖」，提供給中國共產黨在台灣地下活動的洪國式，而被秘密判決死刑。㉙

工商企業方面：賴清添，台灣苗栗人，紡織界元老，曾任穩好、中纖、聯隆、華隆等公司董事長。曾水照，台灣台中人，中國扶桑生晃製藥、和新貿易及葡萄王食品等公司董事長。張國福，桃園內壢移居高雄，尖美企業集團負責人，旗下有尖美建設、尖美證券、尖美百貨、宅九藝術中心、尖美商圈雜誌社等。吳文華，屏東竹田移居台北，萬家香醬園公司負責人。李阿青，桃園中壢人，台灣資生堂公司負責人。郭功立，新竹關西移居台北，第一人壽保險公司負責人。黃華亭，苗栗頭份人，其祖父黃維生是日治時代極少數的總督府評議員之一，曾任苗栗客運董監事、柯尼卡公司負責人。

做官方面：陳永華，在鄭氏王朝時代的諮議參軍，在台南建立學校、興建孔廟以及建立考試制度。劉國軒，鄭氏王朝對抗滿清侵台的總指揮官。唐景崧，滿清台灣巡撫，民主國總統。丘逢甲，台籍進士，民主國副總統兼義勇軍統領。劉永福，滿清軍務督辦，民主國大將軍。

廖文毅（1910 年至 1986 年），出生於雲林西螺知名望族，其祖父廖龍院是清朝的客籍漢學私塾，父親廖承丕是日治時代田產逾千甲，又曾擔任西螺街長數年，爲當地著名士紳，根據高有智在〈中國時報〉中，指出廖文毅十五歲時在淡水中學尙未畢業，即轉往日本京都同志社大學中學部就讀。一九二七年畢業後，考進中國大陸南京金陵大學工學院機械系，並曾赴美國密西根大學、俄亥俄州立大學深造，獲工學博士。一度應聘至中國大陸浙江大學工學院任教。一九四〇年，返回台灣，歷任大承興業、大承物產、永豐及台灣鹼業等公司董事長。戰後發行有《前鋒》雜誌，同時積極投入政壇，曾參加國民參政員、制憲國大代表選舉，不過均落選。一九四七年（民國 36 年）二二八事件在台灣爆發，當時在上海的廖文毅，被陳儀以涉嫌叛亂的「首犯」名義加以通緝，他因避居香港躲過一劫。㉚一九四七年七月，廖文毅會見美國軍事顧問團團長魏德邁將軍，並提出一份有關「處理台灣問題意見書」。一九四八年九月一日，廖文毅等人向聯合國提出「由聯合國託管台灣」的請願書，其內容概略爲：「二二八事件的發生，已證明支那（中國）沒有統治台灣的能力。目前，台灣人民唯一的活路是先脫離支那，由聯合國託管一定的期間後，再由台灣人民投票決定其歸屬。」㉛一九五〇年廖文毅偷渡至日本，開始一連串的台獨運動。他不僅組織海外第一個公開的台獨組織「台灣民主獨立黨」，六年後，「台灣共和國臨時政府」正式在日本東京成立，由廖文毅擔任大統領。他不但組織國會、頒佈憲法，還出版《台灣民本主義》，宣傳台獨運動。由於受到海外台僑的熱烈支持，再加上民族主義在五、六十年代非常興盛，因此國際間紛紛以流亡政府的領袖身分接待他。在一九六五年五月十四日，廖文毅意外的「返台投降」，並宣佈放棄台獨運動，對當年海外台獨運動是一項重大的打擊，而被台獨運動界視爲「叛徒」。一九八六年廖文毅去世，死後被葬於故鄉西螺「大承墓園」。㉜

丘念台，廣東蕉嶺人，東京帝大畢業，來台後歷任省黨部主委、中常委、監察委員、總統府資政等職。黃國書，本名葉焱生，新竹北埔人，死於一九八七年，享壽八十三歲，日本士官學校及德、法等砲專畢業，歷任團、旅、師長、中將高參、立法院副院長、立法院長（任期 1961 年 2 月 28 日至 1972 年 2 月 22 日）等職。余俊賢，廣東平遠人，中山大學畢業，歷任海外科長、僑教處長、省黨部主委、國大代表、監察委員、監察院長等職。徐慶鍾，台北人，台北帝大畢業，曾任行政院副院長。劉闊才（1911 年—1993 年），苗栗縣人，日本京都帝大畢業，曾任立法院院長、總統府資政。邱創煥，曾任台灣省省主席、內政部長、考試院院長。吳伯雄，台灣桃園人，曾任省議員、桃園縣縣長、內政部部長、總統府資政等職。葉菊蘭，台灣苗栗人，曾任交通部長、行政院客委會主委、行政院副院長。范光群，新竹縣關西人，名律師，曾任行政院客委會主委、台灣省主席、司法院祕書長。林光華，新竹縣人，曾任新竹縣縣長、台灣省主席。

李登輝，祖籍福建永定縣，先人原住桃園龍潭客家鄉，在他祖父時，就從龍潭遷居台北三芝。於一九二三年（民國 12 年）時，李登輝，誕生於台北三芝鄉的福佬庄。早期，他曾被國民黨治安當局視爲「不受歡迎的人物」，遭到兩次的拘留。在過去特務橫行的台灣，被視爲不受歡迎的人物，不是指共產主義者，就是意味著台獨份子。李登輝在周遭都是外來國民黨員掌大權的環境下，儘管他被故總統蔣經國先生的大力提拔，但卻付出比別人多一倍以上的辛勞外，在本土化的改革當中，諸如在一九九一年推動國會全面改選、一九九四年省長直選、一九九六年總統直選、一九九八年凍省……等，能夠保住他的性命，可說是一件相當不易的事。在他的做官方面，他曾任台北市市長、台灣省主席、副總統、繼任總統、間接民選總統、以及中華民國第九任總統（即台灣四百年來的首屆民選總統）。由於李總統登輝先生有強烈的愛台心，在中共的不斷打壓下，於一九九九年七月，在任期內提出了重要的「兩國論」主張。在他離開總統府後，㈠，於二〇〇三年九月六日，帶領十萬台灣人民走上街頭，從事台灣「正名」運動。㈡，於二〇〇四年二月二十八日，下午兩點二十八分，動員全台一百萬人，從基隆到屏東沿路五百公里手牽手，相互疼惜，手（守）護台灣的壯舉。

陳水扁，台南人，祖籍福建詔安，曾任立法委員、台北市市長、中華民國第十任總統（台灣四百年來的第二屆民選總統），並主張「一邊一國」的理論。其後，在二〇〇四年（民國 93 年）時，又擔任中華民國第十一任總統（即台灣四百年來的第三屆民選總統），並且造成了台灣民族意識的確立。

其他方面：徐傍興，一九〇九年生，屏東縣內埔鄉美和村人，日本帝大醫學博士，所支助的「美和棒球隊」，屢次代表國家，奪得眾所矚目的世界冠軍，因而有「棒球之父」的敬稱。宋瑞樓，新竹人，台北帝大和九州大學畢業，台大醫學教授、中央研究院院士。曾子南，江西贛州人，堪輿名師，曾任中國堪輿學會總理事長。曾肇昌，苗栗縣頭份鎮人，台大政治系畢業，高等考試全國性行政人員及格、高等考試律師及格，曾任中華民國律師公會全國聯合會理事長、最高法院律師懲戒覆審委員長。

至於，在有關區域性的集體成就方面，諸如位於高雄縣的美濃鎮，不但博士多，而且也盛產校長。在民國九十年（西元 2001 年）時，在人口不過四萬餘人的小小美濃鎮，除其博士人數有百餘位外，全縣一百九十八位國中小學校長中，就有四十位是土生土長的美濃人，如果再加上其他非美濃鎮出身的客家籍校長，總計有四十九位，其比

率已高達該縣的四分之一多矣！㉝

第二節：大陸客家重鎮現況

所謂的「逢山必有客，無客不住山」，贛南、閩西、粵東北等地區，素有客家基本住地或大本營之稱。在地理環境上，分別是位於江西、福建和廣東等三省，環境最閉塞、交通最不方便，以及經濟最落後的地區之一。

在贛南方面，全球最大的客家聚落不是在廣東或福建，而是在江西省南部的贛州市。不論是「老客」或「新客」，贛南八百多萬人口中，有百分之九十以上是客家人。離贛州市城區不到三十公里的贛縣，全縣五十四萬人口中，幾乎全部是客家人。在有關贛南的地理環境方面，它有「七山一水一分田，還有一分是道亭」之諺的說法。其中在丘陵、山地方面，它大多位於海拔二百至八百公尺之間，面積約佔全區總面積的七至八成，此即所謂的「七山」。在閩西方面，有「八山一水一分田」之諺的說法。在粵東北方面，主要山脈有陰那山脈、鳳凰山脈、釋迦山脈等，在這些山脈上，有很多高達一千二百公尺至一千五百公尺的山峰，不過在各山脈交接處，多爲坡度不大的低山淺丘和河谷盆地。在過去的農耕方面，由於丘陵山地「高者恆苦旱、下者恆苦澇」，爲了解決灌溉以及施肥問題，而普遍採取如下的方法。一、在開闢梯田，使用山溪灌溉方面：1.根據劉國光的《長汀縣志》云：「（長汀）閩中壤狹田小，山麓皆治爲隴畝，昔人所謂硝田也，今俗謂之梯田。汀踞閩上游，複嶺崇岡，山多於地，田瘠而嚭水。雨暘稍愆，輒損禾稼，惟坑田穫泉源灌溉，不厭晴，原因則築陂開渠，甚至揉竹木爲輪，激而行之，以潤數畝。」2.根據陳壽祺的《福建通志》云：「（鎭平）邑中近山之田，皆豁水灌；濱河之田，皆河水灌。其法於大河架木爲陂，橫截河道，中開一門以通船，以陂角置水庫數座，使湍流激盪車輪自轉，上架以木澗，車輪所挽之水直注澗內，灌入田畝，終日嘔鴉灌輪不竭，殊勝赤背踏龍骨也。」二、在燒山茅，充當肥料方面：1.根據王世懋的《閩部疏》云：「山田薄無糞，農家燒山茅，候雨至，至流入田中爲糞，以故入春則山山皆火，舟中夜望山燒爲奇，陸行遇山皆童而黑，缺乏景趣。」2.根據劉國光的《長汀縣志》云：「糞田以火土，草木黃落，烈山澤，雨瀑灰瀏，田遂肥饒。」

由於清代的台灣客家人，絕大部份是來自於閩西的汀州府，以及粵東的潮州、惠州、嘉應州等州府。故今僅介紹汀州府以及嘉應州如下：

汀州府位於韓江上游的汀江流域，四周群山圍繞。在它的開發方面，早在唐．開元二十二年（西元734年）時，即置汀洲，而領有長汀、黃連和新羅等三縣。在明．化成十四年（西元 1478 年）時，轄有長汀、寧化、清流、歸化、連城、上杭、武平和永定縣等八縣。在人口、田地方面，根據梁方仲先生的《中國歷代人口、田地、田賦統計》一書記載，到了清代中葉（嘉慶25年）時，福建汀州人口總數，有 1,485,903 人，而田地有，1,315,322 畝。在人民的生活以及治安方面，由於地理環境的不良以及人口的不斷增加，而在汀州各縣的地方志中，時常出現有「土瘠民貧」、「拒捕抗租，亦稱強悍難治」的記載。在物產方面，根據《臨汀匯考》記載，在有關薯芋的種植方面，「瘠土沙土皆可種，一畝之地可收十餘擔，山居之民以此代飯，可省半歲之糧。其濟人甚溥，即多食，（亦）不損脾胃」。在有關經濟作物的種植方面，在清代時，汀州流域的汀州府屬各縣，已成爲全國著名的煙草產地，其情形爲「膏腴田土，種煙者十居三四」，其中，又以上杭、永定爲盛外，在以汀州府爲中心的閩西各客家縣，也廣泛的種植，用來充當染料的藍靛。在居住方面，構築規模巨大，連成一體的土樓，是閩西當地客家人的最主要居住方式。

嘉應州，位於韓江上游的梅江流域，四周皆山，田多在山谷間，土地資源極爲有限，作物除了稻米以外，菸葉的種植也十分重要，從嘉應本州（梅縣）的北邊至蕉嶺縣，是廣大無垠的菸田地帶，在公路尙未開築以前，由於有韓江舟楫之利，交通較爲方便，因而人口密集，文物較爲豐盛。在它的開發方面，在清・雍正十一年（西元 1733 年）時，始設州，轄有興寧、程鄉、長樂、平遠以及鎭平縣等。在人口、田地方面，根據梁方仲先生的《中國歷代人口、田地、田賦統計》一書統計，到了清代中葉（嘉慶 25 年），廣東的嘉應州人口總數，有 1,314,050 人，而田地，有 1,208,724 畝。在民生狀態方面，一、根據溫仲和的《光緒嘉應州志》云：「古者男耕女織，故耕責之男，而織責之女，所謂一夫不耕或受之饑，一女不織或受之寒者是也。……州俗土瘠民貧，山多田少，男子謀生各抱四方之志，而家事多任之婦人，故鄉村婦女，耕田、採樵、緝麻、中饋之事，無不爲之，絜之於古，蓋女功男功皆兼之矣。」二、根據清代葛洲甫的《豐順縣志》，卷七，《風土志》風俗條記載，其情形，如豐順縣，「土壤可以種植，源泉可以灌溉者，無不墾僻爲田」，「地多官山，時有興寧、長樂二縣民寓居嶺谷，種植薯芋等物」外，在糧食欠缺方面，根據清・光緒年間，溫仲和所編修的《嘉應州志》，卷八，《禮俗》中，感慨的說：當時的嘉應州「土瘠民貧，農知務本，而合境所產穀，不敷一歲之食，藉資上山之永安、長樂、興寧。上山穀船不至，則價騰湧。故民嘗艱食而勤樹藝。」在居住方面，土樓是粵東北客家人的最主要居住方式。

自一九四九年（民國 38 年），國民黨政府來台後，除了渡台過番已經不行外，連國內流動之路也被堵死，只能死守家園，過著「一把鋤頭兩個筐」的日子。自一九七八年起，實行改革開放後，老百姓在國內的流動又被默許，於是客家社會所特有的「精壯人才走四方，老弱婦幼守田園」的現象又重演之際，由於客家地區有諸多的不利因素，因此與沿海較發達地區的經濟差距有越拉越大的現象。爲了解決此種的困境，而有必須解決對外交通以及本身資源的開發等問題。一、在交通建設方面，首先在梅州地區建有梅州機場外，又致力於鐵、公路的興建，諸如廣梅汕鐵路，於西元一九九四年十二月二十八日，已從廣州通至梅城，而從梅州至福建省永定縣坎市鎮的梅坎鐵路方面，也已正式開工。至於，在高速公路的興建方面，則尚在規劃之中。二、在資源的開發方面，由於位於贛閩粵交接的客家地區，有極爲豐富的林產和礦產，其情形，有如在礦產方面，諸如有煤、鐵、銅、鎢、錳、石灰石、瓷土、大理石、花崗岩……等。在林產方面，諸如有木材、竹子、林產化工、竹木製品……等。至於，在水力的開發方面，除了興建水渠灌溉農田外，尚須興建水庫，以便開發水力發電等措施。

第三節：客家人在台灣部份

遙遠的古台灣

台灣在西元一六二四年，大量的漢人隨著荷蘭的入據台灣，而移入前，具有特殊血統、語言和風俗習慣的馬來人和波里尼亞人所定居。西元一八九六年（清・光緒 22 年，明治 29 年），即台灣自割讓給日本後的第二年，日本教諭栗野傳之烝發現第一個史前芝山岩遺址以來，考古學家在這片土地上記錄了將近兩千個遺址。分佈範圍幾乎遍及台灣本島及澎湖群島、綠島、蘭嶼、小琉球等附屬島嶼。垂直高度的分佈則從海平面附近數公尺起的海岸平原，到高達2950公尺左右的高山地帶，比民族誌記載的原住民族最高的聚落還高。在這些遺址上所發現的遺物，如石器、石刀、石斧、石劍、石鎗、石杵臼、石柱、石壁、石棺、具器、陶器、土器、玉器、人骨、骨角器、和骨角裝飾品等，經研判，至少有五千年以上的歷史外，這些遺址的長期研究工作，已經初步建立了一個史前文化發展的大致概況。不過，由於不知道這些文化擁有者人群的名稱，考古學者以具有代表性的遺址來稱呼他們。由早期到晚期大致可以分爲：

1. 舊石器時代：包括長濱文化、網形文化、左鎮人。

2. 新石器時代早期：以大坌坑文化爲代表。

3. 新石器時代中期：以汍塘埔文化、牛罵頭文化、牛稠子文化、「東部繩紋紅陶文化」爲代表。

4. 新石器時代晚期：以芝山岩文化、圓山文化、丸山文化、營埔文化、大馬璘文化、大湖文化、鳳鼻頭文化、卑南文化、花崗山文化、麒麟文化爲代表。

5. 金屬器與金石並用時代：以十三行文化、二本松文化、番仔園文化、大邱園文化、崁頂（貓兒干）文化、蔦松文化、北葉文化、龜山文化、靜浦文化、Lobusbussan 文化爲代表。

其中，值得注意的是在民國五十七年（西元1968年），台大考古隊在台東海岸長濱鄉八仙洞，發掘了相當早期的「長濱文化」遺跡。根據其遺物研判，距今至少在一萬五千年，至五萬年之間。在台南左鎮菜寮溪河床所出土的左鎮人，其化石標本包含來自不同個體的人類頂骨殘片及大臼齒。經鑑定屬於更新世晚期的早期智人，其絕對年代可能在距今兩萬年到三萬年之間，也就是更新世冰河時代的最後一次冰河時期。在台灣北部淡水河口附近所發現的大岔坑文化，在六千五百年前左右，爲新石器時代的代表，此文化出現了帶有農業，使用陶器、磨製石器的情形。距今一千八百年前左右，台灣伴隨著東南亞地區青銅器、鐵文化的興起，而局部走入製造及使用鐵器、青銅器、金器爲主的金屬器時代，它廣泛分佈於淡水河口至花蓮北側奇萊平原之間的海岸地帶，其中，最有名的煉鐵遺址，就是位於淡水河口南岸的十三行遺址。

台灣的原住民，究竟來自何處？至今仍無定論。有人認爲，在新石器時代，它和華南的土著有著密切的關係。然而在語文、文化、甚至體質上，卻有相當大的差異。諸如在語言上，原住民的語言，反而和菲律賓、馬來西亞和印尼等南島語系相似。在文化上，原住民的獵首、紋身、缺齒、拔毛、鳥占、親族外婚、老人政治、室內葬、和靈魂崇拜等風俗習慣和古印度尼西亞的文化，有許多雷同之處。至於，在體格上，原住民的五官相當的凸顯，尤其是眼睛部份，和漢人似乎有很大的差異。

在荷蘭入據台灣之前，原住民是台灣早期的主人。它的分佈從台灣北端，沿著西部平原，到屏東恆春半島，均有平埔族原住民散居其間。經過荷人調查，在當時，全台有一百九十三個部落，四十五個族系。民族學者，把他們概括的分成十族。噶瑪蘭族（Kavalan）或哈仔難族，分佈在宜蘭平原。凱達格蘭族（Katagalan），分佈在基隆、淡水、台北一帶。自台北盆地以下，由北而南，有雷朗（Luilang）、道卡斯（Taokas）、巴則海（Pazeh）、巴布拉（Papora）、邵（Thao）、巴布薩族（Bobuza，或稱貓霧捒）、荷安雅（Hoanya）和西拉雅（Siraja）等。在他們的承傳方面，由於各族的社會組織不大相同，有的屬於母系社會，家產由女性繼承；有的屬於父系社會，家產由男性繼承；有的屬於貴族社會，土地則爲貴族所有。在文化發展上，早在兩千年前，就已經進入金屬器時代，但在文字方面，直到近四百年前，荷蘭入主台灣時，才有一套簡單的羅馬拼音文字外，也沒有出現過一個類似國家性質的政治組織。在漢人大量來台後，住在平原的平埔族逐漸被同化而消失。至於，住在高山或偏遠地區的高山族方面，則被分爲 ***1***、泰雅族 ***2***、賽夏族 ***3***、布農族 ***4***、鄒族（或曹族）***5***、排灣族 ***6***、魯凱族 ***7***、卑南族 ***8***、阿美族 ***9***、雅美族等共九族。

有關台、澎的歷史記載：

明初，洪武五年（西元 1372 年），和琉球通好後，琉球成爲沖繩列島的專有名詞。台灣在當時，被稱爲「東蕃」。有關東蕃的記載方面，諸如在何喬遠的《閩書》島夷誌中，就有南部的大員（今安平、台南附近）、魍港、打狗（今高雄），或者北部的雞籠、滬尾等地名。周嬰的《東藩記》把今日的安平、台南附近叫做「台員」。張燮的《東西洋考》，以及陳第的《東蕃記》則稱爲「大員」。㉞後來，何喬遠的《鏡山全集》，又把大員改寫爲「台灣」。在有關台灣或澎湖的記載方面，根據元至正年間汪大淵所著的《島夷志略》毗舍耶條爲：「僻居海東之一隅，山平曠，田地少，不多種植。氣候倍熱，俗尚虜掠，男女撮髻，以墨汁刺身，至疏頸門，朗纏紅絹，繫黃布。俗以國無酋長，地無出產，常裹乾糧，棹小舟，遇外番伏荒山窮谷無人之境，遇捕魚採薪者，輒生擒以歸，鬻於他國，無一人易金二兩重，蓋彼國之人，遞相倣效，習以爲業，故東洋聞毗舍耶之名，皆畏而逃焉。……」該志略中，汪大淵到台灣登山訪俗中，又說：「土潤田沃宜稼穡，俗與澎湖差異，男子婦人拳髮，以花布爲衫。知番王酋長之尊，有父子骨肉之義。他國之人（當指漢人）倘有所犯，則生割其肉以啖之，取其頭懸木竿。地產沙金、黃豆、黍子、琉磺、黃臘、虎、豹、鹿皮。貿易之貨，用玉、珠、瑪瑙、金珠、粗碗、處州磁器之屬，海外諸國，蓋由此始。」

台灣的地理位置，及其地形、生態：

台灣，四周環繞著海深不過一百公尺的大陸棚，但有三千九百五十公尺的美麗高山。在世界的地理位置上，台灣是亞洲中部大陸外緣島弧最大的島嶼外，也是世界最大陸地（亞洲大陸）和世界最大海洋（太平洋）的接觸點。在形狀方面，台灣本島，由北部的富貴角，到南部的鵝鑾鼻，約三百八十五公里；東西最寬的地方，是口湖鄉西端，到豐濱鄉的貓公，約一百四十三公里，而呈現出中間肥兩頭尖的「蕃薯」形狀。在地形、生態方面，台灣面積，雖然只有約三萬六千平方公里，但自然景觀卻相當複雜，有高山、火山、丘陵、切割台地、盆地、平原、海岸、沙洲、珊瑚礁以及火山島等各種地形。台灣在一百公尺以上的山地，約佔全島面積的三分之二，其中三千公尺以上的高峰竟有四十八座（或被細分爲超過兩百座）之多。主峰玉山海拔三千九百五十公尺，冬季積雪，晶瑩如玉，雄偉瑰麗，氣象萬千，不僅是全島的最高峰，也是中國大陸東南沿海，以及北起日本，南至菲律賓諸島的最高峰。在河川方面，主要河川有十九條，次要河川有三十二條。在氣候方面，台灣屬於熱帶和亞熱帶的交界地帶，有北回歸線橫穿中部而過，平地年平均溫度約攝氏二十二度，降雨量約二千五百公厘。在長約三百八十五公里，寬約一百四十三公里的小島上，由於地形陡峭，氣候上自高山，下至海岸，有寒帶、溫帶、亞熱帶以及熱帶的變化，因而產生了苔原、針葉林、闊葉林以及熱帶雨林等分佈於不同高度的植被。在野生動物方面，有各種的哺乳類、鳥類、爬蟲類、兩棲類、魚類以及蝴蝶等。在住民方面，有南島語系的原住民，有來自大陸的閩南人、客家人、外省人，以及近年來一些來台歸化的外國人等。至於，在政治生態方面，在四百年之前，台灣是屬於一個獨立自主的美麗之島。其後，很不幸的，苦難的台灣人民始終扮演著舞女生涯，首先陪著荷蘭人，而後陪著鄭成功、滿清帝王、日本軍閥……等，過著

「眾人吃、眾人騎，無法尊嚴活著」的狀態，而且不管選擇那一邊，都要付出重大代價的歷史宿命。

客家人的拓荒，以及早期來台的生活狀態：

在客家人的拓荒方面，台灣原是一個瘴癘盛行的蠻荒之地，也是早期客家拓荒者將它視為窮人、無產階級和被壓迫者的機會之島。在荷蘭治台時期，已有漢人為荷蘭人所招募，渡海來台，披荊斬棘，以啓山林。然而，又根據戴維森（Davidson）之研究，以為客家人是最早移民到台灣的漢人。

現今居住在台灣的客家人，一般均認為「閩人先至，多居近海；粵人後至，乃宅山陬」。在自然環境方面，根據郁永河的《裨海紀遊》：「自斗六門以北，至淡水，都是荒無的地域，林木蔽天，荊棘遍地，麋鹿成群，在這一大片的地區內，都是平埔番散居的部落所佔據，為漢人足跡所罕。」外，又根據藍鼎元的記述：「鳳山，諸羅皆惡毒瘴地，令其邑者不敢至。」在來台的主要方式方面，是採取偷渡方式，其情形有如根據《明清史料》戊編第二本云：「自福寧州以迄漳州，私口如鱗，無處不可偷渡。」外，又根據《重纂福建通志》，卷 86，有關康熙五十八年之規定：「凡往台灣之船，必令到廈門出入盤查，一體護送由澎而台，從台而歸者，亦令一體護送，由澎到廈，出入盤查，方許放行。又，往台之人，必由地方官給照，單身游民無照偷渡者，嚴行禁止，如有違犯，分別兵民治罪。」在從入遷到定居的過程方面，最初是採取候鳥方式，其情形有如根據余文儀的《續修台灣府志》卷二十云：「春時往耕，秋成回籍，隻身去來，習以爲常。」在男女失衡方面，根據康熙五十五年所編修的《諸羅縣志》，卷八，〈風俗志〉云：「男多女少，有村莊數百人而無一眷口者。蓋內地各津渡，婦女之禁既嚴，娶一婦動費百金，故莊客田丁，稍有贏餘，復其邦旗矣」以及「各莊佃丁，山客十居七八，靡有家室……招而來之，漸乃引類呼朋，連千累百，飢來飽去。」等記載外，又根據藍鼎元在雍正年間的調查，「自北路諸羅、彰化以上，淡水、雞籠山後千有餘里，通共婦女不及數百人，南部鳳山、新園、琅嶠以下四五百里，婦女亦不及數百人」的同時，根據成書於康熙六十一年，藍鼎元的《東征集》卷六，對於距離諸羅邑治五十里的大埔莊客家村莊的記載：「有居民 79 家，計 257 人，多潮籍……中有女眷者一人，年六十以上者 6 人，十六以下者無一人，皆丁壯力農，無妻室，無老耆幼稚」的情形。在有關勸君莫來台灣，以及到台灣變成故鄉的實際生活狀況方面：

1. 規勸親友莫來台灣的情形：根據「渡台悲歌」詩詞的描述爲：「勸君切莫過台灣，台灣恰似鬼門關，千個人去無人轉（回），知生知死都是難。……叮嚀叔侄並親戚，切莫信人過台灣。」
2. 被騙來台的情形：根據「渡台悲歌」詩詞的描述爲：「客頭（即現今的蛇頭）說道台灣好，賺銀如水一般般，口似花娘嘴一樣，親朋不可信其言，到處騙感人來去，心中想賺帶客錢，千個客頭無好死，分屍碎骨絕代言，幾多人來聽信言，隨時典產賣公山……。」

3. 來台謀生不易的情形：根據「渡台悲歌」云：「各人打算尋頭路，或是傭工做長年，可比唐山賣牛樣，任其挑選講價錢，少壯之人銀十二，一月算來銀一圓，四拾以外出頭歲，一年只堪五花邊，被補蚊張（帳）各人個，講著塔床睡摸蘭，夜晚無鞋打赤腳……。」

4. 面對原住民的威脅情形：根據「渡台悲歌」長歌詩詞云：「……台灣所在滅人山，台灣本系福建省，一半漳州一半泉，一半廣東人居住，一半生番併熟番，生番住在山林內，專殺人頭帶入山，帶入山中食粟酒，食酒唱歌喜歡歡，……」、「遇到生番銃一響，燃時死在樹林邊，走前來到頭斬去，無頭鬼魅落陰間。」

5. 欠缺女性的情形：根據「渡台悲歌」云：「所見有妻烏龜般，大聲不敢罵妻子，隨其意下任交歡，拾個丈夫九個係，只有一個不其然，野夫入屋丈夫接，甜言好語待茶煙，范丹婦人殺九夫，台灣夫人九夫全，出門三步跟隨等，結髮夫妻無幹賢，總愛有錢就親熱，聲聲句句阿吾前……。」

6. 認同台灣，把他鄉變故鄉的情形爲：根據宋初江夏太守黃峭寫給子孫傳誦的詩句：「駿馬匆匆出外方，任從隨地立綱常。年深外境猶吾境，日久他鄉即故鄉。朝夕莫忘親命語，晨昏須薦祖宗香。惟願蒼天垂庇佑，三七男兒總熾昌。」其中的前半段，常被應用在「認同新故鄉，創造新客家」的認同本土之上。

由上可知，早期來台者，除了尚未提到被瘴癘瘟疫奪去生命的頭號威脅外，大致上須要：1.是面臨謀生不易的悲慘困境。2.是與原住民的土地爭奪，以及被殺害的危機。3.是欠缺女性的無奈等。過著與「天」以及與「人」搏鬥的命運的同時，在有關懷舊的思想上，爲什麼客家人常提原鄉或常說是中原人，有人說是客家話的切音與中原的音關係相當接近所致。不過，在有數千年不斷南遷歷史的所謂「中原」客家，在「漢化頗深的土著」以及根據來自中原，特別重視「堂號」等事實真相尚未大白之前，他們絕大部份的時間是居住在中國邊陲又邊陲的非中原地區。尤其是對渡海來台的客家人而言，它更應當是屬於一種自我陶醉的「心靈上的中原」而已！

壹、早期客家人的來台

甲、在來台方面：

根據林衡道教授的《鯤島探源》中，依據德國史學家里斯博士(Ludwig Riess)和魏斯博士(Albrecht Formosa)的觀點。里斯曾經前往荷蘭，查訪關於台灣留在荷蘭的檔案史料，並參考了歐洲傳教士及探險家的記錄而有如下的記載：

「由於中國文化中區域性的頑固習慣，南方諸省對於北方來的客家商人和工人，有了最強烈的反感，客家人無法取得當地的籍貫而受人輕侮。」

「到十七世紀中葉，荷蘭人與台灣島酋長的交涉，由客家族交涉，他們與中國人毫無差別，對台灣的物產與外國的交易也盡了大力。」㉟

西元一八九八年，魏斯出版了《台灣之歷史》，對客家人的渡台有如下的說法：

「在一六五〇年左右，台灣到處有土人，一直到海邊爲止。荷蘭人的勢力能及於西南部的土人及東北方的Kapsulan平原，大約從一六〇〇年起，客家人最早從中國來……。」㊱

在上述提到客家人最早從中國來的說法中，或許和如下的歷史事實，有某種程度的關係。在西元一六二四年（明・天啓四年），荷蘭人由今台南，入據台灣本島，統治台灣共三十八年之前，台灣是一個原始的邊陲海島，從未歸屬於任何一個國家的主權自主獨立的美麗之島。澎湖、台灣在早期，除了一些零星的「羅漢腳」漢人，願意冒險橫越「黑水溝」台灣海峽外，它通常是日本倭寇和中國海盜，做爲侵襲大陸沿海地區的停泊地。在明代末年，在中國海盜中，有吳平（廣東潮州詔安人）、林道乾、林鳳、張連（饒平人）、顏思齊、鄭芝龍……等，其中以林道乾（廣東潮州人）、林鳳（廣東饒平人）、顏思齊（福建漳州海澄人）、以及鄭芝龍（福建泉州南安人）等集團較大。他們往往擁有許多的戰艦和一、兩千個匪徒。在明末嘉靖四十三年（西元 1563 年）時，林道乾被明朝都督俞大猷追討時，曾暫避於台灣，並且相傳曾住在今屏東車城鄉海邊的「大哥洞」。其後，林鳳在明・萬曆二年（西元 1574 年），在大陸逃避官兵追剿時，也曾路過澎湖、台灣，而進入南洋外，在明神宗萬曆十四年（西元 1586 年）時，廣東揭陽人馬義雄、周榆森兩人，帶著故鄉三山國王的香火，從鹿仔港登陸，轉抵現今彰化溪湖的荷婆崙，並於第二年即萬曆十五年（西元 1587 年）歲次丁亥，搭建茅屋奉祀，即爲今「霖肇宮」後，在萬曆二十七年（西元 1599 年）時，始翻修爲土埆廟。稍後，在明・永曆年間所建的廟宇，諸如有員林的「廣安宮」、高雄市楠梓的「三山國王廟」、高雄縣橋頭的「義安宮」和屏東縣九如的「三山國王廟」等。

至於，被現今一般人認爲「閩人先至，多居近海；粵人後至，乃宅山陬」的說法方面，不過，仍然有一批捷足先登的平地客家人，和福佬人一樣的佔住平地。他們大部份是原籍潮州、漳州交界的平和、詔安、饒平客家人。這些人由於隸屬漳州、潮州，所以在籍貫分佈上認不出是客家人。在荷蘭入主台灣之前，由於顏界齊和鄭芝龍集團，有定居台灣，和經營的企圖，而和台灣發生較爲密切的關係。在西元一六一〇年，顏思齊和鄭芝龍曾經同在日本長崎做裁縫，是親密的朋友，後來放棄原來的行業，廣結好漢，變成西太平洋的商人和海盜。自顏思齊（振泉）於天啓元年（西元1621年），打算於八月十五日，對日本官府舉事，消息走漏後，就提早率領部眾乘坐十三艘船航向台灣，並於八月二十五日登陸笨港，在諸羅山（今嘉義市）一帶，從事一面積極鎮撫土著，和一面把土地分給部眾開發耕獵的屯墾政策。自明朝政府與荷蘭人，簽訂了議和協定，其主要內容爲：

㈠如果荷人放棄澎湖，去佔領澎湖對面的化外島台灣，明政府沒有異議。

㈡准荷蘭人今後在中國通商，中國商船也可以往台灣及爪哇與荷蘭人交易。（李筱峰・劉峰松翻譯）

自議和後，荷蘭人於西元一六二四年八月二十六日（明・天啓四年陰曆七月十三日），由台西南鹿耳門（即現今台南西端的台江），入據台灣本島後，爲了開墾台灣，須要大量的勞力。荷蘭人不但有計劃的提供牛隻、器具、種子和現金等，獎勵漢人移往外，更用荷蘭聯合東印度公司的船隻，運送東南沿海漢人來台墾荒的措施當中，當然，在其中也應該運來了一部份的客家人。在鄭芝龍方面，在天啓五年，足跡遍及菲律賓、台灣和日本等地的海盜商人李旦，在日本死後，由他的部下「老一官」鄭芝龍起而代之。天啓六年時，鄭芝龍在得到荷蘭船隻的支助下，親率戰艦十艘，每艘載有戰士六十人，向廈門、金門進發。根據官方的記載說：「聚艇數百，聚徒數萬，城社之狐鼠，甘爲爪牙，郡縣之胥役，盡屬腹心。」天啓七年，正月鄭氏海盜屢破官軍。天啓八年（西元1628年），明朝政府，有鑑於鄭芝龍在海外的勢力，逐漸擴大，根本無法消滅後，就改採安撫政策，委派他協助政府，取締東南沿海的「小海賊」之時，相傳鄭芝龍又從福建招募數萬難民，來到台灣，並給予每人銀三兩、牛一隻等，做爲墾殖獎勵的說法。鄭成功的父親是鄭芝龍，母親田川是出身於日本長崎的武士家庭。在明・永曆十五年（西元 1661 年，清・順治 18 年）時，鄭成功率領四百戰船，軍士二萬五千（有說是三萬五千）多閩粵子弟，進攻台灣，並於明・永曆十六年（西元 1662 年），迫使荷蘭當局退出台灣之時，根據林衡道的《鯤島探源》一書中說，鄭氏部隊有三分之二是福佬人，三分之一是客家人。若根據鄭氏王朝的得力部將劉國軒，以及諮議參軍陳永華都是客家人而言，在鄭氏的軍隊當中，至少有三分之一弱爲客家人的說法，應當可算是合理的推測。

清・康熙二十二年癸亥歲（西元 1683 年，民前 229 年），鄭克塽降清。在清・康熙二十三年（西元 1684 年）四月，台灣有史以來第一次被正式編入中國版圖之後，於該年康熙帝還准施琅所奏，詔令台灣設一府三縣，隸屬福建省。一府改明鄭時代之東寧爲「台灣府」，三縣爲台灣（今之台南）、鳳山（今之高雄）、諸羅（今之嘉義），而行政區域大致沿襲明鄭時代的舊制。在其他的措施方面，於西元一六八四年，取消了清・順治十八年辛丑歲（西元 1661 年，民前 251 年），所頒佈的「遷界」令方面，就是遷徙廣東、福建、浙江、江蘇以及山東東南沿海三十里、五十里（清代一里爲 576 公尺）內的居民於內地的措施的同時，又取消了第二年，即康熙元年（西元1662年）所題准的的「海禁令」爲：「閩粵地方嚴禁出海。其餘地方只允許木筏捕魚，不許小艇出海，又凡大小船艘出海貿易，又遷徙海島建家種地者，不論官民，俱以通賊論處斬。」清廷雖然取消了過去堅壁清野的「通海之禁」，而允許人民出海、捕魚，可是在大陸和台灣之間的人民往來方面，清廷卻又接受靖海將軍施琅的建議，嚴加管制，而頒佈三條限制渡台的禁令：

㈠欲渡台者，先給原籍地方照單，經分巡台廈兵備道稽查，台灣海防同知查驗，始許渡台；偷渡者嚴處。

㈡渡台者、不准攜眷；既渡者，不得招致。

㈢粵地屢爲海盜淵藪，以積習未脫，禁其民渡台。

由於禁令第三則的限制，來台的客家人大多是屬於嘉應州屬的各縣人民，而屬於粵中的惠州府、潮州府所屬的客家人，爲數極少，有來台的，也是走偷渡的途徑。在有關移民偷渡衝突的治安問題方面，根據鄭水萍的〈有移民史觀，有長遠移民政策〉一文中，指出其古文獻有「無業之民，偷渡日多，非遊聚市廛，則肆爲盜賊，捕治不勝其眾」；「此輩偷渡者，具系閩、廣遊手之民，其性本非馴良，又無家室顧忌；無怪乎刁悍日甚，而鼠竊之事，日見告聞。」；東槎紀略卷四：「內地遊手無賴之徒，重罪逋逃之犯，溷跡雜沓而並至。有業者十無二、三，地方人工不足以養群，相聚而爲盜賊，則所以稽察而緝捕之者難在周密。」在有關清朝對偷渡的管理方面，有對「船戶治罪」

以及對內「編甲」的強化措施。根據台遊日記卷二：「海洋禁止偷渡諸制頗詳——海洋禁止偷渡，犯者照私渡關津律杖八十，遞回原籍；人數至十名以上者，官役分別責罰，而初不及兵事，蓋郗者情勢然矣。弛張之道，今昔異宜，似應別立專門，以示鄭重。」；「再令有司著實舉行保甲，稽查防範」；「台灣不准內地人民偷渡」；「再令有司著實舉行保甲，稽查防範」；「台灣不准內地人民偷渡；拏獲偷渡船隻，將船戶等分別治罪，文武官議處兵役治罪」；「如有充作客頭，在沿海地方引誘偷渡之人，為首者充軍，為從者杖一百、徒三年……」；「互保之船戶、歇寓知情容隱者、偷渡之人、文武失察者、沿海村鎮有引誘客民過台者等均加以重處」。在編甲之法方面，如同稅金查緝等方法，以維護治安。㊲

在有關大量客家移民來台的開發方面，應該是在康熙二十年代以後之事。至於，在康熙三十五年（西元 1696 年）三月二十一日，施琅死後，對於禁止潮、惠人民（屬操「海陸腔」、「饒平腔」、「詔安腔」的客家人）的來台限制，也有日漸鬆弛的傾向。根據日人伊能嘉矩氏云：「初，康熙二十五、六年（西元1686年～1687年）間，廣東嘉應州所屬的鎮平（今改為蕉嶺）、平遠、興寧、長樂（今改為五華）等各縣人氏（即所謂的「四縣人」），渡海來台，計劃在府治附近墾殖。是時，府城附近的田園，已為閩南人所佔有，沒有餘土可以開拓，乃於東門外墾闢菜園，以維生計。後發現下淡水溪（今屏東高屏溪）以東地區，尚有未拓墾的草地可以發展，遂相率移居其地，協力開墾，於是田園日增，生齒漸繁。廣東原籍的族人聽到後，接踵而來，墾殖的區域更大，北起羅漢門（今之高雄縣內門鄉）南界，南至林仔邊溪口（今之屏東縣林邊溪），沿下淡水、東港兩溪流域，大小村落，星羅棋布。康熙六十年（西元 1721 年）朱一貴之役時，屏東平原就已有十三大庄六十四小庄的客家庄了。」

在解除粵籍人士來台的限制方面，朱一貴是泉州籍人，而當時被滿清派來台灣平亂的藍廷珍，有見於「六堆義軍」對滿清的貢獻，乃奏請，並於清．康熙六十五年（西元 1726 年）解除粵籍人士不得來台的限制外，在對有家眷者不得來台的限制解除方面，在雍正十年時，廣東巡撫鄂爾達基於「若人人有室家之繫累，謀生念切，自然不暇為非。」的理念而上奏，並且奏准為：「凡有妻子在內地者，許呈明給照，搬眷入台，編甲為良。」有了上述的新契機後，使之客家人，除廣東嘉應州屬各縣〔諸如被視為純粹客家地區的嘉應（梅縣）、興寧、長樂（五華）、鎮平（蕉嶺）、平遠等〕外，並包括有廣東潮州府〔被視為純粹客家地區的大埔、豐順等；被視為部份客家地區的海陽（潮安）、潮陽、揭陽、普寧、惠來、饒平等〕、廣東惠州府（被視為部份客家地區的海豐、陸豐等）之人紛紛來台。在雍正、乾隆年間，清廷雖一再申嚴偷渡禁令，但閩、粵移民，因受生活所困迫，干犯律令，偷渡來台者仍然絡繹不絕。當時偷渡來台者，除有上述主要粵東三州府所屬各縣外，還包括了福建汀州府（被視爲純粹客家地區的長汀、上杭、武平、連城、永定等）、以及漳州府（被視爲部份客家地區的南靖、平和、詔安、雲霄等）之人的紛紛來台。其情形，根據在清・康熙、乾隆年代，就已存在的三山國王廟，有台中縣豐原的「萬順宮」、沙鹿的「保安宮」，彰化縣員林的「廣寧宮」、社頭的「鎮安宮」、鹿港的「三山國王廟」、埔心的「霖興宮」、「霖鳳宮」、佳冬的「三山國王廟」、屏東縣林邊的「忠福宮」、佳冬的「千山公候宮」、車城的「保安宮」、台南市的「三山國王廟」等，就可知道在當代應該來了不少的客家人。

乙、在登陸方面：

客家人的來台，其方式有走官定的航道，以及走偷渡兩種路線。在走官定的航道者方面，他們大多到廈門等待查驗後，乘船到澎湖的媽宮（今馬公）候風，再乘船到台南的鹿耳門，經查驗，由安平登岸到達府城（今台南市）附近定居。在絕大多數的走偷渡路線者方面，其原因是：1.無錢走法定的官道路線。2.是爲了避免麻煩的渡航手續關係，他們大多從大陸各小港口，乘著小帆船來台，當船主把偷渡者安置好後，會把艙蓋封釘，使之無法進出，以增加行船的安全外，趁著初夏西南風或七月、十月風勢較穩的時候，駛過澎湖溝後，則沿著台灣南部西南岸向中北部航行，遇到汛兵疏於防守，或買通時，就會在各小港口直接登陸，或由小船接運登陸等方式上岸。然而，大多數的登陸方式，是不敢直接靠岸，其狀況，根據鄭水萍的〈有移民史觀，有長遠移民政策〉一文中，指出古文獻資料記載，有「放生」、「種芋」、「餌魚」等，其情形大致爲：「一經泛口覺察，奸梢照律問遣，固刑當其罪，而杖逐回籍之愚民，室廬拋棄，器物一空矣。更有客頭，串同習水積匪，用濕漏小船，私載數百人，擠入艙中，將艙蓋封釘，不使上下，乘黑夜出洋，偶値風濤，盡入魚腹。比到岸，恐人知覺，遇有沙汕，輒趕騙離船，名曰放生。」；「沙汕斷頭，距岸尙遠，行至深處，全身陷入泥淖中，名曰種芋」；「內地窮民，在台營生，囊鮮餘積，旋歸無日。其父母妻子俯仰乏資，急欲赴台就養，格於例禁，群賄船戶，冒頂水手姓名掛驗；女眷則用小漁船夜載出口，私上大船，抵台後有漁船乘夜接載，名曰灌水」；「或潮流適漲，通波漂溺，名曰餌魚」；其中，也有「不肖客頭奸稍往往將船駛至外洋荒島；詭云到台，促眾登岸，人煙斷絕，坐而飢斃。」的情形發生。㊳從上述可知，走偷渡的路線，大致須面臨三種的狀況，其情形爲，若遇到岸邊的小沙洲，就把船客趕下船，當時俗稱「放生」。當偷渡客從沙洲涉水往岸上走，往往全身陷進泥淖中，叫做「種芋」。另一種情形，是向岸邊走時，遇到潮水上漲，不熟水性的人，多被迎波漂溺，叫做「餌魚」。

在當時重要的登陸地點，在南部有打鼓仔港（今高雄港）、前鎭港、鳳山港、下淡水港、東港以及小琉球嶼等，可說是客家最早期的一條來台登陸路線。自朱一貴亂平，藍廷珍奏請解除粵籍人士來台的限制後，在台灣、諸羅等地域（約今台南、嘉義等縣所屬區域）的沿海，有新港、蚊港、猴樹港、笨港、海豐港、三林港等爲他們的新登陸港口。至於，在中北部的港口方面有鹿仔港、草港、水裏港（即今台中港）、崩山港（即大甲溪口）、大安溪口、房裏溪口、呑霄溪口（即今龍港）、礁荖叭港、後壠港、中港、竹塹港、紅毛港、南崁港、淡水河口（港口爲八里坌及滬尾）以及雞籠港等。

㈠從鹿仔港、草港、水裏港等港口登陸者，大多走向彰化、雲林、南投、台中等地墾居。

㈡從崩山港、大安溪口等港口登陸者，大多往大甲溪上游貓霧捒地區開發，其地點有如東勢角、石圍牆（今台中縣東勢鎭地區）、石崗、土牛、社寮（今台中縣石崗鄉地區）、新社、水底寮（今台中縣新社鄉地區）以及神岡、潭子墘（今台中縣潭子鄉地區）等。

㈢從房裏溪口、呑霄溪口等港口登陸者，則大多往今苗栗縣的房裏、苑裏、通霄、白沙墩以及日南等地墾居。

㈣從後壠港登陸者，則大多轉向苗栗、頭屋等地墾居。

㈤從中港登陸者，則大多在今新竹市香山鄉或苗栗縣頭份鎭等地墾居。

㈥從竹塹港登陸者，則大多在今新竹市附近墾居，部份則轉向新埔、湖口、香山山區等地墾居。

㈦從紅毛港登陸者，則大多在新竹新豐鄉及其內陸各鄉鎭（清末屬竹北二堡）等地墾居。

㈧從南崁港登陸者，則在今桃園縣南崁、竹圍，及其內陸各鄉鎮墾居。

㈨從淡水河口八里坌登陸者，在今台北縣新莊鎮墾居；在道光年間，因閩、粵移民械鬥，部份客家人遷往桃園地區墾殖。

㈩從雞籠港入口登陸者，則大多沿基隆河在汐止登陸後，往台北縣的石門、瑞芳、雙溪等地墾居。其後，因閩、粵械鬥，部份轉往桃園地區發展。

貳、客家人的拓台

在鄉土的呼喚以及拓荒的情懷下，在面對歷經百劫而倖存的遺址舊地，彷彿又回到先民走過的時光隧道中。客家移民秉承「耕讀傳家」的傳統，參與平原及近山地區的拓墾，不僅使台灣達到全面性開發，也使古老中原文化理念在台灣綿延。

從十七世紀到十九世紀的兩百多年，客家人以較閩南籍移民差的條件和情勢移民台灣，他們違犯禁令、冒死渡台，必須深入險惡的丘陵、台地、高山等崎嶇原始的邊區展開非常艱辛危險的墾闢。經歷了許多犧牲和困頓，客家人在台灣的溪谷中上游之溪谷平原、盆地、丘陵、以及更深入的山區，開啓並且建設了各種在地之產業，也建立發展了大小鄉庄和城鎮。其中，在台灣有關內山開發史中的客家人方面，「內山」一詞在台灣現存的方志和文獻上，屢見不鮮，一般人很容易把它誤認爲是一種的自然地理界限，但稍加研究後，此詞的使用經常因時、因地、因人，而往往有不同的指認。「內山」一詞的出現，應該是清．康熙二十三年（西元 1684 年）統治台灣以後之事。今將清代有關「內山」一詞的描述如下：

1. 清．康熙二十四年及三十五年，蔣毓英、高拱乾，先後編修的兩部《台灣府志》云：「阿里山社界至此山止，自此山（番米基山）以東，皆係內山。」

2. 清．康熙五十三年，實際參與清朝政府測繪台灣地圖的法國籍神父馮秉正說：「它分成東西兩部，中間是高山，…只有大山的西部，才屬於中國人，…在東部只有番人居住，那地方多山，沒開墾，並且野蠻…。」

3. 清．康熙五十六年，《諸羅縣志》云：「內山峻深幽邃，生番之所居，…。」其中又提到康熙五十三年的「新附生番」云：「水沙連（日月潭一帶）雖內附，而各社多在內山。」

4. 清．雍正二年（西元 1724 年），黃叔敬的《台海使槎錄》，卷八〈番俗雜記〉云：「內山生番，野性難馴，焚廬殺人，視為故常。」卷三〈赤崁筆談〉云：「昔年近山皆土番鹿場，今則漢人墾種，極目良田，遂多於內山捕獵。」

5. 清．乾隆十年（西元 1745 年），高山〈陳台灣事宜疏〉云；「生番群聚內山，熟番錯居社地，漢民散處各莊。」

6. 清．乾隆五十三年，福康安〈議台灣屯丁疏〉云；「所過近山地方，良田彌望，村落相連，多在輿圖定界之外，舊設土牛，並無遺跡可尋」。

7.清·道光十五年（西元 1835 年），《彰化縣志》編成云：「凡山之險阻，人跡不到者，統稱內山。」

8.清·同治十年（西元 1871 年），《淡水廳志》云：「淡地內山，處處迫近生番，昔以水牛紅線爲界。今則生齒日繁，土地日闢，耕民或逾土牛十里至數十里不等，紅線已無蹤跡可尋，非設隘以守，則生番不免出擾」。

內山的開發是近山開墾的延伸，由於近山地區以客家移民爲主，因此，台灣北部地區的內山的開發，客家人實居主要的地位，而只有少數的閩南籍移民插足其間。就今日的行政區劃而言，桃、竹、苗內山開發的範圍，大致相當於桃園縣的大溪和龍潭東部，新竹縣的關西、橫山、竹東、北埔、峨眉、寶山，以及苗栗縣的三灣、南庄、獅潭、大湖、卓蘭等地。在開拓時，根據黃卓權的〈台灣內山開發史中的客家人〉一文中，指出從土牛溝到設隘的開墾方面，所謂的「土牛」、「土牛紅線」，有時也稱爲「土牛溝」；這是清代台灣自南而北，陸續劃定的人文界線。依據施添福的研究，這條人文界線，是以「挑溝堆土」的方式，於乾隆二十六年完成的「深溝高壘，疆界井然」的有形障礙。其目的在區隔漢、番「使生番在內，漢民在外，熟番間隔於其中，讓各族能夠各管各地，不得混行出入，相尋釁端」。在設隘墾拓方面，它通常以「隘」爲前導，以武力爲後盾逐步往深山開拓。「隘」簡單的說，就是以城牆或障礙物所構成的防禦設施。平原地區或村落密集的小型集村，所設置的隘防，比較接近城的規模。例如，老地名中的木柵、竹圍、土城、石圍牆…等，都是由這類小型的集村所設的隘演變而來。就另一個觀點來說，世界上最大的隘，就是橫跨中國北方的萬里長城，最小的隘，就是戶外的籬笆或圍牆。今就以一般的「隘」而言，它的防禦設施，通常是由隘首、隘丁和隘寮所組成。在所設置的「隘防」方面，若由政府出資興建，並負擔全部或一部份維持經費的，稱爲「官隘」，由民間自行負擔全部經費的，便稱爲「民隘」。爲隘防線逐步往深山東移至生番賴以生存的內山地區的同時，必會激起生番的激烈抗拒，而雙方的對峙也就愈爲慘烈。㊴至於，在爲維護熟番生計，而劃有特別的保留地區，最後大多終於還是以典當、贌租或杜賣等，各種違法的手段，直接或間接的轉入漢移民的手中。

在有關早期客家人在台灣的拓台生活狀態方面，根據陳文達的《鳳山縣志》〈漢俗項〉記載：「自淡水溪（指下淡水溪）以南，則番、漢居，而客人尤夥，好事輕生，健訟樂鬥，所縱來舊也。在謝金鑾的《續修台灣縣志》〈風俗項〉中記載：「俗信巫鬼，病者乞藥於神，輕生喜鬥，善聚，亦皆漳、泉舊俗。」外，又根據王必昌的《重修台灣縣志》〈風俗項〉中記載：「邑無客莊（客莊，粵人所居之莊也。北路自諸羅山以上，南路自淡水溪而下，類皆潮人聚集以耕，名曰客人，故莊亦稱客莊），比戶而居者，非泉人則漳人也。盡力南畝，暇則入山伐雜木，載至城中，價多者得錢盈千，小者不下數百。無非爲，無生事。」等，過著比較原始的農耕、砍柴生活。在有關客家人在台的開拓方面，以參卓簡炯仁的《屏東平原的開發與族群關係》，陳運棟的《台灣的客家人》，邱彥貴、吳中杰的《台灣客家地圖》，劉還月的《台灣的客家人》、《處處爲客處處家》，黃鼎松的《苗栗的開拓與史蹟》，潘英海的《桃園縣客家文化館軟體規劃及資料蒐集》，漢聲的《台灣的客家人專集》，聯合報系歷史月刊第 134 期黃卓權的〈台灣內山開發史中的客家人〉，莊華堂的〈客家人、福佬客的開發背景與現況〉，台北市政府客家事務委員會出版的《客家風情》等書，把它整理、歸納如下：

㈠在滿清時代

甲：在南部地方

在滿清時代，在台灣的開發方面，以康熙、雍正和乾隆三朝最盛，至於在嘉慶、道光、咸豐和同治時代，雖然還有若干客家人的陸續來台墾居，但人數究竟有限。

一、高屏地區的開發：

一般人研究南部地區客家人的開拓史，均把焦點集中在屏東六推地區，並認爲六堆是客家的重鎭，也是移民的伊始。在屏東縣，除了六堆之外，尙有屏東市、潮州鎭及恆春半島的滿州、車城二鄉都有不少的福佬客分佈其間。

在康熙、雍正、乾隆時代的所謂「南部」，是指現今嘉義以南至屏東一帶地區，當時的行政區，包括有諸羅縣、台灣府治、台灣縣、鳳山縣等三縣一府治。在有關南部的開發方面，自康熙中葉以後，經過雍正、乾隆、嘉慶，一直到同治年間，仍然繼續不斷地有客家人移居入墾，其開發情形爲：在客家人及漳泉人入墾以前，下淡水溪以東，即今屏東縣全部及高雄縣美濃、杉林等鄉鎮，爲傀儡番（即排灣族、魯凱族）及平埔番耕獵之地。早期客家人的來台，大約在清軍平定台灣後二、三年間（即康熙二十五、六年）。當時由於在下淡水溪（今稱高屏溪）以西的台灣南部地區，大部份已爲閩南人所佔居，因此只好往其他的地方發展，其情形諸如有，在萬丹街東北六里（即今屏東縣萬丹鄉），河水易氾濫成災的河川地，建立濫濫庄（今萬丹鄉四維村），並建造了一座客家式的土地公廟。根據鍾壬壽在《六堆客家鄉土誌》中所說的見解爲：「一六八八（康熙二十七）年清軍續遣部隊中，有一部份蕉嶺及梅縣出身的士兵，由安平登陸，不久屯田於台南東門，後來轉到阿公店（岡山），一六九二（康熙三十一）年解隊後，被政府安置於萬丹鄉濫濫莊從事墾荒，類似現在之退伍軍人集體從農的所謂『榮民新村』。」雖然當時被派來的駐軍只約有一百人，其情形仍然受到部份學者的質疑，但目前濫濫庄，仍被視爲六堆的發祥之地。大約在康熙四十年代以後，由於各地已經無法容納繼續來台的拓荒者，而不斷的由「點」而「面」的向外發展。到了康熙六十年，發生朱一貴事件時，客家人進入這一地區墾殖的時間，前後不過三十年左右，竟然至少在屏東平原已經形成了十三大庄、六十四小庄的客家聚落的同時，這一萬二千多人也被編成六堆，由於「堆」與「隊」客語同音，以避免與清朝正規軍隊混同。平時爲「堆」，戰時爲「營」，「六堆」因而得其名。

在有關十三大庄、六十四小庄方面，其雛形究竟有多大？目前並沒有任何文獻可資參考，不過根據康熙六十一年，清廷在屏東平原「逼近生番處所相去數十里或十餘里」處，規劃一條「番界」線，線內爲「傀儡番」，線外則爲平埔族及漢人聚落的情形下，位於新埤鄉西角的左堆、萬巒鄉西角的先鋒堆、內埔鄉西南角的後堆、以及長治鄉西北角的前堆，應該都是位於「番界」內的地區，不屬於客家六堆的範圍。至於，在當時的十三大庄方面，根據簡炯仁所著的《屏東平原的開發與族群關係》一書，指出，對照於「乾隆台灣輿圖」，大致上是：潮州庄（現今之潮州鎮）、頓陌庄（現今之竹田鄉的南村）、內埔庄（現今之內埔鄉內埔庄）、檳榔林庄（現今之內埔鄉義亭村）、懷忠里（現今之內埔鄉豐田村）、新東勢庄（現今之內埔鄉新東勢）、沓沓庄（現今之竹田鄉羅羅村）、戀戀庄（現今之萬巒鄉萬和、萬全兩村）、頭溝水庄（現今之萬巒鄉頭溝水村）、二溝水庄（現今之萬巒鄉二溝水村，早已被大水沖毀廢村）、三溝水庄（現今之萬巒鄉三溝水村）、四溝水庄（現今之萬巒鄉四溝水村）、老東勢庄（現今之內埔鄉新東勢村）。㊵

在有關六堆的開發方面，參見陳運棟學者所著的《台灣的客家人》一書中，對六堆地區，中、南、北三線所開發的十三大庄、六十四小庄方面，應該是在康熙六十年朱一貴事件以後，客家人不斷的向東港溪、內埔溪、南勢溪、牛稠溪、麟洛溪、溪州溪、林邊溪等地，採取自由開墾或是向原住民購買土地的方式，又開發出，包括原來十三大庄、六十四小庄範圍的新的十三大庄、六十四小庄的同時，而當時的「六堆（隊）」，也逐漸爲行政區所取而代之。其情形大致如下：

㈠在中線的拓展方面，是由濫濫庄向東方東港溪流域，即今竹田、萬巒以及內埔等三鄉境內開拓。首先在這片低地上建有糶糴村爲墾殖基地外，在新街庄（今竹田鄉竹南村）建有交易市集，以在頓物庄（今竹田村）建有屯積糧食的倉庫外，鎮平籍的李、黃等姓氏，則不斷的沿內埔溪兩岸建立和尚林庄（今竹田鄉竹南村）、崙上、履豐、二崙、頓物潭（今中崙）、美崙等六庄的同時，也在隘寮溪東方支流南勢溪，建立頭崙、南勢、溝背、頂頭屋、楊屋角、竹頭角（福田）、老北勢、和順林、四座屋（今內埔鄉富田村）等九庄。以上在下淡水溪以東所建的十八庄，即爲以後六堆組織中的中堆地區。居住在濫濫庄的溫、張、林、鍾等姓氏，在開闢中堆各庄之際，溯東港溪而上，建有萬巒庄（今萬巒鄉萬巒村，萬巒的起名就是層巒疊嶂的意思。在它的開發方面，相傳二百多年前的冬日午後，大家一覺醒來，發現耕牛失蹤，眾人就一路追尋，在今萬和村發現一口噴湧的活泉，失蹤的牛群正在一旁追逐嬉戲。有了水，開墾的困難就可迎刃而解。眾人在欣喜之餘，爲了感謝上天的恩賜，就把這口泉命名爲「仙人井」，並且就地定居，還返回原鄉招募鄉親前來開墾。）㊶成為一個熱鬧的墾殖基地外，並沿東港溪東方各支流兩岸拓展，建有高崗（萬和）、頭溝水、二溝水、鹿寮、三溝水、硫磺崎、四溝水、五溝水、大林（五溝）、得勝、成德等，共有十二庄，為以後六堆中的先鋒堆（即今屏東縣的萬巒鄉）。大約在開拓萬巒庄的同時，住在二溝水的林姓人氏，率領賴、李、馮、鍾、利、黃、曾等姓氏，在東港溪西岸，建有下樹山庄（今下樹山村），以及在內埔溪流域，建有內埔庄（今內埔村，在漢人入墾前是一片荒埔，加上位於內陸，而得其名）等墾殖中心後，各姓氏分別在東港、內埔兩溪流域不斷拓建，在內埔以南地區，建有羅經圈、忠心崙（美和）、茄苳樹下、竹山溝（和興）等四庄，以北地區，亦建有老東勢、泥埤子（東寧）、上樹山、新東勢、東片新、景興、早仔角（東片）、番仔埔（興南）、檳榔林（義亭）等九庄，加上內埔、下樹山二庄，共有十五庄，為以後六堆組織中的後堆地區（即今屏東縣的內埔鄉）。㊷

㈡在北線的拓展方面，它大致位於今麟洛、長治以及里港等鄉境內。麟洛鄉開庄於麟洛庄，相傳在墾地挖泥時，發現許多大龜，龜是吉祥的象徵，先民以為有龜則必有麒麟降落。所以將這個地方命名為「麟落」，日據時才改名為麟洛。有關它的開發方面，在康熙四十五年，鎮平縣人徐俊良，與柯、翁二姓合資向阿猴社番購買土地，再回原鄉召募人員，建草寮而居，以開闢草萊，稱麟洛庄後，陸續有客家人，於該地區建有新圍庄、新庄仔、老田尾庄、上竹架庄、下竹架庄、田心庄、徑仔庄等庄。大約在和徐俊良開拓麟洛庄的同時，鎮平籍的邱永鎬，原是盧李林三姓所開設商號的伙記，也向阿猴社番購買土地，再回原鄉召募人員，先建香楊樹下庄（今長治鄉香楊村）後，再建火燒庄（有關此地名的由來，當年來此開墾的都是男丁，早上出門工作時，時常忘了關爐火，而常把田寮燒掉的關係。第二種說法是在清．光緒年間，日本人打台灣，六堆軍隊和日軍在長治決戰，戰火把這裏燒光，而得其名，此地其後易名為長興庄）做為墾殖中心。其後，客家人又分別在牛稠溪兩岸，建田寮（屏東市豐田里）、三座屋（長興村）、下厝、崙上、煙墩腳（德榮）、竹葉林（德協）、竹圍（德成）等庄；在麟洛溪上游兩岸，建有老潭頭、新潭頭、溪埔（進興）等庄，與麟洛等八庄相連接，成為以後六堆組織的前堆地區。㊸

㈢在南線的拓展方面，它位於今新埤、佳冬二鄉境內。康熙四十年代，客家人到溪州溪流域，首先雜居在閩南人的南埔庄內，其後，人數漸多，無法生存，乃溯溪州溪而上，建南岸庄（今南岸村）為南線墾殖的開始後，陸續建有打鐵庄（今打鐵村）、建功庄（今建功村）、新埤頭庄（今新埤村）等，以上四庄，均在今新埤鄉境內。在佳冬鄉的開拓方面，鎮平人戴昌隆率眾於林邊溪南岸，首先建昌隆庄後，各姓客族陸續建有茄苳腳（今六根村）、石公徑（今玉光村）、半徑仔（萬建）、葫蘆尾、下埔頭（賴家）等六庄，與新埤鄉境內的四庄，共為十庄，為以後六

堆組織中的左堆地區。㊹

綜合上述中、北、南三線各庄，連同濫濫庄，共有七十七庄，其中大庄為中線的糶糴村（它是客家先民在竹田建立的第一個聚落。糶字讀ㄊㄠˋ，是賣出穀物的意思，糴字音ㄉㄧˊ，是買入穀類之意，用客家話唸的話，就變成「ㄊㄠˋㄊㄚ˙」。顯然這裏在近三百年前，曾經是米穀的集散重鎮）。新街、頓物、二崙、萬巒、五溝水、內埔、番仔埔、新東勢等九庄，北線的麟洛、長興庄，南線的茄苳腳、石公徑庄，共有十三大庄。另有六十四小庄，即為濫濫庄（在今萬丹鄉）、和尚林、崙上、履豐、頓物潭、美崙、頭崙、南勢、溝背、頂頭屋、楊屋角、竹頭角（竹田）、老北勢、和順林、四座屋、下樹山、羅經圈、忠心崙、茄苳樹下、竹山溝、老東勢、泥埤子、上樹山、東片新、景興、早仔角、檳榔林（內埔）、高崗、頭溝水、二溝水、三溝水、四溝水、鹿寮、硫磺崎、大林、得勝、成德（萬巒）、新圍、新庄仔、老田尾、上竹架、下竹架、田心、徑仔（麟洛）、香楊、三座屋、下厝、崙上、煙墩腳、竹葉林、新圍（德成）、老潭頭、新潭頭、溪埔、田寮（屏東市）、武洛（里港）、南岸、打鐵、建功、新埤頭、昌隆、半徑仔、葫蘆尾、下埔頭（佳冬）。上述這些十三大庄、六十四小庄，可說是大大的擴大了康熙六十年朱一貴事件爆發時，客家團練所組成的村落外，其中，值得注意的是，在一般六堆的分類中，習慣把高樹鄉和美濃地方，併稱為右堆，但在事實上，在當時六堆義勇軍組成時，這兩地尚未有客家人去開墾，而當時的右堆，僅有嘉應州五縣人林、邱、鍾、曾等姓氏，在武洛溪發源地的隘寮溪南岸，建立有里港鄉的「武洛」一地而已！至於，在美濃的開發方面，則是在朱一貴事件之後十四年，即清・雍正十三年秋，里港武洛庄民在統領林桂山、林豐山兄弟的率領下，前往靈山山麓下開墾。翌年（乾隆元年，西元 1936 年）籌建土地伯公廟，並奉為「開基伯公」。至於，在建於清・乾隆二十年（西元 1756 年）的東門城樓方面，它是瀰濃庄（今美濃）防範匪徒和外族侵襲的四座柵門中唯一建有門樓的城垣。雖然其餘的城牆已被文明的腳步踏碎而消逝，不過，東門的城樓，幾經砲火的洗禮，美濃鎮民仍再三予以修築，屹立原處，儼然已成為美濃的地標。

在日治時代有關「六堆」的開發狀態，根據伊能嘉矩在《增埔大日本地名辭書》・台灣裏，對「六堆」的範圍（明治 42 年）記載為：

先鋒堆：今之港東上里萬巒、四溝水、新厝、五溝水等大小十三庄。

前堆：上前堆，今之港西中里火燒、潭頭等大小十一庄；下前堆，今之港西中里麟洛等大小六庄。

後堆：今之港西下里內埔、老東勢、新東勢等大小十三庄。

中堆：上中堆，今之港西下里西勢、新北勢、老北勢、南勢等大小十庄。下中堆，今之港西下里中心崙、二崙、頓物等大小十三庄。

左堆：今之港東中里新埤頭、石光見、下埔頭、大武丁、南岸、建功、打鐵等大小十三庄。

右堆：今之港西上里瀰濃、中壇、龍肚、新寮、大路關、武洛、新圍等大小二十七庄。㊺

在民國時代，有關「六堆」的開拓範圍，根據鍾壬壽的《六堆客家鄉土誌》（民國六十三年，西元 1974 年）中指出爲：

前堆：長治、麟洛二鄉。

後堆：內埔鄉。

左堆：佳冬、新埤二鄉。

右堆：高樹、六龜、杉林三鄉及美濃鎮。

中堆：西勢鄉。

先鋒堆：萬巒鄉等六堆。㊻

在台灣南部的開發，除了上述已談過的「六堆」開墾外，在恆春半島的開發方面，最早的客家移民據說是鄭成功的部下，他們來到今日的車城鄉屯墾，留下了「統領埔」（今統埔村）的地名。其後，在雍正初年，廣東潮州大埔客屬王那，入居蚊蟀埔（今滿州鄉治所在），接著曾、邱、烏各姓粵人也相率來此開墾。在乾隆年間，六堆的客家有佳冬的楊姓、麟洛的馮姓、內埔的古姓、竹田的張姓等四家，來到車城鄉建立了保力村聚落。㊼在其他地區的開發方面，諸如在乾隆初年，有粵人葉古，入墾港東中里磞仔庄（今屏東林邊鄉磞口村地區）南埔一帶。嘉慶二十年，有粵人劉姓，與漳人林姓，合墾港東中里溪底、頂廍、古山（今屏東東港鎮一帶地區）等地。㊽咸豐初年，客家人又溯四重溪而上建立四重溪庄（車城鄉溫泉村四重溪聚落）。同治初年，有粵人鄭吉來兄弟，由仁壽、茄湖（茄苳湖）、頭溝等里，以及車城鄉埔墘村地區進來，並沿著東海岸嘗試拓墾泰慶里（即今滿州鄉）；同年，陳姓之客家人又著手拓墾南勢湖（舊屬於嘉禾里，今之枋山鄉南勢湖）。同治年間，福建汀州府永春縣的大宗翁家族也開始拓墾茄苳湖一帶等等。㊾

台南縣市：

台南是台灣開發最早的地區，由於客家人在台南地區一直都沒有較明顯的活動，因此被研究客家的學者視為一種的非客家地區。然而，在事實上，仍有一些的客家人在台南各地散居。其情形諸如有，位於白河地區的庄內里、玉豐里、詔安里、廣安里、昇安里和崎內里等地，有許多的客家聚落存在。其中諸如位於玉豐里的海豐厝，是明鄭時期，由廣東省惠州府海豐縣的張、林兩姓客家人所開墾的地區。清．康熙中葉時，在白河鎮開拓有馬稠後和客庄內兩庄。清．康熙六十年（西元 1721 年）時，有來自福建省詔安縣的江如南福佬客，在楠西（今台南縣楠西鄉鹿陶洋 63 號）開山建村。㊿在清．乾隆五年（西元 1740 年），有由店仔口和海豐厝遷移而來的李攸、李靈等人，所拓墾的內崎內，其範圍大約在今外崎內以東，以及崎內里第四鄰一帶。

乙、中部地區

在康熙、雍正、乾隆時代的所謂「中部」，是指昔日諸羅縣的北邊，包括現今的雲林、彰化、台中等地。然而，現今則把嘉義縣市，也被規劃在中部地區而已！由於中部地區閩客雜居，而且在滿清一代沒有明確的統計資料，只知在入墾的客家人所建立的「客莊」，遍佈各地，其人口數，每村莊多者千人以上，少者亦有百人左右。其總人口數，當亦不下於散居在南部各地區的鄉親。台灣中部地區的客家人，根據莊華堂的〈客家人、福佬客的開發背景與現況〉中，指出，它主要分佈在台中盆地以東的丘陵地帶，彰化平原的永靖、埔心、北斗地區以及八卦山脈西側，南投縣的部份山間盆地。開發先後則以埔心、永靖地區爲最早。康熙中葉，潮州府饒平縣大墾戶黃土卿率族人入墾，並築十五庄州圳墾成大埔心庄。永靖鄉則在康熙末年之後，饒平人、梅縣人陸續入墾，現在兩鄉客裔中，仍以潮州客家人居多，不過本地區客家人已全部變成福佬客。[51]

嘉義縣市：

嘉義縣的客家人，大多以中埔、大埔、溪口三鄉爲主，其他如大林、民雄、新港、水上、竹崎、番路等地都有一定的比率。在清・康熙年間，有來自廣東嘉應鎮平的黃明覺、黃明發兄弟在嘉義義竹入墾外。[52]根據《諸羅縣志》說：「自下茄冬至斗六門，客莊、漳泉人相半。」[53]在清・康熙六十年（西元 1721 年），發生朱一貴事件時，藍鼎元隨其堂兄藍廷珍來台出征，當他來到現今台南嘉義交界處十八重溪的「大埔庄」（即今嘉義大埔鄉）時，根據藍鼎元的「東征集」卷六記載，他發現：「有居民七十九家，計二五七人，多潮籍……中有女眷者一人，年六十以上者六人，十六（歲）以下者無一人，皆丁壯力農，無妻室，無老耆幼稚」的情形。如果沒有意外，他所見到的，應該是一個標準的客家農業開拓站。又根據日人安倍明義的《台灣地名研究》提到：「大林，大正九年大莆林街改爲今名，康熙末年墾首薛大有率眾入墾……地名的由來，一說是舊時廣東省潮州府大莆地方的移民移墾而來……。」㉞由上可知，在康熙末年時，就有來自廣東省潮州府大莆地方的移民，薛大有率眾在今大林鎮拓墾了。在雍正年間，有惠州陸豐的黃英烈、黃英照，先懇殖嘉義縣下林仔庄，後移墾觀音。㉟在清・乾隆初年（十八世紀中期）時，有福建汀州府永定人劉文科，以及廣東惠州府陸豐人李悅昌以及劉仕榮，來此開拓梅子坑庄。大約在乾隆初年時，在嘉義山線，有來自福建漳州府詔安縣南陂的林家，在竹崎內埔村開拓。來自廣東潮州府饒平縣石井的劉家三兄弟及其寡母，在竹崎塘下寮招墾。來自廣東大埔縣白猴的邱章祿，在新寮坑開墾。過了一又四分之一個世紀，到光緒初年時，嘉義山區在上述三個家族以及陸續入居的客家人，已經形成了十三個庄頭的同時，並興建了一座玉山巖的廟宇，來安奉由林家帶來的觀音佛祖。由於內埔爲最大庄，而把它分爲東、西兩緣，而其他的各聚落各爲一緣，而有所謂「十三庄頭十四緣」的由來。㊱至於，在日據時代以後，位於嘉義縣市中，有比較多客家人的地方，可說是只有大林庄

（約佔 32 ％）、梅山鄉（約佔 15 ％）、中埔鄉（約佔 11 ％）和大埔鄉（約佔 30 ％），其餘的各鄉鎮，客家人所佔的比率則爲相當的低。57

雲林：

雲林縣客家人，有分佈於西螺、二崙、崙背、虎尾以及斗六的說法當中，位於濁水溪南岸的崙背和西螺，可說是客家人在雲林縣最主要的聚居地。在早期，有來自福建詔安的吳姓，來到西螺南境和二崙、虎尾交界的「吳厝」之地拓墾。根據《雲林文獻》指出：「吳厝，顧名思義，當爲吳姓開發，據當地父老稱：吳厝媽祖廟，朝興宮，歷史悠久，清康熙時由吳姓移民自福建湄洲奉請一神像前來此地供於家中，至廖姓移民遷入後，始建廟，隆重奉祀，後吳姓他遷，此廟遂由廖姓維持至今。」58由上可知吳姓在「吳厝」地方拓墾，應該在清・康熙時或是在康熙以前，就來到該地開墾了。在有關廖家在雲林的發展方面，根據《雲林縣志稿》〈卷首史略篇〉中，指出：「廖姓入台，隨嗣經有右武衛鎮左協廖進，授勦右鎮右營廖義，果毅後鎮左翼將廖冬。康熙末有廖芳淋住下淡水。雍正年間有廖時尚住彰化，廖朝孔入本縣墾褒忠馬鳴潭，廖玉入墾東螺西堡，廖揚世入墾大屯山，廖簡岳入墾淡水。乾隆年間有廖孝、廖丹、廖君統、廖富春、廖盛、廖合端、廖輝煌、廖培塔、廖有綸、廖似寧入本縣西螺經商。道光年間有廖宗國、廖天鳳、廖廷俊、廖天送。」外，59又根據劉還月所著的《台灣的客家人》中，指出：「清康熙四十年（1701

年），原籍中國福建詔安的客家人廖為見率領著族親渡海來台，從濁水溪口登岸後，沿著河上溯，最後在二崙與西螺間墾荒闢地，歷經數十年之後，家族逐漸繁衍龐大。」⑥⓪由上，可知在清・康熙時，廖姓就開始來台，而且家族繁衍龐大，在嘉義的二崙和西螺兩地，分別形成一個相當大的客家聚落了。至於，在清・康熙末葉（十八世紀初期）時，還有來自福建詔安的鍾姓客家人，也開始來到二崙拓墾。

在西螺七崁（嵌）方面，來自福建詔安的廖姓家族，於清・乾隆初年（十八世紀中期）時，到此拓墾。其後，由於不斷的遭受盜匪的打劫，於是位於西螺的廖姓，便聯合二崙以及崙背等鄉鎮的客屬，把它分成七大部份，互為犄角，共同抗禦盜匪，此即為「七崁」的來源外，又有傳說，七崁之所以要分成七塊，是因為該地最大的宗族「張廖」有七條祖訓，其中的第一條，就是「生廖死張，故曰張廖」的由來。在習武抗匪方面，在清・道光八年（西元 1828 年）時，有位少林寺的嫡傳武師劉明善，被西螺的廣興莊民，從詔安原鄉請來此地，開設「振興社」武館，傳播武術給鄉民，以資抗匪。另外，在當時，位於崙背鄉港尾的居民，也從原鄉官陂宗親，請來了廖金生武師教授「布拳」，使之當地，有說敵人「過得西螺溪，過不了虎尾溪」的說法。

在大埤鄉虎尾溪和北港溪匯流處附近，太和街（自日本時代就改稱為新街）的三山國王廟與五十三庄方面，根據陳福星和吳昆山所編的《太和街三山國王廟》中，指出

「清聖祖康熙早寅年三藩亂，適有唐山粵邑人士，張忠義渡海來台，沿笨港溪而上，隨奉揭陽霖田都明貺廟三山國王保身，鎮宅奉祀於太和街（今之大埤鄉新街）。」㉑由上可知，在明鄭時代，就有廣東的張忠義，來到此地拓墾。在清・康熙四十四年（西元1705年）時，有福建汀州府武平縣的張漢士，來到此地開墾。大約經過一百年，在此地的開發，很多的客家人都集中在大埤、斗六、古坑一帶，並成立「新街五十三庄」和「前粵籍九庄」的聯庄組織，其情形有如根據仇德哉主修的《雲林縣志稿》指出：「至嘉慶十四年（歲次己巳，西元1809年）四月，由本地善信張元國、張元基兩兄弟，發起五十三莊庄民醵金八千五百元，鳩工興建廟宇，並向大陸廣東省惠州府陸豐縣，雕塑三山國王金身，營（迎）回奉祀於此。並定廟號爲『太和街三仙亭三山國王廟』」。㉒由上可知，位於雲嘉交界處的新街三山國王廟，在清朝中葉時，可說是已經成爲五十三庄的宗教活動中心了。在其過去的活動範圍方面，雖然目前不甚清楚，但是它在每年七月十五日舉行普渡時，往往會有來自嘉義縣的大林、溪口、民雄、梅山，以及雲林縣的斗南、大埤、元長、古坑等八個鄉鎮，南北長約十二公里，東西寬約十八公里的客家人都會來此參加贊普。在現今二十世紀末的新街方面，在民國八十五年（西元1996年）被列爲國家三級古蹟的新街三山國王廟，該街已經不是街，而是淪爲大德村中一個僅有二、三十戶人家的小聚落了。在斗六地區的前粵籍九莊方面，根據清・光緒二十年（西元 1894 年），雲林縣訓導（相當今日教育局長）倪贊元所編纂的《雲林縣采（採）訪冊》中，斗六堡的寺廟條下記載：「三山國王廟，在縣城南，前粵籍九莊公建；後屢重修，今損壞。」⑥③由上，可知在清・光緒二十年時，在斗六地區，有來自廣東的客屬，就有九莊之多。雖然目前，對於該九莊不很清楚，而且也有許多不同的說法。但是，當地的居民則大致同意，是指在斗六市街南邊的大潭、社口和大崙等三個聚落為中心地帶，並包括該中心向四周輻射的小聚落在內。

彰化：

根據莊華堂的〈客家人、福佬客的開發背景與現況〉一文中，指出，彰化縣是台灣福佬客最多的地方，除了一般人熟悉的大平原地區的永靖、埔心、北斗、二林幾個鄉鎮之外，在八卦山西側，平原盡頭的近山地區，北起大村鄉，南到二水鄉等五個鄉鎮，都有不少潮州府饒平客，漳州府南靖客及部份詔安、平和、鎮平、海豐客家人。⑥④

早期彰化客家的開墾，以永靖、埔心、田尾等三地為主要中心，並包含今員林、社頭、溪湖等地的部份地區。在康熙五十年（西元 1711 年）時，梁文開、梁文舉、梁文滔（松崗公派下），先入墾彰化員林，後遷中壢。⑥⑤在清・康熙五十四年（西元 1715 年）時，有來自廣東的客家人黃利英，來到彰化，從事農地開墾⑥⑥。清・康熙末年時，有一群廣東饒平的客家人，來到大武郡山下早先移民視為棄地的湧泉地帶拓墾，這些被留下姓名的先人，有陳智可、陳聲榮、邱九恩、邱應魁、邱信義、劉剛毅、劉瑞華、詹瓊瑤、詹時謹等人，後來被視爲這一帶大家族的渡台祖。隨著八堡圳、十五庄圳，兩條主要灌溉系統在清・康熙五十九年（西元1720年）左右相繼竣工後，又有許多以饒平爲主的同鄉來到南彰化平原上，建立一個個的客家村落。大約經過一百年的拓墾，在清・嘉慶十七年（西元 1813 年）時，在關帝廳莊前方，規劃了一個街市，分成六股募集資金，總計有八十二個自然人或法人入股，並在街心興建了一座三山國王廟。在清・道光六年（西元 1826 年）時，在彰化東螺保睦庄，客家人李通，因偷了閩南人黃文瀾的一條豬，而引起閩客的大械鬥，幾乎成爲西部台灣的互殺。在彰化地區，因閩客械鬥，客家人犧牲了八十二位壯丁，爲感念他們的奮勇犧牲精神，乃建祠（永靖鄉永西村英烈祠，又稱爲好漢爺廟）供奉的同時，也促成了永靖、社頭、埔心、員林、田尾、田中等地的七十二個村落，組成聯庄會，以祈自保。由於八十二位英雄好漢的犧牲，在其祠內寫有「英武強場永遠功績垂太極，列威戰陣靖安寰區民難忘」的詞句，以資懷念的同時，也讓縣令楊桂森，特別感受到「期閩粵和平共處，永久安靖」的重要，因而把地名改爲「永靖」的由來。

在彰化其他地區的墾拓方面，在康熙六十年（西元1721年），朱一貴事變時，有應徵爲鄉勇身份，跟隨南澳鎮總兵官藍廷珍來台平亂後，即在中部地區開墾，建立村莊，其情形有如位於今彰化李安善的北莊，便是一例。在雍正年間，前來開發的客家人，日漸增多，諸如有定居在阿東社（應在今彰化市香山、牛埔二里地帶）附近的客家人，爲救援地方長官，而有黃仕遠等十四姓十八人，被當地土住所殺害之事的發生，由此可知當時在當地的客家人應該不在少數。到了乾隆末年，來台墾殖的客家人更見增加，隨著大批客家人的長期定居，一些客家姓氏開始成爲當地的名門望族，其情形，有如在林爽文之役（清・乾隆五十一年「西元 1786 年」，至乾隆五十三年二月）時，李安善的子孫在當地便號召有數千的客家人協助平亂之舉。其後，又發生戴潮春事件時，永靖一帶的客家庄又遭受攻擊，現在埔心國小內的「御賜忠義烈士墓碑」，便是紀念永靖、埔心一帶的殉難者。㊼在它的陸續開拓方面，自乾隆以後，直到嘉慶、道光初年，仍有不少的客家人來此入墾。在有關廟宇的興建方面，全縣有三十幾座的三山國王廟。其中，早在清・雍正年間，在員林的三山國王廟廣寧宮中，也奉祀媽祖，以供福佬人膜拜。其後，福佬人就自立門戶，另立福寧宮專祀媽祖。在位於溪湖鎮被譽稱爲中部客家共同信仰的荷婆崙三山國王廟方面，相傳霖肇宮開基甚早，根據最早的紀錄，它在清・雍正年間，就將香火傳給了西螺的客家同鄉。由於十九世紀的分類械鬥，使之現在荷婆崙的居民大多是屬於泉州後裔，而有使霖肇宮成爲「淪陷的聖地」之感。

台中：

位於台中地區的客家人，在移民之初，其分佈包括台中縣的清水、神岡、豐原、潭子以及台中市的南屯區一帶，後來因受到福佬人入墾的影響，除了部份留在原地被同化外，多數則落腳在台中盆地以東的石岡、新社、東勢等丘陵地帶，或是翻越山嶺進入南投縣拓墾謀生。⑱至於，客家人在台中地區所落腳之處，根據洪麗完對清代台中開發之研究指出，其各鄉鎮所佔的人口比例為：東勢鎮佔 73 %、新社鄉佔 95 %、石岡鄉佔 85 %、豐原市佔 57 %。

在客家人的入墾台中方面，在康熙四十年（西元 1701 年）時，有客籍邱姓與閩籍林、張二姓墾戶入墾日南（今大甲鎮日南、龍泉二里）、鐵砧山腳（今外埔鄉鐵山村）、三十甲（今大甲鎮頂安村）等莊。在位於現今台中至豐原的繁華都會區，過去是巴則海平埔族的居住游耕之地。來自廣東潮州府大埔的張達京，因娶了巴宰海頭目的姑姑，在番漢之間獲得了良好的關係，漢人稱他為「番仔駙馬」。在清・雍正元年（西元 1723 年）時，官府又任命他為溝通番漢的通事。由於張達京協同巴宰海頭目潘敦仔，在台中盆地開鑿了多條的水圳，使之台中盆地可大量生產農作物的同時，張達京則要求巴則海部族，若須使用水圳灌溉，就得讓出一定比例的土地給他，這就是早期有名的「割地換水」協定後，張達京則不斷的興建水圳，也不斷的從巴則海部族中取得更多的土地的同時，更於清・雍正十一年（西元 1733 年）組織了「六館業戶」，邀集該區的有錢人（秦廷鑑、姚德心、江又金、陳周文），以及來自西螺的開闢水圳專家廖朝孔，來從事土地開發，並開築葫蘆墩圳，灌溉水田一萬四千餘甲，其範圍包含了台中市、豐原、神崗、大雅、潭子等地外，甚至還西達清水，南至彰化市、芬園鄉等地。⑲

1. 豐原：位於豐原市的市中心，在過去由於該地形似葫蘆，而被稱之爲葫蘆墩。葫蘆墩自古以柴乾、米白、美女聞名，而有葫蘆墩三寶之稱。葫蘆墩原爲中部客家人最主要的聚居地，由於後來受到都會日漸繁華的影響，所留存的客家人以及客家史蹟也愈來愈少。在豐原的開發方面，在康熙末年時，有饒平縣人林端楠入墾葫蘆墩（今豐原市）。雍正年間，有饒平縣人劉延皦、詹時南入墾葫蘆墩。清．乾隆初年，有饒平縣人林元梅、林元開、林明周、林懷二、劉授臣、莊思祥、詹來開，永定縣人胡永興，梅縣人葉文興，鎭平縣人張日宏、張日丹等人入墾葫蘆墩岸裡新莊（今豐原市葫蘆、富春、下街、頂街等里）。清．乾隆中葉，饒平縣人鄭芝仲，大埔縣人嚴友端、嚴友台、嚴友梅，豐順縣人羅乾候等人入墾葫蘆墩岸裡新莊。清．乾隆末葉，有饒平縣人林學譎、林金榜父子、林阿來、詹來善、詹朴裕，平遠縣人劉定安、劉定常、劉定宏、劉定寶、劉定守，梅縣人傳敏成，大埔縣人朱來龍、朱來蘭，鎭平縣人吳九良等人入墾葫蘆墩岸裡新莊。在清．嘉慶十一年（西元 1806 年），有鎭平縣人盧行連入墾葫蘆墩。⑳在古蹟方面，有位於豐原市田心路，創

建於清・同治末年，竣工於清・光緒元年（西元1875年）的林慶生三合院古厝，以及位於豐原市翁社里，佔地一甲餘，由張存英、張存庚、張存烈、張存城等四兄弟，於清・同治十二年（西元1873年）所創建的三進院張家古厝。在豐原埤仔頭的「義塚」方面，在清・乾隆五十一（西元1786年）時，發生林爽文事件，閩、客均死傷慘重，在亂平後，東勢角的仕紳黃國光、黃熙光等人，乃收拾遺骸，把他們葬於埋葬客家人的「大清御賜褒忠粵東列義士神位」以及「義塚」，與埋葬福佬人的「列位古人之墓」等三座古墳，合稱之爲「義塚」。每年農曆八月在祭祀義民時，無論是客家人或是福佬人均會準備祭品，前往祭拜。

2. 清水：在清・乾隆元年（西元1736年），有粵籍墾戶吳瓊華取得張振萬（即岸裡社通事張達京之墾號）的墾批，開發公館庄（巴則海地界，今沙鹿鎮公明、公館二里）。

3. 神岡鄉：在清・康熙年間，有大埔縣人張達京、劉元龍，饒平縣人吳籠賜，陸豐縣人林俊曾、羅委善等人入墾新廣莊（今神岡鄉神岡、庄前二村）。陸豐縣人林清茂入墾社口（今神岡鄉社口、社南二村）。在清・雍正年間，有饒平縣人賴漢才，鎮平縣人徐玉漢、徐常泰，梅縣人謝之賡等人入墾新廣莊。在清・乾隆二十五年（西元1760年），有鎮平

縣神岡社人張丹龍、張丹麟兄弟入墾社口。在乾隆年間，有梅縣人傅上賓，揭陽縣人黃立禎等墾戶入墾新廣莊。⑺

4. 潭子：在清・康熙年間，在陸豐縣人黃迸文、黃達慶兄弟入墾潭仔墘（今潭子鄉潭北、潭秀、潭陽等村）。清・雍正元年（西元 1722 年），張達京以「張振萬」墾號，拓潭仔墘。在清・雍正年間，有饒平縣人劉授臣、詹永聖、林仁奎，大埔縣人羅家賞，蕉嶺縣人劉祺補，普寧縣人羅龍等人入墾潭子墘。

5. 大雅：在清・康熙年間，有饒平縣人黃君必、黃君倫兄弟與張信堡等人入墾壩雅（今大雅鄉大雅村）。在清・雍正年間，有大埔縣人蔡義烈、朱鴻義、朱鴻福兄弟入墾壩雅。

6. 霧峰：在清・雍正初年，有大埔縣人曾、何、巫三姓入墾柳樹湳（今霧峰鄉北柳、南柳二村）、丁台（今霧峰鄉丁台、南勢、北勢等村）。在清・乾隆年間，有梅縣人梁承達，永定縣人盧清傑等人入墾阿罩霧（今霧峰鄉）。

7. 石岡：石岡鄉舊名爲石岡仔。在清・康熙年間，有饒平縣人劉廷魁、黃可文從今員林入墾石岡仔（今石岡鄉石岡、萬安、九房、金星等村）。清・康熙末年，有廣東大埔縣人劉元龍，從神岡率領族人入墾土牛（今石岡鄉土牛、德興、和盛等村）。在清

・雍正年間，有饒平縣人林仕泰入墾石岡仔。清・乾隆十二年（西元 1747 年），客籍墾首劉啓東入墾石岡仔。在清・乾隆四十年（西元 1775 年），劉啓東促同籍曾安榮、何福興、巫良基等人入墾，先建石岡仔莊，即爲後來之土牛莊。在清・乾隆四十三年（西元 1778 年），劉啓東與土著相商，築社蓁於社蓁角社（今石岡鄉萬興村）。在乾隆年間，有饒平縣人鄧富奕、詹時接、林孫嗣，大埔縣人鄭于純、鄭鼎周，潮陽縣人黃英隆等人入墾石岡仔。在清・嘉慶年間，有豐順縣人鄧上增入墾石岡仔。㉒在古蹟方面，自劉啓東發跡後，各房子弟也先後於清・乾隆末年在土牛地方，建有德馨堂劉氏宗祠，以及在清・道光初年，劉章喜支族，在梅子地方，花了六年的時間，興建佔地一甲四分七厘的劉屋大夥房等。此外，值得一提的是，在清・乾隆二十六年（西元 1761 年）時，彰化知縣張世珍，從石岡、東勢角沿著大甲溪向西到后里，興築了每座長達二丈，底闊一丈，高八尺，頂寬六尺等用泥土堆成的土牛，共有十九座，以做爲番漢之間的一道長長的防線。

8. 新社：位於台中縣中部偏西的新社鄉，是由十數個河階所組成的新社台地。在清・乾隆初葉，有饒平縣人詹鑾，長樂縣人彭永譽入墾新社（今新社鄉新社、中正二村，及復盛村一部份）。清・乾隆二十年（西元 1755 年）時，有劉半立來此拓墾。台中東勢因臨大甲溪的航運之便，成爲附近林場的木材輳運中心。清・乾隆中葉，有饒平縣人詹時強，鎮平縣人張懋之後裔入墾新社。乾隆末葉時，有大埔縣人張尚錯入墾新社。清・嘉慶二十三年（西元 1818 年）時，有粵人羅德義入墾水底蓁（今新社鄉東興、中和、福興及慶西等村）。在清・道光六年（西元 1826 年）時，客籍墾戶彭阿才、陳官壽率民壯三十餘人，從石岡南下拓墾時，有其同鄉張阿古、張捷和、張阿苟族人來會合，企圖開拓水底蓁，卻遭泰雅族人的頑拒，於是就設私隘以禦之；道光十年（西元 1830 年）時，與原住民議和，於是隘內的荒埔乃次第墾成。⑬在清・光緒八年（西元 1882 年）時，住在當地的彭姓、邱姓、羅姓、詹姓等人家，在東興村（舊名爲水底蓁）處，建有奉祀天上聖母（媽祖）爲主神的廟宇。在日本時代時，在新社台地上發現有水社寮遺址、矮山坪遺址等。由於該台地土地肥沃，但有缺水的問題，故在日本時代，乃在較高處設置總長十六公里，啓於海拔 580 公尺的白冷圳，利用虹吸管，把此山頭的水，送到另外一個山頭，直到新社爲止的了不起水利工程建設。

9. 東勢：位於台中縣中部偏西，林木繁茂之地外，爲石岡、新社等客家地區政治、經濟、文化中心，以及昔日與卓蘭並稱爲台灣水果王國的東勢，原名爲東勢角。在清・雍正年間，有豐順縣人張結生，饒平縣人詹時深，鎮平縣人賴伯藻、賴延玉等人入墾東勢角（今東勢鎮北興、中寧等里）。在清・乾隆二十六年（西元1761年）時，有蕭、楊、趙、王等客家人到此拓墾。台中東勢因臨大甲溪的航運之便，成爲附近林場的木材轉運中心。清・乾隆三十七年（西元1772年）前後，劉啓東率百餘藝匠在東勢角結草寮居住，名爲「寮下」，從事大規模的伐木及製材的行業。清・乾隆四十年（西元1775年）時，基於業者的需要，乃於當地建有台灣巧聖仙師的開基祖廟，以奉祀魯班公。乾隆四十三年左右，劉啓東越過大甲溪，派人伐木闢地，首先獲中科溪北岸上辛（今上新、廣興二里）與下辛（今下新、粵寧二里）之地。乾隆年間，鎮平縣人鍾洪秀、孫懋振，陸豐縣人吳立華、賴宗華，大埔縣人廖西岳、廖元俊妻（率六子）等人入墾東勢角。清・乾隆五十七年（西元1792年）時，客籍墾首王振榮、陳亮等人，越過大甲溪入墾北岸的石圍牆（今東勢鎮茂興、泰興、埤頭等里），因土著之抗拒劇烈，終於放棄。在清・嘉慶七年（西元1802年）時，客籍墾首林時猷等五人設隘拓墾於石圍牆。清・嘉慶十三年（西元1808年）時，有饒平縣人劉阿滿爲墾首，率平埔族二百餘人入墾新伯公（今東勢鎮詒福、上城、下城三里），由於泰雅族人之抗拒，墾務受阻，乃在其前方築石圍，以禦之。嘉慶二十一年（西元1816

年）時，在此形成村莊，初稱爲「石城」。清・嘉慶二十二年（西元 1817 年），客籍墾戶劉振丈、張能登、林時秋、林勵古等鳩資招請民壯，一面設私隘，一面令通事劉世衛與泰雅族訂和約，而墾成「新城」。其後，與後方之「石城」，以其位置分別稱上、下城，而將「新城」改稱爲「上城」，把「石城」改稱爲「下城」。嘉慶二十四年（西元 1819 年），客籍墾戶劉秉項及詹、張二姓三十六股墾成石壁坑（今東勢鎮明正里），初名爲永盛莊。嘉慶末葉，潮州府人大墾首張寧封，招募十八股墾首合資入墾大茅埔（今東勢鎮慶東、慶福二里）。在道光五年（西元 1825 年）時，客籍墾戶陳吉昌、胡滿等人入墾下城（今東勢鎮下城里）。道光六年（西元 1826 年）時，客籍墾首葉華雲率壯丁五十人進入中嵙山（今東勢鎮中嵙里），設私隘十處，派隘丁二十名以守。道光十八年（西元 1838 年），張權生入墾中嵙山。咸豐七年（西元 1857 年）時，因通事傳庚居中斡旋，與泰雅族簽訂和約，終於創建中嵙莊（今東勢鎮中嵙里）。⑭

10. 大甲：清・乾隆三年（西元 1738 年）時，有鎮平人丘道芳入墾大甲（今大甲鎮朝陽、大甲、順天、孔門等里）。在乾隆中葉，五華縣人周星彩入墾大甲。乾隆年間，陸豐縣人邱永修入墾大甲。

11. 后里：清・乾隆中葉，陸豐縣人黃盛輝，永定縣人蘇昌龍入墾后里（今后里鄉后里、厚里二村）。清・嘉慶年間，福建武平縣人張祥雲，饒平縣詹灶運、詹義直等人入墾后里。清・光緒十八年（西元 1892 年），墩仔腳（今后里鄉墩東、墩西、墩南、墩北四里）望族張清雲築內埔圳，始有客籍移民入墾四塊厝（今后里鄉聯合、太平二村）。

南投：

位居台灣本島中央，清代文獻所稱內山地帶的南投縣，在此居住的客家人，大多是來自於台中的二次移民，而進入南投縣的埔里盆地外緣，以及國姓、水里、信義等地拓墾謀生。

1. 埔里：埔里鎮的客家移民，主要散居在八幡崎古道沿線的挑米坑、水尾、牛相觸、小埔社幾個庄頭。（洪敏麟《台灣舊地名之沿革》）。
2. 國姓：國姓位於客家移民的道路上，在清代時，腦務稽查總局，曾設撫墾分局於此，以方便國姓地區人民的樟腦開採。在此地的客家人所佔的比例，大約在百分之七、八十左右。
3. 中寮鄉：中寮鄉在清・光緒年間，巡撫劉銘傳提出「開山撫番」政策後，才吸引了不少的人來到此地開發，其中，客家人在此地大約佔百分之二十五左右。他們主分佈在後寮、中寮、八仙、龍眼林等庄。這些庄頭都有陰林山祖師廟，做爲客家人的開山守護神。

丙、北部地區

在乾隆、嘉慶、道光時代的所謂「北部」，是指昔時所稱的淡水廳地區，包括現今的苗栗、新竹、桃園、台北等地區。北部地區的客家人，根據莊華堂的〈客家人、福佬客的開發背景與現況〉一文中，指出本地區客家人可分爲初期拓荒移民以及二次移民兩部份。關於初期拓荒的移民，依開發時間先後，可約略分爲幾個時期：

一、雍正初年的開拓：竹塹（新竹市）、新豐、南崁、新屋、觀音等鄉鎮。

二、乾隆初葉的開拓：頭份、通霄、桃園、八德、平鎮等鄉鎮。

三、乾隆中末葉的開拓：公館、西湖、卓蘭、新埔、關西、湖口、竹東、大溪、中壢、楊梅等鄉鎮。

四、咸豐、同治年間的開拓：南庄、三灣、大湖、橫山及北埔、峨眉、寶山，三鄉鎮的大隘地區。

在二次移民的部份，主要是清·道光十三年至二十年間，桃園地區的「閩粵客庄，造謠分類，互相殘殺」引起閩粵械鬥，所謂的「分類械鬥」，它原在中國本土，百姓常以同族、同姓爲單位，搞起集團性的私鬥，尤其是在福建地區，「閩中漳泉，民多聚族居，同姓或以事相爭，往往糾眾械鬥，必斃數名」、「以鄉鬥者，如兩鄉相鬥，地劃東西，近東者助東，近西者助西，其牽引曾在數十鄉。」這種小地區的小團結，竟成孤立自己與排擠異己的很大偏向，而導致舉族、舉姓的相互寇仇與相互決鬥。桃園地區的「閩粵族群械鬥」，是分類械鬥的延伸，它向北蔓延到泰山、林口、新莊一帶，使台北平原的客家人，紛紛變賣祖產田業，遷居到今桃園、新竹、苗栗一帶（尹章義《台灣開發史之研究》），不過這批移民潮，因欠缺足夠的史料記載，他們移居的路線及分佈地域，至今仍不清楚。⑮

根據清代所編修的《台灣府志》統計，在清・乾隆六年（西元 1741 年）時，整個淡水廳只有一街十五莊，它到了乾隆二十八年時，已發展到四街五十五莊，比以前增加了三倍多。由於北部地區，客家人比較集中，今將參見一些學者、專家對客家地區的開拓簡介如下：

台北縣市：

大台北地區是北部客家人最早入墾的地方。它雖在清・康熙初年就已經開始開發，但客家人入墾此地區，大約是在康熙末葉或雍正初年以後，直到清・乾隆年間始為大盛。

一、在台北市方面

1. 文山區：清・康熙十九年（西元 1680 年），有廣東大埔廖家在昔日萬盛庄定居。清・雍正初葉有廖簡岳率眾於景美溪北岸、新店溪西岸一帶拓墾。
2. 士林與內湖區：清・乾隆年間何士蘭詔安人，入墾北勢湖、港墘、內湖、番仔莊、十四分陂內、過溪子等庄外，還拓墾士林內雙溪、菁礐、平頂等庄。

二、在台北縣方面

1. 興直堡：它位於今台北縣的八里、泰山、林口、五股、新莊等地，是台灣北部移民最先發祥的地方。

客家人的入墾，大約始於康熙末年時，有潮州饒平的劉名珍（劉巨淵派下），先至八里墾殖，後遷至中壢，分傳竹東。⑯不過，一般認爲，直到雍正、乾隆二朝時，才漸盛，其人口的集中地點，爲現今台北縣新莊鎮的肥美平原上拓墾維生。廣福宮的興建與潮州移民在新莊平原開墾有極大關係，根據史書記載，劉和林於清・康熙晚年到台北擔任通事，並從事開墾，其子承傳、承纘與孫世昌繼其父業，劉氏家族對新莊最大的貢獻在於劉承纘於清・乾隆二十六年（西元 1761 年）開鑿了「劉厝圳」（後來萬安陂大圳），它的出現使新莊當地的旱田轉變成水田，而鄉民也得以在衣食無虞之下，進一步的發展新莊經濟、產業。隨著潮州人經濟的日漸豐盈後，他們便開始打算興建廟宇。⑰相傳創建於清・康熙年間，但最可能確切創建於清・乾隆四十五年（西元 1780 年）的新莊三山國王廟，正式的廟名爲廣福宮（座落於今新莊市新莊路一百五十號）。根據《淡水廳志》記載：「國王廟一在新莊街，乾隆四十五年粵人捐建；一在貓裡街，清道光二年劉蘭斯等人捐建。主祀三山國王廟，乃潮人所奉。三山者，即潮明山、巾山、獨山三王也。」在清・道光二十一年（西元 1841 年）時，發生大規模的福、客械鬥，三山國王廟幾乎被全毀，而住於此地的客家人，也被迫轉往桃園、中壢一帶發展，廣福宮因乏人照料而香火頓衰。在清・光緒八年（西元1882年）六月十六日時，因受附近民宅火災波及，而半毀，直到光緒十四年（西元1888年），始由新竹廳新埔街士紳陳朝綱，發起潮屬九縣民捐金重建。昭和十一年（民國25年，西元1936年），鄭福仁勸募，再次重修，遂成今日之貌。由於它是客式建築，於民國七十四年（西元1985年）被指定爲二級古蹟，民國八十年開始進行修復工程，八十四年完成。民國八十五年被列爲台北縣文藝季「千帆過盡話新莊」的參觀據點之一。在廟中現存有兩塊珍貴古碑，一爲劉偉近、劉能詒等人所立的「奉兩憲示禁碑」，立碑年代在清・乾隆十五年（西元1750年），原立於土地廟，後移至廟內。其內容是記載潮州移民劉偉近、劉能詒、黃其進、黃日初等人屢次陳請淡水同知重申禁止閩人以修建寺祠爲名，行勒派苛斂之實的一道禁令。另一塊古碑則是劉炎光、劉南山等數十人樂捐買地的紀念碑。⑱在觀音山下的拓墾方面，在十八世紀，有汀州永定胡焯猷於清・康熙三十二年（西元1693年）前後，到興直地區拓墾，在清・乾隆十三年（西元1748年）時，與林作哲、胡習隆三人合組「胡林隆」墾號外，在當時又有廣東饒平劉和林家族，分別開拓了觀音山山腳下的水泉豐沛地帶。在清・乾隆十七年（西元1752年），胡焯猶獻地建大士觀於新直山西雲岩（今西雲寺）；乾隆二十五年（西元1760年），他在新莊米市倡建關帝廟；乾隆二十八年（西元1763年），又呈請捐獻水田和莊園、房舍、水塘等，在泰山建立了「瓦屋一進五間，旁有廂房十二間」的北台灣最早的明志書院。⑲

2. 芝蘭三堡：它位於現今的淡水、三芝、石門等地，今日石門鄉草裡村的謝家，來自漳州府詔安縣。據傳其先祖於清·康熙年間由淡水登陸，先開闢淡水的草埔尾，後沿山邊遷至石門之草埔尾，定居於此。在清·雍正年間，汀州府永定縣的江士瑞，來到舊庄（今三芝一帶）從事拓墾。在清·雍正至清·乾隆初年時，潮州府普寧縣的翁姓，來到三芝拓墾，直到清·道光年間始遷往桃園。在清·雍正年間，有嘉應梅縣的劉開倬（劉巨浪派下），先入淡水，後遷蘆竹，分傳中壢、楊梅。⑳由於停留淡水的時間不甚明確，而後又遷移他處。因此，一般認爲客家人的入墾，大約始於乾隆初年，有宋姓人士入墾現今台北縣三芝鄉的古莊村，而建有宋厝。在清·乾隆十六年（西元1751年），有練在君和練在恭率族人在下角地區（今台北縣石門鄉乾華、竹里、茂林、草里等村及尖鹿村之一部份）拓墾。到了乾隆中、末葉時，移墾來此的客家人則日漸增多。位於鄧公路小山丘上，可俯瞰淡水河的鄞山寺，由汀州客家人張鳴岡捐資，創建於清·道光三年（西元1823

年），以供奉汀州客家人的守護神定光古佛爲主。此廟雖然規模不大，但卻是清代接待閩省汀州客家人最重要的汀州會館。

3. 海山堡：它位於現今的土城、三峽、樹林、鶯歌等地。客家人的入墾，始於雍正年間，到了乾隆時代，還陸續有人入墾。在鶯歌方面，在清・康熙二十三年（西元 1684 年），有客家人在鶯歌鎮鶯歌石一帶種茶維生。在清・乾隆年間，有嘉應鎮平的巫玉洞、巫玉志兄弟（巫德章派下）入墾今台北鶯歌，後裔移墾中壢、楊梅等地。⑧¹在土城方面，在清・乾隆年間，有客家人林唇料在土城的大安寮與石壁寮拓墾維生。在三峽的大埔方面，最初有廣東大埔客家人，來此種植果樹及茶樹維生。在樹林方面，在清・乾隆三十五年，有嘉應鎮平的鄧彥拔（扳），在五十七歲時來台，率統先、純先入墾今台北樹林。在清・道光十四年至二十年間，台北平野上的新莊、樹林、土城、內湖一帶發生長達六年的閩粵械鬥。自鄧彥拔（扳）及其後裔在樹林住了六十八年（即道光 18 年）時，其後裔移墾平鎮。⑧²在樹林鎮的彭屋方面，早在清・道光時期之前，便有彭姓客家人來此拓墾，其後，在道光十四年（西元 1834 年），因閩、客械鬥，而遷至桃園。

4. 石碇堡：它位於現今台北縣的平溪、汐止、瑞芳，以及部份的基隆市區等地。在汐止方面，據說在清

・乾隆初年時，客家人向當地平埔族購買土地，而建有「峰仔峙庄」。到了乾隆三十年時，而形成街市，即為現今的汐止街市。到了乾隆末年，因與漳州人發生械鬥後，遷往桃園、中壢一帶發展。

5. 拳山堡：它位於現今的景美、木柵、新店、石碇、深坑等地。客家人的入墾，始於清・雍正七年（西元 1729 年）。當時有來自廣東的廖簡岳墾首，率領從佃數百人，入墾現今的新店一帶，並聚居成村落。後來，又有一些的客家人沿著景美溪上游拓墾，而在今深坑鄉的萬順寮落腳外，還有部份的客家人則更深入石碇地區拓墾。㊃在清・乾隆初年，由於漳州人的入墾爭地，此地的客家人則轉往桃園、新竹一帶發展。在過了景美橋的大坪林方面，在清・光緒元年（西元 1876 年）時，還被列為粵莊，但如今除了很少發現有客家人居住外，也找不到過去客家人所留下的任何遺跡。

6. 金包里堡：它位於現今的金山、萬里等地。據說早在明鄭時代漢人就已經來此地開發。在清・雍正末年時，泉州在當地建立了金包里街肆後，客家人才來到此地開墾山林。在清・乾隆末年時，因閩、粵械鬥，而被迫遷往桃園發展。㊄

桃園：

位於台北和新竹之間，有五千至一萬個，具有「千塘之鄉」的桃園，其開發大約始於清・康熙末年之事，粵籍移民則以潮州、惠州二府之人最多，嘉應州人次之。自清・乾隆以後，其中位於北部近海的南坎、竹圍及其內陸的桃園一帶最先開發。其後，在清・乾隆末葉時，楊梅中壢地區才開始拓墾。在清・道光、咸豐年間，由於利益的糾葛，爆發了漳泉械鬥、閩粵械鬥之事，使之閩粵墾民乃藉籍貫之不同而分別群聚。在角板山（今復興鄉）的墾務拓展方面，它遲至清・光緒末年，劉銘傳開山撫番時，才獲得進展。至於，在桃園的客家人方面，它大多分佈在桃園南半部，其範圍包括現今的龍潭、平鎮、楊梅、觀音、新屋、八德以及半個中壢市等地區。

1. 南崁、竹圍：在清・康熙三十年代開始開發，然而客家人的來此拓墾，則始於康熙末年。當時，有一群來自廣東嘉應州的客家人向原住民承租工地，築寮而居，並常往來於竹圍的南崁港口。他們除了拓墾外，每遇船隻抵達時，就向船主購買貨物，和原住民交易，獲利百倍。到了雍正年間，由於客家人不斷的來此，而漸聚居成村。㉟

2. 桃園、八德、平鎮：相傳在清・康熙雍正年間，此處爲平埔族凱達格蘭霄裡社的耕游棲居之地。客家人入墾桃園北區，應在雍正年間，客家人在大園鄉許厝港登岸，先墾埔心、橫山、大邱園等庄。（莊華堂〈客家人、福佬客的開發背景與現況〉）在平鎮方面，由於平鎮在當代位於交通要衝，不過，盜匪也猖獗，因而設有張路寮，以維護地方的安寧。

自設張路寮後，該地就日漸平安寧靜，故當時就把該地稱為「平安鎮」，其後，再把它改名為「平鎮」。在有關平鎮的開發方面，在康熙末年時，涂耀東（惠州陸豐），後裔移墾平鎮；葉奕明（惠州陸豐），先至澎湖，後遷平鎮。在雍正年間時，王克師（潮州饒平），先入墾大園，後移墾平鎮；湯一炳（嘉應鎮平）先入桃園，後至平鎮。在乾隆時，宋富麟等（嘉應梅縣乾隆九年，宋福恭派下，宋富麟、高麟、來任、來興、來翰、來尚等同時入墾）；宋敬文（嘉應梅縣，乾隆九年，宋就仁派下）；宋存道等（嘉應梅縣，乾隆九年，宋福信派下，宋存道、存連、孟達等同時入墾）；宋來高、宋受煥（嘉應梅縣，乾隆九年，宋福敏派下）；沈人定，田鴻舟，黃成略（入墾芎林，分傳中壢、平鎮），張兆追，曾永科，徐殿才等（徐殿才、德輝、宗取一同入墾），羅德保，李元鳳，宋岳麟、宋書成（宋福恭派下），宋登全，宋雲煥，鄧彥拔（攜眷入墾今台北樹林，後裔移墾平鎮），江在里、鍾起亨、吳有煌、魏行春、魏龍昌、魏盛受、魏國漢、宋阿鳳、宋學使、鄧開燕等（鄧才子派下，鄧開燕、開珀、鳳財等同入墾）、鄧鳳岐、鄧嘉有、巫煥芝、宋慶造、宋相福、宋展河、曾展河……等人的入墾，㊱其中，值得一提的是，在清・乾隆九年（西元 1744 年）時，有來自廣東梅縣的宋富麟、宋高麟兄弟，宋敬文、宋存道、宋存連、宋來高等人，來到平鎮地區拓墾。在清・乾隆五十三年（西元 1788 年）時，以祭拜「新埔義民爺」路途遙遠不便為由，而建有由平鎮地方士紳宋廷龍等人捐資合建的小祠。此祠由於規模太小，故到了清・咸豐七年（西元1857年）時，宋寶雲等人，又倡議重建，並正式把它定名為褒忠祠。在八德市方面，過去又稱為八塊厝，其原因是在清・乾隆十二年（西元1747年），薛啓隆客家人率佃拓墾時，僅有八戶人家築屋成村，而得其名，在二次世界大戰後，才把它改為「八德」。(87)

3. 大溪：原為原住民的守獵棲居之所，大約在清・乾隆二十年代以後，始有客家人來此拓墾。其後，在清嘉慶、道光年間，有少數的客家人陸續來此拓墾，直到清・咸豐、同治、光緒三朝時，此地的墾務才日漸興盛，而人口也隨之大量增加。

4. 中壢：由於它過去位於新竹與新莊之間的中途，而得其名。中壢原為「青山番族」的耕游棲息之地。在康熙年間，黃明覺、黃明發（嘉應鎮平），先入墾嘉義義竹，後裔再移中壢、平鎮；劉名珍（潮州饒平），劉巨淵派下，先至八里墾殖，後遷至中壢，分傳竹東；劉中孚、劉穎德、劉大愿（潮州饒平），劉巨淵派下石井房，分別入墾新竹、中壢、東勢；梁文開、梁文舉、梁文滔（惠州陸豐，康熙五十年），松岡公派下，先入墾彰化員林，後遷中壢；劉中孚（潮州饒平）劉巨淵派下石井房；劉穎德等（潮州饒平），偕三弟大愿、侄可清分別入墾今新竹、中壢、東勢，分傳雲林斗南。在雍正年間，劉開倬（嘉應梅縣），劉巨浪派下，先入淡水，後遷蘆竹，分傳中壢、楊梅；劉京璉、劉茂芳（嘉應平遠），劉巨浪派下，先至龜山，分傳中壢；黃鳳祥（潮州惠來），入墾楊梅，後傳中壢；吳雨吉（潮州饒平）吳珩臣（汀州永定）、魏可俊（漳州南靖）、呂貝生（漳州詔安）。雍乾年間，賴永馨（嘉應鎮平），賴丁榮、賴日眾、賴應瑄（漳州南靖）。在乾隆年間，有黃梅生、黃庚生、黃金生、黃元琮等入墾楊梅、中壢、龍潭，鄭建儀，鄭建策，張喻義，張信直，楊尙連，彭廷球，黃成略（入墾芎林，分傳中壢、平鎮），范宏高，范俊琳，謝昌壬，徐壽華，黃成全，陳鎮韶，陳奕韶，陳粵韶，陳添韶，何思宗，馮乃信，梁益永，張慶鳳，陳玉珠，陳聯三，黎元姜，謝梅欽，羅信概，羅于明，傅仙桂，吳橋文，鍾沐環，鍾沐芳，巫玉洞，巫玉成（先至鶯歌，後移墾中壢），鍾秉連，古金英（拓墾內壢，後移墾中壢），余孫梗（余文先派下，先至八里，後遷中壢），余孫新，余孫元，余文拔，余旭日、黃信義，黃日敏，巫大有，藍斯熾，江其煥，江秀連，魏文昌，朱應旺，江育春，黃元揚、黃元英（先後入墾中壢、新屋、頭份），邱文鑑，邱章攀，胡凱清等多人的入墾。⑱在清・道光年間，自謝國賢客家人所倡建的中壢新街城堡建立後，客家人則又日漸增多，並且逐漸發展成爲北部客家人最重要的商市街。

5. 觀音、新屋：舊稱爲「竹北二堡」，在清・雍正年間，及其以後，始有客家人在此拓墾。它在清・乾隆年間，而日漸興盛外，在清・嘉慶、道光年間仍有不少的客家人陸續來此拓墾定居。在觀音方面，清・雍正十年（西元1732年）時，有粵籍陸豐人徐錦宗入墾茄苳坑（保庄村地區），爲客家人在此地開闢之始。在清・雍正年間，有歐子深（惠州陸豐）；黃英烈、黃英照（惠州陸豐），先墾殖嘉義縣下林仔庄，後移墾觀音；江漢宣（汀州永定）；江琪臻（汀州永定）；姜文周（惠州陸豐）後裔移墾觀音。在雍乾之間，有鄒國珍（汀州長汀）入墾。在清・乾隆年代有廖世崇（惠州陸豐），林君海（惠州陸豐），彭茂松（惠州陸豐），徐宗葵、徐宗萃（惠州陸豐），鄒綿（漳州龍溪），溫阿強（潮州惠來），卓乃文（潮州海陽），謝永錦（嘉應長樂），黃英飄（惠州陸豐），向振國（惠州陸豐），徐子貴（惠州陸豐），黃鼎坤（惠州陸豐），江永清、江遠清（汀州永定），湯元英、湯順英（嘉應鎮平）…等的入墾。⑲在清・嘉慶年間有陸豐人黃正舉來台，並移居觀音鄉白玉村，從事拓墾工作。在觀音地名之由來方面，乃是在清・咸豐十年（西元1860年）四月，有位農家傭工黃等成，在溪中撿到一塊酷似觀音像的石塊，經村人之決定在路旁搭蓋了一座草庵，稱之爲「石觀音寺」，以保佑村民平安後，該地就以「觀音」而爲其名。至於甘泉寺的由來方面，在清・光緒二十一年（西元1895年，明治 28 年）五月八日，中日在煙台互換條約批准書，正式把台灣割讓給日本後的七月，石觀音顯靈，在發現之地湧出泉水，不僅可以治病也非常甘甜，而將該寺改爲「甘泉寺」，並將湧泉處稱爲「觀音井」。

在新屋方面，原爲平埔族人的居住游耕之地，在清・康熙末年，有羅正遇（惠州陸豐），入墾桃園縣，分傳新屋、龍潭。雍正年間，有黃特成（惠州陸豐）；曾大舉（惠州陸豐）；姜仕賢等（惠州陸豐），（姜士賢、登文、仕傑、文能、文迎、文欽、公成、公喜、殿成等，移墾今新屋）；姜仕俊（惠州陸豐）（姜仕俊率子朝鳳、朝坤入墾新豐，朝坤後裔移墾今新屋）。乾隆年間，有葉春日（惠州陸豐，乾隆三年，1738 年）；黃范氏母子（惠州陸豐，乾隆三年）黃榮康之妻范氏，攜子及黃榮貴入墾；呂啓昌（潮州揭陽，乾隆十年）、羅萬韜、游世叟、鄭泰容、鄭泰耀、傅瑞祿、呂友河、江鑑周、鍾沐慰、鍾捷元、曾濬玉、曾昌茂、莊元卿、余奇珍、溫俊明…等人的入墾。⑼其中，值得一提的是，在清・乾隆初年，粵籍海豐人范文質為報達姜姓繼父養育之恩，遂將五子（殿榮、殿高、殿發、殿章、殿爵）冠以范姜複姓。其二子殿高於清・乾隆元年（西元 1736 年）率先來台，到此地拓墾，其後，還兩次回大陸找親兄弟共五人，共同開墾，經過百餘年的努力，在清・咸豐五年（西元 1855 年）時，乃選擇良地，建築規模宏大的祖堂，鄉人常指其為「起新厝」（興建新屋之意），而「新屋」，其後即成為當地的地名，流傳至今。在新屋鄉的客家人，建有許多的祖堂，除了位於新屋村中正路一百一十號巷內的五座范姜古厝外，還有姜姓的「天水堂」、徐姓的「東海堂」、葉姓的「五美公堂」等。

6. 楊梅：楊梅是桃園台地邊緣的一個小盆地，康熙五十年（西元 1711 年）以後舊稱楊梅壢的楊梅鎮，相傳古時客家人稱坑谷為壢外，在此地又生長有許多的楊梅樹，而得其名。在清・康熙四十七年（西元 1708 年）時，有來自廣東嘉應長樂的古安先、古達先兄弟（古鞏派下）的入墾。在康熙末年時，有陳元基隻身渡台墾殖，先抵崩陂（今楊梅鎮東流里）耕墾；涂則忠（惠州陸豐）後裔移墾今楊梅。在雍正年間時，有黃鳳祥（潮州惠來），入墾今楊梅、中壢、關西；黃國良（潮州饒平）入墾楊梅；劉開倬（嘉應梅縣）劉巨浪派下，先入墾今淡水，後移墾桃園蘆竹，分傳中壢、楊梅；鍾獻蘭、鍾祿英（嘉應鎮平），羅允玉（惠州陸豐），溫玉英（惠州陸豐），高儀（汀州上杭），莊宸燦（雍正九年，西元 1731 年，漳州詔安），莊九郎派下，六兄弟入墾今楊梅。由於當時不斷的受到霄裡社原住民的干擾，墾務並無太大的進展。在清・乾隆年間，有宋德良、涂廷耀、黃梅生等、詹娘恩、鄧維岡、湯文發、傅廷俊、鄭大謨、詹時方、馮朝綱、馮子華、梁益進、徐子堅、彭開耀（定煜）、彭維川、彭維坤、溫仕興、湯海伯、彭玉芝、李高勝、羅鳳章、鄒芹蕚、余岌芳、魏嘉鳳、鄧就文、巫玉洞、巫玉志（巫德章派下，兄弟入墾今台北鶯歌，後裔移墾中壢、楊梅等地）、古揚基等（古鞏派下，古揚基、招基、厚基、尾基兄弟入墾今楊梅，部份後裔移墾新屋、湖口）、朱職美等人的入墾，才加速拓墾，而漸盛。㉑至於，又根據文獻記載，楊梅壢有計劃的墾拓，是在清・乾隆五十年（西元 1785 年），由有、朱、溫三姓，獲得當局許可，組織「諸協和墾號」著手開墾本區，以鄭大謨、黃燕禮爲佃首，經營墾務。不過，根據楊梅父老口傳，「諸協和」墾首不是有朱溫三姓，而是鍾朝和與溫庭協，由兩人名字中各取一字，再冠上代表多數團結的「諸」字而形成的。

⑫在此積極開拓的過程中，諸協和業主卻死於清・乾隆五十三年（西元1788年）的林爽文事件，諸協和墾業則由佃首黃燕禮繼續。在清・乾隆五十六年（西元1791年）時，有徐熙拱繼起開闢大溪（崁）一帶的地區。

7. 龍潭：在清・康熙末年時，有惠州陸豐人羅正遇，入墾桃園縣，分傳新屋、龍潭。在清・雍正年間，有嘉應鎮平人，黃及文在龍潭拓墾。在乾隆時，有戴元春、邱文質、黃梅生、黃庚生、黃金生、黃元琮、黃魁周、徐連輝、徐相庚、鍾鳳邦、鍾京瑚、曾仁芳、余孫蕃、余學藏、魏飛龍、魏宣俊、古蘭超、古蘭珍、邱仁學等人的入墾外，⑬在清・乾隆十三年（西元1748年）時，霄裡社通事知母六為墾戶首，亦招佃進墾龍潭地區，從蕃仔寮、九座寮開始墾拓，並在三仔坑、四方林設隘護墾，為求水源，乃開鑿靈潭陂作為灌溉之用。在清・嘉慶元年（西元 1796 年），墾民合力興鑿龍潭圳，導引大潭之水，流經烏樹林、黃泥塘、八張犁一帶，而確立了龍潭地區農業發展的基礎。在有關龍潭的名稱由來方面，來自於在其境內有一個「靈潭陂」。這口潭原來面積約有四萬五千多坪，水面蔓生野菱，人們最初稱這一帶為「菱潭陂」。又相傳：潭南泉穴有白石，每逢水降石露，天必降雨。倘若久旱不雨，只要人們祈雨於潭畔，總可獲得甘霖。因此人們又稱為「靈潭陂」。⑭其後，又根據《淡水廳志》記載：「靈潭陂，在桃澗堡，距廳北五十里。乾隆十三年（西元1748年），霄裏通事知母六招佃所置。其水灌溉五小莊、黃泥塘等田甲。相傳昔旱，莊佃導雨於此郎應，故名。」然而，在地方上卻不斷傳說，該潭陂只要一碰到風雨來襲時，即波濤大起，彷彿黃龍現身，而把它改名為「龍潭陂」，即為現今「龍潭」之名的由來。在位於龍潭陂不遠的聖蹟亭方面，它是現今台灣所存二十座左右的惜字亭中，規模最大，造型也最美的一座，該亭分三層，四周有矮磚砌成的欄杆，中間為放置字紙的燃燒之處，在其背後鑲嵌有八卦圖形外，在其座底及上層還刻有麒麟、劍獅以及鳳凰等圖案的一座具有相當代表性的惜字亭。在龍潭的「忠義廟」方面，清．光緒二十年（西元1894年）中日甲午戰爭，清廷戰敗，隔年在馬關條約中，把台灣割讓給日本。台灣民眾於是紛紛起來抗日，今天龍潭大湖邊的「七十三公」墓，就是紀念當年龍潭抗日犧牲的客家英雄。

新竹縣市：

清．康熙年間，王世傑率領福建泉州族人一百八十餘人，居住於竹塹埔，開啓了漢人屯墾竹塹之始。至於，客家人在新竹的拓墾方面，則始於清．雍正三年（西元1725年），而盛於乾隆年間，到了道光年間，就呈穩定狀態。

1. 新竹市：雖然新竹市的拓墾，都是以福佬人為主。

然而，仍有少數的地方和客家人有關，根據洪敏麟所編著的《台灣舊地名之沿革第二冊》中，就指出，清・雍正八年（西元1730年）時，有「陸豐人黃海元、張附春二人，入墾竹塹城東之地今新竹市復中、三民二里（昔稱東勢庄）。」⑮

2. 竹北、新豐：位於頭前溪北岸的竹北、新豐，原爲道卡斯平埔族的游耕之地。竹塹第一波移民在清・康熙年間由福建閩南人王世傑移入後，在清・雍正三年（西元1725年）時，以粵省陸豐縣人徐立鵬爲首的客籍人士，移入竹塹埔西北約二十里之紅毛港新庄仔（竹北鄉新莊、白地二村之一部份）開拓。其後，不但獲得官方批准的墾權，更招佃拓墾，經營鳳山溪和頭前溪之間的竹北、新豐二鄉沿海一帶平原墾殖，其範圍大概在現今東至大官路，西至海岸，南至鳳山崎，北至楊梅壢直達笨仔港爲界，並以「萃豐庄」稱之。⑯隨後入墾的客籍移民，如新竹縣長林光華的先人林特魁等人，先進入新竹平原坡度較高的金山面一帶開墾，再轉入九甲埔，再進入竹北六家墾殖外，⑰在清・雍正年間，有惠州陸豐的姜仕俊率子朝鳳、朝坤入墾新豐，朝坤後裔移墾今新屋。⑱在竹北六張犁的開發方面，在清・乾隆十七年（西元1752年）時，有來自廣東饒平的林欽堂、林孫彰等人，率同林居震、林先坤等人，來到道卡斯人稱爲「霧崙毛毛」的六家荒埔拓墾。他們首先開鑿了六張犁圳，以利灌溉後，又回到大陸邀請林孫服、林孫檀等人，共同開發。在清・乾隆五十一年（西元 1786 年）時，發生林爽文事件，林先坤乃糾集各地墾首，組織民兵，與林爽文部眾激戰於頭前溪北岸，並且保住了竹北地區，事後清廷頒賜「褒忠」聖旨，而地方人士則將該聖旨字樣刻爲牌匾，懸掛於義民廟的中堂之上，以資紀念。

3. 新埔：昔稱「吧哩嘓」，原爲道卡斯平埔族人的天然逐鹿獵獸場所。乾隆十二年（西元 1747 年），原住在竹塹社的平埔族人，因受到王世傑入墾的影響，開始入墾此地。清・乾隆四十六年（西元 1781 年）時，有廣東陸豐二十戶六十人，由竹塹入墾枋寮，以伐木及採集樟腦爲業。清・乾隆四十九年（西元 1784 年），又有廣東嘉應州鎮平人十餘戶三十人，與平埔族人相約，來墾新埔，並與他們雜居，而逐漸形成小市集。在清・嘉慶三年（西元 1798 年），竹塹社土目錢甫崙佳、錢永選佳，讓出大茅埔、小茅埔給廣東人拓墾外，在清・嘉慶四年（西元 1791 年）時，衛壽宗又將出照鏡之地，讓給粵人拓墾。在新埔枋寮的義民廟方面，在清・乾隆五十一年（西元 1786 年）時，發生林爽文事件。在該事件後，當地富紳出資收拾戰死的屍骨，分裝在十幾部牛車上，準備運回新埔安葬時，由於牛行至枋寮時，就不再前行，於是就將該屍骨安葬該處，至清・乾隆五十三年（西元 1788 年）時，才正式在義民塚前建廟。此後，由於香火日盛，而逐漸發展成爲客家人的信仰中心。

4. 湖口：此地區屬於平埔族的竹塹社的棲息之地，由於該地荒林草埔叢生，地形山窪之處遍佈，舊稱「大湖口」、「糞箕湖」或稱「大窩口」外，又由於此地位於頭湖、三湖、四湖、羊喜窩、南窩、北窩以及糞箕窩之口，而得其名。在清・乾隆三十年間始有廣東惠州府隆豐縣人彭開輝及其家人渡台至本鄉王爺壟（信勢村）開墾，但爲原住民所逐而離開。以後竹塹社通事招募漢佃，於清・乾隆五十九年（西元 1794 年）時，有來自廣東陸豐的徐立鵬、陳乾興、彭潮達、葉韶任等人，來此拓墾。在清・嘉慶、道光年間，相繼有人入墾。在清・光緒年間，由基隆到新竹的鐵路，在此設站，而湖口仿巴洛克式二層樓建築的老街，乃隨之而形成。

5. 竹東：竹東在開墾前，佈滿樹杞樹（又稱橡棋樹），因此被稱爲樹杞林（或橡棋林）。由於它位於新竹之東，於西元一九二一年時，而把它改稱爲竹東。舊稱爲樹杞林的竹東，原爲泰雅族和賽夏族的勢力範圍。清・乾隆三十四年（西元 1769 年），廣東惠州人越過頭前溪進入上下七份、麻園肚開墾，這即是客家人墾闢竹東之初聲。竹東的開發拓墾以員山一帶最早，始於乾隆三十九年（西元 1774 年），有廣東饒平人林欽堂率領墾佃四十餘名，向竹塹社頭目什班和通事丁老吻，承租開墾頭重埔。即今員山和頭重里一帶的荒埔，之後即建立村莊居住。在清．嘉慶十一年（西元 1806 年），淡水廳命墾首彭乾和出面組織「金惠成」墾號。在清．乾隆三十年（西元 1765 年）至乾隆四十年（西元 1775 年）之間，有廣東陸豐彭乾和、彭乾順兩兄弟來此拓墾。在清．嘉慶年間入墾人數漸多。在清．道光二十三年（西元 1843 年）時，有由福、客所組成的「金惠成」墾殖團，在此從事大規模的拓墾。

6. 北埔、峨眉、寶山：北埔、峨眉及寶山三鄉昔稱大隘地區，是新竹縣開發最早的地區。客家先民爲了拓展生存空間，不斷的透過募資金、僱隘丁、組鄉勇、建隘寮等手段，本著冒死的精神，逐步往大隘原野拓墾。北埔於清代隸屬於竹北一堡南興庄，位於中港溪上游，境內有五指山、鵝公髻山，原爲泰雅族和賽夏族的耕游之地。在清．道光六年（西元 1826 年）淡水的地方首長李愼彝，爲保護漢人的開墾，諭令粵籍姜秀鑾，閩籍周邦正兩人，把零散墾戶組織起來外，又把官設的竹北以及其他部份的官隘交給他們管理。在清．道光十一年（西元 1831 年），姜秀鑾和周邦正，各拿出一萬二千六百兩銀錢合組了「金廣福」墾號。「廣」代表粵籍，「福」代表閩籍，至於「金」字，有人說是「求得利益」

之意。根據新竹縣政府在金廣福門口所立的碑石說是代表官方之意外，又根據吳子光所寫的《金廣福大隘記》云：「先是，台山初開，生番殺人無算，淡防司馬潘公凱巡鄉，道出老衢崎，爲生番所害，輿從殲焉。此事載淡水廳志與趙雲松武功紀盛編。當道乃檄閩、粵二籍合力墾闢，番禍稍戢。又台商俗例，爭取得金意義，凡會計簿多以金字蒙頭；廣謂廣東、福謂福建也，故名金廣福大隘云。」⑲在大隘開山祖姜秀鑾所命名的金廣福墾號組成後，周邦正在新竹城內從事聯繫與會計事務，而姜秀鑾則是實際進駐墾區執行開拓的工作。三年後，即在清·道光十四年（西元1834年），他們除了在北埔建有在民國七十二年被列爲一級古蹟的「金廣福公館」，統轄墾務外，並逐漸在北埔、峨眉、寶山等邊境，設有四十多處的隘防，駐屯隘丁兩百多人，向山區不斷的拓墾。在姜秀鑾的故居——天水堂方面，姜秀鑾於清·道光十二年（西元1832年），另一說法是建於道光十六、七年，以山岡（秀巒山）爲背山，建了一座三合院的住宅，左右各有三護龍，形式爲所謂「一堂六橫」建築。該二級古蹟院落寬敞，宅前以大石舖路，甚是古樸。正廳門上，有「靈鐘秀毓食德飲和」橫聯。左右門上，有「雲漢光華文明景象、門庭雍穆禮樂衣冠」左右聯。廳內供奉著姜氏歷代祖先。在護龍稱「愛王廬」，右護龍稱

「善居室」。在善居室內，奉祀有觀世音菩薩。姜氏家族位於中興路與天水堂相距不遠的「天水堂二房」是光緒末年興建，爲台灣少見的「一堂八横」建式的民宅，一般稱爲「天水堂二房」，以此有別於姜秀鑾創建的「天水堂大房」。其中，值得一提的是，在墾號成立前後，客家人與原住民的激烈武裝衝突至少有十餘次之多，直到道光二十六年（西元 1849 年）原住民受到重創後，才未再有重大的攻擊事件發生。

在峨眉的開發方面，峨眉原名月眉，客家人常稱曲流凸岸如彎月或彎眉的半月形河階爲「月眉」，峨眉之地就是這樣的地形，所以被命名爲月眉，到了日治時代才改稱爲峨眉。峨眉與北埔、寶山被稱爲大隘三鄉。清・道光十四年（西元 1834 年）到道光二十七年（西元 1847 年），在姜秀鑾用隘丁武力將原位民賽夏和泰雅兩族趕走，陸續墾成了中興、峨眉、石井、沙坑、赤柯坪、富興、北流東、轉溝水等地。同一時期有頭份田寮墾戶曾姓也進入富興一帶開墾。清・同治十三年（西元 1874 年）開始實施開山撫番政策，本區樟樹茂盛，誘導客家人的入山逐利；清・光緒九年（西元 1883 年），以富興墾戶曾雲麒、曾雲獅兩兄弟與金廣福合作開發，大批墾丁很快的就開墾了八寮、藤坪、新藤坪、獅頭山等地區。⑽

在寶山的開發方面，寶山原是一片草木叢生的荒埔，客家人初來時，稱此地為草山，屬於泰雅族的狩獵地區。自清・道光十三年（西元1833年），金廣福的墾丁不斷設隘防番，伐樟墾地，數年內就將金山面、大崎、寶斗、新城、柑子崎等區開拓完成。日治時期大正九年（西元1920年），將草山之名改成寶山。

7. 關西：關西古鎮原名「美里庄」，清・乾隆五十六年，衛阿貴由西面往內開發老焿寮、石岡、茅子埔、坪林、南片等地。於乾隆五十八年時，泉州人連蔡盛首先到此大量開墾為肥沃的農地後，象徵新興茂盛，因而把它改名為「新興庄」。清・道光元年，衛壽宗繼續向東開發店子岡、鹹菜甕、三屯、十六張、暗潭、湖肚等地。根據《關西鎮誌》（稿本）引《新竹縣志》記載有關咸菜甕（硼）一名之由來為：「河川魚產富饒、山野鳥獸繁殖，任憑取之不盡，宛然甕中取鹹菜，隨手可得，故名」外，又有人認為在清・道光三十年時，由於盆地山川秀麗，土地肥沃，魚米富饒，芥菜豐碩，如甕中取物（鹹菜），而把它改名為「鹹菜甕（硼）」。清・光緒十三年，漢族先民開發四寮到十寮地段。自客人拓墾本地後，見鳥嘴山常飄白雲，祥氣瀰漫，改名「啣採鳳」。據樹杞林文史工作室負責人范明煥先生表示，由於日據時代，因為「鹹菜甕」的客語讀音與日語「關西」類似，所以又把它改名爲「關西」。關西鎮，三面環山，山谷間有鳳山溪和支流，形成山明水秀的景緻，由於關西鎮高齡人瑞向來比較多，八十歲以上的人口經常大約占全鎮人口的十分之一，因而它在日據時代成爲一個有名的「長壽山之鄉」之稱。至於該鎮羅家古厝及祠堂方面均是客家人拓墾此地的代表景象。⑩

8. 橫山：橫山舊名「聯馨庄」，相傳先人自芎林沿溪向上開墾，見前方大山背像橫刀般峙立迎面而來，故改稱爲「橫山」。

清・乾隆五十三年（西元1788年），林爽文亂平後，福安康在土牛溝以東荒埔劃爲竹塹社的養贍埔地。其後，有饒平人劉朝珍率隘丁開墾大肚莊，並自南窩至芎蕉湖（在豐田村一帶），設置六座隘寮把守，逐年墾成田園後，又有墾戶招佃開闢南河一帶，從芎蕉湖至騎龍（在豐鄉村一帶），設置六座隘寮防衛。清・道光八年（西元1828年），客家人林秀春組織「金全興」墾號，入墾橫山村地區。清・同治十年（西元1871年），蕉嶺客家人鍾石妹（男性）、徐統娘、彭廷珍、鄧萬春等人合股設隘，開拓了早期有番仔林之稱的大背山（豐鄉村地區）。清・光緒八年（西元1882年）以後，鍾石妹的墾丁拓墾了南河村、八十份（福興村）等地區。⑩其中，值得一提的是，在開拓大背山時，鍾石妹曾設有流明棟、坡來棟、茅泥棟、小橫龍、騎龍及大寮棟等六個隘寮，以防番害。⑩³橫山地區的開發，大致於清・光緒年間開闢完成。在清・光緒十四年（西元1888年）劉銘傳曾經丈量全台土地，當時的紀錄大背山大約有二十甲的水田與園地，人口約500人，建有草寮、大樹榕、新公館、騎龍等聚落。

9. 芎林：芎林在開墾之前，由於九芎樹成林的關係，而把它稱爲「九芎林」。在清・乾隆二十七年（西元1763年），淡水同知胡邦翰將土牛溝以東的荒埔，歸給竹塹社道卡斯耕墾。到了乾隆四十年至五十年（西元1775年~1785年）之間，大墾首姜勝智、劉承豪申請到芎林一帶的墾批後，即開始拓墾，並建立了客家聚落。大概發展到清・道光初年時，大多數的地區都已開闢成莊了。⑩⁴

苗栗縣：

苗栗，地處台灣本島中北部，全境俱屬雪山山脈和加裡山系的範疇，處處山巒綿亙，翠聳碧繞。追溯苗栗的拓殖歷史，明・永曆二十四年（西元1670年）劉國軒經營蓬山八社和後隴五社，應是漢人開拓本區的端緒。不過，在當時並沒有漢人移居苗栗的記載，直到清・康熙五十年（西元1711年），台灣北路營參將阮蔡文派兵駐防後隴；兩年後招募漢人開墾，正式的開啓了漢人對苗栗縣的開闢。⑩⁵苗栗縣境內多山，是全台著名的客家重鎭。苗栗可分爲「前山」和「內山」兩部份。前山指苗栗西邊地形較平緩地區，它包括中港溪流域的頭份，後龍溪流域的頭屋、苗栗、公館及西湖流域的三義、銅鑼、西湖、後龍等地。內山指加里山脈邊緣八角崠，飛鳳山以東的多山地區，它包括三灣、獅潭、大湖和卓蘭。在早期漢人尚未入墾前，苗栗沿海地區以及今日的苗栗市，是平埔族道卡斯族的居住之地外，在位於今獅潭、南庄、泰安等地，則爲賽夏族以及泰雅族人的游耕居住之地。在漢人入墾後，位於竹南、後龍、通霄、苑裡沿海一帶，則爲福佬人的天下。至於，在山線的頭份、苗栗市、公館、大湖、銅鑼、三義、頭屋、西湖、造橋、三灣、獅潭、卓蘭等地方面，則爲屬於客家人的居住之地。在開發狀態方面，從清・道光到同治年間（西元1821年～1874年），苗栗境內，八角崠山脈及關刀山脈以西的地區，已經開墾出來；以東的地區，除泰安、南庄山地外，也於清・光緒中葉全部開闢完成。

1. 苗栗市：苗栗往昔爲道卡斯族的貓裡社和嘉志閣社的散居地。貓裡是道卡斯族語「巴麗」（即爲「平原」之意）的轉音。由於該地低崗綿延，故有「山城」之稱。而粵東客家人來此初墾時，根據巴麗將它翻譯爲「貓裡」。在清・光緒十五年（西元1889年）設縣時，依其近音，改爲「苗栗」，沿用迄今。清・雍正二年（西元1724年）時，清廷頒佈准許贌耕原住民之地的律令後，漢人才大量入墾苗栗地區。在清・雍正年間，有廣東陸豐賴開運，來到苗栗市街一帶開始拓墾。在清・乾隆二年（西元1737年）

時，有廣東梅縣謝昌仁、鵬仁、雅仁、成仁等四兄弟，率族人開墾維祥、內麻（今恭敬、勝利里）、芒埔（今玉清里）一帶，之後，粵東墾民接踵而至，同一時期，先後有：梅縣謝永江墾殖社寮岡（今上苗、北苗里）及嘉盛、芒埔的一部份；鎮平張清九、梅縣劉明周開墾嘉志閣（今嘉盛）；梅縣羅開千兄弟開發大田莊（今福星里）；鎮平徐華均等兄弟開發西山（今福麗、文山里）；湯子桂開墾五隻寮（今勝利里新東街東段兩側）；陸豐何子報開發羊寮坑（今新川）；陸豐彭祥瑤拓墾嘉志閣大墩下。清・乾隆中葉後，有徐金昇、張仁琳、湯玉新、葉朝利等人繼續在苗栗各地拓墾。⑽墾成水田八百多甲，形成維祥、嘉盛、南興、中興、西山、大田等六大莊外，店街也已發展出來。

2. 頭份：土牛里及其以西的「平原區」因位於中港溪的下游，漢人入墾較早，於清・乾隆初年即有大規模的漢人進入，其情形有如於清・乾隆四年（西元1739年），相傳有福建泉州人林耳順，率同閩粵漢人三十多人，從香山進入中港，並商得當時居住在頭份地區平埔族人之同意，雇用平埔族人以及漢民，協力開墾（竹南一堡）後庄、四份頂、牛天寮、蟠桃、山下排（均在今頭份鎮蟠桃、山下、後庄等三里地區）、二十份、青埔仔、土牛口（均在今頭份鎮東庄、頭份等二里地區）等地，並建村落定居。

⑩次年，復有廣東鎮平塘福嶺人陳世荐，率族人由沙轆社北遷，在崁頂開墾設庄。乾隆十六年（西元 1751 年），有廣東嘉應州鎮平縣血緣團體林洪、吳永忠、溫殿玉、黃日新、羅德達等嘗會之後裔，於中港（竹南）與頭份間，設田寮，建村落，移居五十餘戶二百多人，從事於頭份、二份、三份、四份、河唇、中肚、新屋家（下）及望更寮等地的開墾。在清・乾隆二十五年（西元 1760 年）時，在蟠桃、田寮一帶已經形成漢人的村莊。在乾隆三十年三月時，徐俊彩帶了一家人跟吳有浩在鹿港登岸，再由水路抵達中港一帶，其後至頭份東興茄冬坑一帶拓荒，墾成上、中、下東興及桃仔園等地，建村落而居，稱之為「茄苳坑庄」，後改名為東興庄。同年，鎮平人徐德來為墾首，拓墾沙菁埔、興隆、糞箕窩等地。⑩頭份的開發，在清・乾隆三十年（西元 1765 年）時，可說是大致告了一段落外，此後的開墾工作，主要著力於作埤和開圳，穩定灌溉水源，其中以「隆恩圳」之開鑿（水源在新華里）規模最大，影響最為深遠，澤被頭份、竹南田園，至今不衰。到了清・嘉慶年間，因墾務漸達飽和狀態，而入居人口，也才日漸減少。

3. 銅鑼：於乾隆二年（西元 1737 年），有粵東藍之貴，率領族人三十餘人，進入今銅鑼竹森村一帶拓墾。在清・乾隆十年（西元 1745 年）時，彰化豪強王桂麟向官府誣報藍之貴爲匪首，於是被清兵焚掠其墾地，而日漸荒蕪，僅餘三間草寮，故把地名稱之爲「三厝屋」。清・乾隆十二年時，廣東鎮平人吳士貴、吳榮芳等人組織墾號，循著藍之貴拓墾的舊跡，由芎蕉灣向南拓展，至田洋（今銅鑼村）、樟樹林等地，而漸成村落。到了清・乾隆末年時，福興村終於形成銅鑼商街，稱爲銅鑼灣莊。其後，客家人更深入東邊關口山麓，開墾了老雞籠、新雞籠等地區。

4. 公館：於清・乾隆二年（西元 1737 年）時，廣東鎮平人徐華均、徐華殿兄弟，來此尖山地區拓墾。在清・乾隆中葉時，粵東陸豐人陳立富，從沙鹿來此泥陂子（今仁安村）拓墾；梅縣人劉懷家，入墾洽娃河一帶。在清・乾隆四十五年（西元 1780 年）時，廣東梅縣人劉蘭斯由台中遷尖山，向平埔族道卡斯族的貓閣社承讓土地拓墾後，不久，續有林俊伸、謝英三、林玉開等人的入墾。在乾隆末葉時，有鎮平人鍾孔仁，進入五谷地區拓墾，梅縣人陳長鳳拓墾矮山仔（尖山）。⑽在清・嘉慶二十二年（西元 1817 年）時，苗栗的六庄，包括麻里、維祥、西山、芒埔、嘉盛、田寮等地的居民，同心協力，在原住民必經的石墻村，建構了一條大石隘，即所謂的「石圍牆」，來抵禦原住民的侵擾外，銅鑼樟樹林莊墾戶吳琳芳還組織了八十四股，由銅鑼樟樹村到公館鄉的石圍牆、中小義一帶，從事大規模的拓墾。當土地墾拓成熟，獲得經濟上的安定後，客家移民往往即注意到文教的推展，諸如位於公館鄉的尖山村，在清・道光年間卻出現了劉氏家族來台第三代劉獻廷和他的兒子劉金壁，先後中舉的「父子雙舉人」的風光。

5. 三義：在清・乾隆二十七年（西元 1762 年）時，有潘大猷來到鯉魚潭拓墾外，又有零星的粵東人士，進入雙連潭、拐仔湖、魚藤坪、廣盛等地，從事獵鹿、採樟、伐木、抽籐工作。在清・道光二十二年（西元 1842 年）時，由李騰華等十五人，組織股夥三十二股，稱爲「金華生」墾號，招募拓墾佃百戶，拓墾三叉河（今廣盛、雙湖村）一帶。於清・道光二十六年（西元 1846 年）時，又有吳紹遠等五人，組織一百一十股的「金隆盛」墾號，招募拓墾佃六十多戶，從事雙草湖的開發。此後，漢人入墾此地者就逐漸增多，其情形，有如在清・咸豐六年（西元 1856 年），吳復能兄弟合股拓墾雙連湖；清・同治五年（西元 1866 年），楊清安等十人合股開發魚藤坪；清・光緒九年（西元 1883 年），詹連潭等五人合股墾闢三叉河。至此，三義終告成爲客家人的新鄉土。

6. 通霄：清・雍正末年時，有廣東嘉應州人曹高英、高雄、高騰兄弟，在通霄灣拓墾。在清・乾隆初年時，有粵人蔡、劉、黃、余、高、楊、馬、陳、張、徐等十一姓入墾北勢（今平元里）、南勢、梅樹腳（今梅南里）等地，並建莊定居。其後，墾務盛於乾隆中葉，及其以後。

7. 苑理：在清・雍正初年，有泉州六姓墾戶來此拓墾。在清・乾隆年間，閩粵漢人陸續來此墾殖，並建立街庄而形成聚落。

8. 西湖：根據《苗栗縣誌》所載，最早是在清・乾隆十七年時，有廣東陸豐劉恩寬在四湖一帶拓墾。但是，如依地方居民族譜之記載，是早在康熙五十二年（西元1713年）時，就有廣東陸豐、五華等縣客家人黃賢豪、九王爺等十人，入墾二湖公館地區。

9. 卓蘭：康熙末年，饒平縣人林端楠先入墾葫蘆墩（今豐原市）後，與同籍詹潤還後裔入墾罩蘭（今苗栗縣卓蘭鎮）。在清・乾隆初年時，有饒平縣人林仁茌、林仁英後裔及林元梅、林元開、林明周後裔來此罩蘭（今卓蘭鎮）拓墾。在清・乾隆三十五年（西元1770年），饒平縣人詹其祝入墾老莊（老庄里，位於卓蘭街區東北角）；墾首江福隆（江復隆）入墾新庄內（今卓蘭鎮新榮里）及中街（今中街里，卓蘭街區之北部）。在清・乾隆中葉時，有陸豐人鄭遂兆，饒平人詹來琇、詹來珌、詹金生、詹行次，鎮平人徐月步後裔入墾罩蘭（今卓蘭鎮）。⑾在清・乾隆末年時，有詹似寧在恩威與攻守並濟之下，墾業大有進展。在清・道光年間，墾戶廖天送接續墾業，卓蘭終於成爲客家人的鄉土外，在清・光緒年間，客家墾民與泰雅族之間，曾發生多次慘烈的戰鬥，漢人墾民先後有三十餘人遇害。由於當時卓蘭漢人詹其祝，參加台灣巡撫都督軍旅，結識台北中路統領林朝棟，經林統領奏請台灣巡撫劉銘傳調兵剿撫。劉氏派林朝棟主其事。林氏於清・光緒十二年（西元 1886 年）春，調派中路棟字隘勇營精兵總數一萬三千二百餘名之湖南軍至卓蘭，積極從事撫剿工作。清・光緒十三年（西元 1887 年）初，地方始完全平靖，湖南軍撤離卓蘭。地方人士感念軍人之爲鄉梓安寧，而壯烈犧牲，遂於民國四十八年（西元 1959 年）夏，立「軍民廟」，供鄉人憑弔。並將原清・光緒十二年豎立之陣亡官兵碑石，共搜得三十五塊，集中立於廟後，以慰忠魂。

10. 三灣：在清・嘉慶二十年（西元 1815 年）時，廣東梅縣人黃祈英來此拓墾。在清・咸豐元年（西元 1851 年）時，續有廣東嘉應州金東和、蕭連芳等十餘人的入墾建莊定居。

11. 南庄：在官方的開發方面，在清・道光六年（西元 1826 年），政府爲了加強內山防守的兵力，派遣淡水廳轄區內的「竹日武三屯」駐守三灣；清・光緒八年（西元 1882 年），更往東山區移駐到南庄；清・光緒十二年（西元 1886 年），劉銘傳執行「開山撫番」政策，本區屬於大嵙崁撫墾局之下的南庄分局。在有關私人的開發方面，在清・嘉慶二十五年（西元1820年）時，有廣東梅縣黃祈英、張大滿、蔡細滿等人，率領族人前往拓墾。其中，在有關黃祈英方面，清・嘉慶十年黃祈英隻身來台，至頭份斗換坪與賽夏族人做交易生意。當時賽夏族有三位總頭目，樟加禮統管銅鑼圈、獅頭山、田尾至南庄一帶十六社，絲哆喂統管北獅里興、大東河十二社，另一位是日阿拐則統管紅毛館、泰安、獅潭一帶八社，共有三十六社。黃祈英入番社後，住在樟加禮總頭目家中，不但教賽夏族青年武藝，也教他們分時序季節種植稻粟，建立制度。由於受到樟加禮的賞識，而和樟加禮的獨生女結婚，而逐漸成爲賽夏族人的頭目。黃祈英以聯姻方式開拓南庄，是屬於隘墾之外的一種溫和、良好的拓墾型式。其後，黃祈英於四十一歲那年，在清・道光六年夏四月，彰化發生閩粵分類械鬥，蔓延數十莊，客家人因人少敗退，求助於黃祈英，黃祈英曾被頭份斗換坪張姓閩籍頭家暗算瀕死，因此痛恨「福佬人」，於是就率賽夏族人夜襲中港土城，血染護城河，遂造成更多的報復和械鬥事件。福佬人向淡防府謊報黃祈英煽動土番造反，總督於是派兵至中港肚鎮庄，而官兵不敢進入黃祈英所住的番社，於是就以「剿滅全中港肚黃姓人士」脅迫黃氏族人交出黃祈英，黃祈英最後往竹塹投案，被解往彰化行刑，而他的妻子樟氏則背二子到都壢口百段崎撞樹殉夫，所幸樟氏的兄弟將二子帶回撫養。從此南庄又成爲賽夏族的生活地區，墾拓中斷數十年後，才由黃祈英後代宗親黃流民著手繼續開發。⑪

12. 獅潭：黃南球，楊梅人，他的父親黃梅怡，原籍廣東嘉應州，約於道光初年來台。苗栗內山一帶，縱橫約四十公里，涵蓋數個鄉鎭的土地——先期移民稱之爲「飛鳥難度」的番地，其中大部份是黃南球所開發。據史料推測，黃南球到達南庄後，便投靠黃流民做拓墾工作，隨後在黃流民的賞識下，號召人員入墾南坪。二十四歲時，黃南球開闢南莊，創「金萬成」墾號，是他一生拓墾事業的起始。清．光緒二年（西元 1876 年），黃南球自三灣大河底沿著獅潭溪谷進入西潭（與「獅潭」諧音）、下撈，爲客家人勢力最早進入本鄉之地。三十七歲時，入墾獅潭，創「黃南球墾號」。清．光緒十年（西元 1884 年）繼續向南進入八角林、下湖仔等地。約此同時，最南端的桂林溪沿線的北莊、桂竹林、汶水一樣，是由劉緝光爲墾首的「金永昌」墾號所開墾。黃南球在四十九歲時，組成「廣泰成墾號」，開拓大湖、卓蘭地區。大湖本有陳阿輝、吳定苟兄弟等人入墾，但勢力不大，直到黃南球的入墾，才達到充分的開拓。⑫其中值得一提的是，由於內山原始樟林遍佈，採樟、製腦，就成了黃南球的最大富源。在日人據台後，黃南球組織民軍抗日，失敗後內渡大陸。一九〇〇年應總督府之邀返回苗栗，經營樟腦、製材、製糖、運輸業，是全台富豪之一。在一九一九年四月五日逝世，享年八十歲。其中，值得一提的是，近年來行政院文建會，還在獅潭義民廟旁，塑有一個全身「黃滿頭家」黃南球的雕像。

13. 大湖：清・咸豐年間，廣東人吳立傳開闢大湖西方，雞隆山下之一地區，屢受鄰境番人之侵擾，清・咸豐十年（西元 1860 年），吳立傳率領壯丁越山企圖進擊番界，發現該地平野，四周環山成一盆地，儼如一湖，故稱大湖。清・同治元年（西元 1862 年），銅鑼庄新雞隆人吳定新、定連兩兄弟率領佃戶四十餘人及隘勇百餘人，進入大湖上坪（今靜湖村）一帶開墾，由於原住民的騷擾，拓墾耕地相當有限。同治十年（西元 1871 年），粵東人鍾阿貴由三叉河（今三義鄉）率四十餘人進入九芎坪製腦，遭到原住民的抗拒，而於次年冬撤離。⑪光緒二年（西元 1876 年）時，有詹阿祝等五、六十人，組成「共同組」，由東勢莊進入南湖，築隘防番，製腦墾耕，建村莊而居。光緒十五年（西元 1889 年），劉銘傳促成「阿滿頭家」黃南球、姜紹基、林振芳、陳萬青、陳澄波等人，分成四大股，共集本銀一萬二千大員，組成「廣泰成」墾號，開闢大湖、南湖、哆囉國、壢西坪、馬那邦、蘇魯、武榮山等處，其範圍大致為現今之大湖、卓蘭二鄉之東半部。至此，大湖即成為漢人的天下。⑭

14. 造橋：造橋是道卡斯族、閩南人、以及客家人為主的共同開發之地。在清・雍正九年（西元1731年），客家人開始開墾尖山西麓，並有造橋莊的建成。在清・乾隆年間，客家人則不斷的進墾牛欄湖（豐湖村）、造橋、赤崎仔（滾水或錦水）、大桃坪（大龍村）等地。⑮

15. 頭屋：清・乾隆二年（西元1737年），粵東客籍墾戶張盛仁、謝超南率墾丁始墾崁頭屋；清・嘉慶末年，貓裡街已經形成，平原上已有客家人的六大莊；六莊業主合股組成「陸成安」墾號，向貓裡社、嘉志閣社「商租」崁頭屋一帶山林埔地作為樵牧之用。在清・道光初年（西元1820年左右），崁頭屋已經成為客家人的莊頭，而其村街亦已發展出來。⑯

花東縱谷與宜蘭的開拓：

在向東部移民的路徑方面，根據沈光文所言：「船隻惟候夏月風靜，用小船沿海墘而行，一日至山朝社（三貂社），三日至蛤仔難（宜蘭），三日至哆囉蟯（立霧溪口），三日至直腳宣（花蓮市），……。南路則從安平出發，沿海邊而行，……至沙馬磯頭，水道十二更，又向東轉行山背，當用南風，迴蟒卒、老佛、大紫、高肅、馬間、卑南覓山外，水道十更。復至薄辦社，水道三更，……，沿海北向，直至崇爻之石門港口，水道九更。」（藍鼎元《東征集》）。又根據周鍾瑄修的《諸羅縣志》云：「由斗六門山口東入，渡河拔泉，又東入爲林圮埔，亦曰二重埔。土廣而饒，環以溪山，爲水沙連，及內山諸番出之口，險阻可據，有路可通山後哆囉滿。」另有沿著恆春半島的海岸線進入後山的通路：「瑯嶠山後行一日至貓丹，又二日過丹哩溪口至老佛，又一日至大鳥萬社，又三日過加仔難社，朝貓離社，至卑南覓社。」（黃叔璥《台海使槎錄》）

位於後山地區的花蓮、台東兩縣，一直到清季以前都是滿清的化外之地。在清・嘉慶十七年（西元 1812 年）後，有李享（即李合吉）、莊找（即莊有成）等客家墾首，進入奇萊平原，以貨物、布疋折價伍仟二百伍十圓，向豆蘭通事廚來、薄薄鄉通事武力、美樓社通事末仔、拔便社通事龜力、以及七腳川通事高鶴等人，購了「東至海，西至山，南到覓厘薔溪，北至豆蘭溪，大約包括現在的花蓮市及吉安鄉的大部份平原，總名叫奇萊，即祈來。」（曾一平〈漢人在奇萊開墾〉）。在清・咸豐元年（西元 1851 年），有台北人黃阿鳳，把位於今花蓮市區豐川一帶的土地，分爲十六股，招佃拓墾。在清・咸豐三年（西元 1853 年），有沈私有、陳唐、羅江利等二十位客家人，越過古道，來到璞石閣（今花蓮玉里）拓墾，並建土城防止其他族群的侵擾。到了清・同治十三年（西元 1874 年）恆春半島的「牡丹社事件」之後，沈葆楨實施開山撫番政策，調三路軍，分別由羅大春、吳光亮、袁聞柝開北、中、南三路通後山，才設有〈台東直隸州〉管轄其地。在西元一八七七年時，廣東汕頭撫墾局，招募潮人來台墾荒，多撥至大港口、大庄（富里）、客人城（玉里）、卑南（台東）等地。根據莊華堂的〈客家人、福佬客的開發背景與現況〉一文中，指出第一批墾民，就是跟著客家籍的南澳鎮總兵吳光亮，打通中路——竹山到玉里的古道之後，部份客家籍士兵在玉里鎮西緣落籍，促成「客人城」的興起，這是東部的第一個客家村，它位於源城里一帶。⑪⑦

佔全縣三分之一人口數的花蓮，向來被認爲是台灣的後山。清代東部的客家移民大體有三條路線：北路的移民聚集在奇萊（花蓮）一帶，多是由桃、竹、苗一帶的客家聚落遷入。中路移民則聚集於璞石閣（玉里）一帶，多是由中路移入或由北路和南路的客家人所遷移而來。南路移民則聚集於卑南（台東市），多由高、屏、六堆一帶的客家聚落移入。若以今日客家人在當地的分佈來看，關山鎮以北的客裔人士，大多是來自桃竹苗的北部客，關山鎮以南的客裔人士，大多是來自六堆客，其間還有少數移民，是從埔里盆地移民的客家人。他們大多是利用水路或是翻山越嶺，來到宜蘭平原或是花蓮縱谷的二次移民，或是三次移民。這種的移民潮是始於清末，而大盛於日治時代，一般說來，鳳林以北到壽豐、吉安的客家多以桃、苗的四縣客爲主，鳳林到富里間則以新竹海陸客居多，富里以南則多是美濃客。而日治時代到戰後初期，亦有從廣東梅縣或潮州等地直接移民到花蓮的客家人。在有關客家人隨日本人在台灣東部的開拓方面，其中，值得一提的是，大約在大正初期，日本軍官因爲花東兩縣還有不少荒埔，乃計劃自內地（日本本土）直接移民到台灣東部，建立了吉安、旭村、壽村、鹿野、龍田等近二十個日本移民村。客家人也隨著移民潮移居花東地區，他們有的做日本移民的傭工、有的做雜工、佃工，慢慢的在後山地區建立客家人的新家園。⑱目前花蓮地區客家聚落主要的分佈地區有：花蓮市（國富里、主權里）、吉安鄉、壽豐鄉、光復鄉、玉里鎮、瑞穗鄉、鳳林鎮等地。

在宜蘭的開發方面，主要分佈在雪山山脈北側的近山地區，包括員山、冬山、三星、蘇澳幾個鄉鎮。在清・嘉慶元年（西元 1796 年），當吳沙帶領閩粵移民開發至蘭陽平原時，有相當數量來自詔安、平和、南靖一帶的台灣客家人的移民腳步也到了宜蘭縣的冬山鄉和員山鄉。在落腳方面，在清・嘉慶十二年（西元 1807 年）時，有來自廣東的客家海盜朱濆，設司令部於蘇澳。雖然，後來被滿清部隊所驅逐，但是其中的一些客家人，仍然繼續定居在碇泊處附近。⑲在清・道光五年（西元 1825 年）時，有台北淡水人吳全、蔡伯玉，在宜蘭平原招募佃農，而來到志學拓墾。至於，另一部份的客家人，則是在日治時期由台灣西部桃、竹、苗移民而來客家人，他們大多集中在冬山鄉的大進村，三星鄉的天山、天福兩村，大同鄉的松蘿村，員山鄉的雙連埤、圳頭、粗坑等地。

在佔全縣三分之一人口數的台東方面，漢人移民台東是清・道光以後，根據文獻中最早的記載，道光年間鄭尚由前山水底寮，橫越中央山脈，到達卑南。後又有經由水路來到後山的漢人。客家人移入台東，最早在咸豐年間便有粵人私自移入卑南一帶開墾。同治十三年（西元 1874 年）牡丹社事件後，清朝開始開山撫番，開發東部，此時在招民墾荒的過程中，亦應有爲數不少的客家人前來。在清・光緒三年（西元 1877 年），巡撫丁日昌從廣東汕頭招募潮粵移民兩千多人，其中的八百多位被撥交給吳光亮，分配到大港口和卑南等地拓墾外，⑫⓪又根據胡傳的《台東州採訪冊》云：「（光緒三年）卑南至大陂以南，除阿眉番自種田地外，客民陳雲清、吳加炳、潘元琴等各有承墾，已成熟田。」（吳贊誠〈查勘台灣後山情形並籌應辦事宜摺〉）。目前在台東地區的客家人，大多是日治時期所移入。台東地區由於糖廠的開發，需要大量的人力，此時移入台東的客家人，以新竹州居多，其中又以竹南、頭份、南庄、銅鑼等地的移入爲主。另外，在戰後亦有爲數不少的客家人移入台東地區。目前台東縣福佬客的主要分佈地有：長濱鄉、成功鎮、台東市、大麻里鄉、池上鄉、關山鎮、鹿野鄉、卑南鄉等地。⑫①

早期的分類械鬥以及鄉土的保衛戰：

在上述清代客家人在台灣的開發過程中，除了要與大自然搏鬥以及與原住民間做適當的處理外，還經常發不幸的「分類械鬥」問題。所謂的「分類」是指台灣移民透過姓氏、職業，並按不同的祖籍地或不同的方言區，所結成的不同社會群體，有如宗親會、同鄉會、行郊……等組織爲後盾，來維護自身的權益。在台灣的移民中，大致可分爲「閩」、「粵」兩大類。其中的「閩」是指福佬民系，包括漳州府人和泉州府人外，還包括潮州府中講閩南語系潮汕話的福佬人。「粵」是指客家民系，包括嘉應州、惠州和潮州中講客家話的大埔、饒平、豐順等縣的客家人外，汀州的客家人在行政區上，雖然是屬於閩南地區，但講的是客家話，而往往被稱之爲粵人。

所謂的「分類械鬥」，是指一種不帶政治色彩，不與官府爲敵的純民間的私鬥而言。在層出不窮的各類械鬥當中，以一八六〇年西螺、二崙、崙背一帶所爆發的廖、李、鍾三姓的械鬥最爲嚴重，歷時三年才被平息。分類械鬥發生時，在清朝統治時期，清廷官憲多半不會馬上插手調停，直到雙方人馬已經是兩敗俱傷時，官憲才會出馬懲處事件的兩造當事人。在有關官方在當代對分類械鬥的看法方面，根據康熙末年，在藍鼎元《東征集》中的「諭閩粵民人」文章中，就有諴諭閩、粵人民「以後不得再分黨羽，再尋仇衅」的記載外，在雍正十年（西元 1732 年）王者輔爲《東征集》寫評語中，也指出台灣「兩造有閩粵之分」、「分門樹黨，古今第一禍患」的記載。清代台灣械鬥次數頻繁，自康熙六十一年（西元 1722 年）鳳山縣閩粵械鬥開始，到光緒二十八年（西元 1894 年）台南學甲堡的謝、黃異姓械鬥，歷時一百六十餘年，據府縣志記載，至少有四十二次之多。而魏源「聖武紀略」也指出：「七、八年一小鬥，十餘年一大鬥。」分析械鬥原因主要在經濟因素，如爭土地、水源、生意等。械鬥類別主要爲閩粵（客）、漳泉及其他（職業、姓氏）。閩粵械鬥始於康熙六十年（西元 1721 年）朱一貴之亂；漳泉械鬥則始自乾隆四十七年（西元1728年）彰化莿桐莊賭博糾紛，其後越演越烈。尤其是，自清・乾隆以降，台灣各地械鬥事件層出不窮。道光六年（西元 1826 年）今苗栗中港溪一帶爆發閩、粵械鬥，十三年（西元1833年）桃園、苗栗銅鑼一帶也發生閩粵互相殘殺事件，次年（西元1834年）蔓延到八里坌、新莊，閩客械鬥便演變成六年的殺鬥，此一械鬥直到二十年（西元1840年）中英鴉片戰爭開始，英艦進窺台灣，台北情勢告急，粵人遷移到中壢一帶之後，才宣告終止。⑫

在有關分類械鬥的狀態方面，械鬥規模小至異姓，大範圍可到一縣，甚至全台。械鬥者不但動用刀棍，甚至使用槍砲。短者數日，長者達數月數年之久，且結怨結仇亦深，難以化解。在有關漳、泉、粵之間的關係，以及官府爲維護政權，也常利用族群矛盾協助平亂方面，漳、泉、粵之間，因營生方式不同（海口泉人、內山漳人、再近山粵人）而互相抵制，互相爭執鬥毆。漳泉鬥本質是漳、泉、粵互鬥，因地域不同，各分氣類，且大多亂由漳起，泉人助官滅之，百姓爲了自保，常常保持中立，周旋於漳泉之間，粵人與漳泉對立，但常與泉人助官滅漳。其中，在漳泉鬥中的「漳」，其實包含了漳客與潮客，所以在漳泉鬥中，也可說是一種另類的閩客鬥。⑬不過，一般說來，在閩客分類械鬥中，其一般情況是，由於福佬人多，客家人少，而常有福佬人以強欺弱的色彩。在客家人方面，則常帶有反抗強暴的性質外，並前仆後繼、勇猛善戰，根據當時有人對械鬥的描述爲：「或焚燬廬舍，或占奪田園，或抗租而不完，或擄人而勒贖，甚至勾番肆出滋擾，焚殺不休」等，不會因爲人少而不堪一擊的現象出現。不過，客家人終因人數太少，在多數的械鬥中，常居下風，被迫遷出舊居地，諸如在北部地區，經過長期的械鬥，使之粵籍人民陸續遷往桃園、中壢一帶，在中部地區的粵民，則大多遷往苗栗定居等情形的發生。⑫④

至於，在改朝換代中，客家人爲保衛鄉土而戰者，有被推爲「台灣民主國」副總統兼義勇軍統領的台中客家人丘逢甲（台籍進士），負責新竹至台中的防守，由於「台灣民主國」總統唐景崧的棄台，丘逢甲抵抗一陣子後，就內渡大陸。然而，新竹的客家人姜紹祖，以及苗栗的客家人吳湯興、徐驤等人，則相繼領導義軍與日軍血戰，但最後均壯烈殉台。

㈡在日治時代

從粵東及福建汀州府屬遷來的客家人，主要分佈地區，北部是從桃園中壢至台中東勢一帶的丘陵台地；其次是南部屏東平原東側近山一帶；最後，則是位於東部的花東縱谷地區。

由於在滿清一代，沒有明確的人口及其分佈調查資料，今僅提供在日本政府的幾次國勢調查中，有一些比較確實的統計資料，以供研究客家發展之參考：

1. 根據明治三十八年（光緒 31 年，西元 1905 年）所舉辦的第一次臨時戶口調查顯示：本省籍漢人共有二百八十萬零九千餘人，佔總人口數的百分之九十五強。其中祖籍廣東省系者（絕大多數為客家人）有三十九萬七千餘人，佔漢族人口中的百分之十三點七。
2. 根據大正九年（民國 9 年，西元 1920 年）調查顯示：本省籍漢人共有三百三十七萬一千餘人，約佔總人口數的百分之九十二。其中祖籍為廣東省系者（絕大多數為客家人）有五十二萬人，佔漢族人口中的百分之十五點四。
3. 根據昭和元年（民國 15 年，西元 1926 年），所舉辦的「台灣在籍漢民族鄉貫別調查」顯示：本省籍漢人共有三百七十五萬人，佔總人口數的百分之八十八點四。其中廣東省系（絕大多數為客家人）人口有五十九萬人，佔百分之十五點六。同時，福建省汀州府系的客籍居民有四萬二千五百人。如果將這一數字加進粵籍客家人人口數之內，則當年客家居民的總人口數為六十三萬多人，約佔全部台籍漢人人口百分之十七弱。這些廣東省系的五十九萬人口中，以嘉應州屬的客家人佔最多數，約有三十萬人。其次，惠州府屬的客家人，約有十五萬多人，潮州府屬的客家人約有十三萬多人。

若從原籍的府 7 州縣分，以嘉應州屬（包括鎮平、平遠、興寧、長樂、梅縣等縣）人口，約佔二分之一弱（主要分佈在南部高屏地區，和北部苗栗、桃園一帶）。其次，惠州府屬（包括海豐、陸豐、歸善、博羅、長寧、永安、龍川、河源、和平等縣）人口，約佔四分之一。再其次，潮州府屬（包括大埔、豐順、饒平、惠來、潮陽、揭陽、普寧等縣）人口，約佔五分之一強。最少的，福建汀州府屬（包括永定、上杭、長汀、寧化、武平等縣）人口，僅佔十五分之一左右。⑫⑤其中，若再細分之，屬於汀州府者，多來自永定縣。屬於嘉應州府者，多來自梅縣、興寧、五華、平遠、蕉嶺。屬於惠州府者，多來自海豐、陸豐。屬於潮州府者，多來自饒平。在語言方面，在台灣常見的客家話許多腔調中，永定腔客家話來自永定。四縣腔客家話來自梅縣，以及舊嘉應州所屬的興寧、五華、平遠和蕉嶺等四縣。海陸腔客話來自惠州府的海豐、陸豐。饒平腔客家話來自饒平。若從人口的分佈而言，分佈在新竹地區（即今桃、竹、苗三縣）者，約佔客家總人口數的百分之六十強。其次，爲台中州（約佔百分之十八強）。再其次爲高雄州（約佔百分之十六弱）。再其次爲台南州（約佔百分之三點五）。至於，其他地區，所佔的比率，則是相當的少，微不足道。⑫⑥

㈢在國民黨時代：

根據雨青所編著的《客家人尋根》一書，指出在民國四十五年（西元 1956 年）九月十六日台閩地區第一次戶口普查結果顯示：本省籍之總人口數，共計八百一十五萬八千餘人，其中祖籍屬於福建省系的有六百九十一萬三千餘人，約佔全省本籍人口數的百分之八十四強；祖籍屬於廣東省系的有一百二十二萬七千餘人，約佔百分之十五強，祖籍屬於其他省份的只有一萬六千餘人，約佔百分之零點二而已。在當時全省二十一縣市一管理局當中，祖籍屬於福建省系人口佔多數的高達十九縣市一管理局之多，只有苗栗及新竹兩縣廣東省系的客家人口多於福建省系人口。這兩個縣份的客家人口據估計各佔三分之二（苗栗縣佔百分之六十八，新竹縣佔百分之六十五強）。桃園縣久為閩粵人口平分秋色的縣份，其分佈情形大致是這樣的，桃園市、大溪鎮為閩南漳州集合的地區，而中壢地區則大部份為客家人聚居的地區，全縣閩南人佔百分之五十一強，客家佔百分之四十八強。花蓮縣客家人約佔四成以上，台東及屏東兩縣客家人各佔該縣人口四分之一強，客家人口在台中（佔百分之十九）、南投（佔百分之十四）及高雄（佔百分之十三）等三縣佔有一成以上的比率，也不算少。但在開發最早的澎湖縣及台南縣、台南市等三地區的客家人口，總共不過五千七百十九人，真是微小的幾乎不成比率。⑫⑦

在民國五十七年（西元 1968 年）時的族群人口統計，福佬人佔 74.51 %，客家人佔 13.19 %，外省籍佔 9.85 %，原住民佔 2.37 %，⑫⑧保守的估計，在當時台灣應該有三百萬的客家人。在地區的分佈方面，經過長期的演變，以及工商業的逐漸繁榮，大城市的漸次興起，在當時除桃竹苗聚居最爲密集外，其餘的大多成點狀分佈，其分佈情形爲，在桃園方面，除北桃園外，在新竹方面，除今新竹市外，在苗栗方面，除苗栗沿海外，大多爲客家人所佔居。在其他縣市方面，客家大多則呈點狀分佈。在台中縣方面，大多位於台中縣的丘陵地區，包括豐原、東勢、神岡、新社等鄉鎮。在彰化方面，多居住八卦山脈下的員林、永靖、埔心和社頭等地。在南投方面，散居於國姓、埔里、水里和信義一帶。在雲林方面，西螺的客家人幾乎已福佬化，二崙和崙背的客家人則仍使用特殊的詔安客家話。高雄、屏東方面，有前堆（屏東的長治、麟洛）、後堆（屏東的內埔）、左堆（屏東的佳冬、新埤）、右堆（屏東的高樹，高雄的美濃、杉林、六龜）、中堆（屏東的竹田）和先鋒堆（屏東的萬巒）等六堆。宜蘭方面，聚居於員山、三星等地。花蓮方面，聚居於吉安、壽豐、鳳林、光復、瑞穗、玉里及富里等地區。台東方面，則分佈於關山、鹿野以及池上等地。

在民國八十七年（西元 1998 年）十月，莊華堂先生參卓民國四十五年的戶口資料，在新竹縣立文化中心所發表的〈客家人、福佬客的開發背景與分佈現況〉中，其所發表的統計數字爲：

㈠南部地區的客家人：

在高屏六堆地區，共十二鄉鎮，除了美濃、麟洛爲純客家鄉鎮之外，其它均爲閩客混居地區。但客家人有集居於某些村庄現象，其中萬巒、竹田、長治、內埔四鄉，客家人約居六成以上強勢，新埤、佳冬、高樹、杉林等鄉，閩客約各佔一半，六龜約佔三成。此外，六堆客家人還移居恆春半島的滿州、車城二鄉，以及花東地區。根據鍾壬壽在一九七〇年的調查概估，六堆地區共有客家人約二十二萬四千人，當時這些鄉鎮共有三十三萬人，客家人約佔68％。

㈡中部地區的客家人：

莊華堂先生根據人類學家陳其南的〈台灣的傳統中國社會〉，洪麗完的〈清代台中開發之研究〉，以及楊國鑫的〈南投客家之旅〉三文中，所預估的客家籍人口所佔比例爲：

彰化縣：埔心鄉74％、永靖鄉13％、員林鎮22％、田尾鄉22％、竹塘鄉31％。

台中縣：東勢鎮73％、新社鄉95％、石崗鄉85％、豐原鎮57％。

南投縣：國姓鄉74％、中寮鄉45％、埔里鎮33％、水里鄉25％。

㈢北部地區的客家人：

莊華堂先生參考潘英海的《台灣拓殖史及其族人分佈研究》，所作的客家人口比例爲：

桃園縣：中壢市52％、楊梅鎮87％、龍潭鄉80％、平鎮市 80 %、新屋鄉 92 %、觀音鄉 63 %。

新竹縣：關西鎮 96 %、新埔鎮 97 %、竹東鎮 86 %、湖口鄉 91 %、新豐鄉 60 %、芎林鄉 95 %、北埔鄉 89 %、峨眉鄉 96 %、寶山鄉 91 %、竹北市 49 %。

苗栗縣：苗栗市 79 %、通霄鎮 64 %、頭份鎮 83 %、卓蘭鎮 91 %、大湖鄉 94 %、公館鄉 96 %、銅鑼鄉 95 %、頭屋鄉 99 %、西湖鄉 90 %、獅潭鄉 92 %、南庄鄉 86 %、造橋鄉 71 %、三義鄉 92 %、三灣鄉 96 %。

㈣花東地區的客家人：

花蓮縣：鳳林鎮 50 %以上、玉里鎮 32 %、吉安鄉 36 %、壽豐鄉 28 %、光復鄉 18 %、瑞穗鄉 33 %、富里鄉 43 %。

台東縣：台東市 15 %、關山鎮 34 %、鹿野鄉 22 %、池上鄉 35 %。

至於，在大台北地區而言，迄今沒有詳細的統計資料，客家人口數估計在台北市方面，大約有二成左右。在台北縣方面，在土城雙和地區，大約有二成半左右，在新店、板橋、以及三峽方面，大約各有一成五左右。⑿⑼

何謂「福佬客」？

在有關「福佬客」方面，早年台灣有漳泉械鬥、閩客之爭、不同姓氏間的爭鬥…等械鬥盛行，尤其是在大規模的閩客械鬥之後，位於當地的少數客家族群，有些人爲求自保或是基於生活的需要，只好僞裝是福佬人，長期下來，語言、習俗及相關文化逐漸被同化，使之數代之後，其子孫甚至還不知道自己原本是客家人。「福佬客」一詞，最早被提出是在民國六〇年代，當時中研院進行一項與人類學、社會學有關的相當大型的濁大研究計劃，在該計劃的田野調查中，發現彰化、雲林兩縣有部份地區的人，祖籍是漳州客家人，但他們已經喪失使用客語的能力，在文化上也被福佬文化所同化，於是在學術上就把它稱之爲「福佬客」外，台北板橋林家的後裔林衡道，「台灣夜譚—鄉土與民俗」書中也說：同化以後已經忘記客家話的人，就叫福佬客……全省最大的福佬客地區就是濁水溪下游兩岸大平原，具體而言即是彰化縣的員林、埔心、永靖、田尾、溪湖等鄉鎮。雲林縣的西螺、莿桐、虎尾、北港等鄉鎮，嘉義縣的新港鄉等地，也住了很多福佬客。在民國六、七〇年代台灣逐漸興起鄉土導覽的風潮，台灣文獻會前主委林衡道，在主持相當多的演講及鄉土課程時，除了確定「福佬客」一詞外，並把它發揚光大。⑬⓪

在現今多元融合的時空背景下，您是否很好奇自己或朋友是不是福佬客？參見行政院客委會提供的「發現多元文化認同之美文化手冊」說明，有下列幾種方法可分辨福佬客：

一、多神信仰：在過去客家人在「祖在家，神在廟」，以敬家神爲主，廟神次之的觀念下，一般家屋廳堂的正中央，均會供奉有祖先神位。不過，客家族群在台灣各地拓墾之時，與漳州福佬、泉州人及原住民的爭鬥、結盟過程中，爲求心靈的安全感，以及現實因素，部份人由於受到福佬人的影響，而逐漸形成多神信仰，因此在家中所祭拜的除了祖先牌位之外，還供奉有多尊神像的家庭，就有可能是一種的福佬客。

二、聚落宗祠：宗祠提供了心靈上的安全感，而聚落的形式則提供了生活上的安全保障，在閩南區中，有多重護龍、多重院落，圍竹而居等具有宗族結合民宅的聚居特色者。

三、習俗：雖然多數福佬客的生活習慣和福佬人相同，但在一些習俗上仍保存了傳統客家的風格，例如：元宵後掃墓、年尾年頭祭祖、將掃墓和作忌合而爲一，不另作忌、寺廟或家屋的門額「祠、宮、亭、堂」字寫中間、稱女性祖先爲孺人、重視祖先甚於神明、天公爐在庭院、雙姓、家族子孫命名有排字輩。

四、語言稱謂：不同族群的交會，語言或許會被同化，但不會完全消失，仍會存留部份元素，如親屬稱謂，彰化部份福佬客稱叔叔「阿叔」、姑姑是「阿ㄍㄨ」、舅舅是「阿ㄎㄧㄨ」、伯母是「阿ㄇㄧ」。

五、食物：福佬客與客家人刻苦勤儉的性格，反映在飲食上，可由其善於製作多種加工食品看出，例如宜蘭羅東卜肉、雲林大埤酸菜、台中神岡鹹湯圓。

除了以上五點外，另有地名，埤圳等命名也可窺見福佬客的踪跡。(131)

何謂「客福佬」？

雖然在學術上並無「客福佬」一詞，但一般人還是習慣把住在客家地區被客家文化所同化的福佬人，稱之為「客福佬」。在客福佬和福佬客之間的演變差異方面，它並沒有像福佬客群體被同化的現象，而大多是屬於單一或個人狀態，有如閩南女子嫁給客家人當媳婦等情形。

究竟現今的標準客家話有多少？

目前大致有五種的客家話，其情形大致如下：

一、梅州客話（又稱四縣話）：四縣包括興寧、五華（長樂）、平遠、蕉嶺（鎮平）。今梅州除上述四縣外，還包括大埔、豐順、梅縣、梅州。

二、惠州客話（又稱海陸話）：廣東、陸豐、河源等縣（今有陸河縣）。

三、潮州客話（又稱饒平話、大埔話）：廣東饒平縣、大埔縣為主。

四、漳州客話（又稱詔安話）：福建詔安縣（另有南靖、平和來台）。

五、汀州客話（又稱永定話）：來自閩西武平、上杭、永定等縣。⑬²

偷渡以及台灣欠缺女人故事的重演：

台灣被滿清出賣，在日治五十年期間，台灣是屬於日本的領土，大陸人來台的機會不多，自國民黨政府於民國三十八年（西元 1949 年）撤退來台後，在反攻大陸的階段中，大陸人士根本沒有機會來台，直到民國七十六年（西元 1987 年）解嚴後，兩岸交流日漸頻繁，而偷渡問題也越來越嚴重。其情形有如二〇〇〇年六月，英國多佛港警方攔查荷蘭籍的貨櫃車，結果發現貨櫃裡死了五十八名來自福建的偷渡客；二〇〇一年十月，二十五名準備偷渡到韓國的大陸人悶死在船艙內，蛇頭將屍體拋入海中毀屍滅跡；二〇〇三年八月二十六日，六名大陸偷渡女子在苗栗外海被蛇頭推下海溺斃。在選秀三部曲方面，有一說、二看、三感覺的說法。當蛇頭（台灣稱雞頭）在大陸找上長相清秀、瓜子臉、身高至少一百六十公分、四十八公斤以下，胸圍尺寸 B 或 C 罩杯的女孩後，在面試第一步，在「說」方面，直接表明是到台灣掙皮肉錢。在「看」方面，由於女人穿衣服「可是騙死人不償命」，因此要檢查「內在」，當場要求褪去衣服，一絲不掛，來看看她的體態、胸型大小、有沒有開過刀的「拉鍊」傷痕、有沒有生過小孩的妊娠紋之類的東西外，在「感覺」方面，忸忸怩怩的、羞澀矜持的，也不是真的放不開的，在感覺上可算是一種的上選。[133]

客家族群的自我認同及其現況：

作爲一個客家人，不管是在主觀上或客觀上有哪些的條件？是否應具有共同的血緣、語言、文化、或是具有共同的經驗、記憶與歷史？有人認爲要成爲一個客家人，*1.* 必須具有客家人的血統。*2.* 必須會聽或講客家話。*3.* 必須了解客家文化。*4.* 必須具備客家人的性格，如勤儉。*5.* 只要自己認爲是客家人，就是客家人……等。在談到客家族群的人口數方面？應該是由當事人塡寫自己的族群認同，或是由官方來認定？這些都是值得大家研究與探討的重要課題。⑬4今以行政院客家委員會依據一、內政部民國九十三年（西元 2004 年）二月台閩地區人口統計資料。二、行政院客家委員會於民國九十三年九月委託全國意向顧問股份有限公司調查推估結果（在 95 %信心水準之下，抽樣誤差±9.8 %）的情形下，所製作出的統計資料如下：

在這民國五十五年（西元 1966 年後），政府第一次進行大規模族群分佈調查，也是政府首次進行大規模的客家人口資料調查。在對客家的認同方面，在問到客家人需具備什麼條件時，40.4 %的受訪者認爲應具有客家人血統，42.5 %的人則認爲應會說或聽客家話，另外有 67.7 %的受訪者認爲，生爲客家人的客語能力應達到聽說流利的程度，有 77.7 %的客家人認定自己的母語是客語，有 85.2 %的客家人認爲客語流失情況嚴重，有 71.7 %的客家人以生爲客家人爲榮。

在抽樣調查方面，針對全國 368 個鄉鎮市區，以隨機抽樣方式進行，每個鄉鎮完成 100 份，共計完成 37,693 份有效樣本，根據調查結果推估，採單一自我認定（自我主觀認定）時，客家人口數爲 285.9 萬人，在全國總人口數中，佔 12.6 %；採多重自我認定（可多重選擇族群、自我主觀認定）時，客家人口數爲 441.2 萬，佔 19.5 %，採血緣認定時，人數升高爲 508.8 萬人，佔全國總人口的 22.5 %，而在採廣義認定時，客家人口數則爲 608.4 萬人，佔全國總人口數的 26.9 %，也就是平均每 3.7 人中，就有 1 個客家人。

在認同台灣方面，將客家人分爲兩部份，一是台灣客家人，在這族群中，有 45 %認爲自己也是台灣人，有 5.1 %認爲自己是中國人，有 43.8 %認爲自己兩者皆是，另外一部份是民國三十八年（西元 1949 年）後，從中國對岸來台的客家人，在這當中，有 28.6%的人認爲自己是台灣人，10.4 %的人認爲自己是中國人，57.3 %的人認爲兩者都是。⑬其中值得一提的是，自行政院客委會成立，以及該會呼籲大家大聲說出客家話以來，客語人口有年年上升的跡象，其情形有如在民國九十三年（西元 2004 年）時，會說客語的比例升高 2.7%，聽懂客語比例則提高爲 4.5%。

今將行政院客家委員會於民國九十三年（西元 2004 年）十一月十一日所對外公佈的台灣各縣市、鄉鎮客家人口統計如下：

台灣客家人口統計

	總人口收（人）	客家人口推估數（人）	客家人口百分比（%）
總計	22,545,969	4,408,818	19.5
台北市	2,627,844	497,269	18.9
高雄市	1,510,124	187,364	12.4
台北縣	3,681,491	553,402	15.0
桃園縣	1,826,609	732,600	40.1

新竹縣	460,349	315,298	68.5
苗栗縣	560,798	372,438	66.4
台中縣	1,521,582	278,688	18.3
彰化縣	1,316,705	168,366	12.8
南投縣	539,950	90,404	16.7
雲林縣	739.166	61.202	8.3
嘉義縣	559,882	43,460	7.8
台南縣	1,106,406	58,012	5.2
高雄縣	1,237,417	242,810	19.6
屏東縣	903,411	209,760	23.2
宜蘭縣	462,930	74,491	16.1
花蓮縣	350,829	104,580	29.8
台東縣	242,393	49,340	20.4
澎湖縣	92,068	7,279	7.9
基隆市	392,343	54,111	13.8
新竹市	383.370	114,893	30.0
台中市	1,010,612	129,614	12.8
嘉義市	269,592	13,088	4.9
台南市	750,096	50,349	3.7

	鄉鎮市	總人口數（人）	客家人口推估數（人）	客家人口百分比（%）
台北縣	三峽鎮	86,073	19,002	22.1
	新莊市	384,330	80,095	20.8
	中和市	406,985	78,945	19.4
	鶯歌鎮	82,735	16,045	19.4
	三重市	384,675	65.912	17.1
	新店市	281,019	47,980	17.1
	深坑鄉	20,752	3,426	16.5
	樹林市	159,287	25,236	15.8
	泰山鄉	65,935	9,794	14.9
	烏來鄉	4,765	674	14.1
	汐止市	171,223	23,348	13.6
	永和市	232,081	29,548	12.7
	五股鄉	73,219	9,256	12.6
	金山鄉	21,860	2,681	12.3
	板橋市	539,783	64,217	11.9
	淡水鎮	124,087	14,404	11.6
	瑞芳鎮	45,628	4,974	10.9
	土城市	235,605	25,579	10.9
	萬里鄉	19,024	1,992	10.5
	貢寮鄉	13,982	1,405	10.0
宜蘭縣	蘇澳鎮	45,149	12,673	28.1
	三星鄉	21,684	5,409	24.9
	礁溪鄉	37,244	7,637	20.5
	南澳鄉	5,896	1,074	18.2
	頭城鎮	32,760	5,573	17.0
	大同鄉	5,731	970	16.9

宜蘭縣	員山鄉	33,205	5,604	16.9
	羅東鎮	72,231	10,518	14.6
	五結鄉	38,340	5,208	13.6
	冬山鄉	50,954	6,298	12.4
	宜蘭市	93,674	11,379	12.1
桃園縣	新屋鄉	49,574	41,326	83.4
	楊梅鎮	135,135	91,280	67.5
	觀音鄉	55,633	32,269	58.0
	龍潭鄉	109,764	63,544	57.9
	中壢市	340,047	193,217	56.8
	平鎮市	198,614	111,020	55.9
	龜山鄉	120,233	35,129	29.2
	大溪鎮	84,727	22,465	26.5
	桃園市	359,575	77,115	21.4
	大園鄉	78,997	16,494	20.9
	八德市	168,816	30,524	18.1
	復興鄉	11,218	1,954	17.4
	蘆竹鄉	114,277	16,263	14.2
新竹縣	峨眉鄉	6,320	5,954	94.2
	北埔鄉	10,527	9,819	93.3
	橫山鄉	14,860	13,600	91.5
	關西鎮	32,896	29,878	90.8
	新埔鎮	36,486	30,817	84.5
	芎林鄉	20,592	16,673	81.0
	竹東鎮	93,048	68,848	74.0
	寶山鄉	13,163	9,354	71.1
	湖口鄉	70,619	49,199	69.7
	竹北市	100.771	53,625	53.2

新竹縣	新豐鄉	48,119	25,611	53.2
	尖石鄉	8,252	1,340	16.2
	五峰鄉	4,696	579	12.3
苗栗縣	三灣鄉	7,621	7,479	98.1
	公館鄉	34,717	32,591	93.9
	頭屋鄉	12,188	11,434	93.8
	銅鑼鄉	20,624	19,101	92.6
	獅潭鄉	5,356	4,832	90.2
	大湖鄉	16,911	14,739	87.2
	三義鄉	17,986	15,480	86.1
	苗栗市	91,273	77,091	84.5
	西湖鄉	8,342	7,025	84.2
	頭份鎮	91,242	75,911	83.2
	造橋鄉	14,124	11,673	82.6
	南庄鄉	11,911	9,686	81.3
	卓蘭鎮	19,246	15,221	79.1
	泰安鄉	5,548	2,982	53.8
	竹南鎮	71,884	27,777	38.6
	苑裡鎮	49,364	16,195	32.8
	後龍鎮	41,782	13,594	32.5
	通霄鎮	40,679	9,625	23.7
台中縣	東勢鎮	56,634	43,900	77.5
	石岡鄉	15,490	9,548	61.6
	新社鄉	26,545	15,053	56.7
	和平鄉	11,288	4,563	40.4
	外埔鄉	31,318	8,854	28.3
	豐原市	162,686	39,146	24.1
	太平市	170,100	35,941	21.1

台中縣	潭子鄉	94,262	19,100	20.3
	神岡鄉	63,657	11,495	18.1
	后里鄉	55,706	7,866	14.1
	大雅鄉	84,552	11,824	14.0
	大里市	181,896	23,810	13.1
	霧峰鄉	65,132	8,038	12.3
	烏日鄉	65,514	6,976	10.6
	大肚鄉	55,263	5,784	10.5
彰化縣	田尾鄉	29,449	6,977	23.7
	員林鎮	127,411	29,142	22.9
	埔心鄉	34,949	6,953	19.9
	福興鄉	48,630	8,907	18.3
	竹塘鄉	16,946	3,014	17.8
	線西鄉	17,109	2,853	16.7
	埤頭鄉	32,431	5,326	16.4
	溪州鄉	32,579	5,334	16.4
	芬園鄉	26,020	3,832	14.7
	秀水鄉	38,305	5,632	14.7
	社頭鄉	45,649	6,278	13.8
	北斗鎮	33,576	4,572	13.6
	二林槙	56,655	7,037	12.4
	二水鄉	17,797	2,203	12.4
	永靖鄉	40,127	4,928	12.3
	伸港鄉	34,979	4,271	12.2
	大城鄉	20,277	2,361	11.6
	和美鎮	87,812	9,884	11.3
	大村鄉	35,875	4,036	11.2
	田中鎮	46,034	5,045	11.0

南投縣	國姓鄉	22,663	11,764	51.9
	水里鄉	22,065	5,494	24.9
	中寮鄉	17,153	4,161	24.3
	魚池鄉	17,625	3,097	17.6
	南投市	105,245	17,812	16.9
	埔里鎮	87,253	14,706	16.9
	信義鄉	17,583	2,830	16.1
	草屯鎮	99,123	13,652	13.8
	名間鄉	42,584	5,549	13.0
	集集鎮	12,450	1,434	11.5
	竹山鎮	60,409	6,652	11.0
雲林縣	崙背鄉	29,047	5,017	17.3
	二崙鄉	31,956	4,704	14.7
	麥寮鄉	32,523	4,114	12.7
	虎尾鎮	68,346	7,589	11.1
	斗六市	103,221	11,083	10.7
	西螺鎮	50,065	5,080	10.1
嘉義縣	阿里山鄉	6,251	1,432	22.9
	竹崎鄉	40,865	5,673	13.9
	大埔鄉	3,542	456	12.9
	中埔鄉	48,312	5,678	11.8
	民雄鄉	71,876	7,829	10.9
台南縣	楠西鄉	11,453	1,207	10.5
高雄縣	美濃鎮	45,512	42,186	92.7
	杉林鄉	12,111	7,461	61.6
	三民鄉	3,398	1,216	35.8
	六龜鄉	16,499	5,400	32.7

高雄縣	林園鄉	71,031	16,609	23.4
	阿蓮鄉	31,346	6,561	20.9
	旗山鎮	42,739	8,848	20.7
	仁武鄉	58,053	11,972	20.6
	甲仙鄉	8,602	1,764	20.5
	大社鄉	32,448	6,521	20.1
	茄萣鄉	32,768	6,433	19.6
	大寮鄉	113,865	22,298	19.6
	內門鄉	17,386	3,170	18.2
	鳥松鄉	39,691	7,236	18.2
	大樹鄉	45,695	7,089	15.5
	彌陀鄉	21,469	3,298	15.4
	田寮鄉	9,183	1,395	15.2
	橋頭鄉	37,409	5,435	14.5
	岡山鎮	94,922	13,452	14.2
	湖內鄉	28,455	3,990	14.0
	鳳山市	329,382	44,337	13.5
	永安鄉	14,416	1,878	13.0
	梓官鄉	38,620	4,967	12.9
	茂林鄉	1,764	214	12.1
	燕巢鄉	31,676	3,746	11.8
	桃源鄉	4,873	503	10.3
屏東縣	麟洛鄉	11,915	9,828	82.5
	竹田鄉	19,033	14,805	77.8
	內埔鄉	61,375	32,687	53.3
	新埤鄉	11,604	5,606	48.3
	佳冬鄉	22,902	10,550	46.1
	長治鄉	30,725	14,078	45.8

屏東縣	高樹鄉	28,648	12,806	44.7
	萬巒鄉	23,529	7,150	30.4
	屏東市	216,525	49,323	22.8
	潮州鎮	57,610	11,190	19.4
	鹽埔鄉	28,384	4,274	15.1
	車城鄉	10,576	1,542	14.6
	里港鄉	27,052	3,859	14.3
	萬丹鄉	54,540	7,470	13.7
	南州鄉	12,827	1,709	13.3
	東港鎮	50,273	6,214	12.4
	枋寮鄉	28,909	3,184	11.0
台東縣	關山鎮	10,597	5,138	48.5
	池上鄉	10,153	4,087	40.3
	鹿野鄉	9,543	2,820	29.6
	台東市	110,815	23,547	21.2
	卑南鄉	19,627	3,498	17.8
	長濱鄉	9,641	1,679	17.4
	成功鎮	17,762	3,071	17.3
	太麻里鄉	13,057	1,907	14.6
	東河鄉	10,577	1,452	13.7
	海端鄉	4,704	514	10.9
	大武鄉	7,999	822	10.3
花蓮縣	鳳林鎮	13,386	7,135	53.3
	瑞穗鄉	14,394	6,372	44.3
	富里鄉	13,118	5,129	39.1
	玉里鎮	30,467	10,784	35.4
	光復鄉	15,829	5,294	33.4
	吉安鄉	78,487	25,774	32.8

花蓮縣	壽豐鄉	20,374	6,300	30.9
	花蓮市	108,222	32,545	30.1
	新城鄉	21,161	3,140	14.8

註　解

① 朱真一著，《台灣客家文化叢書㈠》，頁 115 － 118，台北：客家雜誌（陳康宏），2003。

② 江貴運著，徐漢斌譯，《客家與台灣》，頁 88，台北：常民文化出版，1996。

③ 同上，頁 93。

④ 高木桂藏著，關牧屋譯，《客家》，頁 19，台北：台北市松江路 206 號 4 樓 406 室，1991。

⑤ 王東著，《客家學導論》，頁 92、93，台北：南天書局出版，1998。

⑥ 李逢蕊著，《客家文化論叢》，頁 45，台北：中華文化復興運動總會出版，1994。

⑦ 王東著，《客家學導論》，頁 94、95，台北：南天書局，1998。

⑧ 羅香林著，《客家研究導論》，頁 18。

⑨ 陳運棟著，《客家人》，頁 39，台北：聯亞出版社，1978。

⑩ 王東著，《客家學導論》，頁 103、107，台北：南天書局出版，1998。

⑪ 同上，頁 108。

⑫ 吳萊，《淵穎天先生集》卷 12。

⑬ 文天祥，《文山全集》卷 17。

⑭ 王東著，《客家學導論》，頁147，台北：南天書局出版，1998。

⑮ 陳運棟著，《台灣的客家人》，頁26，台北：協和台灣叢刊4，1989。

⑯ 松本一男著，《客家人的力量》，頁210，台北：國際村文庫書店，1996。

⑰ 參見江運貴著，徐漢斌譯，《客家與台灣》，頁148、149、157，台北：常民文化出版，1996。

⑱ 同上，頁148。

⑲ 王東著，《客家學導論》，頁250～252，台北：南天書局出版，1998。

⑳ 謝重光著，《海峽兩岸的客家人》，頁186、189、190，台北：幼獅文化公司出版，2000。

㉑ 高木桂藏著，關屋牧譯，《客家》，頁33，台北：台北市松江路206號4樓406室，1991。

㉒ 參見聯合報91.5.25。

㉓ 高宗熹編著，《客家人——東方的猶太人》，頁106，台北：武陵公司出版，1992。

㉔ 參見黃鼎松著，《苗栗的開拓與史蹟》，頁138、139，台北：常民，1998。

㉕ 李世丹報導，〈昭忠塔〉，客家郵報，92.12.10-16。

㉖ 參見劉慧真著，《台北客家人文腳蹤》，頁29，台北：台北市政府客家事務委員會，2002。

㉗ 參見袁世忠報導，〈紀念江文也國家級活動首度舉

辦〉，聯合晚報，92.10.22。

㉘ 參見陳玲芳，〈二二八受難者張七郎〉，台灣日報，92.8.7，12 版。

㉙ 參見江運貴著，徐漢斌譯，《客家與台灣》，頁 300～306，台北：常民文化，1996。

㉚ 高有智報導，〈英雄與叛徒的傳奇，埋沒身後〉，中國時報，92.6.12。

㉛ 張德水著，《激動！台灣的歷史》，頁 160。

㉜ 高有智報導，〈英雄與叛徒的傳奇，埋沒身後〉，中國時報，92.6.12。

㉝ 聯合報，90.3.25。

㉞ 參見史明著，《台灣人四百年史》，頁 33，台北：蓬島文化公司出版，1980。

㉟ 里斯著，周學普翻譯爲《客家人怎樣到台灣》，載國煇翻譯爲《客家渡台之原委》，參照台灣銀行出版的《台灣經濟史》第三集。

㊱ 參見台灣銀行出版的《台灣經濟史》第六集。

㊲ 鄭水萍,〈有移民史觀有長遠移民政策〉，聯合報，92.8.30。

㊳ 同上。

㊴ 黃卓權著，〈台灣內山開發史中的客家人〉，《歷史月刊》第 134 期，頁 69，台北：聯合報系，1999.3。

㊵ 參見簡炯仁著，《屏東平原的開發與族群關係》，頁 88，屏東：屏東縣立文化中心出版，1997。

㊶ 曾絢煜著，〈萬巒仙人井傳奇〉，漢聲《台灣的客家人專輯》，頁 29、32，台北：英文漢聲出版公司，1989 年 12 月。

㊷ 參見陳運棟著，《台灣的客家人》，頁 117、118，台北：台原出版社，1989。

㊸ 參見《六堆客家鄉土誌》第十一篇第三章第一節麟洛庄開庄史。

㊹ 參見陳運棟著，《台灣的客家人》，頁 120，台北：台原出版社，1989。

㊺ 伊能嘉矩著，《增埔大日本地名辭書・台灣》，阿猴「六堆部落」條，頁 807。

㊻ 鍾壬壽，《六堆客家鄉土誌》，頁 38～75，台北：常青出版社，1973。

㊼ 邱彥貴、吳中杰著，《台灣客家地圖》，頁 75，台北：貓頭鷹出版社，2001。

㊽ 雨青編著，《客家人尋根》，頁 187，台北：武陵出版社，1996。

㊾ 屠繼善修，《恆春縣志》，頁 129，台北：大通書局翻印本，1984。

㊿ 參見戴鎂珍主編，《古厝老宅院》，頁 69，台北：Mook 台灣好迌迌，No.16，2003。

51 莊華堂著，〈客家人、福佬客的開發背景與現況〉，《聯合報系歷史月刊》第 134 期，頁 73，台北：聯合報系，1999.3。

⑸ 計劃主持人：潘英海，共同主持人：莊華堂，《桃園縣客家文化館軟體規劃及資料蒐集》，頁 15，桃園：桃園縣文化局，2002。

⑸ 周鍾瑄修，《諸羅縣志》，大通書局翻印本，頁 136，1984。

⑸ 安倍明義著，《台灣地名研究》，頁 226，台北：蕃語研究會，1984。

⑸ 計劃主持人：潘英海，共同主持人：莊華堂，《桃園縣客家文化館軟體規劃及資料蒐集》，頁 23，桃園：桃園縣文化局，2002。

⑸ 邱彥貴、吳中杰著，《台灣客家地圖》，頁 69，台北：貓頭鷹出版社，2001。

⑸ 梁志輝撰，國立中正大學歷史研究所碩士論文，《嘉義地區漢人社會發展之研究》，頁 32，1995。

⑸ 仇德哉主篇，《雲林文獻》，26 期，頁 80，雲林：雲林縣文獻委員會，1982。

⑸ 仇德哉主修，《雲林縣志稿》，卷二人民志，頁 61，台北：成文出版社翻印本，1983。

⑹ 劉還月著，《台灣的客家人》，頁 188，台北：常民文化事業公司出版，2000。

⑹ 陳福星、吳昆山編，《太和街三山國王廟》，雲林：太和街三山國王廟第十三屆管理委員會編印，頁 4。

⑹ 仇德哉主修，《雲林縣志稿》，卷一土地志勝蹟篇，頁 190，台北：成文出版社翻印本，1983。

⑬ 倪贊元撰，《雲林縣采（採）訪冊》，頁 16，台北：大通書局翻印本，1984。

⑭ 莊華堂著，〈客家人、福佬客的開發背景與現況〉，《歷史月刊》第 134 期，頁 77，台北：聯合報系，1999.3。

⑮ 計劃主持人：潘英海，共同主持人：莊華堂，《桃園縣客家文化館軟體規劃及資料蒐集》，頁 15，桃園：桃園縣文化局，2002。

⑯ 江運貴著，徐漢彬譯，《客家與台灣》，頁 247，台北：常民文化事業出版，1996。

⑰ 參見《客家民俗文化》，頁 17、18，台北：台北客家公共事務協會出版，1997。

⑱ 參見劉還月著，《台灣的客家人》，頁 211，台北：常民文化事業發行，2000。

⑲ 參見邱彥貴、吳中杰著，《台灣客家地圖》，頁 52，台北：貓頭鷹出版社，2001。

⑳ 陳運棟著，《台灣的客家人》，頁 137～145，台北；台原出版社，1989。

㉑ 同上，頁 137～141。

㉒ 同上，頁 137-145。

㉓ 同上，頁 143。

㉔ 同上，頁 140-145。

㉕ 參見莊華堂著，〈客家人、福佬客的開發背景與現況〉，《歷史月刊》第 134 期，頁 74，台北：聯合報

系，1999.3。

⑯ 計劃主持人：潘英海，共同主持人：莊華堂，《桃園縣客家文化館軟體規劃及資料蒐集》，頁 15，桃園：桃園縣文化局，2002。

⑰ 參見葉俊琪報導，〈新莊廣福宮，客家人興建〉，客家郵報，2004.9.8~14。

⑱ 參見葉俊琪報導，〈新莊廣福宮〉，客家郵報，92.9.10。

⑲ 潘朝陽、邱榮裕編纂，《客家風情》，頁 26，台北：台北市政府客家事務委員會，2004 年 8 月。

⑳ 計劃主持人：潘英海，共同主持人：莊華堂，《桃園縣客家文化館軟體規劃及資料蒐集》，頁 15，桃園：桃園縣文化局 2002。

㉑ 同上，頁 21。

㉒ 參見奚淞著，〈桃園地區——台地上千塘之鄉的墾殖〉，漢聲《台灣的客家人專集》，頁 79，台北：英文漢聲出版公司，1989。

㉓ 參見劉還月著，《台灣的客家人》，頁 253，台北：常民文化事業出版，2000。

㉔ 參見陳運棟著，《台灣的客家人》，頁 112，台北：協和台灣叢刊 4，1989。

㉕ 同上，頁 109。

㉖ 計劃主持人：潘英海，共同主持人：莊華堂，《桃園縣客家文化館軟體規劃及資料蒐集》，頁 18、19，桃園：桃園縣文化局，2002。

⑻ 劉還月著，《台灣的客家人》，頁 259、263，台北：常民文化公司出版，2000。
⑻ 計劃主持人：潘英海，共同主持人：莊華堂，《桃園縣客家文化館軟體規劃及資料蒐集》，頁 15～17，桃園：桃園縣文化局，2002。
⑻ 同上，頁 23。
⑼ 同上，頁 22。
⑼ 同上，頁 20、21。
⑼ 石文珊著，〈桃園台地上的客家埤塘〉，漢聲《台灣的客家人專集》，頁86，台北：英文漢聲公司，1989。
⑼ 奚淞、李修瑋、江慧君等著，〈桃園地區——台地上千塘之鄉的墾殖〉，漢聲《台灣的客家人專集》，頁 77，台北：英文漢聲公司，1989。
⑼ 計劃主持人：潘英海，共同主持人：莊華堂，《桃園縣客家文化館》軟體規劃及資料蒐集，頁 19、20，桃園：桃園縣文化局，2002。
⑼ 洪敏麟編著，《台灣舊地名之沿革》第二冊，頁 90，台中：台灣省文獻委員會出版，1983。
⑼ 潘朝陽、邱榮裕編纂，《客家風情》，頁 76，台北：台北市政府客家事務委員會，2004 年。
⑼ 潘國正報導，〈客家人竹塹第二波移民〉，中國時報，88.8.5。
⑼ 計劃主持人：潘英海，共同主持人：莊華堂，《桃園縣客家文化軟體規劃及資料蒐集》，頁 22，桃園：桃

園縣文化局，2002。

⑨⑨ 吳子光著，《台灣紀事》，頁 47，南投：台灣省文獻委員會翻印本，1996。

⑩⑩ 參見潘朝陽、邱榮裕編纂，《客家風情》，頁 78，台北：台北市政府客家事務委員會，2004 年。

⑩① 參見黃正宗著，〈探尋台灣客家的生命力〉，第三版，客家郵報，92.9.10。

⑩② 潘朝陽、邱榮裕編纂，《客家風情》，頁 82，台北：台北市政府客家事務委員會，2004 年。

⑩③ 李青霖報導，〈鍾石妹英烈盼長留大山背〉，聯合報 92.10.22。

⑩④ 潘朝陽、邱榮裕編纂，《客家風情》，頁 86，台北：台北市政府客家事務委員會，2004 年。

⑩⑤ 黃鼎松著，《苗栗的開拓與史蹟》，頁 18、19，台北：常民文化事業出版，1998。

⑩⑥ 同上，頁 35。

⑩⑦ 參見陳運棟著，《台灣的客家人》，頁 152，台北：台原出版社，1989。

⑩⑧ 參見黃鼎松著，《苗栗的開拓與史蹟》，頁 69，台北：常民文化事業出版 1998。

⑩⑨ 同上，頁 39、40。

⑪⓪ 陳運棟著，《台灣的客家人》，頁 138、140、141，台北：台原出版社，1989。

⑪① 參見奚淞著，漢聲《台灣的客家人專集》，頁 55、56、

63，台北：英文漢聲出版公司，1989 年 12 月。

⑿ 同上，頁 63、64、66、67。

⒀ 黃鼎松著，《苗栗的開拓與史蹟》，頁 42，台北：常民文化事業出版，1998。

⒁ 陳運棟著，《台灣的客家人》，頁 145，台北：台原出版社，1989。

⒂ 潘朝陽、邱榮裕編纂，《客家風情》，頁 98，台北：台北市政府客家事務委員會，2004 年。

⒃ 同上，頁 102。

⒄ 莊華堂著，〈客家人、福佬客的開發背景與現況〉，《歷史月刊》第 134 期，頁 75，台北：聯合報系，1999.3。

⒅ 同上。

⒆ 參見江貴運著，徐漢彬譯，《客家與台灣》，頁 251，台北：常民文化，1996。

⒇ 劉還月著，《處處爲客處處家》，頁 34，花蓮：花蓮縣鳳林鎮公所，1998。

(121) 潘朝陽、邱榮裕編纂，《客家風情》，頁 190，台北：台北市政府客家事務委員會，2004 年 8 月。

(122) 參見葉俊琪報導，〈閩客械鬥，客民退居桃園〉，客家郵報，2004.9.8～14。

(123) 參見羅肇錦的〈客家歷史的解構與重建〉，第十五屆全國客家文化夏令營活動手冊，頁 116，2004 年 8 月。

⑫④ 參見謝重光著，《海峽兩岸的客家人》，頁 89～92，台北：幼獅，2000。

⑫⑤ 雨青編著，《客家人尋「根」》，頁 201，台北：武陵，1996。

⑫⑥ 同上，頁 202、203。

⑫⑦ 同上，頁 204、205。

⑫⑧ 李乾朗著，《台灣建築史》，頁24，台北：雄獅，1995。

⑫⑨ 曾喜城著，《台灣客家文化研究》，頁 37～41，屏東：屏東平原鄉土文化協會，1999。

⑬⓪ 參見李思儀報導，〈探索福佬客追尋族群融合歷史軌跡〉，客家郵報，92.9.3。

⑬① 同上。

⑬② 羅肇錦的〈客家歷史的解構與重建〉，第十五屆全國客家文化夏令營活動手冊，頁 125，2004 年 8 月。

⑬③ 參見〈偷渡專題〉、〈阿立選秀三部曲，一說二看三感覺〉，聯合報 92.9.15，A3 版。

⑬④ 參見施正鋒著，《台灣客家族群政治與政策》，頁 41、50，台中市：新新台灣文教基金會，2004。

⑬⑤ 陳玫君報導，〈四大族群認同：我係台灣人！〉，台灣日報，2004.11.12。

第三章：客家語言、文學與期刊

第一節：客家語言

全球近三千種語文瀕臨消失，美洲、澳洲語文消失情況最嚴重，台灣列入「危險地區」。根據聯合國教科文組織於民國九十一年（西元2002年）二月二十一日發佈「全球瀕臨消失危機的語言概況」報告指出，全球六千種語言中，將近半數因該地區的優勢語言或政府的壓迫性政策面臨消失的危機。語文的消逝是人類社會數千年來的常態，但近三百年來，語文的消失速度遽增；優勢語文如英、法、西班牙、俄羅斯及漢語文的地位，讓其他弱勢語文的消失情況加速惡化，使得如今近三千或更多種語文面臨消失的危機。這份報告中並指出數個包括台灣與新喀里多尼亞在內，語言面臨消失危機的「危險地區」。該報告說，「台灣二十三種方言中，超過半數因漢語的普遍使用而逐漸式微；新喀里多尼亞的方言多爲法語所取代」。在歐洲，則有法國、斯堪地半島與北俄羅斯等地近五十種語文受到威脅。一個語文的消失，意味著人類思想與知識寶庫的萎縮與枯竭，只要政府決心採取適當的多語政策，即使是情況最危急的語文也可以被挽救；今以日本北海道為例，一九八〇年晚期，只剩八名耆老懂得蝦夷語，但政府的提倡使得這個語言能夠再度通行。①

有關台灣的“客”堂方面，根據吳中杰的〈客語教學的迫切與難題〉一文中指出：早在清代，客家移民來台之時，就已經運用母語來朗誦研讀傳統漢學書籍。當時有官方和民間二種客語教學系統，官方設立的縣學（邑庠）例如〈彰化縣誌〉（周璽，1821）記載：「彰邑庠分閩、粵二籍，讀書各操土音。」可見道光年間彰化城內的官設學校還用閩客二種方語授課，證明客語曾在官方教學系統中使用的。彼時民間也有活躍的客語讀書傳習風氣，比如苗栗銅鑼的雙峰草堂，高雄美濃的白馬名家宋屋學堂等。客家庄母語讀書之熾盛，曾令外國傳教士留下深刻印象。到了日治初期，日本政府起先並不限制民間私塾漢學的發展，因此各地客庄仍用客語研讀漢學書籍。官方小學階段也還有部份閩客語教材和日語並用，以便利學生語言適應及轉換。況且當時台民生活水準有限，受正式日語國民教育亦不多。這個時期（1895～1934）客家話的生機，還未被受政府官定語言重大影響。一九三五年起，隨著侵華戰爭形式升高，日本全力在台灣推行「皇民化運動」，所有民間閩客語教學才被查禁。一九四五年國府接收台灣到一九八八年之間，客家話完全在公共及教育場域沒有使用的空間，客家青年層的母語能力近乎喪失，客語斷層的危機於焉到臨。②之外，使之台灣的客家人不只是忘了自己是誰，甚至看不起自己的母語，而變成了「亡我」的流浪漢。

語言是人類文化最直接且生動的表現，人類藉著語言超越了有形的國界藩籬而互相了解。經過文明的洗禮與社會變遷，語言變得具有動態式的豐富特質，而同時也因爲它反映了人類的生活，而展現了它優美且富有平等意義的一面。具有悠久歷史的客家語言，融合了先民的智慧，蘊含著燦爛的文化之美，將客家文化展現得淋漓盡致，而它也是了解客家文化最直接的方法之一。③俗話說：「鄉土不土，民俗不俗。」鄉土、民俗所包含的母語、俗諺、風俗、作息等，都是先民源遠流傳下來的智慧結晶與寶貝，與日常生活息息相關。因此客語教材的內容應該包括：客語發音、基本日常問候與生活用語、客家俗諺語、師傅話（即哲諺）、客家史地、節令、典故、名人或偉人、客家採茶戲、山歌民謠小調、藝術……等之介紹。④

有人以爲大家都說國語，放棄方言，這樣才溝通方便、符合潮流，那麼不如大家乾脆放棄中國話，改用世界流行的英語，豈不更方便、更合乎世界潮流外，又根據羅肇錦在《客家風雲》第十期，所發表的「爲何要保存客家語？」一文中，指出：一、會不會講客家話，是認定你是不是客家人最現實、最直接的條件。二、要客家人受尊重，先要使客家話受尊重。三、保存客家話是爭取文字權、教育權重要工作。四、保存客家話就是保存漢文化。五、爭取客家話平等權就是爭取人權平等。我們身爲客家一份子，能夠不努力維護我們祖先留給我們的語言嗎？語言是人類的心聲，是傳達思想、情感的工具，同時也是民族結合的要素之一。有了共同的語言，自然會產生親切的情感。

在有關客語流失與客語政策的關係方面，根據施正鋒於民國九十三年（西元2004年）十二月二十四至二十五日的「從公共場域看客語政策」研討會中，所發表的〈從語言人權著手〉一文中指出如下：

一、客家人作為少數族群

所謂「少數族群」（ethnic minority），是指在政治權力、經濟資源、社會地位、或是文化認同上被支配者。由於歷史的發展，客家人來台稍晚，除了南部下淡水溪流域之外，所開發的土地比較適合經濟作物、而非傳統的水稻，因此，經濟條件相對不利。在清治時代，由於現代國家尚未形成，民間的齟齬缺乏衝突解決的機制，只好以族群作爲自保的最後堡壘，加上外來統治者刻意操弄閩客之間的歷史競爭，客家族群的集體認同就在這樣的集體記憶下出現。客家族群的尷尬，除了在人數上遠少於閩南人，在政治上不像外省族群具有國家機器的護佑，在社會上又不如原住民、或是婚姻移民（外籍新娘）的絕對弱勢。

二、少數族群的權利

「少數族群的人權」（minority right）是指少數族群所應該享有的「集體人權／權利」（group rights），是屬於所謂的第三代人權。一般而言，人權可以分爲三大類：㈠所有住民的生存權、以及自由權，㈡所有國民的公民權／政治權、以及平等權／反歧視，以及㈢少數族群的認同權／

文化權；前兩種權利的出發點是消極的保障，大致可以由個人的公民身分取得，而後者則是因爲個人隸屬於少數族群的身分而取得，算是正面推動的權利。在多數國家是多元族群的情況下，少數族群的人權保障，被當作是實現國內民主、以及促進國際和平的先決條件；譬如歐洲理事會在一九九五年通過的『保障少數族群架構條約』，便把對於少數族群的保護，當作是歐洲穩定、民主安全、以及和平的前提。

三、作為基本人權的語言人權

Will Kymlicka（1995）將「少數族群權利」分爲文化權、自治權、以及政治參與權三大類。「語言權」（language rights）是文化權的一種，也就是「語言人權」（linguistic human rights），是一種文化權。就族群的成員而言，語言不只是一種溝通的工具，也是個人出人頭地的能力／資產，更是負載族群的文化基礎；國家而言，不管任何語言使用人數的多寡，都是獨一無二的文化資產。從人權的角度來看，不管族群的相對政治經濟力量強弱，其母語都應該享有同等的地位、必須獲得國家的保障。國家之所以要保障少數族群的語言人權，主要的目的是用來確保其社會地位的平等，一方面防止其繼續遭受污名化，另一方面要補償其自來所遭受的不公平待遇。

四、實踐語言人權的四個面向

根據 Pattenu 以及 Kymlicks（2003），語言人權的實踐可以從四個面向來看：

㈠究竟政府要採取消極地包容、或是避免打壓少數族群的語言、還是要積極地加以復育、或是推動，特別是想辦法增加少數族群語言在公共領域的能見度；

㈡究竟是要重視語言的溝通功能、輔助不懂通用語言者的方式，還是要強調語言地位的平等，也就是說，不管是支配性族群、還是少數族群，所有族群的語言都是官方語言、或是國家語言；

㈢究竟是要採取因地制宜（territorial）的方式，也就是制定區域性通用語言，還是採取屬人（personality）的語言權原則，也就是不管公民身在何處，其語言都可以行得通；

㈣究竟語言權的所有者（bearer）是個人、還是集體，也就是說，是否要考慮少數族群的人數多寡（viability）、以及提供服務的可行性（feasibility），或是要不要考量少數族群本身的意願。⑤

中國語言是屬於漢藏語族的漢語族，漢語族又產生了：1.北方官話 2.西南官話 3.下江官話 4.吳語音系 5.湘語音系 6.贛語音系 7.客家音系 8.粵語音系 9.閩北音系 10.閩南音系 11.徽州音系等十一種的方言語系。由於客家話是屬於漢語族系當中的一支，當然客家話也有許多漢語的特性外，客家話在大陸上和土著以及附近居民的交流，歷經上千年的演變，聲音自然也會發生變化。其情形有如：番禺陳氏所著的《東塾集》說：「客言多六朝之音。」徐仲可所著的《清稗類鈔》說：「其語之節奏句度，較之內地不甚相遠，與六朝音韻相合。」章炳麟所著的《嶺外三州語》說：「廣東雲嘉應二州，潮之大埔豐順，其民自東晉未逾嶺，宅於海濱，言語敦古，與土著不相能……余嘗問其邦人，雅訓舊音，往往而在。」可見客語多含中原音韻，且亦加入很多南音，與中原舊音亦有所異外，在台灣的客家話方面，也歷經強勢平埔語、閩南語以及日本話的往來折衝影響下，所幸均能保有大部份的原音。但近二、三十年來，由於社會型態的改變，以及在國民黨政府定國語（北平話）爲一尊的教育下，使之現在的客家子弟，幾乎無法說出自己的完整母語。

語言是一種人與人之間的交流工具，是社會的產物與現象。語言本身是沒有所謂高尙與不高尙的差別，也沒有所謂好聽與不好聽的判斷，其聲音是經過人們約定俗成，並賦予它特定的意義後，它才有內容。其情形諸如Lang閩南語把它解釋爲「人」，北平話解釋爲「狼」，而客家話則解釋爲「冷」。在客家語的改變方面，語詞並非一成不變之物，它是隨著時代的不同，不斷的吸收新的語詞的同時，也不斷的丟棄舊有的語詞，這是一種正常現象。其情形有如居住於原爲平埔族所定居的屏東縣高樹鄉廣興村的客家人，由於受到平埔族人的影響，當地居民所講的客家話，就和高屏六堆地區所說的四縣客家話有部份的差異。在屏東的「萬巒豬腳」方面，南部的客家人，把它說成「萬巒豬卡」，其中的「卡」字是由福佬話轉變而來。在日本統治台灣五十一年當中，諸如「歐吉桑」、「歐巴桑」、「幼稚園」、「卡美拉」（照相機）、「拉機喲」（收音機）……等日本話，不但變成客家話，也變成了福佬話的一部份。在有關客語的淪喪方面，族群的語言，是代表族群的圖騰，在過去生活在農業社會的時代，與其他各族群接觸的機會不多，而少有被同化的情形發生外，又加上在大家庭制度下，有「寧賣祖宗田毋忘祖宗語，寧賣祖宗坑毋忘客家聲」的祖訓叮嚀下，使之人人以說母語爲榮的同時，這個諺語除了表示客家人對祖宗的語言非常重視外，也代表了客家人對母語失落的焦急。然而，在現今近二、三十年，因受環境的巨大變遷，客語有快速、大量流失的現象，其中最大原因，莫過於很多客家人認爲既然語言，只是一種的溝通工具，現在大家都會說國語，那就說國語好了，現在閩南語也相當普遍，爲了方便謀生或是交流，說些福佬話又何妨呢？但是站在語言生態平衡的立場而言，大家除了去學習共同的語言外，也應該保有自身的可貴母語，並視爲第二生命，使之客家母語不致於面臨消失的命運，才是一個合理的語言態度。

客家語的研究，根據董同龢先生在漢音韻學中，提到梅縣客家話的聲母，有ㄅ（P）、ㄆ（P ˊ）、ㄇ（m）、ㄈ（f）、万（V）、ㄉ（t）、ㄊ（t ˊ）、ㄋ（ㄇ）、ㄌ（I）、ㄗ（ts）、ㄘ(ts ˊ)、ㄙ（s）、ㄍ（k）、ㄎ（k ˊ）兀（ŋ）、ㄏ（h）、○（零聲母）、广（Ne）、ㄐ（tɕ）、ㄑ（tɕ ˊ）、ㄒ（ɕ）等二十一個。⑥根據高宗熹學者指出：「至今尚無進展，也無定論，只知道有二十四種的聲母，由於它沒有包含曖昧的母音（如漱口時的聲音），以及其他在子音方面，也保有宋朝末期的發音而被推斷現階段的客家語，仍保留，並繼續存在著宋朝末期的中原語音（北京音）。在有關它的特點方面，由於它沒有諸如在標準國語中的ㄜ韻曖昧元音的存在，所以聽起來有一種清爽明晰的感覺。」外⑦，又根據江貴運學者指出：「客家話和廣東話及北京話（普通話）都有類似之處，但客家話的若干語聲和北京話不同；客家話有六聲，北京話只有四聲，和北京話不同的客家話沒有捲舌子音，沒有『W』或『U』，而有『V』、『ng』和『n～』（gn）等字首音，以及『m』、『P』、『t』、『k』等字尾音。」的同時，他又說：「客家話和廣東話都有相同的字首和字尾子音以及母音功能的音節性鼻音。如同廣東話和福佬話一樣，客家話也有六聲以區別字義。」⑧在客家方言方面，雖然同是宋朝時期的中原語言，由於分佈在廣大的不同地區，難免會造成一些的差異，今根據高宗熹所編著的《客家人——東方的猶太人》一書指出：「現在的客家話大約可分成八種方言。如廣東東部（含梅縣、五華等四縣與海豐方言）、廣東南部、廣東北部、江西南部、福建西部、廣西、四川、湖北、海外（南洋各地）八種。人數約三百萬的台灣客家人，其語音和廣東東部相同。」⑨其中，在廣東東部方面，它位於以前滿清時代的嘉應州和惠州府一帶地區，其語言包括「四縣方言」和「海陸方言」爲主。所謂的四縣，就是指舊嘉應州所屬的興寧、五華、平遠和蕉嶺等四縣。海陸，是指海豐和陸豐兩地而言，舊屬惠州府。四縣方言與海陸方言的差距方面，除了聲調之調值及調類互不相同以外，其他的聲母方面，則相差不太大。在台灣方面，客家人所使用不同腔調的母語，其主要分佈，根據台北市客家公共事務協會所出版的《客家民俗文化》中，指出大致如下：

一、四縣客家話，通用於苗栗、中壢、六堆一帶。

二、海陸客家話，通用於新竹縣，以及桃園縣的楊梅、新屋一帶。

三、饒平客家話，見於新竹縣及苗栗卓蘭地區。

四、詔安客家話，分佈於雲林縣、宜蘭部份鄉鎮。

五、永定客家話，分佈於三芝（台北縣）、桃園一帶。⑩

又根據陳逸君先生，於民國八十七年（西元 1998 年）十一月，在台北中央研究院民族研究所主辦的第四屆國際客家學研討會，所發表的客家話在台灣的使用情形爲：

一、四縣客家話使用於：台北縣；桃園縣、中壢市、龍潭鄉、平鎮市；苗栗縣苗栗市、南庄鄉、銅鑼鄉、三義鄉、大湖鄉、公館鄉、頭份鎮、西湖鄉、頭屋鄉；高雄縣美濃鎮、杉林鄉、六龜鄉；屏東縣萬巒鄉、內埔鄉、竹田鄉、麟洛鄉、長治鄉、新埤鄉、佳冬鄉、高樹鄉。

二、海陸客家話使用於：桃園縣楊梅鎮、觀音鄉、新屋鄉；新竹縣關西鄉、竹東鎮、新豐、新埔、湖口、橫山、北埔、寶山、峨眉；苗栗縣頭份鎮。

三、四縣與海陸混合使用於：桃園縣八德鄉；宜蘭縣三星鄉、礁溪鄉、員山鄉、冬山鄉、大同鄉、羅東鎮北成里、蘇澳鎮南強里、朝陽里；花蓮縣吉安鄉、壽豐鄉、光復鄉、鳳林鎮、瑞穗鄉、玉里鎮、花蓮市（國富里、主權里）。

四、饒平客家話使用於：桃園縣大溪鎮；雲林縣西螺鎮、崙背鄉；台南縣楠西鄉。

五、詔安客家話使用於：台東縣台東市、關山鄉、池上鄉、鹿野鄉、成功鎮、太麻里鄉、卑南鄉。

六、永定客家話使用於：桃園縣中壢市過嶺里；新竹縣芎林鄉、竹北市。

七、長樂客家話使用於：桃園縣中壢市華勛里、龍潭鄉凌雲村；苗栗縣卓蘭鎮；台中縣東勢鎮、石岡鄉。

在上述各種的客家話中，在海陸方面，由於受到福佬話的強烈影響，而吸收了不少福佬人的語言。不過，由於講海陸話的客家人，有不少，因而也有它的一定影響力。至於，在四縣話方面，它普遍被認為是標準的客語，而且有比較廣泛的流行。

在有關客家語的研究著作方面，目前在台灣有古國順所編著的《台灣客家話記音訓練教材》、羅肇錦的《台灣客家語》、范文芳的《客家台語教材》、台北縣政府出版的《客語讀本》、屏東縣政府出版的《客家語》、台北市政府出版的《現代客語詞彙彙編》等教材，可供參考。⑪

在有關客語教學方面，根據彭欽清教授指出：在民國七十八年（西元 1989 年）多位民進黨人士當選縣市長，積極推動母語教學，其中台北縣、新竹縣、高雄縣、屏東縣先後出版客語教科書，推展客語教學，但因種種因素未能列入課程，只能利用團體活動時間上課。在民國八十五年（西元 1996 年）時，在立委的不斷催促下，教育部在八十五學年度將鄉土語言列入課程，學校可視實際需要教授鄉土語言，教育部委請專家學者編寫客語教材，台北市政府也自行出版一套，有更多教師在全台各地展開客語教學工作，加上配合每年全國性的鄉土語文競賽，客家語逐漸在教育系統中受到重視。不過，因爲不是正式課程，普遍性不足。在九十學年度起（2001 年 9 月）九年一貫課程，終於把原住民、閩南及客家語文第一次列入學校的正式課程。經過這幾年的努力，根據教育部的資料顯示，國中小實施閩南語、客家語、原住民語教學校數爲：閩南語，2281；客家語，673；阿美語，221；布農語，113；泰雅語，84；排灣語，81；賽德克語，22；卑南語，15；鄒族語，11；魯凱語，9；賽夏語，7；雅美語，6；噶瑪蘭語，1。而各縣市開閩南語及客家語的校數如下：

縣市	閩南語	客家語
台北市	204	139
高雄市	80	1
宜蘭縣	79	9
台北縣	200	99
桃園縣	150	98
新竹縣	28	79

苗栗縣	44	92
台中縣	141	13
南投縣	53	9
彰化縣	175	1
雲林縣	156	4
嘉義縣	137	0
台南縣	184	0
高雄縣	136	18
屏東縣	134	28
台東縣	53	16
花蓮縣	64	41
澎湖縣	41	0
基隆市	46	0
新竹市	29	24
台中市	64	2
嘉義市	18	0
台南市	45	0 ⑫

第二節：客家文學藝術

語言和文字是構成文學形式的兩個階段。在談到客家文學藝術在台的發展之前，首先介紹有關從口傳到文字的發明。最早的人類，只靠聲音的高低或依靠手勢來做人與人之間的溝通。又由於聲音有抑揚頓挫以及快慢之關係，於是就產生了語言。人類自有言無文時代後，人與人的交往或傳達訊息，就靠著記憶來加以一傳十，十傳百的傳達，或是由上一代傳達到下一代。又由於人類的記憶力有限，往往有變樣的情形發生，於是又發明了結繩的方法來幫助記憶。有關結繩來幫助記憶的記載情形，有周易的「繫辭下」云：「上古結繩而治，後世聖人易之以書契。」莊子胠篋篇云：「昔者，容成氏、大庭氏、伯皇氏、中央氏、栗陸氏、驪畜氏、軒轅氏、赫胥氏、尊盧氏、祝融氏、伏羲氏、神農氏，當是時也，民結繩而用之。」漢的鄭玄「易注」云：「事大，大結其繩；事小，小結其繩。」唐代李鼎祚更進一步的認爲先民還用結繩的多寡，來表示事物的多少與繁簡。由於結繩無法滿足日常生活之需，於是就發明了簡單的圖畫來代表某種意義後，就產生了像許愼所說的：「倉頡之初作書，蓋依類象形，故謂之文；其後形聲相益，即謂之字」的「書契」文字出現。但這些圖畫文字只能表現較具體的事物，至於，有如思想、動作等，比較抽象，而富有更深含意的東西，就很難精確的把它充分表達出來。於是就創造了比較勻稱的線條，來代表實物輪廓或「意象」事物之「象形」和「指事」文字了。⑬

一、象形：許愼說文解字敘說：「象形者，畫成其物，隨體詰詘，日月是也。」所謂象形，是隨著物體的形狀、及其特徵，用屈曲的線條，加以寫生，所描繪出的表形文字謂之「象形文字」。屬於這類的象形字有，日、月、小、口、山、木、川、王、水、井、矢、刀、首、牛、羊、魚、鳥、米、禾、門、戶、子、女、君、臣、手、足、耳、目、立、母、雨、韭、雲、果、片。……等。⑭

二、指事：許愼把「視而可識，察而見意」的近於象形和會意之間的具有抽象觀念的表意文字稱做「指事」。諸如「刃」在刀上加一點，來標示出刀鋒之所在。旦在日的下面，有一橫線，來襯托出太陽已升至地平線之上，來表示天已明矣！「丄」（上字的篆文），是指一件東西在另一件之上；「丅」（下字的篆文），是指一件東西在另一件的下方。像此類的字還有一、二、三、四、五、六、七、八、九、中、本、末、朱、必、丹、肘、凶、災……等。

三、會意：是把兩個或兩個以上的象形、指事、會意和形聲字敘曰：「會意者，比類合誼（義），以見指撝，武信是也。」「武」乃制止戰爭的「止」、「戈」兩字合成。「信」是由「人」與「言」兩字合成，表示人應言而有信之意。又根據近代學者邱燮友在「國學常識」一書中指出，會意字中，有會兩象形以爲意者，如「人、木」爲「休」。有會兩指事以爲意者，如「八、厶」爲「公」。有會兩形聲以爲意者，如「孝、攴」爲「教」。有會一象形一指事者，如「八、刀」爲「分」。有會一象形一會意者，如「阜、步」爲「陟」。有會一指事一會意者，如「束、八」爲「柬」。有會一形聲一非形聲者，如「言、寸」爲「討」。⑮甚至也有會會意字爲會意者。有如說文：「男，丈夫也。從田從力，言男用力於田地。」「婦，服也。從女持帚灑掃也。」苗字，由「草」和「田」字會意而成。嵩字，由「山」和「高」字會意而成。集字，由「隹」（短尾鳥）和「木」字會意而成，表示群鳥聚集之意。鳴字，由「鳥」和「口」合成，表示鳥張口鳴叫之意。休字，由「人」和「木」合成，表示人在樹旁休息之意。明字，由「日」和「月」合成，取其日月照耀光輝燦爛之意。森字，由三個木合成，用來表示眾多樹木之意。祭字，由「又」、「肉」、「示」（古祇字）三字合成，即以手（又字即手字）持肉祭神之意。「炙」以火燒肉之意。「絞」有繩索相交之意。此皆會意之正例，餘可類推。⑯

四、形聲：它是由聲符（語言）和形符（文字）兩部份合成。許慎說文解字敘曰：「形聲者，以事爲名，取譬相成，江河是也。」「江」、「河」兩字，水旁是形符，「工」、「可」是聲符。「以事爲名」是指形符中，有關這類事物的總名。「取譬相成」是用聲音相同或相似的同音字來比譬，以構成此一新字的意思。在形聲字之形與聲之位置排列方面，大致可分爲八種：

㈠左形右聲：呵、喝、釵、銅、釧、娥、媢、婢、姪、鯨、鯉、松、楊、柏、柳、江、河、湖、沼、燈、燭、馳、騁、狼、狐。

㈡右形左聲：歡、歌、鳩、鴿、雞、鴨、雌、雄、雛、邲、邸、觀、覩、視、覘、刨、刮、劍。

㈢上形下聲：萌、草、藻、芬、茅、嶺、崇、嶽、崗、客、室、宏、宥、察、廳、廂、簫、管、笙、笛、篆、霖、霾。

㈣下形上聲：婆、娑、堂、拳、娶、姿、忠、恕、想、煦、照、煮、貨、質、貴、貿、貸、貲、貪、貧、驚、駕。

㈤外形內聲：㽞、圄、固、團、圓、園、圃、圈、囫、圇、閨、闃。

㈥內形外聲：輿、聞、問、闔、悶、閔。

㈦形聲相合：彥、甬、甫、哀、裹、衙、函、金、景、尾、舜、柔。

㈧省聲字（即減省了聲旁筆劃的形聲字）：袁、犖、勞、將、度、庶、熊、家、融、魯、珊。

五、轉注：戴震主張六書有四體二用，而「轉注」和「假借」是二用，也就是濟助文字的不足所產生的用法而言。許慎說文解字敘曰：「轉注者，建類一首，同意相受，考老是也。」我國歷代研究文字的學者，對於轉注之解說眾說紛紜，認為它是或混於會意，或混於形聲，或混於假藉，未獲定論。但基本上，對於「建類一首」的「類」為聲類，「首」為語基而言是被肯定的同時，大致上各學者還認為，轉注與字的形體無關，它是在字形的音和義上，凡語基相同或相近，而意義又能互相訓釋的，就叫做轉注。考、老二字韻部相同，且有「長壽」之意，故二字互為轉注。至於其他被學者們歸類為轉注的字，有諆欺、探撢、依倚、粗疏、謀謨、顚頂……等。

六、假借：許慎說文解字敘曰：「本無其字，依聲託事，令長是也。」這也是字義上的現象，與字的形體無關。假借字的發生，是在初造文字時，因字數較少，無法滿足記錄或表達思想、感情之須，於是借用音同之「舊字」來暫時替代，所以說它是「本無其字，依聲託事」也。又由於被借用的字，經過多種不同場合之句型的使用，自然被賦予新的意義，而形成在一個假借字上，同時出現了有好幾種意義的情形。也就是凡一個具有許多意義的「字」，除了它的本義外，都可說是屬於假借而來的。諸如「令」的本義是「發號」，「長」的本義是「久遠」，而用來表示縣官，如縣令、縣長等。又如「烏」，本爲孝鳥之名，現在被假借爲「烏呼」的「烏」。「來」的本義是一種麥子，假借爲來往之來。

第一項：在語詞方面

「千年榕樹共條根，世界處處有客人。雖然一時無見面，一語能通萬里心。」語言是聲音，不是文字，由於客家話原本是用在農業環境下，後來隨著工商業的發達，對於外來語的使用，似乎有逐漸增多的趨勢外，又加上目前台灣客家話的注音符號並未統一，因此有人認爲在用文字記錄、整理客家語言時，不是非用漢字不可，而主張使用「羅馬拼音符號」，這是屬於一種暨大膽而又富有意義的新嘗試。不過，也有人主張，客家語言是屬於漢語的一支，在民國初期，統一說國語（或是普通話）之前是用古老的文言文做爲統一的普通話之外，中國文字是由「象形」或「指事」的符號造成字。再因字的意義或語音結合成爲「會意」或是「形聲」。至於字與字之間可以「假借」，也可以增多爲「轉注」，而構成了中國造字原則的「六書」，有它一定的意義存在。從二〇〇一年（民國 90 年）九月，台灣母語教育就已經開始在小學實施，可是不管是從事客家語言研究有多久的學者、專家，都會碰到那個「有音無字」的漢字怎麼寫的問題。有關此種的問題，中外皆然，在任何語言文字的發展初步階段，皆會面臨的難題，不過，這有待集眾多語言專家盡量尋找正確的漢字、採用借音方式或是根據形、音、義等方面的考慮，來統一製定標準的字體後，就可以逐漸的克服。至於，如何在公共場域建立客語體系方面，參見曾曾旂指出：在建構客家語聽說寫的環境目標，須：

㈠在客語鄉鎮公共場域方面：*1.* 客語無處不有，*2.* 客語無人不說，*3.* 客語無處不聞，*4.* 客文無處不寫。

㈡在客語縣市公共場域方面：*1.* 客語無處不在，*2.* 客語無處不聽，*3.* 客語無處不唱，*4.* 客文無處不見。

㈢在推動公共場域客語普及方面：*1.* 大眾交通工具車廂車站、國內線航站航空器，*2.* 公立學校、醫院，*3.* 文化休憩館所，*4.* 民政戶政機關等，增加客語廣播發音，或設客語服務台外，還多多舉辦親子爬山、歲末聯歡及園遊會等活動，如此客語就不會成為消失的語言。⑰其中，在有關輕鬆學習，有趣又有效的親子快樂學客語方面，根據陳雅莉小姐在私立慧光幼稚園所推行的分享親子快樂學客語的方法，有：*1.* 早會全園教客語。*2.* 客語美食 DIY。*3.* 親子快樂旅遊。*4.* 平日唱跳律動。*5.* 客語成果發表會。*6.* 學校廣播用客語。7. 帶書回家親子共讀等七種方法，來引導兒童對母語的熱愛。⑱今將有關一般客家人過去所常用的語詞簡介如下：

一、稱呼

曾祖父叫「公太」
曾祖母叫「婆太」
祖父叫「阿公」
祖母叫「阿婆」
父親叫「阿爸」
母親叫「阿姆」
父母叫「爺娘」
夫婦叫「公婆」
伯父叫「阿伯」
伯母叫「伯姆」
叔父叫「阿叔」
叔母叫「叔母」
哥哥叫「阿哥」
弟弟叫「老弟」
姊姊叫「阿姊」
妹妹叫「老妹」
兄嫂叫「阿嫂」
弟婦叫「老弟辛臼」
姊夫叫「姊丈」
妹夫叫「老妹婿」
新郎叫「新娘公」
丈夫叫「老公」
妻子叫「婔娘」
丈夫之父叫「家官」
丈夫之母叫「家娘」
岳父叫「丈人老」
岳母叫「丈人娘」
丈夫之兄叫「大郎伯」
丈夫之弟叫「小郎叔」
小姑叫「小娘姑」
男孩叫「㹹兒」
女孩叫「妹兒」
男儐相叫「且郎」
親家母叫「且姆」
媳婦叫「辛臼」
女婿叫「婿郎」
兒女之親叫「親家」
親族叫「房頭內」
乾兒子叫「相認子」
老年男子叫「老阿伯」
老年婦女叫「老伯姆」
情夫叫「契哥」
情婦叫「鵤（福）佬嫲」
繼母叫「後娘」
同父同母叫「共爺共娘」

同父異母叫「共爺各娘」
年輕男性叫「細躐兒」
年輕女性叫「細妹兒」
老么叫「吊尾鎚」
已嫁之婦女叫「婦人家」
奇人叫「鰲人」
丫環叫「梅香仔」
妓女叫「賺食嫲」
容易翻臉的人叫「青面鳥」
做生意的料子叫「生理腳」

二、身體

身體叫「圓身」
眼睛叫「目珠」
眼淚叫「目汁」
眉毛叫「目眉毛」
鼻子叫「鼻公」
鬚叫「鬚姑」
口叫「喙」
舌頭叫「舌嫲」
唾液叫「口涎」
耳朵叫「耳公」
乳房叫「乳姑」
肚子叫「肚屎」
胳臂叫「手臂」
手掌叫「手巴掌」
大姆指叫「手指公」
膝蓋叫「膝頭」
背叫「背囊」
腰後部位叫「膁腎」
屁股叫「眉朏」
腳跟叫「腳踭」
污垢叫「膎」
眨眼叫「睞目」
瞎眼叫「瞨目」
捧腹叫「攬肚屎」
駝背叫「佝背」
起包叫「起瘻」
失身叫「破身」

三、生物、礦物類：

蟑螂叫「黃蚻」
蜘蛛叫「蝲螃」
蜥蜴叫「山狗太」
牛叫「牛兒」
公豬叫「豬哥」
母豬叫「豬嫲」
公狗叫「狗牯」
母狗叫「狗嫲」
雄貓叫「貓公」

雌雄叫「牯牸」
雌貓叫「貓嫲」
公雞叫「雞公」
母雞叫「雞嫲」
公雞已閹者叫「閹雞」
蒼蠅叫「烏蠅」
螢火蟲叫「火螢蟲」
天牛叫「生牛牯」
蚯蚓叫「蟪公」
蛇叫「蛇哥」
泥鰍叫「鰗鰍」
魚叫「魚兒」
蝦叫「蝦公」
蟹叫「毛蟹」
蜻蜓叫「羊尾兒」
麻雀叫「禾畢兒」
稻叫「禾兒」
刺竹叫「竻竹」
甘薯叫「蕃薯」
落花生叫「番豆」
雞冠花叫「雞公髻花」
南瓜叫「黃瓠」
茄子叫「吊菜兒」
香蕉叫「芎蕉」
玉叫「玉石」
煤叫「石炭」
石油叫「水油」
石板叫「石枋」
焦土叫「火㶶泥」
製樟腦叫「焗腦」

四、飲食、衣服及日常生活用品類：

開水叫「滾水」
飯粒叫「飯糝」
麵條叫「大麵」
餛飩叫「扁食」
醬油叫「豆油」
花生油叫「火油」
肉鬆「肉麩」
蛋黃叫「卵黃」
豬血叫「豬紅」
五花肉叫「三層肉」
雞肫叫「雞胗」
衣服叫「衫褲」
尿布叫「尿裙」
襯衣叫「底衫兒」
雨傘叫「遮兒」
面巾叫「面帕」

浴巾叫「洗身帕」
斗笠叫「笠嫲」
肥皂叫「茶粘」
澡盆叫「腳盆」
硯台叫「墨盤」
繩子叫「索兒」
竹簍叫「簝公」
水杓叫「杓嫲」
竹掃把叫「扗把」
陶瓷叫「缶仔」
湯匙叫「調羹兒」
碟子叫「味碟兒」
鋸子叫「鋸兒」
鉋子叫「鉋兒」
稱子叫「稱兒」
穀殼叫「礱糠」
抽煙叫「食煙」
哄茶叫「焙茶」
端茶叫「扛茶」
濃茶叫「釅茶」
挑水叫「孩水」
研藥叫「擂藥」
醃漬鹹茶叫「滷鹹菜」
燒焦味叫「臭火焿」
吃太飽叫「撐忒飽」

五、天文、歲時類：

太陽叫「日頭」
月亮叫「月光」
星星叫「星兒」
慧星叫「掃把星」
流星叫「星兒瀉屎」
晴天叫「好天」
下雨叫「落水」
雷叫「雷公」
閃電叫「瞨焿」
虹叫「天弓」
今天叫「今日」
昨天叫「昨晡日」
前天叫「前日」
前三日叫「大前日」
明天叫「天光日」
後天叫「後日」
白天叫「日時頭」
黎明叫「臨天光」
早晨叫「朝晨頭」
中午叫「當晝」
傍晚叫「臨暗」
今晚叫「今暗晡」

過夜叫「歇夜」
去年叫「舊年」
除夕叫「年三十暗晡」
元旦叫「年初一」
元宵叫「正月半」
端午節叫「五月節」
六月天叫「六月天公」
中秋節叫「八月半」
日子不佳叫「日腳毋靚」

六、一般常用語詞類：

打招呼叫「相借問」
相殺叫「相剛」
老闆叫「頭家」
領班叫「師父頭」
任職叫「食頭路」
任公職叫「食官廳」
老手叫「老腳士」
老實的男人叫「老實伯」
老糊塗叫「老顛悚」
老毛病叫「老症頭」
外快叫「外水」
信叫「信札」
廚房叫「灶下」
木炭叫「火炭」
鄉下叫「莊居下」
平原叫「平陽」
田畝叫「田坵」
水池叫「池塘」
大河叫「河壩」
水溝叫「圳溝」
水閘叫「陂頭」
小丘叫「泥墩兒」
房屋叫「屋兒」
車站叫「車頭」
郵局叫「郵便局」
機場叫「飛影場」
水渾濁叫「水汶汶」
水很清澈叫「水仙仙」
回去叫「轉去」
走叫「跑」
起來叫「跣起來」
站起來叫「企起來」
睡覺叫「睡目」
起床叫「跣床」
洗臉叫「洗面」
小解叫「屙尿」
大解叫「屙屎」
喝叫「啜」

渴叫「嘴燥」
吃飯叫「食飯」
喝茶叫「食茶」
喝水叫「食水」
喝酒叫「食酒」
吃早餐叫「食朝」
吃午餐叫「食晝」
吃晚餐叫「食夜」
洗澡叫「洗身」
打瞌睡叫「督目睡」
打噴嚏叫「打嗐㧡」
打架叫「相打」
舔叫「舐」
撥開叫「掰開」
女子春情發動叫「發嬈」
出嫁叫「嫁人」
招贅叫「招人」
娶妻叫「討婔娘」
生子叫「降蘯兒」
游泳叫「泅水」
烤叫「焙」
追趕叫「趜」
提拔叫「牽成」
灰色叫「老鼠色」

過頭叫「過迒」
口吃叫「緎舌」
拿筆叫「擎筆」
沾污叫「打𪸩」
豎直叫「打蹬」
站直叫「企蹬蹬」
折彎叫「拗彎」
頂嘴叫「堵嘴」
外快叫「外水」
租田叫「贌田」
忘想叫「戇想」
抓鬮叫「拈鬮」
使詐叫「反梟」
尚未叫「還言」
路上叫「路項」
上鈎叫「食釣」
遊玩叫「遶嫐」
蓋土叫「揞泥」
焚燒叫「熩火」
吐血叫「嘔血」
悶懷叫「翕壞」
雪白叫「白雪雪」
淋雨叫「涿水」
撞球叫「挏球」

美醜叫「靚嬙」
老調（喻）叫「老狗屎」
火大叫「𡳞火著」
翻臉叫「起戇面」
雜種（喻）叫「野𡳞屎」
經商叫「做生理」
理髮叫「剃頭」
溫暖叫「燒暖」
艷叫「靚」
聰明叫「精」
胖叫「肥」
小的叫「細」
瘦小叫「鮝」
怒叫「譴」
倔強叫「硬耿」
適當叫「的當」
好色叫「痴哥」
麻煩叫「費氣」
吝嗇叫「囓掣」
高興叫「暢」
熱鬧叫「鬧熱」
喜歡叫「歡喜」
懶惰叫「懶尸」
狡猾叫「狡獪」

吹牛叫「嗙雞頦」
小東西叫「小項下」
苦哈哈叫「苦煎煎」
多花樣叫「多孔竅」
瞌睡蟲叫「目睡鳥」
搗蛋鬼叫「牛頭蟲」
來不及叫「來毋掣」
藏起來叫「囥起來」
不擅長叫「毋在行」
真漂亮叫「恁靚」
野台戲叫「外台戲」
學問好叫「字墨好」
說大話叫「虎𡳞轟天」
說笨話叫「講戇話」
想心事叫「愐心事」
命不好叫「命歪」
撿便宜叫「拈便宜」
好脾氣叫「好性體」
胡亂來叫「闌闌珊珊」
耍脾氣叫「打潑賴」
同一個叫「共儕」
一塊豆腐叫「一垤豆腐」
又哭又笑叫「又噭又笑」
老老少少叫「老老嫩嫩」

白吃白喝叫「邋食」
翻找東西叫「搧東西」
不怎麼樣叫「無見奇」
白費工夫叫「無採工」
傲慢的人叫「屎棍條」
花言巧語叫「賣嘴花」
厚著臉皮叫「面皮皮仔」
嘮嘮叨叨叫「噥噥哢哢」
不知死活叫「毋知生死」
不知羞恥叫「毋知見笑」
顛三倒四叫「頂頂碓碓」
露出馬腳叫「鱉腳趖出」

躊躇滿志叫「風神祿祿」
愛戲弄人叫「撩刁」
花色凌亂叫「花喇必駁」
卻哭無名叫「愛噭毋得嘴扁」
唐突無禮叫「惡錯」
敷衍草率叫「譤譟」
淋漓溼透叫「溼渤渤」
臭不可當叫「臭屎尨天」
丟祖宗的臉叫「瀉祖公」
不明事理的人（喻）叫「食屎狗」
遇到難解之困（喻）叫「扡頦」

第二項：在傳統諺語方面

在此第二項客家人的傳統諺語、第三項的俏皮話、以及第四項的四句之美方面，可說是客家老祖宗所遺留給後代子孫的一種平易、親切，並且隱含了深沈人生哲學的文化結晶，也是一種在民間文學中不可或缺的寶藏。今參卓雨青的《客家人尋根》，鄧榮坤的《生趣客家話》，曾喜城的《台灣客家文化研究》，客家雜誌第二十三期鄭奕宏的〈客家歇後語〉，林萬財的〈客家師傅話〉、〈老祖宗言〉、〈四句之靚（美）〉，六堆人的揣令子（猜謎語）以及《客話辭典》等，把它摘錄、整理如下：

一尺風，三尺浪。（比喻：誇大其詞）

一石動，滿山鬆。（形容影響很大）

一母生九子，連母十條心。

一人省一口，能畜一條狗。

一日閹九豬，九日無豬閹。

一日三笑，不用吃藥。

一脈不和，周身不適。

一香能解百臭，一辣能解百瘟。

一日三餐無米煮，卻愁鄰人無菜榜。（榜即「吃」）

一餐敢食三升米，一餓敢餓七八天。

一擺被蛇咬，三年看到草索都著驚。（擺即「次」，草索即「草繩」）

一家養女百家求，一馬不行百馬憂。

一代親，二代表，三代沒了了。（比喻：年代越遠，關係愈生疏）

一人道好，千人傳寶；凡事要好，須問三老；若爭小利，便失大道；年年防饑，夜夜防盜。

人會算，天會斷。

人愛長久，賬愛短結。（愛即「要」）

人情留一線，日後好相見。

人求我三春風，我求人六月雪。

人無千日好，花無百日紅。

人平不語，水平不流。

人爭一口氣，佛爭一爐香。

人窮志短，馬瘦毛長。（比喻：不爭氣而狼狽狀）

人怕無志，樹驚無皮。
人有四百病，醫有八百方。
人少好過年，人多好種田。
人心不定，冬天要屋矮，熱天要屋高。
入莊隨俗，入港隨彎。
七坐，八爬，九生牙。（比喻：強求也無用）
七月半，禾打扮；八月半，禾變飯。
七分病，三分藥。
八字如果靠得住，世上那有忙碌人。
十樣欠九樣做到也唔像。
刀無磨會生鏽，人無學會落後。
九月九日種韭菜，兩人交情久久長。
三時風，兩時雨。（比喻：變化多端）
三日打魚，四日曬網。
三寸舌嫲，害了六尺身。（舌嫲即「舌頭」）
三分人才七分打扮，有打有扮成阿旦。
三十窮苦，四十不富，五十找死路。
久病無孝子。
小和尚念金剛經，不知哪裡起，不知哪裡完。
千跪萬拜一爐香，唔當生前一碗湯。（唔當即「不如」）
大鍋吂滾，細鍋樂樂滾。（吂即「未」，細即「小」）
大石頭，還要小石墊。
乞食寄門樓，緊寄緊入頭。
口說如風吹，紙筆定山河。

口唸阿彌陀，手夯殺人刀。（口是心非）

子哭爺娘驚天動地，女哭爺娘真情真意，婿郎哭丈人老駱駝打屁。（婿郎即「女婿」）

不孝心舅從子起。

不賒不欠不成店，賒賒欠欠店不成。

不三不四像阿丑伯做戲。

不識字怨爺娘，不會賺錢怨屋場。

不怕虎生三隻口，只怕人有兩樣心。

不以我爲德，反以我爲仇；寧向直中取，莫向曲中求。

不識字請人看，不識人死一半。

公不離婆，秤不離鉈。

五五十十。（比喻多方顧慮，不敢下斷言）

毋當家，毋知鹽米貴。

世間女人半有意，半無情。

日求三餐，夜求一宿。

月到中秋光漸少，人到中年萬事休。

月係故鄉明，人係故鄉親，歌係故鄉情。

天狗食月難得時。

天下烏鴉一般黑，到處楊梅一樣紅。

天有眼、地有目。

心病無醫藥。

心誠不在話多，酒好不在量多。

牛牽到北京，還係牛。

牛知死不知走，豬知走不知死。

木匠屋下無凳坐，覡公門前鬼唱歌。

木匠師父無眠床，水泥師父無浴堂。

火要窿空，人要靈通。

代人出力，無代人賺食。

欠債怨債主，不孝怨爺娘。

打斷牙齒，掛血呑。

打人三日憂，罵人三日羞。

打在子身，痛在娘心。

打虎親兄弟，出陣父子兵。（比喻：親人最可靠）

白天講打虎，暗晡頭驚老鼠。（暗晡頭即「晚上」，驚即「怕」）

半路認阿爸。

左片耳公入，右片耳公出。

正有錢，莫買田；正有穀，莫起屋。

用紅轎扛著不去，戴著笠嫲，跟人去。

四兩人毋講話，贏過講半斤話。

好漢不打妻，好狗不咬雞。

好人同行有田耕，壞人同行有子生。

好種唔傳，壞種唔斷。

出門低三輩，處處是方便。

出家如初，成佛有餘；積金千兩，不如明解經書。

尼姑無老公、和尚無婔娘，你無倨也無。（婔娘即「太太」，倨即「我」）。

自家無褲著，嫌人打赤膊。（著即「穿」）

盲落水，先唱歌，任落也毋多。（指未雨先雷，雨勢不大）

江湖郎中的道理，媒人口中的男女。

有狀元學生兒，無狀元先生。

有花當面插。

有酒有肉多兄弟。

有食三日肥，無食三日瘦。

有錢十里香，何必新衣裳。

有錢人錢尋錢，窮苦人人尋錢。

有錢須念無錢日，得意毋忘失意時。

有人做戲，就有人看戲。

有子窮不久，無子富不長。

多賒成債，久債難捱。

多子餓死爺，多女瀉祖公。

先敬衣裳，後敬人。

瓜田不納履，李下不整冠。

各人洗面各人光。

各人洗米各人落鑊。

各家食飯各火煙。

老虎食烏蠅，不夠塞牙縫。（食即「吃」，烏蠅即「蒼蠅」）

老來學吹笛，吹到會來鬚又白。

老鼠走醒，棚頂鬧。（走醒即「發情」）

在家千日好，出門半朝難。

行莫嫖，坐莫賭。

行得夜路多，必有遇鬼時。

有閒鬧家花，無閒可種瓜。（鬧家花即「吵架」）

早開的花不結果，慢結的果不大。

百般皆可讓人，絕不能脫褲做人情。

交官窮，交賊死，交牛販，食了米。

良藥苦口利於病。

坐成懶，睡成病。

你敬人一尺，人敬你一丈。

你有初一，偓有十五。（偓即「我」，比喻：大家都有機會）

住在人籬下，不得不低頭。

別人吃鹹魚仔你作渴。

別人龍床，毋當自家狗竇。

見人說人話，見鬼說鬼話。

見官莫向前，做客莫在後。

良言一句三冬暖，惡語半句六月寒。

灶下沒人莫亂鑽。

放火燒屋趕老鼠。

直腸直肚三餐無米煮。

物件薄薄，人意重重。

衫褲要新，人要舊。

知我者，爲我心憂；不知我者，爲我何求。

兒孫自有兒孫福，莫爲兒孫做馬牛。

狐狸笑貓，共樣尾翘翘。（共樣即「同樣」）
客來忙掃地，賊去緊關門。（緊即「趕快」）
狗眼看人底，專咬衣衫襤褸客。
狗嫲走醒，吵醒一庄人。（走醒即「發情」）
官司好打，狗屎好食。
朋友不談錢，談錢多牽連。
兩耳不聞閒外事，翻身跳出是非門。
來說是非者，便係是非人。
河枯終見底，人死心不知。（比喻：人心難測）
花香無定好看，會講無定能幹。
食毛蟹好名聲。
食人一口，還人一斗。
食果子，拜樹頭；食米飯，拜拳頭。
食西瓜，靠大片。（比喻：扶旺不扶衰）
食得肥來，走得瘦。（比喻：得之又失之，還是一樣）
食毋窮、著（穿）毋窮，打算毋著一世窮。（毋著即「錯誤」）
食了三粒黃豆想上西天，唸了三天經就想成仙。
相佛容易，刻佛難。
苦瓜雖苦共一藤，兄弟雖壞共一心。
面前無半句，背後是非一大堆。
面前有神不願拜，卻要到西天求佛。
風水先生手一指，泥水木匠做到死。
背後殺皇帝，前面無半句。

前人開路，後人行。
前人種竹，後人涼。
後生多勞碌，老來好享福。（後生即「年輕」）
後生不肯學，老來無安樂。
屎泡打人不痛，氣死人。
爲了一張嘴，走直兩條腿。
洗面洗耳背，掃地掃壁角。
茅寮出狀元，濫竹出好筍。
相打望人拖，官司望人和。
相罵無讓嘴，相打無讓拳。
南蛇鑽竹籬，毋死也脫一層皮。（比喻：或多或少，必有損失）
是非日日有，毋聽自然無。
是非只爲多開口，煩惱皆因強出頭。
枯木逢春猶再發，人無兩度少年時。
病由口入，禍從口出。
笑多不正經，唱多走了音。
家貧不是貧，路貧貧死人。
家有三龍三虎，恁般食毋會窮。
時來運也到，時去命也除。
時到時當，無米再煮蕃薯湯。（與「船到灘頭，水路開」類似）
除死無大病。
紙摺雞公若會啼，壁上畫馬也能騎。

借錢時桃園三結義，還錢時劉備借荊州。

烈日底下搶食，顧嘴不顧身。

破屋難住，破襪難補。

病丈夫好做主，病貓好嚇鼠。

拳頭向外打，手指向內彎。

拳頭嫲，毋打笑面人。（比喻：笑可息事寧人）

烏鴉叫三聲，毋驚也會驚。（毋驚即「不怕」）

拿薑麻擦目，假情又假意。

捉水鬼塞塘涵。

能者自謙，鄉愿自誇。

鬼嚇嚇不倒，人嚇嚇死人。

被蛇咬過一口，看到稈索就走。

掛紙時講愛修風水，祭祖時講愛修堂下。

惜花連盆，惜子連孫。（比喻：愛屋及烏）

國亂思良將，家貧思賢妻。

黃狗偷食，烏狗遭殃。（烏即「黑」）

黃河尚有澄清日，豈可人無得運時。

細人仔有耳無嘴。

做婊無靚，做旦無聲。

閒談時天文地理，搞上棚頂無半句。

閒話一大堆，正經無一撇。

腳小草鞋寬，頭大帽子緊。

甜瓜惹蜂，臭肉惹烏蠅。（烏蠅即「蒼蠅」）

貪色不顧病，鬥氣不顧命。

莫笑人窮，莫怨人富。
偷捉雞仔，也愛一扡米。（愛即「要」，扡即「把」）
冤枉錢，水流田，血汗錢，萬萬年。
張三長，李四短，人家閒事我不管。
筆頭無力，嘴頭硬。
菜籃提水假好心，瓠杓舀水正有心。
萬事不由人計較，一身都是命安排。
落雨不留客，晴天送蓑衣。
無針不引線，有媒始成親。
無名無姓問鋤頭柄。
媒人鴨嫲嘴，總要有錢袋。
富人一口，窮人一斗。
富貴若是長存在，河水也會倒退流。
強將手下無弱兵，敗將還敢說戰法。
強摘的瓜不甜，強討的妻不賢。
買衫看袖，娶妻看舅。
會算毋會除，糶米換蕃薯。
會算會除，無米煮蕃薯。（比喻：聰明反被聰明誤）
會打仗的將，讓頭陣。
會睡目不怕你先睡，會降蘊子不怕你先結婚。
新打屎缸，三日新。
新嫂無來毋知舊嫂好。
媽祖進宮，三進三退。
當讓不讓，十九上當。

嫁雞隨雞飛，嫁狗隨狗走。

話毋好講死，事毋好做絕。（比喻：凡事多留一步）

債多人不愁，蚤多皮不癢。

想要人情好，賒去貨帳不要討。

蜈蚣咬了蜘蛛醫，蜘蛛咬了無藥醫。

衙門八字開，有理無錢莫進來。

萬事不由人計較，一身都是命安排。

摸著石頭過河壩。

鳳梨頭，西瓜尾。

算勢有長，算食不足。（勢即「工作」。算工作做不完，算食往往不夠）

算命先生半路死，木匠先生無眠床。

滾水毋響，響水毋滾。

精人出嘴，憨人出力。

對親看對頭，毋系看門樓。

寡婦哭獨子，句句喊心肝。

賣茶講茶香，賣花說花紅。

賣花人講花香，賣藥人講藥方。

種早不荒，起早不忙。

稻仔大肚驚風颱，姑娘大肚驚人知。

鬧市可做生理，靜處可安居。（生理即「生意」）

缺舌愛講話，醜人愛照鏡。

靚醜無比止，中意正慘死。（靚即「漂亮」）

貓哭老鼠，假慈悲。

貓公過家去，老鼠爭皇帝。
豬肚面，時時變。
豬三狗兩，打死也不可講。
默固狗，咬死人。
彈打出頭鳥，靠打多嘴人。
錢是傳手寶，左手來右手去。
錢唔係萬能，無錢萬萬不能。
罵多不聽，打多不驚。
樹葉打破頭，麵線纏住腳。
謙者成功，誇者必敗。
嘴唇兩層皮，講好講壞都由你。
頭顱插禾串，真撩刁。
點燈省油，耕田愛牛。
積善成名，積惡滅身；再三行善事，第一莫欺心。
親也有，鄰也有，不如自己手中有。
還生食四兩，當過死後食豬羊。（還生即「還活著時」）
戲棚頂上做皇帝，沒一久。
講話必留三分，食飯最好七分飽。
講鬼鬼到，講人人到。
講係一流水，做事無半撇。
講得直，了伙食。（形容「有理說不清」）
總愛有決心，鐵尺磨成針。（愛即「要」）
賺錢如針頭挑刺，使錢像大水沖砂。（使即「用」）
糞坑挖在田頭邊，肥水不落外人田。

羅盤差一線，富貴不相見。
爛鼓好救月。
饒人不是痴漢，痴漢不饒人。
顧了頭來，尾又翹。（比喻：顧此失彼）
讀不盡的書，走不完的路。

第三項：在俏皮話方面：

一庄一俗——各有不同。
一心打兩意——難決定。
一鹿九鞭——假貨多。
一竹篙，打一船人——不分青紅皀白。
一丈差八尺——差多了。
一女對兩郎——行不通。
一個錢打二十四個結——吝嗇鬼。
一千賒不當八百現——穩紮穩打。
一百樣無一樣好取——太沒出息。
一粒老鼠屎，弄壞一鍋粥——毋好小看佢。
一糞箕泥蛇，唔當一尾傘仔節——再多庸俗之輩，不如一位傑出的人才。
人生兩大苦——病苦窮苦。
人唔成人，鬼唔成鬼——不像樣。
入庵當和尚——看破。
七月半的閹雞——毋知死。
十月芥菜——有心。

十隻雞仔走九隻——一看就知。

十竅通九竅——一竅不通。

十二月的甘蔗——兩頭甜。（比喻：兩面討好，專門搬弄是非）

十五個水桶打水——七上八下。

刀切蕹菜——兩頭空。

七個和尚八樣腔——意見多。

三隻鼻公——多管閒事。

三月櫻花——紅毋久。

三月桃花——多謝了。

三腳哈蟆——歪怪。

三歲孩童貼春聯——上下搞不清。

三年水流東，三年水流西——風水輪流轉。

三毛錢買隻毛驢子——自誇（跨）自奇（騎）。

三介婦人家，當過一台車——饒舌。

三十暗晡拜年——（言）年之過早。

三十暗晡打鑼鼓——唔知窮人苦。

三十歲牽孫過橋——早種。

大姑娘上轎——頭一擺（回）。

大目新娘看灶——無珠。

大水沖倒龍王廟——自己人不認自己人。

大鼓換細（小）鼓——共樣愛打。

大老爺坐堂——吆五喝六。

大打麻雀——小題大做。

丈二金剛摸不著頭——弄不清。

乞食（丐）仔趕香（廟）工——外人趕主人（喧賓奪主）。

乞食仔唱山歌——窮開心。

山中無老虎——猴哥做大王。

山豬學食糠——唔知臭香。

大鬼無好樣——細鬼照樣。

毛蟹過河——七手八腳。

毛蟹行路——橫行霸道。

毛蟹拉車——毋行正路。

手裏無錢——活死人。

木匠拉大鋸——有來有去。（形容禮尚往來）

井肚（裏）撐船——難開交（篙）。

井肚介蛤蟆——無見識。

牛郎織女——後會有期。

牛子無串鼻——唔知厲害。

牛頭不對馬嘴——文不對題。

牛角毋尖毋過村——知道自己的斤兩。

牛欄肚鬥牛嫲——自家打自家人。

牛食禾稈鴨食穀——福氣無同。

牛毋做，賊毋做，橫打直過——潔身自愛，人人歡迎。

火燒飯甑——氣死人。

火燒豬頭——熟面。

火燒月曆——無日仔。

手摸心肝——問良心。

巴掌生毛——老手。

王羲之看鵝——慢慢消磨。

孔夫子放（打）屁——文氣沖天。

水仙唔開花——裝蒜。

水鬼升城隍——小人得意。

六點鐘介長短針——頂天立地。

六月介芥菜——假有心。

六月日頭，後嫁拳頭——得人畏。（後嫁即「後母」）

六月牛（龍）眼——白核（食）。

今日有官今日做，明日無官賣雜貨——唔使愁。

日光下看影仔——自看自大。

包公辦案——鐵面無私。

半夜看日頭——無影。

半份婿郎半份子——一家人。

半空中翻觔斗——唔著實地。

打卵見黃——一針見血。

打屁安狗心——騙人介。

石頭開花——無可能。

石匠打鐵匠——硬碰硬。

石板上甩龜仔——硬碰硬。

外甥打燈籠——照舅（舊）

禾稈（稻草）人救火——自身難保。

兄弟分家成鄰舍，上晝分家下晝借——認清事實。

生呑鴨卵——屙壳。（比喻：事情不成）
奶媽抱䃜兒——人家介。
白蛇精食雄黃酒——現出原形。
四門透底——唔値錢。
四兩人，講半斤話——不自量力（膨風）。
用飯撈㞎水——無采工。
用假錢買紙布——你好，倨也好。
出門看天色，入門看面色——看他人臉色行事。
正月凍死牛，二月凍死馬，三月凍死耕田儕——春天到了，一、二、三月的天氣，還是很冷。
好兄弟——明算帳。
好好介𦟌卵割來提——自找麻煩。
早起三朝當一工，早起三年當一冬——要愛惜光陰，獲益就多。
老刀嫲——無鋼。
老鳥精——老油條。
老虎也會督目睡——難免。
老虎食天——無從下手。
老鼠尋貓公——毋知死。
老鼠過街路——大家喊打。
老鼠跌落糠籮中——憂喜參半。
老伯母同契哥——有也好，無也好。（契哥即「情夫」）
老人食嫩草——老夫少妻。
老夫少妻對面座——各想各介事。

老人成細子——返老還童。

老壽星食砒霜——活得唔耐煩。

老公撥扇——淒（妻）涼。

老太婆的裹腳布——又臭又長。

老阿婆過家——閒話多。

老太婆介棉被——蓋多年矣。

老和尚看花轎——今生休想。

死田螺唔會過溝——唔會變竅。

光屁股坐凳仔——有板有眼。

百家姓頭一隻字無讀——死要錢。

有錢人的狗叫——項項好。（項項即「樣樣」）

有藥難醫——無命人。

同老虎搶肉——不知生死。

吊頸鬼打（擦）粉——死愛面子。

吊爛燈籠——做樣。

竹筒無節——兩頭空。

扛人飯碗受人管——無法作主。

丞相打燈籠——回府。

吃鹽比你吃米多——經驗豐富。

曲不離口，拳不離手——愛勤練。

吂學行，先學走——順序毋對。（吂即「未」，走即「跑」）

有轎毋坐，甘願行路——不識抬舉。

有借有還，再借不難——愛守信用。

好愁毋愁，愁六月天無日頭——庸人自擾。（日頭即「太陽」）

芋荷葉頂介露水——清清白白。

灶王爺上天——有一句，講一句。

灶頭下打姉娘——轉絞毋得。（形容地方太小，動彈不得）

沙壩擺攤——外行。

沙灘打極樂——有去無轉。（極樂即「陀螺」）

卵黃肚尋骨頭——無中生有、找麻煩。

吞金自殺——死愛錢。

別人介膝頭揍索仔——唔知人痛。

肚飢做出飽相人——不向困難低頭，要有硬耿精神。

別人食肉偓擔名——冤枉。

禿頭子跟著月光走——借光。

男人賬簿，女人乳姑——亂摸唔得。

男驚投錯行，女怕嫁錯郎——愛小心。

你做你介官，偓打偓介磚——各顧各。

阿義哥打紙炮——又驚又好。

雨後送遮（傘）——無用、太慢。

雨過送蓑衣——馬後炮。

狗掀門簾——全靠一張嘴。（比喻：罵人只說不做）

狗含豬利——多舌。（利即「舌」，比喻：多嘴）

狗咬鴨仔——聒聒叫。

狗食糯米——唔會變。

狗打老鼠——多管閒事。

狗咬呂洞賓——毋知好人心。

狗仔上樹——毋成猴。

狗吠火車——徒然、少見多怪。

和尚食狗肉——無面見如來。

和尚打巫覡——同行相怨。

和尚廟曬裙——罕見。

泥菩薩過河——自身難保。

泥伯公過河——自身難保。

杯子裝酒——不在乎（壺）。

東吳招親——弄假成真。

戽水上天——難又難。

青菜煮豆腐——清清（青青）白白。

青面鳥——容易變面。（青面鳥即「火雞」）

兩廣人唱京戲——南腔北調。（比喻：各說各話）

兩公婆吊頸——死對頭。

兩個啞仔相吵——唔知是非。

兩個乞食拜堂——窮配。

河灞洗黃蓮——河（何）苦。

阿婆搽粉——無採。

門楣頂上吊燈籠——高照。

盲人食餛飩——心裏有數。

盲人行路唔使杖——熟地（中藥名）。

放火燒屋趕老鼠——不合算。

狐狸毋知自家尾下臭——只會講別人。

狐狸同雞公拜年——不懷好意。

狐狸相吵——一派胡（狐）言。

花花假假，雷公會打——不可說謊。

官司打完計正出——太慢了。

紅金鯉——嚇獺。

神明錢——光中去，暗中來。

歪嘴吹喇叭——一團邪（斜）氣。

食了砒霜餵老虎——同歸於盡。

食豆腐開肉價錢——超預算。

食豬紅——掛血吞。（比喻：內心痛苦）

食飯打赤膊，做事尋衫著——懶屍蟲。

食芹菜炒田螺——勤勞。

春天介糖蜂仔——無時間。

相打毋過田塍——半斤八兩、旗鼓相當。

看人孩擔——毋使出力。（比喻：看易做難）

城隍爺出巡——察鬼（騙人）。

城隍爺講古——鬼話連篇。

城隍廟介蚊子——囓鬼。

城隍廟介老鼠——會唸經。

前世無修薀仔準心舅——命歪。

秋後的甘蔗——一節比一節甜。

屎換尿——調包。

屎缸肚介石頭——又硬又臭。（比喻：頑固無比）

背囊頂抓癢——倒抓。（倒抓即「倒貼」之意）

茄子開黃花——變種。

咬薑啜指——省食儉用。

姜太公釣魚——願者上鈎。

孩水介討個賣茶介——絕配。

屋簷鳥，想愛生大鵝卵——空想、無可能。

食四兩肉、剷一條豬——小題大作。

食上食下食自家——沒佔到便宜。

皇帝命、乞食骨——命中註定、本性難移。

爲老不尊，教壞子孫——上行下效。

笑死介——驗無傷。

粉球滾芝麻——多少沾點兒（仔）。

借米一斗還六升——賴四。

借錢笑微微，討錢詐毋知——耍賴。

馬背項盹（督）目睡——眼開眼閉。

臭風鹹菜——說香。

臭頭和尚——做無好功德。

臭頭吃狗肉——爛做爛來醫。

鬼打伯公——無法無天。

討婦娘掛胎來——雙喜臨門。

烏鴉上樹——毋會變鳳凰。

烏鴉無隔夜卵——性急、不留量。

孫悟空坐天——猴樣。

孫猴仔七十二變——神通廣大。

孫猴仔翻跟斗——看家本領、拿手好戲。
孫猴仔帶帽仔——猴仔還係猴仔、毋會變人。
草上露水，瓦上霜——毋長久。
草蜢撩雞公——自尋死路。
剃頭師傅介師仔——從頭學起。
借雞公打雞嫲——招郎。
蚊仔叮牛角——無礙到。（叮即「釘」）
蚊仔咬𫱈卵——打毋得。
蚊子打屁——小氣。
夏爐冬扇——無用。
衰鳥遇到長銃——運氣毋好。（銃即「槍」）
酒樓介點心車——挼來挼去。（挼即「推」）
起風天，孩禾稈——議議惹惹。（比喻：喋喋不休的樣子）
家神透外鬼——吃裡扒外。
家官同心舅睡目——爬灰。
家娘無好樣，心舅合和尙——上樑不正，下樑歪。（家娘即「婆婆」，心舅即「媳婦」）
能管千兵萬馬，難管三頂笠嫲——沒有紀律的百姓，比士兵還難掌控。
婚後媒人秋後扇——無用哩。
寅時點兵，卯時上陣——應急。
做戲介吹鬍子——假生氣。
做了皇帝想成仙——貪心不足。

做人就愛做，做牛就愛梆——盡忠職守，不要埋怨。

做無一湯匙，愛食歸碗公——恁好空。

做了皇帝，想成仙——得寸進尺、欲望無窮。

偷食毋使洗嘴——毋驚人知。

雪堆肚裏埋死馬——有一日會露出馬腳。

婦人病——症頭多。

蛇過尋棍，賊走門門——太慢了。

黃牛過河——角顧角。（各顧各）

黃河介水——永遠毋會清。

黃忠出陣——毋服老。

黃蓮樹下彈琴——苦中作樂。

張飛上陣——橫衝直撞。

張飛賣刺蝟——人強札（棘）手。

莊下人著大褂——必有正事。（莊下人即「鄉下人」）

雪中送炭——正及時。

屙屎嚇番——虛張聲勢。

麻布做衫——看透透。

麥田裏出秧——雜種。

婊仔送客——虛情假義。

啞仔遇到啞仔——無話講。

唸一擺經打兩隻屁——做惡事比行善多。

船到灘頭，水路開——到時自有辦法。

蛤蟆頦吊算盤——楠算出豆。（蛤蟆頦即「頸部」。比喻：吝嗇刻薄）

落月鬼——好兇。

睛盲仔彈琴——心中有譜。

買鹹魚放生——唔知生死。

過後媒人秋後扇——無用、太慢。

過路人弔喪——死者知得。

鈍刀剖竹——想毋開。

菜籃裝水——無采工、無效。

豬頭殼——無面皮。

豬接杓——愛插嘴。

豬八戒戴目鏡——假斯文。

棺材店介頭家——望人死。

棺材邊唸經——吵死人。

寒天食冰——點滴在心頭。

等雞公生卵——無望。

黑心菜頭——好看相。

道師作法——鬼頭路。

惡馬惡人騎——一物制一物。

曾子門前賣孝經——小巫見大巫。

短命鬼，鬥三煞——該死。

啞子吃黃蓮——有苦難言。

蜈蚣蟲入雞藪——自尋死路。

過橋丟板——無恩無義。

隔靴抓癢——癢還癢。

蜀犬吠日——少見多怪。

暗箭傷人——難防。

著蓑衣救火——惹火上身。（著即「穿」）

著無䟃鞋——腳踏實地。

矮子上樓梯——一步一步來。

矮人放紙鷂——節節升高。

落水天孩禾稈——緊孩緊重。（比喻：責任負擔愈來愈重）

落鑊介毛蟹——手忙腳亂。

隔山照鏡——難見面。

隔窗門吹笛仔——名聲在外。

楊家將上陣——全家總動員。

圍牆背生竹筍——外甥（外生）。

腳底打脈——尋症頭毋到。

腳踏馬屎，靠官勢——狐假虎威。

腳踏兩條船——左右爲難。

話多毋甜，膠多毋黏——言多必失。

會算唔會除——弄巧成拙。

新娘討入屋，媒人趕出屋——無利用價值時，便置之不理。

過橋比你行路長，食鹽比你食飯多——經驗豐富。

銀樣蠟槍頭——虛有其表。

趙匡胤困河東——大志未申。

違章建築——亂蓋。

駝人跌觔斗——兩頭唔著實。

壽星唱曲——老調。

壽仙公吊頸——嫌命長。

覡公作法——做鬼頭路。

寡婦死殭兒——無指望。

算盤子——有打才有動。

慢牛食渾水——動作要快。

對牛彈琴——無用、聽毋識。

剛雞用牛刀——小題大作。

剛豬介同做衫介相打——刀剪交加。

蝦公過河——打卵退。

蝦公生鬚——假老人。

瞎眼狗——不識人。

養心舅（媳婦）作媒——自身難保。

墳墓裏響雷——嚇死人。

賣布不用尺——存心不良（量）。

膝頭戴帽子——無面無目。

窮巷追狗——反咬一口。

窮人毋使多，兩斗米會唱歌——好打發。

閻王請醫生——鬼病。

閻王介長年——做鬼頭路。

閻羅王嫁妹仔——鬼敢愛。

閻羅王介文章——鬼話連篇。

閻羅王詐鬼轉——官官相護。

燈蕊挑成鐵——任重道遠。

燈草打結——心唔開。

燈心草織布——枉費心機。

擔竿有扼——顧兩頭。

嘴甜舌滑——心頭辣。

嘴無留鬚——無半撇。（比喻：無一技之長）

貓公相打——靠一張嘴。（比喻：只會用嘴，光說不做）

燒香摸屁股——搞慣手腳。

橫柴入灶——不可能、方法毋著。

鴨子上架——聒聒叫。

鴨嫲嘴罔吮——試看一下、賭造化。

濟公介草鞋——妙術無邊。

講去講轉——總係那句話。

講到嘴滑——好話說盡。

戲棚頂介皇帝——威風無幾久。

應召女郎——服務到家。

鍋頭肚煮糜（粥）——同歸糜爛。

濘泥扶毋上壁——毋係材料、無用。

騎馬扶棍子——學老神（成）。

叢埔著火——嚇死人。（叢埔即「墓地」）

濫戲耗棚——拖拖拉拉、毋精采。（耗棚即「拖時間」）

瞨目仔行路——日夜無分。

雙腳踏雙船——三心兩意。

雙頭蛇——兩面都討好的人。

醬菜店介桌布——酸、甜、苦、辣都嘗過。（形容各

種生活都經歷過）

鯽魚游上，鯉魚游下——人各有志。

關門打狗——走毋去。（比喻：跑不掉）

關起門來打乞食——毋係好漢。

關公面前弄大刀——不自量力。

關公出鼻血——紅上加紅。

藥店介甘草——挓那儕都合得來。

鏡中花，水中月——空虛幻景（全係空介）。

鰗鰍搵泥沙——緊搵緊大條。

爛風車——串（賺）絞。（比喻：徒勞無功）

爛菜籃裝團魚——鱉腳趖出來。（團魚即「鼈」）

龜笑鼈無尾——半斤八兩，差唔多。

龜仔相打——硬碰硬。

龜仔爬門檻——看此一翻（番）。

雞公屙屎——頭節硬。（比喻：先堅定，後軟化）

雞嫲孵鴨卵——雞婆（有勞無功）。

讀書讀到眉朏壢——無知。

第四項：在四句之靚（美）方面

1. 一支綠竹節節高，送分情哥做洞簫。

洞簫口中吹，琵琶手中彈，慢慢吹來慢慢彈。

2. 一日夫妻，百世姻緣；

百世修來同船渡，千世修來共枕眠。

3.人心又高高過天，字墨又深海無邊；
兄弟分家硬過鐵，夫妻相好軟過綿。

4.人生在世交朋友，唔好同人結冤仇；
小可事情要忍耐，冤冤相報幾時休。

5.人善被人欺，馬善被人騎；
人無横財不富，馬無夜草不肥。

6.人情似紙張張薄，世事如棋局局新；
山中也有千年樹，世上難逢百歲人。

7.人惡人怕天不怕，人善人欺天不欺；
善惡到頭終有報，只爭來早與來遲。

8.人生道德孝爲先，先敬老人後敬賢；
爺娘面前行孝順，貧窮富貴命由天。

9.入山不怕傷人虎，只怕人情兩面刀；
強中自有強中手，惡人自有惡人磨。

10.八月十五月光圓，冬粉炒麵兩相纏；
阿哥有心妹有意，情義相交萬萬年。

11.十二月來燈花開，枕上相思結難開；

鴛鴦枕上有雙對，半夜三更望郎來。

12.十二月裡又一年，夫妻相好成神仙；
汝攬女來侄攬子，一家和氣大團圓。

13.久住令人賤，貧來親也疏；
酒中不語真君子，財上分明大丈夫。

14.山頂有花山下香，橋下有水橋面涼；
有情千里來相會，沒情對面難商量。

15.日頭落山一點紅，庄頭庄尾點燈籠；
燈籠雖好愛蠟燭，阿妹雖靚愛笑容。

16.少年讀書愛用功，人人望子愛成龍；
爺娘想子長江水，子想爺娘一陣風。

17.日頭落山月光光，月光照河又照江；
萬丈深山照到底，可惜難照妹心腸。

18.水太清則無魚，人太緊則無智；
智者減半，愚者全無。

19.月光彎彎在天邊，月到十五就會圓；
總愛兩人有緣份，千里姻緣一線牽。

20.月光恁清風恁涼，看見阿哥在水旁；

家中還有半缸水，假作挑水會情郎。

21.今朝有酒今朝醉，明日愁來明白憂；
路逢險處難迴避，事到頭來不自由。

22.世上人生幾十年，係有係無總由天；
平常衣食隨緣好，曉得看開就係仙。

23.打起包袱出外鄉，無親無戚好淒涼；
幾多寒霜苦奮鬥，開創事業喜洋洋。

24.四更想郎淚淒淒，妹妹想哥無人知；
唔敢對娘來講起，請問阿哥知不知。

25.白髮不隨人而去，看來又係白頭翁；
月到十五光明少，人到中年萬事休。

26.先日相愛糖樣甜，今日看到雪般冷；
糖鍋拿來炒豬膽，先甜後苦心唔甘。

27.先日交情糖樣甜，今日斷情樣樣嫌；
當初相愛你主意，仰般今日就無行。

28.先日見妹一團金，今日見妹兩樣心；
阿妹好比三絃樣，下下彈出兩樣音。

29.有意栽花花不發，無心插柳柳成蔭；

畫虎畫皮難畫骨，知人知面不知心。

30.自恨枝無葉，莫怨太陽偏；
萬般都係命，半點不由人。

31.守口如瓶，防意如城；
寧可負我，切莫負人。

32.在家由父，出嫁從夫；
痴心畏婦，賢女敬夫。

33.有錢堪出眾，無衣懶出門；
爲官須作相，及第必爭光。

34.有爺有娘幸福長，出門做事定心堂；
大小子女佢會帶，轉來飯熟茶又香。

35.有米煮粥莫驚鮮，總驚沒米斷火煙；
有情唔怕深山隔，沒情枉費屋相連。

36.米篩篩米穀在心，囑妹連郎愛專心；
莫學米篩千隻眼，愛學蠟燭一條心。

37.竹籬茅舍風光好，道院僧房總不如；
命裡有時終須有，命裡無時莫強求。

38.好酒一杯醉昏昏，酒醉一杯也難吞；

有情唔怕路頭遠，沒情枉費兩對門。

39.初一十五廟門開，兩邊鐘鼓鬧台台；
阿哥燒香妹跌筊，係妹姻緣聖筊來。

40.男兒立志出鄉關，學若無成死不還；
埋骨豈需墳墓地，人間到處有青山。

41.求人須求大丈夫，濟人須濟急是無；
渴時一滴如甘露，醉後添盃不如無。

42.肚飢肚渴莫思量，夜裡睡目莫想娘；
緊想飲茶肚緊渴，緊相偓妹夜緊長。

43.花開滿園自然香，八月秋風漸漸涼；
玉蘭有風香三里，桂花無風十里香。

44.枉費心來枉費肝，枉費老妹心恁專；
莫丈深坑無水出，枉費人工造條船。

45.河中撒網盡力丟，有魚沒魚慢慢收；
阿哥連妹心莫急，團圓日子自然有。

46.阿哥有意妹有心，蠟燭點火一條心；
愛情可比長江水，萬古千秋不斷情。

47.妹仔生來真溫柔，低頭含笑半含羞；

含蕊鮮花鮮又嫩，樣般怪得哥來求。

48.妹係鮮花正當開，哥係糖蜂千里來；
糖蜂見花團團轉，花見糖蜂朵朵開。

49.高山頂上做茶亭，茶亭內面等情人；
坐盡幾多冷石板，問盡幾多過路人。

50.高草之下，或有蘭香；
茅茨之屋，或有將相。

51.送郎送到伯公亭，洗淨手腳拜神明；
一來保佑家中事，二來保佑大家人。

52.烏雲無骨在半天，人影無骨在身邊；
豆腐無骨街上賣，乳仔無骨圓圓圓。

53.茶樹開花白棉棉，茶子結來連對連；
個個打來雙雙對，恰似男女好姻緣。

54.貧居鬧市無人問，富在深山有遠親；
誰人背後無人說（誇），那介人前不說（誇）人。

55.莫信直中直，須防仁不仁；
山中有直樹，世上無直人。

56.莫笑他人老，終須還到我；

但能依本份，終身無須惱。

57.望子成龍父母心，爺娘恩情似海深；
溫純言語行孝順，子孫相傳值千金。

58.無求到處人情好，不飲任他酒價高；
知事少時煩惱少，識人多處是非多。

59.富人思來年，貧人思眼前；
世人若要人情好，賒去物件莫取錢。

60.新郎新娘在新房，初回愛來共眠床；
一個嫌佢皮恁皺，一個嫌佢鬚恁長。

61.葡萄美酒夜光杯，欲飲琵琶馬上催；
醉臥沙場君莫笑，古來征戰幾人回。

62.遠水難救近火，遠親不如近鄰；
有酒有肉多兄弟，急難何曾見一人。

63.爺娘養育恩莫忘，人人輪流做爺娘；
想起爺娘懷胎日，手軟腳酸坎難上。

64.新郎新娘笑連連，夫妻一對好姻緣；
早生貴子名聲好，財丁兩旺萬萬年。

65.新買花盆種海棠，清風吹來陣陣香；

萬里蝴蝶飛來採，採花唔怕路頭長。

66.榮華終是三更夢，富貴還同九月霜；
生老病死無人替，酸甜苦辣自承當。

67.鴛鴦戲水在池中，蓮開並蒂在水中；
阿妹姻緣有哥份，百年和合結成雙。

68.虧人是禍，饒人是福；
天眼恢恢，報應甚速。

69.牆有縫，壁有耳；
好事不出門，惡事傳千里。

70.雙扇大門單扇開，踏出踏入望郎來；
腳踏竹頭望生筍，手攀花樹望花開。

第五項：揣令子（猜謎語）

1.謎面：一身圓圓，無手無腳，
跳上跌落，無衫好著。
謎底：球仔。

2.謎面：又圓又扁又四方，鐵枴先生坐中央，
二十四條花街路，條條大路有文章。

謎底：羅盤。

3.謎面：千箭萬箭，落到水中都唔見忒。

謎底：落雨。

4.謎面：日時歇草中，暗晡飛園中，

自家帶燈盞，見尾唔見頭。

謎底：火焰蟲（螢火蟲）。

5.謎面：出門滿天開花，入門罰企壁角。

謎底：傘仔。

6.謎面：左片公，右片婆，暗時攬緪緪，

日時分開開。

謎底：門。

7.謎面：共行共走共向前，相親相愛緊相連，

最驚落雨烏陰天，喊燥口涎尋無人。

謎底：影仔。

8.謎面：姊妹雙雙一般高，同出同入共商量，

冷冷燒燒共下過，酸甜苦辣共下嘗。

謎底：筷仔。

9.謎面：初一起程，十六到京（斤），

烏天暗地，好得有星。

謎底：秤仔。

10.謎面：兩个好兄弟，有耳無嘴講天機，

教俚做事、賺錢、做生理。

謎底：筊仔（筊杯）。

11.謎面：拖唔來，挼唔去，

切唔斷，剛唔死。

謎底：水。

12.謎面：阿公屙尿阿婆承，公吔高來，

嫲吔矮。

謎底：茶壺、茶杯。

13.謎面：風吹皮皺，日曬春光，

也好生食，也好煮湯。

謎底：水。

14.謎面：唔食米穀會行走，唔讀詩書中狀元，

別人開口傳天下，身強體壯萬萬年。

謎底：做布袋戲。

15.謎面：無嘴唱人聽，無人會出聲。

謎底：曲盤（唱片）。

16.謎面：遠看有山水，近聽無水聲。

春去花還在，人來鳥唔驚。

謎底：山水花鳥畫。

17.謎面：麼个親像真戰場，也有兵馬也有將，

雙方相戰盡激烈，三軍將士戰一場。

謎底：捉象棋（下象棋）

18.謎面：頭上戴紅帽，行路像相公。

謎底：火雞。

19.謎面：頭擺做過好漢來，唔知今仰恁哀哉，

人客來食偓無份，人客走吔偓正來。

謎底：抹桌布仔（抹布）。

20.謎面：彎彎曲曲一條龍，煙霧重重唔起風，

雷聲隆隆無落雨，潮水滾滾一點紅。

謎底：水烟筒。

第六項：在文學方面

台灣文壇上，流行這麼一句話，拿掉了客籍作家，台灣文學版圖便陷落了一半，如果以被喻爲台灣文學的三座高峰來看，坍塌程度可能更形嚴重，因爲其中的兩座高峰——呂赫若與龍瑛宗就是客籍人士。

曹丕在《典論》〈論文〉中曾說：「文章乃經國之大業，不朽之盛事。人壽有時而盡，榮樂止乎其身，未若文

章之無窮。」外，邱燮友教授又說：「文學是作家運用語言文字，表現人類的思想和情感，創造出完美的想像和新技巧的作品。」⑲在文學方面，文學可說是一種包羅萬象的東西，它也許會以自然、生命、現實、經驗、社會狀況以及想像性的真理來做為它的內容。有人認為文學本身，是文學家們的虛構產物。然而，又有更多的人認為它往往是社會上許多問題的抽樣，在我國文學藝術的發展上，除了文字有象形、指事、會意、形聲、轉注、假借等漫長的演變過程外，在語言上的演變，又因各地語言之不同，時代之不同，難以一一介紹。今就語言和文學上的關係而言，在語言上的文學如原始歌謠、諺語、神話以及故事傳說等等，由於它隨時可增減內容而變質，甚至失傳，因此在口傳文學時代的文學，在未見諸於文字或文學以前，不被認為是一種的文學形式。今就文學與藝術之關係而言。就藝術的意義來說，文學也是一種藝術，是語言的藝術，是文字的藝術，也是思想的藝術和情感的藝術。所以，凡是一切關於藝術的研究、原理、解釋、批評的說法，無不可以應用在文學方面的同時，文學也可說是一切藝術的發源地。由於文藝的範圍很廣，廣義的文藝，在「文」的方面，包括詩歌、小說、劇本、散文、文學批評、政治文學……等；在「藝」方面，包括音樂、美術、劇本的演出、電影、廣播、電視等。雖然這些均在文學的同一範疇之內，但卻又是各賦特性而各自獨立的藝術。

在近代我國文學的發展上，為了免於永遠被棄於世界文壇之外，也打破了依戀千百年來古典文學主義之墓，而從部份的吸收外來文化，演進到幾乎全盤的接受，今就幾個幾乎影響全球人類思潮的西方重大派別加以簡述如下：

一、古典主義：產生於十七世紀，政治修明、文運昌隆的法國路易十四時代。該主義強調人類的本性是要依靠「理性」和「直觀」所調和的「中庸」之道去行動，才能成爲一個「完全」的東西，以求獲得人生的意義和幸福。在此主義的往後發展上，凡在藝術上傾向於懷念過去，因襲傳統，對於「善」有著鍥而不捨的追求，而以最完整、最典型的形式表現出來的藝術風格，均可以稱之爲古典藝術。它的顯著特徵是著重在優美的形式，堅實的內容，與莊嚴的目的。它在文學的寫作風格上，在形式上注意匀整、統一和明晰，在文字上講究委婉、含蓄和文雅，在內容上重說理載道。

二、浪漫主義：產生於德國（1756～1762 年）七年戰爭、英國產業革命、法國大革命（1789 年）等社會動盪不安的時代。此派的主義認爲一切的權威、範例、偏見……等，把人類的天性生機都堵死了，因此他們主張要「回歸自然」發揮「人類的天性」成爲浪漫主義思潮的基調。在它的文學或藝術發展上，凡是經理智而重熱情，反對擬古，力求瑰麗而嚮往新奇的風格，均可以稱之爲浪漫主義。它的顯著特徵是反對法則、典型，輕視理性、科學與道德，主張發展個性，重視主觀的熱烈情感與豐富的想像力，而其中以幻想的憧憬同熱情的奔放視爲人生最高的意義與境界。

三、寫實主義：擯斥主觀，是十九世紀中葉，在歐洲所發生的一種反抗浪漫主義的一種文學運動。它在文學或藝術上，凡是注重實驗的精神（科學的）和客觀的事實（無僞的），而作忠實地表現自然爲其目的者，均可以稱之爲寫實藝術。它的顯著特徵是注重視察、力求分析，排斥理想、想像與感情而「歸於自然」的以「真」爲貴的表現風格。在寫作題材方面，則放棄美麗的、憧憬的世界，而特別注重現實社會問題和人生問題的真實面貌。

四、印象主義：它雖然重視真實的自然客觀，但不是絕對的，而是要通過從自然所受的印象以表現自己的人格爲目的。它的顯著特徵是以單純的將個人直接所感受的印象做爲表現於作品的最高手段，而不顧及其他的全面狀況。

五、新浪漫主義：是因受工業社會及大都市的刺激，人們只有追求更大刺激，才能感覺生存的意味，它包括頹廢派（渴求神秘、追求奇特，注重感官的瘋狂和肉慾的銷魂）、享樂主義（趨於肉體及物質之享受，但亦有主張絕對享樂，不帶頹廢色彩者）、象徵主義（不注重客觀事象的描寫，而嘗試用暗示的方法來獲得深奧的意識和情緒的象徵）、神秘主義（不是迷惑空想的奔放，它主張拋棄庸俗的理智和經驗去感悟真理，而用「靈」的意義和「大魔力」的東西，去感覺智識的無限和人間能力的不可思議）、和唯美主義（以唯美爲重心的爲藝術而藝術的主張）。等五個流派，其中以神秘主義和象徵主義爲其兩大支柱。

六、惡魔派：愛好從腐肉燐光、怪異、悽愴、黑暗和頹廢中尋求詩美的痕跡，以及歌詠恐怖之美。

七、未來派：它主張鄙棄一切凝寂、坐忘和睡眠的思潮，而從各種騷動、疾馳、衝突、激亂、汽車、飛艇、戰爭、革命、鬥爭、屠殺、無政府主義中，找尋喧囂、速、力、動的事物，並高揚對機械的愛，做爲創作新文藝的對象。⑳雖然此派對於新的文藝界沒有多大的貢獻，但是它卻成爲戲劇、電影、電視等方面所熱衷挖掘的好題材。

除了上述七大主義或派別外，還有新古典主義、新寫實主義、新自然主義、理想主義、新理想主義、德國的表現主義、大自然主義（與自然主義不同，讚美自然，也讚美社會、歌頌人生、也歌頌愛情；吟詠工作，也吟詠生命，甚至於頌揚死亡）、存在主義（主張承認人之精神自由和存在先於本質的現象，用自己的自由意志來安排與創造，而厭惡對團體及他人之依賴）、心理分析派、人道主義派、超現實主義、想像小說……等，各種的主張與倡導，對於我國近代的文學思潮，具有相當大的啓蒙作用外，也是值得客家文學學習之處。

在有關教育制度方面，根據台灣省政府資料館，於民國八十九年七月所編印的《台灣史蹟文物簡介》中，指出清代之教育仍沿用明朝舊制，全國府（州）、縣皆設學校，由地方官監督，受學政指揮。清・康熙二十六年（西元1687人），台灣開科考試，鄉試中設保障名額一名。鳳山薛莪爲開台舉人，莊文進爲開台進士，曾維楨爲開台翰林，總計客語隸清版圖二一三年（西元 1683～1895 年），計中進士三十三人（內有三人入翰林）。日據初期之教育，設日語學校、日語傳習所，目的爲鞏固其對殖民地之統治權，後雖頒佈台灣教育令，使學校變質爲以日人爲主體之教育機關，並爲配合侵略戰爭之遂行，繼則全面改革教育制度，頒佈學生動員令，加強軍事管理，台灣同胞接受高等教育受極嚴格之限制。民國三十三年，台灣各專科以上學校人數有 2,818 人，其中台籍學生只占 19％。在民國三十四年（西元 1945 年）八月美國用原子彈打敗日本帝國之後，日本被迫放棄台灣。雖然在日治時代台灣就開始接受日本教育，但爲時不長，一般人民仍然習慣沿用過去傳統的語言交流。

在有關客家人「晴耕雨讀」的教育方面，一般而言，晴天大夥全體上山下田勤奮耕耘，遇雨則回到家中，經由受學之人教導全家或全族之人從最簡單的用秤、算術、人名、地名、各項禮儀、祭典、八卦命相等等，此即其後私塾之由來。在有關客家文學方面，首先談到早期客家的童蒙書。在過去學堂式的教育是，塾師讀一句，弟子跟著讀一句，讀完一段，即要求背誦一段，背完一段再讀背次一段，一直到背完整本書爲止的同時，因此，在學堂裏終日可以聽到學子的琅琅書聲。根據龔萬灶的〈早期客家童蒙書與現代兒童讀物〉中，指出，漢族傳統使用的蒙書，比較熟知的有三字經、百家姓、千字文、千家詩、增廣昔時賢文、四言雜字、幼學瓊林、人生必讀、弟子規、女兒經、朱子治家格言、尺牘、二十四孝、四書等，直到近代國民教育普及後，才漸式微。

㈠三字經：

三字經，顧名思義，以三字為句，是早期童蒙誦習的重要教材之一，也是中國人最熟知的一本兒童讀物。相傳三字經為區適子所作，成書於宋末，明朝黎貞加以增補。三字經，名為三字句，但語法並不刻板，有許多變化，其中，有六字成句的如：「融四歲，能讓梨」、「人不學，不知義」等；也有十二字成句的如：「匏土革，木石金，絲與竹，乃八音」、「蘇老泉，二十七，始發憤，讀書籍」。讀起來非常順口，不單調。三字經雖然是「識字」的教材，它的內容則包羅萬象，除一般知識如人事、自然、時序、日常器用到社會、歷史外，也談到修身勵志道德人文素養，有如「父子恩，夫婦從，兄則友，弟則恭，長幼序，友與朋，君則敬，臣則忠」等倫常義理，在孩童中能夠琅琅上口，自然具有潛移默化的功效。

㈡百家姓：

本書雖名為百家姓，其實書中所收姓氏包括複姓則有五百多個，全篇是用四言句編成韻文，方便誦讀。在百家姓中，諸如前兩句為「趙錢孫李」、「周吳鄭王」，僅是姓字的堆砌，並無文理，純粹是一種識字的教材。類似百家姓的書，有續百家姓，收錄一千八百多姓氏，在明吳沈、劉仲賢所編的皇明千家姓中，收錄有一千七百多姓氏。

㈢千字文：

千字文相傳為梁朝周興嗣所編撰，成書於武帝大同年間，全書共一千字，沒有重複，編排成韻，每句都有詞義，類似成語結構，有助學童的構詞能力。書中有許多的佳句，諸如「禍因惡積，福緣善慶」、「宣威沙漠，馳譽丹青」、「毛施淑姿，工顰妍笑」、「雲騰致雨，露結爲霜，金生麗水，玉出崑崗」…等。類似千字文的改篇本，諸如有：「萬字文」、「五千字文」、「三千字文」、「續千字文」、「重續千字文」、「敘千字文」、「呂氏千字文」、「正千字文」、「訓蒙千字文」等。

㈣四言雜字：

「雜字」一語，應可解爲「雜記」，其內容包含甚廣，有日常生活應對交接、禮儀器用、人事名物…等。其情形有如：「田中器用，碌碡犁耙，钁頭鐵鍾」、「天晴落雨，簑衣笠蔴」、「穀圍斛桶，載歸牛車」…等。類似此雜字的本子，諸如有「五言雜字」、「六言雜字」、「包舉雜字」、「六言處世雜字」、「七言雜字」、「七言爲人雜字」等，大多爲勵志修身勸人行孝爲善的內容，其情形，有如：「好善惡惡，積德累仁，辭受取與，恭敬樸誠」（包舉雜字）、「父母恩深若不報，枉爲生來一世人」（七言爲人雜字）等。

㈤昔時賢文：

是一本沒有嚴肅說教意味，用字淺顯的人生處事哲理之書，其內容諸如有：「流水下灘非有意，白雲出岫本無心」、「留得五湖明月在，不愁無處下金鉤」、「人生一世，白駒過隙，良田萬頃，日食一升，大廈千間，夜眠八尺。」可說是一本很不錯的作文造句辭典。

㈥幼學瓊林

原名爲「幼學須知」，內容廣採天文、地理、倫理、歷史、社會、自然等各方面知識、典故。其情形有如：「士人入泮曰采芹，舉子登科曰釋褐；賓興爲大比之年，賢書即鄉試之錄。」「以車相向曰轅門，顯揭戰功曰露布，刻日交鋒曰對壘，議和釋怨曰行成；戰勝班師曰凱旋，戰敗奔走曰追北，爲君洩憤曰敵愾，爲國紓難曰勤王。」

㈦人生必讀：

類似昔時賢文，有四言、五言、七言等三種句法，有些文句在其他蒙書中，有如在昔時賢文裏也有「壞事勸人休莫作，舉頭三尺有神明，善惡到頭終有報，只爭來早與來遲」的句子。

㈧弟子規：

以孔子所說的：「弟子入則孝，出則弟，謹而信，汎愛眾，而親仁，行有餘力，則以學文」爲綱領，分段敘述，並企圖把它實踐在日常生活之中。㉑

在有關客家文學在台的發展方面，客家人口約佔全台人口的百分之十七左右，在漫長的客族成長過程中，雖然普遍地重視教育和擁有高識字率，但在文學或學術的領域中，卻少有許多作品，並大量反映族群的歷史和命運爲職志的嚴格客家文學的誕生。什麼是「客家文學」呢？一般廣義的說來，它是由客家人在作品中溶入母語語彙、語法等所寫出的文學作品而言，在它的範疇，根據黃恆秋的《台灣客家文學史概論》中，指出有：1.以客家族群聚落爲基點，延伸而出的台灣意識或鄉土情懷作品。2.以台灣史或民變事件爲經緯，敘述客家子弟的經驗文學。3.以傳統客家婦女爲形象的特質，所展現的文學品味。4.表現閩客關係及其社會觀點的文學作品。5.思索台灣動向，關懷鄉土鄉情的客語文學創作。6.客家歷史掌故的陳述。7.探討客家運動趨勢，剖析客家詞彙、歌謠或相關藝術的文章。㉒在「客籍」作家方面，它包括土生土長的客籍作家（諸如有龍瑛宗、吳濁流、鍾理和、鍾肇政、李喬、林柏燕、謝霜天、莊華堂、鍾鐵民、吳錦發、范文芳、曾貴海、陌上塵、鍾喬、蕭新煌、藍博州、彭瑞金、徐仁修、徐正光、梁景峰、彭鏡禧、張芬齡、余阿勳、黃毓秀）、福佬客作家（有賴和、連雅堂、呂赫若、宋澤萊、張良澤）以及外省客作家（有劉慕沙、朱西寧、王幼華、蔡詩萍）。至於其所用的語言，包括有日文、中文以及台語文等。在百餘年來，台灣一直爲外來政權所統治，在日治時代，運用日文寫作的作家諸如有吳濁流和龍瑛宗。在民國三十四年（西元1945年），擺脫日人統治，國民黨政府接收台灣後，依然不脫殖民方式的統治，其後不久又有二二八事件（民國36年）以及相繼而來的漫長白色恐怖年代，使之人人噤若寒蟬，作家隱藏身份唯恐不及，更遑論從事創作了。雖然在當代處於相當危險、艱困的環境中，但是仍然有鍾肇政、李喬……等作家，本著在野本質的堅持，來描寫或印證著本土子民所思所求的憧憬。

在有關漫長的數百年間，沒有產生真正屬於客家的文學發展方面，根據黃恆秋學者在〈我本客屬人〉一文中，分析其中內在的原因有：

(一)客家人雖重視子女教育，但居家苦讀有成之後，則外出任官或謀生，「車同軌、書同文」的觀念根深蒂固，使得客家人保有話語，但並不積極建設自我獨特的語文系統。

(二)客家人居住地多為山區或丘陵地，工作勞動量付出較大，平時只能以「口授耳傳」的方式，在山歌、採茶戲等歌謠天地中自娛娛人，向文學藝術開拓的閒情雅緻缺之。

(三)客家先民渡海來台，其間遭逢台海險阻、瘟疫、番害、渡台禁令、福客械鬥等生存威脅，生活狀況窮困，而且又以「文盲」或「羅漢腳」為主，整個客家社會欠缺文藝寫讀的誘因。

(四)語言為「工具論」的論調，壓低了其所象徵的文化機能，客家人「母語及血統／土地及文化」承傳的認知，不及政治誘惑、經濟鑽營來得實際有力，因而創造語言文化的「客家觀點」極度軟弱。

(五)台灣為多族群組成的移民社會，在民間人口數及經濟力支配下，客家人不敵福佬人之優勢，在國家政策及教育體制下，客家人融入「國語」的世界相當明顯，客家人及其話語的存在，容易被轉變為強調客家危機感的族群意識，而疏忽其創新或吸收外來語素的前瞻性。㉓

除上述內、外因素外，簡言之，其大致有下列三點：一、是缺乏優裕從容的生活。二、是在從事「台灣文學」

或是「台灣鄉土文學」方面，有動輒被冠上分離主義的罵名。三、是隨著客族聚落的散失，而有落入黃昏族群的同時，其文學也成爲一種的「黃昏文學」。至於，在文學的走向方面，在舊文學時代，其文學特質是屬於官吏、地主和士紳階級等休閒文學的延長，而與民生疾苦無關。自新文學運動崛起後，客家文學就逐漸走向屬於平民的、生活的、勞動的、土地的……等有關的題材，來做言志或抒情的對象。

現今讓我們來簡介一下有關客家文學的發展，它包括有民間文學和傳統文學兩大類。民間文學又稱爲俗文學、大眾文學、平民文學、口耳文學等。根據邱春美小姐研究台灣客家文學，並將台灣客家文學的發展分成四個階段：

第一階段：山歌小調的興起

或合樂或徒歌，但以口耳相傳的短篇對唱或合唱爲主，甚少記錄保存。包括老山歌、山歌仔、平板等，勸世文如「度子歌」、童謠如「月光光」等。

第二階段：說唱傳仔的流行

以長篇敘事歌形式出現且由一人說唱爲多，有底本但抄本不易曝光。如「林月靈」、「梁山伯與祝英台」、「孟姜女」等。

第三階段：客家戲劇的草創

自大陸傳來，再與歌仔戲等融合，後變成改良大戲。三腳採茶戲賣茶郎故事如「送金釵」、「賣酒歌」；客家大戲有自創新劇目，如「李文固笑科劇」，也有承自第二階段的說唱傳仔改編而來，如「姜安送米」、「梁山伯與祝英台」等。

第四階段：寫實小說的崛起

台灣鄉土文學的覺醒，著重對生活層面的描述。如鍾理和先生的《笠山農場》、《菸樓》以及鍾肇政先生的《濁流三部曲》、《台灣人三部曲》等。㉔

在有關台灣客家文學，尤其是在民間文學方面，其大致內容根據黃恆秋的《台灣客家文學史概論》中，指出有如下列幾種的類型：

一、散文體口頭創作：包括傳說、童話、動物故事、笑料話、寓言、神話等。

二、搭句式口頭創作：包括敘事歌、勞動歌、情歌、儀式歌等。

三、語言類作品：例如師傅話（老古人言）、謎語（令仔）。

四、民間說唱：包括山歌詩、唸歌、講古、戲棚頭等。

五、民間戲曲：例如北管大曲、採茶戲、傳仔等。

六、竹枝詞。

在故事類中，諸如吳聲淼所編著的《客家傳說故事》中，就有諸如人在做天在看、草蓆與破碗、善良的良貴、蟾蜍姻緣、窮到鬼都怕、黃雞母得道、貪吃的王爺黃泥塘的水鬼、范丹成富的故事…等。在唸唱歌方面，它是屬於山歌詩的一種，也稱做「敘事歌」，它諸如有〈地動歌〉、〈蕃薯哥歌〉、〈渡台悲歌〉等。傳仔（歌仔冊），根據其字義就是「傳記」之意，是一種客家的說唱文學，以故事性的敘述為主，由於它篇幅稍長，因而有的可供表演。根據邱春美在〈從客家「傳仔」研探其文學發展〉一文中，把它分為五類：一、中國歷史故事與傳說類，有〈桃花女法鬥周公〉、〈二十四孝姜安送米〉、〈姜安送米歌〉、〈山東呂蒙正〉、〈孟姜女〉㈠㈡、〈莊子扇墳〉、〈梁山伯與祝英台〉㈠㈡、〈曹安殺子為救母行孝歌〉等。二、本地歷史與傳說類，有〈中部地動歌〉、〈地動勸世歌〉、〈續地動勸世歌〉、〈吳阿來歌〉、〈洪（紅）毛番歌〉、〈湴栳歌〉、〈記麻歌〉、〈做苧歌〉、〈渡台悲歌〉、〈溫苟歌〉㈠㈡、〈王玉鄰、韓雲珍〉、〈台灣歌〉、〈林月靈〉、〈胡忠慶〉、〈姜紹祖抗日歌〉、〈高顏真、孟日紅為記〉、〈唐仙記〉㈠㈡㈢㈣㈤、〈陳白筆〉㈠㈡、趙玉麟㈠㈡、〈劉廷英賣身歌〉等。三、勸世教化類，有〈十月懷胎歌〉、〈十想度子歌〉、〈十勸姊歌〉、〈上大人勸世歌〉、〈不知足歌〉、〈乞食苦連歌〉、〈夫妻不好歌〉、〈夫妻相好歌〉、〈知足真歌〉、〈招婚歌〉、〈招親歌〉、〈病子歌〉、〈壹勸郎壹怪姐〉、〈解勸後生歌〉、〈解勸盤茶歌〉、〈嘆煙花〉、〈醒世文歌〉、〈積德勸世歌〉等。四、情愛類，有〈一姐歌〉、〈一等行嫁歌〉、〈十想娃子行嫁時歌〉、〈妹子行嫁歌〉、〈一繡香包姐歌〉、〈十二月恩情歌〉、〈十里長亭掷傘尾〉、〈十送情人歌〉、〈十送親人歌〉、〈十想單身歌〉、〈十想尋夫歌〉、〈十尋情人歌〉、〈五更鼓嘆夫歌〉、〈分群歌〉、〈去探娘歌〉、〈青春樂歌〉、〈思連歌〉、〈拾貳採花名歌〉、〈送郎歌〉、〈送酒郎歌〉、〈壹想交情歌〉、〈壹想斷情〉、〈賣茶轉採茶〉、〈撐船過渡歌〉、〈撐船歌〉等。五、趣味類，有〈小人歌〉、〈山歌對〉、〈客家喜慶講四句〉、〈食新娘茶講四句〉、〈海棠山歌對〉、〈喜事好話〉等。㉕戲棚頭，在採茶戲（或稱大戲）表演開場時，由丑角演出的一段說說唱唱，有鬧場，讓場面熱鬧起來，吸引觀眾並且搏君一笑的一種唸唱式口白稱之為「戲棚頭」，其演出的戲碼諸如有「十送金釵」、「打海棠」、「上山採茶」「三娘教子」、「乞米養狀元」……等。客家詩，是一種透過客語創作，有韻味，吟誦後更能顯現客語優美的一種文學。竹枝詞，是一種源自中唐的詩體，不拘格律，多以采風諷俗為主。其重要的客家竹枝詞，諸如有趙文徽的〈貓裡竹枝詞〉五首，蒲延年的〈竹塹竹枝詞〉四首，陳肇興的〈械鬥竹枝詞〉四首，丘逢甲的〈台灣竹枝詞〉四十首，吳子光的〈滬尾竹枝詞〉五首，吳汝蘭的〈桃仔園竹枝詞〉八首，陳朝龍的〈竹塹竹枝詞〉二十二首，賴江質的〈苗栗竹枝詞〉七十首，詹捷發的〈採茶竹枝詞〉四首、〈採茶戲竹枝詞〉二首、〈製樟栳竹枝詞〉四首，…等。其中，在樟腦的開發方面，台灣森林之開發，主要由伐樟製腦爲開端。樟腦的用途當時限於藥用和防腐，每年產量幾乎全部輸往歐美各國。清・同治二年（西元 1863 年）開始實行樟腦專賣；清・光緒十三年（西元 1887 年），台灣巡撫劉銘傳在台北設立樟腦硫磺總局，在各地設立腦務局。今以詹捷發的〈製樟栳竹枝詞〉爲例如下，以供參考：

百樣艱難百樣人，但爲製栳最艱辛；
只貪利藪如山大，不怕生番不顧身。
可惜營財不顧家，偏將嫖賭債來賒；
朝朝力費千千萬，只博娛歡一夜花。
人說腦丁敢使錢，都無長物在身邊；
若教爲著身家計，意馬心猿亦可拴。
愛民如子地方官，漫把腦丁作匪看；
縱是無家身浪蕩，也遵國法守相安。

在有關傳統的文學方面，其範圍大致包括有詩、散文、小說、論評……等。在時代而言，它大致可分爲滿清時代、日治時代和中華民國在台灣的時代等，來一一介紹有關我國歷代的文學發展，及其重要作家如下：

壹、滿清時代

在西元一六八三年，明鄭降清後，台灣正式納入清朝版圖。在康熙二十四年（西元 1685 年）時，沈光文與季麒光、華袞、韓又琦、陳元圖、趙龍旋、林起元、陳鴻猷、屠士彥、鄭廷桂、何士鳳、韋渡、陳雄略和翁德昌等十四人，在今嘉義，「爰結同心，聯爲詩社」組成「福台閑詠」，其後改爲「東吟社」，來抒發其內在的世界，而開展了台灣文人聯結詩社的風氣。在有關當代的詩、文內涵方面，就一般而言，台灣由於在地形上，有高山、平原、海岸、沙州等各種地形。在氣候上，自高山到海岸，有寒帶、溫帶、亞熱帶以及熱帶的分佈，而有苔原、針葉林、闊葉林以及熱帶雨林等各種不同植被，所形成的豐富自然景觀，而導致當代詩人以描寫山川、氣候和鳥獸蟲魚的作品爲多。然而，在有關反映民間事物以及社會現象等方面，由於開發台灣的歷史不長、典故不多，以及當代社會組織正處於「尚在建立」階段，因此在詩、文的表現方面，它除了僅止於對生活表層從事浮光掠影的描述外，而少有深入反映民生疾苦以及暴露社會矛盾等具有深度和廣度的作品出現。

一、渡台悲歌：（清季、無名詩人）

在台灣客家人的傳統文學創作中，應當以清季的無名詩人，用客語所作的奉勸大陸親友不要走上渡台之路的一首反映早期台灣客家移民的長詩，後來被命名爲〈渡台悲歌〉，此詩應該可以被視爲台灣客家文學的第一篇，其內容爲：

勸君切莫過台灣，台灣親像鬼門關；
百儕入門百鬼纏，喊生喊死又樣般？
來到台灣無路行，左彎右斡千萬難？
頭前學老隔牛欄，一半潮州一半泉；

毋知某人係某姓，樣知生番也熟番；
生番歇到牛窩坪，專殺人頭帶入山；
帶入山中食粟酒，食酒唱歌喜歡歡；
也有熟番知人性，來來去去歇對山；
學老頭家一般型，相打相鬥盡野蠻。
台灣頭路微末做，空手空腳耐做田；
客頭嘴講台灣好，肯來就會出頭天；
千個客頭千代絕，烏心只想烏心錢；
幾多苦漢賣家園，騙到厥爸會發癲；
選者良時又吉日，出門離別淚漣漣；
離開原鄉搶坐船，漂流過海愛占先；
直到梅江轉潮州，每日五百出頭錢；
一晝一夜翻過天，來到拓林巷口邊；
上得小船尋店歇，客頭又去講船錢；
一人船銀一箍半，兩人名下賺三元；
各儕現金交過手，錢銀無交莫上船；
大船還愛港口等，一等好風二等天；
等到大家苦煎煎，等到船開又無錢；
轉去押當換錢銀，賣男賣女真可憐；
衫褲被骨賣淨淨，幾多冤枉又枉冤；
撐船漂浮天連海，船肚受苦苦難言；
暈船嘔出青黃膽，東橫西翹病一邊；
順風相送算命靚，三日兩夜到臺員；
爬下大船小船接，一人又愛兩百錢；

少欠銀兩莫上崁，家眷作當企船緣；
走上崁頂正知慘，面前茅屋千百間；
暫借親戚歇一夜，超過三夜就變面；
天光拔航尋頭路，看係零工也長年；
可比原鄉賣牛牯，任人擇擇又選選；
後生壯旺十箍銀，一月人工一銀錢；
四拾以外出頭歲，一年堪領五花邊；
吊個眠帳像爛布，睡個眠床傢摹欄；
暗晡無鞋打赤腳，想要出屋半朝難；
無床無帳分蚊咬，稈草爛布準被毯；
做得一身衫褲換，又要做帳補被單；
年頭算去年尾來，去去來來算不完；
若有愛走被作當，再做一年十二圓；
年三十日人祭祖，心肚想起刀割般；
上無親人下無戚，留都頭家食年飯；
一口年飯一目汁，流到那年轉唐山；
初一嬲到初四日，扣除人工錢一半；
搶人不過者般型，台灣人心忒可嘆。
人講台灣出米穀，屙膿滑痢撮花眼；
一碗淨飯百粒米，半碗蕃薯大大圈；
蕃薯三餐九隔一，煮湯四日三日餅；
台灣蕃薯食一月，當過唐山食一年；
頭餐食過毋盼得，又想留來第二餐；
火油炒菜真享福，想食鹹魚等過年；

總有臭餿脯鹹菜，每日三餐兩大盤；
想要出街食酒肉，出過後世轉唐山；
雞啼起身做到暗，無力沒氣吞口瀾；
一年三百六十日，日日拼命拼毋完；
落霜落雪風颱雨，頭暈腦偏毋敢懶；
手腳無力放閑嬲，扣閑扣嬲無工錢；
拼生拼死來做事，行路就還打腳偏；
換衫自家雞啼洗，著爛穿空夜補連；
自家上山揹柴賣，一日算來無百錢；
木秤百斤錢一百，磧到肩頭痛又彎；
除掉三餐糧米食，存下僅可買截煙；
奈何又著同人做，又著同人做長年；
唐山一年三擺緊，台灣日日緊煎煎；
睡到子時下四刻，米槌舂臼在壟間；
三人舂臼三斗米，就喊食飯扛菜盤。
莠薯忒燒雞入喙，樣般吞得落喉嗹；
食得伋來驚燒死，食得慢來難獵班；
出門看路就無到，腳指踢到血連連；
朝朝日日都共樣，賣命賺人幾拾錢。
一年人工錢兩百，明知死路也行前；
抽藤做料當壯民，自家頭顱送入山；
遇到生番銃一響，燃時死在樹林邊；
走前來到頭斬去，無頭鬼魅落陰間；
不管男人也婦女，每年千萬闖入山；

千錯萬錯該當日，不好信人過台灣；
李陵誤入單于國，心懷常念漢江山；
偓今在此也共心，烏髮變成白髮年；
心中愛轉無路費，眼看一年又一年；
屋家父母年歲老，早暗悲嗷淚連連；
舊年來信火燒死，歸心像箭一般般；
假使父母寒餓死，賺銀百萬心不仁；
人生辛苦微末處，那識看人賺銀還？
人想賺銀三五百，再加一年都還難；
歸家講到台灣好，毋輸媒人想騙錢；
拜託叔侄並親戚，切莫信人過台灣；
係有子弟要來者，打死連棍谿路邊；
一紙書音句句實，並無半句係虛言。

二、〈入呈台灣貓霧拺被閩人遭害以功救粵冤事〉（清．嘉慶十四年）

此篇文章是在清．嘉慶十四（西元 1809 年），在貓霧拺地方，所留下的抱膝頭斷肝腸悲歌，其內容如下：

一哀兮責漳泉，漳泉二府真發顛，淡水爭姦因口角，嘉漳兩邑皆相連。

二哀兮淚淋淋，漳泉械鬥害粵人，仂畔只因爽文反，當初不該做義民。

三哀兮真慘罪，奸首王松老賊匪，錢賄巡司來押令，銀擺知縣印蓋旗。

四哀兮病肝腸，十八可憐四大庄，局殺幾多青頭子，趕殺幾多讀書郎。

五哀兮無天理，三四十日來驗屍，開窖驗屍四五百，行文敢報三十餘。

六哀兮死不甘，台灣官員真埋冤，貪官污吏不公奏，橫云海外竟無天。

七哀兮不認忠，楊汪分府甚是濃，良民把做賊來辦，這等膿官天不容。

八哀兮係受虧，粵人在台真難居，從得賊來又忘義，不從賊來被賊欺。

九哀兮來轉庄，回頭不見家爺娘，兄弟妻兒俱殺盡，抱等膝頭斷肝腸。

十哀兮淚哀哀，望星望月清官來，冤屈無伸終不願，未知何日天眼開。

嘉慶拾肆年十月卅日，貓霧　粵人入呈。

三、吳子光：（生於嘉慶二十四年，西元 1819 年，卒於光緒九年，西元 1883 年），名儒，字士興，號芸閣，別署雲壑，晚年自號鐵梅老人。世居廣東嘉應州白渡堡，爲振興家道而東渡來台。在咸豐二年（西元 1852 年）起，在新竹、苗栗地區，從事教育工作，現今銅鑼灣筆架山，仍留有其講學草堂遺址。他一生著有《一肚皮集》十八卷、《三長贅筆》十六卷、《經餘雜錄》十二卷等。其中，他有感於彰化戴潮春之亂，而寫有〈寄題延平王廟壁〉，其內容爲：

曾讀豐碑渤澥東，開疆猶仰大王風！

闔門骨肉杯羹底，千里江山錦繡中。
明代興亡歸劫數，史家成敗論英雄！
似聞鹿耳鯤身畔，嗚咽潮聲早晚同。
蜃氣樓台轉眼空，有明碩果黯然終！
雄心已死田橫島，疏草都歸鮑氏驄！
廟貌九重頒祀典，祠官三肅式齋宮。
而今率土圖王會，海不揚波處處同。

四、梁成枏：（生於道光三十年，西元 1850 年），字子嘉，號鈍庵，廣東三水人。在劉銘傳出任巡撫，開山撫番時，在中路東勢角設有撫墾局，而梁成枏奉命主其事，並一展其長才。在職司撫墾期間，由於他熟習台中、苗栗一帶的民俗，而作有爲人稱道的〈隘丁行〉和〈水長流吏〉等詩篇。

㈠〈隘丁行〉的詩篇爲：

日色無光光亦薄，瘴煙人鼻微聞惡。
行人畏近隘頭行，守隘隘丁晝擊柝。
柝上響停，行人膽驚。
伏莽之戎，草木皆兵。
柝聲不絕，尋聲出穴。
爲彼發蹤，磨牙吮血。
行人不敢經，飢吻饞涎腥。
乘機伺利便，跳踉殺隘丁。
挾刃猶敢侮，民間厲禁挾弓弩。
利器凶兵遺被虜，飛而食肉山中虎。

㈡〈水長流吏〉的詩篇為：

羅拜紛紛大小酋，建牙今在水長流；
書名應署諸蠻長，劃地公為小國侯。
官職新加唐印綬，版圖當入漢春秋。
但令邊徼無烽火，萬疊青山足臥游。

五、唐景崧：字薇卿，號南注，又號請纓客，廣西灌陽客家人，於光緒二十年，任台灣巡撫，在乙未割台時，被推為「台灣民主國」大總統。在任職台灣本島期間，與僚屬創有「牡丹吟社」，對文教啓迪頗具助益。唐景崧的詩作被後人輯為《詩畸》，有本外二篇，本篇八卷、外篇二卷，另有七律兩百二十一首。其詩大多在表現一片昇平與人文薈萃的景象為主。

㈠〈夢蝶園〉：

劫運河山畢鳳陽，朱家一夢醒蒙莊。
孝廉涕淚園林冷，經卷生涯海國荒。
殘粉近鄰妃子墓，化身猶傍法王堂。
從淮窮島尋仙蛻，赤崁城南弔佛場。

㈡〈苔〉：

到無人處立徘徊，欲共飛花一掃開，
深淺芳階蟲獨語，高低滑路雨初來，
石間著色常千點，草外銷魂又一堆，
敗草頹闌隨意綠，十年前是好樓台。

六、吳湯興：字紹文，祖籍廣東梅縣，壯歲來台定居銅鑼樟樹林。在乙未（西元 1895 年），台灣被滿清出賣時，曾任台灣義軍統領，由民間自籌軍糧，對抗日軍，在八卦山之役時，日軍增兵兩萬，大清帝國未派一兵一卒、一糧一餉援助義民軍，在兵力懸殊下，抗日大將吳湯興，終於光榮的壯烈成仁，最後其英靈入祀忠烈祠。衣冠塚在三義鄉第三公墓。現存〈聞道〉詩七首，其中的一首爲：

聞道神龍片甲殘，海天北望淚潸潸。

書生殺敵渾無事，再與倭兒戰一番。

七、丘逢甲：生於清・同治三年（西元 1864 年），歿於日大正元年（民國元年，西元 1912 年），享年四十九歲。「東寧才子」丘逢甲字仙根，又字仲閼，筆名倉海，生於苗票銅鑼雙峰山區的李家塾，由於出生歲次恰逢甲子年，其父因而替他取名逢甲。他是台灣第一名秀才，光緒十六年（西元 1890 年）進士，曾講學於台中、嘉義、台南等各書院。在乙未（西元 1895 年）割台時，與唐景崧倡建台灣民主國，並被推爲「台灣民主國」副總統兼義勇軍（民兵）統領，負責保衛台中，在新竹與日軍激戰時，因寡不敵眾而飲恨敗北。在事敗後，回居祖籍廣東鎮平，先後主講韓山東山各書院，在蕉嶺縣城桂嶺書院辦鎮平師範傳習所，從事新學的教育工作。在有關丘逢甲內渡祖國一事，部份史學家頗有微辭，迄今尚無定論。連雅堂著《台灣通史》卷三十六〈丘逢甲傳〉中云：「日軍迫獅球嶺……文武多逃，逢甲亦挾款而去，或言近十萬云」、「逢甲既去，居於嘉應，自號滄海君，慨然有報秦之志。觀其爲詩，辭多激越，似不忍以書生老也。成敗論人，吾所不喜，獨惜其爲吳湯興、徐驤所笑爾。」然而，在丘逢甲的一首詩中云：「人間成敗論英雄，野史荒唐恐未公，古柳斜陽圍坐聽，一時談笑付盲翁。」應是有所感而發吧！二次世界大戰結束後，被祀於苗栗忠烈祠，並於民國三十五年（西元1946 年）立紀念碑於福星山（今貓貍山），以彰其績。他的詩作被輯爲《嶺雲海日樓詩鈔》，凡一千六百八十五首，多爲悲壯感懷之作。其中〈離台詩〉六首，是丘逢甲對台灣淪亡的悲憤所表現出客家「硬耿」的骨氣，其內容爲：

宰相有權能割地，孤臣無力可回天，
遍舟去作鴟夷子，回首河山意黯然。
虎韜豹略且收藏，休説承明執戟郎；
至竟孔髯成底事？宮中一炬類咸陽。
捲土重來未可知，江山亦要偉人持；
成名豎子知多少，海上誰來建義旗？
從此中原恐陸沈，東周積弱又於今；
入山冷眼觀時局，荊棘銅駝感慨深。
英雄步出即神仙，火氣消除道德編；
我不神仙聊劍俠，仇頭斬盡再昇天。
亂世團圓骨肉離，弟兄離別正心酸；
奉親且作漁樵隱，到處名山可掛單。

在清末民初時，用客家話所寫成的比較嚴肅，而不像「打情罵俏」之類的低俗作品，諸如有：

一、〈台灣蕃薯哥歌〉，全文一七九二字，是用七言詩體，描寫客家人移墾台灣的山歌詩詞。

二、〈溫苟歌〉，全文一五八二字，是描寫在清・道光、咸豐年間，在新竹縣橫山鄉，名爲溫苟的人，因受到總理劉阿城之告狀，被誣爲叛亂份子，而逃亡於新竹、苗栗地區，最後走頭無路，走入今五峰鄉茅圃村（原西鰲社）成爲「番人（籍）」的亡命故事。

三、〈吳阿來歌〉，全文一六九四字，是描寫清・光緒二年（西元1876年），在苗栗縣銅鑼鄉，吳阿來抵抗政府軍隊來征討的所謂吳阿來叛亂事件的真相。

四、〈姜紹祖抗日歌〉，是描寫金廣福姜家成員——姜紹祖，在乙未（清・光緒21年，西元1895年）的割台戰爭中，壯烈犧牲的歌謠。

貳、日治時代

自日本據台後，在高壓與懷柔的統治下，台民爲免文化遭受浩劫紛紛成立詩社，根據統計，當時的詩社多達二百多個，其中，與客家有關的傳統詩社，在雲林有菼社（1920，廖學昆）。在桃園有以文吟社（1922，吳榮棣）、陶社（1924，邱世濬）、東興吟社（1924，葉連三）、崁津吟社（1924，呂傳琪）、磋玉吟社（1930，梁盛文）、南雅吟社（1931，呂傳琪）、新鶯吟社（1931，徐清祿）、大東吟社（1943，劉石富）。在新竹有竹林吟社（1931，謝森鴻）、御寮吟社（1932，戴還浦）、南瀛吟社（1933，羅南溪）、大新吟社（1934，藍華峰）。在苗栗有栗社（1927，彭昶興）、湖光吟社。在高雄有旗美吟社（1941，朱阿華）、美友吟社（陳保貴）。今以設於桃園縣中壢的以文吟社、龍潭的陶社，新竹縣新埔的大新吟社，苗栗縣苗栗市的栗社，以及高雄縣美濃的旗美吟社爲例：

一、以文吟社：創設於一九二二年（民國11年）的中秋節，社址在中壢，藉以文會友，互聯聲氣爲名，公推吳榮棣（字少青）爲首任社長，社員有梁盛文、古道興、楊興亭、黃阿榮、吳鴻森……等三十四人，其後，又有不少人陸續加入，一時擊缽吟唱之聲四起，風靡諸方。以文吟社的諸君作品甚多，今僅舉一、二首詩篇以供參考。

1. 吳少青的〈新涼〉

滿階梧葉月當頭
處處涼風豁遠眸
攲枕初驚秋氣爽
碧海無際一沙鷗

2. 梁盛文的〈潯陽琵琶〉

送客潯陽岸
琵琶弄不休
音來楓葉冷
韻繞嶺世秋
國色悲淪落
明珠惜暗投
青衫紅粉淚
隨調洒江流

二、陶社：由邱筱園、陳子春、沈梅岩、鍾盛鑫、徐開祿……等四十三人組成，又名「週末吟會」。社址於一九二四年時，設於龍潭。在一九三〇年時，遷址於新竹關西，自遷入後，又加入羅享彩、余錫瓊等二十八人。今僅以劉錦傳的作品為例，如下：

劉錦傳的〈攬勝〉

欣逢盛會值三秋
朗朗詩星作勝遊
元化共參三乘諦
圓光同飲菊花甌
東瞻角板河山壯
南望褒忠廟宇道
想見反攻期在即
吾儕文筆可吞牛

三、大新吟社：由藍華峰、葉心榮、林孔昭等人所組成，成立於西元一九二九年（昭和4年，民國18年），社址在新竹新埔，而經常來往吟哦的詩人，有楊成泉、張桂良、吳明相、詹文光、藍華鋒、葉心榮、林孔昭、吳濁流等，其作品頗多客語式的表現。今僅以藍華峰的作品為例，如下：

藍華峰的〈滿城風雨近重陽〉

滿城風雨近重陽，書室煙明玉漏長
帽落龍山才憶孟，蓴和鱸膾與思張
故園菜熟近初綠，老圃花殘菊正黃
偶值曉晴新月上，翹瞻文廟燦秋光

四、栗社：「天香吟社」爲黃南球子弟同儕好友所組成，它倡始於民國初年，爲栗社的前身。其後，不斷有詩人騷客的陸續參與，而於西元一九二七年（民國16年）的九月中秋，擴大網羅苗栗、竹南、大湖等地區的文人墨客，共有一百三十餘人，而成立於今苗栗市中正路的文昌祠內。其中，在當時比較著名的詩人，諸如有苗栗的劉獻廷、謝錫光、謝維岳、劉少拔、謝錫朋，頭份的張維垣、黃驤雲，銅鑼的曾肇楨等。栗社的成員作品不少，今僅舉數例如下：

1.黃運元的〈尋梅〉

園中竹林少橫斜，乘興來探處士家；
踏過西溪幾百樹，一枝纔得兩三花。

2.黃運寶的〈苗栗街助役送迎會〉

迎來送往古今同，鷗鷺聯歡酒宴中；
爲政爲詩兩清絕，宣城猶有舊遺風。

3.賴江質的〈苗栗十八鄉鎮歌〉

通霄三義大湖遙，路隔獅潭想造橋。
浴罷泰安公館宿，卓蘭苑裡惹魂消。
三灣頭份竹南連，景寫南庄雁寫天。
苗栗後龍新屋抱，銅鑼敲破西湖煙。

五、旗美吟社：爲凝聚旗山、美濃兩地的詩友，由朱阿華、黃石輝兩人發起，成立於西元一九四一年（民國30年），社址在美濃廣善堂，其重要成員，有朱阿華、黃石輝、朱鼎豫、鍾美盛、溫華玉、古信來、陳保貴等。

1. 朱鼎豫的〈竹門煙雨〉

舊時曾向竹門過，煙雨空濛望若何。
千畝稻田鷺鷀啄，四圍春樹鷓鴣歌。
村中牧豎敧青笠，隴上耕夫負綠簑。
一樣桃源新世界，白雲深處野人多。

2.陳保貴的〈太武曉望〉

乾坤幸得廣無邊，屹立東南翠接天。
籠霧開時輝晚日，流霞罩處掛華箋。
千重嶺岫皆稽首，一帶峰巒孰比肩。
最愛嶂屏憑遠眺，晴光麗色極鮮妍。

3.鍾美盛的〈仲夏〉

薰風時送野蘭香，濯雨庭晴樹影涼。
萬木滿山爭秀色，春風園地續傷亡。
荷紅嬌豔遊蜂喜，溪柳蔭濃鳥雀狂。
四季流連炎夏景，輕羅羽扇撫怡光。

在有關日治時代的台灣新文學運動方面，在西元一九二〇年的台灣新文化運動，除了台灣社會內在的變化，以及日本的大正民主運動外，在國外方面，又受到蘇聯社會主義革命、美國威爾遜的自決原則，以及中國大陸五四運動的影響，而興起了改善台灣體質的運動。在西元一九〇二年時，一群在日本東京留學的學生，以蔡培火爲發行人，正式創刊了中、日並用的《台灣青年》綜合雜誌，號召台灣青年覺醒、奮起外，並討論新思想與新文學的課題。西元一九二二年四月，《台灣青年》擴大改組，成爲台灣文化協會的機關雜誌後，基於在共負民族運動、文化運動之神聖使命，是沒有所謂的老、中、青之別的狀態下，於同年四月十日取消「青年」兩字，而成爲《台灣》雜誌。自該雜誌改名後，除了努力介紹西方浪漫主義、自然主義……等各種文學思潮外，還大力提倡使用白話文。《台灣民報》，於西元一九二三年四月十五日，在日本東京誕生。林呈祿（慈舟）在該創刊詞中，進一步闡明其發刊目的爲：「專用平易的漢文，滿載民眾的智識，宗旨不外欲啓發我島的文化，振起同胞的元氣，以謀台灣的幸福，求東洋的和平而已。」在有關白話文的發展方面，有被稱爲台灣新文學之父的賴和，於西元一九二五年八月二十六日，首次在台灣民報第六十七號（創刊五週年紀念號）上，發表了〈無題〉的白話文學作品的同時，張我軍亦於該〈第六十七號臨時增刊號〉上，發表了〈新文學運動的意義〉一文中，主張「建設白話文學，改造台灣語言」做爲他的總結。㉖

在這文化動盪、汲汲營造歸屬感的時代裏，客家文學作家們亦因緣際會地參與其中，並且憑著滿腔的熱情，而得到了一些不平凡的成就。在當時的著名作家有賴和、吳濁流、龍瑛宗、呂赫若等。

一、賴和（1894「光緒20年，明治27年」4.25-1943.1.31），彰化縣人，原名賴河，筆名懶雲、甫三、安都生、走街先、灰等。賴和在台北醫學校畢業後，一面在彰化行醫濟世，一面寫作。他是一位被福佬化的客裔作家，在他的詩中曾云：「我本客屬人，鄉語竟自忘，戚然傷懷抱，數典愧祖宗。」賴和是台灣第一個用白話文創作小說的新文學之父。他在二十八歲時，加入台灣文化協會擔任理事。曾因爲台灣奮鬥，兩次被捕入獄（1923 年 12 月 16 日，因「治警事件」入獄，1924 年 1 月 7 日出獄，以及在 1941 年 12 月 8 日，因「思想問題」入獄五十日）。在文學改革方面，他認爲舊文學是以讀書人爲對象，不能與廣大的民眾發生關係，而主張須倡導具有普遍性的白話文新文學。在政治思想方面，他常本著人道的關懷，期望藉著文藝的力量去啓迪民智，改變國民的精神爲己任。因而，在他的文學創作中，常有反抗日本殖民帝國的暴虐，以及反對封建社會遺毒等現象，來充分表達台灣人民在當代所受的時代苦難。他的著作，自西元一九二五年八月二十六日，在台灣民報第六十七號，發表〈無題〉白話散文，到西元一九三六年一月，發表最後一篇小說〈赴了春晏回來〉的十年之間，除有十二首的新詩（〈覺悟下的犧牲〉、〈流離曲〉、〈生與死〉、〈新樂府〉、〈農民謠〉、〈滅亡〉、〈南國哀歌〉、〈思兒〉、〈低氣壓的山頂〉、〈祝曉鐘的發刊〉、〈相思歌〉和〈呆囝仔〉等）外，還有隨筆散文十六篇（含通訊、序文各一篇，有〈無題〉、〈答覆台灣民報特設五問〉、〈答覆台灣民報設問〉、〈讀台日紙的新舊文學之比較〉、〈謹復某老先生〉、〈忘不了的過年〉、〈對台中一中罷學問題的批判〉、〈前進〉、〈無聊的回憶〉、〈希望我們的喇叭手吹奏激勵民眾的進行曲〉、〈開頭我們要明瞭地聲明著〉、〈隨筆〉、〈紀念一個值得紀念的朋友〉、〈城〉、〈台灣話文的新字問題〉和〈台灣民間文學集序〉）以及十六篇的小說（〈鬥鬧熱〉、〈一桿稱仔〉、〈補大人〉、〈不如意的過年〉、〈蛇先生〉、〈彫古董〉、〈棋盤邊〉、〈辱〉、〈浪漫外紀〉、〈可憐她死了〉、〈歸家〉、〈豐作〉、〈惹事〉、〈善訟人的故事〉、〈赴了春宴回來〉和〈一個同志的批信〉）等。今將舉一些實例以便參考，諸如賴和在西元一九二六年一月，在台灣民報所發表的〈鬥鬧熱〉中，指出在此貧窮的社會中，兩村庄的人民，爲了在媽祖生日的祭典中，比賽那一邊熱鬧，而不惜一擲千金的來迎合這種的舊俗陋習，是一種實在可憐，又可恨的行爲。在充分反映民生疾苦、社會不平、以及台民反壓迫的一般共通主題中，賴和無不極力頌揚、激勵弱者的奮鬥意識。其情形，有如在西元一九二五年，針對彰化二林事件，許多蔗農被捕，而深感弱者的哀求，所得到的賞賜，只是橫逆、摧殘、壓迫；弱者的勞力，所得到的報酬，就是嘲笑、謫罵、詰責。在哀悼霧社事件（1930 年 10 月 27 日，泰雅族浴血抗戰）的〈南國哀歌〉中，也露骨地表達奮起、拼鬥的精神，其詩作爲：

……這一舉會使種族滅亡，
在他們當然早就看明，
但終於覺悟地走向滅亡，
…………………………
兄弟們！來！來！
來和他們一拼！

憑我們這一身，
我們有這雙腕，
休怕他毒氣、機關槍！
休怕他飛機、爆裂彈！
……………………
兄弟們，到這樣時候，
還有我們生的樂趣？
……………………
數一數我們所受痛苦，
誰都會感到無限悲哀！
……………………（南國哀歌）

在他的代表作〈一桿秤子〉中，描述一個失去土地耕作的農人，決定到市場賣菜，爲符合日本政府的要求，向鄰居借了一支新的秤子去賣菜。然而當日本警察大人來巡查的時候，想要向這個小販揩油，在幾句言語衝突下，一不滿意，就將這支秤子折斷。故事的結局提到：「元旦，參的家裏，忽譁然發生一陣叫喊、哀鳴、啼哭。隨後，又聽著說：『什麼都沒有嗎？』『只有銀紙備辦在，別的什麼都沒有。』同時，市上亦盛傳著，一個夜巡的警吏，被殺在道上。」隱晦的結局暗示著窮苦的菜販因忍無可忍，只能以殺了警吏再自殺作爲自己命運的絡結。

生於清・光緒二十年的賴和，由於他在彰化開賴和醫院，仁術濟世，以及在日本時代的抗日事蹟顯著，國民黨來台接收時，爲了拉攏台灣，希望尊崇一些台灣抗日先烈，於是把爲窮人看病不收錢的「彰化媽祖婆」賴和入祀忠烈祠。可是後來卻發現他是一個社會主義者，接近共產黨，於是又把他趕出忠烈祠。到了一九八三年（民國 72 年），又有所謂的平反運動，證明他不是台灣共產黨，所以又讓賴和重新回到忠烈祠。

二、吳濁流（1900 年「明治 33 年」6 月～1976 年 10 月），新竹縣新埔鎮人，原名爲吳建田，筆名爲吳饒耕，是一位睥睨時代的見證者。十七歲入總督府國語學校師範部，先後任教員及記者多年。在任教方面，曾任教於照門、四湖、五湖、關西、馬武督等地，從事教職達二十一年之久。在有關擔任記者及其他工作方面，在一九三九年因抗議日人凌辱台籍教師，憤而去職。在一九四〇年時，赴大陸任南京「大陸新報」記者，一九四二年返台，任「台灣日日新報」記者。這段爲時不久，但印象深刻的中國經驗，成爲吳濁流日後寫作的重要題材之一。自一九四五年台灣光復後，曾任「台灣新生報」記者、編輯等外，還擔任省社會處科員、大同工業職校（今大同工學院訓導主任，其中值得一提的是，該校校歌是由他作詞，張福興先生作曲的）、台灣機器工業同業公會專員等職。

在有關文學著作方面，他自西元一九二八年參加了苗栗的漢詩詩社後，在三十年間，作詩一千七百多首，有《藍園集》、《風雨窗前》、《濁流千草集》和《濁流詩草》等詩集出版。在小說的創作方面，自西元一九三六年開始在楊逵所創辦的《台灣新文學》發表〈水月〉處女作後，就有不少的作品相繼出現，諸如在一九四三年，太平洋戰爭日熾，吳濁流有感於台灣人的歷史命運，於是冒險以春秋之筆描繪台灣人被殖民的徬徨與悲痛，而寫下〈亞細亞的孤兒〉（是吳濁流的代表作，寫於 1943-1945 年間原名爲〈胡志明〉，後來改爲〈胡太明〉。一九五六年再版時，把它改爲〈亞細亞的孤兒〉外，又把它稱爲〈被扭歪的島〉）。戰後，吳濁流任職「台灣民報」，住在大正町，即台北火車站附近。一九四七年的二二八事件發生後，他以記者的敏銳觀察，寫下描寫二二八白色恐怖的〈無花果〉，爲這段歷史留下珍貴的紀錄。其後，根據他的印象以及硬耿的精神，陸續寫有〈泥沼中的金鯉魚〉、〈功狗〉（描寫台灣人醜陋的扮相）、〈台灣連翹〉（描寫二二八）、〈陳大人〉、〈先生媽〉、〈遙遠的路〉、〈波茨坦科長〉、〈狡猿〉、〈路迢迢〉、〈三八淚〉、〈幕後的支配者〉、〈老薑更辣〉等外，還發表了不少的雜感、遊記、評論以及創作談。其中〈亞細亞的孤兒〉可說是他的代表作。該故事是描寫在日本殖民統治下的胡太明，不管是他本人或是他的家人，在遭到一連串的不幸打擊後，他決然奔赴祖國大陸，尋找一片樂土。孰知，他到大陸不久，便和一位在外交部工作的女子結婚。後來，當局懷疑他是日本奸細，而身繫囹圄。當他逃獄反回台灣，在基隆港上岸時，日本特務又把他當成是中國間諜，而被抓的一種台灣人民暨受到日本殖民統治當局欺壓與歧視的同時，也得不到所謂祖國大陸信任的「孤兒」可悲命運故事。

吳濁流生活在非常特別、異常豐富的特殊時代，也發揮了相當具有道德勇氣的獨特觸角。他曾豪氣的說：「如果我不爲這個時代留下歷史，誰會爲這個時代留下記錄呢？」，其情形有如在〈台灣連翹〉方面，則透露「半山」，爲了博得國民政府的歡心與特權，而不斷的出賣自己同胞，甚至導致眾多的台灣愛國者被國民政府無辜殺害的種種事實外，在國民黨遷台後，當時國民黨營造「反共復國」的氣氛，能上雜誌和報紙的全是殺共、反攻、振奮軍心的所謂「反共文學」或「戰鬥文學」。吳濁流不屑這樣的文學，他曾說：「那個捧卵蛋的不算文學」。和他相熟識的作家鍾肇政也轉述，吳濁流的口頭禪就是「拍馬屁的不是文學」。

一九六四年，年逾六十的吳濁流，本著滿腔的熱情，一個人編、寫、邀稿、募款、跑印刷廠兼發行的創辦《台灣文藝》雜誌，爲戰後台灣文學的精神堡壘，直到生命結束爲止外，他又創設「台灣文學獎」（後更名爲「吳濁流文學獎」），積極獎掖後進。一九六七年，「吳老」病逝於台北，享壽七十七歲。當年爲紀念台灣文藝創刊十週年而設的「吳濁流文學獎紀念碑」，迄今仍矗立於台北內湖金龍禪寺之中，見證了這位不求文名於一時的先行者。

至於，在一九八〇年代，羅大佑以一曲〈亞細亞的孤兒〉（亞細亞的孤兒，在風中哭泣；黃色的臉孔，有紅色的污泥；黑色的眼珠，有白色的恐懼；西風在東方，唱著悲傷的歌曲；……）進駐人心，它那滄桑悲涼的靈感，據稱是來自於二次大戰後，作家吳濁流的同名小說《亞細亞的孤兒》。

三、龍瑛宗：（1911 － 1999）本名劉榮宗，新竹北埔人，一九一一年（明治 44 年）生，畢業於台灣商工學校（今開南商職前身）後任職台灣銀行，並任「日日新報」編輯。一九四〇年加入「台灣文藝家協會」爲《文藝台灣》編輯委員之一。同時又參與日本《文藝首都》的編務，是一位戰鼓聲中的歌者。龍瑛宗是日治時代的作家，對於日本殖民統治下的台灣人民所經歷的悲苦生涯，寄予深厚的人道關懷。他於西元一九三七年，二十六歲時，在日本《改造》雜誌發表〈植有木瓜樹的小鎭〉處女作，獲頒「佳作推薦獎」。在此之前，台灣人只有楊逵的「送報伕」和呂赫若的「牛車」，曾獲日本內地的文學獎，而一躍爲著名作家後，又有〈黑妞〉、〈黃昏月〉、〈村姑娘逝矣〉、〈趙夫人的戲畫〉、〈黃家〉、〈白色的山脈〉、〈獏獏〉、〈不知道的幸福〉和〈一個女人的記錄〉等二十餘篇，涵蓋小說、詩文和戲劇的作品出現。在西元一九四二年十一月時，他曾因參加日本東京「大東亞文學者大會」，而受到後人批評的同時，在他的作品表現方面，在總督府的言論箝制下，他並沒有大膽、公開的反抗，而是躲在傳統的民眾生活中，暗自悲嘆，並做消極的抵抗與批判。

第二次世界大戰結束後，在一九四六年三月起，龍瑛宗曾一度擔任台南《中華日報》日文版文藝欄的主編，不過不久後，日文欄即遭國民黨當局的勒令廢刊，使他深深感到，在國民黨政府主政的時代裡，還是無法暢所欲言。自一九四七年二月後，龍瑛宗逐漸淡出文壇，重回台北金融界服務，直到一九七六年自合作金庫退休後，才又恢復寫作。一九七八年，他用日文完成了《紅塵》長篇小說，來觀照台灣的社會與人心。一九八〇年，在漫長三十多年，跨越語文障礙的苦修後，終於用中文寫出〈杜甫在長安〉的中篇創作小說後，再度引起文壇的注意與肯定。一九九九年九月二十六日，龍瑛宗因肺癌病逝於台北仁愛醫院，享壽八十九歲。其中，值得注意的是，他在大台北僅靠著銀行員有限的薪水，除了要養活自己的家外，還要肩挑其兄長去世所遺留的妻小，可說是在他一生中，均過著相當簡樸、困頓的生活。㉗已故客家作家龍瑛宗的兒子劉知甫，於民國九十三年（西元 2004 年）七月二十二日，向新竹縣北埔鄉公所表示願把祖傳的一公頃多土地，無償提供作為台灣客家文學園區並為父親成立紀念館，希望能夠打造出「南鍾理和，北龍瑛宗」的聲譽。

四、呂赫若：（1914「大正 3 年」-1951 年），原名呂石雄，台中縣豐原鎮潭子鄉枝栗林人，先祖來自廣東平饒，屬福佬客，他不管是在文學或音樂、戲劇活動方面，均有傑出的表現，可說是一位台灣第一才子。呂赫若十五歲考入台中師範學校，畢業後分發到峨嵋公學校當老師兼訓導，後轉調南投營盤國小。在七七事變後，在西元一九四〇年時，呂赫若東渡日本，在武藏野音樂學校研習音樂與戲劇，在旅日期間不但時有小說發表，也參加了東寶劇場國民劇的演出。西元一九四二年返台，擔任「興南新聞」記者，晚上則在廣播電台主持音樂劇。爲求工作方便，搬來台北租屋居住。一九四三年，他和好友張文環、呂泉生等人於山水亭聚會，籌組「厚生演劇研究會」，在今永樂市場附近的「永樂座」盛大演出《閹雞》一劇，轟動一時。一九四四年，呂赫若出版《清秋》小說集，爲其文學的精華，也是當時台灣作家唯一出版的個人別集。一九四五年（民國 34 年）二次世界大戰結束，由於時局的動盪，再加上，在一九四七年（民國 36 年）二月，台灣爆發了二二八事件，迫使呂赫若投入左翼組織，主編《光明報》外，並放棄寫小說，轉向音樂界發展，而任教於建國中學及北一女初中部的音樂課程。從一九四七年八月到一九四八年年底爲止，他曾多次參與中山堂的男高音演唱，或擔任評審，或舉行音樂會演奏等活動。㉘

在有關呂赫若宛如慧星，短暫而璀燦的一生方面，在日本威權統治下，呂赫若本著人道主義的情懷，透過人物悲劇命運的描述，來展現當代人民生活在複雜的社會、戰爭末期皇民化運動下人民心靈被扭曲的狀態，以及國民黨政權來台的種種變貌等寶貴的歷史見證。民國三十六年（西元 1947 年）二月，台灣發生了二二八事件，許多無辜的知識份子遇害、被捕、或逃亡海外後，呂赫若就開始對白色中國失望，而憧憬另一紅色中國的同時，思想開始左傾。在西元一九五〇年左右，位於台北縣汐止鎮近郊的鹿窟山村，因涉及「紅色武裝基地」之嫌，在國民黨的全面肅共政策下，展開「屠村」，許多無辜的村民遭到殺害外，而這位一代名作家，擁抱著解放台灣的美夢，而意外成爲「盤踞台灣永遠的山靈」，得年僅三十八歲的同時，他的作品也因此塵埋不彰，被湮沒三十餘年，直到七〇年代台灣鄉土文學論戰的被掀起後，許多日據時代的作家才在故紙堆中一一的被發掘出來。由於呂赫若的作品絕大多數是由日文寫作，因此在社會上自然會有一些不同的中文翻譯版本出現。有關他的作品，諸如有〈牛車〉（分別有施文、胡風的譯著）、〈暴風雨的故事〉（李鴛英譯）、〈婚約奇譚〉（李鴛英譯）、〈萍蹤小記〉（李鴛英譯）、〈女人的命運〉或〈女人心〉（鄭清文譯）、〈逃跑的男人〉或〈逃匿者〉（鄭清文譯）、〈季節的圖鑑〉、〈台灣的女性〉、〈財子壽〉、〈風水〉、〈合家平安〉、〈廟庭〉、〈月夜〉……等。其中以一九三五年一月，剛滿二十歲的他，在日本刊物《文學評論》第二卷第一期上，所發表的〈牛車〉，可說是他的成名代表作。該故事，是敘述趕牛車載貨爲業的窮苦農民楊添丁，自牛車爲汽車（文明）代替後，他無力謀生，連企求做佃農都無法如願。在飢寒交迫、走投無路之餘，不但妻子淪爲出賣靈魂的妓女，自己也爲了無錢繳納罰款，鋌而走險去偷鵝，鵝還沒有偷到，就被警察發現、逮捕入獄的慘況。

參、中華民國在台灣的時代

民國三十四年（西元 1945 年），世界大戰結束，日本放棄台灣的領土後，在國民黨的領政下，經濟崩潰、社會混亂，人民開始對祖國感到失望之際，於民國三十六年的二月，又爆發了「二二八事件」，許多的台灣菁英備受摧殘，不但過去五十年來反抗日本統治，而嚮往祖國的傳統情感，遭受嚴重挫傷的同時，使之部份的台灣人民對所謂的祖國認同，也開始徹底幻滅，因而有的人主張台灣應該自治；而有的人，則憧憬另一紅色中國。在這大混亂的時代裏，所有的當代作家，無不頓時陷入迷惘與觀望之中。民國三十八年十二月七日蔣介石總裁發表聲明，中央政府遷移台灣，並以台北爲其「臨時首都」後，在民國三十九年，就開始推動所謂的「兵唱兵、兵演兵、兵畫兵、兵寫兵」的軍中特殊思想教育。民國三十九年六月二十三日，韓戰爆發後，國民黨在美國的支持下，在台灣實施白色恐佈。在思想教育方面它除了徹底「反共」外，對於台灣的文化人，即使是倡導所謂的真正的「自由與民主」或是即使整理過去日本時代有關台灣的作品方面，也不得不特別謹慎小心。在當代「戰鬥文學」蜂擁而出之際，又逐漸興起了所謂的「大陸鄉愁」以及西化的文學運動。其中，在國內方面，由於受到嚴重西化的刺激，以及其後，在國外方面，受到美國越戰的失利，以及蘇聯力量的擴張，五角大廈有意拉攏中共制衡蘇俄。在民國五十九年十一月，美國片面宣佈將釣魚台諸島，於民國六十年劃歸於日本後，代表中國的「中華民國政府」，在得不到國際友邦的認同下，於民國六十年十月二十五日，被迫退出聯合國。其後，爲了改善中（共）美關係在民國六十一年二月，尼克森訪問中共時，於二十七日，在上海共同發表了所謂的「上海公報」之後，法國、菲律賓、加拿大……等國，也相繼在這個年代紛紛走出台灣。在這一連串的外交挫敗下，使得有識之士深感一味仰賴美國，以及盲目追隨西方文化的失策，於是有逐漸產生一種關懷鄉土以及回歸現實的新文化運動。在「台灣意識」逐漸高漲的時代裏，已故總統蔣經國先生，他表示：「已經住在台灣四十年了，所以我也是台灣人啊！」，而揭開了政治本土化的序幕。在民國七十六年（西元 1987 年）七月，在蔣總統經國先生，即將離開人世前半年時，被迫宣佈解嚴，以及緊接著李副總統登輝先生，於民國七十七年一月十三日，晚上八點八分，開始繼任總統之職後，在廣大人民的要求下，諸如廢止動員戡亂時期臨時條款，結束萬年國會，撕毀黑名單，落實省、市長以及總統直接民選等一連串的內政改革外，對外積極建塑台灣本土意識，來擺脫台灣似乎爲中國「一省」的發展傾向，而更使之「本土化」的呼聲甚囂塵上的同時，在社會、經濟方面，有女權問題、老人問題、治安問題、都市住宅價位偏高、勞資糾紛、環境污染……等，一連串的問題有待克服之際，又加上，台灣在國際經濟強力競爭下，有雇用外籍勞工替代所帶來的社會問題，以及企業界爲了求生存，在大陸或東南亞各國投資設廠，而不把「根」留在台灣，造成經濟的重大衝擊等現象。在文學的發展方面，除了上述的種種問題，都會直、間接的影響到台灣文學的視野，及其正常發展的同時，很明顯的，自解嚴後，台灣作家似乎已經不再像以往一樣，要愛台灣愛的那麼辛苦了。今將一些著名的作家，依其出生之前後，做如下之簡介：

一、鍾理和：（1915「大正 4 年」12.15-1960.8.4），鍾理和又名鍾錚、鍾堅，筆名江流、禾里。他一生貧病交加，最後因肺病咯血，被稱爲「倒在血泊裏的筆耕者」。「台灣鄉土文學之父」鍾理和是屏東高樹人，十八歲時隨父親移居高雄美濃，十九歲時因愛上農場比他大三歲同姓的女子鍾台妹，而同攜出走瀋陽，後去北京，一九四六年（台灣光復後）返台，擔任屏東內埔國中代課教員與土地代書。半年後發現罹患肺痰，入松山療養院治療，三年後出院隱居美濃尖山老家從事寫作，四十一歲獲中華文藝獎，獲獎作品「笠山農場」無法出版問世是他一生的遺憾，正當寫作巔峰成熟期卻天妒英才，不幸於四十五歲的壯年，舊疾復發，躺在床上修訂中篇小說「雨」時忽然喀血而死。根據台灣文學研究學者張良澤統計，鍾理和已發表的作品，有 1 長篇、6 中篇和 26 短篇，共約 465 萬字；已完成而未發表的作品，有 1 中篇、10 短篇，約 8.7 萬字；未完成的作品，有 10 篇，約 8 萬字外，存目失稿的作品，有 3 長篇、19 短篇。自鍾理和四十五歲英年早逝後，由他的生前好友鍾肇政、林海音等組成「鍾理和出版委員會」，集資陸續出版他的著作。一九七六年時，張良澤負責編輯、出版了《鍾理和全集》。共分八卷：第一卷「夾竹桃」（中、短篇小說集）；第二卷「原鄉人」（中、短篇小說集）；第三卷「雨」（中、短篇小說集）；第四卷「做田」（短篇小說集及散文集）；第五卷「笠山農場」（長篇小說）；第六卷「日記」；第七卷「書簡」；第八卷「殘集」。㉙在鍾理和描寫台灣三十年代至五十年代農村社會的作品中，他們描寫的人物方面，不是上流社會的貴族富人，而是一般的勞動人民；所反映的時代背景及其生活環境方面，所談之事，無不與人民息息相關的山川樹木、房舍建築、風俗習慣，乃至農作、家禽、氣候變化以及家人溫飽等，爲大眾所熟悉的題材。在他的許多作品中，以〈同姓之婚〉、〈奔逃〉、〈貧賤夫妻〉、〈野茫茫〉、〈復活〉、〈笠山農場〉、〈雨〉、〈返鄉記〉、〈煙樓〉、〈控石頭的老人〉、和〈阿達〉等，爲他的創作精華。其中，〈笠山農場〉是描寫一對青年男女，在「同姓不可結婚」的社會輿論壓力下，爭取婚姻自由、自主的艱苦奮鬥歷程，可說是他的代表作。文學界爲了紀念他，在一九七九年時，由林海音、鍾肇政、葉石濤、鄭清文、李喬和張良澤等六位文學界名作家，發起籌建「鍾理和文學紀念館」。由於當時仍處於戒嚴時期，因平民集資興建紀念館之事，必轟動全台。此紀念館之所以會延遲興建，一方面據稱是因政府出面干預，另一方面是資金不足，直到一九八三年八月才完成一樓，並且開幕，二樓於三年後才完成。㉚這座在其家鄉高雄縣美濃鎮所成立的紀念館是由鍾理和的長子鍾鐵民與文友們所籌劃而成，館藏不僅有鍾理和的相關著作與文學史料，更希望能進一步收藏更多台灣文學作家的文學足跡與記憶。

二、林海音：（1918 － 2001）原名林含英，小名「英子」，父親林煥文是苗栗縣頭份鎮人。林煥文後來離開台灣赴日求發展，林海音即在一九一八年出生於日本大阪。三歲時，林海音隨父母返台，五歲時（即西元一九二三年）隨父母遷至北平。十六歲時，考入成舍我先生所創辦的北平世界新聞專科學校，一九三六年世新畢業後，任職於《世界日報》。

在遷居北平二十五年，林海音三十歲時，於一九四八年，帶著母親、幼妹及三個孩子回到台灣。同年十月，《國語日報》創刊，林海音被聘爲編輯。由於她擁有「半山」身份及夫婿何凡（本名夏承楹，曾任聯合主筆）的關係，於一九五一年進入聯合報服務，後來，又在一九五三年到一九六三年，十年間，擔任聯合報主編期間，開始從事文學創作的同時，她發掘了許多省籍作家，例如：鐘肇政、鍾理和、鍾鐵民、黃娟、黃春明、鄭清文等等，葉石濤稱她爲「台灣文學的播種者、培植者，也是一道陽光。」一九五七年，林海音兼任《文星》雜誌編輯，並於一九六七年創辦《純文學》月刊，其後又經營《純文學出版社》。林海音已出版的著作，小說集有《曉雲》、《城南舊事》、《婚姻的故事》、《綠藻與鹹蛋》、《燭蕊》、《孟珠的旅程》、《春風麗日》、《林海音自選集》；散文集有《冬青樹》、《兩地》、《作客美國》、《藝窗夜談》、《剪影話文壇》等。在她的小說創作上，幾乎都是以婦女的婚姻悲劇爲其題材。在寫作風格上，除了具有台灣的鄉土風情外，又充滿著濃鬱的「京味兒」，因此有人說她是北京化的台灣作家的同時，又有人說她是台灣人的北京作家。㉛

三、詹冰：本名詹益川，苗栗卓蘭人，一九二一年生，日本明治藥專畢業，其詩作頗富現代主義的主知精神外，並嘗試透過「圖象詩」來表達詩的視覺效果，爲其一大特色。出版有《綠血球》、《實驗室》等詩集，以及兒童詩集、兒童劇本等。

四、陳秀喜（1921 – 1991）：在台灣新詩詩壇中具有重要的地位，陳玉玲在其《台灣文學的國度：女性、本土、反殖民論述》〈台灣女性的內在花園——陳秀喜新詩研究〉指出：陳秀喜是「跨越語言一代」的台灣第一位女詩人。其新詩的研究，便具有開拓台灣女性詩史的歷史意義。她同時被視爲具有崇高母愛的女詩人，其親情、母愛和生命之愛一度昇華爲族群、土地之愛。

五、楊子：本名楊選堂，一九二三年生，廣東梅縣人，自小僑居印尼，後返回大陸，求學於暨南大學，隨國民黨政府來台，先後出任《新生報》、《中華日報》、《民族晚報》主筆，《中國時報》總主筆、《聯合報》副社長兼總主筆，以及《中國論壇》發行人兼社長。楊子的主要作品集有小說《變色的太陽》、《慾神》、《魔像》等。散文集有《感情的花季》、《精神的裸體》、《描夢記》、《水柳的誘惑》等。

六、鍾肇政：（1925.1.24 生），桃園龍潭人，筆名九龍、鍾正、路家、路加，他就讀於彰化青年師範學校，畢業後擔任國小教員，一九七六年任《台灣文藝》主編，一九七八年主編《民眾日報》副刊，一九七九年獲吳三連文藝獎，一九八六年獲台美基金會成就獎，一九九二年任台灣筆會會長，一九九四年任台灣客家公共事務學會會長，二○○○年總統府聘請爲資政。鍾肇政是一位多產作家，除了在一九五一年發表《婚後》短篇小說外，根據《台灣新文學概觀》一書指出，有長篇小說《魯冰花》、《濁流三部曲》、《大壩》、《大圳》、《台灣人三部曲》、《馬黑坡風雲》、《綠色大地》、《青春行》、《八角塔下》、《望春風》、《姜紹祖傳》、《原鄉人》、《馬科利灣英雄傳》等；中篇小說《初戀》、《摘茶時節》；中短篇集《殘照》；短篇集《輪迴》、《大肚山風雲》、《中原的構圖》、《鍾肇政傑作選》、《鍾肇政自選集》；民間故事集《靈潭恨》、《大龍峒的嗚咽》。另外，出版理論譯著《歌德自傳》、《愛的思想史》、《朝鮮的抗日文學》、《希臘神話》等；作品譯著《非洲故事》、《燃燒的地圖》、《箱子裏的男人》等。獨立編輯《台灣省籍作家作品選（共十冊），並與葉石濤合作主篇《光復前台灣文學全集》（共八冊）。㉜其中《濁流三部曲》和《台灣人三部曲》巨作，可說是他的代表作。《濁流三部曲》是分別在1961年、1962年和1963年所創作的〈濁流〉、〈江山萬里〉和〈流雲〉等三部，以台灣光復前後，知識青年徬徨、覺醒與憧憬爲其描寫對象，所組成的自傳體小說。《台灣人三部曲》，是由〈沈淪〉、〈滄溟行〉和〈插天山之歌〉所組成。它是描寫一八九四年中日甲午戰爭，到一九四五年抗戰勝利間，台民反抗日本殖民統治的辛酸歷史。

七、鄭煥：本名鄭煥生，桃園楊梅人，一九二五年生，台北州立農林學校畢業，曾任《台灣養雞》雜誌編輯與主篇，《現代畜殖》與《養魚世界》雜誌社長與創刊人。他在農耕之餘從事寫作，著有《茅武督的故事》、《毒蛇坑的繼承者》、《輪椅》、《春滿八仙街》、《崩山記》、《長崗嶺的怪石》等長、短篇小說集。

八、黃榮洛：一九二六年生，新竹州立桃園農業學校畢業。曾任教員、技士、鄉民代表、農會總幹事。曾獲台灣省文化處民俗藝術特別貢獻獎、新竹縣傑出文化貢獻獎。他所發表文章方面有〈北埔事件文集〉、〈北白川宮陣於新竹牛埔山上〉、〈台灣客家辭彙〉、〈俗諺來歷文集〉、〈台灣鄉土史文集〉、〈客家鄉土故事文集〉，在著作方面有《渡台悲歌》、《鄉土點滴》、《台灣客家傳統山歌集》、《台灣客家民俗文集》。

九、杜潘芳格：新竹新埔人，一九二七年生，台北女師專畢業。她是一位傑出的女詩人，其詩的內容是一般女詩人中，所少有的批判社會的同時，也是客家詩的開拓者。根據黃恒秋《擔竿人生》客語詩集中，指出：「杜潘以散放的母性光輝及宗教虔誠，經營著屬於自我詩文學的光譜。深刻的心靈世界，認真又踏實，以客家母語寫作，首開全面性客語創作的先河。」她的作品有《慶壽》、《淮山完海》、《朝晴》、《遠千湖》、《青鳳蘭波》、《拯層》、《芙蓉花的季節》等詩集出版。

十、林鍾隆：桃園中壢人，筆名林外，一九三〇年生，畢業於台北師範學校，著有小說、詩歌、散文、評論、翻譯，亦兼及兒童文學及作文教學等，出版著作有七十餘種，其情形諸如長篇小說有《愛的畫像》、《暗夜》，兒童小說有《阿輝的心》，可說是他的代表作。

十一、江上：苗栗竹南人，本名江文雙，一九三二年生，省立台北師範藝術科畢業，曾任國小、中學教師。他初寫兒童文學及日文翻譯後，致力於小說創作，著有《落葉集》、《下弦月》、《明月照東山》、《田園戀》、《霧夜》等長、短篇小說，以及《生命的甘泉》散文集等。

十二、陳運棟：苗栗頭份人，一九三三年生，十七歲進入新竹師範學校就讀，二十一歲通過教育行政人員高考。之後，以同等學歷考上中國文化大學民族與華僑研究所，五十三歲獲得法學碩士學位。五十七歲出任大成高中校長，五十九歲當選為國大代表。他於民國六十五年（西元 1976 年），出版第一本書「物華風土」，之後陸續出版了「台灣人物叢譚」、「客家人」、「台灣的客家人」、「台灣的客家禮俗」等書。「客家人」一書，是陳運棟的代表作之外，還出版有「苗栗的竹枝詞」、「苗栗縣寺廟文化之研究」、「頭份鎮志」、「布農族親族組織的變遷——利稻的社會人類學研究」、「新竹市志氏族篇」、「新竹市志人物篇」、「西湖鄉志」、「開台史話」、「台灣的客家禮俗」、「內外公館史話」等書，並曾發表有關台灣研究論文數十篇。

十三、李喬：原名李能棋，苗栗大湖人，一九三四年生，早年就讀新竹師範學校，曾任國小及苗栗農工教師多年，一九五九年發表〈酒徒的自述〉後，繼續產生許多的作品，諸如在一九六三年，以〈苦水坑〉獲自由談雜誌的首獎。一九六四年〈烏石壁〉，獲幼獅文藝徵文首獎。自他退休後專事寫作，並從事社會的改造運動，出版有長短篇小說集及文化、社會評論等二十餘部。在小說方面，有《寒夜三部曲》、《藍彩霞的春天》、《山女》、《告密者》、《恍惚的世界》、《飄然曠野》、《戀歌》、《晚晴》、《人的極限》、《山園戀》、《痛苦的符號》、《結義西來庵》、《青青校樹》、《心酸記》、《強力膠的故事》、《兇手》、《埋怨，一九四七埋冤》等。論評集有《小說入門》。雜文有《台灣文化的造型》、《台灣人的醜陋面》、《台灣運動的文化困局與轉機》等。其中，在《寒夜三部曲》中，有〈寒夜〉、〈荒村〉、〈孤燈〉等篇章，〈寒夜〉是寫台灣民主國，〈荒村〉是寫乙未年台灣割讓日本，〈孤燈〉是寫在日劇時代台灣人民的掙扎，綜觀上述，無不描寫人民生活在威權統治下的苦痛與徬徨。

十四、周伯乃：廣東五華人，一九三四年生，畢業於空軍電子通信學校，歷任中央月刊編輯，中央日報副刊執行編輯與世界公論報副刊編輯等職。著有《論現實主義》、《二十世紀的文藝思潮》、《現代小說之研究》、《現代文藝評論》、《中國新詩之回顧》、《存在主義與現代文學》、《現代詩的欣賞》、《古典與散文》、《現代小說論》、《情愛與文學》、《又是秋涼時節》、《只是因爲寂寞》、《晴窗小語》等。

十五、黃娟：桃園楊梅人，一九三四年生，一九六六年赴美定居美國華盛頓，曾擔任北美台灣文學研究會會長，北美台灣客家公共事務協會理事長等職。在小說方面，著有《小貝殼》、《冰山下》、《愛莎岡的女孩》、《邂逅》、《世紀的病人》、《故鄉來的親人》、《山腰的雪》、《婚變》、《啞婚》等。在散文方面，有《人在異鄉》、《心懷故鄉》等。在論評方面，有《政治與文學之間》。

十六、劉慕沙：本名劉惠美，苗栗銅鑼人，一九三五年生。民國四十五年，發表第一篇小說《沒有炮戰的日子裏》獲台灣省婦女寫作協會徵文第二名。七十年獲聯合報「我的三十年」徵文佳作獎。在小說方面，著有《春心》短篇小說集。在譯著方面，有《芥川獎品集》、《潮騷》、《敦煌》等。

十七、林柏燕：新竹新埔人，一九三六年生，國立台灣師範大學畢業，曾任內思高工教員。在小說方面，著有《異鄉之女》、《策馬渡河》、《最後的探戈》、《闇夜水底寮》、《南方夜車》等。在散文方面，有《垂淚的海鷗》、《咆哮山丘》等。在論評方面，有《文學探索》、《文學印象》、《文學廣場》等。

十八、許曹德：基隆人，一九三七年生。大力宣揚民主和台灣獨立、熱愛鄉土。由於政治理念不受當局的認同，而被國民黨政府迫害入獄，著有《回憶錄》，在書中大談批判外來政權的迫害外，還主張台灣建國的大業。

十九、邱垂亮：苗栗人，一九三八年生。台大外文系畢業後，赴美改讀政治學，曾爲澳洲昆士蘭大學政治教授，現爲台灣心會理事長，總統府顧問等職，著有《台灣與中國》。

二十、張良澤：彰化人，一九三九年生。日本關西大學文學碩士，任教於日本共立女子大學。一生致力於整理、發揚台灣文化，著有《四十五自述——我的文學歷程》。

二十一、林清泉：筆名林帆，屏東旗山人，一九三九年生，國立台灣藝專畢業。他自初中時就開始寫作，在八〇年代中期以後，以菩提系列的散文風靡文壇。在詩歌方面，著有《殘月》、《寂寞的邂逅》、《心帆集》等。在戲劇方面，有《孤兒努力記》。

二十二、陌上桑：本名爲郭俊雄，屏東人，一九四〇年生。日本神戶大學畢業，京都大學人文科學研究所研究，曾任報社特派員，民眾日報主筆。在小說方面，有《滄桑之夜》、《天涯若夢》、《剿》。在論評方面，有《迷惘的日本》、《台灣抓狂》。在雜文方面，有《陌上桑專欄》。

二十三、鍾鐵民：屏東高樹人，一九四一年出生於滿洲瀋陽，是鍾理和的長子，著有《石罅中的小花》、《菸田》、《雨後》、《余忠雄的春天》、《月光下的小鎮》、

《約克夏的黃昏》等長短篇小說集。

二十四、范文芳：新竹竹東人，一九四二年生，新竹師範學院語文系主任。作品以詩和散文為主，著有《木麻黃的故事》。

二十五、馮菊枝：新竹縣人，一九四三年生，省立新竹師專畢業。著有散文集《情深幾許》及小說多部。

二十六、謝霜天：本名謝文玖，苗栗銅鑼人，一九四三年生，淡江大學中文系畢，曾任啓聰學校及高中國文教師。在小說方面，著有《秋暮》、《冬夜》、《春晨》、《渡》、《耿耿此在心》、《虎門遺恨》、《夢迴呼蘭河》等。在散文方面，有《綠樹》、《心畫》、《抹不去的蒼翠》、《無聲之聲》、《霜天小品》、《熒熒燈火中》、《青山的邀約》、《鄉土情懷》、《泥中有情》等。她在一九七六年，以長篇小說《梅村心曲》，分為秋暮、冬夜、春晨三部，獲得第二屆國家文藝獎，而從此奠定了她在文壇的地位。

二十七、黃文相：桃園龍潭人，一九四三年生，台北師範畢業。在學時即獲全國大專文藝創作小說首獎。一九七一年，獲吳濁流文學獎。作品有《死後的逗留》等。

二十八、曾信雄：筆名曾門，苗栗大湖人，一九四四年生，新竹師範學院畢業。長期擔任教職，並任楊梅國小校長。著有小說集《霧散的時候》等四部。

二十九、余阿勳：花蓮人，一九四四年生，出版有《涓涓集》散文集，及譯作多種。

三十、曾貴海：屏東佳冬人，一九四六年生。是一位「醫生詩人」、「綠色教父」，曾獲吳濁流新詩獎，在詩歌方面，著有《鯨魚的祭典》、《高雄詩抄》、《原鄉・夜合》等。

三十一、徐仁修：新竹芎林人，一九四六年生，曾任台灣農林廳技士、駐尼加拉瓜農技團技師。著有《大地受傷》。

三十二、彭瑞金：新竹新埔人，一九四七年生，高雄師範學院畢業，曾任高中教職，真理大學台灣文學系副教授。在論評方面，著有《泥土的香味》、《台灣新文學運動四十年》、《瞄準台灣作家》、《台灣文學探索》、《驅逐迷霧尋找祖靈》等。

三十三、李永平：馬來西亞婆羅州人，一九四七年生。來台就讀於台大外文系，後留學美國，獲華盛頓大學博士學位，返台後於大學擔任教職。著有《婆羅州之子》、《拉子婦》、《吉陵春秋》、《海東青》等小說集，頗獲文壇重視。

三十四、鍾華：原名鍾瑞圖，桃園龍潭人，一九四七年生，台北商專畢業。著有創作客家小說《另一個日子》。

三十五、羅肇錦：苗栗人，一九四九年生。台灣師範大學中文博士，從事任教，著有《瑞金方言》、《客語語法》、《台灣的客家話》等書。

三十六、馮輝岳：桃園龍潭人，一九四九年生。新竹師院畢業，一九七五年獲吳濁流文學獎。在詩歌方面，有

《大梅的幻想》、《小秘密》、《第一打鼓》。在小說方面，有《一種玩笑》、《廳堂裡的歲月》、《小鎮印象》、《孤寂的星星》。論評方面，有《客家童謠大家唸》、《中國歌謠大家唸》、《童謠探討與賞析》等。在雜文方面，有《大王夢》、《陋室集》、《酒桶山》、《阿公的八角風箏》等。

三十七、陳雨航：花蓮人，一九四九年生。作品有《策馬入林》、《天下第一捕快》等小說集。

三十八、小野：本名李遠，福建武平人，一九五一年生。曾任陽明醫學院助教，紐約州立大學水牛城分校生物系助教，中央電影公司企劃部組長、副理。曾獲聯合報第二屆小說獎首獎、中華民國文藝期刊金筆獎、中華民國編劇學會第四屆編劇魁星獎、金馬獎及亞太影展最佳劇本獎。在小說集方面，有《蛹之生》、《試管蜘蛛》、《封殺》、《小野自選集》、《愛情解嚴》。在散文方面，有《生煙井》、《麥當奴隨筆》、《我曾經倉皇失策的想著你》、《給要流浪的孩子》、《失去的童話工廠》、《豌豆家族》。在戲劇方面，有《擎天鳥》、《寧靜海》。在報導文學方面，有《想要彈同調》、《尋找台灣生命力》。

三十九、雪眸：本名林國隆，苗栗頭份人，一九五一年生。成功大學畢業，曾任中學教師，自由時報新聞編輯。在小說方面，著有《明天》、《有情》、《擱淺在君懷》、《離愁》、《惡淵荒渡》、《坦克車下》、《悲劇台灣》等。曾獲台灣省文藝創作獎、女詩人陳秀喜詩獎、教育部兒童劇本獎、吳濁流詩獎。

四十、利玉芳：筆名綠莎，屏東人，一九五二年生。曾獲台灣省文藝創作獎、女詩人陳秀喜詩獎、教育部兒童劇本獎、吳濁流詩獎。在詩歌方面，有《活的滋味》、《貓》。在散文方面，有《心香瓣瓣》。其中，以《貓》一詩響譽文壇，中、英、日譯本的《貓》詩集獲陳秀喜詩獎，被視爲最有潛力的天才詩人。李魁賢認爲利玉芳繼承了前輩女詩人陳秀喜、杜潘芳格所建立的傳統風格，既能坦然以女性自述的立場歌詠內心真實的愛欲、透露女性獨特敏銳的抒情；又能以人的基本立足點，對社會現實提出要求真實的反抗性批判。

四十一、陌上塵：本名劉振權，苗栗縣人，一九五二年生。是位工人作家，作品有描寫工人生活的《黑手詩抄》。在小說方面有《思想起》、《夢魘九十九》、《長夜漫漫》。

四十二、德亮：本名吳德亮，花蓮縣人，一九五二年生。中興大學法律系畢業。曾任自由時報綜藝版主編，曾獲時報文學新詩優等獎，全國優秀詩人獎等。著有詩集《國四英雄傳》等四部，及散文集《台灣畫真情》。

四十三、鍾延豪：（1953 – 1985）桃園龍潭人，師範大學畢業，是鍾肇政的長子，作品有《金排附》、《華西街上》、《大陸版》等短篇小說集。

四十四、吳錦發：高雄美濃人，一九五四年生。中興大學社會系畢業。曾任電影編導、《台灣時報》副刊主編、

《民眾日報》副刊主編和新聞評論員、行政院文建會副主委。在小說方面，有《放鷹》、《靜默的河川》、《燕鳴的街道》、《消失的男性》、《春秋茶室》、《秋菊》、《台灣無用人》、《流沙之坑》。在散文方面，有《永遠的舞姿》。其中的《燕鳴的街道》、《春秋茶室》、以及《秋菊》等中、短篇小說，還被改編爲電影。

四十五、陳寧貴：本名陳映舟，屏東人，一九五四年生。曾獲中國新詩學會詩獎，全國優秀詩人獎，聯合報散文獎。著有《孤鴻踏雪泥》、《落葉樹》、《菩提無樹》等散文集。

四十六、溫瑞安：廣東梅縣人，一九五四年出生於馬來西亞，一九七四年來台。在詩歌方面，有《山河錄》、《楚漢》、《高山水流》、《坦蕩神州》。在小說方面，有《小相公》、《愛國有罪》、《深癲蔡狂》、《哥舒夜帶刀》、《少年追命》、《金瓶梅》、《風起長城遠》、《少年鐵手》、《水虎傳》等。

四十七、夏宇：本名黃慶綺，廣東五華人，一九五六年生，國立藝專影劇科畢業。在詩歌方面，著有《備忘錄》、《腹語術》、《摩擦・無以名狀》。在戲劇方面，有《國王的新衣》。

四十八、莊華堂：桃園新屋人，一九五七年生。作品有《土地公廟》、《族譜》等。

四十九、黃恆秋：本名黃子堯，苗栗銅鑼灣人，一九五七年生。曾任《客家雜誌》總編輯，寶島客家電台台長，台北縣客家公共事務協會理事長。著有《擔竿人生》客語詩集、《台灣客家文學史概論》。

五十、劉還月：本名劉魏銘，新竹新埔人，一九五八年生，少年失學，苦讀出生。曾任自立晚報生活版主編，台原出版社總編輯，常民文化事業有限公司發行人。在散文集方面，有《旅愁三疊》。在傳記方面，有《台灣傳奇人物誌》。在報導文學方面，有《台灣土地傳》、《回首看台灣》、《台灣的布袋戲》、《台灣雜記》、《尋找台灣平埔族》、《處處爲客處處爲家》。在雜文方面，有《台灣民俗誌》、《台灣歲時小百科》。

五十一、藍博洲：苗栗市人，一九六〇年生，輔仁大學畢業，曾獲時報文學獎小說評論獎。在散文方面，有《旅行者》。在報導文學方面，有《沈屍、流亡、二二八》、《幌馬車之歌》、《尋找被湮滅的台灣史與台灣人》、《白色恐佈》。在雜文方面，有《日據時代台灣學生運動》。

五十二、陳板：本名陳邦畛，新竹竹東人，一九六〇年生，東海大學建築系畢業。曾任優劇場設計總監、中華民國台灣社區營造學會理事長。著有報導文學《六家庄》。

五十三、黃秋芳：苗栗縣人，一九六二年生。曾任《台灣文藝》主編，著有客家小說《六腳蛤蟆》。

五十四、張振岳：花蓮富里人，一九六二年生，花蓮高工畢業。著有《台灣後山風土誌》、《後山西拉雅人物誌》等報導集及客家小說《義民爺的金身》。

五十五、張芳慈：台中東勢人，一九六四年生，新竹師專、台北師範美勞系畢業。曾獲吳濁流文學獎新詩獎。著有詩集《越軌》、《紅色漩渦》。

除了上述的名作家外，還有諸如、鍾喬、楊傑美、徐望雲、鍾順文、沙白、何石松、范振乾、鄧榮坤、張典婉、張堂錡、梁寒衣、楊寶蓮、劉盛興、陳康宏、劉慧貞……等，才華洋溢，能夠反映時代脈動，以及能夠讓讀者起強烈共鳴的作家。今僅摘錄吳濁流的《亞細亞的孤兒》、龍瑛宗的《植有木瓜樹的小鎮》、鍾理和的《鍾理和日記》、陳秀喜的《台灣》、鍾肇政的《鍾肇政回憶錄》、杜潘芳格的《故里》、李喬的《寒夜三部曲》、范文芳的《桐花》、徐仁修的《家在九芎林——福佬人來鎮的時候》、陌上塵的《黑臉》、利玉芳的《貓》、鍾喬的《掉落的米粒》、劉還月的《台灣人的歲時與節俗》、藍博洲的《幌馬車之歌》、鍾永豐的《線道184》等精華為例，有如下述：

一、吳濁流 1900 － 1976 新竹縣新埔鎮人

摘錄《亞細亞的孤兒》

當晚，太明回到宿舍裡，
上床以後心裡老是想著日籍教員和
台籍教員間的不平等待遇，……。
突然，英葵的面影
彷彿忽而變成和自己同時到差的內藤久子，
一想起久子，
太明滿腔的熱血便不由得沸騰起來。……。

他的感情愈衝動，
愈使他感到自己和久子之間的距離——
她是日本人，我是台灣人——顯得遙遠，
這種無法塡補的距離，
使他感到異常空虛。……。
他想到這裡，胸間不覺引起一陣隱痛。
假如自己能和久子結婚，
以後的生活將怎麼樣？
自己這種低微的生活能力，
怎麼能供養日本女人久子所需求的
高度生活享受呢？
這種永無出頭之日的國民學校教員，……。
這樣一想，
太明所有的希望頓時都變成泡影了。

在太明的心目中，久子是美好無比的，……。
可是久子卻認爲本省人連澡都不洗，……。
而且動輒批評本省人，
雖然不一定懷著惡意，
但她內心的優越感，
卻在不知不覺間表露無遺。……。

自己的血液是污濁的，自己的身體內，
正循環著以無知淫蕩的女人

作妾的父親的污濁血液，
這種罪孽必須由自己設法去洗刷……
太明內心的格鬥，
使他徹夜不能安眠。

二、龍瑛宗 1911 －新竹縣北埔人

摘錄《植有木瓜樹的小鎮》
吝嗇、無教養、低俗而骯髒的集團，
不正是他的同胞嗎？……，
這些人在中等學校畢業的
所謂新知識階級的陳有三眼中
像不知長進而蔓延於
陰暗生活面的卑屈的醜草。
陳有三厭惡於被看成與他們同列的人。
因此他有常穿和服，使用日語，
力爭上游，
認定自己是不同於同族的存在，
感到一種自慰。
但是如同倉庫的月租三圓整的泥土間，
憑靠著竹制的台灣床，
看著陳有三的和服姿態，
真是滑稽透頂的場面。……，

運氣好的話，
跟日本人的姑娘戀愛進而結婚吧。

只要能跟那絕對順從、高度教養、
如花豔麗的日本姑娘結婚，
即使縮短十年、
二十年壽命都無話可說。
然而這份低薪的話，
無論如何都成不了事。
對啦，用功吧！努力吧！
必能解決一切境遇。

三、鍾理和 1915 – 1960 屏東縣高樹鄉人

摘錄《鍾理和日記》

1945 記於北平
10/26 星期五　晴朗
「供米」初稿的二頁，已三換稿紙了，
但我卻始終寫不出能夠叫自己
滿意的東西來。
這多麼使我難過呢。

1950 記於台北松山療養院
3/17　星期五
……。妻來信：賣豬錢已用罄了，
過幾天，想法弄點款寄來—
希望我再住下去—鐵兒病！
貧，病，眼淚，嘆息……。

5/10 星期三（註：肺結核開刀前）

與台妹——

台妹！親愛的：

我拋開你們母子，

獨自悄悄的走了，……。

我們的愛，是世人所不許的，

由我們相愛之日起，

我們就被詛咒著了，……。

（注：因同姓結婚）

此去，海闊天空，

我們將何所靠而生呢？

愛啊！不是愛，還有什麼呢？

1956 記於美濃尖山

3/7 星期四　晴

出美濃。付郵寄出「笠山農場」，……。

寄出去，心裡默禱它不要再打回頭，

就像爲人父母者，

嫁出去了一個心愛的女兒。

1959 記於美濃尖山

5/25 星期一　晴

賣三條小豬子得七百二十元，……。

「浮沈」完成，八千字。即寄肇政。

服用漁人牌魚肝油。

5/26 星期二　晴

血痰。

再停止執筆。

四、陳秀喜 1921 － 1991 本土女詩人

〈台灣〉

稻草

榕樹

香蕉

玉蘭花

飄逸著吸不盡的奶香

海峽的波浪衝來多高

颱風旋來多強烈

切勿忘記誠懇的叮嚀

只要我們的腳步整齊

搖籃是堅固的

搖籃是永恆的

誰不愛戀母親留給我們的搖籃

五、鍾肇政 1925 －桃園縣龍潭人

摘錄《鍾肇政回憶錄》（一）——徬徨與掙扎

《怒濤》之後，我的創作活動停止了。

筆雖然未停，寫的卻都是一些專欄性的

雞零狗碎的東西。

若以數字計，還是少得可憐，少得不成話說的。

在掙扎、徬徨的當中，我常常以此自解：
我投身社會運動，我上街頭，我開會，
我演講——我有責任啊……

我累了！我累了大半輩子，不，根本是一輩子。
以前那些歲月，
我只能利用假日寫、譯，尤其寒暑假。
那些放假的日子，我必須苦寫、苦譯，
還有編書、編雜誌與副刊——就是看稿子、
寫信的一段著實不算短的老編生涯。
幾十年間，我幾乎沒有休假過啊……
也還有家庭上的。

我需要休息——然而，在休息時，
我仍彷徨，掙扎。
爲了沒有創作；除了彷徨、掙扎之外，
還有無限的焦灼。
沒有創作，
一個作家的生命已然宣告打下休止符，
我又怎能徒令歲月在空白裡飛逝而去！？
於是，我的生命只剩下徬徨與掙扎。
你說，這個書名多美妙？
原來，我的人生正是彷徨與掙扎啊。

一九九七年來臨（已過了十三天了！）

這新的一年，在我會是一個轉機嗎？
這十幾天，我已一改過去幾年的「懶散」，
一空下來，哪怕是短短的時間，
我都在苦苦地工作。
我整理這三本書的文稿。
連自序也是段段片片地寫下來的。

如果真是轉機，說不定再拾起創作之筆——
仍是苦寫，也正是掙扎、徬徨。
可以肯定，那也是可怕的日子呢。

六、杜潘芳格 1927 年生　台灣新竹人

《故里》

巴士載了一直閉著眼睛的我，跑。
向著故里跑。
故里光亮明朗，
原爲閉著又漆黑的我心，
被光浸進逐漸地放晴。
我座位周圍的小孩互談著，
被他們的話語誘發，我終於微笑了。
從此，我就能夠關懷這個人那個人了。

故里那棵樹仍舊站著：
是一百年前祖先們
殺死河南營兵吊死的。
父親種植的油加利樹長長長長地

延續在街道。
明朗的光，但也有陰影，
有一場葬禮；那今之古人的腦細胞
和他的意識全部死了嗎？

白蝴蝶飛舞在亮光中，
秋天的香氣白菊花，黃菊花。
原產地在遙遠的異國那可愛的小花
如今變成了野生無名草花叢中開著。
我不得不現在立即回去，
回去昏暗曇天的我的住所。
故里啊！可愛的故里，再見吧。
給我，短暫卻是明朗的時間和場地，
真是多謝了。

七、李喬 1934－苗栗縣大湖人

摘錄《寒夜三部曲》（序章）
每到秋風起冬寒來的時刻，
深山絕谷裡的鱒魚，
晚上就開始做還鄉的夢，……
白山黑水邊，
海洋江河寒暖流的交際，
那裡是故鄉，
是生命的發祥地，永恆的母親。

鱒魚的夢，可能也是人類的夢；

鱒魚的幻影，可能正是我們的心像。
胡馬依北風，越鳥巢南枝，
不可如何的先天眷戀，
歷史的痛苦感情。

鱒魚，是神秘的魚，
鄉愁的魚，悲劇的魚。
鱒魚，在寒夜，於荒村，
憑著方寸一盞孤燈，
望向迢迢遠路……
這是鱒魚的傳說，
也正是我要敘述的
「寒夜荒村一孤燈」的故事。

八、范文芳 1942 年生　新竹竹東人

〈桐花〉

三月四月間
油桐開花
花白如雪

八九月間
油桐落葉
葉黃如土

阿爸在世
滿山種桐

桐子商人買

阿爸過身

滿山桐花

桐花詩人惜

九、徐仁修 1946－新竹人

摘錄《家在九芎林——福佬人來鎮的時候》

吉仔叫了起來，臉上有點激動地說：

「今天晚上有跑江湖的福佬人在高橋梘頭庄

的文昌廟前賣藥耍把戲！」

「福佬人！福佬人！」雄牯驚奇地叫了起來：

「是不是那個收破爛的瘤仔伯說的那種，

講話第一句都要加一個幹字的？」

「很可能是！」吉仔說。

「你看見福佬人長得什麼樣子嗎？」

老鼠湘好奇地問。……。

他們一路上連奔帶跳地趕著路，一邊猜測著

福佬人長得的什麼樣子。

「大概跟生番一樣，是刺臉的！」

棟仔說：「只是福佬人刺的顏色不同。」

「也許他們有尾巴！」流氓俊笑嘻嘻地說。

「我想福佬人的臉上有某部份跟我們不一樣，

譬如鼻子像豬、耳朵像狗，或者頭上長角。」

吉仔說：

「胡說！世界上哪有這種人！」

母貓章駁斥著說。

「喂！你有沒有看過西遊記？你看豬八戒、牛魔王不就是這樣？」吉仔理直氣壯地說。

在一路猜測下他們抵達了高橋梘頭庄。

文昌廟前圍著好多人，……，

「哪一個是福佬人呀？」雄牯迫不及待地問。

這時與雄牯一起來的同伴都一起注視著胖子不倒翁，要聽他的回答。

不倒翁朝前一指說：「就是他們三個啊！」

「跟我們長得一模一樣嘛！」十幾個孩子幾乎一致失望地說。

他們跑了五、六公里路，就是爲了一開眼界看看福佬人。

十、陌上塵 1952－苗栗縣人

〈黑臉〉

不是國劇臉譜的關雲長
不是歌仔戲裏的包文拯
是鎮日風塵僕僕爲生活奔波的
臉
黑色的，且有太陽煎熬
的光澤
下工歸家後
對著鏡子要它還我

清白
三分之二天的光陰和
塵裏爲伴
留下三分之一與
妻兒共眠
那張經塵裏侵蝕的
臉
任明鏡如何高懸
也無能還我清白

十一、利玉芳 1952－屏東人

〈貓〉

在靜靜的時空凝視
相互感應對方的呼吸
牠的眼睛就是我遺失的眼睛
牠黑夜裡輕巧的跫音
不是因爲避免惹起浮躁的人嗎
貓的腳步就是我的腳步

十二、鍾橋 1956－苗栗三義人

《掉落的米粒》

我聽見一粒稻米掉落，
掉落在原鄉滾動的土地上。
我沈睡，在夢中造訪
迴旋夥房中的唱盤，
拉起一道河脈，

穿梭過城鄉變貌中
撕裂的傳承。
挨近黎明，我醒在
一雙雙受傷的眼睛面前。
遺忘的語言，是荒涼中
破脆的鐘聲……。

十三、劉還月 1958 －新竹縣新埔人

摘錄《台灣人的歲時與節俗》

不管是四時或者八節，
還是民間流傳最廣的廿四節氣，
都是一代一代的先人，
累積了無數經驗換來的智慧，
而這些人和大自然共生的智慧結晶，
正是新生代新子民
必須謙卑學習的課題！

太平洋戰後的台灣，
社會結構產生了相當大的改變，
受教育成了人們的「義務」，
不到幾十年，大多數的青年學子們，
成了光會讀課本，
卻無法完全理解
自然智慧與生存法則的一代，
多少人失去了向先民智慧學習的機會，

甚至連感受四季變化的
能力都漸漸消失了……。

你可以不種稻子而活一輩子，
但怎能完全不在乎人和大自然
妥協共生的法則，
又怎能完全無知春耕夏耘並不只是
一種農業行為而已，
而是天地萬物至高的生存法則呢？

十四、藍博洲 1960－苗栗縣人

摘錄《幌馬車之歌》

鍾順和（化名）：
我是鍾順和。一九四九年九月，
我與鍾浩東校長同案被捕。
同年十二月，我和校長，
以及其他政治受難者，
同被送到內湖新生總隊感訓，……。
十月十四日，清晨六點鐘。
剛吃過早餐，押房的門鎖便卡啦卡啦地響了。
鐵門呀然地打開。
「鍾浩東、李蒼降、唐志堂，開庭。」……。
我看著校長安靜地向同房難友一一握手，
然後在憲兵的扣押下，
一邊唱著他最喜歡的一首世界名曲—

〈幌馬車の唄〉，
一邊從容地走出押房。
於是，伴奏著校長行走時的腳鍊拖地聲，
押房裡也響起了由輕而逐漸宏亮的大合唱：……。

蔣蘊瑜：
我是蔣蘊瑜。是鍾浩東的太太，
蔣渭水的女兒……。
我的本名是蔣碧玉。
蘊瑜和浩東都是抗戰時期，
丘念臺先生爲我們取的名字。
這首世界名曲很好聽。
它的歌詞大概是說：
「黃昏時候，在樹葉散落的馬路上，
目送你的馬車，
在馬路上幌來幌去地消失在遙遠的彼方。
在充滿回憶的小山上，遙望他國的天空。
憶起在夢中消逝的一年，
淚水忍不住流了下來。
馬車的聲音，令人懷念，
去年送走你的馬車，竟是永別。」
這首歌，是剛認識浩東時，
浩東教我唱的。……
浩東的感情豐富的人，所以，

他很喜歡唱這首歌。

他曾經告訴我說：

「每次唱起這首歌，就會忍不住想起

南部家鄉美麗的田園景色！」

十五、鍾永豐 1964 －高雄縣美濃人

摘錄《線道 184》（卷首詩）

縣道 184 初開始
像一尾戇公
從日頭落山話系又毋通介地方
蹟哪到捱們這個庄頭

擺擺阿爸車穀包去農會換肥料
就會擻擲啦到牛車頂高壓心
縣道 184 從適耶看哪出
像一穴老鼠窿
路兩脣介鐵刀木野野搭搭
孵出禾畢仔颺葉仔擻樹影仔

從適耶看哪出
縣道 184 像一尾蝻蛇
久久正會有一台揙屎牌送車
滿滿疊著太膣嘛枝介虛糯奇
攻天攻地從山肚里劇哪出
重劃過後田塍改轉直角
嗒麻糕路打哇密麻嚌啁

耕田是緊來緊省工
但係緊來緊壞攢食

縣道一八四這項時
像一尾湖蜞
巴著捱等這個庄頭
緊吸緊肥緊吸緊光生
歸庄介後生仔
皁伊
吸淨淨

第三節：台灣客家期刊

客家人大多僻居於近山地區，而且人數有限，要出版有關客家人之社會、政治、經濟、風土民俗、歌謠、戲劇、藝文、論著……等出版品，均是一件不易之事。在台灣的客家期刊，由於創設之目的或旨趣不一，而有各種不同的刊物內容，其情形諸如有描寫歷史沿革、地方民情、傳說典故、鄉情簡訊、忠烈事蹟、詩歌、散文、童謠、童話、俗諺賞析、客家藝文、專訪、專論……等，包羅萬象的內容。在期刊的經營上，除了苗栗的《苗友》有悠久歷史，以及南台灣的六堆刊物較能持久發展外，其餘的大多是有經濟之因素或其它種種之理由，而多呈曇花一現的現象。今將在台灣所發行過的刊物簡述如下：

台北：

1. 《嘉應五屬年刊》，爲台北市嘉應五屬同鄉會所編印，於民國 75 年 10 月，在台北市創刊。其目的在保存故鄉的史料文物、弘揚客家精神以及敦睦鄉誼爲主。
2. 《客家風雲》，於民國 76 年 10 月 25 日，在台北創刊，並於民國 79 年 1 月更名爲《客家》。其目的在確立客家人的新價值外，還舉辦各種專題討論、座談、夏令營……等，來呼籲客家人在變局中應有的認識。在第一六三期，即二○○四年元月時，爲因應國際潮流、方便客家母語教學以及客語音標的註釋下，版面由直式改爲橫式。
3. 《中原客家雜誌》，於民國 76 年 12 月 12 日，爲台北市客家崇正會會刊，每兩個月出刊一期，於民國 78 年 3 月出刊爲八期後停刊。
4. 《世界客總季刊》，於民國 77 年 7 月 7 日，由世界客屬總會在台北市創刊。其目的在聯繫客家，相互合作，共謀發展，做出更多的貢獻。在民國 79 年 3 月發行第六、七期合刊後，停刊。
5. 《台灣客協會訊》，於民國 80 年 7 月 1 日，爲台灣客家公共事務協會的會刊，在台北市創刊，其目的，在心靈上藉此交流，凝聚向心力。自民國 82 年 10 月刊行第六期後，採不定期出刊。
6. 《客家台灣》，於民國 81 年 12 月，在台北縣新莊市創刊，由北美客家台灣語言文化基金及台灣客家公共事務協會贊助出版，採不定期出刊，並從事於純客語的思考述作。

7.《台大客家》，於民國 80 年，由「國立台灣大學客家研究社」社長吳錦勳創刊。

8.《青年客家》，於民國 81 年 6 月 20 日，由師大客家社社長劉慧真創刊。

9.《客家郵報》，於民國 92 年，由易宇豐發行，該報認爲沒有客家話，就沒有客家人。目前台灣客家人口約四、五百萬，佔台灣人口數四分之一，卻始終沒有適當媒體可以發聲，以表達客家族群的意見。客家郵報的創刊，主要目的是希望能藉由發行反映客家人的主張，並扮演客家族群之間相互溝通、了解與團結的橋樑，爲客家的生存與永續發展略盡棉薄之力。《客家郵報》創刊發行不久後停刊。其後內部改組，並於民國九十二年（西元 2003 年）六月十八日，發行創刊號時，把它更名爲《客家時報》。在民國九十四年（西元 2005 年）五月十六日，發行創刊號時，又把它更名爲《全球客家郵報》，並更換地址於台北市中山區民生西路十六號五樓之二。

桃園：

1.《楊梅周刊》，於民國 81 年 10 月 17 日，在桃園縣楊梅鎮發行。其目的，在做人民與政府的橋樑，並做爲楊梅人的親蜜伙伴。

苗栗：

1. 《苗友》月刊雜誌，於民國 51 年 6 月 15 日，謝樹新在苗栗鎮創刊，於民國 54 年 2 月正式易名為《中原》。在民國 70 年 11 月時，為加速報導地方公共事務，由月刊改為周刊外，還出版有《客家話讀本》、《客家話會話》、《客家諺語》、《童謠集》、《四言雜字》等。在民國 81 年 6 月時，還編有 1020 頁的《客話辭典》。
2. 新苗栗雜誌（月刊），創立於民國 69 年 1 月 22 日，發行人為張鏡明，總編輯為陳運棟。此月刊，在民國 70 年 8 月 22 日止，共發行二十期，其內容主要針對農經、財政作評論與發表，發行達三千多份。
3. 《三台雜誌》（雙月刊），於民國 74 年 8 月 8 日，張致遠（本名張瑞恭），在苗栗縣頭份鎮創刊。在有關三台之命名方面，乃是在苗栗縣境從西邊平原東望，有加里山、東三湖以及墨硯山等所形成的三台。此雜誌係菊八開內頁 120 頁含 16 頁彩頁之鄉土性雜誌，以土地、歷史、民俗為訴求主題，其內容包括有開台史話、三台新曲、環保篇、特稿、台灣土地、鄉土誌、靈山秀水、民俗文化、三台藝文、客家文化、三百六十行、山城人物等。此刊物到了民國 77 年 8 月 25 日止，發行三年，共十八期，每期發行達四千冊外，還發行有我們家的根源、賽夏族矮靈祭、以及日文文學名作選讀等三台叢刊。㉝
4. 《大龍港雜誌》（雙周刊），於民國 76 年 7 月 10

日，由張瑞恭在苗栗縣頭份鎮創刊。此雜誌係16開，內頁80頁，涵蓋大安溪、後龍溪以及中港溪流域，立場超然獨立的時論性雜誌。其內容包括有封面故事、人物專訪、社會傳真、環境、環保、藝文活動、文教、戶外旅遊、醫療保健、開懷篇等。此刊物自完成推動社區環保意識階段性任務後，於民國77年1月24日，發行十四期後停刊。㉞

5.《苗栗人》，於民國81年5月，在苗栗市創刊，由「公民投票促進會苗栗分會」資助，從事不定期出刊。其出刊目的，在彰顯「台灣主權獨立」，故有較多政論性和新聞性的篇幅。

6.上公園——頭份鎮訊（季刊），於民國83年10月25日，徐耀昌鎮長在苗栗縣頭份鎮創刊，其發行目的，在於民眾監督政府的行政效率，不必透過任何人，即可在刊物上得知政府在爲我們做什麼。此季刊版面，爲四開版面，其內容包括頭份鎮建設、鎮內藝文活動、鎮政宣導、人物團體特寫……等，多項報導。

台中：

1.東勢《山城周刊》，於民國68年7月15日，吳鎮坤在台中縣東勢鎮創刊，是屬於一種的鄉鎮性社區報紙。其目的在呼籲「我愛家鄉，家鄉愛我」，爲東勢鎮及其鄰境的客家鄉鎮，而打拚、建設。此刊物，原爲周刊，在民國82年11月15日後，改爲雙周刊。

2.《逢甲客家》，於民國81年年底，由逢甲大學「客家學社」創刊。

高雄：

1.《今日美濃》社區草根周刊，於民國 63 年 7 月 16 日，黃森松在高雄美濃創刊，於民國 70 年停刊。其目的在服務鄉梓，希望家鄉人關心家鄉事，來促進美濃的繁榮進步。

2. 美濃《月光山》旬刊，於民國 71 年 3 月 29 日，由林茂芳在高雄縣美濃鎮創刊。其目的在塡補《今日美濃》的停刊，繼續爲美濃鎮的建設而努力。

屏東：

1.《六堆》集刊，於民國 67 年 1 月不定期出刊，在屏東市發行，由曾秀氣主編。其目的在傳揚六堆地區的歷史精神與文化。此集刊到民國 71 年，共發行十三集後停刊。

2.《六堆雜誌》，於民國 75 年 4 月，由「六堆文化教育基金會」，在屏東市創刊。初期每月發行，自出刊十三期後，改爲雙月刊。其目的，在承續《六堆》集刊的精神，而繼續努力打拚。

3.《六堆風雲》雜誌，於民國 78 年 2 月 15 日，在屏東市創刊。其目的在報導六堆地區客家人的鄉土活動，並發揚客家精神。㉟

註　　解

①參見中時外電綜合報，〈全球近三千種語文瀕臨消失〉，中時，91 年 2 月 22 日。

②參見吳中杰著，「從公共場域看客語政策」研討會——留給客語一個完整的空間，〈客家教學的迫切與難題〉，財團法人寶島客家廣播電台FM 93.7，行政院客家委員會輔助，93.12.24～25。

③翁鳳英著，〈客語詞彙彙編深耕客家文化〉、《客家文化季刊》，NO.7，春季號，頁 32，台北：台北市政府客家事務委員會，2004。

④吳旻潔著，〈讓學童快樂學習〉，《客家文化季刊》，NO.7，春季號，頁 14，台北：台北市政府客家事務委員會，2004。

⑤施正鋒著，「從公共場域看客語政策」研討會——留給客語一個完整的空間，〈客語流失與客語政策的關係——從語言人權著手〉，財團法人寶島客家廣播電台FM 93.7，行政院客家委員會補助，93.12.24～25。

⑥ 《客家雜誌》，第 25 期，頁 49，1992 年 6 月。

⑦ 高宗熹編著，《客家人——東方的猶太人》，頁 110、111，台北：武陵，1992。

⑧ 江運貴著，徐漢斌譯，《客家與台灣》，頁 178，台北：常民，1996。

⑨ 高宗熹編著，《客家人——東方的猶太人》，頁 111，台北：武陵，1992。

⑩ 《客家民俗文化》，頁 75，台北：台北市客家公共事務協會，1997。

⑪ 自由時報，第八版，2001 年 3 月 14 日。

⑫ 彭欽清著，「從公共場域看客語政策」研討會——留給客語一個完整的空間，〈用心經營客語文教學〉、〈客語教學如何在學校紮根〉，財團法人寶島客家廣播電台 FM 93.7，行政院客家委員會補助，93.12.24～25。

⑬ 參見劉兆祐著，《中國古文字》，頁 12，台北：行政院文建會，1989。

⑭ 同上，頁 12、13。

⑮ 邱燮友等編著，《國學常識》，頁 198，台北：東大圖書公司，1989。

⑯ 參見王道韞編著，《中國文字演變史》，頁 86、87，台北：五洲，1988。

⑰ 參見曾曾旂著，「從公共場域看客語政策」研討會—留給客語一個完整的空間，〈如何在公共場域建立客語體系〉，財團法人寶島客家廣播電台FM 93.7，行政院客家委員會補助，93.12.24～25。

⑱ 陳雅莉著，〈親子快樂學客語七種方法報你知〉，《客家文化季刊，NO.11，2005 春季號》，頁 28～31，台北：台北市政府客家事務委員會，94 年 3 月。

⑲ 參見邱燮友等編著，《國學常識》，頁129，台北：東大圖書公司，1989。

⑳ 參見涂公遂著，《文學概論》，頁215，台北：五洲，1989。

㉑ 龔萬灶著，〈早期客家童蒙書與現代兒童讀物〉，《客家文化研討會論文集》，頁 161～166，台北：行政院文建會，1994。

㉒ 黃恆秋著，《台灣客家文學史概論》，頁 33～35，台北：愛華出版社，1998。

㉓ 黃恆秋著，〈我本客屬人〉，《台灣客家人新論》，頁106、107，台北：台灣客家人公共事務協會，1993。

㉔ 邱春美著，〈從客家「傳仔」研探其文學發展〉，《客家文化研討會論文集》，頁 91～94，台北：行政院文建會，1994。

㉕ 同上，頁91～94。

㉖ 參見梁明雄著，《日據時期台灣新文學運動研究》，頁313，314。

㉗ 參見劉慧真著，《台北客家人文腳蹤》，頁 47、48，台北：台北市政府客家事務委員會，2002年。

㉘ 同上，頁52、53。

㉙ 黃重添等著，《台灣新文學概觀》，頁83、84，台北：稻禾出版社，1992。

㉚ 參見〈鍾理和以文學救贖生命〉，台灣日報，92.11.10。

㉛ 黃重添等著，《台灣新文學概觀》，頁 71，台北：稻

禾出版社，1992。

㉜ 同上，頁 94、95。

㉝ 參見《頭份鎮志》，頁 478，文教篇，苗栗：頭份鎮公所，2002。

㉞ 《頭份鎮志》，頁 478、479，文教篇，苗栗：頭份鎮公所，2002。

㉟ 參見涂春景著《客家文化論叢》，頁 83～95，台北：中華文化復興運動總會，1994。

第四章：民間信仰

第一節：自然崇拜、神佛信仰、法術禁忌與風水崇拜

台灣客家人，在渡大海，入荒陬，蓽路藍褸，以啓山林的傳統信仰中，幾乎繼承了漢民族的文化而來。尤其是，台灣在許多人對於大大小小各種鬼神都加以膜拜，以求「萬無一失」的心態下，不但寺廟眾多，而且所祀奉的神祇也有數百種之多。它大致可分爲全國性信仰（如佛、道、關帝、媽祖、城隍爺）和區域性信仰（如開漳聖王、三山國王……，具有濃厚鄉土色彩的神祇）等兩大類，而在各寺廟所祀奉之主神方面，依其性質，大略又可分爲寺廟、齋堂、宗祠祖廳、小祠等四類。其中在台灣，觀音菩薩、釋迦佛、媽祖、玄天上帝的寺廟，在閩客地區都很普遍。崇祀關公、神農大帝、三山國王與三恩主（武聖關公、孚佑帝君、司命真君）的廟大多集中在客家地區。閩南地區則以崇祀王爺（瘟神）的廟較多。何以客、閩地區的信仰有如此差異？何以客家先民會將武聖關公、三恩主視爲心靈的寄託呢？從中不難發現客家先民拓荒務農謀生的艱辛，

以及客家人的重節義、然諾的重要因素存在。

早在數千年前，根據《史記》記載，在山東齊國，奉祀有包括天主、地主、兵主（戰爭）、陰主（女性）、陽主（男性）、日主、月主和（四）時主等八位的神祉外，在位於中國南方的楚文化方面，也有許多拜神的描述，其情形有如在《楚辭》的九歌中，就有東皇太一（可能是楚人的上帝）、雲中君（雲神）、湘君（湘水之神）、湘夫人（湘水女神）、大司命、少司命（以上兩種是命運之神）、東君（日神、太陽神）、河伯（河神）、山鬼（山中精靈，女性）、國殤（爲國犧牲的戰士之魂）、禮魂（尾聲）等各種神祉、鬼魂的描述。其後，在中國大陸又不斷的演變，而又有更多的鬼神出現。在台灣方面，台灣民間信仰經過幾個世紀的演變，已經形成一種獨特的信仰方式。民間信仰的演進與台灣早期移民社會來台開墾的生活及環境息息相關，先民早期渡海來台，航海危險高，這個時期就以信仰禡祖、玄天上帝爲主；隨後因瘟疫流行，就開始信奉瘟神——王爺；在與原住民衝突的過程中，開始有了武神關公的祭祀。台灣的民間信仰，就在這樣的的背景下，由泛靈信仰，逐漸揉合道教、佛教、儒教等元素，建立起獨特的宗教基礎。①其情形有如，根據鄭奕宏學者，近年來在《客家》雜誌第三十五期的民間信仰——神明事中，指出：神佛可以分類成自然崇拜之神、靈魂崇拜之神、道教之神、通俗佛教之神等四大類型。

自然崇拜之神，計有福德正神（土地神）、玄天上帝

（北極星神）、風神、玉皇上帝（天神）、三山國王（山神）、文昌帝君（文昌帝神）、東嶽大帝（山神）、七星娘（織女星神）、城隍爺（城濠神）、三官大帝（天、地、水之神）等十種。

靈魂崇拜之神最多，計有王爺（漢、唐代之忠臣烈士三百多人的靈魂，通通稱做王爺），因此各王爺就有朱王爺、李王爺等，天上聖母（林默娘）、保生大帝（名醫吳本）、延平郡王（鄭成功）、關聖帝君（關羽）、水仙尊王（大禹）、五穀仙帝（神農氏）、孔子公（孔夫子），還有無名的孤魂野鬼等。

道教神有玉皇上帝、三官大帝、東嶽大帝、城隍、陰陽公（城隍之部下）、孚佑帝君等。

通俗佛教之神，計有清水祖師（明代福建高僧）、太子爺（古代印度神話中之神）、李天王（古代印度神話中之神）、觀音娘等。

客家民間的宗教信仰，對客家民性之所以會影響極深，其促成信仰的原因，一、是對神仙的崇信。二、是對鬼魂的恐懼，使之每逢歲時節慶或是神誕日，動輒有傾村出動，男女老幼進廟祭拜的現象外，在客家的宗教信仰當中，它是一種屬於多神論的群體，只要爲我所用，不管祂是本土之神，還是異域之神，什麼神靈都信。諸如求閤家平安，則向如來佛、觀音、玉皇大帝、城隍，以及列祖列宗敬拜。求功名、藝文方面，則向文昌帝君敬拜。求生子添孫方面，則向天后娘娘、九子聖母敬拜。求無生病方面，則向神農大帝、華陀仙師敬拜。在播種方面，則向田伯公敬拜……等。在客家地區，除了幾乎逢山必有廟，逢村必有壇外，在家庭方面，也可設有幾十個神位。

人生的追求是什麼？是金錢？是權位？是名譽？是理想？是真理？歷史上多少聖哲、多少聰明之士，莫不窮畢生之力，爲自己的目標而奮鬥？其中，又有多少的人是成功的呢？神最感人的地方，莫過於當人們孤獨、失意茫然無助時，祂能給予人們一個寄託和努力製造希望的精神所在。只要是有生命的東西，包括人類在內，不管它或他（她）過去有多大的權勢或對社會有多大的貢獻，必會走上生、老、病、死的過程之中。人活在世上，爲了種種的慾望與需求，而有許多的祈求，諸如有求生存、求身體健康、求能得佳偶、求子嗣、求好育飼、求闔家安樂、求事業順利、求財源廣進、求功名顯達、求早日痊癒、求長壽、求死後能上天堂不下地獄受苦……等，枚不勝舉的祈求。因而在神明的種類上，也不斷的從宇宙萬物、天神地祇到陰陽鬼怪，甚至人鬼，來滿足善男信女的各種需求。在人們的祭拜態度上，無論「祂」是神或是鬼，也不考慮祂在另外一個世界的神格問題，只要有靈，香火必然鼎盛。

一、自然崇拜：

大地是人類萬物賴以生存的地方，遠在春秋戰國時代，莊子就曾對自然界的變化莫測感到許多的疑問，因而反映在他的天運篇中說：「天其運乎？地其處乎？日月其爭於所乎？孰主張是？孰綱維是？孰居無事推而行是？意者其有機械而不得已耶？意者其運轉而不能自止耶？雲者為雨乎？雨者雲乎？孰隆施是？孰居無事而淫樂勸是？風起北方，一西一東，有上彷徨，孰噓吸是？孰居無事而披拂是？」這種人類驚於大自然的神秘，如日月的晦明、群星的閃爍、人物的生死、草木的榮枯，以及風、雨、露、雷、霜、雪之變化不測，既可帶給人類光明、溫暖和甘露，又可給人類帶來了黑暗、寒冷、酷熱、洪禍、災旱……等，不可預知的福禍降臨。這些都足以震眩初民的耳目，搖蕩初民的心靈，而使其發生驚異疑懼的思念，在索思不解後，認為一切自然現象也像人一樣是有意志，有性格，有感情的東西，於是就假定有「神」的存在，而對自然天地現象加以崇拜，其情形，有如在尚書中，有「惟上帝不常，作喜降之百祥，作不善降之百殃。」以及伊尹誥戒太甲要：「惟天無親，克敬惟親」等，好好侍候、祭祀上天的話語等情形。

在這些自然神、在它的往後發展上，包括有天空、日、月、星辰、風、雨、雷、電、方位、時間……等，並加以命名而有，日神、月神、風伯、雨師、雷公、電母、三官大帝（天、地、水三界，即上元賜福天官紫微大帝、中元赦罪地官靖虛大帝、下元解厄水官洞陰大帝外，又有天官堯也，地官舜也，水官禹也之說。其中，客家人所奉祀的「天神爺」，即是指「天官大帝」的堯帝而言。在有關祂的記載方面，堯帝姓伊祁，名叫放勳，是帝嚳的第三個兒子。自他繼位後，制定時序，把一年分為春夏秋冬四季，確定一年爲十二個月，三百六十六天，並且有閏月的出現，以調正四時的誤差，以便讓百姓的作息有所定時。因此漢朝的司馬遷對其評價爲：「其仁如天，其智如神，就之如日，望之如雲，富有不驕，貴而不舒。」）、五方大帝（東方蒼帝、西方白帝、南方赤帝、北方黑帝、中央黃帝）、地祇是指地上舉凡社稷（社是土地之神，稷是五穀之神）、五岳、山林、斷崖、海河、川澤、深淵……等皆屬之。因而，諸如在禮記祭法中，就有：「埋少牢於泰昭，祭時也；相近於坎壇，祭寒暑也；王宮，祭日也；夜明，祭月也。幽宗，祭星也；雲宗，祭水旱也；四坎壇，祭四方也；山林川谷丘陵，能出雲爲風雨見怪物，皆曰神，有天下者祭百神，諸侯在其地祭之，亡其地則不祭。」的記載。在近代官方方面，根據《清會典》卷三十六規定：「各地設社稷爲大祀，奉祀社神穀神；又規定設雲雨風雷山川壇爲中祀，以雲雨雷居中，山川神居左，城隍居右。」在各縣也有官祭的同時，客家人由於長期生活在窮鄉僻壤的山區，須花更多的心血與自然界搏鬥，因此對於自然之神，有如代表天、地、水的三官大帝，獨山、明山和巾山化身的三山國王，以及河神、樹神、土地神……等的崇祀，也最爲虔誠。其中，在談到客家人對天的膜拜方面，其方式非常簡單，它往往在祖堂外的曬穀場，或在庭院外朝向天的方向祭拜，而少有雕神像建大廟的祭拜情形。

二、祖先（靈）崇拜：

客家民族是一個相當注重倫理親情的族群。在過去客家人的「神」與「祖」的觀念中，神明是被供奉在廟裏，而家中廳堂所供奉的是歷代的祖先牌位而已！其後，逐漸發展爲在家庭中，也侍奉神佛了。在客家人的現實生活中，似乎每一件事，無不與祖先有著密切的關係。其情形有如家族的堂號，代表南遷前的所在地望；家族的住宅，是祖先建造的；家族的祭祀，是祭拜著歷代祖先的亡靈；家族的譜牒，是記述著祖先的支脈承傳和文武業績……等。在有關如此注重祖先崇拜的觀念方面，它源自於原始的宗教思想。它是東方民族（包括台灣原住民在內）所特有的一種美德，也是在所有鬼神崇拜中特別發達的一種。

祭祀祖先是漢人的傳統習俗。中國的祖先崇拜在商代已十分發達，甲骨文的大部份是商代用來祭祀祖先的。商代對於祖先是「事死如事生，事亡如事存」，把祖先崇拜作爲其宗教生活與社會生活的中心。但早期的祖先崇拜多限於貴族範圍，並僅具有宗教意義；後來經儒家大力地宣揚與推廣，祖先崇拜才走向普遍化與平民化，並具有了道德意義（岳慶平 1990:220）。尤其是宋、元以後，家族或宗族組織中祠堂、族田的興起和完善，爲家族、宗族的祭祖活動提供了制度化的場所和堅定的經濟條件，使得傳統的祭祖活動更趨規範化和實用化，祭祖活動的社會功能得到了更有效的發揮（陳支平 1991：168）②在有關祭拜祖先的重要性方面，它往往與祭祀天地列爲同等的重要，因而在禮記郊特性中說：「萬物本乎天，人本乎祖，此所以配上帝也。郊之祭也，大報本反始也。」在禮記〈祭統篇〉

中說：「祭者所以追養繼孝也。孝者富也。順於道，不逆於倫，是之謂畜。是故孝子之事親也，有三道焉。生則養，歿則喪。喪畢則祭。養則觀其順也。喪則觀其哀也。祭則觀其敬而時也。盡此三道者，孝子之行也。」在其祭祀的意義上，在禮記〈祭統〉中，又有⑴見事鬼神之道；⑵見君臣之義；⑶見父子之倫；⑷見貴賤之等；⑸見親疏之殺；⑹見爵賞之施；⑺見夫婦之別；⑻見政事之均；⑼見長幼之序；⑽見上下之際等「祭有十倫」的高深複雜理論。然而一般的人們在祖先崇拜的觀念中，除了具有一種慎終追遠、講求孝道、維繫親屬團體的功效外，可能涉及到一種所謂的「利益輸送」問題，也就是，凡爲人子孫的大都相信人死後，魂游離肉體，而具有超人的神力，一定能在冥冥中視察子孫的行爲，或加以保障、賜福，或予以懲罰、降災，倘若人們能夠妥善處理，必會得到靈魂的庇佑，反之，則會作惡施邪，攪亂人間生活。

客家人除了非常注重陰宅的興建外，在陽宅中，往往有立牌位供奉於家中或祠堂的情形。客家人的祖先牌位，一般都稱爲「阿公婆牌」或「家神牌」，是一種客家社會無形的社會控制中，最具權威性、至尊性和約制性的一種感懷先人，惕勵自己的祖宗崇拜信仰。至於，在祭祀方面，除了每日燒香祭拜外，凡除夕、春節、元宵節、清明節、端午節、中元節、冬至等節日，必會準備豐盛的牲醴敬拜阿公婆，共享節慶。

三、佛教：

佛教在指引人們忍受苦難，覺悟天理人生，行善積德，修持成佛。佛教自從印度經新疆、河西走廊傳入中國腹心地區後，透過知識界的吸收與變通，融合了中國傳統的天命說和忠孝觀，並與玄學相結合，逐漸爲國人所接受。又由於知識份子愛其哲理之廣博細密，而販夫走卒愛其平易近人，有求必應，因此佛教不但在中國生了根，而且成爲中國儒、道、釋三大主要教派之一，又與基督教與回教並稱爲世界三大宗教。

客家人多信奉佛教，而一般寺廟齋堂多由信徒出錢興建，交由僧尼主持，而少有傳佈佛教教義的行爲。在有關祂的教義方面，釋迦牟尼在三十五歲十二月八日豁然悟道到八十二歲二月十五日夜晚逝世的四十五年間，他就本著他所悟出的苦、集、滅、道等四諦聖法，到處傳教說法。其後在佛教的發展上，又有八正道、十二因緣以及五蘊、善惡因果報應和輪迴等理論，當做原始佛教基本教義來協助人們擺脫生死苦惱、達到徹底覺悟的境界。

四諦，是原始佛教的總綱，也是佛法的中心思想。「諦」梵語爲（Satya）是真實無誤，永恆的真理之意。所謂的四諦，是指苦、集、滅、道等四種道理。

苦諦：佛陀在講到四諦時說，人生有生苦、老苦、病苦、死苦、怨憎會苦、愛別離苦、所求不得苦、和五取蘊苦，也稱「五蘊盛苦」、「五盛蘊苦」（是指人類存在的一切物質、精神之苦，它包括有色、受、想、行和識等五種基本要素在內。）

集諦：是對苦因的說明。原始佛教認為造成人世間一切苦的根本原因，就是人具有情欲，其中最重要的就是「愛」。有了諸如愛妻、愛子、愛田地、愛屋宅、愛店肆、愛奴婢……等的「愛」，在欲望得不到滿足後，自然會產生瞋怒，造成苦因的由來。

滅諦：就是要設法消除「貪」、「愛」等情欲的「無明」現象。倘若人生能夠透過修持，而無上述的種種貪心和追求享樂之驅使下，自然能夠脫離痛苦、超越生死，達到涅槃（即火的熄滅之意），獲得精神上的解脫。

道諦：是導致苦滅的方法與途徑。佛陀說，它有「八正道」（或八聖道），其大意為㈠正見——正確的見解，就是在禪觀事實真象過程中，能夠超越唯神、唯我和唯物的主張，而具有佛說的四諦知識，來做全面的、透徹的了解。㈡正思維——正當的目標或抱負，就是在禪觀過程中，用理智來對四諦做深入、細緻的觀察思考，以求脫離邪妄迷謬。㈢正語——規規矩矩、謹慎的言語，就是在修行過程中，力求做到不妄語、不慢語、不惡語、不謗語、不綺語、不暴語、以及遠離一切論戰的情形。㈣正業——正當的活動、行為、工作，就是要求本著合乎道義、榮譽、和平的精神，做到佛教的不殺生（不傷害各種生命，仁也）、不偷盜（不侵犯、奪取他人財物和權利，義也）、不妄語（避免虛偽誇大、妄言綺語，信也）、不邪淫（禁止不正當的男女關係，禮也）、不飲酒（避免刺激，以保證個人的精神安寧，智也）的五戒目標。㈤正命——正當的生計，就是用正當的手段謀取生活，而不從事與道德、法律相牴觸的行業。㈥正精進（正方便）——正當的努力，就是集中精力，堅定意志，腳踏實地的努力向「解脫」邁進。㈦正念——正當的意念，就是要確確實實的對自己的所做所為，隨時保持清醒的明覺。㈧正定——正當的禪定，就是依照四諦之理，正確地修持靜慮來達到身心解脫的悟境。

十二因緣：根據「雜阿含經」卷十二及玄奘所譯的「緣起經」中，對十二因緣所做的解釋，是把人生分為㈠過去二因（1.無明；2.行）。㈡現在五果（3.識；4.名色；5.六入（處）；6.觸；7.受），現在三因（8.愛；9.取；10.有）。㈢未來二果（11.生；12.老死）等十二支或十二環節，來解釋人為什麼會在生死苦海中打轉、輪迴的道理。

過去的二因方面：「無明」，就是愚蠢無知、不明是非、善惡，在人的生命中，根本沒有光明，只是一團迷闇而已！因此佛教把所有不知善惡報應、四諦、因緣等教義者，統稱之為「無明」。

「行」就是造作或思想、意志活動。佛教認為「行」能造成一種影響作用、形成一種婆羅門教的「業力」，而產生報應。

現在的五果方面：它有如一個人的投胎受生（識）。「識」是指一種的感覺、意識和思維活動，包括眼識、耳識、鼻識、舌識、身識和意識等。人在胎中慢慢地發育為「名色」，「名」是「五蘊」中的受、想、行、識，是指精神而言；「色」是相當於物質物體，也就是指肉體而言。

人在快出母胎時，眼、耳、鼻、舌、身、意等感覺器官和意識機能都具全了就稱爲「六入」、「六處」或爲後人所稱的「六根」。出世後，這六處就跟外界環境有所主、客觀的接觸，諸如眼能看、耳能聽、鼻能聞、舌能辨味道、身體四肢對冷暖有所感覺等（觸）。在接觸到四周環境後，就會產生一種領受外界的反作用，而產生苦、樂、和不苦不樂等三種感受，即爲（受）。

現在的三因方面：隨著年齡的增長，身體和心智的逐漸成長與發達，對於一切的人、事、物或環境自然會產生一種如意與不如意、喜歡和不喜歡的感覺。它對於美好的事物，往往會產生一種渴望、貪愛之心的意向，即是（愛）。反之，對於不喜歡之事物就會力求迴避它、捨棄它。人有了欲愛、色愛或無色愛（對無色界的愛）之後，就會設法追求獲得，即爲（取）。由於人爲了追求執取而有種種的思想行爲，就能爲自己種下了未來果的善惡業，即爲（有）。

未來的二果方面：人有了善惡業之後，必然產生果報，從而投胎轉世，導致來世的再生，即爲（生）。人有了「生」之後，自然就會再有衰老、死亡的現象，即爲「老死」。

五蘊：「蘊」是梵文的Skandha，具有積聚、類別之意。原始佛教所提出的色、受、想、行、識五蘊（五陰）等聚散無常，有生有滅的五大類別，可說是對世界萬物和一切生命所組成因素的總括。參見楊曾文學者所著的「佛教起源」一書中指出，在這又可概稱爲「名色」的五蘊，其中的「受蘊」是相當於感覺、感受；「想蘊」相當於表象、知覺；「行蘊」相當於意志或心理趨向；「識蘊」爲人的總的精神作用。受、想、行、識四蘊合爲一體被稱之爲「名」，相當於所說的精神方面。③而色蘊的「色」,不是顏色之意，據稱它是「地、水、火、風四大及其所造」，相當於凡有質量、有阻礙或有形式的物質體方面。在它們之間的關係而言，又根據楊曾文學者指出，「物質的『色』，與精神的『受』、『想』、『行』、『識』各自成爲一類，只是按一定的因果關係聚合在一起，又可按一定的因果關係分解。其情形有如雜阿含經卷一所云：『當觀諸所有色，若過去，若未來，若現在，若內若外，若粗若細，若好若醜，若遠若近，彼一切悉皆無常。正觀無常己，色愛除己，心善解脫。如是觀受、想、行、識，若過去，若未來，若現在，……彼一切皆無常……。』」④

善惡因果報應和輪迴方面：原始佛教對於因果關係，認爲「此生則彼生，此滅則彼滅」，因而主張有因必有果的連帶關係存在外，佛教又進一步的本著「惡有惡報，善有善報」的理念，認爲現今的福禍壽夭是前世善惡行爲的結果，而今世的善惡行爲，又爲決定來世命運好壞的安排，如此循環不已。佛教爲了鼓勵人們向善多積陰德，於是又有天（天堂）、人、畜牲、餓鬼和地獄（地獄中的生靈）等五種眾生輪迴轉生的「五趣」或「五道」說法。在它的往後發展上，後世又增加了介於人與畜牲之間的，因多怒、好鬥，失去了天的德性，而被攆出了天界的「阿修羅」（惡神）等爲「六趣」或「六道」。有關這「六道」之關係，就有如一個人在世時，做了許多善事，則死後必升天堂或轉世投胎爲人，至於在人世間的貧、富、貴、賤，夭、壽、賢、愚等之命運安排，則又取決於生前善業的多少來加以論定，反之，在爲惡方面所受到的報應或處罰亦然。

佛教建築，以及各神、佛的安排方面：在台灣規模比較大的佛寺，其配置大概都設有山門。在山門的左右有鐘、鼓樓。山門的正面爲天王殿，雕塑有鎮守佛門的持國、廣目、增長和多聞等四大金剛。在山門的後方爲大雄寶殿。在該殿的中央，供奉有釋迦牟尼或毗盧佛或接引佛等巨大佛像一尊，而在此巨大佛像的兩旁，通常塑有迦葉尊者和阿難尊者像，有時則改爲文殊和普賢兩位菩薩外，也有供奉三尊像和五方佛像的情形。在三尊像方面，它分爲兩類，一、爲法身佛、報身佛和應身佛等三身佛。法身佛是指毗盧遮那佛，報身佛是指盧舍那佛，應身佛是指釋迦牟尼佛或釋迦文佛。二、爲三世佛。它又分爲橫豎兩種。在時間上，豎的三世佛，是過去佛（迦葉諸佛）、現在佛（釋迦牟尼）、未來佛（彌勒佛）。在空間上，橫的三世佛，是東方的藥師佛，中間的釋迦牟尼佛，西方的阿彌陀佛。在三世佛的旁邊，分別有或立、或坐的左右脅侍。在藥師佛旁的分別是日光和月光遍照菩薩。釋迦牟尼旁的是文殊和普賢兩菩薩。阿彌陀佛旁的是觀世音菩薩和大勢至菩薩。在五方佛像方面，它是由正中間，代表理智不二的大日如來（毗盧遮那佛）、代表福德的南方寶生如來，代表覺性的東方阿閦如來，代表智慧的西方阿彌陀佛如來，和代表北方的不空成就如來等「五智如來」所組成。在大雄寶殿的兩側，通常還置有十八羅漢等。至於，在有關佛像的雕塑方面，爲什麼常看到佛的眼睛是低垂的呢？其原因大概是佛教主張自性皈依，往自己本心探求，自然眼光往自己，往內深省了。而耶穌主張仰靠上帝的恩典，自己是卑下的，那麼他的目光自然就往上仰盼渴望了。在有關浴佛節方面，陰曆四月初八是浴佛節，也就是釋迦牟尼佛的誕辰。相傳釋迦牟尼佛誕生之際，天空有天女散花，仙樂飄飄，而且有九龍吐水，爲初生的佛陀沐浴，因此便將佛誕稱作「浴佛節」。當天寺院常以水盆供銅佛，用小勺舀水澆佛身，水集中在盆內。這些浴過佛身的「聖水」，取來飲漱，據說可以祛病延壽；有些寺院爲了增加可飲性，便用糖水浴佛。除了舀水浴佛外，還有釋放籠中鳥雀、桶內魚蝦，宣揚佛教戒殺生的放生活動。在佛堂上，除了上述以佛陀爲主的安排外，觀音菩薩和地藏菩薩，也廣泛受到客家人民的崇奉與膜拜。

觀音又稱爲「觀世音」，因其能普遍「觀察」世界上的一切聲音而得其名。原屬於男性的 Avolokitesvara 觀世音菩薩，祂經過南北朝時代的逐漸演化，到了唐時，則被改塑成一種慈祥、秀麗的女性形象了。這個大慈大悲的觀世音，根據佛典說，祂具有觀照世間、維護眾生的屬性，可以根據遇難眾生一心唸其名號「觀世音」，隨機應變出各種化身前往拯救，因而又有「六觀音」、「七觀音」、「三十二化身」、「千手千眼觀音」和「四十八臂觀音」的稱謂。

地藏，梵文是 Ksitgarbha，具有「安忍不動如大地，靜慮深密如地藏」的特質而得其名。祂是在佛陀入滅而未來佛尚未降生世間之前，前來普渡眾生。祂曾發重大的誓願，要孝順和超薦父母；為芸芸眾生擔負一切艱難而苦行；為滿足人們生活需求，令大地草木生長茂盛、五穀豐收；袪除疾病、災害；和渡盡地獄眾生等的大責重任，來解救人們的各種苦難，因而又有「大願地藏」的尊號。

在一般的修行方面，僧尼、信徒常修坐禪唸佛，與他人相會時亦唸阿彌陀佛。其誦經典，朝課為楞嚴咒、大悲心陀羅尼、般若波羅蜜多心經等；暮課為阿彌陀佛經、西方發願文等。其他如金剛經、水懺也常唸。由於佛教常宣揚因果報應、輪迴轉世、佛國淨土和餓鬼地獄的情形，因而演化形成陰司、鬼判、閻羅王、超渡、打鬼、燒香拜佛、布施齋僧、許願還願、誦經、放生、雕塑佛像、修建寺塔、刻印佛經、廣作法事禳災祈福、以及紀念佛陀、菩薩誕辰或成道之種種活動或說法中，其中影響人們最深的，莫過於佛教教義所講的「善有善報、惡有惡報」的「輪迴」之說。認為人死後，依其生前之善惡而轉生於六道之間，輪迴不絕。這一套觀念為民間信仰所吸收，而產生陰間十殿閻羅和十八層地獄的說法。又由於佛教主張以慈悲為懷普渡眾生。因此，救苦救難的觀世音菩薩以及西方極樂世界的阿彌陀佛深受民間的崇信。故在台灣客家有「家家阿彌陀，戶戶觀世音」之稱。

四、道教：

道教為中國固有的宗教，張天師可謂道教之教宗。道教原為道學，即黃老之道，起源於黃帝，至老子而集其大成，東漢張道陵造作道書，祖述老子，憲章列聖，並制定種種科儀，齋醮章符，現規眾徒，道教始正式成為宗教。台灣之道教來自中國大陸，流傳甚廣，可說是已經深入民間各個階層，使之今日全台的寺廟，大多帶有道教的色彩。⑤

道教的司祭有道士和法師兩種，其主要業務是「祈求平安」與「驅邪壓煞」兩項。在教理方面，它和佛教的禁慾苦行剛好相反，而主張以生為樂，以長壽為大樂，以不死成仙為極樂。在教義方面，他們對於教義大多均不甚了解，而經咒也非常龐雜，任人解釋。在有關它的發展方面，道教基本上是中國土生土長的宗教，它源於原始的天地、鬼神、萬物等泛靈信仰，炎黃子孫的龐雜文化、歷史知識，以及商周的巫祝，秦漢的神仙傳說、方士道術的實踐，並受到往後外來佛教的刺激或影響而逐漸形成。道教的宗旨，在於奉天行道，以道立教，以教化人。其存在之目的，除以修鍊成仙、驅邪避災為務外，還以濟世度人為己任。在我國春秋戰國之時，即有方士不死之說，以動人主之心，後來秦始皇、漢武帝之為求個體生命的無限延伸，或可能進而有直、間接的昇華到諸如不食五穀、騰雲駕霧或乘飛龍而遊四海的神仙思想，均受其影響。為達到與天地同休、日月同壽的境界，在當時的方士分為兩派，一、是主張煉丹藥，求神仙以得長生；另一派，則是主張從事祭祀以求不死，而成為後世道教丹鼎、符籙和神仙三派之來源。

道教在台灣方面，大多是走上務實的路線，台灣的道教屬於南派，於明鄭時，已經傳入，以崇奉北極真武玄天上帝的武當山派為主流。在清初時，根據福建通志卷二十八記載，在當時台灣已有道教正一、神霄、清微、閭山三奶派的活動，也有呂祖廟和真武廟的建立。在它的往後發展上，又有理教、儒教、齋教、福教、德教、神教、軒轅教……等新興教派的不斷產生。然而，絕大多數的台灣人民，尤其是客家人，不會去關心各教派的來源及其差異，或是有關鍊丹、成仙的事情。在道教中，它表現於民間日常生活中最顯著的就是冠婚、葬祭和歲時祭祀了。其中有關祭祀方面，其司祭通常分為道士和法師兩種。法師所奉祖師有大奶夫人（陳靖姑）、法主公、徐甲真人、普庵祖師等；道士則以上清靈寶天尊、玉清元始天尊、太清道德天尊為三清，並奉張天師為祖師，以玄天上帝為守護神。道士在祭祀上從頭飾之不同，可分為烏頭及紅頭兩類。「烏頭司公」，以黑布及黑網巾纏其頭來從事凶、喪之「超亡」法術為主，所謂的「超亡」是對死者從事超渡亡魂等「做功德」的事務。除了部份專屬於「超亡」的道士外，大部份的道士還兼從事於「度生」的業務，目前有靈寶、老君、天師、瑜珈等四派。道士在扮演不同祭祀之目的時，又有法師（在派別上是屬於茅山派之三奶派）之稱，因其在祭祀上以紅巾及紅網巾纏其頭從事喜事及為人消災解厄之「度生法術」爲主，俗稱爲「紅頭司公」。所謂的「度生」是對生者的儀禮，如建醮、謝平安、做三獻等，是爲了祈福、祈平安；又如安胎、收驚、送瘟神、送外方、祭天狗、起工、豎符、補運則是爲了驅邪、押煞。道教除了具有上述功能外，爲了滿足人們渴望窺探不可知的未來，或是現今科學仍然無法解釋的另外一個世界的情形，而有諸如起卦、占卜、通靈……的需要。於是道教就將八卦、五行、干支、方位，這些古代的宇宙觀之象徵物，演繹成星相、算命、擇日、風水等情形，爲民間所相信，並成爲專業性的術士者。

五、三山國王：

在客家人的開山拓墾過程中，爲了化解許多開山的艱難，其中也包括了具有防止原住民的出草威脅，乃奉祀三山國王爲移民台灣的守護之神。由於祂對於整個客家人而言，是處於一種不甚重要的神祉地位，因此而有，有三山國王廟的地方，就有客家人，有客家人的地方，不一定就有三山國王廟。

在有關三山國王的來源方面，其說法不一，約略有：

㈠有謂三山國王之大國王連傑，二國王趙軒，三國王喬俊，皆允文允武，南北朝時助楊堅完成帝業結爲兄弟，被封爲開國駕前三大將軍，後退隱修成正果，隋恭帝時封爲三大元帥，宋太宗時顯靈，封連傑鎮守巾山，爲威德報國王。趙軒鎮守明山，爲明肅寧國王。喬俊鎮守獨山，爲弘應豐國王。⑥

㈡唐代潮州匪賊蜂起，皇帝雖御駕親征，亦無可奈何，幸得山神顯靈，救護官軍始平定之，自此三山之神獲敕封祀爲「三山護國王」。⑦

㈢相傳在南宋末年時，潮州陳有連糾眾叛變，昺帝爲激勵士氣乃御駕親征，孰知麾下九十九員大將皆告陣亡。在此兵敗準備逃亡之際，突然有三位將軍率領大隊人馬，從三山奔馳而至，使之昺帝免於被俘。亂平後，昺帝欲犒賞該三位將軍，但卻不知其下落。其後，經人指點，始知是明山、獨山和巾山的三位山神相救的故事。

㈣相傳南宋末年，文天祥等立宋端宗於福州，元軍緊逼，張世傑奉帝走潮州，爲河所阻，追兵將至，忽見對岸三山有軍旅來援，帝始得脫困，以爲三山之神所佑，遂封爲三山國王。⑧

㈤相傳在南宋末年，國事傾頹時，連傑、趙軒和喬俊是廣東潮州的三位結拜兄弟，在天下大亂、盜匪群起時，此三位結拜兄弟乃挺身組織民兵，對抗盜匪，而當地終獲安寧。朝廷爲感念其功蹟，敕封他們爲王爺。當他們死後，又受到玉帝的敕封，而分別掌管廣東潮州揭陽縣明山、獨山、和巾山等三個山嶽的三山國王。

不管上述傳說如何？此潮州的三山之神，其信仰大概起源於隋，顯靈於唐，受封於宋。由於祂屢顯靈威，而被視爲一種的福神，並成爲客家移民的鄉土守護之神。

在有關奉祀三山國王的情形方面，在大陸方面，在十八、九世紀時，除了在潮州全境，以及在惠州府和嘉應州的部份地區，有信仰這種的角頭神外，在大陸的其他客家地區，則很少見到此種的神祉。在歷史的文獻上，最早出現此神的記載，應該是明·嘉靖年間所刊行的《潮州府志》云：「三山：一曰獨山，在縣西南一百五十里。一曰明山，離獨山四十里。一曰巾山，離明山二十里。相傳有三神人出於巾山石穴，因祀焉，今廟猶存。」外，又參見明·嘉靖禮部尚書盛端明（潮州饒平人）所撰「三山明貺廟記」云：其重點有：*1.*「當隋時失其甲子二月下旬五日，有神人，出於巾山。自稱昆季受命於天，分鎮三山託靈於玉峰之石，廟食於此地……乃於巾山之麓，置祠合祭。」*2.*「唐元和十四年，昌黎韓公刺潮州，霪雨害稼，眾禱於神而響答，爰命屬官以少牢致祀，祝以文曰：『霪雨既霽，蠶穀以成，織女耕男，欣欣衎衎。其神之保庇於人，敢不明受其賜！』」*3.*「宋藝祖開基，劉鋹拒命，王師南討。潮守王侍監赴禱於神，果雷電風雨，鋹兵遂北，南海乃平。」*4.*「迨太宗征太原，次於城下，忽睹金甲神人揮戈馳馬，師遂大捷……凱旋之日，有旌見城上雲中，曰：『潮州三山神。』乃命韓指揮舍人，詔封巾山為『清化威德報國王』，明山為『助政明肅寧國王』，獨山為『惠威弘應豐國王』，賜廟額曰：『明貺』；敕本部增廣廟宇，歲時合祭。明道中，復加『靈廣』二字。」⑨因此「潮之諸邑，在在有廟，莫不祗祀，水旱疾疫有禱必應」。

在台灣方面，在早期蓋在台灣港口海邊地區的三山國王廟，其功能，大多具有會館的性質。其情形，有如台南的三山國王廟，由於它具有安置一時無處落腳的同鄉，而在此建築物上，順便供奉此神，以爲守護，因而又有叫做潮州會館之稱外，又根據陳夢林於清・康熙五十五、六年間撰述「諸羅縣志」時謂：「今流民大半潮之饒平、大埔、程鄉、鎮平、惠之海豐。」由是三山國王信仰隨潮屬客家人在台拓墾開發的腳蹤逐漸及全台。在山區的開發方面，根據陳淑均所修的《噶瑪蘭廳志》記載：「嘉慶庚午四月開疆，編查蘭屬三籍戶口，有漳人四萬五千餘丁，泉人二百五十餘丁，粵人一百四十餘丁。」中，在當時僅有一百四十多位的客家人中，在近山地帶，卻擁有數座的三山國王廟，其主要原因，和原住民的出草威脅，無不有密切的關係。至於，在有關三山國王方面，客家人把祂慣稱爲「王爺」，而祭祀祂的廟宇，則把它稱之爲「王爺廟」外，也有少數人把它稱之爲「三山國王」或「國王廟」等。在有關三山國王廟的往後發展方面，根據台北市客家公共事務協會，於民國八十六年（西元 1997 年）一月所出版的《客家民俗文化》一書中，指出，目前在全台大約有一百五十餘座，其分佈情形爲：宜蘭有 34 座，基隆市有 1 座，台北縣有 2 座，新竹縣有 13 座，苗栗縣有 4 座，台中縣有 12 座，彰化縣有 18 座，雲林縣有 10 座，南投縣有 4 座，嘉義縣、市分別有 11 座和 1 座，台南縣、市分別各 1 座，高雄縣市分別有 10 座和 3 座，屏東縣有 28 座，花蓮縣有 1 座，台東縣有 1 座等。⑩今將一些比較古老的三山國王廟簡述如下：

位於彰化縣溪湖鎮中山里大溪路一二五號的「霖肇

宮」，可能是台灣最古老的三山國王廟。根據該廟的「荷婆崙霖肇宮沿革誌」記載：「明．神宗萬曆十四年歲次丙戌年（西元 1586 年），廣東省揭陽縣弟子馬義雄、周榆森二人，恭奉故鄉霖田廟『敕封三山國王』香火來台，于鹿仔港登岸，轉抵本廟現址，爲紀念國王奉旨蒞台開基，顯化濟世，即以故鄉之名，正式命名此地爲『荷婆崙』。亦因故鄉『阿婆』與『荷婆』諧音之故……翌年萬曆十五年次丁亥（西元 1587 年），地方眾弟子倡議建廟，就地取材，搭建茅屋，命名本廟爲『霖肇宮』……萬曆二十七年歲次已亥年翻修爲『土埆』廟……。從廣東揭陽縣子弟馬義雄、周榆森二人於明萬曆十四年來台至民國七十四年（西元 1985 年）已經四百年，於是舉行慶祝開墓（幕）四百年的盛大活動……」⑪

另外，相傳在明．永曆年間所創建的廟宇，有員林的廣安宮、高雄市的三山國王廟、高雄縣橋頭的義安宮、屏東縣九如的三山國王廟等。至於，位於台南市西北隅的三山國王廟，根據縣誌記載，它爲雍正七年知縣楊允璽遊擊林夢熊等率粵東諸商民所建外，又根據台灣府誌藝文志中，有徐德峻之「新建三山明貺碑記」一文記載，工始壬申小春之月，峻癸酉冬而之衣一，即謂乾隆十七年十月開工，翌十八年冬落成。在有關此廟所奉祀的神祉方面，根據一九三二年所出版的台南州祠廟名鑑舉其祭神之名，有三山國王、天上聖母、千里眼、趙太子、順風耳、土地公、三山國王夫人、觀音佛祖、善才、良女、金人爺等。此過去粵人所創建的大廟，至今可算是已經相當的沒落矣！⑫

六、媽祖：

在有關大道公與媽祖婆鬥法，風雨齊到方面：大道公（保生大帝，本名吳本，或稱吳真人）的生日是三月十五日，而媽祖的生日是三月二十三日，此兩日不是風就是雨，民間傳說是兩位神明互相鬥法，大道公要吹媽祖婆的花粉，媽祖婆要吹大道公的戰袍。歷史上的媽祖，或傳說中的媽祖，救苦救難，總是在危急的時候，就有奇妙的靈驗。相傳呼喊「媽祖」，她就會立即顯靈；若是呼喊「天后」，她就得盛裝駕臨，不免有所遲延，因此在台灣的客家人方面，習慣上大家還是比較喜歡稱祂爲「媽祖」。

客家祖先在渡海來台時，無不祈求媽祖保佑渡海平安。在客家人的「迎媽祖」方面，是選在正月的新年假期，即年初一至正月二十日（天穿日）之間舉行。至於在農曆三月二十三日爲媽祖的誕辰日方面，客家人大多會準備牲醴，去做簡單的祭拜而已！而不會像沿海地區的閩南人會備牲醴大大的祀神慶祝一番。媽祖是「討海人」的守護神，也是農民的護衛神。祂不說佛教裏的釋迦牟尼佛、觀世音菩薩；也不說道教的玉皇大帝、玄天上帝；祂是我國東南沿海各省民間信奉爲救苦救難的海神，祂在台灣不但爲福佬們所熱衷崇祀外，也爲客家人所熱衷供奉。

在有關祂的由來方面，根據「莆田縣誌的湄洲誌」記載，媽祖原名林默娘，生於宋太祖建隆元年（西元960年）農曆三月二十三，現今福建省興化府莆田縣湄州。因她出生時不啼不哭，直到滿月也不叫一聲，家父就給他取名爲「默娘」。默娘自幼聰明頴悟，八歲能誦詩經，十三歲時，經一位高深道長傳授秘訣，得到一個銅符，能驅邪降妖，替村人解決許多問題，十六歲時，能在海中救助過不少遇難的漁民。又根據宋代黃四如殿記云：「妃祖林氏，湄洲故家有祠。……他們所謂神者，以死生禍福驚動人，唯妃生人福人，未嘗以死與禍恐之，故人人事妃，愛敬如母，中心鄉之，然後於廟饗之。」⑬媽祖二十九歲時，爲了救一對在海上遇難的父子而喪生後，其靈異事蹟傳聞甚多，有人說祂常救人於狂風巨浪中，也有人說祂常在海上顯現神燈，把遇難而迷失航道的船隻導向安全港口，因此地方人士便發起建祠，尊她爲「通靈賢女」。自宋宣和五年（西元 1123 年）賜「順齊」廟額開始，屢受歷代皇帝敕賜「夫人」和「妃」的封號。其後，有如在元代時封爲「天祀」，在明代時晉封爲「天后」。在清・康熙十九年（西元 1680 年）時封媽祖爲「天上聖母」。康熙二十三年，清朝和明鄭兩軍對峙之際，施琅曾運用媽祖信仰爲心戰武器瓦解明鄭軍心士氣，據台後，將鎮北坊赤嵌城南之寧靖王宅邸改爲天妃宮，並行文水師各衙署創建天妃宮。康熙二十三年（西元 1684 年）晉封爲「天上聖母」。乾隆五十一年（西元 1786 年）林爽文抗清之役起，次年大學士福康安率師來台征討，亦創媽祖濟師之說。事後，更於台灣府治及鹿港建造天后廟，以示崇敬。民國建立，政府除了對「忠烈祠」較重視外，對於其他偶像崇拜，則採取迷信的態度，加以處理。一九四九年，中國共產黨政權成立，在馬列主義的無神論下，對於各種宗教採取強烈的排斥，造成民間信仰的一大浩劫。尤其是一九六六年以後的文化大革命，著名的湄洲天后宮，即被夷爲平地，以其地爲軍營。⑭直到一九七八年鄧小平復出後，才改爲緩和態度。

有關媽祖在台灣的發展方面，由於昔日台灣常有瘟役、水災、旱災以及農作物之病蟲害的發生，於是民間有「迎媽祖」和「繞境」祈求國泰民安、風調雨順的活動，至此，媽祖已從「海神」轉爲「全能之神」，並且不但是成爲一個家堂神，也是五百餘座較大規模寺廟的主神。在台灣歷史最古老的媽祖廟是澎湖馬公的天后宮，現已被列爲一級古蹟。在南部六堆客家居民方面，六堆內埔的天后宮，由於居民感念聖母的普渡慈航，於清・嘉慶八年（西元 1803 年）六堆總理鍾麟江至福建莆田縣湄洲島割香歸來，並向客家 60 莊民募得 4,410 兩銀，建於現址。其後歷經清・道光二十九年（西元 1849 年）、大正二年（西元 1913 年）、民國三十六年（西元 1947 年）、以及民國八十四年（西元 1995 年）共四次重修。從北到南廟宇巍峨香火鼎盛的媽祖廟有：關渡的關渡宮、大甲的鎮瀾宮、台中的萬和宮、彰化的南瑤宮、北港的朝天宮、新港的奉天宮、台南市的大天后宮等。自一九八七年（民國 76 年），媽祖兩岸「通航」以來，雖然媽祖做爲一種民間信仰的本質不變，但對信仰的詮釋卻隨著人爲的解釋而又有新的意含。在客家地區方面，每年農曆四月八日，在苗栗縣頭份鎮，有盛大的媽祖繞境，以及演戲酬神之舉，其中值得注意的是，頭份鎮較爲特殊的節慶，是每年農曆的四月八日，本是釋迦牟尼誕辰日，在頭份鎮卻演變成是「媽祖迎神賽會」。根據地方耆宿傳說，民國初年，上街（上公園）屠宰業賴元造等人與下街（下公園）黃陳兩家士紳，於元宵節舉辦花燈對抗比賽，難分軒輊兩方不服輸，遂於三月二十三日媽祖生，再較量一次，一輸一贏，仍未定奪，乃在四月八日總決賽。田寮永貞宮，爲共襄盛舉，組織四大庄迎媽祖到北港過火，回到頭份，一連四天，演戲酬神，商販也趁機「趕集」、「赴墟」的熱鬧情況，相當於現今「夜市」，數以萬計的食客再入鎮湊熱鬧，形成鎮上一年一度難得的盛況。在有關台灣的媽祖神像的面相方面，目前有三種的顏色，其情形有如台南天后宮的媽祖神像是紅臉，代表了少女林默娘的原有像貌。北港朝天宮的媽祖神像是黑臉，據說黑臉才能趕走惡魔外，又有人說媽祖的黑臉是被香火薰黑的。台北縣三芝鄉的媽祖宮神像是金臉，代表媽祖已經修道成仙了。⑮

七、關帝：

《三國演義》中的關公，可謂集忠義於一身，早已成爲漢民族的傳統神明。在客家地區，關帝普遍被認爲是一位相當注重氣節之神，是客家人立身處世的榜樣外，又由於關帝的武術高強，又被認爲是民眾生命財產的保護之神。因此，在客家地區的人們，凡遇到天災人禍，必會向象徵著忠義精神，嫉惡如仇，樂於助人的關帝祈求，以保平安的同時，對於出外謀生、以及生、老、病、死等事，也常去求教於關帝。

在有關關帝的發展方面，關公名羽，字雲長，又號長生，三國蜀漢河東解良（今山西省解縣）人，六月二十四日是關聖帝君的聖誕日，五月十三日是武聖關公的千秋之日。自宋以來，歷代帝王都把關公看做武將典範，而民間則視關公爲忠義神勇、伏魔、結義、商業之神。其中「義」是關公一生德性的代表，對百姓的行爲影響至巨，人們崇拜祂，就是崇拜祂的義行，在做生意方面，尤須注重信用，因而台灣的公司行號普遍設有「關老爺」神龕的同時，有些店家更將祂視爲一種的「武財神」。我國文武廟的制度，創自唐代。文廟稱文宣王廟，供奉孔子；武廟稱武成王廟，供奉姜太公，關公爲從祀。宋初，曾一度將關公退除，後又列入。宋徽宗崇寧元年封關公爲「忠惠公」，大觀二年（西元 1108 年）加封「武安王」，宣和五年又加封「義勇」，而爲義勇武安王。⑯元世祖時封爲「忠義之神」。明初祀爲關壯繆公。明太祖洪武二十八年時，建廟於雞鳴山，爲南京群祀之一。明成祖時，在首都北平宛平之東建廟。明神宗萬曆四十二年，敕封爲「三界伏魔大帝神威遠鎮天尊關聖帝君」，使之進入神化境界。清順治元年（西元1644年）定每年五月十三日致祭，九年（西元1652年），敕封爲忠義神武關聖大帝。康熙時敕封「協天伏魔大帝」。乾隆二十五年（西元 1760 年）易關帝原諡爲神勇。三十三年（西元 1768 年）加封忠義神武靈佑關聖大帝。道光年間加封「威顯」的同時，勒令全國府縣建廟，並規定每年春秋二祭。咸豐時，加封「精誠」和「綏靖」再御書「萬世人極」扁額，懸掛地安門外關帝廟，升為中祀，遂成為與文聖廟對稱之武聖廟。同治九年加封「翊贊」。光緒五年再加封「宣德」。至此關公的全稱為「忠義神武靈佑仁勇威顯護國保民精誠綏靖翊贊宣德關聖大帝。」⑰由於上述歷代封號之不同，道教尊稱祂為「武安尊王」或「三界伏魔大帝」，佛教尊稱祂為「護法伽藍」，儒教則尊稱祂為「文衡聖帝」，在台灣民間方面對於關公的稱呼也很多，諸如有關帝爺、武聖爺君、山西夫子、關夫子、帝君爺、關聖帝君、協天大帝、伏魔大帝、文衡帝君及恩主公等。關公的忠、義在明、清兩朝的提倡下，深入民心，在維持人民道德及社會秩序上，確實產生相當的功效。直至今日，以義薄雲天獲得後人之景仰而成神的關帝仍為台灣，尤其是客家地區，最受崇敬的神祇之一外，在位於台灣南部六堆地區的許多鸞堂，通常也會在農曆六月二十四日，「關聖帝君」誕辰之日，舉辦三恩主（關聖帝君、孚佑帝君、司命真君）的聖誕祝壽活動。

八、觀世音菩薩

觀世音在台灣可說是一個知名度相當高的菩薩。由於祂具有大慈大悲和救苦救難的屬性，在台灣不只有專門祀奉的寺廟，有如台北萬華的龍山寺外，在許多家庭的大廳裡，還懸掛有祂的神像。

農曆二月十九日，是觀世音菩薩的誕辰日，六月十九日是觀音菩薩的得道日，九月十九日是觀音的升天日。觀世音菩薩的梵文原名爲 Avolokitesvara 屬男性，不過，在佛教中，祂是能夠變幻自在，鳩摩羅什譯爲「觀世音」，玄奘法師譯爲「觀自在」，民間稱爲「觀音」、「觀音大士」、「觀音佛」、「觀音佛祖」、「南海觀世音」、「大悲菩薩」、「千手千眼觀音」、「白衣大士」、「送子觀音」或暱稱爲「觀音娘」，並視觀音菩薩爲「救苦救難、大慈大悲」的慈祥女神。法華經說：觀其音聲，皆得解脫。根據「妙法蓮華經」說：觀音菩薩能應化三十二身（即：佛身、辟支佛身、聲聞身、梵王身、帝釋身、自在天身、大自在天身、天大將軍身、毗沙門身、小王身、長者身、居士身、宰官身、婆羅門身、比丘身、比丘尼身、優婆塞身、優婆夷身、婦人身、童男身、童女身、天身、龍身、夜叉身、乾闥婆身、阿修羅身、人身、非人身、執金剛身等），每當人們有災難時，在不同的時候，不同的地點，以不同的身份和形像的人出現，來拯救沈淪於苦難中的人們。據民國四十八年時，台灣省政文獻委員會調查報告，在台灣全省供奉觀音爲主神的寺廟就有四百四十座，僅次於王爺廟，由上述可知民間對觀音崇拜之盛的同時，也反應了台灣民間有多少的苦難。二月十九日觀世音誕辰時，許多的信徒大多會茹素齋戒，前往各地的觀音寺廟去參拜。六月十九日是觀音菩薩得道升天的紀念日，國人又有一個習俗，就是把初生的幼兒託給觀世音菩薩爲義子，帶上「觀音絭」，以保佑平安福慧，這種「認領」的活動，也多選此日舉行，而一般人，尤其是客家人也喜歡這一天到寺院點一盞長明燈，以祈求身體健康和家宅平安。

九、巫術崇拜與法術禁忌：

巫術的特點是不把自然、祖先……等客體，做爲崇拜物，而是靠著特定的主觀活動，來影響或支配客觀的事物。從早期的母系氏族社會到父系氏族社會，巫是氏族的酋長、先知、神醫和神人。在周公制禮作樂時，巫覡被制於宮廷的禮儀之下，根據《論語・鄉黨》云：「鄉人儺，朝服而立於阼階」，即孔子每遇民間舉行儺儀驅鬼逐疫時，不但不迴避，還穿著朝服嚴肅地站在階下。秦漢時，巫覡捲入政治鬥爭，成爲維護封建統治的一種工具的同時，在民間方面，巫和宗教祭祀，也雜揉成一體，做爲撫慰平民百姓的一種利器。客家民間的巫師，又稱爲「仙婆」，在有關客家地區人們對巫術的崇拜方面，至今仍有一定的市場。他們認爲巫師具有一種超自然的能力，能驅使鬼魂爲之服役，使之人、畜不受惡鬼的加害。尤其，是在近代，在客家民間，不少家庭在親人患病時，除了一方面相信科學，將病人送醫治療外，另一方面，則請巫師驅鬼，讓病人吃仙水、仙藥雙管齊下，以求得一種心理上的慰藉。

禁忌可說是法術的一種。由於過去科學比較不發達，因而民間的禁忌方面，也特別的多。然而人們又相信，透過神靈與人間之媒介，有如乩童、紅姨、符巫師……等的施以符咒的法術，能夠驅邪治病，保平安。有關禁忌方面，大凡歲時祭儀、生命禮俗以及日常生活等，爲了避免產生某種不良結果而有許多的忌諱，諸如，在夜間探視病人，會遇鬼。在野天交合，會被雷打。禁止孕婦看傀儡戲。忌諱七月娶新娘。拔去腳毛，會怕鬼。在新年不說不吉利的話。在家中有孕婦時，有第一個月，胎神在門上，第二個月在床上，三月在灶上，四月在椅上，五月在窗上，六月在牆上，七月在桌上，八月在門檻，九月在井上，十月在布上的說法，凡胎神所在方位的器物，不可隨意搬移、縫補、用剪刀……等，以免輕則腹痛，重則流產或難產等不幸事情的發生。在法術方面，若房屋坐向衝路、巷，須懸鏡在門上或用「石敢當」以壓之。房屋坐向若衝燕尾（簷角）則須掛上八卦或在窗頂上釘上獸牌以剋之。若遇家屋前有大樹、旗杆或高大房屋，須立吉竿懸燈籠，以防家運衰微。走路時，鳥屎落在頭上，須吃豬腳麵線解厄運。在興工破土起造，爲防止意外，常有用黃紙書寫「姜太公在此，天無忌，地無忌，陰陽無忌，百無禁忌」等字符來轉禍爲福。若因運氣不佳，疾病災厄頻至，須到廟裏燒香供拜甜糯米飯或請道士到家裏「做獅」祈福、貼驅邪押煞紙符等。在台灣常見的招財納福方法上，往往還有在竹葉上寫大吉、太平、平安等字義而放在樑上的竹葉符，以及懸掛著上面書寫有「天官賜福」、「福星拱照」的牌子，以達招財納福之目的。

十、風水崇拜

人生活於天地之間，一時一刻也不能脫離周圍的環境。地理環境在地表是千差萬別的，它具有不平衡性。因此，客觀上存在著相對較好的、適合於人們生活的、給人們帶來幸運和隱藏著吉祥與幸福的環境。也有相對而言，比較險惡、危險、給人們生活帶來不便、困苦和不吉利的環境。選擇和建造適合於人們生活的美麗、舒適、祥和、吉利的生活空間。人們置身於其中，生活、生產、工作均有方便、舒適、安全之感。美麗而富於特色的環境景觀，還會使人們的心靈受到感染與鼓舞，使人們充滿美好的情緒與崇高的理想。以此為嚮導，促進事業的成功並帶來光明的前途。⑱反之，倘若你沒有得到吉利旺盛好風水的庇蔭，你可能會大才不展、大能無用、大志不遂、小心煎迫、以及前途潦倒的命運。不過，也有人主張，一個人的成敗，須具備有如下：「一居、二命、三風水、四道德、五讀書」的說法。

堪輿又稱風水，是中國特有的相地之術，也就是如何選擇陽宅、陰宅的方位地點，以趨吉避凶的一種觀念與技術。它在中國已有兩千多年的歷史，至今雖逐漸式微，但仍具有相當的影響力。

環境對陶冶人的情操，影響人的性格是大有裨益的。對客家人而言，有生命的大自然會影響善惡吉凶，為了確保大自然和人之間的相互和諧，以及擴展井然有序的宇宙，而相當的重視來自古代的陰陽風水信仰。所謂的講究風水，就是講究「風」與「水」，以及有「左青龍、右白虎、前朱雀、後玄武」的理想地理環境之說。其中，堪輿家們常把起伏曲折的山脈稱之為「龍」。地理上形止氣鍾的地方稱之為「穴」。穴場前後左右的山稱為「砂」，而穴場左右的溪河、水流就是「水」。龍、穴、砂、水便是堪輿的四個基本運用單位。至於，在位置、方向、距離、久暫等四種關係，彼此間如何的相互影響，主要是根據陰陽五行、占卜星卦、義理象數等等來決定。它在十二世紀的宋朝時，風水之說還曾被提升到科學的體系來探討。朱熹曾說：「風水能奪神功，回天命，補救人力所不及」，而一般客家人也相信「無風水出人成鬼」、「不信風水看三煞，不信藥方看砒霜」、「山中少堆土，枉勞一世苦」、「羅盤（分金）差一線，富貴不相見」、「一福二命三風水」、「醫藥不明，僅殺一人；地理不明，殺人全家」等等。

風水有陰宅、陽宅之分，陰宅是指祖先的地墳，陽宅是指生人的住屋而言。一般人都相信一個人的財、丁、貴、壽，都是受到陰宅、陽宅的庇蔭，因此往往在興建房屋或選擇葬地時，會請地理先生來定方位、點龍穴。在有關風水的由來方面，堪輿的起源很早，大約在周代即已存在，到了兩漢時已形成一個思想體系。在發展過程中，受到各種學術的影響，其中影響最大的是陰陽家、讖緯象數、道教與理學。陰陽家的陰陽五行之說，道教的占卜星緯之法，理學的義理觀念等，都成了堪輿的重心。在堪輿的發展方面，根據《環華百科全書》指出，其情形大致可分爲四個時期：

第一期：由漢代至東晉，是開創時期。此期的相宅、相墓術已成立一個思想系統，但未有學術的組織。特色是附會有許多當時很流行的讖緯之說，東漢時堪輿術併入道教，吸收了不道教的思想。

第二期：由唐至南宋，是發揚及全盛期。此期學術組織已經成立，並分爲巒頭、理氣兩派，名家輩出，著名的理學家朱熹等人也酷好堪輿術，堪輿也接受了理學的理氣等觀念。

第三期：由元代至清初，是繼承期。此期雖很少有獨特創新的見解，但對於前代的闡發頗多，著有不少重要著作。

第四期：由清中葉至今，可稱衰落期。堪輿發展至此期日益蕪雜，邪術與真理隱，已漸入末流。且清代考證學興起，許多在堪輿上十分重要的書籍，如河圖、洛書，證明是宋人的附會，使其不能依附易經以取信，對堪輿的打擊頗大，清代中葉之後，已沒有名家產生。近代西方科學傳入，非科學的堪輿益發的式微了。⑲

在有關堪輿方面，從古至今的重要著作，在漢朝時有堪輿金匱十四卷。晉朝時，郭璞著有青囊經九卷以及葬書幾篇。明朝時，劉伯溫著有披肝露膽經。清朝時孫光憠（音陽）著有撼龍經，梅實之著有墳宅便覽等等。堪輿的本質，在現今雖不是科學——有學者稱之爲僞科學或神祕生態學，但也並不完全是一種迷信。風水的觀念是中國人宇宙觀的反映，中國人認爲天、地、人是構成和諧宇宙的三大因素，人是大自然的一部份，彼此不能分割，而是合成一個系統，若要宇宙和諧，就要彼此相互配合。今暫不說太過複雜的宇宙觀或是哲學觀，而就以現實生活的環境而言，人無時無刻無不受到四周環境的影響，古人之言也並不是沒有道理，其情形如，在有關地勢的環境論住屋方面，古人有云：「清秀的地方，人多清秀。卑溼的地方，人多重濁。高亢的地方，人多直率。散漫的地方，人多遊蕩。險厄的地方，人多殺傷。坪陽的地方，人多忠信。又話：東方有流水名青龍，西方有大路名白虎，南方有污池名朱雀，北方有丘陵（山嶺）名玄武，這四樣齊備的喊做四神相應的地方，十分好的。」⑳在建屋方面一般有後高前低，多牛足馬；前高後低，滅門絕之說外，還須注意房子不宜建在：*1.* 水圳上，*2.* 反弓水之地，*3.* 開門見山之地，*4.* 前後懸崖之地，*5.* 山頂四面往下瀉之地，*6.* 神前廟後，*7.* 公墓附近⋯⋯。至於，在一般房子內部的安排方面，對於灶門的方向，往往是不可正對大門和佛壇，以免發生不吉之事的說法。

第二節：祠廟、土地伯公與惜字亭

一、六堆及其忠義祠

位於西勢村，原名爲忠義亭的「六堆忠義祠」，是六堆人的精神象徵，代表六堆人「忠義」、「護家」的情懷，更是六堆根本精神的寄託所在。六堆的忠義祠，在其神龕前的楹聯上寫著「百粵英雄救國衛民功不朽、六堆忠義驚天動地史留芳」，道出了六堆的歷史與精神。而在神龕內則分別供奉有「明粵東來台開基創業之義士先烈」、「清康熙年間六堆民眾衛鄉平亂之忠勇義烈」以及「清光緒乙未台民救台抗日六堆參戰之忠勇義烈」諸神位，神龕左側配祀的神主牌上，鐫刻著六堆歷任大總理及副總理的名諱，供民眾景仰崇拜。農曆十一月十四日，是南部客家人在屏東竹田忠義祠舉行秋祭之日。由於此廟是閩浙總督覺羅滿保撥付專款，厚葬義民，所興建的一種屬於官方所捐建的廟宇，因此，在祭祀的儀式上，大都是採取官式的三獻禮，而一般民眾的參與力，比起位於新竹縣枋寮的義民廟，則自然的顯爲較弱。

在有關朱一貴的事件方面，當時鳳山縣令稅斂苛虐，濫捕無辜，人民怨憤不已！這個以養鴨爲業，自稱中興王，年號爲永和的朱一貴，在他所領導的革命，以及滿清水師提督施世驃上書云：「賊者至於三十萬之眾」的大暴亂中，在當時的導火線，應該只是一件單純的地方武力對抗或是官逼民反的事件，今參見鍾孝上的研究，指出位於內埔客莊檳榔林（今屏東縣義亭村）的杜君英，在這年（清・康熙六十年，西元1721年）三月率領客家人攻打兵營，殺死一名軍官後，在四月十九日，朱一貴才在羅漢門（今高雄縣內門鄉）起義攻打岡山，結果朱一貴戰敗，越過下淡水與杜君英結合，此時杜君英乃號召，「粵東種地傭工客民」，再越過下淡溪去攻打鳳山縣城，並由杜君英首先攻入。在五月一日，閩客革命軍再度展開攻勢時，杜君英也首先攻下了台灣府城（台南市）。在短短的十天革命軍就成功地拿下了台灣，並要建國之際，卻發生了杜君英與朱一貴互爭王位之事。其情形爲，杜君英認爲他的功勞不可沒，應由他的兒子杜會三做王，但閩南人認爲，在此反清復明的大業中，由於朱一貴和明朝皇帝同姓朱，應由朱一貴做王，而僅封杜君英爲地位不高的國公，引起客軍的不滿，於是就發生了閩客的內鬨，雙方在赤嵌樓下展開火拼，結果杜君英不敵而敗走虎尾溪，駐箚貓兒干（今雲林縣），其餘的客家兵就紛紛回故鄉。在家鄉的客家人，獲悉客家子弟在台南被人欺侮後，於是就開始對附近的閩南庄報復，而發生了閩客的械鬥。在台灣府的朱一貴方面，他有見於閩南人被客家人攻擊，於是就派兵南下支援，並出現所謂的「十八國公滅杜」的行動。在五月十日時，客家人爲了保護家園，不得不豎起「大清良民」的旗幟，在客家先民李直三先生的倡議和組織下，成立鄉團義兵，分爲中堆、先鋒堆、左營、右營、前營、後營等「六隊」（在亂平後，在名稱上始統一改為「堆」）。㉑在當時六堆的佈置及兵力方面：

1. 中堆：竹田，總理賴以槐、副理梁元章率一千三百人，防守萬丹地區。
2. 前堆：長興（含今長治、麟洛），總理古蘭伯、副理邱若瞻率二千一百人，防守水流沖地區。
3. 後堆：內埔，總理鍾沐純率一千五百人，防守塔樓地區。
4. 左堆：佳冬新埤，總理侯欲達、副理涂定恩率一千五百人，防守小赤山地區。
5. 右堆：武洛，總理陳展裕、副理鍾貴和率三千二百人，防守新園地區。
6. 先鋒堆：萬巒，總理劉庚甫率一千二百人，到最前面防守阿猴地區。
7. 巡查營：總理艾鳳禮、副理朱元位率一千七百人，巡查各防區兼守巴六河地方。

六堆大總理：李直三，總參謀：侯觀德。總兵力：一萬二千五百人。㉒

在上述一萬二千五百人的組成下，在六月十九日，客軍與朱一貴所派來的援軍，在萬丹濫濫庄（今萬丹鄉四維村）開打，結果閩軍大敗。六月十六日，清軍於安平登陸，朱一貴所率領的軍隊，在兩面受敵下，不到十天的光景，就被清軍消滅。

在亂事平定後，根據鍾壬壽所編的《六堆客家鄉土誌》

云：事後「總督覺羅滿保得悉亂事如此迅速平定，是因六堆義民先剿滅了下淡水之賊軍主力，應居首功，乃奏請朝廷，既拔李直三、侯義德、邱永月、劉庚甫、陳展裕、鍾沐華、鍾沐純等爲『千總』，另賞銀九五〇兩，米三百石、綵緞一百疋，粟一三〇〇石。旌其里曰『懷忠里』，諭建亭曰『忠義亭』。憂恩蠲免差徭（立碑縣門永爲定例）其他奉旨從優敘。給台灣地守土義民劄付二三張，榮耀一時。後來李直三、侯觀德等又將賞粟奉還府治助修萬壽亭，更獲嘉獎」這項殊榮雖然誠屬「意外」的同時，對客家人也形成了另一種的負擔，其情形爲：「六堆義民兵團之組織，起因於自衛，竟得如此褒獎，實屬意外，以後也就成爲『忠義團』了。可是因此招來一部份其他移民之怨，事後且有人控告濫殺良民，雖被批駁曰『義師清民莊守社，拒賊殺賊，未有殺民，捏控不准』的判定，但仍結怨不少，而六堆當事人眾則議決『今後非有府縣命令或請准後，絕不出堆』可見忠義行動也要愼重才得安全哩！」（同前引）

在有關俗稱六堆的來源，及其組織方面：客家人爲了紀念抵禦外侮的犧牲者，而召集六堆之人選定地點，根據忠義祠的主任委員張松生說：「當年每一堆的人都想蓋在自己的土地上，後來把各堆的泥土拿來量，結果竹田的最重，忠義亭就蓋在竹田了！」自在位居中央的竹田鄉建立忠義祠後，就以這裏爲中央，稱爲中堆（又稱爲三堆）。另外稱萬巒爲先鋒堆（又稱爲一堆），麟洛、長治爲前堆（又稱爲二堆），內埔爲後堆（又稱爲四堆），佳冬、新埤爲左堆（又稱爲五堆），美濃、高樹爲右堆（又稱爲六堆）等六堆。其中，値得注意的事，是右堆在征戰當時，只有里港鄉的武洛一地而已，高雄縣的美濃地方，是在朱一貴事件之後十五年，也就是在清・乾隆元年（西元 1736 年），由武洛人林豐山、林桂山兄弟率眾前往開發。至於，在高樹的開發方面，則是由武洛人，於清・乾隆二年（西元 1737 年），才開發了今屏東縣的高樹。在有關六堆的組織方面，原先「堆」並不是地理代名詞，而是高屏地區客家先民爲了保衛鄉土而按地域編組的永久性自衛軍事組織（團練），它持續了一百七十年，直到日治時代才解除了實際的軍力。在有關它的過去記載方面，根據伊能嘉矩的「台灣文化誌」記載：「各堆公選總理、副總理，更推舉全堆之大總理，大副總理，一堆有六旗，一旗以壯丁五十名編之，稱之爲旗」，平時各自散而爲農耕之民，一旦有事，即被召集從軍之。

在有關忠義祠的興建方面：象徵客家精神的六堆忠義祠，位於屏東縣竹田鄉的西勢村，原名爲西勢忠義亭，它初建於清・康熙六十年（西元 1721 年）。在清・雍正十年（西元 1732 年）時，南路的匪首吳福生作亂，六堆義民又起而糾合一萬多人抵抗，並有顯著的戰功，因此清廷乃於次年下旨重修忠義亭。清・乾隆五十一年（西元 1786 年）時，林爽文事變發生，六堆居民爲保衛鄉土，捐糧救難，協助清廷平亂，被頒賜六堆客家庄爲「褒忠里」外，還頒賜御筆的「褒忠」匾額，懸掛在庄口，以宣揚客家人的「忠義」精神。在清·同治年間的「戴萬生之亂」，六堆人也曾在忠義亭誓師，爲保衛家鄉、協助官兵平亂而出堆。在清·光緒二十一年（西元1895年，明治28年），日本攻台時，六堆亦組軍一萬三千人，在內埔媽祖廟集會，響應劉永福在台南的號召，因大雨下淡水溪暴漲，六堆軍無法渡河北上，大總理李向榮下令退軍，固守六堆各庄，李大總理因被責怯懦無能而自動引咎辭職。改由邱鳳揚（長興庄邱永鎬家族的二十世孫）任大總理繼續抗日。當日軍第二師從枋寮登陸後，六堆義軍即在佳冬及屏東市郊的長興（火燒）庄與日軍激戰。其中，在有關「火燒庄之役」方面，當年十月二十五日日軍派遣阿猴街偵察隊至火燒庄進行威力偵察，確認六堆客民有頑強抵抗後，次日由山口素臣少將領軍於正午起全力攻擊，交戰約一個半小時，六堆義軍戰至兵卒無幾，全庄並被燒成焦土，火燒庄一名因此而更爲確立。在日治時代，兒玉總督爲了宣揚「爲國效忠」的忠義精神，不僅主動捐獻祭祀費用外，還命令地方官吏要按時舉行大祭。其後，不久日本當局除了發現無法把客家人對鄉土的忠義情懷，轉化爲對日本的效忠，反而有可能導致抗日的情緒發生，而嚴厲禁止民間祭祀，因此忠義亭乃日漸荒廢，並且前往參拜的人也日漸減少。在民國三十四年（西元1945年）二次世界大戰結束，日本當局無條件投降後，六堆忠義亭已傾頹不堪，雖然當地不斷有修復之聲，但在當時的整個社會，正陷於經濟蕭條、民生困頓，無力重建的狀態下，直到民國四十四年（西元1955年），才破土重修，全廟工程於民國四十七年（西元1958年），並改稱爲「忠義祠」。在有關「六堆抗日紀念公園」方面，民國八十四年（西元1995年）六堆民眾爲紀念此一戰役，便將當時的戰場建爲公園，名爲「六堆抗日紀念公園」，公園內興建有六堆軍精神堡壘、義士祠、火燒庄戰役紀念碑誌、火燒庄古戰場碑及鳳揚亭等紀念性建築。在有關忠義祠的祭祀活動方面，在二次世界大戰前，每年於二月及八月初十日所舉行的春秋二祭，後來爲了配合六堆地區一年一度所舉辦的鄉親運動會，於是將春祭之期改在農曆正月初三到初六之間的星期六或星期日舉行，以便在辦完運動會後，順便一同祭祀忠義爺。在二次世界大戰結束後，又重新恢復了隆重的秋祭三獻禮大典，不過，時間則改爲農曆的十一月十四日了。

近年來，由於朝野日漸對客家事務有所重視，而客家人也慢慢的重新拾回了自己的信心，現今的「六堆」，它並不是一個行政區域，而是在同一族系，語言、風俗習慣相同，福禍與共，團結合作的前提下，所產生的精神認同感，是一種血濃於水，唇齒相依的象徵性稱呼。今以民國九十二年（西元2003年）十二月六日的第三十九屆六堆運動大會及忠義祠秋祭大典爲例。葉菊蘭、蘇嘉全以及一些客家大老向六堆先賢烈士祭拜後，隨即前往竹田國中的六堆運動大會會場。根據《客家郵報》的報導，指出葉菊蘭致詞時表示，六堆客家鄉親的團結及凝聚力，就如大會主題傳承、躍進、創新，正是客家精神的寫照。運動大會由西勢國小的歡欣鼓舞迎嘉賓舞揭開序幕，自高屏六堆地區及台北市六堆同鄉會的隊伍逐一進場，有些隊伍身穿客家藍衫，演出傳神的鬥牛陣，還有勸人敬惜字紙的隊伍挑著竹簍進場，希望大家敬惜字紙，尊古聖賢。開幕典禮除升大會旗外，也升起六堆戰旗，在竹田國小三百人的張燈結綵慶團圓及六堆社區媽媽一百二十人的剁猛打拚建基業舞蹈表演，以及客家本色大合唱中完成開幕儀式，展開一連兩天的比賽，其項目有田徑賽、排球、桌球、網球、槌球比賽外，還有揹穀包接力、搏草結、攻炮城、剖甘蔗、打陀螺、摘青仔、鐵筒競技、夫妻草上行舟接力、挑水等民俗競技，在會場周邊還有客家博覽會、藝文表演等活動。㉓

在有關位於六堆忠義祠南邊的「客家文物館」方面，屏東縣政府除了蒐集有關六堆客家居民的歷史文物及舊日生活器物外，還定期舉辦和客家文化相關的各種主題展覽。

另類的忠義之神

在有關六堆的另類「忠義」之神方面，在杜君英所起事的檳榔林（今內埔鄉義亭村一帶），還有叫做杜君英的地名外，在內埔鄉小中林的地方，還有兩處紀念杜君英的建物，其一，是位於慈鳳廟的主神，祂被塑造成一位紅臉短鬚，瞪大眼的義勇精忠大元帥，就是杜君英外，在此廟稍北處，還有一個在墓碑上被寫著「逆杜君英庄界」的古墓，被人供奉著。其中值得注意的是，爲何會在墓碑上寫的是「逆杜君英庄界」，根據民間的說法，第一種的說法是，自朱一貴之亂被清軍平定後，清廷在當時就沒收了杜君英的所有產業，所立的界碑。不過，後來有人把杜君英的衣冠埋於碑後，並把它做成衣冠塚的形式來紀念。第二種的說法，是杜君英被清廷處死後，部將乃偷運回其屍體，葬於該處，為了不讓引起清廷的注意，除了不敢在墓碑上刻上有關杜君英的碑文，而以杜君英庄界來混淆充當的同時，特別加上「逆」字，來避免刺激清廷之意。第三種的說法，立「逆」碑，有警示後人不可與盜匪為伍，禍害鄉里之意。在上述的三種說法，或是有其他更多的說法，不管那一種的說法為真，如今的杜君英，已是內埔鄉小中林地方的忠義之神，乃是一種不可否認的事實。㉔

至於，在自六堆的形成，以及忠義亭（祠）的興建以來，是否會產生族群紛爭不斷的問題方面，在此問題上，大致可以說是，台灣的族群鬥爭，其來有自，也為時已久，但歷經二百多年以來，在時間的洪流以及人民間的包容下，各族群間的隔閡以及衝突，除了逐漸減少外，至目前可算是一種處於消弭狀態矣！

二、枋寮的義民廟及其祭典

在台灣本土化的過程中，由於客家人在過去已經失去了自己的文化主導權與歷史的解釋權，使之某些教科書竟出現義民爺係「孤魂野鬼」之謬誤。全台各地所供奉的神祇，無論是觀音或是媽祖，大多是從彼岸渡海而來，惟獨義民廟所供奉之義民爺，係本土人士為保鄉衛民、犧牲奉獻，深受人民景仰與推崇的一種道地的本土之神。

在台灣移民的開拓史上，大體可分為漳州人與泉州人的械鬥、福佬人與客家人的對抗、漢人與原住民的爭戰……等。這種為爭地、或為保莊、或為私仇而起的戰禍，在當時造成了無數人民性命的犧牲與財產的損失。崇拜義民爺可說是台灣客家人的獨特信仰。在全國各地有三十多座的「褒忠義民廟」，大部份都是從新竹新埔本廟請令旗分香火奉祀。各地義民廟分佈如下：（*1.*桃園有：平鎮鄉義民村中壢褒忠祠。*2.*新竹有：新埔褒忠義民廟、關西鎮金錦山義民亭。*3.*苗栗有：頭份義民廟、三灣褒忠祠、獅潭義民廟、大湖鄉大湖昭忠塔、大湖鄉南湖護安祠。*4.*彰化有：永靖鄉福興村義民祠。*5.*南投有：草屯鎮新豐褒忠堂和中原褒忠宮、國姓鄉乾溝民祠和南港褒雄宮、國姓鄉護國宮、國姓碧雲宮、埔里真元宮參贊堂、南投水里義民廟、中寮義民宮。*6.*雲林有：北港鎮義民廟。*7.*嘉義有：嘉義褒忠義民紀念堂、公明路忠義廟。*8.*高雄有：高雄市褒忠義民廟、高雄縣旗山鎮旗美褒忠義民廟、甲仙褒忠義民亭。*9.*屏東有：竹田鄉六堆忠義祠。*10.*花蓮有：鳳林鎮鳳林壽天宮、鳳林褒忠亭、吉安鄉稻香褒忠忠義堂、吉安鄉永興褒忠義民堂、吉安鄉南昌褒忠義聖堂、富里鄉竹田義民亭。）中，其中規模最大、祭祀圈最廣、信仰最虔誠的該屬位於新竹縣新埔鎮下寮里的枋寮義民廟，它建於清・乾隆五十三年（西元 1788 年），是用以紀念義民保衛鄉土之精神，每年農曆七月二十日，已由政府明定為「義民節」，並由當地附近的十五庄輪流祭祀的同時，於義民節當天還可看到數以千計的善男信女持黑旗，遠從各地迎送義民爺回枋寮總廟，更換新的香旗，並於幡帶上書寫奉祀者的姓名、住址，待祭典完畢，再迎回家裏奉祀的盛況。

在有關枋寮義民廟的由來方面，清．乾隆四十八年，漳州人嚴煙來台傳播天地會，由於發展極為迅速，清廷乃命令官員前往緝捕。

林爽文是彰化縣大里杙藍興堡（阿罩霧，今之霧峰）人，於乾隆末年被舉為天地會北路盟主，與鳳山縣南路盟主莊大田聲氣相通。清．乾隆五十一年（西元1786年）七月，台灣知府孫景燧、總兵柴大紀赴諸羅欲掃蕩以「拜天為父、地為母、太陽為兄弟、月亮為姊妹」的天地會，一時之間天地會會員人心惶惶，乃群集於大里杙籌謀起事。當時，彰化知縣俞峻及北路副將赫生額等欲先發制人，率兵駐大墩（今中市東區），十一月二十七日，林爽文在大里杙（今台中大理鄉）高舉著「貪官污吏剝民脂膏，爰是順天行道，共舉義旗，剿除貪污，拯救萬民」的口號，反清起義，並往大墩格殺清廷官員。越二日，又攻入彰化殺知府孫景燧等文武官員數十人。

這原是一種的單純官逼民反之亂，與客家人沒有什麼關係，其後，戰亂遍及台灣西部，天地會北路的王作、王芬響應彰化起事。根據《平台紀事本末》記載：「初王作之眾北擾，群亡賴分起應之，烏合之眾，裂裳為旗，提竿為梃，皆以劫掠為事，其行事又出林爽文遠甚。」淡水同知程峻等率官兵、義民擬赴大甲堵禦，繼聞王作、林小文等向北進攻，於是移駐中港。其後，程峻又聞彰化已被林爽文攻陷，欲退守淡水廳治所在的塹城，但在回途即於中港山頂遭埋伏，程峻被圍自殺，竹塹巡檢張芝馨也遇害，竹塹城於十二月一日被攻陷。

由於天地會的勢如破竹，在十二月三日時，革命軍一致擁立林爽文爲大盟主，並建立「順天」年號，封竹塹的王作爲征北大元帥、王芬爲平海大將軍。林爽文登上王座時，以「玄緞爲冠，盤兩金龍，結黃纓，自頂垂背，衣袞服，高坐堂上，眾呼萬歲」（台灣通史）。出榜安民曰：「順天之年，大盟主，林爲出榜安民事，本盟主爲眾兄弟所推，今統雄兵猛師，誅殺貪官，以安百姓。貪官已死，百姓各自安業。惟藏留官府者死不赦。」

當王作等人佔據竹塹城時，由於城中富商大多爲泉州人，與林爽文等漳州人之宿怨使竹塹富商不勝其擾，於是暗中求助於城郊之客家庄。塹城閩戶鄭家找上新埔張家，張雲龍之父張琳志不巧爲天地會員，雖無法應允，但也曾派人入城勸止王作，可惜卻遭峻拒，且揚言將滅客家人。由於新埔、六張犁在當時多已墾爲良田，爲富庶之米倉，引來王作軍隊的覬覦，當時即有王作部眾潛入新埔劫掠，反遭殲滅了百餘人，被葬於旱坑里，此乃當地舊名「爽文埔」之由來。㉕

此外，王作軍隊更擬攻打金山面、九甲埔，以防粵人之襲擊，至此已危及六張犁所轄之地。此時新埔、六張犁（今竹北六家一帶）之客家庄警覺敵人迫近，六張犁富坤林先坤乃聯合九芎林庄劉朝珍、陳資雲、咸菜甕庄的王廷昌等，呼應清將壽同春之招募，平素的團練鄉勇傾庄而出，共有一千三百名義民軍，與泉州籍義軍、以及鍾瑞生、劉維紀爲主之苗栗義軍併肩作戰，迎戰敵人於金山面、下員山（今竹東鎮一帶）等地。王作軍隊節節敗退。壽同春掌握時機糾集義民一萬三千餘名，並乘勝追擊亂民至舊社，殺王作及其羽黨。迄乾隆五十二年冬，終於收復竹塹城。於是淡水廳南至大甲，北至艋舺一帶之亂事略爲平定。㉖

其後義軍又轉戰後龍、苗栗，渡大甲溪，至彰化與清廷調派來台的陝甘總大學士福康安會合。林爽文部隊與清兵大戰於八卦山失利後，即一路敗退。

十一月八日，林爽文部隊又敗於諸羅，福康安感念當地義民協助清軍，因此改諸羅爲「嘉義」。

乾隆五十二年（西元 1787 年）十一月二十一日，林爽文退回大里杙，後又避至集集，並一路往埔里內山躲避，福康安派遣原住民搜山未獲。最終途窮末路的林爽文在老衢崎（今苗栗縣）被擒，時爲乾隆五十三年（西元 1988 年）一月四日。㉗

在此保鄉衛土的戰役中，在林案平定後就在苗栗市建義民廟，在通宵鎮建壽公祠，在桃園平鎮市宋屋建義民廟。在新竹縣境內有二百多名的義民慘烈犧牲，地方士紳不忍目睹義軍先烈暴屍荒野，在回師時，僱請十餘部牛車沿路收拾繫有黑布圈之陣亡遺骸，擬歸葬於大湖口，但車隊行至枋寮，牛隻不再前行，經焚香禱告，擲筊取決，乃知是義民自覓風水的神意，並經名師勘驗，確定此爲風水極佳的「雄牛睏地穴」後，於清．乾隆五十二年，建立義民塜於此枋寮山。乾隆帝因感義民爲保鄉衛土、平亂有功，初賜「義勇」詔書嘉勉，繼頒賜「懷忠」御筆匾額。在乾隆五十三年（西元 1788 年）六月時，福建巡撫徐嗣曾，奏明乾隆帝後，又敕封「褒忠」義民，並賜御筆匾額一塊。自義民塜被建立後，邑紳林先坤等，又倡議建廟祭祀，以慰義民在天之靈，於清．乾隆五十三年（西元 1788 年）冬，在其塜前奠基破土，至乾隆五十八年（西元 1793 年），乃告竣工，被稱之爲義民廟、褒忠義民廟或褒忠亭等。至於，在匾額的分配方面，「義勇」匾，現被懸於員林小埔心莊義民廟；「懷忠」，被置於苗栗社寮岡義民廟；「褒忠」，則被掛於枋寮義民廟。

在有關戴潮春事變方面，戴潮春，字萬生，彰化四張犁人，原籍漳州龍溪，家境富裕，曾任北路協署稿職。其兄戴萬桂因阿罩霧人侵占其田，於是召集殷戶組織八卦會，互相照應。咸豐十一年（西元 1861 年）當時戴之上司北路協副將夏汝賢見戴家富有，便向其勒索，索賄不成，便將戴潮春革職。當時戴萬桂已死，戴潮春頓失護翼，爲求自保，便召其兄八卦會舊黨，組織團練衛隊，且協助官府緝捕盜匪，成爲地方上一股安定的力量，很得彰化知縣高廷鏡賞識。

同治元年（西元 1862 年），隨著八卦會入會者逐漸增多，勢力迅速蔓延，但會眾良莠不齊，終令官府不安。三月九日台灣兵備道孔昭慈見茲事體大，親至彰化誅殺會黨總理洪某，又檄召淡水同知秋日覲至彰化緝捕會黨，招致會眾反抗，終於爆發亂事。

三月，戴潮春率黨眾圍攻彰化城，不出幾日就順利攻陷彰化城，兵備道孔昭慈自殺，前任知縣高廷鏡被釋逃過一劫，貪官夏汝賢則全家被抄斬。戴潮春自封大元帥，冠黃巾、穿黃馬掛，由數十人簇擁騎馬入城，並論功行賞，分封大將軍、國師、丞相等官，並設應天局於白沙書院。之後，中南部大甲、大肚、牛罵頭（台中清水）、葫蘆墩（台中豐原）、嘉義、鳳山各地會眾、盜匪、遊民便紛紛叛官響應，一時之間聲威大振。

此後，亂事又牽引漳泉宿怨，戴潮春攻打泉州人聚居的鹿港，鹿港的泉州人乃倒向與官方合作。竹塹客家義軍，爲免再遭林爽文事變時，竹塹生靈塗炭的浩劫，而再度出征。當時閩（泉系）粵聯軍共分四路，一路爲奉檄爲總樞鈕的林占梅，率竹塹閩軍，第二路由北埔大墾戶姜殿邦領軍，第三路以九芎林大肚庄劉維翰（劉朝珍之孫）爲首，第四路由新埔堡長張元清率領，六張犁林家方面則因茂堂公過世，服喪中，並未參與。

同治二年（西元 1863 年）九月，福建巡撫徐宗幹派分巡台灣兵備道丁日健率兵從淡水的雞籠登陸，與竹塹義軍先會於竹塹，十二月再進彰化，奪回彰化城後，戴潮春會黨見北路已無可爲，遂向南侵入鳳山，卻遭六堆客家義民之激烈抵抗。年底，義軍攻入嘉義，與戴潮春軍隊大戰於斗六門，戴潮春戰敗，率餘黨幾十人遁入內山，後在友人的勸說下，雖於十二月二十一日在北斗自首，但還是被官府處斬。其羽黨林日成也在同治三年（西元 1864 年）被圍剿而自殺。台灣歷時最長的民變事件於焉平息。㉘

在這次事件中，竹塹義民投入清廷的敉亂行列，有百餘位義民捐軀，其遺骸則被歸葬於枋寮總塚之旁，碑銘曰：「粵東褒忠義民祔塚，癸酉歲冬月重修，十四大庄同敬立」。此即義民「附塚」之由來。

清・光緒二十一年（西元 1895 年），臺灣被清廷出賣給日本後，義民廟被日軍鐵蹄所蹂躪，廟堂也被大火燒光。十四庄人乃決議重建，於光緒二十五年（西元 1899 年，明治 32 年）興工，至光緒三十一年竣工。在有關在日據時代，由日本人所奉獻的匾額方面，根據《褒忠義民廟創建兩百週年紀念特刊》中，指出，其由來是，在日據時代，台灣總督府強行廢廟及沒收廟產之時，當時的義民廟管理人或代表人彭錦球、蔡昆松、傅任等三人，去日本東京日本國會眾議會陳情，拓務大臣秋田清，始獲知義民廟所奉祀的祭神是地方義民之捐軀者，也就是台灣本土所產生的神，並非大陸那邊來的道教神後，不但容許其存在，廟產也准許保持，更奉獻「忠魂不朽」的匾額，台灣總督海軍大將長谷川清也於昭和十六年追隨奉獻「盡忠報國」的匾額。至於杉溪吉長日本眾議員方面，為大大讚揚義民爺的義民精神，以其個人的身份奉獻「遺芳萬世」匾額給義民廟。在民國五十三年（西元 1964 年）時，義民廟因年久失修，乃興工修繕，而有今日之廟貌，其後，又繼續整建，其情形，諸如，在其廟前有麒麟、象、獅、牛、馬等動物石雕外，寺廟前、後庭院，佔地寬廣，花木扶疏，其間還有吊橋、觀音蓮池、雙龍戲水等。在廟內的石柱古聯方面，其中，有一對對聯爲：「本是負耒荷鋤已得嘉名榮一字，即此忠肝義膽方能血食耀千秋。」在所奉祀的神祉方面，除了正中廳，供奉義民神位外，左邊祀有福德正神，右邊祀有觀音佛祖、神農皇帝、以及三山國王等。

在有關祭祀的由來方面，自清・道光十一年（西元1831年），林先坤後裔林國寶五男林緗褒，祈願義靈庇廕中舉，果然中辛卯科鄉試第十五名武舉人後，於道光十五年（西元 1835 年）七月二十日，酬恩設福醮，爲義民祭典的開始。在祭祀之初，僅有新埔、枋寮、六家等地的人祭祀。其後，湖口、關西、芎林等附近的客家人，在「我族意識」的抬頭下，開始輪流祭祀。此情形，在參加祭典的範圍逐次擴大下，到清・同治十一年（西元 1872 年），已有十三庄輪流祭祀。在清・光緒三年（西元 1877 年），大隘地區（即北埔、峨眉及寶山三鄉），以姜秀鑾爲總爐主，首度加入，而有北埔、芎林、六家、下山、枋寮、新埔、五分埔、石岡、關西、大茅埔、湖口、楊梅、溪北、溪南等十四大庄。自民國六十年（西元 1971 年），將過去的溪北庄，改爲新屋和觀音兩庄，而爲十五庄，並於民國六十七年（西元 1978 年）起，輪流（依次爲六家、下山、九芎林、大隘、枋寮、新埔、五分埔、石岡、關西、大茅埔、湖口、楊梅、新屋、觀音及溪南等）負責於每年農曆七月十八日到二十日中元祭之祭祀。在新埔義民廟祭祀圈的逐漸擴大之際，在有些較偏遠地區，則以分香方式，擴展了義民爺的信仰，其情形，諸如有桃園縣的平鎮，苗栗縣的三灣、大湖、頭份、獅潭，南投縣的埔里、國姓、中寮、水里，高雄市的三民區，高雄縣的旗美，以及花蓮縣的鳳林、富里、玉里等地，均建有分香廟，來滿足全台各地客家人的需要。至於，在祭祀義民爺的奉飯之俗方面，在太平洋戰爭期間，許多台灣的人民，被日本調往南洋當軍伕，爲了祈求義民爺能夠保佑他們平安的歸來，因而產生了此種的奉飯（即供應食物的犒軍）之俗。在戰爭結束後，此奉飯之俗則日漸不受重視。不過，在每天下午，有時仍可看到一些的奉飯人家會帶來奉飯敬奉義民爺。在有關客家地區義民爺神格的提昇方面，自民國七十六年（西元 1987 年），透過傳統用來祭祀天神的九獻大禮祭祀之後，義民爺的地位，已從過去有如應公之陰神地位，改爲有如諸天神佛的正神陽神之地位。在枋寮義民廟的祭祀活動方面，其主要項目，有糊大士爺、起燈篙、放水燈、演戲酬神、神豬競重、羊角競長，以及普渡等。

一、豎燈篙：在義民節正式登場前，先於農曆七月十八日下午，在廟的正前方廣場兩座石燈之間，豎立象徵招引孤魂的燈篙。其燈篙分別爲七層幡（天竿）、幡頭（地竿）、黑布（人竿）等，各約三丈又直又高的三根竹竿。其中，燈篙所使用的竹子必須又直又長，才能發揮廣爲招徠的功能，讓更多的好兄弟一看到燈篙，就知道義民節人間祭典、陰間饗宴大拜拜即將舉行了。

二、安大士爺：大士爺是一座竹紮糊紙約兩人高、口吐長舌、青面獠牙的鬼王，在其頭頂上，還製作有一座觀世音菩薩坐鎮監督，以保生人的安全。於十八日晚上十一時（即十九日的子時），在正式封廟正殿大門後，在鑼鼓聲中，開始替大士爺點睛開光的同時，並將「寒林所」、「同歸所」以及「金銀山」等安置在大士爺的左右兩側後，並開始點亮七星燈。

三、放水燈：於十九日午後，將有迎水燈、大型藝閣花車、花鼓陣頭、民俗藝團表演，並在褒忠橋下的鳳山溪舉行放水燈的活動。其主要目的，在於普渡水中的孤魂野鬼。該儀式通常是由值年爐主主持，並帶領由地方選出的三十六名士紳，分別擔任主醮、主壇、主普、主事、天官、地官、水官等，一路鳴炮燒金、鑼鼓宣天的到達預定地點後，在和尚或道士的誦讀祭文、焚燒經衣、金紙後，把一盞盞上面寫有各會首的紙糊房舍，放在河中，任其漂流，以便照亮人間的太平。其中，在總爐主方面，爲林貞吉、鄭振先、曾捷勝、姜義豐、林六合、潘金和、陳茂源、范盛記、羅祿富、吳廖三和、張六和、陳泰春、許合興、黃益興及徐國和等。據此義民廟的廟祝表示，其總爐主地位爲世襲制，世世代代世襲，不受任何因素影響，若無男丁可傳承，可以同一家族男丁取代。總爐主名稱不竟然全是人名，有些總爐主稱號爲該庄宗族族號，判斷標準，凡有吉、和等字大多爲宗族族號，其餘爲人名代表。

四、普渡：於二十日的早晨十點左右，輪值普渡區前三十名的神豬和前五名的神羊會陸續運到。其中，在神豬方面，會把得名第一、三、五、七、九……等，奇數屬陽的神豬擺在左側，把得名第二、四、六、八、十……等，偶數屬陰的神豬擺在右側。至於，未得名的神豬，也可運來擺在廟場的外圍，共同參與。一年一度的普渡就在「拜天公」的儀式中揭開序幕，也是新、舊爐主交接的時刻。第一階段的祭天普渡約在下午三點左右結束，緊接著是把原本朝向廟門的祭品，改爲朝向外面，來普施孤魂野鬼。至於，若是輪值區距義民廟較遠者，則會在下午四、五點左右，把豬羊運回本庄繼續普渡。當普渡到了入夜以後，道士或僧人會灑孤食給大小鬼們後，再火燒大士爺、寒林所、同歸所，並謝下燈腳，功德圓滿地送神謝壇，此一年一度的義民節乃告一段落。其中，值得注意的是，在虔敬殺豬、取悅神靈的方式上，在目前在普渡時，有出現用米做成的「米豬」或用水果擺設成豬形的「水果豬」等，做爲一種的獻祭情形發生。

至於，在有關此義民廟行大禮時的讚唱方面，其分別爲：

一、迎神：樂奏忠義之章，其內容爲：「大霸山蒼、台海水黃。英風颯爽，巨浪飛揚。民之範則，國之元良。大忠大義，日月爭光。」

二、初獻大：樂奏義軍之章，其內容爲：「東粵之士，義勇端莊。墾闢炎服，拓我台疆。救民守土，沾感難忘。

衛鄉保國，英名昭彰。」

三、亞獻：樂奏懷忠之章，其內容為：「捐身赴敵，一志從王。保我眾庶，祐我村鄉。義之所在，事急敢富。殺身成仁，應爾名揚。」

四、終獻：樂奏褒忠之章，其內容為：「褒忠義士，烈氣輝煌。扶持危亂，威武奮揚。御封累代，績著邦鄉。千秋典範，萬載流芳。」

五、撤饌：樂奏義民之章，其內容為：「義勇安夷，忠烈衛鄉。草莽微臣，禦寇勤王。忠義永垂，民族之光。千秋俎豆，萬古綱常。」

六、送神：樂奏正氣之章，其內容為：「天地浩流，義昭綱常。荷鋤報國，負耒勤王。忠貞衛國，感佩無疆。民族正氣，百世馨香。」

三、桃園平鎮的褒忠詞

清．乾隆五十五年，有人說是乾隆五十六年（西元1791人），廣興庄的宋廷龍為感佩義民的英勇與壯烈犧牲，而在今桃園平鎮廣興庄宋屋，創建「義民亭」。清．咸豐七年，宋寶雲募捐興建前堂及兩廊並立下碑牌以為紀念，名為「褒忠祠」。清．光緒時，開始替義民爺塑造金身，為義民廟中最早替義民爺塑造形象的廟宇。民國三十八年時，由於祠宇腐朽將圮，推舉梁盛添、宋維雙等人成立重建委員會，建前後殿、左右列屋，為今日所見之規模。㉙在民國六十一年，正殿屋頂已蛀爛不堪，於是再由中壢、平鎮、楊梅等三十九村里居民捐款、重修，至民國六十二年（西元 1973 年）竣工。其中，值得一提的是，自後人把它擴建爲義民廟後，也成爲最早從新埔分香出去的分香廟。

四、苗栗市義民廟

林爽文事件發生後，地方鄉民鍾瑞生、劉維圮、謝尙圮等人召集後龍十八庄義民在地抵禦，事平後獲頒牌匾，建亭於中興莊，並尋覓義士忠骸六十四具，安葬於亭後，名爲「義塚」。清．乾隆六十年，苗栗士紳謝鳳藩捐獻土地二分，並募款建祠，於清．嘉慶元年興建義民祠供奉義民先烈。清．同治二年改建，增設左右橫屋九間，改名爲義民廟。民國二十六年、四十一年、五十八年都曾重建過，現今所見爲民國六十年完工後的全貌。㉚

五、台中東勢義民廟

台中東勢的義民廟，其實就是當地的巧聖先師廟。在清．同治元年彰化戴潮春（戴萬生）反清復明事件爆發，東勢的客家人就追隨當時的彰化知縣秋日覲，對抗戴潮春，東勢義民戰死於彰化地區，葬於當地，後來，彰化在進行道路拓寬時發現這些義民骸骨原是東勢人，於是就歸葬東勢。最特別的是，這些義民的姓名都被記載刻於牌位上，由於東勢地區當時並沒有義民廟，因此將義民爺牌位供奉於巧聖先師廟之中，這裏是台灣唯一找得到義民先烈姓名的地方，而巧聖先師廟也同時具備義民廟的性質。㉛

六、苗栗頭份的義民廟

苗栗縣頭份鎮的義民廟又名忠義亭，其創建與新竹縣新埔褒忠義民廟有密切的關係。

頭份義民廟，初建於清・光緒十二年（西元1886年），由於當時地方尚未開發，交通不便，不管是輪庄祭祀或是喜慶酬神，有路途遠隔之概，因此頭份地方先賢進士張維垣、貢生陳馨南、凜生陳萬青、貢生張大彬、黃錫章、職員劉贊勳等，乃於光緒十二年，策劃建築褒忠亭於頭份。由於此廟經過四十餘年的風吹雨打，而日漸殘破，因而在民國十六年（西元1927年）時，由地方長者黃維生、黃興生伯仲，捐資修復。又經過四十年，由於雕樑腐蝕，有傾頹之虞，於民國五十六年時，成立改建委員會鳩建後堂，六十三年成立第二屆改建委員會，續築前堂。民國六十六年舉行慶成福醮。民國六十九年建造廟宇兩側鐘鼓樓，其工程於七十二年完竣。在有關此義民廟的配置方面，一樓主祀義民爺，配祀文昌帝君、至聖先師、魁斗星君。二、三樓統稱爲凌霄寶殿，奉祀有玉皇大帝、三官大帝、三恩主、觀音菩薩以及註生娘娘等諸神聖佛。㉜

在有關義民廟的楹聯方面，在民國九十年時，由苗栗縣籍文史學家陳運棟撰寫戲台的楹聯，上、下聯各九十四字，合計一百八十八字，成爲傲視全台，字數最長的寺廟楹聯，也比享譽全世界的大陸雲南昆明大觀樓「一八〇長聯」，多了八個字。在此勾勒史跡，敘情寫景的楹聯，其上聯曰：「義氣足千秋，熱血丹忱，惟神可表，昔時未讀五車書，雅量清心，溫如玉，冷如冰，是草莽實是藎臣，使天下講道論章人愧死。頭份老街一條，到茲齊步向上，洗淨耳根，聽林鳥爭鳴，寺鐘響遠，妙歌長傳，牛笛輕吹，高峰仰止，人強馬壯，盡係勝景活潑。」下聯為：「民風播萬象，豪情壯志，與世常存，此日竟為萬世業，忠肝碧膽，重於山，堅於石，忘生命不忘吾土，任世間寡廉鮮恥輩偷生。廟前好岑四面，歸來另眼相看，放開眼界，迎朝暾方上，夜月正圓，嵐風欲作，浮雲初起，大河前橫，水秀巒青，都成文字波瀾。」㉝

七、六堆內埔的昌黎祠（內埔鄉廣濟路164號）

緊鄰在天后宮東邊的昌黎祠，除了作為奉祀「將嶺南化為海邊鄒魯」的先賢韓愈的祠廟，以及祈求部落文風興盛的文昌祠外，居民更以昌黎祠作為運作中心，組織「文宣王祀典會」、「大成祀典會」、「韓文公祀典會」等，籌資獎勵文教，作育英才的學堂。

位於屏東六堆中心地帶內埔的昌黎祠，與相鄰的媽祖天后宮，同時創建於清．嘉慶八年（西元1803年），根據該祠誌記載：「清乾隆初年，有廣東嶺南人卜居於此，嘉慶八年，昭武都尉鍾麟江，為紀念韓文公，特倡建『昌黎祠』於此，並聘名師駐祠講學，故亦可謂為私塾場所地。」但有人說，它在清．康熙六十年（西元1721年），在建天后宮祀奉媽祖時，韓文公昌黎和觀世音在當時也被一同祀奉在一起，直到清・嘉慶八年時，才把它分立出來。在民國六十六年（西元 1977 年）時，原建築毀於賽洛瑪颱風，兩年後重建。祠內有紅底金字的「嶺南師表」橫匾，神龕內供奉有身著官袍、紅面長鬚、左手持一開展書卷的昌黎像，雖無一般神像的威嚴，但卻有一股書香的敦厚之氣。

生於中國唐代的先儒——韓愈，爲何會受到六堆客家人的特別敬重呢？其原因是倡導「文起八代之衰，道濟天下之溺」的韓愈，字退之，鄧州南陽人。幼少失孤，刻苦讀書，精通六經百家，在貞元之年，即在他二十五歲時，就考中了進士，由於他個性耿直，導致宦途不順，遭受兩次的貶職。第一次，是因上書評論時事，觸怒了唐・德宗，由監察御史之職，貶爲連州（廣東）陽山縣的縣令，時爲三十七、八歲，期間約爲一年。第二次，是在唐憲宗元和十四年，年五十歲時，因上奏〈諫迎佛骨表〉，反對將鳳翔法門寺的釋迦佛骨迎奉入京，而由刑部侍郎貶爲潮州的刺史，在到任約七個月後，改移爲袁州刺史。這兩次的被貶職，在他南行潮州的路上，曾留下多首的感慨之詩。在他的〈左遷至藍關示姪孫湘〉云：「一封朝奏九重天，夕貶潮州路八千，欲爲聖明除弊事，肯將衰朽惜幾年，雲橫秦嶺家何在，雪擁藍關馬不前，知汝遠來應有意，好收吾骨瘴江邊。」在廣東省境內的臨瀧（韶州曲江縣）留下「韶州南去接宣溪，雲水蒼茫日向西，客淚數行先自落，鷓鴣休傍取邊啼。」等，在他所發落的地點，可說是在當代被視爲南蠻地區的廣東一帶。不過，由於韓愈的到任，他在當地設置鄉校、提倡教育，並爲百姓寫了一篇著名的「祭鱷魚文」，使之當地的文化，日漸步上文明之途，自然受到嶺南地區客家人的敬仰與尊奉。㉞韓愈自回長安後，歷任兵部侍郎、吏部侍郎。長慶四年卒，享壽五十七歲，諡贈禮部尚書。神宗元豐七年詔封「昌黎伯」，即爲韓昌黎的由來。

每年農曆九月九日重陽日，又是韓文公的聖誕之日，早晨九點左右，由地方士紳以及管理委員會所組成的祭祀團，會於祠中舉行正統的三獻禮公祭，他們除了主祭韓文公外，也祭祀配祀趙德以及韓湘先師等聖賢。雖然目前在功利社會的牽引下，所參與祭祀的人員不超過百餘人，但內埔昌黎祠仍能正常舉行，並保持著純樸而隆重的心態給予祭祀，不受外在不良風氣的干擾與影響，實屬難得外，每逢過年期間，內埔地區，凡是有新生男孩的家庭，都要用「新丁粄」來此昌黎祠祭拜，其目的，除了一方面感謝神恩庇佑生子外，另一方面，則是希望新生的男孩，在往後的求學過程中，能夠步步高昇，萬事如意。在祠內右牆上，有一塊立於清·乾隆四十九年（西元 1784 年）的石碑，比建廟時間還早上二十年之事。根據劉正一說：「這塊石碑叫『文宣王碑』，乾隆四十九年，六堆舉人何元濂（蕉嶺籍）發起創立『文公會』（韓愈卒諡文），召集一百多位六堆的讀書人，每人出一塊銀元，買了幾十甲地，收取地租，叫做學田。」在有關學田的租金做何用途方面？劉正一說：「一方面用來祭孔（孔子諡文宣王），發揚孔道精神。二方面在各村莊設立義塾，推廣教育，培養讀書風氣。碑文上所記載的，就是當年出錢的讀書人名字。」㉟至於，在台灣極少或是唯一奉祀韓愈爲主神的昌黎祠，在其門口右側的牆壁上，嵌有清朝時的〈封禁古令埔碑〉，立此石碑的目的，在於禁止閩、粵二族之人，在平埔族人的土地上開墾之意。該石碑是在清・嘉慶二十年（西元1815年）五月二十日，被豎立在亞麻灣溪南岸的保安村內，在日治時代時，被遷建於老俾部落，而後又移到此廟前被嵌於牆壁上，而與昌黎祠的興建，並沒有什麼太大的關係。

八、土地伯公

在早期開墾的農業社會，不論是耕田或種果樹，人們爲了求豐收，習慣上會在附近找棵大樹或石頭賦予它象徵性或神靈化的意義，而設立形式簡陋的田頭田尾石板伯公，以保佑風調雨順，年年豐收。其後，在它的發展上也常出現在庄頭庄尾、街頭巷尾、橋頭水尾等地，因而有人說：「有人的地方，便有土地公」。雖然台灣土地神的信仰來自中國，但在台灣幾百年的發展下，土地公的神職、神階、造型，乃至廟宇的建築，早已相當的本土化、台灣化。究竟台灣到底有多少座的土地公廟？數字一直「不可考」，根據內政部在一九九三年（民國82年）所統計的大型土地公廟有一千三百多座，但有更多中、小型土地公廟，則根本不在官方的統計之列。

在遊牧時代，只有代表土地神的「社」的觀念，到了農耕時代，才有代表百穀之神的「稷」的觀念。古人拜「社稷」就是拜土神、穀神。而土神就是一般人所稱的土地公了。

這個小神明，管遍台灣大小事的土地伯公，又稱之為土地公，是一種管理土地之神。在「有土斯有財」的傳統觀念下，土地公又被人們當做「財神」，而尊稱為「福德正神」。在其職掌方面，原是保佑轄境平安，農事順利，以及類似現今鄰里長所從事的守望相助工作。由於祂與民間社會接觸最為頻繁，也是最親民、便民、有求必應的神祇，而逐漸擴大祂的職權，去兼管人們的財運和監察民間善惡之職了。台灣民間普遍祭祀土地公，廟祠分別稱為「福德宮」或「福德祠」。土地公之於客家人的意義，更甚於福佬人，他們稱土地公為「伯公」，而其廟宇則把它俗稱為「伯公廟」或「伯公亭」。典型的伯公廟，除了主祀伯公外，在廟前還築有供奉「天神爺」（天公）的小屋，以及在伯公側邊配置有供奉「好兄弟」的香爐，來代表中國古代「天、地、人」的三才思想。目前保存有此典型的客家伯公廟，並不多見，普通僅供奉天公和伯公而已，有些祠廟則配祀有「龍神」。㊱在有關土地伯公的主體建築方面，土地伯公在台灣聚落裏處處可見，有的壯麗，有的簡樸，有的穿金鑲玉，有的只是幾塊簡單的石頭。雖然在台灣有的土地公已經蓋了金碧輝煌的樓房，有如基隆的平安宮、宜蘭的龍德廟、屏東車城的福安宮…等，但是有如「化胎」格局的美濃土地公，在其石碑上書寫為「里社貞（或真）官香位」，而非一般的「某某庄福德正神香位」等現象，以及高樹鄉大埔頭的福德祠，在其中央並不是一塊石碑，而是一間小祠等，形式雖似墳墓，俯貼著土地的土地公，不過，祂們也在默默的護祐著整個的家族，甚至整個的鄉里。

在有關土地公的來源，在傳說中至少有六種的說法：

1. 是有人認為在開闢原始森林作為農地時，留下一棵大樹做為乘涼之用，或留下一塊大石而不移動，或把一塊大石放在樹下等，立即認定已有地靈依附而誠懇祭拜之。
2. 是帝堯的農官，教導人民農耕畜牧，人們因感念他們的恩德而祭祀之。
3. 是「春秋左氏傳」所云：「共工有子曰勾龍，佐顓頊，能平九土為后土，故封為上公，祀以為社。」
4. 是周朝有位名叫張福德的官吏，他為人公正，除了體恤百姓生活的困苦外，並默默的做了許多的善事，自他逝世後，接任的官吏則非常殘暴，為所欲為，與張福德之為人恰似天壤之別。當地百姓因而無不對張福德之恩，不斷的感念在心，最後建廟祭祀，並取其為「福德正神」。
5. 是周朝有位上大夫的家僕，名叫張明德。他的主人遠在他鄉就任，由於家中的幼女思父心切，欲見其父親，於是張明德就陪同幼女前往。不料在途中遇到大風雪，小女孩因受凍而生命垂危，張明德於是便脫去身上的衣物來保護她，雖然該小女孩的生命

保住了，但張明德卻凍死了。其主人爲感念他的忠誠，於是建廟祭祀，周武王賜號爲「后土」，而世人則尊稱爲「土地公」。㊲

6. 是有人認爲凡對地方有貢獻、有德行之人，均足以被祀之爲土地公。

在土地公的生日方面，在中國早在三代時，即崇祀社神，而且國有國社，里（二十五家爲一里）有里社，春秋社日都有舉行祭祀，春祭爲祈，秋祭爲報。在唐宋時，以立春後的第五個戊（屬土）日爲春社日，立秋後第五個戊日爲秋社日。因此春社的日期不固定，有時在春分前，有時在春分後。到了明代，社祭分爲官社與民社，官社仍用社日，民社則固定用二月初二；民間相傳二月初二爲土地公生日，大概即淵源於此。㊳根據康熙年間所刊行的《玉匣記廣集》中記載：「二月初二日土地正神聖誕」外，沒有其他日期的登載。農民是靠土地爲生，此日都要祭拜土地公，演戲慶祝，有些地區更將金紙繫在竹枝上，植於田邊，奉獻給土地公，俗稱「土地公拐」。除了個人祭拜外，另有一種土地公神明會，是由一群人聚資立土地廟，每年二月初二、八月十五祭拜土地公，輪流做東，並以祭拜後的供品置酒請諸會員，俗稱「食伯公福」，台灣的工商界將土地神（福德正神）奉爲財神，除了正月之外，每月初二、十六皆備牲醴祭拜，俗稱「做牙」，二月初二是頭牙，十二月十六是尾牙，祭儀特別隆重。不過，在台灣在客家庄中，把二月初二、四月初八、以及八月初二等三日，分別被認為是伯公聖誕日。在四月初八方面，在苗栗縣頭份鎮，每年於當天會有盛大的慶祝伯公聖誕的大拜拜活動。在八月初二方面，可能來自於感謝農作物成長成熟的秋祭活動而來。不過，隨著台灣由農業社會進入工商業社會的社會結構的改變，在客家庄，除了高年壽的少數農民外，已經很少人知道四月初八和八月初二是伯公的聖誕日了。

在土地公的造像方面，大多是把祂塑造成一位手持拐杖、白鬚白髮、慈眉善目、笑容可掬的老人外，有些的塑像，在其旁邊，還雕塑有據說能為民除害的老虎一隻。至於，在坐騎方面，有人認為福德正神掌財，所以祂所騎的是與「財」發音相同，而造型宛如獅子的「豺」外，民俗學者又指出，若以虎爺為陪祀神，尤其是以虎為坐騎，可視為是一種民間信仰的創新。

在土地公職責的提昇方面，土地公過去是農民最重要的守護神；在都市開發後，土地公成為守護街坊的「街坊土地」；在交通發達後，土地公就在路邊或橋頭成為保護行旅的「行路神」；隨著工、商業社會的到來，土地公變成了生意人做「牙」（打牙祭）拜拜的對象。在客家人方面，現今人民祭祀土地公，除了祈求家宅平安、五穀豐收外，還祈求生意興隆、財源廣進，舉凡農工商和一般人都要祭祀祂了。在坊間有關有些人對伯公的所謂「借錢求財」、「借柑求甘」的活動方面，這須要設有管理員的較大伯公祠，才有能力辦此活動。相傳在元宵節這一天向伯公借錢做生意，容易賺錢發財，尤其是在賭場上。同理，

「柑」字與「甘」字同音，也有人向伯公借柑以求家人甜蜜，萬事如意的說法。不過這些不管是向伯公「借錢」或「借柑」的人們，在獲得伯公的同意後，在明年的元宵節時，不但要記得奉還，而且所奉還的「金額」或「柑子」數目方面，往往還應不只於加倍的奉還。不過，土地公的信仰發展至今，也有祂沈重負擔的一面，尤其是在十餘、二十年前六合彩、大家樂興盛時期，不少信眾向土地公求明牌。幸運簽中者，就打造金牌、請戲謝神；不幸摃龜者，就損毀或棄置該土地公，造成許多的落難神明，使人不得不感嘆，土地公護佑台灣四百年，在台灣民眾信仰的功利化下，是十分的難爲了。

至於，另一類爲祖先守墳墓的「后土」土地公方面，在過去大陸客家原鄉並沒有此種的現象，不過在現今台灣卻是很盛行。在有關它的由來方面，相傳秦始皇在修築萬里長城時，有位孟姜女從南方千里來到塞外尋找夫君范杞樑，當她到達長城時，只見遍地都是白骨，不知夫君在何處。於是孟姜女就開始放聲大哭，或許哭聲感動天地，在眼前忽然出現了一位白髯老翁，並教她用淚水遍灑屍骨的方式尋夫，不久范杞樑就全屍出現。白髯老翁再教孟姜女用麻袋裝屍拖回故鄉，不料途中屍首毀損，而白髯老公翁乃答應孟姜女爲夫築墓看守，即爲現今「后土」土地公的由來。㊴

九、惜字亭

客家人有「敬惜字紙、尊敬知識」的觀念，始於何時無從考據？但是在保存客家文化傳統較濃厚的高屏六堆、美濃、桃園龍潭、花蓮鳳林、雲林、彰化詔安客居住地區有些還保存著字紙亭或敬聖亭。亭在如義在，亭毀了，好傳統也會被時空所淘汰。惜字亭又叫敬字亭、敬文亭、聖蹟亭、字紙亭等。現今台灣所存在的惜字亭，大約僅剩二十座左右，在現代印刷術的發明，文字成爲舉目皆可見的東西，以及西風東漸、社會型態的改變之前，在過去客家地區，收集寫在紙上的「字紙」，集中在惜字亭焚燒，是一種相當普遍，並且一直爲人們所重視的風俗。

在傳統的客家人心目中，由於有「造字不易」的印象，以及「萬般皆下品，唯有讀書高」的觀念下，認爲「紙」和「文字」是一種代表文明的象徵，更是一種聖哲遺教的傳承者。在過去客家庄往往有一種名叫「惜字會」的組織，他們認爲文字是聖神的化身，而僱請人在市街坊里收集字紙，集中起來，送到惜字亭去焚燒，好讓那些文字「過化成神」，飛昇回到天上之舉。至於，專爲焚燒字紙而建的惜字亭方面，它們除了經常出現在街頭坊里、各地書院、文廟外，也常出現在比較重要的廟宇附近。在現今方面，收集字紙的舊習已經日漸式微，相對的對於舊時所遺留下來的聖蹟亭方面，也因逐漸失去作用，而被拆毀。在有關聖蹟亭的一般造型藝術方面，雖然聖蹟亭的造型各地有異，但基本上都包括了台基、亭座、亭身、亭頂和屋面等部份。立面有兩層、三層、四層、五層不等，其中以三層結構最爲常見。通常亭頂設置神龕，祭祀倉頡、魁星等文神，或在扁額上寫「聖蹟亭」等文字識別裝飾；焚燒口則可當成一個門面，左右旁題以詩詞對聯。屋面是聖蹟亭最具裝飾性的部份，其形式有攢尖、歇山、硬山、雜式等四類。聖蹟亭的建材有磚式、石造、磚石造。石材多用於台基、亭座，裝飾泥塑剪黏及捲雲，亭頂泥塑以葫蘆或人物，有門額及對聯，各面皆做裝飾性的壁堵，施以彩繪、雕刻或剪黏等。㊵在現今僅存二十座左右的惜字亭中，以位於桃園龍潭鄉烏樹林（凌雲村竹窩子段）的聖蹟亭規模爲最大，造型也最美，該亭分爲三層，四周有矮磚砌成的欄杆，中間爲放置字紙的燃燒之處，背後鑲嵌有八卦圖型，底座及上層，還刻有麒麟、劍獅、鳳凰等圖案。在位於桃園大溪蓮座山觀音寺旁，還有一座亭身不小的敬聖亭。在高雄縣方面，位於美濃鎮瀰濃里永安路旁的寶塔式敬字亭，建於清・乾隆二十四年（西元 1769 年），目前爲國家三級古蹟。位於高雄縣杉林鄉月眉村清水路田中巷內的「月眉敬字亭」，爲一座三層六面磚造的敬字亭。位於高雄縣麟洛鄉麟洛庄尾（今麟趾村）小份巷內的「小份敬字亭」，爲一座四層六面的磚造神龕建築。位於屏東縣竹田鄉，有一位於渡船碼頭旁，有一座福德亭之外，又有一座四層六面的磚造敬字亭，是竹田鄉境內三座敬字亭中最古老的一座。另一座是位於竹田鄉西勢村的「西勢文筆亭」，它是以孔廟內的文筆亭爲構想，所建的一種亭高三層、六角型，有別於其他村莊所建的敬字亭。在屏東縣萬巒鄉佳佐村的「佳佐敬字亭」方面，相傳此亭建於清・乾隆年間，爲一座八角形單層的建築。在屏東佳冬鄉的敬字亭方面，有四座。一是位於佳冬村蕭宅古宅左側，底座及中層爲六角型，頂層爲四角型的聖蹟亭；二是位於萬見村廟神農宮旁的敬字亭；三是位於賴家村西邊村尾的田間；四是位於昌隆村神農宮前右側巷道旁的敬字亭……等。㊶

今僅以龍潭的聖蹟亭和萬巒佳佐的敬字亭爲例做個說明：

㈠桃園龍潭的聖蹟亭

站在龍潭聖蹟亭的塔基上遠望過去，插天、李崠諸峰矗然而立，雪山連峰聳峙其後，眼前靈潭粼粼有光，真是一個非常完美的山明水秀之地。「一亭聳立竹窩子。二山前後相宰制。三級古蹟四重修。四角次龍厭勝物。五五成群來朝聖。六四八邊合八卦。七句詩對配七尖。八面爐腳文武全。九流賊子偷獅爐，十全缺一留賊跡。」這首打油詩，可說是將此亭的概況大致的描繪出來。創建於清・光緒元年（民國前 37 年，西元 1875 年），並於光緒十八年及大正十四年各重修一次，到了民國六十八年（西元 1979 年），更加建牌樓的聖蹟亭，是爲了紀念倉頡造字辛勞，與愛惜文字、提升文風、焚燒字紙而設。迎賓門是進入聖蹟亭的第一景。當進入聖蹟亭後，大致可分爲三進。頭門之前稱爲「一進」，頭門到中門之間稱爲「二進」，中門之後稱爲「三進」。從一進、二進到三進，地面層層升高，有步步高升之涵義。在庭園裏有四個門柱尖、兩側筆柱尖和一個惜字亭亭頂的葫蘆尖等，共有七個「尖」。第三進的主體爲方形台基、三層亭體的聖蹟亭，由下而上有八角形、四方形與六角形的建物，來分別代表「八卦」、「四象」和「六氣」。基層的八角形建物，背後鑲嵌有八卦圖型，主體建物前方三面還刻有「鳳鳥銜書」、「麟吐玉書」、「獅子滾繡球含寶劍」等圖案的石雕。中層爲焚化字紙的爐體，兩側有光緒年間及日治時代的修建銘文，在爐口的左右有「文章到十分火候，筆墨起百丈銀瀾」、「鳥喙筆峰光射斗，龍潭墨浪錦成文」對聯，在爐口的上方，有「過化存神」、「文運宏開」的介點題文字，而在亭壁有「萬丈文光沖北斗、百年聖化炳東瀛」的對聯。第三層爲六角形，石板上刻有雙龍座、兩儀太極八卦、以及捐款名錄。頂上方用石造攢尖屋頂覆蓋，翼角翹起。屋頂中央則安放葫蘆寶座。至於，在亭前方面，還有一個石香爐，以供膜拜之用。㊷

㈡屏東萬巒的佳佐敬字亭

位於屏東萬巒佳佐村西北部的一片檳榔林中，爲一座八角形單層的建築，高約 4 公尺，字紙的焚燒口在距離基座 1.5 公尺處，其上方接近亭頂處鑲有一面銅鏡，亭的造型與其他聚落的敬字亭有極大的差異。據傳說此亭建於清・乾隆年間，因爲當時萬巒庄內有座石砲，砲口正朝向佳佐庄，造成村中居民不安，於是村民在此處被稱為「天燈腳穴」的地點；安置此亭，並在此亭的上方鑲嵌一面銅鏡，與萬巒的砲口遙遙相對，藉以避開沖煞的一種特殊造型的敬字亭。㊸

第三節：祭祀禮儀

中華民族自古以來，就以崇敬天神，祭祀祖先為人倫的要件和治國的根本。孔子曰：「祭祖如祖在，祭神如神在。」又說：「吾不與祭，如不祭。」

第一項：客家人的祭拜

祭祀乃人神相接的具體表現，其用意乃在敬神與求神。在一般的祭儀上，若在寺廟中設有多處的神案時，則先拜天公，次拜該廟堂的主神，然後再拜其從祀的諸神。若兩旁還有其他的神像，則先拜右邊的神像，然後再拜左邊的神像。在拜神的方式上，有徒手拜拜、跪拜以及焚香等。在徒手拜拜方面，其手勢有佛、道之分。當向佛像拜拜時，須雙手合什。當道家之諸神拜拜時，須手拱兩儀，即左手（為陽），包住右手（為陰），而右手又抱於左手的大姆指，其形式有如太極兩儀圖中的黑中一點白，以及白中一點黑的現象。在跪拜方面，根據曾彩金、張春菊所編撰的《六堆客家地區祭拜入門》一書中，指出依不同的跪拜對象，跪拜的次數如下：*1.* 天尊、玉皇大帝，四跪十二拜。

2.佛祖、神明，三跪九拜。3.父母師長，四跪八拜。4.阿公、阿婆，四跪四拜。5.拈香，二跪兩拜。㊹今以一般常用的三跪九叩方面，其中在一跪三叩時，須先出左腳下跪，拜時頭須觸地，並且手背向上（代表陽）。至於，在拜喪時，有所謂的四跪十二叩，其拜法與拜神相同，不過手心須朝上（代表陰）而已！在焚香膜拜方面，它始於道家，由於佛、道混淆，民間拜佛亦皆焚香。燃香的枝數，是隨寺廟所設的香案數目而定。在插香時，不分男女，一般認為由於右手處理萬事，視為不潔，而用左手插香。

在祭品的準備方面，有牲饌、茶酒、香燭、冥紙、水果或鮮花。諸如在牲饌中，一般分為三牲和五牲兩種。在三牲中，有豬肉、雞、魚三種。在五牲中，有豬肉、雞、魚、鴨（鵝）、蛋（或他物）等。在水果方面，種類之多寡，並無限制，只要市場上所販賣的水果大多均可，不過民間一般不用蕃石榴、蕃茄，因其繁殖須浸尿或便道之過程，唯恐不潔，對神不敬，而不用外，在道家方面，通常不祭拜李子，其原因是道家的老子姓李，為避其名諱而不供拜李子。在有關燒冥紙方面，相傳蔡倫發明造紙術後，所製造的紙無人問津，於是蔡倫就裝死，由其妻子將蔡倫所造的紙切成長方形狀，在靈前燒化，並向神靈祈禱，能令蔡倫甦醒，如此過了七天，蔡倫果然復生，一時傳為奇譚，從此，世人乃盛行為死人燒冥紙的習慣，而蔡倫也因而成冥紙業的守護之神。在另一種的說法方面，相傳它源於唐太宗在病危時，遊冥府的神話而來，自唐太宗至陰曹地府，目睹了孤魂野鬼的慘狀後，乃下詔大赦天下，廣集高僧爲孤魂野鬼作法事超度的同時，並研製出金銀紙錢，以及焚燒紙錢的法則，而有現今燒冥紙的習俗。在燒給神明或死亡者使用的紙錢，謂之冥紙。其種類繁多，發展至今，大致可分爲金紙和銀紙兩大類。在金紙中，大致有天金、壽金、刈金、中金和福金等五種。天（公）金又分爲頂極金、太極金，它用於祭拜天公及三官大帝。壽金，用於祭拜觀音、地藏王、媽祖、關帝、文昌帝君、孔夫子、城隍等諸神。刈金，用於一般神明。中金，用於祭拜山神或水仙王。福金，用於祭拜福德正神以及一般普通的神明。在銀紙中，可分爲大銀、小銀兩種。大銀用於祭拜陰間祖先；小銀用於鬼差。至於其他的紙錢方面，諸如白金錢，用於祭拜神祇之護衛將兵、寺廟守護神（如虎神）或是掃墓時，用來當「壓墓紙」之用。外庫錢，則是用於放逐小鬼時，所給的零用錢。

在有關金爐污染源納入管制對象方面，在過去地廣人稀，燒紙錢對環境的污染影響不大，不過在現今人口眾多，尤其是在大都市裡，燒紙錢成爲一種的環境污染源，在民間過去多認爲燒紙錢越多越有誠意的觀念，也逐漸被「不需燒大量紙錢，有虔誠心意一樣足夠」的觀念所打破外，環保署對於推動將寺廟、神壇、納骨塔的金爐納入「固定污染源」管制的對象裡，尤其是在民間燒紙錢，信仰難約束的情況下，只有規定在具有一定規模以上的金爐，需安裝污染設備，以達兩全其美的目標。

在擲筊方面，筊大多是用樹根或竹根，做成正反兩面彎如月形，其外突內平，外稱陽，內稱陰的東西。它經常被擺在神佛的供桌上，做爲信徒向神乞示吉凶禍福之用。一般在擲筊前，須向神佛講明擲筊的因由後，再拿起桌上的筊，把陽面合在一起，經過參拜後，再走到香爐前，將筊在香爐的香煙上巡繞一次或三次後，把它投擲在地上，其一正（陽）一反（陰），稱爲聖筊，表示神明許諾、吉祥如意之意。倘若兩個筊均爲反（陰）時，稱爲怒筊，表示神明怒斥，凶多吉少之意。倘若所呈現的兩個筊，均爲正（陽）時，稱爲笑筊，表示吉凶未明，或是摸不清其意的冷笑之時，須將因由更清楚的告知神佛後，再繼續擲筊，直到能夠辨明是聖筊或是怒筊爲止。

在有關一般祭祀的程序方面，其情形大致如下：

1. 擺列牲饌祭品。
2. 點燃蠟燭。
3. 獻茶三杯。
4. 焚香迎神。
5. 敬酌第一次酒。
6. 擲杯筊以問神明是否降臨。
7. 神明既降後，則敬酌第二次酒。
8. 告知神明所祈求之事後，並擲杯筊，以獲知神明是否允諾。
9. 雙手捧持冥紙、爆竹，向神明展示、敬拜。
10. 焚燒冥紙，燃放爆竹。

11. 敬酌第三次酒。

12. 擲杯筊，以問神明是否餐畢。

13. 持酒潑灑冥紙灰燼，以防紙灰飛散。㊺

在有關傳統三獻吉禮方面，其情形爲：在客家人的信仰裡，「三獻吉禮」是相當重要的祭典儀式，它的用途很廣，可用於廟會、祠堂落成、神明祭典及喪事等。「三獻吉禮」源自於古禮，是客家人沿襲以久的傳統祭禮，祭拜時行三跪九叩大禮，不限特定時辰，採進爵、奉爵、獻爵三次獻禮儀式。一般而言，「三獻吉禮」的舉行，大約進行四十分鐘，須由兩位執事負責主持活動，一位擔任通唱，另一位則擔任引唱。通唱爲整個祭典活動進行的主持人，而引唱則引導正獻官獻禮。須注意的是，不論是擔任通唱或引唱，其執禮聲必須嘹亮，而且延續不斷。

「三獻吉禮」主要是一連進行三次獻禮的儀式，即進爵進祿行初獻禮，奉爵奉祿行亞獻禮，獻爵獻祿行三獻禮，其主要供品爲雞肝、雞腱、酒或瘦豬肉，這些供品須由主辦單位或自家準備外，也可準備多元供品，如獻剛鬣（豬）、獻柔毛（羊）、獻牲醴（三牲或五牲）、獻粿品、獻財帛等。「三獻吉禮」原本僅能適用於神明的祭典，但因客家義民爲保鄉衛民，犧牲奉獻，雖屬陰神，客家人將其神明化，有如崇敬神明般看待，因此也將此一儀式運用於祭祀義民爺。「三獻吉禮」演變至今，也可用於喪事，稱爲「三獻喪禮」。它和吉禮大致相同，其相異點爲喪禮須四禮八拜，盥洗程序必須在行禮之後進行（吉禮須事前盥洗），

其所進行的項目，諸如在獻牲醴、蔬粿品、讀哀章、孝媳進羹飯……等方面，均須行所謂的叩拜禮。㊻

第二項：客家人的拜斗

斗燈所代表的是光明與生命力的展現。斗燈爲台灣既有風俗之一，特別是在道教文化中，更佔有一席之地，在祭拜科儀中之禮斗法會又稱拜斗，主要目的乃爲延壽，消災祈福而設，更是客家鄉親最普遍易見的祭禮。

斗燈可分長期安奉（一年）及臨時安奉兩種，前者大多在寺廟春、秋禮斗法會時安置，後者則在建醮或特殊法會，或者盂蘭盆會時安置斗燈；斗燈乃由「米斗盛米點燭，斗內由兩方斜插二支木劍，中央置一面圓鏡及剪刀、尺、秤、算盤、錢、土等，在桌前供牲醴祈禱。」其最主要的功能，則爲「禳境內邪鬼，祈求天賜福祥，合家平安，士、農、工、商各業興隆……」。

拜斗也就是祭拜斗燈，斗乃指星斗，「天上群星皆屬斗部，人之十二元神所宿」，故稱元神燈，則是星命根源之象徵。公家總斗燈，代表該地居民全體之生命，私人各首之斗燈，則代表其一家人之生命」。民間俗稱又有「北斗解厄，南斗延壽」的說法。

將米盛於斗中，上插各種器物，由點燃油盞長明而成的斗燈，主要乃寓借米及燈的功能。自古以來，米爲民間最普通的辟邪物，燈則爲傳達光明與溫暖之物，斗中長明的燈，寓有生生不息，煥彩元神之意。㊼

註　解

① 自由時報，90.1.10。

② 莊英章著，《家族與婚姻》，頁127，台北：中央研究院民族學研究所，1994。

③ 參見楊曾文著，《教教的起源》，頁 58、72，高雄：佛光出版社，1991。

④ 同上，頁72。

⑤ 《台灣史蹟文物簡介》，頁57，台灣省政府發行，2004年7月。

⑥ 仇德哉著，《台灣廟神大全》，1983。

⑦ 張衛東著，《客家文化》，中國新華出版社，1991。

⑧ 仇德哉著，《台灣廟神大全》，1983。

⑨ 黃正宗，《台北客家三山國王信仰文化節活動手冊》，頁2，台北：台北市政府客家事務委員會，2004.3.6。

⑩ 參見《客家民俗文化》，頁 50，台北：台北市客家公共事務協會，1997年1月5日。

⑪ 黃榮洛，徐正光主篇，《徘徊於族群和現實之間：客家社會與文化》，頁152，台北：正中書局，1991。

⑫ 參見張祖基等著，《客家舊禮俗》，頁 398～400，台北，眾文圖書公司，1986。

⑬ 蔡相煇著，《台灣祠祀與宗教》，頁 113、114 台北：台原，1989。

⑭ 參見蔡相輝著，〈從媽祖信仰論政府與民間信仰關係〉，自立晚報，82.5.4。

⑮ 參見曾喜城著，《台灣客家文化研究》，頁 137，屏東：屏東平原鄉土文化協會，88 年 8 月二版。

⑯ 參見劉精誠著，《中國道教史》，頁 289，台北：文津出版社，1993。

⑰ 阮昌銳著，《傳薪集》，頁 96，台北：台灣省立博物館，1987。

⑱ 參見練記（錫齡）著，《地理叢談》，陳運棟序，頁 1，苗栗：張致遠文化工作室，2002 年 9 月。

⑲ 張之傑主編，《環華百科全書》，第九冊，頁 206，台北：兒童教育出版社，1986 年 2 月再版。

⑳ 張祖基等著，《客家舊禮俗》，頁 228、230，台北：眾文圖書公司，1986。

㉑ 黃榮洛著，徐正光主篇，〈客家人的台灣史〉，《徘徊於族群和現實之間：客家社會與文化》，頁 161、162，台北：正中，1991，。

㉒ 《客家的過去，現在與未來》，頁 64、65，屏東：編輯委員會編印，1991。

㉓ 李思儀報導，〈六堆秋祭大典追思先賢烈士〉，客家郵報，92.12.10～16。

㉔ 參見劉還月著，《台灣的客家人》，頁 98，台北：常民，2000。

㉕ 義民祭特刊，〈客家義軍英勇保衛家園〉，客家郵報，

2004.8.18～24。

㉖ 同上。

㉗ 同上。

㉘ 同上。

㉙ 李思儀報導，〈客族秋祭之旅訪義民廟尋根溯源〉，客家郵報，93.12.3～9。

㉚ 同上。

㉛ 同上。

㉜ 參見《頭份鎮志》，頁490、491，苗栗：頭份鎮公所，2002。

㉝ 參見中國時報，90.12.15.。

㉞ 參見劉還月著，《台灣的客家人》，頁114，台北：常民，2000。

㉟ 奚淞著，〈蕉嶺巡禮〉，《漢聲－台灣的客家人》，頁35、36，台北：英文漢聲出版公司，1989。

㊱ 參見魏麗華編著，《客家民俗文化》，頁 51、52，台北：愛華出版社，2002。

㊲ 參見《客家民俗文化》，頁51，台北：台北市客家公共事務協會，1997。

㊳ 內政部編印，《二十四節氣與農漁民生活》，頁 20，台北：內政部，1990。

㊴ 參見阮昌鋭著，《民俗與民藝》，頁 95，台北：台灣省立博物館，1984。

㊵ 翁鳳英整理，〈聖蹟亭再興客家文風〉，《客家文化

季刊》，NO.7 春季節，頁 27，台北：台北市政府客家事務委員會，2004。

㊶ 潘朝陽、邱榮裕總編纂，《客家風情》，頁 144、147、157、169、174、179，台北：台北市政府客家事務委員會，2004。

㊷ 參見許瓊文報導，〈龍潭聖蹟亭〉，客家郵報第三期，十三版，92.8.27。

㊸ 潘朝陽、邱榮裕總編纂，《客家風情》，頁 174、175，台北：台北市政府客家事務委員會，2004。

㊹ 曾彩金、張春菊編撰，《六堆客家地區祭拜入門》，頁 81、82，屏東：社團法人屏東縣六堆文化研究學會，93 年 11 月。

㊺ 參見劉守松編著，《家禮常識》，頁 555、556，自印，1986

㊻ 參見葉俊琪報導，〈客家禮俗義民祭典，沿用傳統三獻吉禮〉，客家郵報第三十六期，一版，2004.8.4～10。

㊼ 陳永賢發行，《頭份行透透》，頁 30，苗栗：頭份鎮公所，94 年 2 月。

第五章：歲時節慶

第一節：民間重要節日

世界各地皆有感恩節慶，通常是與農業收獲季節有關。早期人們相信土地母神掌控生產季節，祭祀使祂歡欣則豐收有個好年冬，反之乾旱肌餓臨至。這種的自然象徵崇拜，在希臘祂的名字是Demeter，人們以豬作爲祭祀；在羅馬稱爲 Ceres，今日穀物（Cereal）名稱由此而來。民間節令原本與人的生活習性、氣候轉換或人間願望有密切的關聯。客家人的歲時習俗，反映著客家人的宗教信仰以及社會種種的生活事象，其形成內容，包括有全國性的傳統信仰、地方性神明和眾神崇拜，以及傳統的歲序節俗等。由於客家人的傳統歲序節俗甚多，並常受福佬人、原住民以及時空的影響，而有所差異。所謂的「歲時節慶」，就是分佈在一年四季的各種節氣，最有名的就是我國傳統上的二十四節氣（春季～立春、雨水、驚蟄、春分、清明、穀雨。夏季～立夏、小滿、芒種、夏至、小暑、大暑。秋季～立秋、處暑、白露、秋分、寒露、霜降。冬季～立冬、小雪、大雪、冬至、小寒、大寒）。雖然它是依據以黃河流域大陸性的氣候來製定，而與目前海洋性氣候的台灣有很大的落差。不過，在原則上大致還能適用，並且產生出許許多多的相關古老歲時節慶的文化，其情形大致有如，諸如在周朝古禮的「鞭春牛」活動方面，它是在體現農民敬天畏神、克勤克儉的精神。在古書裏的春牛圖，裏面可藏有不少玄機，製作春牛與芒神也極為考究：

一般認為：「春牛身高四尺，長八尺，尾一尺二寸。牛頭青色，牛身白色，牛腹黑色，牛角耳尾黃色，牛脛黃色，牛蹄紅色，毛尾右繳。牛口合，牛籠頭拘子用桑拓木，絲繩結青色，牛踏板用縣門右扇，芒神身高三尺六寸五分面如少壯像，青衣白腰帶平梳兩髻。右髻於耳前，左髻於耳後。罨耳全戴，行纏鞋跨俱無，鞭杖用柳枝二尺四寸，五彩醮染用絲結，芒神與春牛並立於牛前右邊。」根據上述大致可以推知，春牛高四台尺代表四時，長八尺尾一尺兩寸，暗指時令的八節與十二個月；牛的頭、身、腹、耳、角等的顏色，分別依年干、年支、立春日干支的五行顏色繪成。

牽著牛的芒神身高三尺六寸，代表農曆三百六十天，芒神的打扮代表當年雨水預測。芒神著鞋襪表雨水少，赤腳、捲起褲腳表雨水多；而芒神的衣著顏色、材質、頭髮型式、面相，也分別代表立春的天干地支，連芒神站的位置於牛前或牛後，都象徵了立春距離年初一的五日以外或以內，十分有趣。在「祭春牛」時，有「摸牛頭，祈出頭」、「摸牛嘴，大富貴」、「摸牛尾，存家貨」等的邊摸邊說的吉祥話產生。

在客家習俗中比較著名的歲時節慶，例如有，春節是在冬季無法工作的時間，元宵是新年假期的真正結束，清明是介於春耕與夏耘之間，端午是在第一次的收成之後，中元是在大暑不宜耕作之時，中秋是在一年的最後一次收成，重陽是在準備進入冬天之際，冬至是陽氣初萌冬盡春回的日子，再接下來的臘月就是全爲了準備春節了。不管是在大陸或是在台灣，除了配合歲時節序的活動，在傳統慶典裏有一些是和山川大地、鬼神有關。這些鬼神的生日、祭祀，或是佛、菩薩的誕辰、成道，都是國人慶祝的來源，在具有「祈福」、「消災」、「天人合一」、「團圓聚會」性質的祭典中，除了表示人們對神祇的祈願和感恩外，並富有娛樂民間的意義，因此每逢迎神節令，民間百姓無不暫時放下工作，熱烈參與，使這段時間成爲民間難得的狂歡假期。隨著工業革命後，工商業社會取代了農業社會，二十世紀以來民主憲政的政治體制改革以及社會結構的變遷，使家庭結構也不得不重新調適，文化及生活都遭到前所未有的衝擊。今以日常生活關係最爲密切的歲時節慶爲例，我們更可以清楚的看到傳統文化的命運，有些消逝，有些蛻變衍生而變形變質，也有的只留下形式。不管如何，它們仍是屬於整個族群的節慶，它除了能反映出當地人民的宗教信仰和社會生活現象外，也能部份表現出該族群的一種綜合性的文化意義。今將列舉一些比較具代表性的節慶描述之。

一、新年：

在現今的客家春節，年味依舊濃馥。在「過年」的傳說中，最值得深思的就是年獸，牠是在天寒地凍時，從深山出來，獵食人畜的怪獸。因此家人齊聚一起，彼此團結，想出諸般辟邪的東西，諸如在門口敲鑼打鼓、燒一堆火、或燒會製造爆響的竹筒……等，來嚇跑年獸。雖然台灣社會日漸西化，過年的氣氛越趨淡泊，但反而越顯出過年的可貴。在這段假期中，忙碌的人可以暫時揮別日復一日的工作生活，進入「年復一年」的走廊，重溫記憶，享受最真切的溫暖。

過年是台灣人民最重視的節慶之一，對客家人來說，他們以「節省」、「重實際」、「裝飾性低」……等方式，來歡度這個重要的日子。從臘月二十五，這一天開始過年，直到出年假的前後十天爲止，客家人除升火蒸製各種應景的「客家粄」之外，客家人還有習慣「對聾封碓」，忌諱罵人、打人、說不吉利話、打破碗……等的注意事項。自古以來，一直深受人們所重視的新年，最深厚的意義，莫過於舊事物的結束，以及新希望的開始，其間還包括了休息、調整與再出發等多重的意義。在客家人的過新年中，根據黃榮洛的《台灣客家民俗文集》中，依其訪查結果說：「客族的彭姓人家，全省都是過年初二，南庄鄉的倪姓人家也都過年初二，部份梁、邱、羅、未、宋、謝、萬、劉、陳、鄧、鄭、張姓等人家也有過年初二的，是否全部或部份，需要深入調查才能分明。在此特別一提的事，竹東蘇、吳姓部份人家，是過年三十日（十二月末日），說是昔日很窮，不得已有此年三十日之敬神拜祖和年初一的敬神拜祖同作完之無奈辦法。」在除夕前所需解決的還債問題，一般積欠商號的帳，不但有人專程送來，債主更是早晚來「拜訪」。窮人則只好躲藏，俗稱「有錢人過年，窮苦人過難」即是此理。在客家人的新年歌中，根據黃榮洛於民國八十二年（西元 1993 年）年底，採訪當年九十四歲高齡耆老鄒阿進老先生，口誦所提供的「窮人過年歌」，其歌詞如下：

正月起新年　　燒香奉祖先
刷雞開老酒　　火炮響連天
門前掛利市　　三牲各一員
庄庄舞獅子　　大家都過年
三馬並四六　　歡喜萬萬天
婦人轉妹家　　甜粄用油煎
年節初五日　　不覺正月半
新人送花燈　　鑼鼓鬧煎煎
光景容易過　　酒完米也完
生理又出門　　耕種又落田
工人尋頭路　　擔仔又上肩
窮人難過日　　富人日日年
鼻頭無點氣　　貧富一般般

然而，在一般客家人的新年俗語中，有：「年到初一二，食乘肥膩膩；年到初三四，人客來來去；年到初五六，有酒又無肉；年到初七八，家家捧粥缽；年到初十邊，依舊同仙般；年到十五六，食了剩餘肉，耕的耕，讀的讀。」外，在新年謠中，又有：「正月是新年，燒香奉祖先；剛雞開老酒，三牲各一筵。門楣掛利市，紙爆響連天；家家貼紅對，人人講好言。村村舞獅子，鑼鼓鬧錚錚；不覺正月半，屋屋上花燈。」事實上，客家人的過年，從十二月二十四日恭送灶神及諸神昇天述職時，就揭開了序幕。灶神原是古代五祀之一，其餘門神、中露神、戶神、行神也都與門庭有關。在這一天家家戶戶供牲醴，焚紙馬，把駐守在凡間的神明送上天。尤其是灶神，根據台灣省文獻會所編印之《台灣的年節》一書記載，灶神又稱灶君或灶王，《周禮》記載灶君是火神祝融，《淮南子》則說是炎帝，《韓非子》一書上認爲是發明取火的燧人氏，甚至也有傳說灶君就是小說《封神榜》中能土遁的張奎等情形。② 灶神的神位，在坊間有用木牌或紅紙，寫上「東廚司命定福灶君之神位」的——簡稱「司命」或「司命真君」；也有五彩木印、石印的灶君畫人像——有獨坐灶王，也有灶王爺、灶王奶奶並坐在上面的，更有的加添助手，執筆墨、算薄，隨時紀錄功過之狀等情形。在灶神的職務上，相傳祂是玉皇大帝派往各家從事「稽人功過」的監案神，每年於此日必須返回天庭，報告一年來的監察結果。許多人爲了免於未來一年的失利，對於灶神，則大加供奉，隆重餞行。在送灶神的祭品中，大多是麥牙糖、湯圓、水果和五穀之類。據悉以湯圓「甜食」祭拜，除希望灶神上報時有

「好話傳上天，壞話丟一旁」等具有暗示「美言」之意外，又怕灶神言多必失，封住祂的嘴巴，使祂不便多說之用。至於，在有關灶神的回到府上方面，相傳是在年尾的三十日，就回來了，因此有人在這天晚上有供奉糖果、餅乾、水果、以及上香燒金紙的簡單迎接儀式，以求來年的心想事成和萬事如意。

從臘月（十二月）二十五日的「入年掛（假）」或是「落年架」開始至三十日，外出的遊子都要趕回家過年外，因駐守在民間的神不在人間，人們藉此機會，在此比較沒有禁忌下，取下神明塑像加以清理乾淨的同時，人們也開始辦年貨、蒸年糕、點長年香、貼五福符或春聯來迎接新年。其中，值得注意的是，當地上的神上天時，在十二月二十五日玉皇大帝立即會派天上的神，下來地上替代地上神或做適當的秩序監督與維護，直到明年正月四日在天上的地上神下來時，才回去天上。在點長年香方面，爲了表示與平常不同，須在祖先牌位或神案前，燃香不絕，表示「點長年香」，有些較隆盛的人家，在這一天起便有夜不息燈的情形。在有關貼年畫以及名爲「封歲」，也叫「上紅」的貼春聯或貼上紅紙條方面，一般年畫的圖案包括「祭祀禮儀」與「辟邪祈福」兩種神祇。在「祭祀禮儀」中，諸如有貼在灶壁的灶神、門扉的門神、以及各行各業的行業神等。而在「辟邪祈福」中，有貼在客廳的鍾馗、門邊的財神、廳堂的三星圖或福祿壽喜圖、八仙圖等；而客家人有時還會在門扇中間上方貼上「黃孤紙」，並捲上兩條紅紙帶以討吉利。③在貼春聯方面，一般家庭大多會貼上「祥光滿室，瑞氣盈門。」、「天增歲月人增壽，春滿乾坤福滿門。」、「平安竹報全家慶，富貴花開滿室榮。」、「富貴花開滿堂春，吉祥春暖生光彩。」、「鴻猶大展世澤長，德業駿發規模遠」、「門迎春夏秋冬福，戶納東西南北財。」、「人心新歲月，春意滿乾坤。」、「十地祥雲合，千門喜氣多。」、「峰山拱照賜吉祥，綠水繞門藍玉帶。」、「鯤島春回龍啓蟄，玉山雪燦鳳來儀。」……等對聯外，大多數的人也會依各種行業，以及適當的場所，貼上不同的春聯。諸如，在各種行業中，在山居之家會貼上「山川佳氣」、「經濟山林」。農家會貼「風調雨順」、「豐年有餘」。漁家會貼「龍騰魚躍」、「鱗介滿窰」。船家會貼「桂席生風」、「輕帆任遠」。在各適當場所中，在門楣上會貼「一元復始」、「三陽開泰」、「四季平安」、「五福臨門」、「天官賜福」、「福祿壽全」、「金玉滿堂」、「萬事如意」、「八仙獻瑞」。在祖宗神位處會貼「祖德流芳」、「俎豆斯馨」。在司命灶君處會貼「上天言好事，下界降吉祥」、「上天奏好事，下地保平安」。在廳堂處會貼「如松之盛」、「玉節金和」、「似蘭斯馨」。在書房會貼「翰墨流香」、「讀破萬卷」。在廚房會貼「山珍海味」、「五味調和」。在穀倉、米桶會貼「滿」。在牛欄、豬舍、雞棲會貼「水草長春」、「六畜興旺」……等的春聯。④

十二月二十九日，一般稱今天爲「小年夜」，須準備牲醴果品到廟裡、伯公下敬神，感謝一年來的保佑，有些家庭在當天夜晚敬備素果、鮮花及牲醴祭拜天公，叫做「完天公」。十二月三十日是除夕，在除夕吃團圓飯前，須先祭祀祖先，它是客家人相當重要的一項禮俗之一，因爲客家祖先來台，創業相當困難，祭祖除了表示不忘或感謝祖先外，更重要的是用來教導子孫，有祖先之努力，才有後代之繁榮。不但要祭拜家中的「阿公婆牌」（祖先牌位），有時還得趕回老屋（祖宅）的公廳去敬祖。在當天除了祭拜祖先外，一般同時也會順便祭拜門神和井神後，全家聚餐叫做「吃長年酒」，其中，值得注意的是，當晚飯要煮多一點，不可吃光的同時，最好還要有「魚」，來表示年年「有餘」的采頭外，餐後還得放鞭炮。在守歲方面，在吃完「團圓飯」或「過年飯」後，每個房間要整夜燈火通明，稱爲「點歲火」，家長或家中有賺錢者會一一分發壓歲錢給家人後，根據《東京夢華錄》記載：「士庶之家，圍爐團座，達旦不寐，謂之守歲。」在此舊的一年就要過去，新的一年即將來臨的狀態下，通常大家會珍惜著這一年的最後一晚，遲遲不睡當中，又相傳守歲會使父母長壽，所以又把它稱之爲「長壽夜。」在過去的客家庄，尤其是在農業社會時代，在守歲時，曾經流行過「聽夜卦，卜新年運」的習俗，也就是在除夕夜到鄰近人家的門外或窗外，聆聽屋內人的談話，據說若聽到吉利話，則在新的一年將會帶來好運，反之，則會帶來事事不順的說法。

春節又稱爲「元旦」，也稱爲「三朝」。「元」是開始的意思，而「旦」是天明日出的時候，夏、商朝均以日出雞鳴爲一日之始，周以後就夜半的早子時爲一日之始。元旦是一年歲月的開始，現在由於中國人使用西曆，把西曆的一月一日稱爲「元旦」，爲了區別，而於民國十八年，訂陰曆正月初一爲「春節」。「三朝」的意思是歲之朝、月之朝、日之朝，表示春節不只是一天的開始，是一月的開始，也是一年的開始，有著極爲莊嚴隆重的意義。因此，在新正（初一到初五）之日，而有許多的禁忌，其情形諸如有，不能爭吵罵人打架，要說吉利話，不要提到「病」或「死」的字眼；不能拿刀剪類，動用鋤頭、魚網……等生產工具；不能打破器物，萬一打破時，也要立即說碎（歲）碎（歲）平安，以求補救……等禁忌，或具有咒術的象徵意義。在元旦凌晨，大放爆竹驅逐邪魔，實是一種「爆竹一聲除舊歲，桃符萬戶更新年」的意義。在元旦的大清早，在開大門時，往往須口唸「立春開大門，家婆事事成，日日進財寶，年年添人丁，老來多福壽，富貴萬年青」、「財源廣進、萬事如意、心想事成」……等吉祥話語的同時，還會在家中正廳，以牲醴果品祭祀祖先，叫做「奉阿公」（簡單說，就是敬天法祖，尊重傳承之意）。

在祭祖時必須用甜粿、發粿（鬆糕）、發包或菜頭粄等吉祥的應節食品。甜食部份，有所謂「吃甜生後生」，代表多子之意，「發」乃指發財或發達之意，鬆糕音似「昇高」有步步高昇的意思，菜頭粄則有求個「好彩頭」之意。在祭祖完後，則除了忙著到親友家賀新年外，也忙著到廟堂、土地公廟進香，俗稱「行香」。在出門時一定要走「利方」，並要避開所謂的「空亡時」，以取「無往不利」以及避免「空無一物」之意。其中，在大年初一吃素方面，據說客家人祖先在逃難時，曾向天神許願：「只要讓我們逃過此劫難，往後必定在每年大年初一吃素還願，以報天恩。」迄今，這項習俗仍在客家庄傳沿著外，又據說年初一吃一天素，有等於全年吃素的功效的同時，又由於年初一常有親友來訪，光以當日一定會有芹菜（勤勉）、韮菜（長長久久）、蒜苗（精打細算）等素食食材款待客人，不甚方便，因此，後來又把它簡化成吃「早齋」的型式外，究竟客家人在新年期間又吃些什麼呢？在「閒時莫逗趣，年節莫孤寂」的原則下，台灣客家族群有平時節省，但過年必須豐盛的傾向下，年菜一般都以年節祭拜後的三牲祭品做成，以「四爓四炒」最具代表。「爓」就是煲，指的是加了水及油以後，再用溫火慢燉料理，一般有爓爌肉、爓豆乾湯、爓長年菜、爓筍乾、爓蘿蔔等；炒有魷魚炒肉絲（客家小炒）、豬肺炒鳳梨、薑絲炒大腸、芹菜炒豆皮等，另外白斬雞、梅干扣肉、福菜肉片湯等也是年菜。其中，在年菜中不能有苦瓜的原因是，根據老一輩的民眾說，平時已經很辛苦了，年菜中的苦瓜也應該就免了。⑤至於，客家人在大年初一的另一項禁忌方面，就是在過去當晚既不能洗澡、掃地，也不能洗衣服，據客家前輩說，這是因爲剛發的紅包，身上帶有財氣，若貿然清洗，恐將一年財運洗盡，因此先民才會禁止後代子孫洗澡、掃地、洗衣，用意是在想保有新年的財運的情形發生。⑥

初二，是女兒「轉妹家」（回娘家）之日，在古時，她們必須攜帶好酒、綠豆餅、十色禮品（豬肉、雞、鴨、雞蛋）或四色禮（桂圓、蜜棗等）爲「伴手」，近來則改用餅乾、蛋卷、飲料等，與父母兄弟親戚團圓共敘天倫。吃過中飯後，欲返家時，在過去古禮上丈母娘還會準備二枝「掛尾蔗」和二隻「娶路雞」給女兒、女婿，除表示好兆頭外，也警惕女兒、女婿要「和好相處」、「白頭偕老」。此習俗，一方面可以促進親家的情感，維繫宗族社會的一種力量。另一方面，在致送禮物意義中，又有一年一度的勸免與祝福女兒、女婿永浴愛河，百年好合及繁衍不息，多子多福之意。

初三，正月初三，俗話說是「小年朝」。所謂的小年朝，即是「祈朝祖神給個小豐年，朝拜眾佛賜個好大千」，因此這天也是準備素果清酒，「祈神拜祖」的日子。以前若要下田時，無論是摘菜或採玉米，一律都要先燒香拜拜，祈求豐年，人畜平安。⑦根據客家的「火燒門前紙，各人尋頭路」的諺語當中，大概可以知悉，在大年初二的早上，有許多客家人，往往會在廳堂大門前，上香向天神祈求身體健康，職業（頭路）安泰，或是能找到更好的頭路……等的禱告後，就會在其大門前燒金紙（壽金）的做法外，初三，又有被稱爲是「送窮鬼」的日子，在有關它的由來方面，多人都知道乞食呂蒙正，是在年初三上京考試，不料卻中了狀元衣錦還鄉的故事，因此，有年初三送窮鬼走，一定會換來幸運的說法。不過，真正「送窮鬼」的意義，應該是根據《台中縣客家風物專輯》所指出的：「以前的人在年初一、年初二可以掃地，但不能夠倒垃圾，以免財富外流，掃地時只將垃圾掃到牆角人看不到的地方，到了年初三或年初五，才用壞掃帚、舊畚箕將垃圾裝起來，拿到郊外路邊，連掃帚、畚箕一起燒掉，有些人則順便點香燒金紙連同垃圾一起燒掉，此舉聽說是『送窮鬼』，將垃圾送走，有『窮去富來』之意。」⑧外，還要將先前所貼的紅、黃紙拿下燒掉，來象徵將窮鬼送走。

初四，是把新年前送到天上的灶神，以及其他的各種神佛迎接回家的日子，因而有「接神日」之稱。俗語說：「送神早，接神晚」，在這天中午以後到當天晚上十二點以前，然而大部份的人則在下午四點起，家家戶戶都須準備簡單的牲醴、果品、甜點、酒菜、金紙、以及刻畫有用來保護神佛下界，全副武裝的「天兵神馬」等物品，來迎接神明，並祈求降福賜祥，永保平安。當灶神被接回家後表示春節已過。

初五，叫做「開小正」，又叫做「出年掛（假）」。一大清早拜完祖公後，並將擺在神桌上的甜粄、糖果等全部收起來。中等以上的家庭，天天燒「門頭香」，一直到這天爲止。貧苦人家的過新年，也到今天爲止，以後就要恢復正常工作了。至於，在這一天，又相傳是五路財神的生日，故民間至今仍保有在這一天「開工迎財神」的傳統習俗的所謂的財神，顧名思義就是掌管錢、財之神。我國自古對「財神」的傳說，內容相當豐富，除了常見的彌勒佛，被視為財神之外，各行各業最崇拜的對象，首推「五路財神」。據民俗專家指出，在明清以後，由於錢莊、米糧、油鹽、藥材、布匹、服飾……等，關係國計民生的買賣大為盛行，而這些行業多奉以「財帛星君」為主的「五路財神」，因而使「五路財神」的信仰益發普遍！相傳「財帛星君」，不僅長相瀟灑、美髯飄飄，手上拿著元寶狀的「聚寶盆」，而且還帶著數名「運財童子」，專管為人運來錢財珠寶之事！又由於在傳說中，「財帛星君」很少單獨現身，祂經常與「福、祿、壽」三星和「喜神」一起出現，因此合稱為「五路財神」。在五路財神中，五位天神手上所執法器，都是各有玄機且相輔相成，諸如像福神手上的「玉如意」，除了能辟除邪祟外，還能招來四方的福氣！但福氣臨門後，仍須財帛星君手上的「聚寶盆」，才具有移形換運，福財兼得的效果！⑨

二、天公生（玉皇大帝聖誕）：

中國自古即以農立國，因此對於化育萬物之天，認為是宇宙萬物之主宰，萬物生長皆繫於茲，故對於天，自然而然衍出崇拜敬畏之思想，而此一主宰之天，具備多重功能：舉凡國家興亡、帝王成敗、人民禍福、政治治亂、文化盛衰，及至個人之貧富、貴賤、窮達、壽夭，皆天主之。禮記說：「萬物本乎天」。書・泰誓曰：「天降下民，作之君、作之師。」可見先民對天之崇敬。

民間習俗認為：「天公不報，眾神不敢報」，意即「天公」沒有發出下雨訊息，各家神明都不敢下達下雨指令。天公是指天界最高的眾神之神，是宇宙的主宰，也是萬物的創造者，並掌有人類的出生、養成、賞罰等大權。正月初九玉皇大帝的生日。玉皇大帝在佛教稱爲「帝釋」、道教稱爲「元始天尊」、儒家稱爲「昊天上帝」、民間信仰叫「天公」，人們祭拜祂是代表人們對宇宙關係的認識與崇敬。玉帝源於上古之人對「天」的崇拜。殷商時，人們把祂稱爲「上帝」或「天帝」。東漢後期，在佛教輸入的刺激下，道教把這「天帝」，視爲統攝天、地諸神的皇帝。其後道教的理論家，則進一步的編出祂的由來，及其許多的「神跡」故事，諸如在「玉皇經」中說，祂是遠古時代，光嚴妙樂國的王子，捨棄王位，到深山修練學道，普度眾生。經過三千二百劫難後，成了「清淨自然覺王如來」。其後又遭遇到更大災難性的考驗，才當上了玉皇大帝。

在道教中的「天」，天有十三層天（一層天三萬里），天外之天謂「無極」，天內之天曰「太極」，即「六合三界」，太極分東、西、南、北、中五天。

「東天」乃三官大帝所居，主賜福、延年、解厄、赦罪等。

「南天」居文衡聖帝，主司天上、人間之行政。

「西天」爲釋、耶、穆三教主之居，掌藩人靈教。

「北天」乃紫微大帝所居，主司人寰行儀，劫厄消藏。

「中天」有凌霄寶殿，即玉皇天尊所居，上掌三十三天、三千世界，下握七十二地、四大部洲及億萬生靈。

在玉皇大帝的管轄方面，經過後人更豐富的想像，諸如根據：

㈠道德經云：「玉帝昊天金闕彌羅天宮，妙相莊嚴，法相無上，統御諸天，綜領萬聖，主宰宇宙，開化萬天；行天之道，佈天之德，造化萬物，濟渡群生；權橫三界，總御萬靈，無量度人，爲天界至尊之神，萬天帝主也。」

㈡毅振學者，在「玉皇大帝，眾神之王」一文中，指出：「在『西遊記』中，玉皇上帝管轄著一切天神、地祇、人鬼。祂住在天上宮闕裏，辦公衙門是金碧輝煌的靈霄寶殿，手下的武神有托搭天王、哪吒太子、巨靈神、四大天王、二十八宿、九曜星、五方羯諦等，文神有李老君、太白金星、文曲星、丘真人、許真人等。他還管轄著四海龍王、雷部諸神，以及地藏菩薩、十殿閻君」等。⑩

在有關玉皇大帝的塑像方面，到了宋真宗時，除了把祂視爲自家祖先，封爲玉皇外，還加以塑像以供人民膜拜。雖然當時的塑像和現今人們所認知的「頭戴珠冠冕旒，身穿九章法服，手持玉笏，旁有金童玉女服侍」等扮相的「眾神之王」，不盡相同，但他們（道士們），卻無不以人間最華貴的形象去塑造祂，乃是不爭之事。然而，在現今，也有人認爲，「天」並無確實形象，爲免另鑄神像，或有褻瀆之意，而有以「玉皇上帝聖位」之牌位供奉之情形。

在對「天」的祭拜方面，自商周時起，歷代帝王均會於冬至日舉行郊祀，爲年中敬天大典；宋代郊祀則有特定之郊壇以舉行之；元、明、清皆於北平南郊之天壇舉行祀天之儀式，其儀仗扈從浩大而且壯觀。⑪至於，在民間方面，大多數的人們對於玉皇大帝的崇奉，只是本著一種「敬天」的態度，來加以祭拜。諸如，在正月初九天公生時的當天早上，人們往往會備有湯圓、水果、六齋（金針、木耳、香菇、菜心、碗豆、豆腐）、麵線等，來加以祭拜的同時，還有一種禁忌是，當天還不能曬衣服，尤其是女人的衣服更是不能拿到太陽下曝曬，也不能挑肥，以免褻瀆天公外，在六堆美濃地區的美濃人，在當天也有不可在美濃河洗衣服的習俗。

三、元宵節（燈節）：

正月十五，天邊一輪明月高懸，地上萬點燈火通明。人們常在稍帶寒意、輕柔晚風的早春裏，張燈結彩、踏月觀燈的活動，相傳此一節日與漢初討平呂雉之亂有關。由於呂后在漢高祖一死之後，就誅殺從前跟高祖打天下的功臣，並起用外戚呂氏兄弟子姪篡奪權位。不久，諸呂被劉氏舊臣誅滅，漢文帝登基，覺得天下重享太平極爲難得，因而在歲首選定一個好日子與民同樂，由於當年討平諸呂之亂，是在正月十五日，文帝便決定當日夜晚出遊與民共度昇平，其後代代相傳，元宵成爲一個普天同慶的節日外，又比較正式的說法，相傳是漢武帝用盛大燈火，通宵達旦祭祀太一（乙）神而來。

元宵節，又叫「開大正」。說到元宵節，許多人總不免聯想到「燈」與「火」。燈有代表祈福、祝壽，而火有燃燒著光明與希望之意。漢代的火把節到了魏晉南北朝後，隨著道教的興起、佛教的傳入，開始添上了濃濃的宗教氣氛。正月十五被視爲節日而見諸文字，可能始於漢代，至今已有二千餘年的歷史，根據史記記載：「漢家以正月望日祀太乙，從昏祀到明，今夜遊觀燈，是其遺跡。」上元又稱燈節，始自唐朝。白居易有詩云：「歲熟人心樂，朝遊復夜遊。春風來海上，明月在江頭，燈火家家市、笙歌處處樓，無妨思帝里，不會厭杭州。」開元遺事載：「上在東都，結繪綵爲燈樓，二十間，高一百五十丈。」雍洛靈異小錄載：「唐時元夜，寺觀街巷，燈明若晝，山高白餘丈。」足見唐代元宵節紮花燈以爲慶祝的盛況。魏晉時，在這放燈火之俗中，又增添了祭門戶、祀蠶神、迎紫姑的活動。在宋代時，歐陽修作了一首「詠元夜」的名詩（一說爲朱淑貞之作），該詩爲：「去年元夜時，花市燈如晝。月上柳梢頭，人約黃昏後。今年元夜時，月與燈依舊。不見去年人，淚滿春衫袖。」在活動方面，猜燈謎是一種腦力激盪的遊戲，具有娛樂與教育的雙重功能，到了宋代時，又有把謎語書籤貼在元宵燈彩上供人猜射的遊戲。其情形，根據王文濡所撰的《春謎大觀序》中云：「舊籍相傳，宋仁宗時，……上元佳節，金吾放夜，文人學士相與裝點風雅，歌頌昇平，拈詩成謎，懸燈以招猜者。」在南宋時，根據《武林舊事・燈品》記載當時在杭州的節日風俗云：「有人以絹燈剪寫詩詞，時寓譏笑，及畫人物，藏頭隱語，及舊京深語、戲弄行人。」的猜謎射覆情形。

過去，元月十三爲上燈、十四爲試燈、十五爲正燈、十八爲落燈。正月十五日是過年節慶活動的尾聲，到此一切要恢復常態。「上元」的觀念是來自道教。上元祀天官、中元祀地官、下元祀水官，合稱爲三官大帝（俗稱三界公），而祂們的誕辰分別是一月十五、七月十五及十月十五。祂們的任務是奉玉皇大帝之命下凡治理人間。「宵」是夜的意思，「上元」可通宵歡樂，而有「元宵」之稱。因此，元宵節又稱爲「上元節」或「小過年」。元宵在中國南北各地都有不同的慶祝方式。在台灣方面也一樣，諸如相傳古代一般私塾都在元宵開學，由學生在家準備好一盞精巧的燈籠，帶到學校請老師替他點燈，來表示前途光明吉祥之意。在作詩方面，諸如台灣前輩詩人賴和，在元宵節時，也寫過三、四首的詠元宵詩，其詩爲：

一、元夜：滿街燈燭密如林，瞥眼何因月色臨。歌管聲隨風嫋嫋，震人花氣復沾襟。燦爛銀燈集上林，金吾不禁快登臨。信他一刻千金重，花月憐人欲解襟。

二、花燈：十二街中散落霞，煌煌火樹滾銀花。眾星今夜看何處，空見燈光爛月華。千重火樹掛煙霞，寶鉅亭亭散彩花。十二街頭看不夜，懸燈燦月獻光華。

在有關其他的活動方面，諸如在祭東施娘方面，相傳戰國時代的東施貌醜，但卻精於女紅，二十歲那一年的元宵夜，她爲撿拾茅廁內的繡花鞋而溺斃，後世傳說少女如果想要學好一手人人誇讚的女紅手藝，需要在元宵夜準備糖果、甜粿及一只繡花鞋，在廁所前「祭東施娘」。在其他的說法方面，有如未婚男子須到菜園跳過菜股，才能娶到賢慧妻子的「跳菜股，焉好某」的說法。「偷敲蔥，嫁好尫；偷敲菜，嫁好婿」之說的「偷蔥」。未育少婦在花燈下穿梭遊走，可生貴子的「鑽燈腳」。擲杯占卜，在路上竊聽他人言語的「聽香」。集結文人墨士舉辦猜謎活動的「猜燈謎」，以及照水井、迎紫姑等外，有台南的鹽水蜂炮、平溪的放天燈、台東的炸寒單、台北市內湖的夜弄土地公、澎湖的乞龜、台北野柳的神轎過港……等，依據當地過去開發的需要或把當地當時的某些特色加以彰顯，而形成許多不同的慶祝方式。然而，普遍的民間慶祝是家家戶戶會做元宵，祭祀天官，祈求賜福，全家團聚，具有人月同圓之意，夜間則提燈遊行，又因燈丁諧音，具有添丁的巫術意義。

在有關客家人的慶祝元宵活動方面，在日治時代，位於新竹縣新埔的花燈遊行活動，是在每年元宵節當晚，首先由先鋒部隊拿著竹筒火炬（火把）前行，其後緊接著是大鼓陣、麒麟、獅、龍以及提燈籠的遊行。在花燈中，有用客家方言、俚俗編寫的花燈詩句、花燈勸世文等。在花燈詩句中，大約可分為讚賞、歷史、諷刺、三句半等四大類。其中，在諷刺類以現在的廣和宮附近為界，以東靠關西方向為「街頭」或稱東方、東洋；以西靠竹北方向為「街尾」或稱西方、西洋。在元宵節傍晚，兩派人馬齊聚在廣和宮附近，將以客家俗諺為內容編成的詩句，貼在花車上，或是拿在手上吟唱，來大「虧」對手陣營。由於這些的詩句用字遣詞極為辛辣外，也毫不掩飾的寫些諸如某男上酒家、某人有姦情、誰無膽、誰無能……等的瘡疤。其情形，有如一、「奈良大佛世間稀，天下各處隨人知，昨夜西佛小兒樣，要比東方茫得時（早得很）」，其意在嘲笑街尾的花燈佛太小之意。二、「元和奉命下西洋，王明聽聲識鳳凰，街頭得鳳凰卵，西方一國入卵張（裝）」，其意在嘲笑街頭的無能。雖然這種的譏諷取笑遊戲，每年都會言明，此為娛樂事，活動結束後，不論街頭勝或是街尾贏，元宵過後，一切都得恢復平靜、回歸和諧，但在事實上，難免會使雙方動了真氣，因此到了民國三十九年（西元1950年）時，在地方仕紳以及大老的出面反對後，此新埔花燈的「罵街文化」乃告沒落。⑫

在苗栗後龍地區，每年在此元宵節時，有用鞭炮炸龍，祈求來年好運，炸的越多，來年越旺的「炸龍」活動。在新竹竹東方面，在延續天穿日休閒的傳統下，有來自各地善歌者的唱山歌大賽。在台中縣東勢鎮的客家地區方面，位於該鎮的南平、東安、北興和中寧等四里的人民，於元宵節當天，有競相製作「新丁粄」，以叩謝伯公添丁賜福，以及將喜氣與父老鄉親分享的習俗。在南部的客家人方面，諸如位於屏東縣萬巒鄉的五溝水村莊，每年元宵節會把炮城設在水池上，來舉行「攻炮城」的技巧性娛樂活動。有關這項民俗的由來，是先民在拓墾時期，客家人常常遭到原住民下山搶收成，並且和閩籍人士發生械鬥。因而發展出來一種類似烽火台的警示設施，而今卻成為元宵節的一種慶典活動之一。至於，在南部的其他客家人方面，有在元宵節當天，折了榕樹枝，並拜過土地公後，回家插在雞欄，據說可避雞瘟的「拗雞公」的風俗外，由於元宵節在時序上，正式要進入春天的關係，因此客家人，有人在這一天做爲「捉福」即祈福之日。

四、天穿日：

農曆正月二十日是女媧娘娘的聖誕，也是客家人所謂的「天穿日」，是用以紀念女媧補天對人類的恩惠。早在晉代時，便有關於天穿節的記載，東晉王嘉的《拾遺記》中云：「江東俗稱，正月二十日爲天穿日，以紅絲縷繫煎餅置屋頂，謂之補天漏。」根據客家諺語說：「天穿無嬲苦到死」、「天穿無嬲做到死」、「有食無食，嬲到年初十；有做無做，嬲到天穿過」。在民國五十年代，台灣工商業尙未發達之前，一些礦工沒有天穿日過後，是不會有人進入礦坑工作的同時，在傳統上大家在這一天，也會不耕作、不織布，以免戳破女媧的補天行動外，一般而言，在正月二十日的「天穿日」，因爲是「天穿地漏」，所以不用工作，而且做了也是白做，在客家庄方面，是非常的重視，而且家家戶戶在過去須把新年留下來的甜粄，丟到屋頂上，表示獻給天穿（上天）的習俗外，現今則改爲用油煎過的甜粄，在院子裏敬拜女媧神，叫做「拜天穿」或「補天穿」。

有關天穿日敬拜女媧神的由來，是出自上古時代女媧神煉石補天的故事。《大平御覽》卷二載：「天地混沌如雞蛋，盤古生其中。歷萬八千歲，天地開闢，陽清爲天，陰濁爲地。盤古在其中，一日九變，神於天，聖於地。天日高一丈，地日厚一丈，盤古日長一丈，如此萬八千歲，天數極高，地數極深，盤古極長。……故天去地九萬里。」這是盤古開天地的創世神話後，再經過不知多少年代，天和地的構造相當穩定，並且不再耽心「天」、「地」再合在一起之時，盤古也需要休息，而終於倒下死去。盤古死後，左眼變成太陽，右眼變成月亮，他的手足和身軀變成了大地的四極和五方的山岳，他的氣變成風和雲，他的聲音變成了雷霆，他的血液變成了江河，他的筋脈變成了道路，他的肌肉變成了田土，他的頭髮和鬍鬚變成了天空上的星星，他的皮膚和汗毛變成了花草樹木，他的牙齒、骨頭、骨髓等，也都變成了閃光的金屬、堅硬的石頭、珍珠、玉石等，身上所出的汗，也變成了雨露和甘霖等等。⑬

後來伏羲造成飛禽走獸，神農造了百草和樹木，於是在天地間便變得熱鬧起來。有日女媧來到大地上，根據《大平御覽》卷七八引〈風俗通義〉記載；「俗說天地開闢，未有人民，女媧摶黃土作人，劇務力不暇世，乃引繩於泥中，舉以爲人。故富貴者，黃土人，貪賤凡庸者，維人也。」自大地上有了人類，女媧神考慮，人類是要死亡的，死亡一批又要再造一批，麻煩死了，於是女媧神就把男人和女人配合起來，讓他們自己去創造後代，使之人類一天比一天的增多。

女媧神創造了人類，並建立了婚姻制度以後，經過一段相當平安無事的日子後，突然有一天，水神共工和火神祝融不知何故，忽然打了起來。根據《史記司馬貞補三皇本紀》記載：「當其（女媧）末年也，諸候有共工氏，任智以刑強，霸而不王，以水乘木，與祝融戰不勝而怒，乃頭觸不周山崩，天柱折，地維缺。」〈山海經大荒西經〉郭璞注：「〈淮南子〉曰『昔者共工與顓頊爭帝，怒而觸不周之山，天維絕，地柱折。』故今此山缺壞不周帀也。」這根撐天的不周山柱子，被水神共工因被打敗，而用頭撞斷後，於是半邊天空坍塌，露出一大窟窿，地面也破裂成縱一道橫一道的深坑，山林也起了大火，洪水從地底噴湧出來，波浪滔天，大地成了海洋。在人類面臨著無法生存的危機時，又加上從山林走出各種的凶獸猛鳥來殘害人類。根據〈淮南子覽冥篇〉記載：「往古之時，四極廢，九州裂，天不兼覆，地不周載，火爁炎而不滅，水浩洋而不息，猛獸食顓民，鷙鳥攫老弱。於是女媧鍊五色石以補蒼天，斷鼇足以立四極，殺黑龍以濟冀州，積蘆灰以止淫水。」

由上可知，女媧不僅是創造人類的母親，而且是補「天穿」拯救人類浩劫，使之人類能夠綿延繁殖不絕的偉大之神。人們選在正月二十日，用帶有黏性的甜粄來向天敬拜女媧神外，也有明顯的協助補天之意。客家人在過去有戴耳環的習慣，也會選在這個天穿孔的大壞日子裏，來到井邊，面看井內的狀態下，做穿耳環孔的行為。在台灣主祀女媧娘的廟宇共有十座，其中最重要的是位於宜蘭縣壯圍鄉的補天宮。在龍潭方面，龍潭在傳統上是一個以農為主的客家庄，常擇天穿日來作「起工」，筵請願意來「換工」

的親友或鄰居，用意在博取好采頭。爲拜媽祖熱潮興起後，在天穿日作媽祖戲的習俗越演越盛，而沖淡了拜天穿與作起工的舊習，它演變至今日反而成爲「接媽祖」的歲時例行祭典日。自民國三、四〇年代開始，在新竹、苗栗地區也產生出另一項天穿日的「娶山歌」民俗活動。在鄉鎮中無論男女老幼，只要是會唱山歌者，皆可參與競賽。近年來在重視傳統文化的精神下，地方政府也舉辦一些的山歌大賽，吸引了不少民眾的熱烈參與，尤其是在竹東地區每年所舉辦的山歌大賽，已經超過三十年，也是台灣地區規模最盛大的客家山歌盛會。⑭

五、清明節

台灣客家人的掃墓，根據王春秋的「掛紙」客家詩描述爲：

每年正月月半過

墳墓緊來緊鬧熱（熱鬧）

風水唇（墓地旁）

挷草整理又劈草

掽桌掃地清水溝

吊紙炮仔放牲犧（醴）

這房

三牲金紙挼（和）水酒

該房

五牲水果挼艾粄

也有菜包挼發粄

三支清香來邀請

敬請祖先來團圓

拜託伯公來帶路

頭擺（過去）分粄大家吃

今界（日）墓錢無人拿

掛兜墓紙好造屋

燒兜金紙做等路

希望

祖先升天做仙人

保佑

子孫平安又順序

來年月半再相會

來年月半再相會⑮

有關清明的起源方面，它遠始自西漢時代，劉安的《南子天文訓》有云：「春分後十五，斗指乙，清明風至。」亦爲冬至後的第一〇五天。此時正逢暮三月，氣清景明，萬物孳茂，妙合自然，因以爲名。在「愼終追遠，民德歸厚」的祭祀祖先方面，根據一、《禮記》記載：「宗子在他國，庶子無廟，孔子許望墓爲壇，以時祭祀。」二、宋誌記載：「古者無墓祭，迄秦漢後始見其儀，迨唐開元，有天子上陵儀述，歲有清明之祭，許望歲暮之祀。」三、清・光緒年間，《嘉應州志》卷八〈禮俗〉說：「案家禮有墓祭。郭侍郎曰：『案古無墓祭』。然曾子言：『椎牛祭墓』。孟子言：『東郭墦間之際』。蓋自春秋戰國已相沿爲俗矣。漢興，因事祭墓遂爲盛典。東漢之初，光武令功臣王常、馮異、吳漢等過家上冢。知當時上冢已成通俗，假詔以榮之。唐開元時，寒食上冢，編入五禮，遂爲常式。」由上，可知掃墓成爲平民化的習俗是始於秦漢，而唐代則相沿成爲節令。唐玄宗時，更將掃墓日期定於寒食節（即清明的前三天）上山祭陵，並下詔准許百姓也可以在這一天祭掃祖墳的同時，將之「上墓之禮」編入五禮永爲常式《舊唐書》。自此清明掃墓習俗流傳中國一千兩百餘年。中國文學上有幾首描寫清明最有名的詩：

一、唐・杜牧「清明」為：「清明時節雨紛紛，路上行人欲斷魂；借問酒家何處有，牧童遙指杏花村。」

二、唐・白居易「寒食野望吟」為：「烏啼鵲噪昏喬木，清明寒食誰家哭。風吹曠野紙錢飛，古墓壘壘春草綠。棠梨花映白楊樹，盡是死生別離處。冥冥重泉哭不聞，瀟瀟暮雨人歸去。」

三、宋・高菊卿「清明」為：「南北山頭多墓田，清明祭掃各紛然；紙灰飛作白蝴蝶，淚血染成紅杜鵑。日落狐狸眠塚上，夜歸兒女笑燈前；人生有酒須當醉，一滴何曾到酒泉！」

四、清・台灣府訓導劉家謀的「清明節詩」為：「清明時節雨初晞，楮陌紛紛化蝶飛；剛是重闕斜照後，雲鬟無數插青歸。」

這四首詩很能表達清明節的時序、情景，乃至人的心情。清明節從魏晉以後被定在陰曆的三月三日。明代中葉，詔告天下，以清明爲「掃墓日」，從此成爲定俗。清明節是中國人崇祖信仰的重要活動，也是國人愼終追遠，孝道精神的具體實踐。在近代方面，自國民黨政府北伐後，政府就開始明令規定清明節爲「民族掃墓節」。在民國二十四年四月七日（該年的清明節）時，中央就開始派員到位於陝西省中部橋山山麓的黃帝陸寢，舉行首次的民族掃墓典禮，以資紀念民族始祖——黃帝之後，每年就派員前往祭掃。雖然清明節被定爲國定的「民族掃墓節」，但並非爲假日，一直到國民黨政府遷台後，才定爲國定假日。尤其是在民國六十一年（西元 1972 年），大陸來台的國民黨政府爲了統一清明假期，特定國曆四月五日（或四日、六日）爲「清明節」，又稱爲「民族掃墓節」，藉以遙祭大陸先祖，以示不忘本。在台灣人的踏青祭掃（或稱塡塋）方面，所謂的「踏青」是把墳墓周圍的雜草踏平，以便飲食之意。在掃墓方面，漳州、泉州移民則是多於清明節當天或選擇清明節前之任何一天加以祭祀。在南部的客家人方面，美濃、杉林掛紙日期從農曆二月開始至清明節前選擇吉日舉行，其他六堆地區習俗往往在二月初二土地公生日以後，因爲他們認爲土地公是守墓之神，其地位較祖靈爲高，所以掃墓的日期不應提早到土地公生日之前。然而，在北部的客家人方面，他們往往選在立春到清明節期間，或是在元宵節過後的第二天爲掃墓日，其原因是早期客家人來台較晚，已經失去了「地利」，過著比較艱困勤奮的生活，爲了方便出外謀生、春耕農忙、以及讓祖先能夠早日饗用到一年一度的牲醴祭拜，而選在該日。然而，在工商業繁忙的今日，爲了方便子孫回鄉掃墓，而又有改在元宵過後第一個星期日或農曆二月第一個星期日的趨勢。

在台灣掃墓的習俗當中，它大致又可分爲「樹墓」、「培墓」和「壓紙」等三種。在樹墓方面，它又可分爲「樹墓一年」和「樹墓三年」等兩種。一、在樹墓一年方面，如果死者在清明節之前下葬，則當年清明節不必掃墓，迨次年的清明節再掃墓，稱之爲「對日」。若死者是清明節之後才下葬，由於清明掃墓時間已過，因此不須掃墓。二、在樹墓三年方面，以死者下葬的次年起，要連續三年的「樹墓」。第一年的樹墓，必須在清明節前一天；第二年的樹墓，是在清明節當天；第三年的樹墓，是在清明節的後一天舉行。⑯在培墓方面，培墓是在後代子孫娶了媳婦，生兒添丁或得功名利祿等，都要整修祖墓，除了將墳上雜草清除外，若墓碑上的字體模糊不清，則以銀硃重新加以描寫，使其煥然一新，以示不忘祖宗庇蔭之意。培墓時需備三牲祭品或十二色菜蔬（如韭菜、魷魚、春乾、甜菜、甜芋、肉醢、苜頭、萵菜、蓮子、棗子、竹筍、豬腸）和粿類等。若是新墓則需備五牲（如豬頭、雞、鴨蛋、麵粿、紅龜粿等）。在壓紙方面，壓紙則只有培土除草清理墳墓，祭品也較爲簡單。在有關它的由來方面，相傳掛紙起源於唐高祖李淵未成名前流落他鄉，直到被封爲唐公後才返鄉，不過，其母親卻已去世多年，被埋葬於亂塚之中，李淵因找不到其母親的墳墓，悲傷的把紙撕碎迎風丟散，發現其中一張碎紙掛在一座塚上，也因此而找到了他的母親墳墓，因此，後世的人在祭祀時，除了在墓地四周撒銀紙或在墳身四週擺上十二張銀紙，稱作「壓墓紙」、「十二禁紙」，相傳是為祖先重屋，即整修房屋，也是希望祖先庇佑子孫一年十二個月，月月吉祥順利，如果是農曆閏年則放十三張外，於墓碑頭上，還會用細石或泥團壓上一疊沾有雄雞血的黃紙（黃墓紙）或是貼上五福符。此種的掛紙，除有古人掛錢的遺意外，又有做為一年一度的拜墓標誌。在拜墓結束時，有的人還有剝蛋殼撒在墓上，以代表新陳代謝，迎新送舊之意的情形。在過去農業社會，住於墓園附近的農村孩子們常有聽到掃墓完畢，燃放鞭炮聲後，前來乞墓粿，而掃墓者通常會一一分發粿類或錢，稱「印墓粿」，以示祖先德澤，永留人間之習俗。在清明節時，一般除有掃墓之活動外，客家婦女們往往還會採艾葉、苧葉、戢菜、雞屎藤等青草製粄，叫做「艾粄」或叫「清明粄」，相傳吃了以後可以郄病。

六、端午節

農曆五月五日為端午節，又稱為端陽節、重五節、午日節、五月節、天中節、沐蘭節、蒲節或肉粽節等。這天自古以來，便是百業休息的日子。全家有用菖蒲水洗澡，包粽子、準備三牲，祭拜伯公、祖宗和灶君爺的活動。五月節在時序上是春夏梅雨暑熱節氣之交，也是赤痢、霍亂、傷寒等古代統稱為瘟疫傳染病相當猖獗之時，因此五月被人們認為是「毒月」、「獨月」、「惡月」。尤其，五月五日被認爲是九毒日之首。在衛生醫療未發達的古時，人們以爲是鬼在作祟，而有各種習俗的形成，諸如根據風土記中，有「采艾懸於戶上，以蠲毒氣。……以艾爲虎形，或剪爲小虎，帖以艾葉，內人爭相裁之。……其後，更加菖蒲，或作人形，或肖劍狀，名爲蒲劍，以驅邪却鬼。」的記載外，又有插榕枝，掛香袋（香馨），佩長命線，畫五毒扇（蛇、虎、蠍、蜘蛛、蜈蚣），貼午時符，掛鍾馗像、張天師像，喝午時水（根據《瑣碎錄》載：「五月五日午時取井花水沐浴，一年疫氣不侵，俗採艾柳桃蒲揉水以浴，又《歲時雜記》云，京師人以桃柳心之類燂湯以俗，皆浴蘭之遺風也。」），飲雄黃酒，貼上用黃紙書寫的「插榕較勇龍，插艾較勇健」、「蒲劍沖天皇斗現，叉旗拂地神鬼驚」、「艾旗迎百福，莆劍斬千邪」、或「五月五日天中節，赤口白舌盡消滅」等對聯，以爲能夠保健平安的習俗產生。有關這個節日的由來，根據聞一多在「端午考」上說，自古以來，它至少有七種的說法：

1. 遠起於夏商周三代的「蘭浴」相傳而來。
2. 起於春秋越國，勾踐在此日操練水軍得名。
3. 爲紀念晉國介子推。
4. 爲紀念楚國屈原。
5. 爲紀念吳國伍子胥。
6. 爲紀念漢朝孝女曹娥。
7. 爲「道書」的祭「地臘」日。⑰

在有關屈原的故事方面，屈原名平，生於周顯王二十六年，曾任左從、三閭大夫，並且極受楚懷王的信任。不過後來，因上官大夫忌妒其才，捏造事實搬弄是非，使之楚懷王不但疏遠屈原，最後還將他驅逐出境到齊國去。當野心勃勃的秦昭王企圖併呑楚國時，屈原從齊國趕回楚國，力勸懷王不可上當，懷王不聽，應約前往，結果被秦昭王戲侮外，還被當作人質，要求割地，懷王不允，而終被困死於秦國。當頃襄王即位後，屈原希望政府能夠重用他。不料子蘭令守和上官大夫聯合起來，向頃襄王進言，攻訐屈原，並指摘屈原對王室多所誹謗，不宜留在身邊。頃襄王聽了後，不但不重用屈原，反而把他逐出郢城。當屈原在沅江和湘江一帶的長期過著流浪生活後，終於寫下了〈沈沙賦〉絕命書，而於五月五日這一天，縱身投入汨羅江，結束他不受重用的生命。民眾爲擔心魚蝦等損毀屈原的遺體，於是就用竹葉包裹米飯，做成金字塔型，投入江中，以慰屈原之靈，即爲後來演變成端午節要吃粽子的由來。在有關伍子胥的故事方面，在春秋時，吳王夫差因聽信讒言，將伍子胥賜死外，又把他的屍體用草蓆包了丟進錢塘江。吳人因可憐吳子胥的枉死，而於五月五日乘船打撈其屍體，而成爲往後泛舟之由來。在有關漢朝孝女曹娥的故事方面，曹娥的父親溺死在河中，卻不見其屍。此時，年僅十四歲的曹娥，就沿江日夜找尋父屍，經過十七天的努力，仍無所獲，於是就在五月五日這天也投江而死。不過，據說在曹娥投江數日後，當曹娥屍體浮出時，還抱著她父親的遺體一起浮了上來。當地的居民爲了感念曹娥的孝心，除了在五月五日有划龍舟的競賽外，也把那條河改為曹娥江了。

在台灣紀念這個端午佳節上，根據沈茂蔭的《苗栗縣志》卷七〈風俗考〉說：「……五月五日，懸蒲文、柳枝、黃紙朱書貼之，曰『午時聯』，采苦草浴兒和雄黃酒飲以辟邪。先期以竹葉裹糯米，曰『稯』（粽），投遺所親，曰『送節』。家製繡囊，實以香屑，令兒女佩之。」周璽的《彰化縣志》說：「五月初五日，門懸蒲艾，和雄黃酒飲之。午於采苦草浴兒，以辟邪氣，郎古拔除釁浴之意。然修禊在三月上巳，今乃行於午節何也。又以竹葉包糯米曰粽，即古之角黍。用以投贈曰送節。家製繡囊，實以香屑，令兒佩之。以五綵線繫兒手足曰長命縷。近海處作龍舟競渡之戲，兼奪錦標。先是初一日，以旗鼓迎龍頭，沿門歌唱曰採蓮，所唱即採蓮曲也。寺廟海船皆鳴鑼擊鼓，謂之龍船鼓。」不過，大部份的台灣人認為：楚國愛國詩人屈原於此日投河自盡，為了紀念他，民間還有包粽子以及在隋唐時根據梁宗懍《荊楚歲時記》有「屈原投汨羅江，傷其死，故並命舟楫以拯之。」的划龍舟習俗。

在客家地區方面，早期家家戶戶會在門口掛菖蒲、艾葉，包粽子，備三牲果品祀祖敬神，儲備當天正午十二點的「午時水」，煮青草洗澡淨身外，住在河濱地區的人，往往有做「爬龍船」活動的同時，這一天還有流傳著一段與黃巢有關的「走（逃避）黃巢」的傳說。黃巢，唐冤句人，在僖宗之時王仙芝起事，巢寡眾應之。仙芝被打敗後，黃巢繼續作亂，率眾攻掠河南江西福建浙東宣歙廣南荊襄諸川，乘勢取洛陽，破潼關，陷長安，帝奔蜀，巢稱齊帝。當黃巢到處殺人，進攻河南，兵臨鄧州城時，黃巢看到一位婦女背著比較大的小孩，而手牽著比較小的小孩逃跑，覺得很奇怪，於是就問該婦女為何背大牽小？該女人不知問者就是黃巢而告之，背的是侄子，牽的是兒子，因為伯父夫婦被黃巢殺死，這個孩子是伯父的唯一香煙，自己夫婦尚年輕還可以再生，如果黃巢追來，就放棄牽的親生兒子，背著侄子逃跑。黃巢聽了那婦女的話，非常感動，於是告知該婦女說，我就是黃巢，因為你是好人，你可以安心回家，在你家門口插青草或樹枝做標幟，就可免被殺。這位大義凜然的婦女，聽了後，就把此大好消息告知村民，於是全村之人，每個人都在門口插青，而且都逃過了被殺的命運。黃巢是奉天帝之命下凡殺人，眼看各處村民都插青，壞人都變為好人，於是就上天去覆命，此日即是五月五日的說法外，在客家地區，也逐漸形成在五月五日當天，有在家門口插青草、樹枝等的「插青」習俗。

在端午祭祖方面：由於粽子有鹹粽與鹼粽之分，祭祖時兩種都要準備。台灣習俗，居喪之家只能包鹹粽，不能包鹼粽（相傳鹼粽的鹼會傷及死者雙目），因而喪家的親友便會送一兩串將粽頭剪開的鹼粽供其粽子，稱為「送粿粽」，然而喪家必須用糖果或味素回禮，此種小小的餽贈行為，卻包含了無盡的關懷與感謝。在有關端午薑花粽，飄香在客家方面：客家人很善用大自然資源，香蕉葉、麻竹葉、柚子葉、薑花葉……等，都可以作爲客家米食炊製粄食的材料。包粽子客家人用九江葉、麻竹葉之後，也開始用薑花葉來包粽子。野薑花別名蝴蝶花或白蝴蝶花、蝴蝶薑、路邊羌（四川）土羌話。它的藥性味辛、性溫，可袪風去寒。在薑花粽的製作方面，可將潔白的野薑花花瓣切細後和蔥頭、肉絲、豆干絲、香菇絲……等，爆香後變成很好的餡料外，也用野薑花的葉子來包粽子。不過，由於野薑花的葉子較脆，所包的粽子不能用煮，只能用蒸，才能使薑花葉的鄉土味滲透進去的同時，又因野薑花的葉面較爲狹小，因此所包的粽子不能像一般鹹粽那麼大。至於，在端午午時，還可以玩一項簡單的「豎蛋」遊戲，據說一年當中，只有這個時辰才可以將雞蛋豎立在地上。在農村方面，更有一種「送蚊」的習俗，在端午午後，燃燒一把稻草，迅速在屋內各角落薰一薰，然後跑到野外，連同紙錢一起丟在道旁，如此就可以將蚊蟲驅趕出家門的說法。⑱

在大陸上，自明清以來，端午節已漸成爲法定節日。清代時，將端午、中秋和新年並稱爲三大節日。民國以來除了承襲清代的三大節日，而成爲工商送禮的三大時機外，自民國二十八年（西元 1939 年），政府爲了紀念愛國詩人屈原，特別舉行了第一屆文學家於此日集會吟詩，以宏詩教的活動。因此，端節又成爲「詩人節」了。⑲

七、七夕：

多彩多姿的七月七日是七夕，又叫做「乞巧節」或「七巧節」，是牛郎織女鵲橋相會之日，而一般人也視此日爲「七娘媽」、「七星娘」或「七星娘娘」的生日。在觀星受象的遠古時代，人類把自然看得很神秘，而且非常注意天上特別明亮的星星變化。七月時，有一顆顯得特別光亮的星星，在其旁邊還有四顆排列成菱形的小星星，因其形狀像古時的織布梭子，而被命名爲織女星。牛宿，不很突出，不易觀察。它是二十八宿（東方蒼龍、北方玄武、西方白虎、南方朱雀等各七宿）中，玄武七宿的第二宿。在詩經中，有「維南有箕，不可以簸揚；維北有斗，不可以挹酒漿」以及「三星在天」、「三星在隅」和「三星在戶」等的描述。其中的「三星」就是指呈現直角三角形的牛郎星、天津四星、和織女星等三顆亮麗的星座而言外，在西周「詩經・小雅・大東」的民歌中，又有「維天有漢，監亦有光。跂彼織女，終日七襄。雖則七襄，不成報章。睆彼牽牛，不以服箱」的描述。但在當時尙無相傳有牛郎織女相會的浪漫淒美故事。而目前被現今西方天文學家命名爲天鷹座的首星牛郎星和天琴座的首星織女星中，有「牽牛出河西，織女處其東，萬古永相望，七夕誰見同……」的「七夕」相會故事出現，大概是起源於一首古漢樂府詩中，有「青龍對道隅」（道指黃道，青龍則指整個的東方蒼龍七宿）的描述。在漢初《淮南子》〈天文訓〉中說：「七夕烏鵲塡河成橋，渡織女。」《荊楚歲時》說：「天河之東，有織女，天帝之子也。年年織抒勞役，織成雲錦天衣，天帝憐其獨處，許嫁河西牽牛郎。嫁後，遂廢織紝。

帝怒，責令歸河東，惟每年七月七日夜，渡一會。」外在漢代的「古詩十九首」中又有：「迢迢牽牛星，皎皎河漢女，纖纖擢素手，札札弄機杼。終日不成章，泣涕零如雨。河漢清且淺，相去復幾許？盈盈一水間，脈脈不得語。」的描述。這些悽惋哀怨的樂府詩，給了後人編織牛郎織女神話故事的無限啓示。七夕究竟在何時變成七月初七，現在已不可考，應該是在漢末到魏晉南北朝之際的同時，也將牛郎織女的故事越編越生動複雜，其情形有如：

1. 在晉・王鑒的「七夕觀織女」詩中，云：「牽牛悲殊館，織女悼離家，一稔期一宵，此期良可嘉。」
2. 在唐・杜牧的「七夕」詩中，云：「銀燭秋光冷畫屏，輕羅小扇撲流螢。天街夜色涼如水，臥看牽牛織女星。」
3. 宋・秦觀的「鵲橋仙」中，云：「纖雲弄巧，飛星傳恨，銀漢迢迢暗渡。金風玉露一相逢，便勝卻人間無數！柔情似水，佳期如夢，忍顧鵲橋歸路。兩情若是久長時，又豈在朝朝暮暮。」

由於，在喜鵲搭橋的七夕相會日，常有飄著毛毛細雨的「七夕雨」現象，因而又有被視爲牛郎織女淚水的民間動人傳說。⑳

在台灣方面，這個大約爲太陽發光亮度六十倍，以及離我們大約有二十五光年（一光年大約有十兆公里，足可繞地球二億五千萬圈）的織女星，和亮度爲太陽十倍大，以及離我們大約有十六光年的牛郎星所產生的有情人雖成眷屬，㉑但卻不能朝朝暮暮相依爲伴的神話故事，於該日，有所謂的「乞巧會」和祭拜「七娘媽生」的活動習俗。在祭拜「七娘媽生」方面，民間認爲七月七日是兒童守護神七娘媽的誕辰。每個人在十六歲以下，均受到七娘媽的庇護，因此在當日有到寺廟祈福或於傍晚祭拜「乞巧會」後，以古錢或銀牌、鎖牌，串上紅絨線，稱爲「縣貫錢」，懸掛在小孩頸上，以保平安的情形。至於，一旦到了十六歲時，就需要在這一天，到廟或在家門口，祭拜七娘媽後，「脫絭」，表示已經成年了。

在「乞巧會」方面，根據《東京夢華錄》說：「唐時京師七夕，貴家多結線於庭，穿七孔針，陳瓜果於庭中，以乞巧。有蟢子網於瓜上，則以爲得謂之乞巧樓。」外，《東京歲時記》又說：「七夕婦人結絲樓，穿七孔針，陳瓜果於庭中，以乞巧。有蟢子網於瓜上，則以爲得。」在過去農業社會，手紅對女孩而言是一種重要的技巧，而相傳織女又是最會織布，因此在台灣大多數的婦女們，多會祭拜織女，並在祭拜這天晚上將九孔針、七孔針、雙眼針等，對著月亮穿針引線，如此手藝便會愈來愈靈巧的說法。在有關「乞巧會」的祭拜活動方面，台灣婦女往往會在當天傍晚設下香案，準備臉盆水、鏡子、鮮花、白粉、胭脂、針線、印有衣褲的紙錢、麻油雞酒、麻油飯、瓜果、餅乾……等，供給七星娘梳洗化妝、饗用。在祭拜中，除向雙星禱祝，並把供奉的胭脂和白粉，一半灑向天，一半留給自己，據說如此可以使自己變得更美麗外，也期望牛郎織女能夠保佑未婚少女嫁個如意郎君，已婚少婦，能夠早生貴子，中年婦女能夠過著平安的家庭生活。這種民間將星辰人格化的兒女情戀，並有男耕女織分工合作意義的故事，演變成現今青年男女所最嚮往而富有羅曼蒂克的台灣情人節了。

八、中元節：

七月十五日是中元節（俗稱七月半），在客家地區通常會在上午先拜祖先（阿公阿婆）外，在傍晚時，家家戶戶還會在門外焚香燒紙，敬祀孤魂野鬼，叫做「渡孤」，俗稱「做普渡」（普遍超渡孤魂），即是祭拜好兄弟之意。在這漫長一個月的鬼放假與祭祀活動中，據說十五日是以成人的亡靈爲祭拜對象，而在二十九日，則是以孩童的亡靈爲祭拜對象。

給亡魂一個人間祭典、陰陽同歡豐盛宴饗的中元節，其由來，是相傳唐太宗在一次病危魂遊地府時，地獄中的許多冤鬼向他訴說地獄內的苦狀。在唐太宗病癒後，就下令全國文武百官及百姓各備三牲，金、銀紙錢，路祭遊魂野鬼，使那些平時已被家族記憶史除名之無人祭祀的孤魂鬼魅得以解脫苦難。而在台灣人鬼聯歡的中元普渡，可說是台灣民間泛靈信仰中的一種「幽魂崇拜」，其所祭祀的對象是以離散無主的孤魂和橫死的厲鬼爲主，尤其是死於非命的未婚女亡靈，她的性慾沒有被婚姻制度化，往往被視爲冤魂，會施展靈力去性騷擾適婚的男性……等。在他（她）們的無法升天、投胎轉世，也食不到「人間煙火」，而憂傷、憤恨、無奈的漂泊、遊蕩於陰陽兩度空間之中。人民爲了避免這種具有「亡命」本色的厲鬼，顯現其肆無忌憚，爲非作歹，行其所「惡」的強烈「非命」性格，而透過宗教儀式，企圖把他（她）們收編，納入陽間或陰間的管理規則裡，而加以祭祀。

至於爲何會在七月有如此盛大的「祭鬼活動」呢？乃是中國人從古代便相信七月一日開鬼門關，七月的最後一天，二十九日或三十日中午十二點以前關鬼門關。所有的孤魂野鬼（俗稱「好兄弟」即無緣幽魂）都從陰間放假一個月，昂首濶步的到人間來找食，這個月在中國稱做「鬼月」。本來在鬼月裏天天都有普渡，由各村莊輪流舉行，後來因貧苦農村不堪負荷，就改在七月十五日「鬼節」這天統一來做普渡。不過，有些地方諸如位於苗栗縣大湖鄉的南湖、義和、東興和武榮等四村，則選在七月二十六日這天來普渡好兄弟。中元節流傳演變至今，也成爲儒、釋、道三教的節日。道教以七月十五日爲職司管理「地獄」界中所有鬼魂的地官大帝誕辰，民間以是日地官清虛大帝來到人間考察人間善惡，而加以祭拜外，相傳「地官大帝」也會在當日爲鬼魂赦罪乞恩。佛教是以該日受到「目蓮經」中，報親恩的影響下，舉辦「盂蘭盆會」（Ullumbana，印度梵語，該儀式，始於梁武帝蕭衍），有誦經、拜懺及在路邊祭拜遊魂野鬼的儀式與習俗。儒家以是日祭祀祖先，在薦新之舉。中元節最大的儀禮是普渡祭典，民間以「老吾老以及人之老」的精神，不但祭祀自己的祖先，也祭祀沒有親人在世供奉的孤魂野鬼，這是「孝」道精神的推展，也是一種對陰間所作的社會慈善救濟。其中，在有關三官大帝的「地官」方面，堯舜禹三帝，受道教初起的時代，尊封爲司人間禍福的「三官大帝」。「舜」被封爲地官大帝，在有關他的功績方面，根據記載，舜自接收了堯的地位後，爲了王權之擴張，採中央集權的政策，治下初分作九州，後分爲十二州，置四岳、十二牧，岳是祭祀官、牧是州之長官。其後，舜帝又設黥、劓、剕、宮、大辟等五種刑罰，來治理天下。使之天之下民大致能夠安居樂業。

在有關中元節中，常爲人們所深信的故事方面，它就是有關佛教的「施餓鬼」和「盂蘭盆會」。在「施餓鬼」方面，有一天，佛祖的大弟子阿難尊者，在樹下坐禪，晚上出現了一位身軀枯瘦，頭髮蓬亂，爪牙尖長，口吐火焰的醜陋餓鬼，對阿難尊者說：「汝三日後，命盡落入餓鬼道」。尊者甚怖，反問餓鬼：「有何方法可免？」餓鬼說：「汝用摩伽陀國的解一解之飲食施予百千恒河沙數之餓鬼和婆羅門仙人等，及爲我供養佛法僧三寶，依之等功果，汝可增壽，我也可離餓鬼道，生於天上界。」其後，阿難尊者就把此事告知佛祖，佛祖就對阿難尊者說：「汝可承觀世音菩薩的『無量威德自在光明加持飲食陀羅尼』，就等於百千恒河沙數之餓鬼，每人可得摩伽陀國之解，七七解之食，婆羅門仙人等也有充足之上妙食，同時也可算已是供養三寶於十方。如此餓鬼等可脫離苦海，生於天上界，阿難汝也可得福德壽命之增長」。阿難尊者聽了後，即尊照佛祖的指示去做，而且福德壽命皆增長了。在有關「盂蘭盆會」的傳說方面，盂蘭盆是烏藍婆拏，其漢譯是救「倒懸」，有如飢餓之痛苦，就像人之被倒懸吊一般痛苦之意。有一天佛祖弟子目蓮尊者，目睹母親墜入餓鬼道後，即以缽盛飯，往亡母處，母親很是高興的就把飯往口裏送時，忽然該飯就變成烈火，而不能吃。目蓮尊者見此情形，就號泣悲痛的馳回祇園精舍，告知佛祖。佛祖說：「汝母罪根已深，汝一人之力不能救，汝雖孝順能感動天地，天神地祇四大天王，亦不能救，但可得十方眾僧威神之力可得救。汝於佛歡喜日七月十五日，眾僧自恣，滅罪懺悔的喜日，設『盂蘭盆會』，爲苦厄中者準備山海美味和五果百味盛上盆器，設清淨座席，請來十方大德自恣眾僧作盛大供養。如此去做，即會請到十方眾僧，三賢十聖等菩薩，和權現的比丘僧等，皆會雲集此祇園接收汝的供養。」目蓮尊者，依佛祖的指示做供養法會後，不但目蓮尊者的母親獲得了解救，而在當時的人也同時的獲得了脫離餓鬼之苦。

普渡在台灣分爲私普和公普（廟普）兩種。私普（俗稱爲拜門口）是屬於小規模的普渡，地點大多在各家門口祭拜，或鄰里巷弄上聚合共祀。其祭拜情形，大約在下午三、四點時，就開始在門口擺設飯菜、水果、酒、鏡子、盛水臉盆、毛巾、胭脂、白粉、香煙…等。在祭祀前先燒「古衣」給好兄弟梳妝打扮更衣後，再點香，並把香沿路插在地上做爲引導鬼魂的同時，在每種祭品上也插上一支香及寫上「慶讚中元」及供奉人姓名的旗子。在祭拜完後，開始燃燒金紙、銀紙，燃放鞭炮，準備收攤時，還須告知好兄弟須「各歸原位」。公普，是屬於較大規模的普渡，以寺廟爲主，不僅在供品上繁盛富足，而且在科儀上也較隆重複雜，其普渡程序大致可分爲兩個階段。第一階段，是召請，就是通知各孤魂野鬼，讓他們知道開鬼門的日子即將來臨，並且通常訂冥府鬼門關開大門的日子爲七月一日的下午一時之後。第二階段，是正式的召請活動儀式。豎燈篙，是用整枝帶頭及尾葉的竹篙豎燈，來敬告諸神，或普召孤魂前來。放水燈或蓮燈，通常是在普渡前夕，七月十四日，把裏面放有銀紙、冥衣而外形爲房屋或蓮花的水燈。放在河中隨水漂流，用來爲孤魂野鬼照路，並告知一些消息外，又相傳河中的鬼魂若攀到河燈就可以超生了。至於，在虔敬邀請水路的好兄弟一起共餐接受奉祀的說法，因各地不同，今僅列舉一般通用的說法是：「我們在河畔點起一盞明亮的引燈，以燈爲牒（請帖），邀約無依無靠的流離孤魂，無論是漳、是泉、或是客家，在地或外來，不分先後，一同領受河畔街里人家招待的平安宴，遙祭那一則則陰陽兩界、各懷其抱的幽幽心思。」

在寺廟方面，通常會在廟前搭建普渡壇，稱之爲「結壇」。其佈置情形，通常中央懸掛大鏡一面，寫「盂蘭盆會」四字，或三官大帝像。在拜亭方面，有一、兩丈高、青面、獠牙、吐舌，用以壓制群鬼的鬼王。在此鬼王的頭頂上，還有相傳爲降伏此鬼中之王的白衣觀音像一座。其中，在有關大士爺的由來方面，目前有兩種的說法。第一種，是相傳唐代的林姜陽大學士，在告老還鄉後，每當子孫供飯時，他就把銀子賞給他們，導致子孫爲了供飯問題而爭吵不休。其後，林姜陽大學士，就對子孫說，等他死後，全部的銀子，均會分給他們之後，反而使之他的子孫不再供飯，在憤怒之餘，於是把所有的銀子砸碎，並拋之海裏，在子孫的不孝下，終於活活餓死。由於他身材高大，力大無比，到處搶食，使之各小鬼無法搶到可食之物，於是就求助於觀音大士，觀音大士乃化成蒼蠅，貼在林姜陽的額頭上，使之林姜陽被迫吐出長舌，聽命於觀音大士，並且成爲協助觀音菩薩管理眾鬼之大士爺。第二種說法，是相傳有位身材高大之人，生前行善，年老後，因貧窮而活活餓死。由於他的食量超大，經常找不足食物充飢而到處搶食。觀音菩薩有見於他生前行善，乃賜他三昧真火，讓他吐出舌頭，來解脫飢餓之苦的同時，並做爲替觀音大士管理眾鬼的鬼王。在普渡時，除了須有上述大士爺的設置的同時，在位於紙紮大士爺的左側，有盔甲打扮，持劍坐獅的山神。右側，有騎虎作揖的土地公。再兩旁左邊，爲樓閣翹脊以供應歷代文武名賢幽靈接受宴款的寒（翰）林院賓館（享有祿位鬼神的牌位）。右邊則爲十方無主孤魂投宿之單脊民房形的同歸所（一般鬼魂之牌位）之外，還有象徵賑濟眾鬼的金山、銀山以及公共沐浴亭各一座。其中，值得注意的是，人們之所以會擺放山神、土地公和大士爺的目的，就是因爲害怕眾多的鬼魂趁隙作亂，以做爲一種的約束制伏之用。

在普渡祭祀中，「孤棚」與「搶孤」是非常獨特的儀式活動。廟前除了有上述的祭壇外，還搭建了孤棚。孤棚是一處臨時搭起的棚子，附近的老百姓則競相來供各種供品，在供物上還插有「普照陰光」、「敬奉陰光」和「慶讚中元」等字眼的三角旗。搶孤的由來，有兩種說法，一種是以人象徵鬼魂，攀爬孤棚，摘取孤棧上的祭品，施捨十方遊魂，使之免於飢餓的意義。另一種說法，則是根據黃文博民俗學者，在《台灣民間信仰見聞錄》中所說的，「希望在盛宴佳餚款待孤魂野鬼後，再藉著整個聚落、村莊之人，以迅雷不及掩耳，殺聲震天之勢，四周一擁而上搶供品的『搶孤』活動，來嚇走非我族類的『好兄弟』，而達到驅鬼、袚禳之目的。」㉒不管上述搶孤的說法如何？但據說在搶孤活動中，能搶到東西的，在那一年是會非常幸運。在搶孤之中又以孤棚頂的三面小紅旗最爲珍貴，因此，「搶旗」便成爲搶孤的高潮了。目前在台灣人鬼聯歡的普渡祭祀中，比較著名的活動，有基隆中元祭的放水燈、恆春的搶孤祭鬼王、民雄的大士爺，以及新竹新埔客家地區的豬公比賽大普渡等。至於，南部六堆竹田鄉的忠義祠方面，由於偏向儒教信仰，每年僅辦春秋二祭，而未有類似的活動。㉓

九、中秋節

中秋節爲什麼令人重視呢？因爲自從有人類誕生，人類都和日月星辰山河不可分離，大部份的族群都有拜日、祭月之習俗。尤其，月光更會令人產生鄉愁的神秘感。八月十五日，中秋節爲太陰娘娘月亮的生日，是中國最優美浪漫的節日。據民俗學家的研究，認爲中秋節是起源於古代原始社會在秋收舉行「豐年祭」時，往往選擇在有明月的中秋左右。在「豐年祭」中，也不忘順便對天界的一輪明月加以祭拜，而產生「祭月」的遺風，在周朝時，逐漸形成拜月的儀式，到了秦始皇時，民間又有簡單的娛樂與活動。中秋正式成爲歲時節日，根據內政部所編印的《二十四節氣與農漁民生活》一書中，指出最早的記載有「禮記」所云：「天子春朝日、秋夕月，朝日以朝，夕日以夕。」「史記武帝本紀」也有正中秋之說。不過明確的中秋記事則在唐代，太宗明定爲年中行事，玄宗更喜在此日與學士翫月、與貴妃賞月。宋人普遍有中秋習俗，當時兩京（汴梁、臨安）的歡度中秋記事，爲孟元老、吳自牧記載於書中（《東京夢華錄》、《夢粱錄》）。到了元朝末年，漢人在元人統治之下，流傳有在中秋夜以豎花燈爲信號，並在月餅中傳遞「殺韃子」的訊息，爲中秋節增添了新意，明代即以此爲紀念。民國以後雖採用陽曆，也仍保存這一具有民族意義的秋節，政府遷台後，並正式公佈爲國定的民俗節日。㉔

中秋佳節，在經過數千年詩人墨客不斷的在秋高氣爽、桂子飄香、一輪明月的錦繡大地下，吟詠倡導，創造出許多如吳剛砍樹、玉兔搗藥、嫦娥奔月、月下老人、唐明皇遊月宮……等的神話故事中，在有關嫦娥奔月的故事方面，從神話、儀式的歷史來看，中國自古就月常儀「浴月」的儀式，應是職掌月的升降的職官，後來常儀音變爲嫦娥，衍生嫦娥奔月的神話，其內容大概爲：相傳遠在四千多年前，有窮國的國王羿，生性殘暴、勇武善射、毫不體恤民間疾苦。由於羿害怕死期的到來，而召集道士，詢問有關長生不老的方法。其中，有一位道士就向他說，他願意到崑崙山向王母娘娘求賜長生不老的藥。當道士取回藥時，羿的妃子嫦娥，深怕這個殘暴的國王如果長生不死，人民將永遠無法脫離苦海，於是就將該藥吞下後，不久身體就變輕如燕的，不斷向月亮飄去，而進入了廣寒宮的故事。在有關吳剛砍樹的故事方面，相傳吳剛（張古老或張果老）因犯了罪，被罰去砍月亮中的大樹，直到樹倒，他才能獲得赦罪。由於他所砍的桂樹，當吳剛休息時，被砍的切口又再度恢復原狀，因此吳剛萬餘年（歲）以來，只好晝夜不停的去做消磨他歲月的砍樹工作。在有關唐明皇遊月宮的故事方面，唐明皇有一天在作夢，走過一條彩虹橋，到了月宮。在月宮中，唐明皇看到了十餘位的素娥，在美妙的音樂中，在桂樹下婆娑起舞。由於唐明皇在宮廷中，未曾聽過有如此般的優美音樂，而問曰，是何名曲？素娥答曰，是「霓裳羽衣曲」。當唐明皇夢醒後，就依其記憶，把它譜成，而流傳至今的故事。

在上述膾炙人口的故事中，也激起了更多的人對月球的遐想，其情形諸如在唐時，李商隱就有「雲母屏風燭影深，長河漸落曉星沈，嫦娥應侮偷靈藥，碧海青天夜夜心」的詩，來反映一些神話故事的同時，一般人們還把天上的月圓，來當做象徵人間的團圓。於「八月半」的活動中，又相傳月神嫦娥不但心善貌美，成爲中國的美神。人們在此明月當空的中秋夜，家家戶戶有在庭院擺設香案，供奉月餅，求人生圓滿光輝，家庭團圓幸福的習俗。至於，在吃月餅方面，它雖起源於何時已不可考，但在「洛中見聞」中，有唐僖宗在中秋節吃月餅的記載。而一般學者相信，根據宋朝大詩人蘇東坡曾稱讚月餅道：「小餅如嚼月，中有酥與飴。」外，又根據「夢粱錄」記載：南宋月餅有「金銀炙焦牡丹餅」、「棗箍荷葉餅」「芙蓉餅」、「菊花餅」、「月餅」、「梅花餅」、「開爐餅」……等時令佳品供應觀之，它最晚應在宋期開始，而在明初時大盛。又從中秋節家家戶戶吃月餅的情形看來，可以推知中國人對團圓嚮往之殷切了。

在台灣過中秋方面，除了吃月餅外，還吃柚子，那是應時所產生的結果，其情形有如「柚」與「佑」諧音，和桔子一樣都是吉祥的水果，相傳既久，就把柚子當成是中秋的主要水果了。在有關「客家豬油餅」方面，由於客家人以往生活較爲清苦，帶有油香味的傳統客家豬油餅讓人垂涎，後來工商業發達，豬油餅逐漸被人遺忘，而其製作方法亦幾近失傳。製作豬油餅的餡料是豬肉、香蔥、麥芽、麵粉、冬瓜及芝麻，而其皮則是由麵粉、蛋和豬油做成，烘焙以後，吃起來不但不油不膩，而且既香又 Q。尤其是在中秋佳節，若要吃到道地的客家豬油餅，請走一趟峨眉鄉，吃幾口豬油餅，再搭配鄉內所生產的東方美人茶，保證讓人齒頰留香，久久難忘。至於處於工商業社會發達的現今，中秋節竟成爲一年中三大送禮的主要節日之一的同時，也興起了青年男女、愛侶，於此明月高掛之夜晚遊山玩水、共度良宵的風潮外，在客家人的風俗中，由於正月十五所祈求五穀豐收以及村莊和個人平安的平安祿，到了八月十五日，在第二期稻作收獲之前，常會懷著感恩之心，在伯公前面或在廟裏上演平安戲，以示答謝之意的活動。

十、重陽節：

古人把一、三、五、七、九等單數稱爲「陽數」，二、四、六、八爲「陰數」，九是陽之極點也稱老陽，而「陽極必變」代表著由盈轉虧，盛極必衰之不吉。九月初九，因日、月均逢「九」，兩「陽」相重，而有「重陽」之稱。在這個被古人視之爲大不吉利的農曆九月九日，在漢朝以前，並無所謂的「重陽」記載，只有一種在秋天消除災禍的秋祓儀式而已！到了西漢時，重陽日漸成爲一個固定的節日，而且增添了佩茱萸、飲菊花酒和登高等內容。根據「西京雜記」記載，漢高祖的寵妃戚夫人有一侍兒名叫賈佩蘭，在宮中時，每遇九月九日，便有「佩茱萸、食蓮餌、飲菊華（花）酒」的情形外，該雜記又有「三月上巳，九月重陽，士女遊戲，就此祓禊登高」的記載。到了東漢時，根據多談怪誕不經之事的「續齊諧記」記載漢代的仙人費長房，有日對弟子恒景說：「九月九日，你家有災難，如果你帶了全家大小，每個人手臂上佩帶裝有『茱萸』的紅袋，去登高處，飲菊花酒，便可避去災禍」。恒景依師言，而全家上山郊遊，到了傍晚回到家時，一看所有的家禽六畜等都死光了。這種在東漢時名法師費長房曾告訴桓景於九月九日時，須帶著全家大小到高山一日，並且要用青囊裝著茱萸，縛在每個人的手臂上來避邪的故事，而引起當代人們的注意外，而又增添了它的神秘色彩。因此，在《風土記》中有「漢俗九日飲菊花酒祛除不祥，此月折茱萸以插頭，言辟除惡氣而禦初寒」的記載。

至於，農曆的九月九日，爲何要登高呢？這可能和陰陽五行有密切的關係。其原因爲：重九是一個「陽」字登勤之日，是一個地氣上升，和天氣下降之日，古人爲了避免接觸這個天、地相交的不正之氣，而有登高以避邪氣的活動。在飲菊花酒方面，因菊花傲寒而開，氣味芬芳，相傳飲用菊花所釀的酒，有驅疫延年之說，而漸盛行。因此，在《夢粱錄》中，就有將菊花名爲「延壽客」，久服使人不老；茱萸視爲「辟邪翁」，常戴可趨吉避災的記載。在有關「重陽」名稱的由來方面，被今人推測爲始於曹丕之時，其情形爲魏文帝曹丕與太傅鍾繇九日送菊書中，談到「歲往月來，忽復九月九日。九爲陽數，而日月並應，俗嘉其名」，而來。重陽節，後來到了晉代及南北朝時，逐漸把重陽登高的活動，視爲歲時節令的一件雅事。它的影響所及，到了唐代，有名的大詩人王維，還曾在這個節日裏寫了一首：「獨在異鄉爲異客，每逢佳節倍思親；遙知兄弟登高處，插遍茱萸少一人」的名詩，留傳後世。

在台灣方面，九月即爲「戌」，是萬物轉向衰老之期，不過此時卻是秋高氣爽，雲淡山青，結伴出遊，登高遠眺的最佳時節。農曆九月九日重陽節，在民國十九年，北伐統一之後，國民政府公佈以陽曆九月九日爲「重九節」，而廢除了「重陽節」之稱，然而民間卻依然沿襲舊俗，以陰曆的九月九日爲「重陽節」。重陽節的演變至今，「九九」與「久久」同音，有長久平安，令人長壽之說，因此，民國六十三年（西元 1974 年）內政部爲敬老崇孝而定重陽爲「老人節」，以增加重陽節的精神內涵。兒童於此秋晴，有俗說的「九月九，風吹（風箏）滿天哮（鳴）」的放紙鳶遊戲活動。在台灣客家方面，根據《新竹縣志初稿》云：「九月九日爲重陽節，學校生徒放學一日，令登高遊覽。」的同時，在秋天由於兩季的水稻已經收成，在第三季的豆類、雜糧方面，農事也已忙完。因此，在鄉村於此日夜晚有宰豬羊「二太牢」，祭天以謝上蒼讓人民五穀豐登的所謂「完福」之舉，以及次日有山歌或採茶戲的表演外，在南部地區的客家人，還流傳有數百年，慶祝能夠安居樂業，而引燃鞭炮，攻進城堡高掛大鞭炮的「攻砲城」的傳統民俗活動。㉕

十一、冬至：

農曆十一月的冬至，是二十四節氣之一，也是年中最後的一個節令。冬至日期不定，俗稱「冬節」或「三至」，因爲這一天太陽在最南，所以又稱爲「南至」，同時這一天白天最短，因之又稱爲「短至」。冬節是太陽恰好經過冬至線（赤道以南二十三度二十七分四十五秒之緯度線）

的第一天。冬是「終」的古字也有終的意思，是四時之末，一歲之終，也是另一節氣的起點。在此北半球夜間最長的一天過後，白晝則日漸增長，夜間則逐漸縮短。在整個的大地而言，它則逐漸邁向生機蓬勃的春天，因此在杜甫的「小至」詩中，就有「冬至陽生春又來」的說法。有關冬至的演變，根據林清玄學者，在《傳統節慶》一書中，指出「冬至的日期不確定，但總在農曆的十一月份，在小寒之前，台灣民間稱冬至爲『冬節』是過年前最大的節日。早在周秦時代，就以冬至爲歲首，稱爲『小過年』；到漢朝稱爲『日至』，有官方的賀節稱爲『賀冬』；到魏晉六朝稱爲『亞歲』，百姓對父母尊長拜節；唐宋以後，更發展成爲祭祖之日。在古代，冬至的時候，皇帝都有祭天的典禮，規模極爲龐大，用以爲萬民消災祈福，清朝以後逐漸成爲民間的活動，人民開始普遍有祭天地，祭祖宗的風俗。」民國袁世凱稱帝後，於民國三年十二月二十日頒佈「祭天」大典令之後，國民政府亦公佈冬至爲「冬節」。

在客家方面，在過去農業社會，客家人有不少和「冬至」有關的諺語，如「冬至在月頭，無被唔使愁」，因爲這一年一定是暖冬；「冬至在月尾，賣牛來買被」，這一年天氣一定會很冷。在冬至的應景食品方面，湯圓在各地客家名稱各有不同，在桃園稱作「雪圓」、竹苗爲「粄圓」、東勢和西螺爲「惜圓」、以及六堆「圓粄」等，根據客家詞彙中，有「閒時都打粄，那有冬節不挼圓！」的狀態下，因此，在客家地區，在冬至這一天的清晨，家家戶戶就忙著搓湯圓（冬節圓），敬奉神佛祖先，報告冬至的來臨。祭拜完後，又將湯圓粘貼於門、窗、桌、櫃、水井、廚房、牛欄等處，以慰勞它們一年來為人類服務的辛勞。在冬至的夜晚，通常人人須要團聚吃湯圓，吃完湯圓表示又大了一歲之外，在台灣民間還有食米糕、雞、鴨燉當歸加人蔘或八珍等物，作為補品以壯健身體的「補冬」之俗。至於，部份的農家，又視此日，叫做牛生日，為了酬謝牠長年累月的辛苦工作，而有用青菜包裹「粄丸」（湯圓）餵牛的情形。在客家的傳統習俗中，有「冬至大似年」，年節前付清款項，正從此日始之意的同時，冬節又是改換契約、金錢借貸以及更換雇農的日子外，在廟裏還會上演打八仙的戲劇。至於，倘若該年有男嬰誕生的家庭，還要在這天準備新燈掛在燈樑上的同時，並在廟裏分發紅粄。

第二節：民俗遊藝

在民間宗教和歲時慶典活動中，往往為了增加熱鬧氣氛，而有種種的音樂、戲劇、舞蹈……等之民俗表演。然而，通常在街頭演出的民族和民俗技藝方面，根據吳騰達學者，在「民俗表演團體之現況與輔導」一文中，指出，它大致可分為雜技類、民俗體育類和小戲類等。諸如在雜技類有舞獅（約15人～65人）、舞龍（約18人～100人）、踩高蹺（13人～16人）、布馬陣（12人～20人）、跳鼓陣（12人～30人）、鬥牛陣（12人）、宋江陣（36人～108

人）、國術（2人～30人）、民俗特技（6人～50人）。民俗體育類有跳繩（15人～50人）、踢毽（9人～50人）、扯鈴（20人～50人）。小戲類有車鼓陣（8人～20人）、牛犁陣（12人～20人）、跑旱船（20人～30人）。㉖

一、舞龍：

龍在中國社會是一種至尊的代表。舞龍爲春節民間最精彩的遊藝活動之一。俗說「虎能呼風，龍能喚雨」，而龍是古代的一種神靈之精，四靈（龍、鳳、麒麟、龜）之首的想像靈物。根據說文解字說：「龍、鱗蟲之長，能幽能明，能細能巨，能短能長。春分而登天，秋分而潛淵」的一種性善於變化的神秘動物。在構造上，根據「爾雅・翼」的說法爲：龍「角似鹿，頭似駝、眼似鬼，耳似牛、項似蛇、腹似蜃、鱗似鯉、爪似鷹、掌似虎」等情形。經後人，又把牠更具體的修正爲，龍擁有鹿角、駱駝頭、兔眼、牛耳、蛇身、蛙肚、鯉魚鱗、鷹爪和虎掌等特質所綜合而成。

龍在民間的概念裏，牠能興風作浪、和風化雨、騰雲駕霧，是祥瑞的靈物，神的化身，和「道」的代名。又傳說牠有極大的神力，可以降魔驅災，因此在全國各地或海外，只要有中國人的地方，都有舞龍來表示風調雨順、五穀豐收、國泰民安的習俗。究竟龍被用作年節或祭典的陣頭始於何時？舞龍的起源大概始於漢代的每逢元旦朝廷即有魚龍之戲的傳說。根據董仲舒的「春秋繁露」記載：漢代有舞龍求雨，並因日子之不同，所用之人，以及所舞之龍的顏色亦有所不同。諸如：

甲、乙日舞大青龍，「小童八人，皆齋三日，服青衣舞之。」

丙、丁日舞赤龍，「壯者七人，皆齋三日，服赤衣而舞之。」

戊、己日舞黃龍，「丈夫五人，皆齋三日，服黃衣而舞之。」

庚、辛日舞白龍，「鰥者九人，皆齋三日，服白衣而舞之。」

壬、癸日舞黑龍，「老者六人，皆齋三日，服黑衣而舞之。」

等情形。又根據簡文帝的「燃燈詩」中，有「織竹能爲象，縛荻巧爲龍」之句，可見在六朝之前，確定已有舞龍了。舞龍到了宋代時，根據東京夢華錄史記宋時元宵百戲有：「……又於左右門上，各以草把縛成戲龍之狀，用青幕遮龍，草上密置燈燭數萬盞，望之蜿蜒，如龍飛行，……」，如此情形看來，當代的人民已經懂得用燈來裝飾、襯托「飛龍」氣氛，甚至可能已有舞龍燈之風了。龍的種類，演變至今，在大陸上，有用布製成的龍燈中，有火龍、彩龍和布龍等形式。有首、身、尾不相連接，而在舞動時，自然形成龍形造型的「段龍」。有用荷花裝飾組成的「百葉龍」。有用長板凳爲主要骨幹，並加以裝成龍形的「板凳龍」。有用草爲主所紮成龍形的「草龍」，而又在草龍上插滿香火的龍形稱爲「香火龍」。有在舞龍時，不斷向龍身潑灑冷水，以祈求降雨的「水龍」。以及紙龍、花籃龍、星子龍、鯉魚龍、牛龍、羅漢龍、斷頭龍……等。

龍在台灣大致分爲金龍、銀龍、水龍、火龍等，顏色也各地不同，有黃色、青綠色、還有色彩鮮豔的彩龍。其中最常見的是金龍，長約五十公尺。全身二十四節，再加上龍頭和龍尾各一節。舞龍的組織，其人數視龍身的節數而定。由十數人到上百人皆有。舞龍的主要工具，包括龍珠和具有龍頭、龍身、龍尾的整條龍。有時爲了夜間出舞，腹內還設有燈光裝置。龍珠是以竹編製成圓形或橄欖形，其外黏貼紅綢布及亮片。龍身的長度，一般以九節爲基礎，十三節以內爲「小龍」，長度在三十三公尺內；十五節至二十九節的算是「中龍」，約三十一公尺至六十公尺內；三十一節以上的已屬於「大龍」，長度大多長於六十公尺。㉗在龍身中，取九節者，是代表九九盛數之意；取十二節者，是象徵一年有十二個月；取二十四節者，是表示農曆二十四個節令之意。龍珠也稱爲「寶珠」和「流星火球」，它的主要任務，在領導舞龍的路線變換及陣式變化，表演中龍珠應不停的旋轉，且保持在龍頭嘴前一公尺做伸舌狀。執龍首者，隨著龍珠，亦步亦趨，時閃時讓，時迎時拒的保持龍頭不停的擺動，而執龍身、龍尾者，則緊跟著奔跑滾翻，並保持頭左尾右，頭昂尾伏的靈活運作，舞出騰雲駕霧、翻江攪海之勢。有時爲了製造高潮還有吐火、噴水或噴五彩煙的情景。

平常舞龍的種類有，團龍、過龍門、扣門龍、梅花樁、龍過橋等。而舞龍的表演又有單龍陣型、雙龍陣型和巨龍陣型等多種，各陣型依節數之不同而有不同的舞法，其情形有如，「小龍輕快，講求技巧；大龍則是表現穩重的感覺」。不過，基本形態依吳富德「中華民俗體育——舞龍」的報導，大致可分十二式，依序如下：㈠龍形八步（出場）。㈡祥龍獻瑞（敬禮）。㈢神龍戲水（滾水）。㈣龍頭發威（穿頭）。㈤頭尾穿龍（穿中）。㈥直龍獻瑞（三鞠躬禮）。㈦迴龍搶珠。㈧金龍翻騰。㈨金龍擺尾（穿尾）。㈩金龍跨尾（跨尾）。⑪龍盤八荒（卷圈）。⑫金龍昇天（退場）。又根據吳騰達學者的《民俗遊藝》云：「較常見的單龍舞法約有下列幾種：祥龍致敬、遊龍藏珠、雲龍戲珠、天地神晁、龍過天門、龍行太極、風調雨順、追星趕月、乘風破浪、騰雲駕霧、神龍行空……等。雙龍舞法則有神龍下凡、祥龍獻瑞、頭尾穿龍、直龍獻瑞、七海蛇龍、迴龍搶珠、金龍翻騰、神龍戲珠……等，所取名稱，大多由龍隊自行依舞法所命名，因此至今尚無統一之名稱與舞法。」㉘

至於，在客家地區的㷫龍、舞龍方面，近年來，苗栗的㷫龍國際觀光文化節中，有糊龍、祥龍點睛、迎龍、跈龍、㷫龍和化龍等六項的主要活動裏，㷫龍不僅是代表客家的精神文化，也是台灣元宵節慶的三大活動之一外，在有關舞龍的其他事項方面，依照客家人的傳統習俗，龍是沒有公龍和母龍之分，凡是沒有在大廟堂或土地廟神明面前，經過用雄雞血塗上等「點睛」儀式的龍，是野龍，而不是神龍，是不可以膜拜，也不可以進入客家人的伙房參拜外，點過睛的神龍，在表章上定開光幾天就幾天，時間一到就必須火化讓龍昇天。如果超過期間未火化，則必須長年供奉，早晚點香，等到來年再火化的習俗。㉙

二、舞獅

獅子不分東方、西方都被視爲吉祥物。中國不產獅子，但獅子造型的運用，從寺廟、住屋、飾品、器物等日常生活中卻隨處可見，其運用之廣遠勝於龍、鳳等吉祥物。舞獅是一項撲、跌、翻、滾、跳躍、抓癢等講求力與美的技藝。獅子有「百獸之王」之稱，早期舞獅除有掩護、習武及娛樂作用外，另有驅魔避邪、鎮宅招福的意義。爲了達到雄壯威武，並代表頂天立地的氣概，舞獅所用的獅頭，是採取雄獅的模樣。其獅面，凹凸分明，鼻孔高大，眼似銅鈴、長鬚、捲髮，有一種懾人的尙武精神面貌。據說「舞獅」藝術是漢代時，由印度經西域傳入中國。再從漢代百戲中之「曼衍」、「角牴戲」發展而成民俗遊藝，不過最早的紀錄，則是《舊唐書音樂府志》上所錄：「太平樂，後周武帝時造，亦謂『五方獅子舞』。……五獅子各立其方位，百四十人歌太平樂。舞以足持繩者，服飾作崑崙像。」由於舞獅廣泛的在我國各地流傳，而創造了各種形式的舞獅，諸如武獅在強調它的威武矯捷。文獅在強調它的詼諧有趣。在獅子的造型方面，有口吐火焰的「火獅」，有用長板凳裝飾而成的「板凳獅」，以及有用提線操縱的「線獅」……等。而早年流行於大陸南方沿海兩廣及福建的南獅，均以「三國演義」中的人物命名，諸如黃面白鬚者稱「劉備獅」，黃面黑青鬚者稱「趙雲獅」，銀面白鬚者稱「黃忠獅」，紅面黑鬚者稱「關公獅」，黑面白鬚者稱「張飛獅」等，其目的在於表示重義爲親之意。㉚

至於台灣的舞獅，傳入的時間應在清初。舞獅在台灣，俗稱「弄獅」，舞獅所組成的團體，北部稱獅團，南部稱之爲獅陣。舞獅的種類，大致可分成四種，而且都曾在客家地區演出，故今一併簡述之。

㈠開口獅：獅嘴可上下啓閉，而且形狀爲方形，最利於咬水果及紅包，而得其名，又因獅嘴用簸仔（篩子之台語稱呼）所做成，做又稱爲簸仔獅。此開口獅爲客家人所常用，故又稱爲「客仔獅」或「客家武夷獅」，此獅在早期在獅額上畫有「王」字，在獅頭上畫有「八卦」，兩眼會動，獅身以金黃或以紅綠黃搭配爲多。在早期，客家人稱「舞獅」爲「打獅」，它是屬於拳館，或習拳的團體所附設。因此，在舞獅時，無不處處顯露出武術拳腳的動作。在表演時，根據黃步雲的說法，客家獅分文獅、武獅兩種，在舞獅時，文獅是跟大鼓，武獅是跟小鼓，除了獅頭獅尾須協調一致外，步伐、腳步也都有一定的規定，鼓聲急促，獅身就得高揚，鼓聲緩慢，獅尾就得趟下或坐下，是不能搞混的。至於，一般客家獅的表演，它通常是採高姿態的舞法，主要內容是「打獅節」（也稱「咬蝨」或「套頭」），計有十八節，其動作名稱依序爲：1.獅咬腳。2.獅咬蝨。3.睡獅。4.獅翻身。5.踏七星。6.踩八卦。7.獅過橋。8.刣獅。

9.救獅。10.桌上工夫。11.桌上探井。12.獅切血。13.咬水果。14.搶金錢。15.咬青。16.獅接禮。17.拜廟。18.四門到底，一般獅團僅能作五、六節，其餘已失傳（民俗遊藝·吳騰達）

㈡閉口獅：是獅嘴固定不能隨意開啓而得其名，又因其造型像雞籠，故又名爲「雞籠獅」。此閉口獅，多用花布做成獅身，表演以低姿勢舞法爲主。又因在不同地區，不同教練指導下有不同的「招數」。其表演內容主要有：參神、四門、踏七星、踩八卦、探門聯、空中舞獅……等。

㈢醒獅：帶有特技性質的「瑞獅」，後因「瑞」與「睡」之廣東發音相同，於是改稱爲「醒獅」。又因它來自於廣東，且以廣東地區最爲流行，故又稱爲「廣東獅」。一般醒獅分爲「幼獅」和「老獅」兩種，而「老獅」又分爲，代表純良的花面「瑞獅」、代表勇敢的紅面「醒獅」和代表祥瑞的黑面「猛獅」等三種。醒獅的表演，除有模擬喜、怒、樂、醉、動、靜、驚、疑等醒獅八態外，其主要表演是「採青」。據說古時廣東農村，每年除夕在門口擺放青菜，引獅前來食青視爲「吉祥」與「幸福」的好兆頭。此引獅食青一事便稱爲「採青」。採青又分爲「高青」和「地青」兩種。高青中又有踩在肩上的「上膊」，下層十人、中層四人疊羅漢的「上碟」，和攀爬柱子的「擎天柱」等三種。地青又有，水清、酒青、橘子青、盤青、八卦青、七星伴月青、毒蛇青、橋頭青、蟹青……等外，還有「醒獅過獨木橋」、「醒獅上梯」……以及最常見的「醒獅過三山」之登桌功夫等。

㈣北方獅：相傳起源於河北保定，而盛行於長江以北地區，因其形狀似北京狗，故又稱爲「北京獅」。此獅的舞法，多作雙獅合舞，而且爲了適度反應北方寒冷天氣下的獅子造型，舞獅者還必須穿上毛茸茸的獅褲，來加以表演。其表演內容，除了在舞台上有踩大球的特徵外，另有翻滾、咬腳、假睡、吃食物等動作。㉛

今就一般在台灣的舞獅方面，除了以舞獅爲主外，另外常見的有，帶笑面佛（大面仔—財神，小面仔—吉祥猴）、手拿芭蕉扇或樹枝的小孩，用各種頑皮的動作，來戲弄獅子、激怒獅子等動作，來增加喜慶、歡樂的氣氛。

三、跑旱船：

跑旱船是「陸地行舟」的表演。它的來源至少有三種說法，一、是爲紀念屈原而來。二、是唐明皇時代的「山車旱船」之「陸船」有點類似。三、是來自江南的「採蓮戲」。南宋的《武林舊事》卷二舞隊條下已出現「划旱船」這個名詞，可以推知現今的「跑旱船」是從宋代迄今歷久不衰的民間遊藝。跑旱船的旱船骨架是以竹木紮成，外面用綵布圍繞成型如現在塑膠浴缸大小的船，在船邊還用畫了水紋的白布圍著。由一艷裝姑娘將船吊在肩上，腰上綁著一雙盤坐的假腿，使之看似坐在船內，而實際是站著的情形。另一人則扮演船伕，手拿著木槳隨侍在船邊表演划水動作。隨著姑娘的或舞或走，使船前後上下或左或右搖盪來表現船在水中搖擺顛簸、遇風打轉或觸礁擱淺等各種狀況，諸如遇到狂風暴雨時，船伕就得緊跟著船奔跑，反之，若在風平浪靜時，則可和船中的姑娘搭唱如「桃花過渡」民謠小調，或做些調情、調笑之滑稽動作。目前在台灣，在這跑旱船的周遭，通常又安排了「水族陣」的表演，這水族陣大多是以大烏龜在前開路，魚蝦穿梭其間，並安排「蚌精」和「鷸」的角色，來上演「鷸蚌相爭」漁翁得利的既富有教化意義又富有娛樂價值的民間故事。

四、布馬陣：

布馬陣是一種古時的小孩竹馬戲。在有關騎竹馬的記載方面，在《後漢書》郭伋傳中已提到郭伋在任官時很受民眾愛戴，他到西河美稷時，有數百名兒童，騎著竹馬在歡迎他；而在此書中又有描述陶謙到了十四歲時還綴帛為幡，騎竹馬，邑中的孩童還都跟著他玩竹馬戲的記載。在有關布馬陣的由來方面，一般說法是，相傳大約在南北朝時代的某一時期，有位苦讀考上狀元的青年，非騎著真馬，而是騎著布馬去拜相，這種讓人啼笑皆非的舉動，被皇帝知悉後，特賞賜駿馬一匹給這位新科狀元，於是該狀元就在馬伕一人，侍衛二人的陪同下，在拜謁宰相府途中，不幸被一些名落孫山的不肖之徒，故意在狀元行經之途，挖掘凹坎設下陷阱，以致新科狀元跑馬落入陷阱，搞得人仰馬翻、狼狽不堪的趣味故事。布馬陣在往後的發展中又有救駕有功，被賜白馬之人，因不熟悉騎術，而險象環生以及縣老爺出巡跌入泥沼搞得人仰馬翻的情景為題材，這些故事除主角外，情節大致相同，均能化險為夷，博得觀眾的喝采。在台灣民間布馬陣所使用的馬，最初是用紙糊在以竹子為骨幹編成的紙馬，由於易破之所繫，而改用以藤為骨架並敷上彩繪的布製。在馬伕和伴演馬兒的表演動作上有牽馬、洗馬、馬上山、馬下山、馬前失蹄、馬踢人、馬跌入河中或陷入泥沼以及馬不肯前進等種種滑稽的表演。

五、高蹺陣：

踩高蹺是一種木腿，人踩在上面再以繩索固定的能走、能跑、能跳，有時還能翻騰，超越障礙及跳火圈的高度技巧表演藝術。它在台灣民間是一種迎神賽會不可或缺的陣頭。據說踩高蹺源自春秋戰國時代，根據列子說符篇記載：「宋有蘭子者，以技干宋元君，宋元君召而使見，其技以雙枝長倍其身，屬其脛、並趨而馳，弄七劍，迭而躍之，五劍常在空中，元君大驚，立賜金帛。」不過學界認為此書是西漢或魏晉時代所偽作，較正確的年代，應從該時代開始。有關高蹺陣，在漢、六朝的百戲裏叫做「蹺伎」，郭璞的山海經注中，稱此伎之伎人為喬人。到了宋代時，叫做「踏蹺」，而且大盛於北方黃河流域，每年新年，元宵燈節以及廟會大都有此項的遊藝表演。到了清朝時，才有現今「高蹺」的稱呼。踩高蹺以技巧來分，可分為「文踏蹺」和「武踏蹺」兩種，前者著重人物表情的情節表演，角色有生、旦、淨、丑，伴奏樂器有笙、簫、絃、琴、板……等。後者以特技表演為主，戲劇成份不高，既可以反下腰身，劈叉坐地，舞槍弄刀，也可以跳越高桌，單打獨鬥……等。這一派「高高在上」的踩高蹺表演，在台灣目前只是沿街走走，表演拳術，耍耍兵器、劈腿及翻躍等動作，其所穿的戲服及裝戴面具，也以民間故事中的「白蛇傳」、「八仙過海」、「三藏取經」、「關公保二嫂」和「斬蔡陽」等角色化裝爲主了。

六、炮炸寒單爺：

在有關「炮炸寒單爺」的活動方面，肉身寒單爺通常是上身赤裸，頭繫紅巾，僅穿一條短褲，手持榕樹葉所做成的扇子，被人用轎子抬著遊行。相傳寒單爺怕冷，所以人們要丟鞭炮爲祂驅寒外，人們又相信透過鞭炮對寒單爺的洗禮，可以一吐民眾去年怨氣的同時，也象徵著在鞭炮炸得越旺下，在來年將會有萬事如意，以及財運亨通的到來。

註解

① 《二十四節氣與濃漁生活》，頁 12，台北：內政部，1991。

② 邱家宜報導，〈灶王爺今天上天述職去〉，自立晚報 83.2.4。

③ 游淨妃報導，〈初一停水、吃素、不動刀〉，客家郵報 93.1.7～1.13。

④ 參見蔡策著，《客家民俗—談贛南》，頁 16、17，台北：老古文化事業公司，1997。

⑤ 溫筆良、林錫霞報導，〈四熖四炒四點金〉，聯合晚報 94.2.8。

⑥ 參見葉俊琪報導，〈客家人過年，臘月二十四送神揭序幕〉，客家郵報 93.1.7～1.13。

⑦ 游淨妃報導，〈初一停水、吃素、不動刀〉，客家郵報 93.1.7～1.13。

⑧ 《台中縣客家風物專輯》，頁 42，台中：台中縣立文化中心，1989。

⑨ 參見五路財神石雕像廣告，〈五路財神如何帶來滾滾財源！〉，聯合報，93.11.23。

⑩ 毅振著，〈民間信仰采風〉，自立晚報，82.3.13。

⑪ 《客家》第 33 期，頁 18，1993 年 2 月。

⑫ 參見中國時報，90.2.7。

⑬ 黃榮洛著，〈天穿日客家人拜天補天〉，《客家》第33期，頁23，1993年2月。

⑭ 林慧珍著，《客家文化季刊》，〈客家傳統天穿日，一年打拚的起點〉，NO.9，2004 秋季號，頁 21，台北：台北市政府客家事務委員會。

⑮ 王春秋著，〈掛紙〉，《翻翻客家》NO.7，台北：台北市政府民政局，2003春季號。

⑯ 莊英章著，〈台灣北部兩個閩客村落之研究〉，《家族與婚姻》，頁167，台北：中央研究院民族研究所，1994。

⑰ 杜蕙蓉著，〈善用端午節專題報導〉，自立晚報，83.6.12。

⑱ 內政部編印，《二十四節氣與農漁民生活》，頁 41，台北：內政部，1991。

⑲ 參見阮昌銳著，《傳薪集》，頁 69，台北：台灣省立博物館，1987。

⑳ 參見馬以工撰稿主編，《中國人傳承的歲時》，頁136，台北：行政院文建會，1990。

㉑ 參見葛必揚，〈織女牛郎大女人與小男生之戀〉，中時晚報，82.8.24。

㉒ 黃文博著《台灣民間信仰見聞錄》，頁 37，台南：台南縣市文化中心，1988。

㉓ 參見曾喜城著，《台灣客家文化研究》，頁 153，屏東：屏東平原鄉土文化協會，1999。

㉔ 內政部編印，《二十四節氣與濃漁民生活》，頁 65，台北：內政部，1991。

㉕ 林清玄著，《傳統節慶》，台北：行政院文建會，1986。

㉖ 吳騰達著，〈民俗表演團體之現況與輔導〉，《文化資產維護研討會專輯》，頁 349，台北：行政院文建會，1989。

㉗ 黃文博著，《台灣藝陣傳奇》，頁 61，台北：台原，1991。

㉘ 吳騰達著，《民俗遊藝》，頁 21，台北：行政院文建會，1990。

㉙ 參見民眾日報，90.2.1。

㉚ 石語年著，《民俗曲藝》，頁 193，民間劇場 37 期，台北：行政院文建會，74 年 9 月。

㉛ 參見吳騰達著，《民俗遊藝》，頁 15，台北：行政院文建會，1987。

第六章：客家人的食、衣、住、行

第一節：客家人的飲食

民以食爲天，飲食是最能代表一個民族的文化風貌。《禮記》有云：「飲食、男女、人之大欲存焉。」在食色兩方面來說，當然以食更爲重要。根據農委會九十一年台灣地區糧食平衡統計，資料顯示，九十一年平均每年每人的飲食總量，白米五十公斤，水產三十六公斤、糖及蜂蜜二十三公斤、蛋類十八公斤、蔬菜一百二十一公斤、麵粉三十三公斤。依國人每人每日主要攝取食物內容換算，可獲得熱量兩千八百六十九大卡，蛋白質九十五公克（其中動物性蛋白質四十八公克，植物性蛋白質四十七公克），脂肪一百二十四公克。資料還顯示，十年來國人的飲食習慣有些改變，諸如，白米類、水產類、糖類逐漸減少，而蔬菜類、蛋類和麵粉類，則逐漸增加。①在歲時節慶時，在它的節氣和飲食習慣方面，諸如在新年時，有打甜粄、鹹甜粄、發粄和菜頭粄等；在元宵節時，有打豬籠粄（又稱之爲菜包）；在清明節時，有打艾粄；在端午節時，有包粽子；在中元節時，有包粽子和打糟粑；在冬至時，有打粄圓等。

自人類懂得用火以來，才從生食演進到熟食，因而有各種奇珍風味、美食小吃等料理出現的同時，食物的種類也由少而變多。在用火方面，在現今普遍使用的天然氣和電器設備之前，過去的客家人是使用稻草、穀殼和木柴（或木炭）等，做爲薪柴之用。其中，在有關相當方便使用的木炭製做方面，木頭自從山上砍下後，經過曝曬，送到炭窯後，必須先截枝裁短，然後豎立擺入窯內，再以火氣悶燒十至十五天之後，再讓窯自然冷卻十五天。由於木頭悶燒的過程很容易「燒焦」，所以火不能太大，因此除了製造的時間無法縮短外，大約面積約爲十六平方公尺的古炭窯，可容納三萬五千台斤的相思木材，經過燒製後，大約可得七千台斤左右的木炭，可供使用。

在有關食物種類由少變多方面，諸如現今在禽獸類，有雞、火雞、鴨、鵝、豬、牛、羊……等。魚貝類，有鱸魚、烏魚、魷魚、鯊魚、鰻魚、章魚、旗魚、鯉魚、草魚、吳郭魚、鰱魚、鯽魚、鱠魚、大比目魚、鮭魚、鱒魚、泥鰍、海參、草蝦、螃蟹、牡蠣、九孔、鮑魚、干貝、蜆仔、文蛤……等。蛋類，有雞蛋、鴨蛋、鵝蛋、鳥蛋……等。菜類，有蓮藕、冬瓜、黃瓜、絲瓜、苦瓜、南瓜、菜瓜、花菜、扁豆、茄子、洋蔥、韮菜、芹菜、甜菜、香菜、竹筍、蘆筍、蘿蔔、胡蘿蔔、蕹菜（又名空心菜）、高麗菜、白菜、菠菜、茼蒿、豆牙、豆苗、金針、芋頭、馬鈴薯、花生……等。菇類，有香菇、草菇、洋菇、金針菇、猴頭菇……等。海菜類，有紫菜、海帶、海藻、髮菜、海苔……等。豆類，有大豆、綠豆、紅豆、白豆、黑豆……等。水果類，有李子、梅子、桃子、梨子、柚子、柿子、棗子、草莓、楊桃、枇杷、西瓜、香瓜、芒果、檸檬、葡萄、木瓜、蕃茄、蕃石榴、鳳梨、香蕉、荔枝、龍眼、柑、橘、葡萄柚、蘋果、火龍果、山竹、釋迦、山楂、榴槤……等。飲料類，有酒、茶、咖啡、可可、可樂、汽水、果汁……等。在上述的許多食物中，有的食物又可做成多種的複製品，諸如黃豆（又名大豆），含有豐富的維生素Ａ、Ｂ、鈣質、蛋白質和碳水化合物，是我國最古老的糧食之一，而且兼有糧、油之長，更可生產豆腐、腐竹、腐干、腐乳等複製品，是一種用途廣泛的農產品，也是國人一日不可或缺的食品，素食者更是有賴大豆製品來攝取足夠的營養。在調味料方面，有鹽、糖、醬、醋、薑、蔥、蒜、胡椒、八角、豆鼓、沙茶醬，甚至一些的中藥藥材……等。其中，諸如在中藥藥材中的枸杞子，還含有豐富的維他命A、B_1、B_2、C、鈣、磷、鐵等成份，是一種非常常用的食品。在食用油中，有葵花子油、玉米油、大豆油、棉籽油、芝麻油、米糠油、花生油、菜籽油……等。在料理方面，有煎、煮、炒、炸、紅燒、燉湯、涼伴等方式，可做出許多美味口渴的食品，其情形，有如在夏季的涼食食品方面，諸如有杏仁豆腐、冰糖白木耳、冬瓜茶、藕的製品（有藕汁、藕丸、蓮子湯）、豆的製品（有豆漿、紅豆湯、綠豆湯）、仙草、青藥茶、各種果菜汁（有甘蔗汁、楊桃汁、紅蘿蔔汁……）

等，枚不勝舉。

在現今注重飲食健康的時代裏，健康人的ＰＨ值是微鹼的，身體若受到內外污染會變成酸性體質，這樣的人非常容易得到痛風、高血壓、高血脂、癌症等慢性疾病。有時為了增進身體的健康，除了要考慮其質與量的相互關係外，並依個人的年齡、性別、健康情況、氣候、季節等，加以適度的調整與選用，今將有關何種食物屬於酸性或是鹼性簡單分類，以供參考：

1. 強鹼性食物：有葡萄、葡萄酒、海帶、海帶芽、茶葉。
2. 鹼性食物：有蘿蔔乾、胡蘿蔔、大豆、番茄、香蕉、南瓜、草莓、黃瓜、橘子、梅乾、菠菜、檸檬、蛋白。
3. 弱鹼性食物：有紅豆、甘藍、洋蔥、蘿蔔、豆腐、蘋果。
4. 強酸性食物：有蛋黃、甜點、烏魚子、柴魚。
5. 酸性食物：有雞肉、豬肉、牛肉、火腿、培根、鰻魚、鮪魚、小麥、麵包、奶油。
6. 微酸性食物：有白米、花生、啤酒、海苔、章魚、泥鰍、油炸豆腐、文蛤。（林錦成中醫師）

在客家人的飲食方面，由於受到環境的影響，對於飲食似乎比較簡單一點，但並非一成不變，它也是隨著時代的演進，而不斷的調整與改進。至於，林明德教授，將台灣各大餐館的精緻菜譜，把它歸納為：一、北方菜（魯菜）。二、湖南菜（湘菜）。三、江浙菜（蘇菜）。四、港式粵菜（粵菜）。五、四川菜。六、台菜之一（福佬口味）。七、台菜之二（客家與潮州口味）。八、素菜系列。等八大菜系外，在最近南洋的越菜、泰國菜、馬來菜，以及歐美的洋菜等，也無不因地適宜，而做適當的調整。故今僅介紹過去比較傳統的客家飲食如下。客家人的日常飲食以米飯爲主。在米方面，有粘米、糯米之分，而在粘米中，又有蓬萊米和在萊米之別。在萊米是台灣的原產，其飯粗硬難食。日人治台期間，中村氏從日本帶來稻種，與在萊米雜配，而得介於粘糯之間，軟而帶黏的蓬萊米，俗稱爲中村米，而爲大家所樂食，其中值得一提的是當初主導蓬萊米試種改良而有「台灣蓬萊米之父」的是日本人磯永吉，在日治時期任職於台灣總督府農業試驗所耗費十二年研發出「蓬萊米」，成爲台灣主力稻作。自日本戰敗，他仍留任國民政府農政單位，直到七十二歲高齡自省農林廳榮退，離開居住四十七年的台灣，返回日本定居，並終身受贈三餐足用的蓬萊米。（1957.6.28，退休）。

近年來，在政府提倡農業精緻化的走向下，紛紛推出以出產地的白米品牌，諸如有桃園楊梅的「秀才米」、龍潭的「龍泉米」，苗栗苑裡的「山水米」，雲林西螺詔安庄的「西螺米」，高雄美濃的「美濃米」，花蓮的「銀川米」、富里的「富麗米」，台東池上的「池上米」、關山的「關山米」……等。台灣自加入WTO，進口稻米挾數量及價格優勢，對本土稻米造成衝擊，無獨有偶，苗栗苑裡也推出水稻田內養鴨生產的稻米，名爲「鴨間稻」。所謂的「鴨間稻」，就是藉由合鴨好動和雜食的本性，以及不會啄食稻葉之特性，使其縱橫穿梭、游動展翅於水田間，並啄食雜草、害蟲及福壽螺、負泥蟲等等為稻除害，其他較小的病源菌等，也會因鴨隻不停地啄食騷動而從葉株掉落水面，一起成為鴨飼料。此種的鴨稻共棲，可以解決水稻病蟲害和化學肥料問題。在有鴨子的稻田內，由於沒有農藥的施用，使整個生態體系將以完整復原；同時沒有化學肥料的使用，地力增強，更加速有機物的孳生，青蛙、蜻蜓、蚯蚓等都會出現，農村也能回復兒時的美景外，「鴨間稻」所碾出的米，也能符合現代自然健康的食品要求。

至於，在代用食料或副食品方面，則以蕃薯粉、芋類和麵類等，最為普遍。在客家人的吃飯方面，在一日三餐中，有早、午兩頓吃乾飯、晚餐吃粥；早晚兩頓吃粥，午餐吃乾飯；或是三餐均吃乾飯等情形。在有關客家人的飲食方面，它大致可分為吃飯方面、食（喝）茶方面以及打粢粑、打粄、吃米篩目等方面，來加以探討。

一、在吃飯方面：

由於客家人過去大多居處交通不便，物質短缺，生鮮食物匱乏下，故常把食物曬乾貯藏或用鹽醃用甕貯存以備不急之需。因此客家話的「脯」、「乾」食物特別多，諸如有魚脯、老鼠脯、高麗菜乾、蘿蔔乾（菜脯）、梅干菜（鹹菜乾）、醃瓜仔、鹹冬瓜、豆腐乾、筍乾、豆腐乳、醬黃蘿蔔、漬大頭菜……等名稱，甚至還把蕃薯、樹薯……等，削成細長加以曬乾，而成蕃薯籤、樹薯籤……等。在傳統的客家飲食方面，其常吃菜肴一般除有芥菜、白菜、芹菜、竹筍、豆芽、蔥、蒜、韮菜、茼蒿、四月豆、茄子、番若、菠菜、花菜、大頭菜、包菜（甘藍）、菜瓜、南瓜、茭筍、芋頭、葛薯、馬鈴薯、蘿蔔等蔬菜，以及魚肉、肉脯、炕肉、鴨蛋、花生、豆腐、米醬湯、冬瓜湯外，其常吃的食物也大多跟醃、醬或動物的內臟有關，像是酸菜、醬瓜以及豬肚、雞鴨內臟等等，都是客家人喜歡且廣受歡迎的食物。今以米醬和酸菜的醃製爲例，米醬是由日人引入，它是以米飯發酵和鹽製成，各地市場皆有售，而且終年不絕。在酸菜的醃製方面，它是將芥菜，經過踩壓，除去芥菜的水份後，用傳統的陶甕加鹽醃漬，上方並加以重物有如石頭鎮壓，讓芥菜出水，大約經過一星期左右即變成酸菜。此酸菜被取出，曬到半乾時裝瓶即爲「福菜」（由於要將塡好酸菜的甕顚倒過來放，不讓香味散去，所以把它稱之爲「覆菜」。其後，先總統蔣公認爲覆菜不討喜，於是就把它改稱爲「福菜」的由來。），曬到全乾時，即爲美味口渴的「梅干菜」。這種越陳越香的「長年菜」，在每逢農曆過年時，可說是一道客家族群必備的美食佳餚，它所代表的意義不僅是一種的「福氣」，它更潛藏著客家人勤儉耐勞的刻苦精神。

在客家桔醬方面，冬天是柑橘盛產的季節，也是客家人最佳調味品「桔醬」生產上市的時段，這種酸甜中帶有辣味口感的沾醬，確有不少人不敢領教，但吃過的人卻是回味無窮、讚不絕口。如果說桔醬是「客家人的醬油」並不爲過，它是食用白煮豬肉最爽口、去油膩的最佳調味料。

在有關桔醬的製作方面，一般業者以果汁機直接榨取金桔而成，然而新竹縣新埔鎮的「合發金桔醬」是將酸柑洗淨、風乾，把桔皮、桔肉分離、並去子。由於桔皮含有苦澀的甘油成份，因此須用熱開水燒燙，並經一夜清水浸泡，第二天才再將皮、肉混合加熱。在經過八十分鐘左右的加熱，攪拌前，必須放入適當的鹽巴、辣椒和糖等，當金黃色濃稠的醬汁出來後，還要再等待一天的冷卻，才能以機器攪碎裝瓶。②

在客家菜的料理方面，它是講究「鹹、香、肥」等口味。客家菜注重「鹹」是一方面使食物容易保存，另一方面，是客家人多從事勞動工作，流汗多，因此特別需要吃鹹的食物，其情形有如在客家生活中，凡有較大的祭祀或是特殊大事時，常有殺豬公分贈鄰里後，再把豬腳、豬耳、豬嘴、豬尾該鹵的鹵，該醃的醃等情形。在「香」方面，在料理時，也非常的注重，因此煎的料理特別多，諸如有煎肉餅、煎鹹魚、煎蛋、煎豆腐……等。在「肥」方面，由於多從事勞動工作，身體須大量的熱量，因此喜歡吃油膩的東西。

在有關市上的零食以及宴會筵席方面，在市上的零食方面，普遍為大麵、扁食、沙魚丸、米粉、粄條、米篩目、油飯、粉圓、水粄、紅豆湯、綠豆湯、花生湯、豆漿、燒餅、饅頭、麵包、粽子、四神湯（以豬肚或雞鴨肉，和以山藥、茯神、蓮子、芡實等藥材煮湯而成）等。在宴會筵席方面，在過去，其菜肴大致有冷盤（由鹹蛋、豬舌、豬耳、豬肝、燒肉、炸菜、蕃茄、蘿蔔絲……等組成）、封肉、燉雞鴨、燉豬腳、紅燒魚、炒墨魚、蝦仁、下水（即雞鴨之腎肝）、鯊魚丸、豬肚湯……等。在普通的筵席方面，則不用飯，而用炒米粉、炒麵等代替外，有時還有用糯米和糖，並加上瓜片、桔餅、芡實、龍眼乾肉、蓮子、紅棗等爲其材料所做成的八寶飯或是雞蛋糕、麵包等物供應。在最後一道菜方面，則是用酸梅、鳳梨和鹹李所煮成的甜湯爲之。

在現今工商業社會裏，一般所謂的「客家菜」，它大致有白斬雞（或紫蘇鴨肉）、梅子雞、封肉、酒糟肉、腐乳香排、薑絲炒豬腸、筍乾、蘿蔔乾、梅菜肉、鹹魚、鹹豬肉、魷魚炒芹菜、炒茄子、炒空心菜、桂竹筍炒豆瓣醬、苦瓜鹹蛋、燴蘿蔔、清蒸老菜脯，以及酸菜肚片湯、覆菜湯、乾豆排骨湯或醬瓜湯等料理，服務大眾。然而，在年菜方面，它通常至少有紅糟肉和長年菜（俗稱芥菜外，又有「蔬菜之王」的稱號）等兩種，紅色代表年節和喜氣，福菜則有養生的功能外，它普遍還有蔥、蒜、韮菜、菠菜、芹菜、七層塔、豆乾等代表性食物，因爲傳統客家族群深信吃蔥後會聰明，吃蒜能精打細算，吃韮菜家人能長長久久，吃芹菜能勤儉耐勞，吃菠菜能光明正大，吃芥菜能有計謀，吃七層塔能步步高升，吃豆乾能懂得做官，而遇到宴客時，則以魚和肉爲主菜，再加上四燉四炒，則成爲十全十美的客家風味美食。③

二、在食（喝）茶方面：

台灣茶的起源已約有三百年左右，早在清代，台灣的茶產業就已外銷遠至北非摩洛哥，一直發展至今，台灣茶的文化、特色在全世界都佔重要的角色。但就產銷而言，近二十年來的台灣茶業，早已由大量外銷急速轉變爲高度內銷的供需狀態。過去台灣傳統的茶葉生產，主要是以製造紅茶、綠茶供給外銷爲主；據行政院主計處資料顯示，民國六十二年（西元 1973 年）的外銷曾達到歷史的最高峰。但因台灣工業化迅速、人工成本的提高，導致台灣的紅茶、綠茶生產成本無法與國際上同產品競爭，外銷量更是銳減。相對的，國內民眾的喝茶人口卻不斷攀升，由於七〇年代後，台灣國民經濟日漸富裕，國民所得也提高，品茶文化越來越大眾化，大家開始講究起茶的外型、製茶過程、口感，台灣的茶正式邁向精緻化，尤其是包種茶和烏龍茶方面增長相當迅速。④

茶樹是一種耐得住土貧，不需要太多水分就可生長的坡地作物。茶是我國傳統的飲料，茶除具有：「氣味甘苦，微寒無毒。主治瘻瘡、利小便、去痰熱、止渴、令人少睡、有力悅志、下氣消食、破熱氣、除瘴氣、利大小腸、清頭目……」等外，又根據茶經的記載，認爲「茶能祛病助強，延年益壽」的功用。在有關茶的重要成份方面，其中較爲重要的有，一、茶中含有單寧，具收歛之作用，能促進腸的蠕動，又具有解毒的作用，還能有助人體排除體內的輻射能。二、茶中含有Rutin成份，可以強化血管壁，增加血管彈性，因而對高血壓具有預防的作用。三、茶中含有咖啡因，咖啡因很難溶於冷水，對血管肌膚具有刺激作用，會使血管擴張，也因此具有強心、提神、利尿和消除疲勞的功效。四、茶除了含有上述成份外，它還含有許多氨基酸、維生素、無機物和有機酸等。⑤

有關種茶方面，有「春天茶葉嫩又鮮，姊妹雙雙走茶園。滿山茶樹親手種，滿山茶樹笑開顏。」等四句話來讚美種茶的喜悅。清・乾隆三十五年（西元 1770 年）左右漢人陸續從中國福建安溪來此開墾，並攜帶茶種來台，張美加先生說他的祖先先在士林一帶墾植茶種，並未成功，後來發現木柵適合種茶，因此就從士林移居木柵。然而，一般認為台灣茶業的濫觴始於清・嘉慶年間，是由福建移民首先傳入台北的文山。嘉慶、道光年間，台灣北部丘陵開始普遍種茶，銷往內地。咸豐年間兩次英法聯軍之役，促使台灣開放通商口岸，使具有經濟價值的商品作物，逐漸取代了稻米的生產，茶、糖和樟腦成為台灣三大輸出品，佔輸出總額的百分之九十四。在清・同治五年（西元 1866 年），又有英國人詹都德（Dodd）自中國福建安溪引茶樹來台在木柵附近獎勵推廣種植栽培。西元一八六九年，台茶由淡水出口，運銷美國，頗受歡迎。洋商見茶葉貿易頗有利潤，紛紛來台投資。較有名的有寶順洋行、德紀洋行、怡記洋行、永隆洋行及和記洋行。到了清・光緒年間，茶葉更一躍成為外銷農產品的首位。⑥

在客家人所居住的丘陵地，大多是貧瘠旱地，由於不適於種稻，而常把它用來種茶，使之客家地區的茶有新竹北埔的「膨風茶」、峨眉的「東方美人茶」，苗栗頭屋的「老田寮茶」、「明德茶」，桃園龍潭的「龍泉茶」、楊梅的「秀才茶」，宜蘭大同的「素馨茶」、「玉蘭茶」，花蓮瑞穗的「天鶴茶」、「鶴岡紅茶」，台東鹿野的「福鹿茶」等。今將介紹一些比較著名的茶，其情形有如位於苗栗縣頭屋鄉老田寮的明德烏龍茶，桃園縣龍潭的龍泉茶，新竹縣北埔鄉、峨眉鄉、頭份鎮斗煥坪（老崎）以及苗栗縣南庄鄉一帶的膨風茶，俗稱爲「東方美人茶」，學名爲「白毫烏龍」等。在有關它們的一些名稱來源方面，東方美人茶（膨風茶）是半發酵茶類中，發酵程度最深的一種茶（台灣除紅茶外，唯一發酵度達百分之六十的茶葉）。每年春茶採收後，夏季在芒種節氣前後，由於高溫多濕，霧氣濃重，所產的茶樹，葉片較小，茶芽肥大，心尾生有白毫。產季是在端午節後，每年只收一季，因此質優量少，特色是受到小綠葉蟬（浮塵子）所吸吮（此自然過程客語稱爲「著煙」或「著園」）的一心兩葉之嫩芽會逐漸自然變色（質），此時，須完全由人工挑取一心二葉的茶菁採摘，如此採摘下來製造發酵的烏龍茶，具有獨特的天然熟果和蜂蜜的奇特香味，其色澤有紅、黃、白、青、褐五種顏色，喝來甘醇潤口，由於其茶芽白毫顯著，故又把它稱之爲白毫烏龍茶。在它的名稱來源方面，相傳日治時代總督府茶展，東方美人茶因產量少，風味特殊，價錢水漲船高；一說是被日本總督高價收購，一說總督贊助高價讓其推廣，總之當消息傳回後，地方斥高價之說爲「膨風」，沒想到竟使膨風茶之名不脛而走。後來英國商人將這來自東方福爾摩沙的茶獻給英國維多利亞女皇品嚐，女皇盛讚不已，且認爲勝過斯里蘭卡出產的紅茶，賜名「東方美人茶」，於十八世紀時廣受英國王室愛好御用。東方美人茶不論是外觀、茶色或風味都是獨具特色，尤其當以攝氏八十八度至九十度的溫水沖泡時，更能觀賞到琥珀色的茶湯美色。它可以熱喝，也可以加白蘭地酒溫喝，或是加威士忌酒冰喝，是日本上流社會與英國皇室最流行的品茗方式。

龍潭鄉的產茶歷史大致可以追溯至清・嘉慶年間，茶園集中於銅鑼圈的高原村與三水村，茶葉栽植面積佔全縣百分之六十之多；在日治時代年產量約有二萬五千公噸，幾乎佔了全台產量的十分之一。龍潭鄉所產的茶葉以包種及烏龍爲多。其中包種茶於民國七十一年（西元 1982 年）榮獲全省機採優良包種茶冠軍，乃至民國七十二年時，省主席李登輝特命名爲「龍泉茶」，至此聲名大噪，盛極一時。龍泉包種茶，茶湯呈淡綠色，須採「瞬間高溫沖泡」的方式，才能創造芳香怡人的氣味。⑦至於，在龍潭的「椪風茶」方面，它是屬於俗稱東方美人茶、白毫烏龍的一種，龍潭茶農爲了和北埔的「膨風茶」有所區別，而把它取名爲聲音相似的「椪風茶」。在苗栗縣頭屋鄉的「老田寮茶」方面，在清・道光七年（西元 1827 年）魏阿義從廣東移來茶種種植，在日明治三十年（清・光緒 23 年，西元 1897 年），鄉賢張阿松重金聘請閩南茶師指導，提升品質，而與文山、凍頂在台灣鼎足而立。民國六十四年（西元 1975

年）蔣經國在行政院長任內，蒞臨頭屋，品嚐之餘，大爲讚賞，乃賜名「明德香茗」，「明德茶」一夕之間，身價陡升。⑧

在有關茶葉，當代客家人卻把它稱爲「茶米」方面？由於在當代之人稱在水田稻禾所產生的作物，把它稱之爲「稻米」，而在山坡、丘陵，由茶樹所生產的作物，也就把它稱之爲「茶米」外，在茶價最好時，有一斤茶就值一斤米的「斤茶斤米」現象。在有關茶葉的收成與製造方面，在收成方面，摘茶（採茶葉），在清明節前後開始，約有一個月的採收期，由於它是在春季所採的茶葉，故把它稱之爲「春茶」。在春季雨水足的狀態下，茶葉的成長相當快速，若不快速雇請頭戴斗笠、手穿手袖、腰間繫著小茶籠的採茶姑娘，一片片辛苦採集的話，茶葉就會快速老化，因此，有「穀雨前三日無茶摘，穀雨後三日摘毋掣」的諺語產生外，平時寂靜的茶園，也隨著採茶姑娘的歌唱，使之在茶園頓時處處可聽到非常優美的山歌，其情形有如一首著名的採茶竹枝詞之所述：

一山婦女甚諠譁，聞道箇中是採茶。
如花女子爭茶色，茶香怎得勝香花。
帶繫腰間一簋科，摘來一手亂如麻。
聲聞瑟瑟如蠶食，卻比蠶聲要緊些。
手採歸來又足柔，馨香氣味遂悠悠；
旁人渴倒吞涎想，解得旁人渴想不？
採一握茶泡一甌，最宜飲去潤歌喉。

歌歌唱得山歌好，又惹美人一段愁。

在有關製茶的過程方面，通常是將鮮葉採摘後，隨即進行日光萎凋，使它脫水的同時，並藉酵素使之進行發酵的氧化作用後，就進入室內萎凋，並做適當的攪拌，使茶葉正常的脫水時，茶葉會逐漸呈紅褐色，並散發出熟果的香味。此時，則須藉先高溫後低溫的方式，來快速炒青，使之茶葉停止繼續發酵。自炒青後，須靜置使其回潤，再行揉捻，使之茶葉成捲曲或條狀後，並經烘乾、除去臭菁味以及減少苦澀味的處理，即可製造出一種芳香可口的茶葉。

在有關食（喝）茶方面根據客家四句話云：「泡壺濃茶在面前，茶色茶味真新鮮。一皮茶葉一缸水，茶香飄過九重天。」喝茶是客家人的習慣，有錢的人泡上上等的好茶，如烏龍茶（屬於中度發酵茶）、鐵觀音（屬於中度發酵茶）、包種茶（屬於輕度發酵茶）、綠茶（屬於不發酵茶）、紅茶（屬於全發酵茶）……等，普通一點的，則用茶葉梗來煮茶，或用番石榴葉曬乾所製成的番石榴葉茶（俗稱大碗茶）等。在過去由於交通不便，一切靠步行，並且遠隔數里路，才有一戶人家，爲了解除奔波路人的口渴，在路邊常有施茶、奉茶的習慣，而一般人在上工時，也常會帶著一小壺茶水隨身，以便疏解口渴之用。在有關喝茶的藝術方面，它大致可分爲一、精巧的茶具。二、講究的茶藝。三、品茶神韻等三方面，來加以討論。在精巧的茶具方面，最好的茶壺是江蘇宜興所出產有如拳頭大小的朱砂壺，並配以當地所出產的茶盤和茶杯等。在講究的茶藝方面，它不脫古人所歸納的納茶、候湯、沖泡、刮沫、淋蓋、燙杯、洗杯以及篩點等八個程序。在投茶葉時，一般要佔該壺的七成以上，使之所沖泡出來的茶，既濃又釅。在沖泡時，需要「高沖」，使茶葉翻動，在篩茶時，需要「低篩」，使壺嘴緊貼杯口，此即茶客們所常說的「高沖低篩」。在品茶神韻方面，古人有云，品茶一人得神，二人得趣，三人得味，七、八人是名施茶。客家人除了承繼先民的品茶範式，還有所謂的品「盅面香」，就是把茶端至鼻前，猛嗅一下，來取得「未嘗清甘味，先聞透天香」之感外，客家人又講究「只喝三杯，不喝尾茶」的習慣，如要再喝，則必換新茶。在食茶與聽音樂方面，尤其是在逢年過節時，在家門前擺出茶具後，鄰里中有會樂器的，便會自動帶上二胡、月琴、小鼓、小鑼、嗩吶、橫笛、洞簫、古箏……等，齊聚一堂，一面奏樂，一面品茶聊天或吟詩作對，帶給人們無窮的樂趣。⑨

在上述介紹有關傳統的飲茶外，又有所謂的「柚子茶」和客家「擂茶」。一柚子茶：是客家人很傳統的飲料之一，它的製作方式，是將成熟的柚子採下放置三、四個星期後，把頭部切掉，挖出果肉和茶葉一起炒，在炒的過程中不可沾到水或油脂，當炒好後，將它塞回柚子皮內，蒸熟、壓扁、曬乾，同樣的過程重複五、六次，即成爲一個非常堅硬、易於保存、切片泡茶具有保護喉嚨的神奇功效。二擂茶：相傳它緣起於漢魏的粥茶，以及唐宋的盒姜茶，曾經一度廣泛的流行於中國的北方地方，後來，隨著客家先民的南遷，而逐漸引入贛粵閩地區。其中，在擂茶的來源方面，又有一種故事性的傳說，它是在漢末三國，張飛帶兵進攻武陵時，由於將士得到瘟疫無法前行，當時有位老醫生就獻上祖傳的除瘟秘方，以生茶、生薑、生米名為「三生湯」，磨成糊狀烹煮後食用，結果湯到病除，擂茶因此流傳開來。根據老一輩的客家鄉親表示，擂茶含有豐富的維他命C，是早期客家人常飲以及招待賓客不可或缺的一種米食茶點，它不但能解渴、充飢外，也可作為一種的養生保健飲料。擂是研磨、擣杵之意，傳統的擂茶是以綠茶或茶菁、花生、芝麻為原料，炒熟後，放入擂缽中，用擂棍槌搥打、研磨成細粉，並注入水調成糊狀後，再沖入熱水拌勻，最後加入米仔而成。擂茶原是鹹的，在早期它除了直接飲用外，有時還被用來泡飯或是與青菜、蘿蔔乾等一起食用。在現今位於新竹縣北埔鄉的擂茶方面，除了使用原有的原料外，還增添了薏仁、黃豆、白果、山藥、蓮子、綠豆以及紅豆等具有高纖維成份的原料製作外，還把它製成風味絕佳的冰棒、冰淇淋等冰品甜食物品，以供盛夏消暑之用。至於，在竹東鎮方面，還有人把客家湯圓摻入擂茶粉，內除有綠茶外，還有芝麻、花生、松子仁、南瓜子仁等，所做成的「擂茶湯圓」，不但有特殊的香味，還十分營養，自推出後受到不少消費者的好評。⑩

三、在打糟粑、打粄、吃米篩目、吃仙草方面：

米磨成粉所做出來的糕點，福佬話稱為「粿」，客家語則稱為「粄」。客家話習慣將年節做糕這件事，統稱為

「打粄」。在客家的日常生活中，在歲時節慶、蒔田割禾時，常有打粢粑和打粄的習慣。在打粢粑方面，相傳在宋朝時，江西省長汀縣有一個客家人聚集的地區，曾發生連年旱災，以致居民開始計畫要前去龍王廟求雨，然而就在大家都有了共識時，才發現各戶人家能拿出來的供品（米）太少了。於是這些居民就想到把各家的米集中起來，一起蒸熟後再將它槌打、攪和至不見米粒的模樣，對於這項「新產品」，居民都十分滿意，在祭拜後，大夥兒開心地分食共享，適逢皇帝路過，嚐其滋味還存有濃濃的稻米甜香，讚爲人間美味，並命名爲「粢粑」；不久，這種米食也在口耳相傳間，成了客家人的最愛。⑪在過去物質非常缺乏的時代，要吃到粢粑可說是一件不易之事。粢粑，國語叫做「糰薯」。它不論在婚喪喜慶或是廟會拜拜，在客家莊常有大量打粢粑，以饗來客的習俗。從前打粢粑，是將蒸熟熱騰騰的糯米飯，倒進一座大且重的舂臼裏打。在打的時候，須三個人合作，其中兩個人用舂臼槌輪流連續打，另一人，則在舂臼邊迅速將浸過水的手或用沾了水的木勺不斷地將粢粑翻轉換面，直到糯米飯變成不見飯粒，又白又軟又好吃的一團團粘結的飯泥，即爲「粢粑」爲止。

在打粄方面，「粄」是客家人稱由糯米、蓬萊米、在萊米所做成糕點的名稱，其種類，有水粄、九層粄、甜粄、鹹甜粄、發粄、假柿子、菜頭粄、芋粄、紅粄、青粄、粄仔圓、菜包……等。水粄是用粳米磨粉爲漿，加鹼（鹼通稱爲其油，一稱焿油、焿讀機）蒸熟，和醬油或糖食之。

甜粄即是一般所謂的年糕，它以糯米三分之二、蓬萊米三分之一的比例，攪和泡水一夜，磨成漿汁，裝袋加壓脫水後，取出於大盆中，加糖和匀成糰，再經細火蒸至熟透而成。甜粄是一種含有吉祥和喜氣意義的粄類。客家人所製作的甜粄和一般社會上所製作的年糕，並沒有什麼太特殊的地方，只是甜度高了許多而已！鹹甜粄的製作不是放糖，它在配料中，常放油蔥、香菇、碎肉、蝦米，甚至豬油渣等製作而成。發粄是用在萊米或蓬萊米為材料，加入發酵粉，經過一段時間的發酵後，放入蒸籠或小碗中蒸煮而成。在大蒸籠所製成的整「床」發粄方面，它大多被用來拜天公，或切割成長條小塊帶到廟中祭神之用。用小碗所蒸成的一個個發粄，常被用來祭祀祖宗或田頭田尾的土地公之用。尤其，是在新年蒸此種的發粄時，相傳有年糕神在看著，需要發到表面帶有花瓣狀的漂亮裂紋，如此才有豐隆的一年，倘若發不起來，則象徵著未來的一年將會是發不起來的說法。在假柿子方面，其製作材料和發粄一樣，只是放了更多的紅糖以及發酵的時間較短而已！在蒸製時，是將一小塊一小塊的粄脆放在粄撩仔上加熱約半小時，即可產生一個顏色和形狀近似柿子的「假柿子」了。菜頭粄是用蘿蔔和在萊米為材料蒸製而成。芋板，是用芋頭和蓬萊米為材料蒸製而成。在新婚祝壽、拜神祈願所常打的紅粄方面，在它的外表上，常有用「粄印」，印出龜甲的花紋，或將它製成桃型，以供祭祀之用。在清明掃墓（掛紙）所打的清明粄方面，又叫做「青粄」。由於所用的青草之不同，而名稱也不同，諸如用艾草製成的叫做「艾粄」，用芝麻製成的，叫做「狗貼米粄」等。粄仔圓，即是湯圓，它是冬至時，所常打的一種應景粄類。菜包，是用糯米和蓬萊米各半混和為材料，所做成的粄脆，再包上以蘿蔔絲、香菇、碎肉、蝦米以及胡椒粉所炒製而成的配料，經過蒸熟後，即為一種又香又可口的菜包。

在有關米篩目（米笞目）方面，它是以在萊米為材料，並使用木篩為工具，用力搓揉成細條狀，而得其名。在它的功用方面，在一般夏天時，客家人有常吃「米篩目」，來當作日間勞動者，吃點心之用的習慣。

粄條是客家主要的米食之一，一般民眾或餐廳在烹調時，多採用炒粄條或煮成粄條湯麵，為了改變過去客家菜給人有比較油膩的印象，而有仿壽司把豬肉、韭菜等餡料捲在裡面，再經蒸熟即可的一種清淡爽口的「蒸粄條」佳餚的問市。

「仙草」是客家人特有的一種消暑聖品，每到炎熱夏天，人人必喝上一杯仙草茶或吃上一碗仙草凍，以清血、降火。仙草是一種草本植物，外形似薄荷葉，據藥典記載，仙草是一種中藥材，屬唇形科植物，又名仙草舅、涼粉草、仙人草及仙人凍等。其葉莖含有特殊成份，可供藥用，成份計有粗蛋白質、粗脂肪、粗纖維、灰分及可溶性無氮物等，具有清熱、解渴、涼血、降血壓等功效，可用來治中暑、感冒、糖尿病、臟腑熱毒、高血壓、腎臟病等疾病。

位於新竹縣關西的石光里、上林里、新力里以及南和里等地種植仙草最多外，位於苗栗縣獅潭鄉的仙山也種植了不少。一般夏日消暑所飲用的仙草茶，是將曬乾的仙草莖葉直接加水煮即可。若要將它成為仙草凍，則須熬煮二至三小時，再加上澱粉糊化而成。近年來，已研發出「即溶仙草」、「仙草茶包」、「三合一燒仙草茶包」，飲用相當方便，尤其是燒仙草，已成為冬季熱飲的飲食，使之仙草不僅是夏日消暑的飲料，而成為一種一整年均可飲用的優良食品。目前關西鎮仙草產量佔全台灣總產量的百分之八十，封關西鎮是「仙草之鄉」，一點也不為過。仙草是關西鎮的有機農產品，也是傳統的保健食品，自台灣走向本土化以來，在一鄉鎮一特色的原則下，在新竹縣關西鎮方面，為了提升關西的觀光產業，以及關西的仙草品牌，而有用仙草為佐料，做成各種的美食，其情形諸如有：仙草擂茶、仙草麻糬、仙汁米藕、養身仙草雞、仙草排骨、仙草香榭牛肉套餐、仙草咖哩牛肉套餐、仙草東坡肉套餐、仙草照燒豬肉套餐、仙草義式拉麵……等客家仙草食品，服務大眾。

第二節：客家人的服飾

客家人因為長時間一直過著移居的生活，即使到了清朝，由於強烈的自尊心驅使，他們依舊穿著明朝的服裝。清朝的服裝則以「旗袍」最具代表性，其特徵是立領、窄袖。而明朝式的服裝，一般稱為「唐裝」，無領，右側為合口，鈕釦用繩鈕，袖子寬大，從整體上來說是一種寬敞舒適的服裝。⑫

衣服為最重要的文化項目之一。勤儉持家的客家人在服飾的使用上，以經濟為原則，具備了經濟性、便利性、及長久性。而就型態上而言，則以實用為主要訴求，具備了單純性、簡易性、適應性和保持寬鬆的古風性。在女性飾品的選擇上，也以簡潔樸素為最主要。孫中山先生在《民生主義》的著作中提到人類的衣服，首先是為了需要禦寒蔽體，然後，才進步到穿著舒適，最後再求美觀華麗的境界。服飾之異同，繫於民俗者至大。古者，北俗披髮左衽，南俗斷髮紋身，惟中原則衣裳冠帶。孔子曰：「微管仲，吾其被髮左衽矣！」到了滿清入主中國，盡廢冠裳之制，於是長衫馬褂，一變而為中原制度。在近代西洋物質文明漸于中國，於是西裝革履，風靡一時，而長衫馬褂，則復成陳跡。在衣料方面，人類的衣料，一直到近代三、四十年前合成纖維普遍被應用以前，棉、麻、絲、毛是主要衣料的材料。在傳統典型的客家生活服飾以素色、造型簡單、方便實用、耐穿、耐洗為主，所以簡單的白布衫、藍布衫、黑布衫幾乎成了傳統服飾的主流，但遇到喜慶時，則以質感較佳、繡工精緻、顏色鮮豔的大紅、桃紅色系的服飾為主。

由於客家人長期過著遷徙的生活，所以生活很儉樸，以自給自足為原則。在大陸上的客家人，家家戶戶都備有紡紗車和織布機，婦女在耕田、家務之餘，經常還要用苧麻、菠蘿（鳳梨葉的纖維）、棉花做為原料，以供織布。

在客家人的穿著方面，樸素是最大的特色。一般男女舊時都不穿「底褲」（內褲），講究者只多穿一件較短的長褲就是了，但一般都穿內衣，俗稱「褂子」、「留眠衫」。在滿清時代，所穿的上、下傳統服裝（上面是衫，下面是褲）稱爲「唐裝」，客家人叫做「衫褲」。女性的衫叫「藍衫」或「長衫」，是客家精神的象徵。其實客家人雖嗜穿長衫，但最早的傳統長衫並非只有藍色，也有橘色與土色等；而後來美濃會以藍衫而聞名，只是因爲美濃盛產「木藍」（藍草）染料，方便使用的緣故。在藍布的製造方面，它是使用棉、麻等耐穿的布料，透過大菁、木藍等植物原料，經過採藍、製藍、建藍和染藍等多道流程才完成藍布。在藍衫的製作方面，沒有衣領，但要滾邊，而且「襟」不是在前面，而是開在右側，以帶代替鈕扣。袖子寬大，約有一尺寬，袖口往上反捲。其中，從袖口的袖花，可判斷出其婦女是否已婚，有彩色袖花邊的是未婚少女，已婚的婦女通常著「素色袖花」外，一般而言，年輕人的袖口爲黃邊或繡花，老年人的袖口爲藍邊。在褲子方面，褲子爲交頭闊褲，其特點是褲襠寬，褲腳大，以便於生產勞動。在褲式方面，不分男女，不分前後，都用線織布帶子束縛。在顏色方面，成人衣服色澤多偏黑、深藍、深灰色，只有在夏季時，才用苧麻紡織的白布。其中，依年齡之不同，中青年婦女的服色，大多爲士林藍，老年婦女的服色，大多爲灰黑色和毛藍色。在服飾種類方面，衣著款式偏寬偏長，男女無多大區別，其情形大致男式常服有：

1. 對襟短衫：俗稱唐裝衫，主體部份上窄下寬，無領或淺領，配上窄口的長袖，是客家男子在勞動、家居乃至外出活動時最常穿用的服裝。
2. 中長的襟衫：俗稱唐裝外套，它與對襟短衫相似，不過比短衫更長更寬一些，而且衣服下擺明顯呈扇形。
3. 長袍：上部像衣，下部像裙，長可及腳踝。
4. 馬褂：特別短，其長度僅及腰部，並常被套在長袍外面。
5. 短褂：又稱背心，無袖，衣領可有可無。它有兩種式樣，一種是對襟短褂，另一種是不開襟的無領套衫。
6. 棉褂袂、皮褂袂：俗稱夾襖或背袂子，其式樣與短掛相同，也有大襟和對襟兩種、無袖無領，中間夾棉，可厚可薄。
7. 長、短棉襖，以及直襟中長棉襖。
8. 大檔褲：又稱交頭褲，分爲單層和雙層兩種，褲頭和褲腳口都要向內翻與裏布相接。
9. 水褲頭：即短褲。
10. 睡褲：也叫抽頭褲，淺檔直筒，褲頭上有布帶子，以便繫緊之用，是客家男子常穿的長內褲。

女子常服有：

1. 大襟衫：右衽，有短衫和中長衫兩種，是客家女性最常穿用的上衣。
2. 白陶衫：在白棉布上，縫上典雅的滾邊，爲少女所常穿的服飾。

3. 襯衣：無領、緊身、窄長袖，是客家女子最貼身所穿的衣服，故又稱之爲「綁身子」。
4. 背心：有大襟、無領，或製成圓領、不開襟的背心。其中，也有在藍綢布上，加上華麗滾邊，爲富有人家的添衣情形。
5. 大襟棉襖：有短裝和中長裝兩種。
6. 夾襖：式樣與大襟短衫相似，不過下擺較窄，且呈直筒形。
7. 褂袂：大襟、無袖，由雙層布料製成。
8. 大襠褲：又稱交頭褲，女式大襠褲與男式大襠褲，其式樣完全相同。
9. 抽頭褲：在褲頭上褶邊，包著布帶子，俗稱褲頭帶，以供抽緊打結，而得其名外，其褲管比大襠褲的褲管較窄而已。⑬

在其他方面：

1. 新娘衫：以紅布爲主，新婚期間新娘穿著之用。
2. 童衫：盤扣由中間開襟，爲小男孩穿著之用。
3. 帽圈：（柑仔帽）中空式，爲孩童用的便帽。
4. 碗帽：能保暖禦寒，爲新生兒所戴的帽子。
5. 狀元帽（或稱秀才帽）：孩童滿月或周歲時，由外婆所贈予，期盼未來能金榜題名，升官發財的屋簷形狀帽子。
6. 鵰帽：黑絨布所製成，帽後下擺至肩，具有保暖功能的帽子，又稱爲「狗頭帽」。⑭

在一般穿著方面，他們在工作時，大多是穿短裝，而在重要行事時，才穿長衣。在傳統禮服方面，男子大多是穿長衫馬褂，而在女子方面則穿裙衫。在從前講究穿著合身份的時代裏，士、農、工、商的衣服配件，各有區別，諸如凡穿長衫鑲鞋，手持團扇或白摺扇的，一定是士人；凡穿短衣綢褲，腳著雙鼻樑鞋，手持葵扇、烏紙摺扇者，一定是商人；凡穿烏短衫褲，穿草履，手持草紙扇或戴笠者，一定是農、工之人。在民國後，男子除了仍有穿長衫馬褂外，多穿中山裝或西裝，女子則多改穿旗袍的同時，在士、農、工、商方面，也隨人任意穿著，而無明顯的等級區分了。此外，客家人戴有一種叫「頂竹笠」的帽子，是用竹子編成，其直徑約七十公分至八十公分，周圍垂著布，以防日曬，也稱爲「涼帽」，這是宋代的風俗。至今還在沿用的只有客家人，不過，漸漸只能在香港才可能看得到了。

在台灣方面，隨時隨地與肌膚相親密不可分的客家服飾，它所表現的不只是外在的形式，內在更有深層的蘊涵，時間的累積、社會的脈動、族群的興盛、經濟的發展，皆與當時的服飾息息相關。根據彭瑞李的〈客家服飾，充滿生命力〉一文中，指出：「客家人的服飾到了清代中期以後，時間的融合，社會的風氣，客家人的服飾慢慢有了往滿服靠的變化，到了清．咸豐七年（西元 1860 年）天津條約，開放五口通商，台灣的淡水港是其中一個港口，此事件使台灣客家人的服飾，有了洋化最初淺的變化。」⑮不過，絕大多數的客家人，由於台灣地跨溫、熱兩帶，立夏以後，全台溽暑，故服飾多從簡便，其初，先民之來台者，其服飾與大陸內地無異，其情形有如林衡道教授在《鯤島探源》裏，曾對新竹縣新埔客家鄉的穿著描述如下：「據新埔地方父老的記憶，在前清時期，此地的居民無分男女還一律穿著無領的『大襟衫』，鈕扣在右邊，沒有任何線條的變化，千篇一律，僅有顏色的少許不同，但也不出藍、黑、黃、白四種顏色；藍黑兩色是用染料染的，價錢要貴些，所以能穿上藍色或黑色的大襟衫便是相當高級了。有的人爲了省錢，乾脆就以沒有染色的白布做衣服，而當時在鄉間最普遍的，是用黃土染的黃色大襟衫，一般農民大多數一襲黃衫在身，就地取材染料給自己添一點顏色，真是用心良苦。」外，他又說：「不過到了清代末年，隨著市面的繁榮，新埔居民對於穿戴也稍爲考究了些。穿長衫、夾襖、棉襖的人逐漸多了，褲腿、兜肚也有人使用，西瓜帽陸續出現，長靴、布鞋紛紛出籠，甚至還有人掛上銀項鍊。愛美是人的天性，不過客家人儉樸成性，就算在奢侈成風的今天，他們在這方面也依然保留著捨不得的傳統美德。」⑯在上述第二段中，提到穿長靴、掛銀項鍊的現象，這應與滿清末年把台灣割讓給日本不無關係。不過，在大體上，在當代男子則多穿對襟短衣，夏白冬藍，或有雜色。女子則多穿短衣右衽，以藍黑爲尚。

在日本據台時，由於歐風東漸，以及受到日本明治維新西化運動的影響，於是西裝革履漸由城市流入鄉村。在客家婦女服飾方面，在明治、大正時期，受日本影響還不算很深，直到民國二十六年（西元 1937 年），日本在台灣實施說日本話、穿日本和服、改日本姓名的皇民化運動後，有錢的婦女終於穿上了和服，可是貧窮的婦女仍然以穿大襟衫爲主。至於，在當代的望族士紳方面，也有人開始穿上和服。

自台灣光復，國民黨政權來台後，不斷受到西方文明的刺激，對於世界各式各樣的服裝，無不群相仿傚。其情形有如，到了民國四十年（西元 1951 年）台灣接受美援之後，美國服裝款式進入台灣。五十年代電視節目帶來歐美流行訊息，使服裝正式全盤的西化。在男子的穿著方面，仍以西裝革履爲主。在冬天，則加上深藍、咖啡等色的毛製大衣；在夏天，則多穿棉、麻紗，或人造絲、尼龍等化學衣料所做的闊領短袖的香港衫和西褲爲主。在女子的穿著方面，已經改變了過去客家女性「行不露臀，坐不露股」的穿衣原則，在冬天，則多穿質厚色濃的長袖反領上衣，以及深藍、咖啡等色的西褲爲主；在夏天則多穿絲、棉所做的反領對襟短袖上衣，以及下穿藍黑或五彩具備的短裙爲主。此外，在流行、多變的女子服飾中，還有所謂裙衫一式的彎閉斯（One Piece），其式樣有用反領、圓領、方形領，乃至僅用吊帶外，其鈕扣或拉鏈有按裝在胸前、背後或肩上等情形的同時，在腰間還繫以可大可小、樣式不一的腰帶裝飾。在近年以來，由於受到西洋電影以及台灣邁向工商業社會的影響，其服飾又有袒胸露背、露肩、露肚或是使用薄如蟬翼輕紗之材質，使之若隱若現的設計出現的同時，也有穿恤衫、喇叭褲、七分褲、高腰褲、低腰褲、牛仔褲、登山服、運動服……等各式各樣，以及五顏六色的衣服。

在髮式以及婦女的首飾方面，舊時婦人梳「高髻」，飾物一般有簪子、毛鍤、耳扒，富家婦女還有簪花。在清朝時，少女都以辮髮爲主，在結婚後，乃梳圓髻，垂之腦後。在日本據台時，辮髮之風，已不復存在。在國民黨政府來台後，小男孩以光頭爲主，小女孩則以垂髫短髮爲主。在步入社會後，男子則多留短髮，分作八字形。女子則多用電燙或作波形。在婦女的首飾方面，在清朝時，有用金銀或珠玉所製的簪珥做爲裝飾。在近代，都市的女子除有塗口紅、擦胭脂、畫眉染髮外，還有戴項鍊、戒子、耳飾以及金色的手錶等情形。⑰

在穿鞋方面，舊時一般人家除了上山砍柴，穿上草鞋，或出門作客穿上自製的黑色布鞋外，一般人在白天都要下田，因此大多是赤足，只有到了晚上洗完澡後，才穿上木屐。在過去客家人最常穿的木屐方面，其流傳甚爲久遠，早在春秋戰國時代便已經出現。其情形，根據記載爲：晉文公多次請隱居於綿山的功臣介子推出仕不至，於是便用放火燒山的方式逼他出來。不料，介子推卻抱著一棵樹活活的被燒死。晉文公見此情形，很是悲痛，於是就用那棵樹的木料製成木屐，每天穿著而嘆曰：「悲夫，足下」，以示永念不忘之意。在木屐的往後發展方面，有在家穿的

「高腳屐」，以及白天出門或工作時穿的「低腳屐」外，還有用漆塗上的「漆屐」，或在木屐上漆上顏色，繪上花卉、圖案，以供女人穿著的「油彩屐」等。在舊時一般人除了常穿木屐外，還有穿著草鞋、布鞋和棉鞋等。草鞋，是用麻繩爲「經」、草索爲「緯」，所編織而成的鞋子。布鞋，是用布所做成的鞋子，其鞋面顏色多爲黑色，男式布鞋叫「阿公鞋」，女式布鞋叫「阿婆鞋」外，還有所謂的「繡鞋」，1.是客家婦女在家中所穿著的便鞋。2.是鞋頭翹起，爲外出、喜慶節日時，所穿的勾嘴鞋等。至於，又稱爲「老人鞋」或「過冬鞋」的棉鞋，其式樣與布鞋大致相同，只是裏面是用棉花爲絮而已！⑱在現今方面，由於科學的進步，塑膠和化學相當的發達，而有各式各樣的鞋類，諸如有皮鞋、雨鞋、涼鞋、運動鞋、高跟鞋……等。

第三節：客家人的建築

興建住宅是一種具有彰顯祖德和蔭佑子孫等的兩項意義。住宅本身是「家」的代名詞，而且是血嗣延綿傳承的象徵，是一家生命滋長的泉源所在，也是親情團結生機的一股力量。

在談客家建築之前，首先介紹一下有關建築的種種事項如下，建築是一種屬於長、寬、高三度空間的造型藝術。在種種建築形式及其風格的演變中，有人說它是一部「石頭寫成的歷史」。那麼什麼是建築藝術呢？建築，可說是民間藝術的總匯，彩畫、書法、木雕、石雕、泥塑、陶瓷、剪黏、器物……甚至詩詞文學都是構成建築之要素。在建築藝術方面，它往往透過建築物的形體和結構的方式、內外空間組合、建築群的佈局以及色彩、裝飾、材質等方面的審美處理所形成的一種既符合幾何規律，又符合力學原理的實用藝術。在我國特有的建築藝術理念方面，中國版圖碩大，在建築之體制、風格上雖然南北兩地各異其趣的同時，也隨著地域之材料、氣侯、風土之不同而又有所差異，但在整個的建築基本構想上，諸如一、在地理風水的選擇上。二、在擅用自然的造屋原理上。三、在一般基本美學的應用上。四、在不同功用的建築，有其不同的造形與風格上，大體是一致的。

一、在地理風水的選擇認識上

所謂的「風水」，它很難說清楚，不過簡單的說，它是在建造都市、住宅或是墓地時，常爲人們所考慮的「哲學」。由於「風」與「水」，對北方人而言，北風會帶來冷害，大雨會帶來氾濫的威脅。因此風與水成爲人們生活上的重大關心事。⑲風水從字面上來理解，「風」是流動的空氣，「水」是大地的血脈、萬物生長的依靠。有風、有水的地方就是有生命和生氣，萬物就能生長，人群就能生活。風水好的吉祥地總是生氣勃勃、欣欣向榮；風水壞的地方總是暗伏危機、一片荒涼、充滿恐怖。風水又稱「堪輿」，在古代的文字裏，「堪」是天道、高處；「輿」是地道、低處。「堪輿」是研究天道、地道之間，特別是地形高下之間的學問。這門學問是以當時有機論自然觀爲基礎，把當時天文、氣候、大地、水文、生態環境等內容引進到選擇地址與佈建環境的藝術之中。相傳「夏禹始肇風水地理，公劉相陰陽，周公置二十四局，漢王況制五宅經，管輅制格盤擇葬地。」過去人們在建造房屋時，常有考察山川地形、尋求「氣」之所在，來決定建屋之地點，及其方向。一般人認爲好的風水，其背後有高大連綿的龍脈。左右兩側各有一個被稱爲左龍山和右虎山的山丘。中央爲一個平坦寬廣的「明堂」高地。在明堂的前方近處有低矮的「案山」山丘橫列。在遠處又有一層層更高聳的「朝山」環抱等的觀念。

二、擅用自然的造屋原理上

在我國尚未走向建造現代化摩天大樓之前，我國過去對於整個建築形象的體積形態、空間結構、裝飾形式、色彩配合和環境佈置而言，它是充滿著有機的精神。其情形有如盧敏駿氏於反映有機文明的中國建築都市計劃及造園一文中，曾分析有四點，認爲中國建築：一、接近自然，享受自然。二、效法自然，模仿自然。三、利用自然。四、三元之美。所謂三元之美，盧氏云：「中國之建築，如宮殿、廟宇、會館或邸第，其平面雖僅守整齊對稱，但其立體發展之構思，則爲房屋佈局多採高下之勢。一般爲前卑後高。若建築地盤之天然有高低，則高處造屋，卑處建樓；或卑處疊假山，高處鑿水池；其高達峻坡之上者，則建閣磊峰，其低臨下濕之處者則造池闊塘。凡此莫不以順應地形爲主，以展佈其建築，此今日有機建築之正宗也。」⑳

三、對於一般基本美學的應用上

有關我國的建築之美，它可說是一種綜合的、獨特的、空間的和立體的藝術。在構圖上它運用了一切美的原則，如反覆、漸層、對稱、均衡、調和、對比、比例、統調、單純等透過虛實、起伏、凹凸之安排，構成一種空間的美，來造成莊穆或輕快、凝重或活潑、樸素或華麗、嚴謹或隨意等風格和氣息，從而或明或暗、或多或少地透露出在不同歷史條件、地理環境和自然環境下的一定時代之建築水平、物質生產水準、政治經濟狀況，和一定社會生活之一定民族、一定階層、一定社會精神文化的真實本質。

四、不同功用的建築，有其不同的造形與風格

建築的造形，往往隨著某些特殊功能的需求，而有不同的造形，今將把它歸納成七大類，來加以簡述之。一、宅第建造：以農宅、街屋和庭園爲主。農宅注重實用，而顯得樸實無華。街屋，在門面上有簡單的裝飾，在設計上，它有從事做生意和兼住家的特質。庭園，具有堆山理水、園藝以及建築等藝術所創造出的一種可遊、可居和可憩的寧靜、幽雅環境爲其特質。二、衙署：爲政府的行政中心。它具有造形簡練、雄偉威嚴爲其特性。三、防衛工程：爲保障居民的安全，通常在險要地方築有碉堡、砲台，或在人口眾多的地方築有城牆或挖有護城河等措施。四、公共工程：有水庫（壩）、橋樑和山間的重要關口等建築，除了講求堅固、耐用外，通常以簡易的雕飾或藝術性建築爲

其特色。五、宗教建築：它是人民的宗教信仰中心。有關寺院、佛塔、道觀、祠堂……等的立寺建塔、造像刻碑方面，其造形無不講求莊嚴宏偉、奢麗奇巧，並與周圍的山水藝術相協調爲其特性。六、文教建築：在書院、孔廟和惜字亭等建築方面，其造形無不注重涵養氣氛，而以靜謐、素雅，並帶有古色古香的藝術設計爲其特色。七、陵墓及紀念性建築：對於送死者回歸大地的墓園，以及有如孝子坊、孝女坊、節孝坊、節烈坊、忠義坊、紀功坊……等，具有旌表善行或功績的牌坊、碑碣等雕刻性的建築，則以莊嚴、肅穆爲其特性。

有了上述有關我國建築的基本認識後，爲了免於產生一種不著邊際的空疏之感，故今將有關美化建築的一般彩繪、雕塑做個簡介外，對於建造屋舍的三大基本架構，如台基、屋身和屋頂等三大部份，也分別做個更具體的介紹與探討。

在建築的常見工藝和彩繪，有石雕、竹木雕、剪黏、交趾燒、泥塑和彩繪等主要項目。

㈠石雕：由於石材笨重，在建築上，它常被安排在基座或建物的下半部份。在它的造形上，有石階、石礎、石柱、門鼓、壁堵……等。在雕刻上，有淺雕、浮雕、圓雕、透雕等。

㈡竹木雕：竹雕因受到材質上的限制。在大型建築上，通常不被用做柱、樑，而做一些的雕刻裝飾。木雕在建築中，所表現的範圍，從一些的小型雕刻裝飾，到門窗、斗拱、垂花、藻井……等大型的雕飾，可說是無所不包。

㈢剪黏：這個作品，通常被裝飾在屋頂上。它是利用各種不同弧度，以及青、紅、黃、白、黑爲主的有色碗片、瓷片、玻璃片或塑膠片，黏貼在鐵條及石灰所塑造的模型上，來創造出一種多彩燦爛的屋頂裝飾藝術。

㈣交趾燒：是一種低溫鉛釉所燒成的軟陶。早期，以龍獅靈獸、歷史人物或神仙之類的作品爲主。其後，則不斷的擴大題材，舉凡室內陳設、文玩等作品，均被大量的推出。

㈤泥塑：雖然藝術價值不高，但施工容易，而且價廉爲其優點。傳統的泥塑，以石灰、黑糖、糯米和海菜爲料，現今則改用水泥爲材，再貼上瓷磚，來塑造製品。它常被用來塑造龍柱、金爐上的李鐵拐、神龕上的龍飛鳳舞圖樣以及屋頂的魚型排水口……等。㉑

㈥文字、彩繪：在一般建築的門上，通常有張貼或書寫的楹聯外，在其他方面，有時會在適當的地方，畫上諧音之鳥獸花草果實類之圖樣，有如柿子（事）、橘（吉）、蝙蝠（福）、鹿（祿）、魚（餘）、蟹（甲，登科之意）、喜鵲、牡丹（富貴）、松竹梅、卍字紋……等圖樣。在公共建築上，尤其是在寺廟方面，往往會在牆壁上，畫有各種題材的彩繪，諸如畫有閻羅十殿、二十四孝等故事。

在建造屋舍的三大基本架構，如台基、屋身和屋頂等方面，每一部份均有其特殊的功能與安排設計。

一、台基

位於地面之上，柱牆之下的基座，它最初被墊高的目的，就是防止雨水的漫淹。其後，又發現它在穩固建物以及在襯托或塑造建築物使其雄偉、壯觀設計上，也有一定的功效，因此人們在建築時，無不注重台基基礎的奠定。在傳統建築的台基鋪面方面，它所使用的材料，有以石灰、砂、泥土混合而成的「三合土」、「磚」和「石板條」等三種。由於石材採集、打造不易，因而這個價值昂貴的石板條，常被用在宮殿及寺廟建築之上。地磚，由於價廉常被用在一般建築之上。地磚在磚面上，有上釉的稱爲釉面磚，不上釉的稱爲素面磚。在式樣規格上，各地區均不很統一，有四寸、八寸、一尺二、一尺四、一尺六……等不同大小之磚。在磚的形式上，有條磚、板磚、方形磚、六角形磚以及意味著「大吉」的八角形磚，意味著「發財」的錢形磚，意味著「長壽」的龜甲形六角磚，意味著「圓滿」的圓形磚，意味著「福氣」的葫蘆形磚，以及意味著「萬福（符）」的卍字形磚等。人們有時還把上述各種形式的地磚，把它組列成人字紋、丁字紋、拐子紋、席紋、十字縫、套八方、龜甲紋、魚鱗紋……等富有藝術性或吉祥意義的圖案。至於在台基的配件上，還有台階的建造。尤其是在大型的建築中，更能顯現出它的藝術性，諸如在大型的廟宇或宮廷中，常有雕鑿雲龍的御踏階梯和在台基邊上有用石頭打造的散水螭首等裝飾。

二、屋身

屋身是由柱樑和牆身兩大部份所構成。由於它在不同的功用上，而有不同的組合與裝飾。

(一)有關柱樑及其相關或類似的建築（包括欄杆、屋檐、室內頂棚等）幾個重點加以介紹如下：

1. **在柱子方面**：柱子因材料的不同，而有木柱、石柱、磚柱和水泥柱的區別。在結構上，它可分爲上面的柱頭、中間的柱身和底部的柱礎等三部份。位於柱子下的柱礎、柱櫍或叫柱珠者，爲了防止潮濕及碰損等功用，在古時大多以石作爲主。其後，以水泥和洗石子來代替。在它的形式方面，有方形、六角形、八角形、鼓形、碗形、圓凳形……等，再經過適當的造形設計與雕鑿，而有所謂方珠、鼓珠、蓮花珠、竹節珠、花藍珠……等名稱的出現。在柱身方面，其形狀也有圓、有方，而在使用上通常以圓形爲尊，八角形次之，方形再次之的情形。同樣的，爲了配合柱形的「尊卑」概念，在柱子的大小安排上，也有所不同，諸如在寺廟上，往往把最巨大的圓形柱被安排在正殿的檐廊上，而其餘形狀的柱子則被安排在次要的地位之上。柱子位於建築物中不同的地方，而往往有不同的名稱。諸如，位於檐廊上的柱子被稱爲「檐柱」。部份位於山牆壁內，而部份外露的柱子被稱爲「附壁柱」。在大型建築中，位於室內中央的四根柱子，被稱爲「點金柱」，而其餘的，則被稱爲「副點金柱」。若在柱子上雕有花紋者，則將它稱之爲「雕花柱」。在這雕花柱中，以雕龍為主者稱為「龍柱」。雕花鳥者稱為「花鳥柱」。雕蝙蝠者稱為「蝙蝠柱」……等。

2. **樑、枋、通和輔助性的斗拱、挑、垂花(吊筒)……等**:在樑、枋、通方面,位在屋頂正中央,用來撐住屋瓦的脊檁,在台灣稱之為「大樑」。同樣的,與大樑平行的三架檁、五架檁、七架檁和挑檐檁等,在台灣也被視之為「樑」的一種。在上述樑的下面,又與面闊方向平行的構件稱為「枋」,在台灣又稱之為「壽樑」。在柱與柱間,尤其是在屋簷處,往往在適當的位置上須要添加橫樑(即為「通」),來加以構架。這個「橫樑」依建築之大小,由下而上,又有大通、二通、和三通的情形。

   斗栱:在柱頭上,常佈滿著交互疊組之彎弓形的「栱」以及斗形的「斗」構件,稱之為「斗栱」。它在形式上通常有圓斗、六角斗和八角斗外,還有碗公斗、四方斗、花瓶形斗……等。

   挑、垂花:是由「栱」及「斗」所組成。其中在「挑」中曲臂形的「栱」是常被插入牆中或檐柱中,來支撐屋檐的出檐之用。在「挑」中有一道栱的挑,稱為「單挑」。有上下兩個栱的則稱為「雙挑」。在「挑」的下面,常有一個倒掛圓筒形,並雕有蓮花、繡球或花籃者,被稱之為垂花或吊筒。

3. **屋檐和室內頂棚的建造**:在屋簷方面,人們為了避免日曬雨淋的困擾,往往用柱子、壽樑和大通構成屋檐，來加以防止。又爲了在美觀上的需要，人們除了在樑、枋、斗栱、挑、垂花上，施以適當的顏色外，還往往在「大通」上畫有山水花鳥、飛仙走獸、以及一些忠孝節義的歷史故事。在室內頂棚方面，在住宅的頂棚上，常有用細枝條組成格子狀，並加以彩繪的「天花」，來做簡單的裝飾。在廟宇、宮殿主要建築的頂棚上，大多有四角井、八角井、圓井和橢圓井等四種形式的藻井。然而，在它的變化上，又有上圓下方的「鬥八」以及上方下圓的「鬥四」等傘蓋形的「藻井」，來增加其莊嚴肅穆的氣氛。

4. 欄杆：是由垂直部份、水平部份和介於上述兩者之間的欄板等三種主要部份所構成。欄杆因材料的不同而有石欄杆、磚欄、木欄杆和水泥欄杆等四種。它們往往被用在室內的樓井、台基的走廊、橋邊、以及池塘邊緣的水榭亭台之上，來美化室內、室外的環境。

㈡牆身：牆身可說是在建築物中最主要的部份。今將它所涉及的範圍，包括牆身的築造、牆面的雕飾、門窗的配合、甚至聯匾的設計與安排等幾個重點加以介紹如下：

1. 牆身的築造：在建造屋身中的「牆」，在構造上，因材質之不同而有土墒牆（是將纖維質含量高的稻桿、穀殼、黏土等，有時還加入少許的石灰，以增加硬度，經過攪勻，壓入預製好的規格木框，使成塊狀，並讓其陰乾後，再用黏土，把它一塊一塊黏接，加以疊砌之牆）、版築牆（是將黏土、草根或稻梗加水搗勻，置於模板後，再加以打壓，使其堅實待土乾後，再把模板上移，重覆上述工作，直到頂部爲止之牆）、磚牆、石牆、木竹牆、水泥牆……等。又由於在築牆時，所使用的材料本身，有某種的極限，諸如木竹牆、土堣牆等，因其承受的壓力有限，是無法用來興建三、四十層的高樓大廈，因而在建築上，往往隨著建材因素的影響，而有不同的造形與設計。

2. **牆面的美化**：在建築物中，對於牆身的砌造與美化方面，有的排列整齊，有的編有花紋，有的則由下往上分出數段來加以美化，諸如，在一般的民宅方面，有分爲在腰身以下爲漿砌卵石，腰身以上爲白粉牆的情形。或是在腰身以下爲水泥牆，中間一大塊爲磚牆，在最上面的一塊則有簡單的雕飾情形。在寺廟方面，爲了安排各種雕飾的需要，往往把它劃分爲櫃台腳（最底層，高約一尺，有簡單的花紋石雕）、裙堵（爲正面相當重要的部份，高約三尺，常雕有麒麟、獅虎豹象、花草、魚鳥、樓閣……等圖案）、腰堵（面積狹小，做爲上下畫面隔離之用，爲了免於喧賓奪主，以不施雕爲原則，但也常有清爽的淺浮雕或線雕出現）、身堵（爲最重要的部份，常有神仙、龍鳳、人物戰馬、博古……等的透雕）、頂堵（一般作法與腰堵相似，不宜太過複雜）和水車堵（位於屋身最上方，常有彩繪泥塑、剪黏或交趾陶作品等。㉒山牆方面，位於建築物的左右兩側，在空間組織上，並不屬於主導地位，因而在裝飾上，只能在山尖（或山花）處做些魚形、蕉葉、花藍、元寶、靈芝、犀角杯、雲龍、獅子啣劍……等的泥塑或剪黏作品，來加以簡單的裝飾。

3. 門：門在建築物中，是佔有相當重要的一部份。門是由門的邊框和門扇兩部份組合而成。古時，稱兩扇門扉（即雙門）者為「門」，一扇門扉（即單門）者為「戶」，二者合稱為門戶之外，在其上有門楣，在其下有門檻。門被設置在不同的地方，而有不同的名稱。門位在古城之處，稱為「城門」，位在鄰里街坊之處，稱為「坊門」，位在寺廟之處，稱為「山門」或「五門」，位在孔廟之處，稱為「櫺星門」、「大成門」，位在比較大規模的民宅或山莊之處有「院門」，位在官宅之處，還常有「儀門」的設置……等。在門上的飾物，通常有拉攏門扇用的門鈸，以及位在門鈸上的金屬飾物如門環等。至於在文、武廟方面，則有對稱整齊的四十九顆或上百顆的門釘為其特徵。在彩畫方面，尤其是在寺廟的門上還常繪畫有全副武裝、雄糾糾、氣昂昂似乎很能稱職的兩位門神。祂們在商周時代，被稱之為「門丞」和「戶尉」，其後改為「神荼」與「鬱壘」。自唐太宗以後，又再改為「秦叔寶」和「胡敬德」

兩位了。在佛寺方面，則畫「陳奇」和「鄭倫」等哼哈二將或四大金剛。在奉祀女性神祇的祠、廟則大多繪畫兩位捧托著仙桃或是持扇的宮娥來充當守門人。在廟門口前，常有一對左雄右雌的圓雕石獅。雄獅，通常被雕成足踩繡球，口含滾動的石珠造形。雌獅，常被雕成雙唇緊閉，足在逗弄幼獅的情形。在寺廟的門後，因門扇高大，常設置門鼓來穩固門框木板之用。這個俗稱為「抱鼓石」的門枕石，通常被打造成下段為方形基座，中段為梯、矩形，上段為如「鼓」造形的門鼓。在這些門鼓上，還常雕有龍、虎、駿馬、人物、花鳥、螺紋線條……等浮雕。

4. 窗户：可說是由窗孔、窗框和窗櫺所構成。窗孔是在壁上挖個各種樣式的「窗之孔洞」謂之窗孔。窗框，簡單的說，它就是指窗戶的外框而言。窗櫺是在窗框內所形成的各種窗格子或圖案而言。在古建築的窗孔或窗框造形上，有三角形、方形、六角形、八角形、菱形、雙重菱形、元寶形、橢圓形、扇形、寶瓶形、雙錢形、蝙蝠形、蝴蝶形、葫蘆形、壽桃形、佛手瓜形、書卷形……等。窗櫺，有用木、石、磚、陶、灰泥等材料所做成的磚組砌窗、石條窗、釉面陶磚窗、竹節形窗、亞字形窗、井字形窗、回字形窗、卍字形窗、菱形窗……等，以及各種造形、精粗不一的窗櫺。

5. 匾聯：是指匾額和對聯之意。匾額通常位於門楣或樑枋之上，其形狀，有方形、長方形、書冊形、扇形或蕉葉形等。至於，在古建築物上，它通常在側廊的拱門上，臥室的門上或是窗上的牆壁方面，往往還留有題字的空間與位置。對聯則通常位於柱子和門框的邊牆上，其常見的作法，有用篆、隸、行、楷、草等書法，直接書寫或雕刻在柱壁之上。

三、屋頂

傳統式的屋頂，是由木板、瓦片和灰泥等材料建造而成。在瓦片方面，大致可分為兩種。一種稍微彎凹的板狀瓦稱之為板瓦，為一般民宅所普遍使用。另一種，則為半圓筒狀的瓦，稱之為筒瓦，大多用於宮殿和廟宇之上。有關屋頂方面，今把它分為㈠屋頂的造形，㈡屋脊的形式及其裝飾兩部份，來加以探討。

㈠屋頂的造形方面：

我國屋頂的形式相當複雜，大概有二、三十種之多，但其中以下列的幾種較為常見。

1. **硬山式**：屋頂前後兩坡，桁檁並未長出側面山牆的屋頂形式。
2. **懸山式**：屋頂前後兩坡，而桁檁長出於側面山牆約三十公分至半公尺，似乎有保護山牆頂部免於直接日曬雨淋的功能。
3. **廡殿式**：屋頂以前後兩坡為主，左右兩坡為次，而形成相當挺拔的四坡屋頂。這個屋坡斜率甚高，且被視為屋頂中最高級的廡殿式屋頂，它常被使用在宮廷和廟宇的正殿之上。

4. **歇山式**：屋頂正面，取之於硬山式或懸山式向前後兩邊傾斜爲主的造形，而側面則取之於像廡殿式兩側的造形，而形成一種向四方傾斜的綜合性屋頂。

5. **捲棚式**：無「正脊」的硬山式或懸山式屋頂。

6. **攢尖式**：屋頂是由中央最高點向四周成直線或成弧形的傾斜。它常被用在樓閣亭榭的建築之上，其外形有圓、有方、有六角形、也有八角形等情形。

7. **三川脊式**：將硬山式或懸山式屋脊中央一段約佔整個屋脊的二分之一抬高二、三尺左右，還在兩側增加垂脊的屋頂。

除了上述七種比較常見的屋頂外，還有重檐廡殿、重檐歇山、多錐形、十字脊屋頂、擴散形屋頂、盝頂、平頂、單坡……等多種的屋頂造形。

㈡屋脊的形式及其裝飾方面：

屋脊兩端翹起者稱爲「燕子尾」。不翹者稱爲「馬背式」。有關屋脊的造形，除了根據是否有翹起的區別外，在屋脊的厚薄、高低，及其裝飾等造形方面，又可分爲下列三種：

1. **小脊**：是一個不予裝飾，或是裝飾極爲簡單的低矮長條屋脊。它常被安排在前殿的廂房、或配殿的護龍等次要地位的建築之上。

2. **大脊**：在既高又厚，有如「工」字形的屋脊上，常裝飾有華麗的陶、瓷片或玻璃剪貼製品。它大多被

用在廳堂或規模不大的廟宇正殿之上。

3. **西施脊**：在大脊上，再加上一層或是一條類似大脊的脊帶，並且在上下兩脊帶間保留一些的空隙，來形成一個明顯的雙燕尾造形。它常被用於較大規模的廟宇正殿之上。

在屋頂的裝飾上，隨著二、三十種不同樣式的屋頂，而有種種不同的裝飾。諸如，在我國屋頂向兩邊傾斜爲主的正脊或垂脊上，常有陶瓷片、碗片、玻璃片、甚至現代的塑膠片等所剪黏成五彩繽紛的樓閣、神仙、靈獸、靈禽、花鳥蟲魚、山巒樹林和人物座騎等各種裝飾物。在廟宇的裝飾上，在正脊的中央，常有福祿壽三位一體的神仙塑像、麒麟、寶珠、寶塔、葫蘆等，在其兩側還常有仰頭長嘯狀的青、黃龍，以及鳳凰、人物戰馬、花草、吉祥圖案……等的裝飾。在孔廟的屋脊上，常有兩個至八個的天通筒造形裝飾。在民宅方面，除了擷取上述部份圖案做爲裝飾外，還裝飾有一些的碗、罐、罈、火爐、風獅爺（瓦將軍）、獅子啣劍（又稱爲獸牌）……等避邪之物。

在上述談了許多有關建築的基本常識後，在有關客家的建築方面，它除了吸收上述種種的部份圖案建造外，也隨著地理環境以及時代之不同，而有不同的建造型式。今僅以客家人的居住方面爲例，土樓主要分佈於福建西南和廣東東北部，特別是在不同語言的交界地區。土樓的建造始於七百年前的南宋，有碉堡式的圓樓（寨）、半開放式的半月樓、宮闕般堂皇的五鳳樓、四角有碉堡的四點金方樓等樣式，規模龐大，秩序井然，結構堅實，並具有防禦功能，可說是客家人的一種建築藝術奇葩。至於，鎖頭屋、縱到列式多槓樓，以及二層間圍以寬陽台的走馬屋可能是年代較晚的民居形式。為何在客家地區有「埔」、「窩」、「坑」、「寮」、「隘」等名稱，其原因是生活在丘陵，為了安全，而必須建寮、建隘、開埔、拓坪、掘坑才能保住生活，所以這類的名稱就普遍起來。

在一般民宅方面，圍屋是客家獨特的文化，建築物均以祭祀祖先的「上堂」為中心圍繞著，集合數百人在一起的聚族而居。在此圍屋的興建時，不但要依照「左青龍、右白虎、前朱雀、後玄武」的理想地形格局，以及根據「得水藏風」的要求，從「尋龍、察砂、觀水、點穴」等方面，得到具體的所在，若有不足時，則力求在建築基地的後方墊以高起的壂頭，以及在前方掘出半月形的水池，以形成後高前低的形勢，來做適當的補充外，就是在選擇吉日良辰興工時，又必須與全家的出生時辰相配合。在建築名稱方面，在福建稱土樓，在江西稱圍樓、半圍樓，在廣東稱圍龍屋。該建築是用沙石、生土和石灰等為原料，用竹片木條做筋骨，夯築成牆的土木結構住房。根據地形之不同，其樣式有圓形、半圓形和方形等。㉓在建築的外形方面，在台灣各地的客家聚落，最常見的是一廳二房，俗稱「三間起」，一字排開的住宅，由於其形狀似龍，故又俗稱為「一條龍」。然而，在大陸的客家傳統建築方面，大多是將房屋最外層的護龍，築成半圓弧形環繞廳堂的圍龍的合院形式，其原因是在高度的父權下，當父系健在時，是不允許分家的，在子孫不斷增多，房子不夠住時，便在外圍不斷增建護廊，而形成在客家民宅中，有許多圍龍屋的例子。在有關圍龍屋的建築格局方面，它以正棟以及橫屋爲其主體外，還有雜間（包括豬牛欄）、水井等。早期台灣的民間建築，大體維持閩、粵系之中國南方式樣。城市和大戶人家多爲瓦屋，用磚砌牆；鄉村的房屋大多爲竹厝、木屋和土角厝，土角厝是以黏土製成的土塊（俗稱「土角」）堆疊成牆的房屋。

台灣舊式住宅，雖因貧富不同而有規模大小和裝飾華麗之別，但主要格局卻相當一致。在台灣六堆地區的客家傳統建築，最早構想源自於原鄉的五鳳樓，但在台灣發展的過程中受到人爲與地形限制，因此發展出三合院、雙堂屋及圍屋等三大類特有的民居格局。在三合院方面，其首先之建築，大多爲三間橫排，中間爲廳堂，作宴客之用。左右則爲臥室廚房。不敷使用時，則於左右兩房之前，再各增築一間，與正屋連接成凹字形的房屋，而形成所謂三面是房子，正廳面對的那一面是大門和圍牆，中間是院子的情形。在四合院方面，四周由房子圍起來，形成「回」字形，而中間也是院子。還有更爲複雜的形式，則爲兩旁各再築若干棟，成爲廚房臥室，或爲飼養牲畜之所。其中，連前、後均有房子圍住的，則把它稱之爲「圍屋」。在有關院子的功用方面，它是一種屬於晨夕休閒、曬穀、曬醃漬食品、宴會、孩童遊嬉的場所。

至於，什麼是傳統的台灣「客家建築」呢？它曾引起學者、專家的熱烈討論，但是由於居住在台灣北、中、南的「客家人」的建築，似乎都不太一致，無法下個定論，諸如在建築格局方面，南部的客家建築有所謂的「圍屋」，而中部的客家建築則有「前圍屋」和「後圍屋」的區別，至於北部的客家建築卻是習慣用雙層圍牆，像新埔的潘宅、劉宅等都有此種的建築。在屋頂方面，北部屋瓦多使用紅色，南部多使用黑色，而中部，則紅瓦、黑瓦間用。在屋脊方面，北部翹鵝（翹尾、尖棟、燕尾）式屋脊不只適用在公廳（祠、家廟），還部份被使用在一般民宅之上，但南部多半不被用於民宅之上，中部的人，則認為它只適用於廟宇方面。在廳下（公廳）廳門之上的「堂號」或「郡號」方面，北部「堂號」自右至左依序書寫，其情形有如曾姓的「三省堂」、「魯國堂」，李姓的「隴西堂」……等。而南部則將「堂」字置於正中央，其情形有如鍾姓的「穎堂川」、林姓的「西堂河」、黃姓的「江堂夏」……等。在斗拱、屋架方面，北部較細膩，南部只做功能性的架構，少有裝飾，而中部方面，則介於北、南之間，有較簡化的處理。在牆面方面，北部以紅磚牆為主，南部以白粉牆為主，而中部則紅磚牆與白牆各居其半。在化胎又稱花台方面，南部地區較為普遍，北部地區的民宅較少設置，而在中部方面，則零星可見。㉔

在祖堂建築、祖宗牌位的安置方面，主堂是各個家族敬神祭祖、接待賓客、舉行婚喪儀禮……等場所，為突顯它的權威與尊嚴，除了把它建的特別高大、莊嚴外，也做高格調的裝飾。在過去，在「祖在家，神在廟」，以敬家神爲主，廟神次之的觀念下，一般家屋廳堂之正中央，均供奉有祖先神位，其文曰：「某某堂某某氏歷代高曾祖考妣之神位。」兩旁另以小字，列舉某世某公某妣之謚號名諱等。至於，在廳堂正中央的空出部份，則大多會寫上一個巨大的「壽」字，掛在上面，而沒有出現其他神明被奉祀在家的情形。其後，由於信仰觀念的改變，逐漸把神明引進家中來奉祀，不過所擺的位置，不管是北、中、南，「家神牌、祖牌」均被置於廳堂的正中央神桌上，如有祀神時，則被置在「家神牌、祖牌」的左邊。自日本治台後，日本政府爲圖消滅中國民族意識，曾下令禁止，並改奉日本天皇。由於台灣人民極力反抗，日本當局在不得已下，准許台灣人民改奉佛像的關係。因此，在現今在台灣中北部方面，有將神明擺在正中央，而將「家神牌、祖牌」，置於神明右邊的現象。其中値得注意的是，在所謂的廟神擺設方面，在早期大多數的客家人，會把喜歡的神明，不管是一種，或是兩、三種均可，將其名字書寫於木牌或大紅紙之上，而少有神像的設置，其原因，一是在經濟上，置神像需要花錢外，又要花錢請人「開光點眼」。二是在法師的法力顧慮方面，據說開光點眼的法師，若法力無足以把神靈封進去的話，可能會引起邪神、怒神的附身，反而會帶來不幸之事的發生。在比較近代的客家人方面，除了繼續保有既省錢又安全的不設神像方法外，近年來，又興起在市面上購買諸如佛祖、觀音、媽祖、灶神、伯公……等印刷的神像圖，將其掛上的情形發生。至於，在家屋的分配方面，則相當嚴守倫理秩序，其情形有如，在主堂兩側分給長輩居住後，再以「左尊右卑，後大前小、內長外幼」的原則，來分配給其他的族人居住。

在其他形式的住屋方面，由於台灣曾被滿清出賣，被日本統治有半個世紀之久，因而有所謂的日式房屋出現。該房屋大多爲官舍或旅館，而甚少分佈在鄉村，成爲一般人民的住家。在其官舍的形式方面，大多爲兩戶合棟，中間隔開，門在兩側。其內部的格局，除入門處謂之玄關，備有脫鞋放物之設備外，內部有客廳、臥室、飯廳、廚房、浴室及廁所等。在廳室之內，皆鋪有以紅布裏邊，四周縫合，成長方形塊狀的榻榻米爲其主要特徵外，各室之間皆用紙門，可左右推移，並做爲屛障。㉕在西式的建築方面，在民國二十四年（西元 1935 年）時，台灣中部大地震，房屋倒塌甚多，其後就有逐漸改用木造平房的趨勢。自國民黨政府於民國三十八年（西元 1949 年）來台後，由於不斷的受到西方文明的影響，而有逐漸並大量採取西式平頂、方形或長方形的鋼筋水泥建築。該建築內部有客廳、餐廳、臥室、廚房、盥洗室等。其中，在盥洗室內，設有浴盆、盥洗盆以及便溺器等，皆爲瓷製，有冷熱水通來，使用自如，便後引水沖之臭味全無爲其特點外，在其他的優點方面，由於土地資源有限，尤其是在大都市，採取西式的鋼筋水泥建築，還可以不斷的向空中發展，而建有數十層的高樓大廈，可以解決不少人民的居住問題。

在有關做新屋的習俗方面，在做新屋或遷居，一般都要送三至五個笑包給鄰居，叫做「結緣」。在起工、上樑、出水、完工時，須宴請工匠和來幫工的親房。在打灶時，除了要選定良辰吉時動工外，還要炒豆子送鄰居的同時，親友鄰居也會送喜爆、豆腐、粉乾……等，來祝賀「添丁灶」的開工。㉖

今將一些比較有代表性的古廟、城樓、古厝簡介如下：

一、閩西永定土樓

福建永定的客家土樓，其先人自遷入該地後，爲了抵禦盜匪的入侵，而用當地的生土、砂石、竹木爲材料，建築成被土牆包圍的一個渾然一體，並具有安全防衛的龐大城堡。目前永定土樓，有兩萬多座，遍佈全縣每個鄉村，在清代以前的土樓佔有三分之一，四百五十年歷史以上的有二十多座。在西元二〇〇一年時，承啓樓、振成樓、福裕樓和奎聚樓已列爲大陸全國重點文物的保護對象，而其中，位於永定縣古竹鄉高北村，建於清・康熙年間（西元1662～1722 年）的「世界最大的圓土樓」承啓樓，已有三百多年的歷史，其外環直徑爲七十三公尺。

在土樓的奇特結構上，與地質地理學、生態學、倫理學、景觀學、民俗學和社會學等，都有密切的關係。土樓中軸線鮮明，不論哪一種的土樓，其廳堂、大門和主樓都建在鮮明的中軸線上，橫屋和附屬建築則分佈在左右兩側，並且對稱極爲嚴格。土樓的祖堂，主要在於宗族議事、婚喪喜慶、會客、宴請或舉辦其他的大型活動之用。較大型的土樓，在樓外，還設有花園、魚池等。在樓與樓間，有門坪，暨可作爲活動場所，又可作爲晾曬農作物之用。至於，其他的附屬建築，如水井、穀倉、柴房、浴室、廁所、牛欄、豬舍等一應俱全，儼然成爲一個自給自足的小社會。㉗

二、鄞山寺（台北縣淡水鎮鄧公路 15 號）

全台祀奉定光佛的廟宇僅有兩座，除鄞山寺外，另一則爲彰化的定光庵。定光古佛是客家人由汀州帶來的信仰，在汀州有定光古佛的祖廟，這裏埋葬的僅是定光佛的一片指甲而已，埋葬的時間是宋・乾德二年。算起來，已近千年時間了。㉘位於淡水鎮鄧公路十五號，後依小山，過去可直接眺望淡水河，視野極佳的鄞山寺，建於清・道光三年（西元 1823 年），爲汀州人張鳴崗先生所創建，而捐地者爲羅可斌。此寺除了奉祀汀州移民所信仰的定光古佛外，亦兼做爲用以管制、保護同鄉族群，並爲鄉親謀求福利，爭取權益，維繫文化的「會館」之用，是目前台灣唯一保存最爲完整的清代會館。

鄞山寺，外觀古樸、典雅，有前殿、正殿和兩側護龍等建築。據說此寺爲「蛤蟆穴」，因此在建此寺時，就根據蛤蟆的形狀，在其寺前掘有一個半月形的水塘，來象徵著蛤蟆的嘴巴，在廟後左右兩側，鑿有兩口水井，來象徵著蛤蟆的雙眼。然而，很不幸的是，據說同樣是居住於淡水的草尾厝，是屬於蚊子穴，每當鄞山寺擊鼓鳴鐘時，草尾厝一帶就經常發生火災，而有所謂「蛤蟆嗜食蚊子」的說法。因此，草尾厝的居民，乃請法師在街上豎立一根竹竿，來象徵著「釣蛤蟆」。其後，不久鄞山寺後的左井，就日漸混濁。鄞山寺為保存蛤蟆的另一眼，於是就請法師作法解除之。不過，現今鄞山寺的兩口井，均被加蓋，對於清濁之事，就無人知曉了。

鄞山寺目前所藏碑文有三，一為清・同治十二年（西元 1873 年）淡水總捕分府出示的勒碑，嚴禁侵佔廟地，二為清・光緒十八年（西元 1892 年）鄞山寺董事勒碑禁止汀眾索借，三為清・光緒十九年（西元 1893 年）鄞山寺公議示禁規章。本寺於民國七十四年（西元 1985 年）被定為第三級古蹟，民國八十年本寺進行重修，並於民國八十二年七月完工，廟貌煥然一新。

三、美濃東門城樓（高雄縣美濃鎮）

位於高雄美濃東郊，東門大橋亭的東門城樓，為舊美濃城門之新址。美濃客家人，在開墾初期，為了防盜，防山胞或他族的侵襲，而建有一些的防禦設施。最早的美濃城，建於清・乾隆二十年（西元 1756 年），樓高二層約十公尺，佔地約四十五平方公尺，頂樓則龍閣鳳椽，並在閣樓上，供奉有文昌帝君、大白星君、和關聖覽讀春秋的石雕像等，作為祈求神明保佑全庄青年「文能安邦，武能定國」。清・道光九年（西元 1829 年）時，當地居民黃金團，因中進士，在回鄉祭拜東門時，題有刻於麻姑石上的「大啓文明」四字匾，並將它嵌放於城樓的門楣上。清・

光緒二十一年（西元 1895 年）時，台灣被滿清政府出賣後，該城門爲日將乃木希典攻打美濃時，砲轟擊毀。在日治時期（民國 26 年，西元 1937 年）時，美濃居民拆除殘破的城基，重建鋼筋水泥新城門於現址，其長寬照舊，但高卻變成二樓，約十五公尺外，由於當時正處於中日戰爭狀態，因此在最上層的鐘樓裏，還掛有發送警報用的巨鐘。光復後，於民國四十六年（西元 1957 年）時，拆除鐘樓，恢復傳統飛簷式的山門外，在今日城門右側，並立有清・光緒十六年（西元 1890 年）時的「重修福德壇碑」的同時，還立有清・光緒十一年（西元 1885 年）時的舊「端正風俗」碑，以及在民國六十一年時，立有依照舊碑原文所刻寫的「端正風俗」碑等。㉙

四、范姜古厝（桃園縣新屋鄉）

位於桃園縣新屋鄉新屋村中正路 110 巷內的范姜古厝，是一個典型的客家建築。在有關他們的來台發展方面，在清・乾隆初年（西元 1736 年），范文質的第二個兒子范姜殿高渡海來台，從淡水上岸後，輾轉來到桃園這片荒地。由於開墾需要龐大人力，在范姜殿高的求援下，廣東老家的兄弟們陸續來台，攜手成立「姜勝本」墾號，向官方申請開墾證照，其開墾範圍爲東至營盤腳（楊梅鎮）、西至石牌嶺、南至社子溪、北至大堀坑（觀音鄉），即今新屋鄉一帶，經過百餘年的努力，不斷的使三千九百餘甲荒野變成良田。在清・咸豐五年（西元 1855 年）時，選擇良地，建築規模宏大的祖堂，鄉人常指其爲「起新厝」（興建新屋之意），而「新屋」，其後，即成爲當地的地名，流傳至今。現存的范姜古厝，共有五座，皆位於新屋村中正路一百一十巷內。第三棟住宅最爲華麗，全棟用深紅色的閩南磚；中庭和兩側廂房走廊，舖上青石板；正門額上掛有用黃色交趾燒貼成的「陶渭流芳」匾額，其下有八卦和麒麟；正門兩側屋簷下，有交趾燒貼成的故事人物像；護龍的馬背上，有花藍垂飾；石柱腳上，刻有龍、鹿花紋等，裝飾極爲富麗。第五棟住宅，規模最大，共有二進多護龍四合院，屋簷皆爲燕尾式，創建於清・咸豐五年（西元 1855 年），是范姜族的祖堂，目前僅供祭祀之用。民國七十二年（西元 1983 年）被內政部核定爲三級古蹟，按年份理應爲二級古蹟，不過，由於此宅經過數次重修，除留有少數青石地板、香爐、陶缸……等，能證明它的悠久歷史外，大多已爲現代化裝飾所取代。㉚

五、佳冬蕭宅（屏東縣佳冬鄉佳冬村溝渚路 150 號）

只用朱、黑二色搭配，古色古香的蕭宅，是南部客家古建築的代表之一。有關蕭宅的由來方面，據傳乾隆年間，開台祖先蕭達海從廣東省嘉應州（梅縣）隻身渡海來台，落腳於台南，在某次往返於台灣海峽時，不知去向。兒子蕭清華來台尋父，毫無所獲後，就投效清廷軍營。隨後不久，蕭清華的大兒子啓明也跟隨其父從事軍旅生涯。二兒子光明比較有商業頭腦，在清・嘉慶年間，其父兄被派往東港、佳冬一帶駐紮時，光明在母舅的協助下，也跟隨著前往找尋商機，並設立「蕭協興商號」，準備大顯身手。

㉛佳冬的蕭宅，由於主人的辛勤致力於釀酒、染布、米穀等事業，蒸蒸日上後，特地聘請來自大陸的師傅，仿中國廣東梅縣的故居興建外，於日治時代，又在第一進前，加建巴洛克式的門面，更把古宅的氣派與榮華，彰顯無疑。

位於屏東縣西側濱海佳冬村的蕭達梅古厝，已有二百多年的歷史，不論其建材、雕工、格局，都極為講究，是台灣極少見的客家式五落大厝。第一進至第四進為百年前所建，第五進為日治時代所增進，雖然較為簡樸，但因為與左右護龍相接，如同一道完整的外牆，堂與堂之間為天井，地面舖以紅磚。在它的格局方面，正面為五開間，第一堂為門廳，第二堂為廳房，在門額上有橫書「勸業堂」三個大字，兩旁有石雕窗，刻夔龍紋，堂內供奉「河南蕭氏歷代始高曾祖考妣神位」，第三堂為「繼述堂」，前庭左右有迴郎相通，堂內供奉有天地君親師、井灶龍君、福德正神，第四堂為「明德居」，第五堂和一般農宅相同，目前被列為三級古蹟。佳冬庄現存的兩座隘門，分別為位於佳冬村的北隘門，以及六根村的西隘門，為原有的四座隘門的殘留。位於蕭宅西側二百公尺左右西柵門，大致維持原樣，它原建於清・嘉慶二十五年（西元1820年），在門額上有「褒忠」二字，門聯為「褒雍粵域」、「忠著閩邦」外，該柵門屋頂有燕尾裝飾，中門額有彩繪浮雕，門牆內有凹入的小天公塔等。北柵門則為民國六十九年（西元1980年）李正光擔任鄉長時所重建，柵門下有「港東里建立褒忠碑」、「東柵門褒忠碑」等數塊古碑，但常遭破壞者的塗鴉。至於，位於蕭屋的左前方，隔著小圳溝，還有一座歷史悠久、造型典雅，被用來焚燒字紙的惜字亭。

在有關素樸的「忠英祠」方面，它奉祀有㈠、清・咸豐十年左右，李洸將軍和力力社酋長阿必旦領導的加里番作戰的陣亡將士。㈡是開發大武山到台東道路時，一場颱風引發洪水，把紮營在山溝的五、六百人全部淹死的開路英雄。㈢是清・光緒二十一年，日本攻打佳冬時，戰死的六堆英雄和日本兵等。㉜其中，在有關「步月樓古戰場」方面，步月樓原爲蕭家的書房，位於蕭家古宅的東方，今佳冬市場右側的排水溝（原爲護城河）旁。西元一八九五年八月二十三日清晨，日軍從今塭子國小旁登陸，由小隊長丸山少尉率領向內陸挺進，抗日義軍在左堆總理蕭家開台第三代蕭光明指揮下，以步月樓爲指揮中心誓死抵抗，丸山少尉中彈身亡，日軍攻勢暫時受阻。翌日日軍獲得增援，義軍無法抵擋日軍猛烈的炮火，被迫棄守步月樓。是役義軍陣亡八十餘人，而且在日軍進庄以後，爲了報復在三山國王廟前，大肆屠殺村民，事後義軍及罹難者的遺骸入祀於屏南工業區北面的「忠英祠」。㉝

六、鹿陶洋（台南縣楠西鄉鹿陶洋 63 號）

康熙六十年，福建省詔安縣的江如南帶著長子來台，剛好遇上朱一貴起兵反清，隨即投效旗下，擔任軍師。這場民變維持不到兩個月，朱一貴兵敗被浮，江如南幸運逃過一劫。幾番輾轉遷移，最後落腳於鹿陶洋，蓋起茅草屋。其後，在福建老家的第二個兒子江日溝來台尋父，在茫茫人海中，奇蹟似與他的父親重逢。由於長兄早逝，現今的江家子孫全爲江日溝所繁衍的後代。在有關鹿陶洋的江家古厝方面，迠百年前，江家祖先就有非常先進，將「社區總體營造」的理念代代相傳，當它到了江萬全手中時，四進十三條護龍的合院格局才算完全的底定。不過，近年來由於時代的變遷，年輕人紛紛到外地發展，目前大約還有一百多人，仍然居住在此地，過著七代同堂的傳統生活。㉞

七、永靖「餘三館」（彰化縣永靖鄉港西村中山路一段451巷2號）

單進多護龍的「餘三館」三合院，創建於清・光緒十年（西元1884年），其目的除了紀念祖先的創業艱辛外，並希望此館能庇蔭子孫能夠多福、多壽、以及多子等，爲「餘三」之命名由來。

陳智可爲廣東潮州大榕社人，清・康熙年間隨移民潮渡海來台，自淡水上岸後，一路南下，來到彰化湳港西莊（今永靖）定居，從事墾荒工作。清・嘉慶十八年（西元1813年），智可的孫子陳德耀與人合資興建街道，方便交易，並擴增田園，而成爲當地的大租戶。陳智可的第五代子孫陳義方，因協助清軍平定戴春潮之亂，獲頒五品軍功。陳義方英年早逝，在臨死之前以「學業有成，博得青衣以繼先世之舊」和「經營宮室，興復祠堂」期勉兩個兒子，大兒子陳有光爲了完成父親的遺願，透過向朝廷捐款，換取「成均進士」的科名。光緒十年，陳有光兄弟，請地理師覓得該地後，足足花了七年的時間，才完成此由門樓、

正廳、軒亭、內外埕以及內外護龍所組成的，被國內建築專家、學者的稱論爲「台灣十大古宅」之一的客家式大宅院。㉟

八、社口「大夫第」（台中縣神岡鄉社口村中山路 600 巷 9 號）

兩落多護龍的「大夫第」四合院，成立於清・光緒元年，是屬於融合閩南和客家建築的三級古蹟。

祖籍廣東省陸豐縣的林振芳，五歲時父親過世，母親改嫁，由祖母一手帶大，並跟隨伯父從事農耕，其後改爲從商，在清・咸豐五年（西元 1855 年）時，開設「義春舖」，從事雜貨買賣而賺了不少錢。林振芳生性急公好義，曾經多次協助清廷平定反清民亂，並得知山西、河南、貴州等地發生旱災之時，積極參與捐款賑災。僅受過三年鄉塾教育的林振芳，透過當時的捐納授官制度，獲授「中書科大夫」職銜後，又晉級爲「同知」官職。清・光緒六年（西元 1875 年），林振芳買下張家舊宅，加以整修，而完成閩、客風格相互輝映的「大夫第」。不久後，他的兩個兒子相繼考取秀才，而成爲名符其實的書香世家。㊱

九、新埔劉宅的雙堂屋（新竹縣新埔鎮上寮里 238 號）

清・乾隆二十年（西元 1755 年），劉延轉三兄弟隨母親從廣東潮州渡海來台，暫時落腳於鹽水港（今新竹香山），不久後，三兄弟分開各自開墾謀生。長子劉延轉來到平埔族勢力範圍的新埔枋寮庄從事農耕，並娶原住民的女子爲妻。家業有成後，劉延轉父子於乾隆四十六年（西元1781年）時，建造了一座仿照廣東老家的四合院建築，由於院內分為前、後堂，所以又被稱之為「雙堂屋」。清・同治年間，該屋發生火災，在重修時把它改舖為紅瓦屋頂。民國八年（西元1919年）時，劉宅雙堂屋除了重新翻修外，在經費不充裕下，花了十年的時間，把它擴建為「二堂六橫」（兩進六護龍）式的大宅院，將客家三合院與四合院巧妙結合。其堂面寬達五開間，前堂中央三開間為門廳，是祠堂的總門面，外側兩開間為通道式的過廊。中央天井的兩側加上迴廊，搭配後堂的祭祀空間，提高了正堂的儀典性，也讓公私空間有明確分際，是目前新竹縣唯一雙堂建築的三級古蹟。其中，值得注意的是，右側的第三排橫屋，近年來已把它改建成現代化的三層鋼筋混凝土樓房，使平面呈二堂五橫式形式，而破壞了原有的對稱格局。㊲

十、新埔煙店公廳（新埔鎮下枋寮）

坐落於新埔鎮下枋寮，竹北通往新埔的竹十四線「煙店蓮池」旁的「林六合公廳」三合院建築，是林家來台祖先林浩流於清・乾隆年間來台後，所建造的公廳，由於他有六個兒子，因而命名為「林六合公廳」。在清・乾隆年間至日據時期前半段，是官方特許販賣鴉片，供人吸食鴉片的煙館，因而，有「煙店」的名稱，改建後稱為「煙店公廳」。

對新埔鎮文史頗有研究的新埔國中老師黃有福指出，「林六合公廳」的建築特色，正廳兩側牆壁上，有巨幅的書畫彩繪；外部牆壁上方，有十分罕見的「二十四孝」剪黏泥塑，屋脊中央的「吉星樓」更是全台罕見。吉星樓內有仙翁，不僅有裝飾與美化效果，更有避邪、祈福的作用。目前「林六合公廳」，因年久失修，漏水嚴重，加上蟲蛀腐朽，已成危險建築，該宗親已決定拆除改建，但儘量保留原有風貌與古文物、書畫等。㊳

十一、新埔劉家祠（新埔和平街）

建築界通常是用兩把尺，一般建住宅時，用「文公尺」，建陰宅、神龕時，用「丁蘭尺」。但也有文公尺和丁蘭尺並用之時，例如寺廟建築採文公尺，但神龕部份則採丁蘭尺。丁蘭尺的刻度比文公尺細密，兩者相同的是在使用時，都必須避開凶字，合「吉」字。在宗祠的建築方面，它分為兩種的尺寸設計，僅供祭祀、放牌位、未住人的方面，是採「陰宅」方式處理，倘若廂房有住人時，則採「陽宅」方式設計。

劉家祠以「匾額多、燕尾多、功名多」而聞名。在民國七十四年（西元 1985 年）時獲列為縣定三級古蹟。在有關它的由來方面，它籌建於清・同治三年（西元 1864 年），完成於清・同治五年，為客家典型的三合院建築，其基礎以石材築成，牆壁大多是土堣牆、砌磚，在建築上大量的使用木雕，在斗拱、神龕、門扇、樑柱上均有精美的雕刻。在劉家祠中，奉祀有劉家始祖漢高祖劉邦的祖父劉榮及歷代祖先牌位。在有關它的修復方面，新竹縣政府於民國八十三年始委託建築師修復，因所有權問題一度停工，直到八十九年元月開工，經變更設計後，九十年七月復工，到九十一年五月才完工。由於修復建構，全採陰宅尺寸，不適人居，而又在右廂房有人住的地方，做適當的再度修復。

十二、竹北的林家祠堂與問禮堂（新竹縣竹北市）

老屋、水圳、伯公廟及遼闊田園、防風竹林，構成了六家特有的歷史風貌。

新竹竹北六家是目前台灣碩果僅存的客家單姓聚落，其先祖林先坤、林延平於清・乾隆十四年（西元 1749 年）自廣東饒平縣來台，落腳於台灣中部，其間歷經三次遷徙，而移居竹塹（今新竹），並向業主潘王春承墾東興社社圓寶庄六張犁。六張犁地名的起源與林先坤有極密切的關係，因林先坤與族人在此開墾田地三十甲，而每五甲即爲一張犁，全甲可分爲六張犁，故稱爲「六張犁」。清・乾隆二十三年（西元 1758 年），六戶林姓人家在住家之外，以設置水溝爲界、莿竹爲籬，相互防禦，互相合作，因此形成今日所習稱的「六家庄」。「林家祠堂」是六家聚落內最著名的客家建築，它廳內供奉有林家祖先牌位，是一個典型的客家三合院。距離林家祠堂約五十公尺處，則有一棟別具特色的四合院「問禮堂」。在有關它的由來方面，清・道光十一年（西元 1831 年），林先坤之孫林秋華高中鄉試武舉，回鄉後，次年即興建「問禮堂」，作爲六家林姓家族招待遠房賓客，商討地方事務及族長調解族人糾紛場所，在當時來說是林氏族審判的大法庭，也是目前全台唯一僅存的家法裁判所，現今已被政府明訂爲三級古蹟。㊴

十三、賴氏節孝坊（苗栗市貓貍山公園）

全台現存的貞節牌坊，共有七座，分佈於台南、大甲、新竹、台北、北投、苗栗等地。賴四娘生於清．嘉慶六十一年（西元 1806 年），幼時指給舉人劉獻廷的長子劉金錫爲妻。賴四娘十四歲時，先生就往生，而矢志守寡。她的小叔劉禎也是舉人，感佩她孝節可風，報請清廷旌表，光緒九年（西元 1883 年）奉准旌表立坊，當時她已七十八歲。整座版坊由石柱、石塊構成，古樸莊嚴，正面上方鐫有「聖旨」、「天旌節孝」及「台北府新竹縣貓狸街儒士劉金錫之妻賴氏節孝坊。光緒九年」字樣。兩側石柱上鐫有台北府知事陳星聚所撰對聯：「十四歲節齡守閨門無慚一家忠義，七八載孝名傳史冊增色兩代科名。」另外尚有四幅頌贊賴氏的對聯，鐫刻在石柱的正面或背面。新竹縣訓導劉鳴盛撰：「素履全貞直樹綱常萬古，黃章寵錫允堪俎豆千秋」；台澎道兼督學劉璈撰：「想當年夫死身婦死心不死青孀留勁節，觀此日顯對人幽對鬼自對皓首得芳名。」另外兩首撰述者芳名模糊不清，聯語分別是：「青年尙未婚柏舟永久，百髮能完節楓陛榮褒」、「貞婦全夫直以苦衷補天憾，待親訓子祗留奇行翼人倫」。

賴氏節孝坊原本位於苗栗文昌祠右側，宣統元年（西元 1909 年），因道路拓寬，遷至天雲廟旁，民國六十八年（西元 1979 年），因天雲廟改建，才遷至今苗栗市貓貍山公園，民國七十四年，被內政部公告爲台閩地區第三級古蹟。民國八十八年年底時，縣政府把它發包修復，直到民

國九十二年時才完工。（記者黃瑞典報導）

十四、糯米橋——客家建築智慧

以前客家人多數居住在山林間，往來出入常須渡過溪、河，爲求方便客家先民常以竹子搭建便橋橫越溪流。不過，竹子橋過於簡陋，不甚穩固，常經風雨摧殘即不堪使用。爲改善此現象，客家人乃發揮智慧，改以石頭爲建材，將河中大石塊分砌成方塊，並透過紅糖、糯米、蓖麻和石灰等物混合攪拌，充當黏著劑，此即爲「糯米橋」名稱之由來。近年來，時代不斷的進步，糯米橋的空間日益狹窄，大凡不是年久失修傾頹，就是遭到拓路拆除的命運。今日想一睹往日客家糯米橋的身影，實屬不易。現今所殘存的糯米橋大多潛身於山林之間，尤以客家庄爲多，其情形諸如：㈠位於南投國姓鄉北港村通往眉原路途中的糯米橋，可說是全台僅存糯米石中，保護最完整的一座。㈡位於苗栗縣方面，有 *1.* 建於一九〇五年，由日本人主導興建的三義「龍騰斷橋」，原名爲「魚藤坪斷橋」。*2.* 坐落在獅潭鄉錫隘古道上，有位於茄冬樹伯公祠前東昇橋，位於北河村三、四鄰附近的萬安橋以及樂善橋等三座，均建於西元一九二八年（民國 17 年）的糯米橋。㈢位於新竹縣方面，*1.* 在橫山鄉境內，共有七座，約建於西元一九五四年（民國 43 年）左右，它們分別坐落於騎龍古道（三座）、茶亭古道（一座）及豐鄉瀑布旁（一座）、可多摩古厝旁（一座）、楊石屋（一座）等。*2.* 在峨眉鄉獅頭山遊樂區內，建於日治大正七年的水濂橋，它是屬於一種由石磚砌成的

拱形糯米橋。㊵

第四節：客家人的行

在客家人的「行」的文化，似乎和其他種族的「逢山開路，遇河造橋」的方式，並沒有什麼重大的差異。在火車、輪船、汽車、飛機尚未發明之前，人類來往的交通工具除了利用獸力，如騎馬、搭乘其他獸力工具或乘船外，就是完全靠步行，達到目的地。在道路方面，由於交通工具之不同，而有使用港口、機場、鐵路和公路之分。在鐵路方面，有寬軌和窄軌之別。在公路方面，在第二次世界大戰德國尚未發明沒有紅綠燈阻礙車輛快速通行的高速公路之前，則是使用或寬或窄的泥路、石子路或是柏油路。在行駛或走路方面，在現今國際上，有靠左或靠右等兩種行走方式。

在台灣近四百年以來，在行的發展上，在日治時代始有自行車（又名鐵馬），使之行的速度加快外，在夜間騎車時須開燈，經過交通繁忙地區或超越牛馬人力車時，要按鈴等的規定。在汽車尚未發明前，仕紳官家靠轎子或人力車代步。其中，在人力車的發展方面，諸如有單人座、雙人座、加遮雨、遮陽棚之黃包車，由毫無機械控制演進到手控杆煞車、腳踩煞車，由雙輪而三輪，由人力拉引、馬匹拖行，最後發展到人力三輪車，也創造出一項專以三輪車載客爲職業的行業。至於，在拖運重物方面，則是使用牛車。其後，則逐漸與世界交通文明接軌，而大量引進自動化的汽、機車來代步或做其他的用途。

在台灣客家人，在「行」的演進過程中，也曾留下一些值得後人眷戀回顧的文化，諸如在苗栗縣的造橋鄉，相傳是當地的父老鄉親集群策群力共同為地方造橋而得其名。在過去行走在前不見村落，後不見人跡的窮鄉僻壤山區，為了解決肩挑重擔或徒步往來蜿蜒山路行人的口渴問題，而有在路旁放置茶水供人使用的「奉茶」文化，它在廣東、福建原鄉稱為「施茶」或「送茶」。其中，值得一提的是，一般而言，茶亭多興建在崎嶇不平的山林大道或古道上，每逢三、五公里就會建造一亭。在茶亭建築方面，大部份是呈三面牆（或矮牆）一面開放，並以紅磚紅瓦和木樑為主體結構的正方形造型，茶亭內兩側牆根處，通常砌有兩條供行人歇腳的依牆，俗稱「矮凳」，而且兩牆之間一定會留有空隙，作為行人置放行旅的場所。在茶缸材質方面，有木桶、石臼或用紅磚砌成。在供奉茶水方面，有的是眾人集資請附近居民提供，有的是有錢人或善心人士提供，也有的是生病的人為求早日康復發願供應的。在茶水方面，大多以茶葉為主，也有煮芭樂葉當茶喝的情形。㊶在六堆還有所謂的「白湯茶」。什麼是白湯茶呢？因為高屏平原除了不產茶外，在當時的環境，也買不起茶葉，只好用「愛心」將煮開的白開水，來伺候路過的行人，而不是一種用什麼所謂的白色茶葉所沖泡的茶湯。在行走途中，往往會遇到下雨的問題，而發明了「蓑衣」和「紙傘」的製作。

目前，在防雨方面，已爲塑膠製品的雨衣以及用尼龍布所製做成的洋傘所取代，而使之過去的蓑衣和紙傘被迫退休駐足在文物館裏，供人憑弔眷念外，在紙傘方面，在現今高雄縣的美濃和屏東縣的高樹兩地方，仍有生產，不過在用途上，已經不再是防雨工具，而是一種的藝術用品了。

註 解

① 朱淑娟報導，〈國人飲食吃米少了，吃菜多了〉，聯合報，92.9.13。

② 陳志宏報導，〈客家桔醬，嚐過忘不了〉，民眾日報，92.12.14。

③ 參見自立晚報，90.2.10。

④ 游淨妃報導，〈台灣人找「茶」越來越普及〉，《客家郵報》，2004.7.14～20。

⑤ 參見自立晚報，89.11.26。

⑥ 參見奚淞著，〈桃園地區－台地上千塘之鄉的墾殖〉，漢聲《台灣的客家人專集》，頁 78，台北：英文漢聲出版公司，1989。

⑦ 游淨妃報導，〈北埔東方美人，龍潭龍泉飄香〉，《客家郵報》，2004.7.14～20。

⑧ 參見黃鼎松著，《苗栗的開拓與史蹟》，頁 38，台北：常民，1998 年 1 月。

⑨ 參見劉錦雲著，《客家民俗文化漫談》，頁 153～157，台北：武陵，1998，2 版。

⑩ 參見民眾日報，89.6.28。

⑪ 游淨妃報導，〈粦粑〉，《客家郵報》，2004.11.10～16。

⑫ 高木桂藏著，關屋牧譯，《客家》，頁 174，台北：台北市松江路 206 號 4 樓 406 室，1991。

⑬ 參見《客家民俗文化》，頁 83-101，台北：台北市客家公共事務協會出版，1997。

⑭ 參見《頭份鎮志》，頁584、585，苗栗：頭份鎮公所，2002。

⑮ 彭瑞李著，〈客家服飾，充滿生命力〉，客家郵報，92.12.31～93.1.6。

⑯ 林衡道著，《鯤島探源》，頁193，台北：青年日報出版，1983，第一冊。

⑰ 參見張祖基等，《客家舊禮俗》，頁369，台北：眾文圖書公司，1986。

⑱ 參見謝劍、房學嘉合著，《圍不住的圍龍屋》，頁143、144，南華大學出版，1999。

⑲ 參見高木桂藏著，《由客家了解亞洲》，頁207、208，台北：大展出版社，2001。

⑳ 李鍌編著，《中國文化概論》，頁 233、234，台北：三民書局，1971。

㉑ 參見劉還月著，〈吉祥如意繪雕〉，自立晚報，82.10.1。

㉒ 參見林會承著，《台灣傳統建築手冊》，頁55，台北：藝術家出版社，1990。

㉓ 劉錦雲著，《客家民俗文化漫談》，頁 22，台北：武陵，1998。

㉔ 參見陳板、李允斐著，徐正光主篇，《徘徊於族群和現實之間》，頁 38-41，台北：正中，1992。

㉕ 參見張祖基等著，《客家舊禮俗》，頁 371、372，台

北：眾文，1986。

㉖ 參見魏麗華編著，《客家民俗文化》，頁 65，台北：愛華出版社，2002。

㉗ 參見賴錦宏報導，聯合報，91.7.3。

㉘ 奚淞著，〈梅州市巡禮〉，《漢聲—客家人專集》，頁 30，台北：英文漢聲出版公司，1989。

㉙ 參見《高雄最佳去處》，頁 95、97，台北：戶外生活圖書公司，1983。

㉚ 參見《桃園縣最佳去處》，頁 109、111，台北：戶外圖書公司，1983。

㉛ 參見戴鍈珍主編，《古厝老宅院》，頁 69，台北：MOOK 台灣好逗逗 NO.16，2003。

㉜ 參見鄭浩著，漢聲《台灣的客家人專輯》，頁 42，台北：英文漢聲出版公司，1989 年 12 月。

㉝ 潘朝陽、邱榮裕編纂，《客家風情》，頁 179，台北：台北市政府客家事務委員會，2004 年 8 月。

㉞ 參見戴鍈珍主編，《古厝老宅院》，頁 69，台北：MOOK 台灣好逗逗 NO.16，2003。

㉟ 同上，頁 57、58。

㊱ 同上，頁 51。

㊲ 同上，頁 45，46。

㊳ 邱國堂報導，〈新埔煙店公廳面臨拆除〉，中國時報，93.8.18。

㊴ 參見葉俊琪報導，〈林家祠堂、問禮堂列三級古蹟〉，

《客家郵報》，2004.11.24～30。

㊵ 參見葉俊琪報導，〈糯米橋，客家建築智慧〉，《客家郵報》，2004.11.17～23。

㊶ 參見廖雪茹報導，〈老茶亭見證人情味歷史〉，自由時報，92.8.7。

第七章：客家音樂、歌謠

第一節：客家音樂

音樂是一國重要文化的一環，它和整個的社會、政治、經濟，甚至衣食住行等一切的生活習慣有不可分之關係。在中國音樂的發展上，根據禮記樂記曰：「感於物而動，故形於聲，應相應，故生變，變成方謂之音，比音而樂之及干戚羽旄謂之樂。」這可說是我國最早期對於「音樂」的一個初步認識。然而在它的發展上，幾乎與整個民族的發展歷史相同。在民族器樂上，遠在三千多年前周代，見諸於文字記載的樂器就有七、八十種之多。經過歷代的發展，並包括各少數民族在內，至今至少有四、五百種以上，其樂器，諸如，在（吹）管樂器方面，有簫、排簫、笛、橫笛、羌笛、笙（大笙、小笙、匏笙）、損、扎令、筒欽、巴烏、嗩吶、嗙、竽、胡笳、口琴……等。在拉弦樂器方面，有一弦琴、二胡、馬頭琴、京胡、三弦胡琴、四胡、琤尼、牙箏、七弦琴、九弦琴……等。在彈弦樂器方面，有獨弦琴、冬不拉、三弦、琵琶、月琴、古箏、瑟……等。在打擊樂器方面，有編鐘、鑼（馬鑼、風鑼、雲鑼……）、金（大金、小金）、鼓（大鼓、杖鼓、堂鼓、銅鼓、板鼓、羯鼓……）、鈸（銅鈸、川鈸、七鈸……）、額、鐃、方響、拍板、梆子、四塊瓦、杵、扁擔……等。

我國音樂的發展，在上述眾多器樂的被發明，以及我國歷代對這些樂器的運用方面，雖然各家主張大同小異，但對朝代的歸納，則彼此頗有出入。根據黃體培學者在《中華樂學通論》中，把它分為：「遠古時代，從伏羲到黃帝的舞樂時期；上古時代，從少昊到周代的雅樂時期；中古時代，從秦漢到隋唐的燕樂時期；近古時代，從宋朝到明朝的俗樂時期；近代時期，從清初到清末的劇樂時期等。」①又根據梁在平學者，在《中國樂器大綱》一書中，將歷代樂風對樂器運用的情形來衡量其地位，把它分為：一、周代的雅樂時期，二、漢氏的樂府時期，三、唐代的燕樂時期，四、宋代的詞樂時期，五、元代的戲曲時期，六、明代的崑曲時期，七、清代以後，宮中喜愛新興的皮簧等。②

究竟什麼是音樂？

莊子認為最美妙的音樂是「聽之不聞其聲，視之不見其形，充滿天地，苞裹六極」的「天籟」、「天樂」。它的產生不是靠絲竹管弦，而是靠自然界眾竅「自鳴」所發出的「無樂之樂」了。事實上，在宇宙大自然界中處處充滿了聲音，而音樂是由聲音構成，所以原則上所有的聲音都可以用之於音樂，如果站在音樂的立場，則整個社會、整個世界，乃至整個宇宙，就是一支樂曲，諸如溪流瀑布、獸吼蟲鳴、人類的活動所發出的節奏聲，以及風雨雷電、火山爆發、山崩海嘯所發出的強烈節奏與弦律都是音樂。但有人則認為音樂須具備一定的條件，按照一定的秩序、互相結合而能表現音樂思想的「樂音」，才可以稱之為音樂，否則即是一種不規則的、令人討厭的噪音。

有關「樂音」的認知方面：今就以一、音樂的特質。二、音樂的內容。三、音樂的功能等三方面來加以探討，並做個簡單的介紹。

一、音樂的特質方面：早期音樂家對於音樂的看法，根據黃孝石學者，在《電視的原理與製作》中，引用舒曼之言：「在所有的行業中，沒有一門比音樂更難找出它的理論基礎，因為『科學』，可以靠它的數字和邏輯來推論。『詩歌』，有它明確的黃金般優美的字句可供辨認。一般的藝術，可以借助自然的形式，作為它的仲裁者。只有『音樂』，是可憐的孤兒，沒有人能說出它的父母是誰，也許就正因如此使得音樂具有一種神秘感，更能叩人心弦。」③然而，音樂被現今理論學家認為，音樂是一種「樂音」，它包括有⑴音高準確；⑵音長長短分明；⑶音強一定；⑷音色優美等因素，透過人聲或樂器的組合，形成音樂語言來表達人的複雜思想和情感的藝術。在它的特質方面，除了是屬於一種講求音量、音色、節奏、旋律與和聲的「時間藝術」外，它也是一種最不受拘束，最主觀，最容易消失，最難捉摸的將人類一切的思想、感情，直接地、抽象地、精密地、自由地表現人類心靈、感情渠道的一種「主情」的普遍社會性藝術。

二、音樂的內容方面：隨著時代的演進，也有相當的發展，以音樂內容而言，有絕對音樂和標題音樂兩種。以時代而言，有巴洛克音樂、古典派音樂、浪漫派音樂、印象派音樂、現代派音樂（諸如有表現樂派、未來樂派、前衛樂派、四分之一音樂派……等）。以演奏形式而言，有合奏（唱）、重奏（唱）、獨奏（唱）、齊奏（唱）。以樂曲結構而言，在器樂曲，有組曲、奏鳴曲、交響曲、協奏曲、交響詩、舞曲、夜曲、序曲、浪漫曲、間奏曲、即興曲、變奏曲、詼諧曲。④在聲樂方面，有宗教的和世俗的。屬於宗教的重要聲樂曲有聖詠歌、經文曲、聖詩、讚美詩、彌撒曲、安魂曲、清唱劇。屬於世俗的，有民歌、藝術歌、歌劇（獨唱分為詠嘆調和宣敘調）。以音樂的類別而言，現今一般大致把它分為：協奏曲、管弦樂、室內樂、獨奏曲、歌劇、聲樂曲、交響曲、合唱、民俗音樂、其他（如爵士樂、現代音樂、國樂、電子音樂、抗戰歌曲、進行曲……等。）

三、音樂的功能：據養牛的人說，如對乳牛播放音樂，牛奶的產量就能增加；養鴨人家也說，如果對它們播放音樂就會多生蛋等具有實質的功效外，它還對人類具有情緒的舒暢、精神的振奮、意志的凝聚、感情的抒發、心性的調和，以及教化的輔助等作用與功能。因此，音樂在我國，自古以來就非常的重視，其情形有如：

1. 路史說：「炎帝神農氏，桴土鼓以至敬於鬼神，耕桑得利，而究年受福。乃命刑夭作扶犁之樂，利豐年之詠，以薦釐來，是曰下謀。」

2. 周公治國方面，以「制禮」和「作樂」爲政治上的兩大措施，而認爲無樂是不能成禮，而禮之本身也不能離開樂的陶冶。

3. 孝經說：「安上治民，莫善於禮，移風易俗，莫善於樂」也。

4. 禮記樂記篇說：「是故君子反情以和其志，比類以成其行：姦聲亂色，不留聰明；淫樂慝禮，不接心術；惰慢邪僻之氣，不設於身體；使耳目鼻口心知百體皆由順正以行其義。然後發以聲音而文以琴瑟，動以干戚，飾以羽旄，從以簫管，奮至德之光，動四氣之和，以著萬物之理。是故清明象天，廣大象地，終始象四時，周還象風雨。五色成文而不亂，八風從律而不姦，百度得數而有常，大小相乘，終始相生，倡和清濁，迭相爲經。故樂行而倫清，耳目聰明，血氣和平，移風易俗，天下皆寧。」它在樂施篇中云：「樂也者，聖人所樂也，而可以善民心，其感人深，其移風易俗，故先王著其教焉。」在樂情篇中，又說：「是故大人舉禮樂，則天地爲昭（光明）焉。天地訢（或作「欣」）合，陰陽相得，煦嫗覆育萬物，……則樂之道歸焉耳！」

5. 孔子對於音樂的看法曾說：「名不正則言不順，言不順則事不成，事不成則禮樂不興。」又說：「興於詩，立於禮，成於樂。」孔子教學生在「禮、樂、射、御、書、數」六藝教科書中，就有樂。另外孔子對於音樂的愛好，可說是非常狂熱，往往一面教學，一面鼓琴歌唱詩經內容，即所謂的「詩三百孔子皆絃歌之。」就是孔子被困於陳蔡之間，也能表現出他弦歌不絕的本色。又根據〈論語・述而〉的記載：「子在齊聞韶，三月不知肉味，曰：不圖為樂之至於斯也。」也就是孔子在齊國聽到了盡善盡美的韶樂後，三個月來，連吃肉都不知其味了，接著他又說：「沒想到，音樂的美妙，竟能達到如此高的境界矣！」

6. 荀子說：「金石絲竹，所以道德也。樂行而民鄉方矣。故樂，治人之盛也。」音樂除了能治人外，還可以藉著「樂以發和」，從「天地之和」到人間之和敬，來促進社會之和諧，並協助治理國家。荀子在樂論篇中說：「夫聲樂之入人也深，其化人也速，故先王謹為之文。樂中平則民和而不流，樂肅莊則齊而不亂，民和齊，則兵勁城固，敵國不敢嬰也。如是則百姓莫不安其處，樂其鄉，以至足其上矣。」

7. 蔣公在育樂兩篇補述中說：「好的音樂，可以陶冶性情，振作精神，慰藉勞苦，和樂心志，使人生活調暢，情趣優美，無形中養成個人高尚的人格與社會純正的風格。」

在西方世界，對於音樂的看法與讚美方面，根據黃孝石學者，在《電視的原理與製作》中，指出，西方大哲人柏拉圖嘗謂：「音樂是由內而外的修養。」貝多芬曾稱音樂是「人類精神的火花。」拿破崙說：「百冊的倫理，比不上一曲的音樂。」魯賓司坦（Rubinstain A.G）說：「要曉得一個國家的文化本體，只要聽一聽這一國的音樂，便可知道。」⑤莎士比亞也說：「只要有音樂的地方，社會就有和諧，有秩序。」不管上述對音樂的功能如何描述，但音樂對於人的感情有極大的影響力，乃是不爭的事實，諸如音樂用於宗廟，可薦祖考。用於天地，可享鬼神。用於朝廷，可彰威儀之外，又如搖藍曲，能哄催孩子進入夢鄉。山歌能鼓舞勞動熱情，消除人們的疲勞。軍樂，能齊一步伐，鼓舞士氣，壯大軍威。聖歌，能強化教徒的信心與信念。情歌，可以打動沐浴在愛河之人的心弦。宴樂，可助長宴會的融洽氣氛以及賓主的歡娛。綜觀上述，音樂在基本上，可以慰撫心靈，使人的感情昇華；對國家、民族與社會而言，它可以表示民族的精神，可以移風易俗，可以提高人們的生活情操與美化我們的社會外，在國際間，音樂是個了不起的高尚藝術。它是世界的共通語言，它不受國籍和外語能力的限制，人人均可欣賞它，了解它的同時，藉著音樂的交流，促進世界各民族間的相互了解與認識。

在有關客家八音方面：客家八音是客族由北到南的遷徙途中，不斷吸收、融合各地民間音樂，及保存原有自己風格的特殊曲種。這客家八音可說是客家人器樂合奏類的代表樂種，也是民間慶弔樂的一種。古之「八音」是指金、石、絲、竹、匏、土、革、木等八種材料所製造的樂器而言。根據劉省齋學者在《三字經註解》一書中，把這「八音」做一些精闢的介紹爲：「『匏』即匏瓜。乃吹之笙器。以紫竹爲之。十有七管。而列於匏中。『土』就是瓦器，可做壎。大如鵝子。銳上平底。似稱錘。六孔。竹曰篪。長尺四寸。圍三寸。七孔。一孔上出。凡八孔。橫吹之。『革』牛皮。可做鼓。身長三尺。面闊二尺一寸。每奏樂一句，以椎擊三聲。『木』是木器。乃木梧之類。柷樂。以桐木爲之。狀如方桶。上有員（圓）孔。三面畫山。一面畫水。凡用。先椎撞底。復擊左右。共三聲以起樂。桐樂如伏虎。背二十七員（圓）孔。用竹長尺四寸。破爲十莖。其名曰甌。椎其背以正樂。『石』是玉石的東西可做磬。『金』乃銅鑼。銅鼓。鎖吶。喇叭。錚子。鈴子。檔子之類。『絲』是絃絲事做琴瑟。『竹』就是簫管。」等。⑥又根據民族音樂學家陳運通先生，於一九八四年四月十九日，在美國馬利蘭大學音樂研究所所發表的「客家音樂」講學中，指出客家八音，據說遠在周朝或漢朝就有了，發源於湖北與漢劇相同，流傳至廣東嘉應州（梅縣、蕉嶺、五華、興寧、平遠）以及潮州一帶。客家八音，不是戲，它純是多種樂器的演奏。所謂的「八音」(Eight Sounds)即古人將樂器，依製成的性質，分爲八類，即：金、石、絲、竹、匏、土、革、木是也。

1. 金屬樂器（Metal）：鐘、鏞、南鎛、編鐘、小鐘、頌鐘、歌鐘、金、錞、鉦、鐃鐸。

2. 石類樂器（Stone）：磬、石磬、大磬、頌磬、笙磬。

3. 絲類樂器（Silk）：琴、大琴、五弦琴、頌琴、瑟、大瑟、箏。

4. 竹類樂器（Bamboo）：管、大管、中管、小管、大籥、小籥、幽籥、韋籥、篷簫、大簫、小簫、篪、笆、犢、應、雅。

5. 匏類樂器（Gourd）：簜、簧、笙、大笙、小笙、笙竽。

6. 土類樂器（Clay）：薰、大塤、缶。

7. 革類樂器（Leather）：鼓、路鼓、晉鼓、鼖鼓、擊鼓、水鼓、朔鼓、足鼓、建鼓、縣鼓、皋鼓、大鼓、雷鼓、土鼓。

8. 木類樂器（Wood）：柷、敔。⑦

在近代而言，這八種不同材質所製成的樂器分別爲：1. 吹管樂器（如嗩吶、管、笛……）。2. 擦絃樂器（如椰胡、喇叭琴、京胡……）。3. 彈絃樂器（如揚琴、三絃、秦琴……）。4. 打擊樂器（如單皮鼓、梆子、綽板、竹板、堂鼓、小鈸、小錚鑼、小鑼、大鑼……）等，而且經常可以在伯公廟前的榕樹下，看見他們在拉胡琴、吹嗩吶、以及玩樂器的場景。

在台灣方面，此間所指的「八音」，是指團樂隊的編制而言。它是以漢代鼓吹樂隊爲基礎，另加上其他諸如絲竹的樂器演變而來。台灣的「八音」，在民國五〇年代之前，非常盛行，它是客族農業社會的產物，也是最富客家色彩的純音樂藝術，其演奏場合大致可分爲廟會、喜慶、喪事和後場等四種。最初，客家八音僅限於廟會活動或吉慶場合演奏。其情形有如經常在「拜天公」、「拜祖先」或「歕春」、「打春」、「鬧廳」時配合演出。其後，客家八音和客家戲曲逐漸結合，而成爲一種的後場伴奏。在近年來，這八音音樂也偶然被運用在喪葬場合之中。八音所使用樂器有，三絃、笛（品仔）、噯仔（海笛）、大筒絃、椰胡、二絃、銅鐘（或用小鼓）、小鈔、叫調；也有用提絃、三音、小鼓、小鑼、大鈔、拍板、銅鑼……等樂器的組合，大多在八種左右，卻無嚴格限制。在演奏形式方面，最少四人，最多八人，通常爲六人。八音的音樂取材方面很廣，它吸收了⑴古樂曲，有將軍令、大團圓、萬壽無疆……等。⑵佛曲，有普庵咒。⑶戲曲中的南北管音樂，諸如有南管的共君斷約，北管的百家春和鬥鵪鶉等。⑷民間山歌小調以及時代流行歌曲等。雖然在這些材料的引入或融合後，似乎已遠離原來的面貌，而成爲一種的變奏曲了。但是它在客家人，一年三百六十五天的各個節令中，經常需要「八音」的出現情形看來，也足以知曉它的重要性了。根據台北市北區客家會北管八音團團長蕭阿安先生指出，一場「八音」演奏須具備二胡、低胡、三弦、鼓、鑼、鈸、鐃、小鑼（又名響盞）及哨吶（大小皆要）等基本樂器，如果另有揚琴、笛子也可融入其中，一切視當時表演情況而定。在八音的功能上，它常被用於宴饗、迎賓與祭祀等三種場合。演奏的形態分爲「鼓吹」與「弦索」兩種，主要樂器爲嗩吶，其中「鼓吹」又稱爲「吹場」，以嗩吶為主，鑼鼓為輔。其演奏的曲目大部份為傳統曲牌，以北管曲牌居多，小部份為南管及其他地方音樂的曲牌。⑧至於，現今在桃園縣八德市所成立的「和成八音團」方面，根據該負責人袁明瑛表示，和成八音團的演奏樂器以嗩吶、鑼鼓、鈸、擊板、胡琴、揚琴為主，嗩吶分為二號吹、三號吹、幼吹三種，鑼分大鑼和京鑼，鼓分高低音鼓，胡琴為二胡、胖胡、喇叭胡三種，鈸有大小鈸兩種。在演奏的曲目方面，有吹場音樂（俗稱鬧廳）、客家名曲吹奏（俗稱八音吹奏）和北管福祿曲（又稱亂彈）等。諸如在吹場音樂，在吹奏大開門、大團圓、福祿壽時，則以嗩吶吹奏為主，鼓鈸鑼伴奏為輔。在吹奏客家名曲吹奏時，以單支嗩吶為主奏，而以胡琴、揚琴、鼓、以及擊板等配合協奏為輔。⑨

在「關西祖傳隴西八音團」方面，這個團正式定名是近幾年的事。彭宏男，民國三十一年生，關西祖傳隴西八音團團長，遷居台灣歷七世，世世傳習八音的社團，這個八音團曾灌錄了台灣的第一張唱片，在八音極盛時期，曾經受邀全台各地表演，縱使時空環境的變遷使他們淡出場域銳減，當嘹亮的聲響在空氣中傳播開來，還是吸引了不少行家的駐足欣賞。根據彭宏男團長指出，要延續這門「祖傳」技藝，該有不少條件，有如天份、興趣、苦學、知音和伙伴等。其表演情形如下：*1.* 響笛（開場引），表演（上管）大開門（慢吹場）約十分鐘。*2.* 客家八音，表演新壹經姑（大調）的十分鐘，十八摸（小調）約七分鐘。*3.* 大八音（細笛演奏），表演大開門、一串蓮（各一首）約十至十五分鐘。4.北管（福路曲），表演大送（半套）約二十分鐘。5.山歌八音及演唱，表演吹奏兩首（山歌仔與平板）、演唱兩首（山歌仔與平板）約三十分鐘。⑩

在現今的客家電子音樂方面，由於過去一直都是在整理山歌、民謠，然而年輕一代的客家人，認爲客家歌曲應該可以跟上潮流，並且更上一層樓，因爲相當多的客家年輕人，十幾歲時就離開了故鄉，而過著相當城市化的生活，如果客家歌曲仍停留在百餘年來的山歌階段，除了無法反映出現代客家的全貌外，也無法激起年輕一代客家人對客家歌曲的興趣。因此，諸如徐松榮先生，決心以自己旳數十年來累積的作曲基礎，致力提昇客家新音樂的素質外，更有些年輕人正嘗試把充滿節奏的Hip、Hak、Funk、Bass、Trance、Drum 等元素，巧妙的融合在客家音樂當中，來賦予傳統音樂一種新的面貌，其情形有如在客家電子舞曲CD中，就可以聽到傳統北管與電子合成音樂結合的同時，也可以讓人在Party中，隨著音樂的節奏，而隨時起舞。⑪

在早期的一些著名的音樂家，如張福興、鄧雨賢、江文也等，對台灣音樂的發展有不可磨滅的貢獻，今將他們的一生簡介如下：

1.張福興：張福興（1887 — 1954），苗栗頭份人，是一位台灣新音樂之父。一九〇三年，十六歲時，他離開頭份，來到台北就讀日治時代的「國語學校」師範部乙科（現台北市立師範學院之前身）。其後，張福興以台灣第一位的官費生遊學東京音樂學校，返國後定居台北，曾任教於現在的台北師範學院、北一女、成功中學等學校。在這期間，他自費出版台灣第一本工尺譜、五線譜東西對照的民間樂譜《女告狀》外，在授課之餘，張福興又首創台灣最具規模的西洋管絃樂團「玲瓏會」的同時，常在台北醫學校大講堂、中山堂、永樂座（今永樂市場附近）等地公開表演。一九三四年，張福興受日本勝利唱片之邀擔任台灣支部首任文藝部長，以學院身分投入流行歌壇，對三〇年代台灣福佬歌謠的影響很大，其情形有如〈白牡丹〉、〈農村曲〉、〈港邊惜別〉等歌謠的創作者陳達儒，即是受到張福興之邀，才開始創作的。戰後，張福興一度每日前往永樂國小學習「國語」，也受邀著手編輯台灣第一套的國小音樂課本。到了晚年時，張福興則致力於佛曲的採集。在一九五四年時，病逝於台北後，歸葬於苗栗家族墓園。⑫

2. 鄧雨賢：鄧雨賢（1906 － 1944），桃園龍潭人，是一位台灣創作民謠大師。「望春風」、「月夜愁」等知名台灣民謠，幾乎無人不知、無人不曉，但創作者卻少有人知，鄧雨賢這位作曲者，創作六十餘首膾炙人口的本土流行音樂，堪稱台灣本土音樂創作的濫觴，也是第一位被設置銅像紀念的本土音樂家。

鄧雨賢生於民前六年的大溪郡龍潭庄二四三番地。三歲時隨父親遷居台北萬華，先後進入艋舺（萬華）公學校、總督府台北師範學校就讀。於一九二五年，二十歲時自國語學校師範部畢業後，曾在台北日新公學校任教，二十一歲與鍾有妹結婚，二十四歲時，即赴日本東京音樂學校進修一年多就返國，從此對流行音樂有更深一層的認識。不過，在當時台灣的音樂環境，沒有他可發揮的餘地，因此在二十六歲（1931年）那年進入台中地方法院當一名雇員，作通譯的工作，但又因興趣不合，第二年就辭去地方法院的工作，並在一九三〇年代，即二十八歲時，鄧雨賢自創作了第一首的〈大稻埕進行曲〉後，即在音樂界嶄露頭角，並獲得台灣哥倫比亞唱片公司負責人柏野正次郎的賞識，禮聘為作曲專員並負責培訓歌手。鄧雨賢在哥倫比亞任職七年期間（1933～1939 年）所創作發表及採譜的流行歌有〈一個紅蛋〉、〈望春風〉（1932年）、〈月夜愁〉、〈琴韻〉（採譜）、〈老青春〉、〈青春花鼓〉、〈跳舞年代〉（採譜）、〈春宵吟〉、〈春江曲〉、〈梅前小曲〉、〈對花〉、〈江上月影〉、〈三姊妹〉、〈雨夜花〉（1932年）、〈青春讚〉、〈碎心花〉、〈滿面春風〉、〈南國謠〉、〈新娘的感情〉、〈四季紅〉、〈日暮山歌〉等總計二十一首。由於鄧雨賢的歌曲廣受台灣人民的喜愛，而被譽稱為流行歌壇的「四大金剛」之一（另外三位是蘇桐、姚讚福、邱再福）。

在鄧雨賢先後任職於文聲唱片公司，於二十八歲時進入台灣株式會社古倫美亞唱片公司（前哥倫比亞唱片公司），擔任作曲專員與培訓歌手期間，也積極採集傳統民謠和戲曲。在他的田野資料中，記有七字背、六孔興調、客家調、山歌等，有的還另加詮釋，譜上鋼琴伴奏譜。在二次世界大戰爆發後，於民國二十六年，日本推行新台灣音樂，日本政府以「歌曲無國境、歌詞有國境」爲由，禁止台灣歌謠、戲曲以閩南語發音，日本當局爲鼓舞民心士氣，還將鄧雨賢膾炙人口的作品，「望春風」、「雨夜花」被改爲「榮譽的軍伕」、「大地的招換」等日文進行曲。鄧雨賢爲配合日本當局，在西元一九四二年改名爲「東田曉雨」，另以「唐崎夜雨」筆名譜寫「鄉土部隊的來信」、「望鄉之歌」等愛國歌曲。在此大環境下，台灣歌謠漸趨沈寂的同時，鄧雨賢於三十四歲時，爲了躲避盟軍空襲，辭去在古倫美亞唱片的職務，離開台北，遷居新竹芎林庄鹿寮坑，並任教於公學校，期間繼續創作台灣歌謠、客家歌謠與兒童音樂外，還籌組竹東交響樂團。在民國三十三年六月十日，因肺病、心臟病辭世於竹東，享年三十九歲。鄧雨賢病逝時，恰好與當時西方音樂大師孟德爾松、福斯特同壽，因此鄧雨賢也有「台灣福斯特」的美譽。⑬近年來由於政府對客家族群的重視，鍾肇政資政爲發揚鄧雨賢先生的音樂創作精神，而不遺餘力的在家鄉催生「雨賢館」。終於在民國九十二年（西元 2003 年）十月十八日，在龍潭鄉大池管理中心揭碑。

在新竹芎林籌建鄧雨賢紀念公園方面，自芎林鄉公所積極規劃將荒廢多年的野戰醫院現址、總面積超過一公頃的田地，在九十二年（西元 2003 年）七月十四日所舉行的「鄧雨賢音樂文化紀念園區籌備處」掛牌儀式後，十餘年來各界人士推動籌設鄧雨賢紀念館舍、鄧雨賢紀念公園，期使芎林鄉能夠成為台灣民謠蒐藏、研究鄧雨賢音樂文化重鎮的構想，終獲一大進展。至於，在有關鄧雨賢用日文創作的芎林小調方面，雖然詞曲皆美，但鮮為人知，歌曲主要形容芎林優美的風光，也有鼓勵人心的用意。其歌詞全文為：

「哈，暖和春陽下，梅花正綻放，從花到花蕾跳躍的小鳥群，對採茶姑娘呢喃細語，芎林真正好地方；哈，順著林蔭路，爬上石階時，椰子樹蔭下，遠眺白帆舟，風光明媚的飛鳳山，芎林真正好地方；哈，金黃色波浪起，好美的秋稻啊，姑娘的心紅似火，含羞笑窩採橘忙，芎林真正好地方；哈，是東亞諸君，希望的早晨，血氣正燃燒著，冬日照大地，仰望白帽大雪山，芎林真正好地方。」⑭

*3.*江文也：江文也（1910～1983），是日本著名的現代音樂指揮家、作曲家和教授。台灣人過去很少知道江文也的存在，音樂界知道他的前輩也只能偷偷的提，直到一九八一年四月謝里法教授的一篇「故土的呼喚」，江文也才正式「出土」。江文也生於台北三芝，四歲時舉家遷居廈門，八歲進入台灣總督府為在廈門的台灣人子弟設立的旭瀛書院就讀，十三歲赴日求學，於十九歲時進入東京武藏高等工業學校電機科就讀，同時在上野音樂學校夜間課外部選修作曲理論和聲樂。一九三二年工業學校畢業後，參加日本第一屆音樂比賽，獲得聲樂獎入選，一九三二年再度獲獎，一九三四年在第三回音樂大賽作曲組決賽取得第二名，得獎作品是描述故鄉台灣的「來自南方島嶼的交響

曲素描」中選出兩個樂章，即第二樂章「白鷺鷥的幻想」和第四樂章「城內之夜」。同年，江文也隨鄉土音樂訪問團來台演奏，並四處蒐集台灣的民謠樂曲，作爲創作的來源。一九三六年，在德國柏林舉辦的第十一屆奧林匹克音樂比賽中，以管弦作品〈台灣舞曲〉獲得二等獎，並榮獲大指揮家溫格納爾銀牌獎，而名聞國際。一九三八年，江文也在他創作最盛時離開日本樂壇，前往中國北京從事音樂創作和教學。江文也受聘於北京師範大學音樂系教授作曲，並從事於漢人古代文化及民俗音樂的研究。他除教學非常認真外，也孜孜不倦地寫作一些別具風格的作品，其中包括〈孔廟大成樂章〉、〈第一交響曲〉、〈第二交響曲：北京〉、歌舞劇〈大地之歌〉以及〈香妃傳〉等。另外，他還透過民俗音樂研究，完成〈中國民歌一百首〉和依詩詞譜曲的百餘首小品。江文也更把自己的研究心得，寫成〈北京銘〉、〈大同石佛頌〉、〈中國古代正樂考〉等三篇文章。

西元一九四五年（民國 34 年）二次世界大戰日本戰敗投降後，江文也因與日本人交誼深厚，被國民政府視爲戰犯拘捕，被扣押了十個多月，後來雖以不起訴獲釋，但也因此失去教職，家計陷入困境，只得暫時屈居在北京近郊的中學教音樂。

一九四七年（民國 36 年），江文也獲聘轉任北京「國立藝術專科學校音樂科」教授，三年後又前往天津「中央音樂學院作曲系」擔任教授。進入中央音樂學院後，他仍不斷創作，完成的大型作品包括〈第三交響曲〉、紀念屈原的交響詩〈汨羅沉流〉、以及在一九六二年爲紀念鄭成功渡台三百週年而作的〈第四號交響曲〉，另外還有管樂五重奏〈幸福的童年〉、鋼琴曲〈鄉土節令詩曲〉等小型作品。

在一九五七年的「反右運動」中，被認定是「老牌漢奸右派份子」。在一九六六年開始持續十年的「文化大革命」，江文也再度成爲眾矢之的，無辜被控告爲反革命份子和帝國主義者，受到不斷的批鬥和勞改，身心遭受長期的戕害下，積勞成疾行動不便，無法從事任何與音樂有關的活動外，而大大的影響了他的心緒和作品。

一九七六年文化大革命結束，一九七八年時，江文也獲得平反，重獲教職，五年後即一九八三年，病逝於北京，享壽七十三歲，留下一首未完成的管絃樂作品——「阿里山的歌聲」。⑮

4. 客家音樂交響曲化：在二〇〇四年（民國 93 年）十月的「a-ha 2004 客家藝術節」中，高雄市交響樂團將連結客家元素與西方音樂，將傳統客家音樂交響曲化，團長陳樹熙及作曲家游昌發、劉學軒特地融入客家文化，譜出新曲，並在此次藝術節的台南與高雄場次演出；宙斯愛樂管弦樂團則將結合管絃樂器和台灣地方民謠，搭配客家歌手謝宇威和洪筠惠的鋼琴，及李哲藝的豎琴，融合中西音樂，來加以演奏。⑯

第二節：客家民歌

山歌可說是客家音樂文化的重心，也是客家人精神文化的特質，客家山歌更是台灣音樂文化中極具特色的一環。根據卓怡君指出：客家山歌不僅是客家人所擅長的音樂創作與即興演唱；更重要的是，客家村落常分佈在丘陵之間，其山歌充分反映生活，表現人對人、人對土地、人對生命的豐富情感。早期客家先民在荒山野嶺艱苦開闢之時，將內心的感觸配合採茶、耕種的勞動韻律而哼成歌謠；或是爲了與對山朋友高聲談話，而把聲音提高、語調拉長，也逐漸演變成悠揚的曲調，也因此客家山歌一直保有即興的特性。⑰

民歌的色彩，一方面可以代表殊異的風土，一方面又可以代表特別的民俗文化。民歌可說是詩歌的一體之兩面，我國古代的詩，有詩、引、行、歌、歌行、吟、謠、曲等。在詩的形式上，可分爲格律詩、自由詩以及沒有固定規則和方式發展而成的散文詩等。那麼什麼是詩呢？詩是一種表現情意，傳達思想的創作。論語說：「小子何莫學夫詩？詩，可以興，可以觀，可以群，可以怨；邇之事父，遠之事君；多識於鳥獸草木之名。」所謂的「興」者，是指興發志趣情感也。「觀」者，是觀察人情事故，時政利弊得失。「群」者，是促進群我之間的情感交流。「怨」，是抒發個人心中的鬱悶之情也。詩序又說：「詩者，志之所之也，在心爲志，發言爲詩，情動於中而言於行。」，而詩歌又是充分表現上述之言以及充分反映社會生活高度集中的概括。在民歌方面，音樂是人類情感的藝術表達，而民歌爲其最原始的一種表達方式。所謂「飢者歌其食、勞者歌其事」，正是民歌的真正內涵。民歌可說是一種老祖宗們代代口授相傳，從生活中所提煉出來的音符結晶，是我們的音樂之根，也是創作具有本土風格音樂的源泉，因此英國作曲家佛漢威廉士（R. Vanghan Williams）曾說：「一切偉大的音樂家，都必須以民歌爲其基礎。」外，又根據中文大辭典七七七八頁內述：「民歌是流行於民間，不詳作者、姓氏之歌曲也，大抵描寫日常生活，尤多男女愛戀之詞，各省各地皆有之。」又在民謠項內述：「民謠是不知其作者、名姓，流傳民間，因時代而演變者，謂之民謠，其內容多諷刺，極富民族情感及鄉土色彩，其形式明快而簡鍊、通俗。」

在有關歌謠的起源方面，中外皆然，有各種的說法，諸如有類似馬鳴、鳥叫、獅吼的精力過剩說；有起源於人類勞動，協調動作，一唱一和，鼓舞勞動情緒，減少疲憊哼成曲調的勞動節奏說；有獵人在高山深谷用聲音來恐嚇飛禽走獸的同時，並有壯大膽量作用的狩獵說；有爲了吸引異性，求偶示愛，展示優美韻調的歌喉而譜成情歌的異性吸引說；有因喜、怒、哀、樂等歡樂時之呼喊，辛勞時之呻吟，哀戚時之感傷，所發出歡呼與悲鳴的感情抒發說；有因遠距離提高聲音、拉長語調談話哼成歌謠的高聲談話說；有病痛時，向天呼喊上帝保佑或感謝蒼天賜福的求神謝神說；有模仿自然萬物，風聲、雨聲、雷鳴、鳥叫、獸吼、蟲鳴而領會發音的自然模仿說；有因人類使用語言有高、低、抑、揚、緩、急、厲、柔等音韻，而唱成歌謠的語言說……等。在民歌的價值方面，它不單是取決於它的內容，也取決於它的形式。就生產方式而言，遊牧民族、燒耕民族、狩獵民族、漁撈民族以及農耕民族因生活方式，生產的形態不同，音樂的表現也有所不同。

在大陸的客家山歌方面，唱山歌，原是傳統客家人生活中傳情達意的工具，也是重要的娛樂。一般人認爲客家山歌出自唐代的竹枝詞，也受七言四句的唐詩形式影響。由於內容取材來自生活，字句平白口語化，非常純真可愛。根據《太平寰宇記》的記載，最早的客家山歌出自唐朝的深山伐木工，《全唐詩》中的〈木客頭・沽酒〉。宋朝蘇東坡在〈八境台八首並序〉中說明該詩出於「上洛山木客」之口：「酒盡君莫沽，壺傾我當發。城市多囂塵，返山弄明月。」而其中的上洛山，即是在現今客家大本營的贛南興國縣境。⑱在山歌的形式上，都是七言四句，而且在第一、二、四或第二、四句押韻、起、承、轉、合層次十分明朗，幾乎都是唐朝的「絕句」形式，其情形，有如興國的「生死纏」山歌方面，其內容爲：「入山看到藤纏樹，出山看到樹纏藤；樹死藤生纏到死，藤死樹生死也纏。」來表達愛情生死不渝的經典之作。

在台灣的山歌方面，根據朱真一先生在《台灣客家文化叢書》中，指出山歌的最大特色是變化多，有所謂九腔十八調。詞通常是七言絕句且押韻，但可配合環境情感及感受，馬上加以更改，所以有文學修養者唱山歌可唱得更好。既然詞可改，譜亦可隨詞而改，因詞即興，歌譜要改才會自然順口。同時爲了避免單調，七言中加字或加無義意的虛字是很平常的，以便增加婉轉流利。因爲山歌之基本音主要是LA Do Mi而已，非常單純，所以裝飾音多且自由運用。⑲山歌是客家祖先所遺留下來的文化精髓之一，它除了保有東方人中原剛健純樸、自然平實的古音外，在其詞句方面，也有一定的客語發音的押韻，令人百唱不膩，百聽不厭。在過去，客家人通常以山歌或採茶泛稱他們的民歌。其情形有如一些對客家民謠詩詞的描述爲：「一曲山歌一曲情，句句唱來句句親。客家鄉親來見面，手牽手來心連心。」、「客串山歌十八摸，家家詞曲作真多。民間小調聲音好，謠琴九腔絃簫和。」、「客串萬千曲調多，家庭音樂好山歌。民謠鑼鼓絃挨磨，謠琴台前男女和。」「食口泉水涼心頭，唱條山歌解憂愁。清泉解得心頭火，山歌解得萬年愁。」、「山歌唱出客家腔，正當娛樂愛提倡。娛樂不忘有國難，決心莊敬又自強。」、「山歌唱出鬧洋洋，客家文化愛發揚。客家文化淵流遠，客家山歌萬里揚。」客家民歌以五聲音階爲主。歌謠的作曲和演唱者，有來自船夫、農人、牧人、樵夫、商人、採茶小姐……等各種民間人士。

在山歌的內容方面，客家人所稱的客家歌謠爲「山歌」，並非僅唱些與山有關的內容，而是一種包羅萬象，蘊藏萬千的內容，它包括諸如生活歲時的變化和經驗、生動的民間傳說和歷史演義、二十四孝的勸化教善、人情世故與現實……等，各種諸如有農耕歌、撒種歌、幽默歌、勸世歌、飲酒歌、採茶歌、愛國歌、船夫歌、憂愁歌、故事歌、人生歌、大自然歌……等。其中，不過大部份是在唱些男女相悅之情、父母之恩、望子成龍望女成鳳、以及各種生離死別的真情流露等歌曲，藉以消除疲勞或發洩心中的憂悶爲主。客家山歌的最大特色是「唱戲一半假，山歌句句真」外，它是即興做詞、即興吟詠，日常生活的喜怒哀樂，都可以融入歌詞中，按照曲牌唱腔的骨架，唱出符合語言抑揚頓挫的曲調。在客家山歌的伴奏方面，本無所謂的伴奏樂器，只是順手摘下一片樹葉跟著歌聲吹了起來。其後，在茶餘飯後或酒宴聚會時，除了常把「二弦」和「胖胡」當做伴奏樂器外，有時還再加入通鼓、小鑼、三弦、洞簫、嗩吶、洋琴、拍板……等。在客家山歌的歌詞方面，大多是詞淺意深、講究隨口而出的七言四句，但有時爲了歌詞和曲調的配合，在民歌中有很多是因在中間或末了加上朗誦，或一些感嘆、呼喊等字句的型式。在民謠的演唱方面，有眼所見、耳所聞、心所感的客家民謠中最常見的「獨唱」；有在茶園、田野工作、從問姓名開始，或閒聊、或問安、或互勸、或互罵、或調情……之歌聲往來的「對唱」；有在學校、團體、宴會或茶餘飯後的「齊唱」；有在優美曲調後，藉著簡單的伴奏聲，用似唱似講的方式，把心中的話說出，然後再唱一小段即結束的「朗誦式唱法」，有由會唱者領先唱一句，接著由大家齊唱和之的「領唱、和唱」等方式。今僅舉獨唱和一些對唱，以供參考：

1.河邊石子生溜苔
思想阿妹唔得來
七寸枕頭眠三寸
留開四寸等妹來

2.女：人人講汝老人家，拐棍拿等來採花；（等：著）
阿哥可比菜頭樣，菜頭緊老緊開花。（緊：愈）
男：汝講偓老偓話吂，今年年紀九十三。（話吂：還沒有）
閻王搭信同偓講，畀偓風流幾年添。（畀偓：給我）
女：山歌緊唱聲緊嬌，三弦來和九龍簫；
今日同妹交情到，石板造出萬年橋。
男：老妹生來真斯文，恰似天上五色雲；（老妹：妹妹）
五色祥雲蓋天下，妹子花容蓋一村。

3.胡泉雄所製作的客謠集第三集之一段：
男：百花開來滿山香，六月西瓜透心涼，仙草泡茶能解渴，還要阿妹情意長。
女：阿妹同哥來交情，交到海底行得人，鯏鰍生鱗馬生角，鐵樹開花才斷情。
男：山歌越唱越有情，希望阿妹聽分明，阿妹若有真情意，山歌也可做媒人。
女：高山嶺上種布驚（植物名），唔使水淋也會生，總要兩人心甘願，唔使媒人也會成。

在有關山歌的因時、因地、因事、因人和因物的即興之作方面，相傳廣東梅縣有位年輕的洗衣婦劉三妹，很會唱山歌。有位不服氣的秀才名叫羅隱，準備了一整船的詩書典籍，準備向劉三妹挑戰唱山歌。在離岸不遠時，該秀才迫不及待地表明要和劉三妹比較一下唱山歌，結果岸邊的洗衣婦起了身來，不假思索的就唱：

河邊洗衫劉三妹
　借問阿哥那裏來？
自古山歌從口出
　那有山歌船載來？

此時，該秀才始知原來那人就是劉三妹的同時，他所載來的一船書籍，卻一點都用不出來，僵在那裏，接不下半腔半句，遂棄書河中而去的故事。

客家民謠的曲調種類繁多，內容豐富，素有「九腔十八調」之稱，根據早期著名的山歌歌唱家賴碧霞女士指出，客家民謠有九腔十八調之稱，這是因爲廣東省有海陸腔、四縣腔、饒平腔、陸豐腔、梅縣腔、松口腔、廣東腔、廣南腔、廣西腔等九種不同的口音，導致有九種不同的唱腔。在所謂的十八調方面，是指歌謠裏有：平板調、山歌仔調、老山歌調（亦稱南風調）、思戀歌調、病子歌調、十八摸調、剪剪花調（亦稱十二月古人調）、初一朝調、桃花開調、上山採茶調、瓜子仁調、調五更調、送金釵調、打海棠調、苦力娘調、洗手巾調、賣酒調（亦稱跳酒）、桃花過渡調（亦稱撐船歌調）、繡香包調等十八種調子。⑳但依近代學者對客家的傳統歌謠，大致把它分爲三大調以及小調類等兩大類。

一、三大調：它包括老山歌、山歌子（仔）和平板等。

根據朱真一的《台灣客家文化叢書》中，指出，在狹義的山歌中，老山歌是最古典，音拖得長，意嘆呻吟較多，以 LA DO MI 三音爲主，變化最自由。山歌子自老山歌改良，亦以LA DO MI三音爲主，但較快速而有固定節奏，曲式較嚴整。平板則是再改良，音域更廣，以 DO MI SOL 三音爲主，但亦有RE SI LA，曲式更較嚴格。三種都不死板，使用歌詞亦可互相換用。㉑

1. **老山歌**：又稱「大山歌」，是客家民謠中最古老的一種曲牌名稱，而非指固定的某一首歌詞。只要是同一類型的歌詞，不管它的內容如何，歌唱者都可用這種曲牌唱出，曲調悠揚、豪放，節奏流暢的歌曲。又由於它在古時是此山之人唱給彼山之人所聽的歌謠，所以在客家民謠裏，是聲音唱得最高、拉得最長的歌曲。在目前山歌的七言四句音節的分配方面，大致可分爲「二字加五字」、「四字加三字」等兩種，或有將上述兩組混合使用的情形發生。
2. **山歌子（仔）**：又稱「山歌指」，由老山歌變化而來，也是一種的曲牌名稱，在同一曲調下，可以唱出不同意思的歌詞，但聲音不像老山歌拉得很長。在歌詞音節的分配方面，大致是由「二字、一字、一字、二字、一字」等五個音節所組合而成。

3. **平板**：又稱「改良調」，是由「老山歌」與「山歌子」改變而來的一種曲牌，在同一曲調下，也可以唱出不同意思的歌詞，又由於它爲了適應從荒山原野走入茶園、家庭、戲台、戲院的需要，不用太高和太長的音調，而逐漸形成大家所最喜愛、最常用的一種大眾化的曲調。在歌詞音節的分配方面，它和「山歌子」相同，大致是由「二字、一字、一字、二字、一字」等五個音節所組合而成。

二、小調類：除「老山歌」、「山歌子」及「平板」之外的客家民謠，大都有歌名。換言之，即一種唱腔就是一首歌，歌詞差不多是固定的，而形成所謂的十八調，但其中，也有少數例外。現今在這方面的歌曲有：1.病子歌 2.挑擔歌 3.桃花開 4.初一朝 5.撐渡船 6.十八摸 7.苦力娘 8.送金釵 9.思戀歌 10.賣酒歌 11.陳仕雲 12.瓜子仁 13.五更歌 14.補缸 15.春牛調 16.馬燈調 17.落水天 18.唱歌人 19.香包調 20.十二月古人 21.問卜 22.洗手巾 23.妹剪花 24.梳妝樓 25.月有情 26.五更鼓 27.大埔調 28.美濃調 29.嘆胭花 30.船夫歌 31.卜卦調 32.都馬調 33.蛤蟆歌 34.下南調 35.懷胎歌 36.古人會（羅東調）37.開金扇 38.鬧五更 39.繡花鞋 40.正月牌 41.海採茶 42.送郎歌 43.打海棠 44.八月十五 45.雪梅思君 46.上山採茶 47.採茶情歌 48.姑嫂看燈 49.勸郎怪姐 50.家家慶團圓 51.青山綠水好風光 52.渡子歌 53.勸世文 54.蘇萬松調……等。依歌詞內容大致可分爲 1.愛情類 2.勞動類 3.消遣類 4.家庭類 5.勸善類6.故事類7.相罵類8.嗟嘆類9.盼望類10.飲酒類11.愛國類12.祭祀類13.催眠類14.戲謔類15.安慰類16.歌頌類17.生活類等。㉒在依歌詞內容的類型方面，參見楊兆禎所著的《台灣客家系民歌》一書中指出，諸如家庭類，有初一朝、十八摸；工作類，有挑擔歌、苦力娘、補缸、賣茶調、撐渡船；愛情類，有送金釵、思戀歌、洗手巾、高山頂上一頭梅、天長地久心一樣；宗教類，有誦經調、唸佛調；敘人、事、物類，有勸世文、十二月古人；消遣戲謔類，有美濃山歌、下南調；愛國類，有從軍歌、馬燈調等。㉓今將列舉一些過去或現今所創作的歌謠，以供參考如下：

一、老山歌方面：

1. 摘茶愛摘兩三皮，三日唔摘就老了；
三日無見情哥面，一身骨頭酸了哩。
2. 摘茶要摘嫩茶心，皮皮摘來湊上斤；
問哥（妹）摘來做麼个，摘奔大家發萬金。

二、在山歌子方面：

1. 新做花盆放樓檯，春風緊吹花緊開；
總要樹身企得來，唔驚狂風夜雨來。
2. 食魚要食鯉鮒鰓，細人相打要牽開；
各人牽轉各人教，莫來事非一大堆。

三、在平板方面：

1. 山歌愛唱就開聲，莫來等到兩三更；
等到三更人睡盡，卡好山歌沒人聽。
2. 喊侄唱歌侄唱歌，喊侄打魚侄落河；

打魚唔怕水按深，唱歌唔怕人按多。

3. 後生時節學唱歌，唱到頭上生白毛；
四句八節唱唔好，敬請大家來指導。

四、在小調方面：

1.〈落水天〉

落水天、落水天
落水落到俚介身邊
又無遮來又無笠囉
光等頭來真可憐
落水天、落水天
落水落到俚介身邊
衫褲濕忒無要緊
雨水多咧好耕田
下雨天、下雨天
下雨下到我的身邊
又沒傘來又沒斗笠
光著頭來真可憐
下雨天、下雨天
下雨下到我的身邊
衣服濕透不要緊
雨水多了好耕田

2.〈桃花開〉

（男）桃花開來菊花黃，明明老妹有个兩三項，老妹玉手當得鴛鴦枕，老妹圓身當得象牙床，妹正妹，兩人交情救命方。

（女）心肝阿哥你按知，知得老妹有个好東西，父母生倨有个三件寶，阿哥係按愛老妹借奔你，哥正哥，兩人相好唔好奔人知。

（合）桃花開來菊花黃，兩人牽手笑洋洋，阿哥真心對妹好，將來結成好鴛鴦，好正好，將來結成好鴛鴦。

3.〈十八摸〉

摸到阿姐頭上邊哦哪嘇唷，阿姐頭上桂花香哦。
摸到阿姐頭毛邊哦哪嘇唷，阿姐頭毛烏圓圓哦。
摸到阿姐髻頭邊哦哪嘇唷，阿姐髻頭迎神仙哦。
摸到阿姐髾鬃邊哦哪嘇唷，阿姐髾鬃圓當圈哦。
摸到阿姐鬢尾邊哦哪嘇唷，阿姐鬢尾扣上天哦。
摸到阿姐額角邊哦哪嘇唷，阿姐額角會豪光哦。
摸到阿姐目眉邊哦哪嘇唷，阿姐目眉兩頭彎哦。
摸到阿姐目珠邊哦哪嘇唷，阿姐目珠看上天哦。
摸到阿姐鼻孔邊哦哪嘇唷，阿姐鼻孔好鼻香哦。
摸到阿姐嘴唇邊哦哪嘇唷，阿姐嘴唇紅連連哦。
摸到阿姐下顎邊哦哪嘇唷，阿姐下顎連上顎哦。
摸到阿姐耳孔邊哦哪嘇唷，阿姐耳孔聽得到哦。
摸到阿姐頸根邊哦哪嘇唷，阿姐頸根洗得淨哦。
摸到阿姐肩頭邊哦哪嘇唷，阿姐肩頭連上連哦。
摸到阿姐雙手邊哦哪嘇唷，阿姐雙手白如簡哦。
摸到阿姐背囊邊哦哪嘇唷，阿姐背囊好找養哦。

摸到阿姐腳臂邊哦哪噯唷，阿姐腳臂白雪雪哦。
摸到阿姐雙腳邊哦哪噯唷，阿姐雙腳好行路哦。

4.〈病子歌〉

正月裡來新年時～娘今病子無人知
阿哥問娘食麼个～愛食豬腸炒薑絲
二月裡來是春分～娘今病子頭昏昏
阿哥問娘食麼个～愛食果子煎鴨春
三月裡來三月三～娘今病子心頭淡
阿哥問娘食麼个～愛食酸澀虎頭柑
四月裡來日頭長～娘今病子心裡茫
阿哥問娘食麼个～愛食楊梅口裡酸
五月裡來是端陽～娘今病子面子黃
阿哥問娘食麼个～愛食基粽粘白糖
六月裡來熱難當～娘今病子苦難當
阿哥問娘食麼个～愛食仙草泡糖霜
七月裡來是立秋～娘今病子真無修
阿哥問娘食麼个～愛食竹筍煲泥鰍
八月裡來月團圓～娘今病子真可憐
阿哥問娘食麼个～愛食月鴿剁肉圓
九月裡來是重陽～娘今病子餓斷腸
阿哥問娘食麼个～愛食豬肝並粉腸
十月裡來是立冬～娘今生子肚裡空
阿哥問娘食麼个～愛食麻油炒雞公
土月裡來又一冬～手抱孩兒笑容容

阿哥問娘食麼个～愛你冬衫背帶裙

士月裡來又一年～手抱孩兒笑連連

阿哥問娘食麼个～愛你絲線來串錢

5.〈十二月古人〉

正月裡來是新年～攬石投江錢玉蓮

繡鞋脫掉爲古記～連喊三聲王狀元

二月裡來龍頭大～小姐繡球拋南樓

繡鞋打在呂蒙正～蒙正寒窗正出頭

三月裡來三月三～昭君娘娘去和番

回頭唔見毛延壽～手攬琵琶馬上彈

四月裡來日又長～馬上拋刀楊六郎

京城作官劉智遠～房中磨麥李三娘

五月裡來蓮花紅～秀蘭遇著張世隆

有緣千里來相會～無緣對面不相逢

六月裡來熱難當～漢朝出有楚霸王

霸王死在烏江上～韓信功勞在何方

七月裡來秋風起～孟姜烈女送寒衣

去到長城尋夫主～哭崩城牆八百里

八月裡來秋風涼～梅倫害死蘇娘娘

李氏夫人來代死～潘國一本奏君王

九月裡來是重陽～甘羅十二爲宰相

甘羅十二年紀少～太公八十遇文王

十月裡來過大江～單人獨馬關雲長

過了五關斬六將～擂鼓三通斬蔡陽

土月裡來又一冬～孟宗哭竹冬山中
孟宗哭竹冬生筍～郭已埋兒天賜金
土月裡來又一年～文公走雪真可憐
橋頭遇上韓湘子～薛擁攔關馬不前

6.〈無妻歌〉

台灣早期社會男多女少，許多男子娶妻不易，因此，有所謂的〈無妻歌〉：

一想無妻真孤棲，朝朝河邊來洗衣，
手拿衫褲浸落水，幾多暗切無人知。
二想無妻哥自家，朝晨暗晡自己模，
睡到三更思想起，目汁流來枕頭下。
三想無妻哥打單，恰似野船在海灘，
日裡無伴遊四海，夜裡無人好做伴。
四想無妻真寒酸，自己洗衫自己漿，
衫褲爛踏無人補，又無妻子煮三餐。
五想無妻哥想真，拜託朋友做媒人，
思量日後無牽掛，丟忒香煙靠何人。
六想無妻哥想長，朋友勸俚討鋪娘，
生子好來傳後代，緊想緊真緊痛暢。
七想無妻出外鄉，有錢莫入錶子行，
當今女子無情義，錢銀留來做病糧。
八想無妻打單身，賺錢不可顯風神，
提防日後得到病，身邊無錢望何人。
九想無妻打單儕，賺錢不可亂亂花，

少年時節不曉要，香爐吊在竹頭下。
十想無妻真可憐，句句說出無虛言，
風流兩字無了日，枕上夫妻正值錢。㉔

這首〈無妻歌〉表達了無妻的孤棲、寂寞、無嗣、養老，難過種種的內心話，而希望娶老婆。

7.〈無夫歌〉

真正的理想幸福社會，是希望能做到「內無怨女，外無曠夫」，而沒有丈夫的女子，一般而言，都是希望嫁個好丈夫，如〈無夫歌〉充分顯示了嫁丈夫的渴望：

一想無夫真悽慘，幾多暗切無人知，
命歪出世來當界，好好壞壞著戀渠。
二想無夫真可憐，水鬼乞食做一間，
一句言語係無順，慘過前生結仇冤。
三想無夫做人難，做人恁好人愛嫌，
言語少講無歡喜，講得多來人笑含。
四想無夫淚涔涔，無介丈夫做主人，
牛皮燈籠點蠟燭，點得光來外不明。
五想無夫妹知差，可比黃蜂採野花，
一點紅花人採走，老咧無雙害自家。
六想無夫妹難當，命歹出世來當猖，
必定前生有做惡，今生雪上又加霜。
七想無夫妹可憐，紅頭花赤毋知天，
有時有日得到病，無人敢到妹床前。
八想無夫命真歪，無人會來同情佢，

一心為錢無顧命，毋當奄堂來食齋。
九想無夫無想長，父母年老在高堂，
爺娘生我多辛苦，恙般生倨無夫郎。
十想無夫妹想真，情願從良改嫁人，
嫁介丈夫會相惜，半飢半餓也甘心。㉕

這首〈無夫歌〉裡，顯示了無夫的悽慘、可憐，不好做人，無人可以做主的孤單，甚至認為是一種罪惡，身陷苦海而不能自拔，寧願嫁個丈夫過日子，正是內心的獨白。

在有關過去有名的傳統客家歌謠歌手方面，早在七十年前，台灣的音樂主流，是由一群客家人主導，其中擅長雜唸的苗栗人——蘇萬松，更是日治時期少數受日本哥倫比亞唱片公司倚重的台籍歌手。山歌仔在他口中可以變成平板，偶爾加些他最擅長的雜唸，使之整個曲風，不但節奏輕快，也更多了一些試驗性的趣味。他最受人稱道的是他愛用小提琴當樂器；有別於以二胡領導的山歌品牌，在當時紅極一時。在他錄製的十幾張作品中，他的成名曲包括有勸世文、二十四孝、大舜耕田、兄弟骨肉親等。他的這些作品，除了在海峽兩岸熱賣，也受英、美、日等國人士的珍藏，每次發行少者二萬張，多達六、七萬張，由於是雜唸的關係，當時外國人都把他的音樂當成是台灣的爵士樂來欣賞，並把它認為是台灣音樂的代表。由於當時還沒有所謂的抽版稅的概念，唱片暢銷的所得全給唱片公司賺走，而他自己卻落魄到必須走江湖賣藝才能維生，直到中年，他在苗栗市開了一家布行，老年生活才獲安頓，死時才六十幾歲。㉖在二〇〇四年（民國 93 年）十月的「a-ha 2004 客家藝術節」中，福爾摩沙合唱團則利用不同和聲技巧，推廣本土客家音樂，並唱出客家的情意與感動。台灣客家山歌團則致力於蒐集客家山歌及研究各地唱腔，來推廣雅俗共賞的山歌及歌謠。至於，惠風舞蹈室方面，則致力客家史料與歌謠，以舞蹈來詮釋客家文化。㉗

第三節：客家童謠與兒歌

客家人是詩歌的民族，客家人有時出口成章，出口成詩，其實是很高雅很文學的。吟是誦的延伸，唱是歌的加強，吟唱是語言的再創作，更是語言的音樂化。在有曲調與節奏的律動下，來從事客家童謠詩詞的吟唱，不但能豐富您的心靈，滋潤您的心田外，更能使您的人生將如潮水般昇起，感到豐富典雅與滿足。

客家童謠的主要特色，就是用「唸」，唸童謠對孩子而言，可說是一種很好的娛樂遊戲。它不但是孩童時期的良伴，也是長大之後難以抹滅的回憶。童謠是兒童唸唱的歌謠，又有人把它稱之爲「兒歌」。本來童謠與兒歌，應該有不同的意義與區別。根據毛傳注云：「曲合樂曰歌，徒歌曰謠。」又根據《韓詩章句》云：「有章曲曰歌，無章曲曰謠。」由上可知，在古代之人對於歌與謠的區別，即「歌」爲可唱可和、有固定曲調、有樂器伴奏，而「謠」則爲可吟可誦、無固定曲調、無樂器伴奏的情形。不過，到了現今「歌」與「謠」已經不再有明顯的區別，而有逐漸走向「合流」的現象了。

古今中外任何民族，有兒童的地方，就有屬於他們的歌謠。在那天籟般的聲音以及純真自然流露的歌聲中，自兒童心中引起共鳴後，立刻以一傳十、十傳百的方式，沿著江河或翻山越嶺的流傳到另一個地方。

童謠的音樂性表現在它語言的音樂美和節奏感，它通常使用雙聲、疊韻、複沓、對比等手法，使得童謠唱起來非常的悅耳動聽。童謠是兒童樂觀人生的表徵，也是他們百唱不厭的詩篇。它是由一種沒有押韻的束縛，也沒有不押韻的規定的言語平白，長短不定，句式不定，結構也都不一定的有些有意義或一些無意義的字句所組成。在它的內容方面，上自歌誦爸爸媽媽、宇宙人生、信仰倫理習俗，下至瓜果、鳥獸蟲魚無所不包。其情形，以動物為起興者，諸如有「火螢蟲」、「禾畢兒」、「雞谷仔」、「阿鵲仔」、「火金姑」、「七星姑」、「阿啾箭」、「鴨嬤呱呱」、「蟾蜍囉」……等。以植物為起興者，有「韭菜花」、「田邊草」……等。以人物為起興者有「懶尸婦道」、「老大伯」、「阿兵哥」、「好姑娘」、「阿丑琢」、「掌牛哥仔面黃黃」……等。它的種類，有的直接敘述，有的逗趣，有三言、五言、七言等為主外，也有混合句式的歌謠，其情形，全首以三言和五言，構成的童謠諸如有「伯勞仔，喙哇哇，有喙話別人，無喙話自家。」〈伯勞仔〉。全首以三言和七言，構成的童謠，諸如有「雞公仔，尾鉈鉈，三歲孩兒會唱歌，毋係爺娘教得會，自家精怪無奈何。」〈雞公仔〉。全首以五言和七言，構成的童謠，諸如有「先生教倨人之初，倨教先生打山豬，山豬飆過河，跌到先生背駝駝。」〈人之初〉。全首以三言、五言、和七言混合構成的童謠，諸如有「白翼仔，飛過河，河背人，娶老婆，有錢討個金滿姐，無錢討個癲痢嫲、癲痢學吹笛，歕笛毋會響，捉你做保長，保長保生理，馬褂套簑衣，簑衣忒過長，剪短一尺長，看去真排場。」〈白翼仔〉。這些歌謠，隨著他們活潑的心靈，並稍微講求韻腳諧和、動聽脫口而出的要怎麼唸，就怎麼唸的把它表現出來。

在童謠的特質方面，在傳統的客家童謠，並非由一人一地一時之作，它具有民間文學匿名、集體、口傳、傳承、變異等特性外，又根據俗文學專家朱介凡先生的指出，它有 *1.* 句式自由 *2.* 結構奇變 *3.* 比興特多 *4.* 聲韻活潑 *5.* 情趣深厚 *6.* 意境清新 *7.* 言語平白 *8.* 順口成章等特點。在它的功能方面，在孩童的成長過程中，除了能增添孩子們的不少生活樂趣外，也是一種孩童練習口才的工具。在它的流傳方面，完全靠口傳，沒法形之筆墨，也沒法被之管絃，因而容易失傳的同時，有時又出現在同一首歌謠，在不同的地方，會改變一些原來的面貌，而有不同的唱法。

在客家地區，在過去由於受到電視娛樂普及化的衝擊，使之客家童謠漸次量減，直到九〇年代，藉著母語教學的提倡，客家童謠才又漸漸出現。在這些新創作的客家童謠中，大致可以依詞曲性質被細分爲三類。一、是沿用古詞而新作的曲，有如「伯公伯婆」、「月光光」。二、是詞曲都是全新創作的，有如「大憨汽車」、「屋簷鳥子好講話」。三、是借用名曲重新填詞的，有如「兩隻老虎」、「童年真快樂」等。在有關現有的客家童謠方面，今將參考陳運棟的《客家人》、馮輝岳的《客家童謠大家唸》、徐運德的《客家童謠集》等書籍，並做適當的摘錄，以供參考如下：

1. 一二三：「一二三，王先生；阿車哥，戴笠麻；勾勾糾糾一尾蛇。」
2. 一歲嬌：「一歲嬌，二歲嬌，三歲檢柴爺娘燒。四歲學績絮，五歲學賡布，六歲學繡花，七歲繡出牡丹花，八歲食爺飯，九歲當爺家，十歲背子轉外家。爺接到，爺歡喜，娘接到，娘思量。大哥接到快快打魚塘。細哥接到，快快去剛羊，細嫂接到，快快擄禾稈攤眠床。大嫂接到，大家歡喜一場。」、「一歲嬌，二歲嬌，三歲檢柴爺娘燒。四歲學績綵，五歲學紡縲。六歲學做花，七歲做出牡丹花。八歲食爺飯，九歲食郎飯，十歲背子轉外家。」、「一歲嬌，二歲嬌，三歲檢柴爺娘燒。四歲學績麻，五歲學賡布。六歲學繡花，七歲繡出牡丹花。八歲食爺飯，九歲當郎家。十歲帶子轉外家。阿爸接到笑一場，阿姆接到剛豬羊；細娘接到扛到屋簷背，雞啄心肝血洋洋。」、「一歲嬌，二歲笑，三歲攬柴過田阿媽燒。四歲扛得油燈盞，五歲織得好幼麻；六歲繡朵牡丹花，七歲媒婆就來說，八歲就食人茶麻；九歲留髮十歲嫁，十一歲攬子做阿媽。」

3. 一張檯：「四四方方一張檯，年年讀書偓也來，你讀三年唔識字，偓讀三年進秀才。」

4. 一枝竹仔晃啊晃：「一枝竹仔晃阿晃，半路討新娘，新娘無插花，瓠仔打冬瓜，冬瓜好煮湯，糠仔搞籠糠，籠糠好燒火，灶頭背一個張古老。」（巫秀淇提供）

5. 十字歌：「一一一，松樹尾上一管筆。兩兩兩，兩子親家打巴掌。三三三，脫去棉襖換單衫。四四四，兩子親家打鬥趣。五五五，五月十五好嫁女。六六六，河背村莊火燒屋。七七七，天上落雨地下濕。八八八，窮苦人家捋粥缽。九九九，兩子親家飲老酒。十十十，糈粑粄子軟入入。」、「一一一，松毛樹上吊管筆。兩兩兩，兩個親家打巴掌。三三三，脫撇棉襖換單衫。四四四，梅溪宮前打醮聚。五五五，五個婿郎打花鼓。六六六，六月割禾啜鮮粥。七七七，當梨烏一滴。八八八，當梨潑潑跌。九九九，當梨好蒸酒。十十十，糈粑粄子軟入入。」

6. 十月朝：「十月朝，牛放膘，狐狸吊頸死，老虎跌斷腰。」

7. 又好噭又好笑：「又好噭，又好笑，阿公剻老貓，貓仔叫豺豺，阿公著紅鞋，紅鞋脫啊忒，貓仔鑽入泥。」

8. 八羅嘰嘎：「八羅嘰嘎，開聲愛嫁；嫁畀鄰舍，鄰舍肚飢；嫁畀唐基，唐基路遠；嫁畀阿遠，阿遠命歪；嫁畀老弟，老弟命短；嫁畀竹管，竹管籠籠空空；嫁畀雞公，雞公横横走；嫁畀老狗，老狗太𡃁；嫁畀吹笛，吹笛庚古；嫁畀老鼠，老鼠嘰嘰嘰嘰；腋下兩粒疙。

9. 七姑星、七姊妹：「七姑星，七姊妹，打開園門來摘菜，摘一皮，留一皮，留明天，嫁屘姨，屘姨嫁到叔公禾埕背，鴨凱水，貓炒菜，雞公舂米狗踏碓。」、「七姑星、七姊妹，打開園門來摘菜，摘一皮，留一皮，留來明天嫁屘姨，屘姨幾多歲？十八歲。嫁到那位去？嫁到叔公院子背。」、「七姑星，七姊妹，打開園門來摘菜，摘一皮，留一皮，留到天光日嫁屘姨，嫁到那？嫁到禾埕背，雞公礱谷，狗踏碓，鵝凱水，鴨洗菜，狐狸燒火，貓炒菜，鴨母浸水，督目睡，貓摸屎物（肩朏），點點睡。」、「七姑星，七姊妹，汝入園，我摘菜，摘一皮，留兩皮，留到明年今日嫁屘姨，莫嫁上，莫嫁下，嫁到河唇爛屋下，又有糖，又有蔗，食到阿姨牙煞煞。」

10. 人之初：「人之初，性本善，先生教俚挑火炭，害俚挑到滾滾戰。」、「人之初，性本善，上背埔，改紅鱔，改到紅鱔釣魚仔，釣畀先生好綁飯。」

11. 人兒細細有斤兩：「人兒細細有斤兩，麻兒細細噴噴香，黃豆細細圓叮噹，石兒細細掉過江，拳頭打得石頭頭破，拿到紅帖寫文章，滿人讀得佢個文章識，送只雞健畀佢做生日。」「健」字讀亂。

12. 人也鬼：「人也鬼？籮也簍？飯湯也水？穿山也過凹？騎馬也坐轎？笠麻也涼帽？屙屎也屙尿？安龍也打醮？嘈交也講笑？腳跛也假跳？看庵也遊廟？屁卵也紙炮？打去公公調。」

13. 小人物：「小人物，打赤腳。好食飯，懶工作。菜盲好，先上桌。喊食飯，打赤膊。喊做事，尋衫著。牽豬哥，兩條索。蛤蟆噭，嘓嘓嘓。釣蛤蟆，掩嘴角。食甘蔗，全係粕。食田螺，專專殼。」（詞：陳成乾）

14. 千思量：「千思量，萬思量，有錢莫討後來娘，前娘剛雞留雞髀，後娘剛雞留雞腸，食到雞腸臭雞屎，才知前娘唔好死。」

15. 三叔公：「三叔公，扇子拍啊拍，鬚子抹啊抹，扇子跌踢了，鬚子打結了。」

16. 大箍牯：「大箍牯，食飯綁菜脯，三餐無米煮，上山打老虎，老虎走路山空肚，笑佢大箍牯，害佢目汁濫甘，轉去打老鼠。」

17. 火螢蟲：「火螢蟲，唧唧蟲，桃兒樹下吊燈籠。燈籠光，照四方；四方暗，跌落崁；崁下一枚針，檢來送觀音；觀音面前一叢禾，割一擔又一籮，分給你來佢又無。」

18.月光光：「月光光，秀才郎，騎白馬，過蓮塘。蓮塘背，種韮菜，韮菜花，結親家；親家門前一口塘，畜個鯉麻八尺長。頭節拿來食，尾節留來討婦娘。討個婦娘矮嘟嘟，煮個飯呀嗅層朏。討個婦娘高天天，煮個飯呀臭火煙。」、「月光光，照四方；四方暗，照田崁，田崁鳥，照鴣鴣，鴣鴣兒，啼一聲，老鼠兒，挖油罌；挖呀入，挖呀出，撞到先生層朏。」、「月光光，秀才娘，船來等，轎來扛，一扛扛到河中心，蝦公毛蟹拜觀音，觀音腳下一朵花，拿畀阿妹轉妹家，轉去妹家笑哈哈」、「月光光，好種薑，薑劈目，好種竹，竹開花，好種瓜，瓜會大，摘來賣，賣到三點錢，學打棉，棉線斷，學打磚，磚斷節，學打鐵，鐵生鏽，學殺豬，豬會走，學殺狗，狗會咬，學殺鳥，鳥會飛，飛到奈裏，飛到榕樹下，檢到一個爛冬瓜，拿轉去，瀉到滿廳下。」

19.火金姑：「火金姑，來食茶；茶燒燒，來食芎蕉；芎蕉冷冷，來食龍眼；龍眼滑滑，來食藍芨；藍芨還滿結好，食了會落牙齒。」

20.天皇皇：「天皇皇，地皇皇，俚家有個愛哭郎，路邊君子念三遍，一覺睡到大天光。」

21.禾畢兒：「禾畢兒，髻東東，井頭食水望舅公。」、「禾畢兒，嘴哇哇，上桃樹，啄桃花。桃花李花畀你啄，莫啄到俚龍眼荔枝花。龍眼留來生貴子，荔枝留來轉外家」、「禾畢兒，叫呀呀，上桃樹，採桃花。桃花李花畀你採，莫採侄個牡丹花，牡丹花，侄愛留畀阿姊轉外家。」、「禾畢兒，尾釘釘，背銃打先生。先生翻下轉，食個燒屁卵。」

22.平平坐：「平平坐，唱山歌，爺打鼓，子打鑼，食杯酒，挾塊茄，挾畀你來侄又無，打爛鐘子向阿婆，阿婆告狀，阿公上樹望，望到一條蛇，嚇到孫兒地上爬。望到一條狗，嚇到孫兒嚷嚷走。」

23.打四子：「頭放雞，二放鴨；三開刀，四攏合；五打掌，六抱胸，七旋手，八摸鼻，九摸耳，十來抓狗屎。」

24.田邊草：「田邊草兒開白花，侄爺侄姆話侄唔做家。等到明年正月節，滴滴打打過別家。」

25.白蓮花：白蓮花，白蓮花，水塘做屋下。深深介濫泥，烏烏介泥沙，佢毋驚也毋怕。侄愛學該白蓮花，毋管濫泥有幾烏，毋管環境有幾差，也愛白白淨淨開到日頭下！

26.先生教侄人之初：「先生教侄人之初，侄教先生打山豬，山豬飆過河，跌到先生背駝駝。」飆即「跳」。

27.好姑娘：「勤儉姑娘，雞啼起床。梳頭洗面，先煮茶湯。灶頭鍋尾，光光端端。煮好早飯，剛剛天光。灑水掃地，擔水滿缸。吃完早飯，洗淨衣裳。上山檢柴，急急忙忙。淋花種菜，燉酒熬漿。紡紗織布，唔離間房。針頭線尾，收拾櫃箱。唔說是非，唔敢荒唐。愛惜子女，如肝如腸。留心做米。無穀無糠。

人客來到，細聲商量。歡歡喜喜，檢出家常。雞春鴨卵，豆豉酸薑。有米有麥，曉得留糧。粗茶淡飯，老實衣裳。越有越儉，唔貪排場。就無米煮，耐雪經霜。檢柴出賣，唔畜私囊。唔偷唔竊，辛苦自當。唔怨丈夫，唔怪爺娘。此等婦人，正大賢良。人人說好，久久留芳。能夠如此，真好姑娘。」

28. 行行坐坐：「行、行、行到街邊檢個橙；橙好食，又好甜。坐、坐，平平坐，等米來，米唔過，姊夫挑擔油擠過，畀人唔畀倨，降個蘊兒，將來也係無凳坐。」

29. 羊咩咩：「羊咩咩，食青草，青草香，味道好，看到人來，咩咩咩，毋知唱麼介歌喲；羊咩咩，咩咩，性情好，咩咩，幼幼的毛，細細的角，借倨摸一下，做得麼？」（馮輝岳作詞，李克中作曲。）

30. 羊子尾巴：「羊子尾巴，唱歌南蛇，長竹篙，打南蛇，短竹篙，打老虎。」

31. 老大伯：「老大伯，掰兩爿，罌缶裝，石頭壓，愛食自家掰。」

32. 伯勞兒：「伯勞兒，嘴哇哇，有嘴話別人，無嘴話自家。」

33. 赤梗兒：「赤梗兒，赤丟丟，倨爺同下潮州，潮州有滿人？有大舅打個銀燈盞，細舅打個銀燈心，上廳撥火下廳光；照見新娘排嫁妝，開開籠，開開箱，檢到檳榔四四方，琢兜爺食爺歡喜，琢兜嬢食嬢思量；琢兜嫂食嫂繡花；琢兜哥食哥騎馬，騎到且婆門腳下，且婆問你愛糟呀愛粄？唔愛糟唔愛粄，總愛三拋綵線掛白馬。」

34. 投！投！投！：「投！投！投！愛投就來投！行到半路頭，睹到一個大光頭，兩儕相撞，碚到一個瘻，媽媽拿個薑嫲頭，來挼該個瘻，哎呦！哎呦！痛到會死，害佢目汁流到滿褲頭！」（詞：林勤妹）

35. 阿啾箭：「阿啾箭，尾鉈鉈，無爺無娘騰叔婆，叔婆哩？掌牛哩！牛哩？賣忒哩！錢哩？討姉娘！姉娘哩？走忒哩！」

36. 乖乖上轎：「莫嗷莫嗷，乖乖上轎，又有鑼鼓，又有花轎；暗晡夜又有新郎公同你嬲。」、「妹妹莫嗷，乖乖上轎，又有新鞋，又有新帽，又有新郎公同你嬲。」

37. 阿鵲兒：「阿鵲兒，打盤車，打在大姊門斷下。大姊問你幾時嫁？上晝梳頭下晝嫁。廚房梳頭嫂會罵，簷唇洗面哥又罵。哥呀哥，你莫罵！晨朝後日佢會嫁。」、「阿鵲兒，打盤車，一打打到大姊門檻下，大姊問你幾時嫁？今晡梳頭今晡嫁。莫嫁上，莫嫁下，一嫁嫁到大水壩，一頭糖，一頭蔗，食到滿姨牙射射。」

38. 姑姑嫁，佢也嫁：「姑姑嫁，佢也嫁；姑姑嫁在三河壩；姑姑擎個新洋遮，佢今戴個笠麻花；姑姑拿個花藍仔，佢今帶個爛籮仔；姑姑著個繡花鞋，佢今著個爛草鞋；繡花鞋，爛草鞋，好死姑姑才過侄。」

39.阿兵哥，落來坐：「阿兵哥，落來坐，坐到黃雞膏，食黏糖，綁雞膏，去到車頭屙痢肚，轉來河邊洗屎物（屘朏）。」

40.阿丑琢：「阿丑琢，賣膏藥，賣無錢，火就著，頭臚拿來剁。」

41.阿貓牯：「阿貓牯，出門打老鼠，老鼠跌落埤塘肚，拿來煮，全家食落肚，爬床抓蓆肚屎痛，何麼介死苦！」

42.阿土伯：「阿土伯，屎物（屘朏）扒到兩三酒，煮清湯，請人客，人客食到嘴拔拔。」

43.神前下，十八家：「神前下，十八家，朝朝起來望水花，無米煮，煮泥沙，無床睡，睡天下，無被蓋，竹葉遮，無菜食，食樹芽。」

44.盼望：「阿啾箭，阿啾唧，上背叔婆做生日，唔知愛畀侄去也唔畀侄去，害侄打扮兩三日。」

45.洋葉子：「洋葉子，烏嘟嘟，莫笑阿哥著爛褲，等到阿哥過番風水轉，糯米褂子紡綢褲」、「洋葉子，飛高高，船來等，轎來扛。麼花鞋，唔上轎；麼白扇，遮日頭；阿姊唔使愁，嫁到西山大門樓。」、「洋葉子，葉葉洋。碓下插米碓下量，前娘切雞留雞臂，後娘切雞留雞腸，食到雞腸臭雞屎，才知前娘唔好死。」

46.洗衣裳：「月亮光光，打開城門洗衣裳；洗白白，洗淨淨，打發阿哥去學堂；學堂滿，嫁筆管；筆管通，嫁相公；相公矮，嫁螃蟹；螃蟹瘦，嫁綠豆；綠豆菁，嫁觀音；觀音下來拜四拜，黃狗咬到觀音帶；觀音帶上有個錢，買黃蓮；黃蓮苦，買豬肚；豬肚薄，買菱角；菱角尖，買馬鞭；馬鞭長，買屋梁。屋梁高，買把刀；好切菜，好切蔥；一切切到手指公，一盆血，一盆膿。」

47. 逃學狗：「逃學狗，滿山走，走無路，爬上樹，樹斷椏，跌落水缸下，轉去藏到眠床下，佢母捉來罵，佢爸捉來打，鄰舍圍來看，大家笑哈哈。」、「逃學狗，滿山走，走無路，爬上樹，跌落屎缸下，撿到一個大糟粑，拿轉去，瀉到滿廳下。」

48. 指點人王：「指點人王，水浸馬堂，馬尾一拂，拂轉奈隻？」

49. 缺牙扒：「缺牙扒，扒豬屎，種金瓜，言曾大，拿來賣；賣到三百錢，學打拳，拳棍斷，學打磚，磚又缺，學打鐵，鐵生鏽，學剻豬，剻豬又蝕本；學賣粉，粉臭餿，學賣狗，狗腳短，學賣碗，碗底深，學賣針，針會屈，阿彌陀佛。」、「缺牙扒，扒泥沙，扒呀扒種冬瓜。冬瓜長，割來嘗，冬瓜大，割來賣；賣到兩個錢，拿來學打拳。拳棍斷，學打磚；磚又缺，學打鐵。打鐵又生鏽，改行學剻豬；剻豬又蝕本，改行學賣粉；賣粉又臭餿，改行學吹簫；吹簫又唔響，改行學賣唱；賣唱聲唔好，改行賣氈帽；氈帽爛個窿，改行賣燈籠；燈籠無賺錢，買斤豬肉好過年。」

50.海豐新年歌：「初一拜人神，初二人拜人，初三窮鬼日，初四人等神，初五神落天，初六正是年，初七不出，初八八不歸，初九九空頭，初十人迎行，十一嚷擠追，十二搭燈棚，十三人開燈，十四燈火明，十五人行街，十六人整犁。」

51.烏子哥：「烏子哥，著烏靴，去奈來，掌牛來，牛到奈去呢？賣忒哩，賣到幾多錢，賣到三文錢，錢奈去呢？討婦娘討忒哩，婦娘奈去呢？上山割薔跌死哩，麼個裝，竹殼裝，麼個抬，筷隻抬，抬到奈位埋？抬到粟子樹下埋。」

52.茸坤丸：「茸坤丸，踏腳丸；跳呀跳，蛇哥跳。蛇呀蛇，青龍蛇；青呀青，長親。長呀長，巴掌。巴呀巴，糈粑。糈呀糈，馬薺。馬呀馬，白馬。白呀白，雪白。雪呀雪，落雪。落呀落，長樂。」

53.唔好嗷：「唔好嗷，唔好嗷，偓帶你來去拔蕃豆，蕃豆掛掛泥，你個阿姊嫁畀偓。」

54.晃楨晃：「晃楨晃，賣豬腸，等新娘，新娘無插花，瓠仔打冬瓜，無子打籠糠，籠糠好燒火，灶坑前，銀韌銀，甜粄煎豬油。」（魏廷昱提供）

55.烏了哥，烏梭梭：「烏了哥，烏梭梭。你的牛呢？賣忒了。錢呢？討婦娘了。婦娘呢？降蘯仔了。蘯仔呢？大了畜鴨嫲了。鴨嫲呢？生卵了。卵呢？煮來請人客吃掉了。人客呢？去屙尿了。尿呢？挑去淋菜了。菜呢？開花了。花呢？結籽子。籽呢？榨油了。油呢？點火了。火呢？噴烏了。」

56. 排排坐：「排排坐，唱山歌，爺打鼓，子打鑼，辛臼灶背炒田螺，田螺殼，刺到家官腳，家官呀呀叫，辛臼哈哈笑。」、「排排坐，唱山歌，爺打鼓，子打鑼，辛臼炒田螺，阿公燒火背駝駝，阿婆檢樹皮，阿妹唱山歌。」

57. 菱角兒：「菱角兒，菱角塘，菱角開花白茫茫，一陣姊妹嫁忒哩，留𠊎細姑憶爺娘；憶爺娘，心肝脫；黷黷姊妹路頭長。黷黷梳頭送姊歸，送到深山兩微微，黷黷羅裙還較得，黷黷繡鞋千步針。」

58. 釣槓彎彎：「釣槓彎彎，釣黃鱔；釣槓拱拱，釣滿桶；釣槓直直，釣無食；釣槓短短，釣𪘲卵。」

59. 婦人家：「婦人家，著烏褲，舉綢傘，坐火車，溜上又溜下。」

60. 臘蔗甜竹蔗苦：「臘蔗甜，竹蔗苦，河頭河尾剛牛牯，你拿腸，𠊎拿肚，拿轉阿婆阿姊煮。」

61. 菜籃姊：「菜籃姊，菜籃姑，八月十五請你下來嫐一暗晡。長苧𠊎有績，短苧𠊎有機。長苧織個長麻布，短苧織個手巾鬚。燈心架橋你要過，竹葉做船你要來，你要來只管來，莫去河唇河嘴搞溜苔，莫在門前門背企呆呆。」

62. 過年：「過年，過年，大門兩片貼春聯，打鑼打鼓鬧煎煎。過年，過年，又有新衫著，又有蹧年錢。過年，過年，大家歡歡喜喜迎接春天。」

63. 農村景象：「清明前，阿哥好蒔田。清明後，阿妹好種荳。豬嫲降子，滿豬兜。鵝公鵝嫲，相好佳佳叫。雞公打雞嫲，黃狗逫花貓。屋簷雕仔，啾啾叫。鴨公鴨公嫲，歡喜打孔竅。掌牛哥兒，放牛相鬥。細阿姐看到，微微笑。鄉下農村，好預兆。」（詞：陳成乾）

64. 掌牛哥仔面黃黃：「掌牛哥仔面黃黃，三餐食飯愛撈糖，你爸毋係開糖店，你母毋係繡花娘，你哥毋係開銀行，你姊毋係觀音娘。」

65. 落雨毛：「落雨毛喂——打蝦公，打到三斤半，唔夠你母做月半。」

66. 斑之嫲：「斑之嫲，荔枝殼，上竹頭，扒竹殼；下竹頭，鬼拖腳。」

67. 第一先死：「第一先死，第二掛紙，第三騎白馬，第四做阿爸，第五舉剪刀，第六剪豬毛。」

68. 新織籠：「新織籠，紡紡花，拗朵花兒降鵝嫲，鵝嫲面前一本書，拿畀阿哥去讀書，阿哥拈到一條金腰帶，拿畀阿嫂繡花鞋，繡到花鞋八九箱，拿畀上街叔婆牽新娘，『新娘娘』，問你來路有幾長，十個長江九個凹，十爐佛子九爐香。」

69. 碟兒豚：「碟兒豚，炒牛肉，牛肉饡饡香，拿畀你綁粥。」

70. 新年樂：「過新年，過新年，家家戶戶慶團圓，年初一，真恭喜，恭喜發財賺大錢。過新年，過新年，著新衫，著新褲，老人家，細人仔，拿到紅包笑連連。過新年，過新年，敬天神，拜天公，全家共下拜祖先，保佑平安富貴年。過新年，過新年，迎龍打獅貼春聯，大街小巷喜洋洋，爆竹催春響連連。」（詞：林勤妹）

71. 腳踏車：「腳踏車，鐵做介馬，走上又走下，毋使食水，毋使食茶，歡歡喜喜滿地爬，毋會食禾，毋會食蔗，乖乖聊等，盡聽話，腳踏車，鐵做介馬，畜到滿天下。」（詞曲：涂敏恆）

72. 趙錢孫李：「趙錢孫李，隔壁舂米；周吳鄭王，偷米換糖；馮陳褚衛，大家鬥趣；姜沈韓楊，食了屁響。」

73. 蝴蝶兒：「蝴蝶兒，飛過崗，船來等，轎來扛；扛到路中央，扛到百花上，做花王。」

74. 撮把戲介風：「春天撮把戲介風，吹到雅屋家，樹仔發芽水果開花，百合花暢到滿山噴喇叭；熱天撮把戲介風，吹過大河壩，鵝也嘎嘎鴨也嘎嘎，牽牛花牽牛落水捉蝦；秋風吹過大山崎，滿山芒花東羅帕，夜來星仔偷約會，難分難捨不回家；寒風吹過西伯利亞，天地忽然起濛紗，東西南北白淨淨，恬恬靜靜無人講話。」（詞曲：涂敏恆）

75. 䮈古盤：「䮈古盤，團團圓，做人辛臼真艱難，豬肉魚肉俚無份，臭風鹹菜送上前。」

76. 嘴嘟嘟：「嘴嘟嘟，賣豆腐；嘴扁扁，賣牛眼；嘴圓圓，賣粄圓；嘴長長，賣豬腸。」

77. 樹上鳥兒叫連連：「樹上鳥兒叫連連，愛討餔娘又無錢，兜張凳子同爺講，講來講去又一年。」

78. 龍眼雞：「龍眼雞，嘴蕤蕤，擎碗片，過漳溪，漳溪人，作大福，偷人一隻黃雞鵠；趕下山，山無路，走上樹；樹無杈，跌落深壢下；皮做皮，骨做骨；擔過饒牛換豬骨；豬骨香，換子薑；子薑辣，接鐃鈸，鐃鈸響，換頂黨；頂黨烏，換鷓鴣；鷓鴣嗶嗶啼，滿姑學做鞋。」

79. 鴨嬤呱呱：「鴨嬤呱呱，嫁畀鄰舍；鄰舍巖琢，嫁畀瓠杓；瓠杓舀水，嫁畀酒罋；酒罋摻糟，嫁畀猴哥；猴哥上桌，嫁畀桌腳；桌腳落地，嫁畀王阿二。」

80. 鴨嬤打孔竅：「愛噭，愛笑，鴨嬤打孔竅。」

81. 豬哥伯：「豬哥伯，剖開洒，盎缸裝，石頭砸，煮清湯，請人客，高凳坐，矮凳貼。」

82. 頭放雞（與「打四子」相同）：「頭放雞，二放鴨，三開刀，四攏合，五打掌，六抱胸，七旋手，八摸鼻，九摸耳，十來抓狗屎。」

83. 點點篤篤：「點點篤篤，那個鬼仔，舉火燒屎物（眉朏）。」

84. 繞口令：「俚有一條鍊，鍊上絢條線，唔知鍊絢線？線絢鍊？」、「俚有一隻狗，狗尾拖個斗，唔知狗拖斗？斗拖狗？」、「侄有一隻鵝，放在羅姓蘿，唔知侄個鵝？羅個鵝」、「水打一隻屐，打在石上夾，唔知石夾屐？屐夾石？」、「水流一對鞋，流在泥上埋，唔知泥埋鞋？鞋埋泥？」、「阿姆個且姆，且姆個阿姆？」、「三帝廟個鼓，打打爛布來補，唔知鼓補布？布補鼓？」、「東門一個鼓，西門一個鼓，耳聾打破鼓，拿布走去補。唔知係鼓補布？也是布補鼓？」

85. 轉妹家：「轉妹家，坐早車，正月去，二月轉，轉來雞嫲吂生卵，雞公哇哇啼，牛嫲吂掛胎，牛子學拖犁。」

86. 蟬仔叫來唧唧唧：「蟬仔叫來唧唧唧，無爺無娘跟阿姨。阿姨食的糯米飯，蟬仔食的飯湯皮，阿姨睡的高高床，蟬仔睡的爛眠床；阿姨著的金線衫，蟬仔著的爛簑衣。」

87. 蟾蜍囉：「蟾蜍囉，蟾蜍囉，囉咯囉，唔讀書，無老婆。」、「蟾蜍囉，歌高歌，唔讀書，無老婆。」

88. 懶尸婦道：「懶尸婦道，說起好笑。半晝起床，嗓三四到。頭髮蓬鬆，冷鍋死灶。水也唔挑，地也唔掃。苧也唔績，紗也唔絞。叫三叫四，左停右嬲。偷食野飲，唔顧家教。不理不管，養豬成貓。老公打裏，開口就噭。詐走落塘，瓜棚下嬲。捉起再打，無氣可報。去投外家，目汁如尿。歸唔敢歸，嬲唔敢嬲。外家送轉，惹人恥笑。當初娶來，用銀用轎，早知如此，貼錢不要。」、懶尸婦道：「懶尸婦道，說起好笑。半晝起床，噪三四到。日高半天，冷鍋死灶。水也唔挑，地也唔掃。頭髮蓬鬆，過家去嫐。講三講四，哈哈大笑。田也唔耕，又偷穀糶。唔理唔管，養豬成貓。老公打裏，開口大嗷。去投外家，目汁像尿。外家正大，又罵又教。歸唔敢歸，嫐唔敢嫐。送回男家，人人恥笑。當初娶來，用銀用轎，早知如此，貼錢不要。」

89. 雞公兒：「雞公兒，尾拖拖，三歲孩兒會唱歌，唔係爺娘教得會，自家精怪無奈何！」

90. 雞鵠兒：「雞鵠兒，髻纍纍，井邊擔水淚垂垂；人家問佢做麼個，無爺無娘受人虧。簷前洗面哥愛罵，房裡梳頭嫂愛搥；嫂莫搥，哥莫罵，十七十八愛行嫁，嫁個金屋棟，玉屋樑，金踏凳，象牙床；金桶擔水金缸裝，金盌載飯根著扒，有日轉外家，哥哥嫂嫂笑吓吓。」

91. 囍穀蟋嗦：「囍穀蟋嗦（ㄙ、ㄙㄜ、），大婆踏粄，無粄分，分個爛衫巾；塘裏洗，井裡盪；盪得一條大鯉魚王，頭仔拿來食；尾仔拿來討餔娘；討個餔娘高天天，煮個飯呀臭火煙；討個餔娘矮嘟嘟，煮個飯呀香撲撲。」、「囍穀蟋嗦，辦米煮粥，汝坐鑊圈，佢坐鑊豚；食了打爛鑊頭豚。」、「囍穀蟋嗦，簸米煮粥，煮個粥，香撲撲，搶爛蒲鑼豚，你愛圈，佢愛豚。」

92.鷓鴣嘛嘛：「鷓鴣嘛嘛，挍水淋蔗。淋蔗肚飢，嫁上江西。江西路遠，嫁上平遠，平遠义多，嫁畀猴哥。猴哥命短，嫁畀竹管。竹管䆃空，嫁畀雞公。雞公會走，嫁畀黃狗。黃狗的啄，嫁畀瓠杓。瓠杓舀水，嫁畀酒藠。酒藠摻糟，嫁畀剪刀。剪刀尾㪍，嫁畀桌掃。桌掃掃桌，嫁畀桌腳。桌腳落地，嫁畀皇帝。皇帝上天，嫁畀神仙。神仙有法，嫁畀臘鴨。臘鴨有油，嫁畀黃牛。黃牛矖𦡆，嫁畀吹笛。吹笛耕鼓，嫁畀老鼠。老鼠吹嚌吱，嫁畀阿滿姨。」

第四節：客家流行歌曲

客家人號稱爲相當優秀的民族，但是，數千年來唱來唱去總不外二、三十首歌曲，真是笑話。要創造及提高客語的流行性，年輕人是我們所要抓住的群體，如何讓年輕人接受、喜歡呢？音樂和舞蹈是個不錯的主題，像客家流行創作歌手及樂團如：謝宇威、劉劭希、阿淘哥、東東、山狗大、好客……等。他們的音樂漸漸受到大家的肯定，音樂是跨越國界及族群的，利用創意、行銷、包裝的方式，提高它的流行性，更能讓年輕人喜愛，甚至想去學習客語。而舞蹈也可以搭配音樂表演，讓觀眾了解客家的文化和音樂的涵義。㉘中華民國憲法第五條明文規定：「中華民國各族一律平等。」外，客家人應該不是自古以來就是所謂的「化外之民」，而應是中華民族的主流脈動。在國民黨政權統治台灣五十餘年來，客家人除了沒有屬於自己的語言外，在娛樂方面也沒有適切的表達管道。沈默的客家人，只能在鄉間偷偷的哼唱著古老的山歌以及欣賞著傳統的客家戲劇。

在現今的客家歌謠方面，在流傳有數百年的山歌或民歌，在現今工商業發達，以及閩南語歌曲、國語歌曲、西洋歌曲、日本流行歌曲瀰漫的時代，似乎有停滯不前，並有快速沒落的傾向之際，所幸，近年來，由於環境的變遷，客家人需要更多的歌曲，抒發我們的感情，調養我們的情緒，用歌曲享受更多的人間樂趣，而努力開石，其發展情形諸如在客家音樂界中有「現代客家創作流行歌曲鼻祖」之稱的吳盛智（1944-1983）——出生於苗栗縣大湖鄉大寮村竹高屋，自政戰學校音樂系畢業後，曾嘗試用爵士節拍寫新歌。他的「無緣」、「濃膠膠」、「勇往直前跑」等諸多歌曲，在當時的客家歌曲環境中，非常具有實驗性，而他所改編的客家山歌，如「山歌」、「問卜歌」、「跳月古人調」等創作，爲山歌賦予新貌，可惜就在他正要一展抱負時，七十七年十二月的一場車禍，奪去了他的生命的同時，資深作曲家呂金守，用音樂創作保存客家語言的劉劭希，以及苗栗籍的涂敏恆爲台灣客家歌謠的重要創作者外，至於，常被視爲「另類」，但近年來仍吸引若干客家子弟投身此一領域，如以〈一枝擔杆〉獲得一九九一年金曲獎最佳年度十大歌曲的楊政道、鄧百成，能創作多元風格客家曲調的音樂家蔡孟甫，以海陸腔創作的謝宇歲、陳永淘，以搖滾曲調創作的羅國禮，閩、客語交雜並陳，帶動母語歌唱風潮的黃連煜，借用客家歌謠，創作客家聖歌的陳建中，組織「山狗大樂隊」的顏志文，把爵士樂、靈魂樂、搖滾樂等西洋型式的音樂作爲創作題材，而成立「硬耿暢流樂團」的朱龍縣，思索客家音樂前途的古秀如、林生祥……等，重要的創作者或演唱者㉙。他們爲了挽救客家語音的失落以及重振客家山歌雄風，除了不斷擺脫自卑自憐的情節，以及重視自身文化的保存外，爲使客家的歌謠不應侷限於服務本身特定族群爲對象，而有更擴大爲其他族群，如原住民、閩南人或新住民所欣賞或珍藏的需要而努力。尤其在目前，在地方政府或中央政府的適度關懷下，已經結合了各行各業的人士或專家，正大量投入一些比較輕鬆、活潑的一般歌謠、流行歌曲、藝術歌曲等的創作的同時，也收入了一些其他名作曲家的舊歌曲，將它注入新生命，把它改編成可讓人「朗朗上口」的客語歌曲。這是一種的嘗試，也是一種值得鼓勵之事，其原因，歌曲畢竟是要滿足人們的需求，才能永續發展，乃是不爭的事實。今將坊間諸如李寶鑫所編的「大時代客家兒女創作流行歌曲」、「客家創作流行歌曲」、龍閣文化傳播有限公司所發行的客家流行歌單曲伴唱系列，以及一些其他客家作家所創作的歌曲曲名簡介如下，以供參考：

二字部有，1.家道 2.農夫 3.醉歌 4.無緣 5.乾杯 6.問答 7.問天 8.芒花 9.點燭 10.拜祖 11.敬酒 12.暗戀 13.感謝 14.妄想 15.孩擔 16.轎伕 17.生根 18.春風。

三字部有，1.故鄉情 2.客家人 3.媽祖生 4.看花燈 5.打斗敘 6.少若債 7.江湖恨 8.春花怨 9.無法度 10.重相逢 11.好朋友 12.死河壩 13.異鄉客 14.蛾眉月 15.單思戀 16.放勢拚 17.天河頌 18.公婆歌 19.英雄淚 20.兩公婆 21.等情郎。

四字部有，1.印崗戀情 2.父母生成 3.寄夢相思 4.客家本色 5.恁久好無 6.風涼花香 7.無緣的愛 8.毋使騙倨 9.恭賀新禧 10.恭喜發財 11.自由中國 12.飲分佢醉 13.苦海人生 14.無彩阿妹 15.怨嘆自己 16.南庄細妹 17.茶山情歌 18.阿舍公子 19.滿州姑娘 20.一支簷竿 21.孤枕難眠 22.情殘夢碎 23.夢中的你 24.愛情个路 25.倨个故鄉 26.花心个人 27.望郎回鄉 28.芋仔蕃薯 29.記得當年 30.限時專送 31.春風傳情 32.茶山姻緣 33.六堆之歌。

五字部有，1.將舊的皮箱 2.仰得出頭天 3.倨敢過難關 4.莫去戀野花 5.酒醉唱酒歌 6.愛敢擔輸贏 7.結婚講四句㈠、㈡、㈢ 8.幾度夕陽紅 9.人生一場繳 10.無聲个電話 11.人生的旅途 12.昊天父母恩 13.初次个約會 14.客家電台頌 15.祖先的智慧 16.憂慮又何奈 17.難有一封信 18.遽遽趕少年 19.做人難又難 20.細妹仔恁靚 21.一條花手巾 22.倨自遠方來 23.倨係你个人 24.後生要打拚 25.月是故鄉明 26.男人大丈夫 27.懶司个愛人 28.大憨牯汽車 29.總講恩無緣 30.一領縫線衫 31.人生十字路 32.愛情的賊子 33.本本系英雄 34.莫忘祖宗言 35.人爭一口氣 36.爸爸倨愛你 37.快樂个媽媽 38.把握後生時 39.愛情半燒冷 40.匆匆一場空 41.再回頭也難 42.感恩个目汁 43.快樂个人生。

六字部有，1.大家來乾一杯 2.相思苦問蒼天 3.上崎毋半崎坐 4.分我多一些愛 5.客家薪火相傳 6.俚也係客家人。

七字部有，1.細阿妹个生理嘴 2.人生結局愛打拚 3.山高路遠受孤單 4.總想成功莫失敗 5.奔阿妹个一封信 6.仰般害俚守孤稀 7.翻身又係一條龍 8.日頭一出一點紅 9.日頭落山一點黃 10.皇天不負苦心人 11.唔好奔人看唔起 12.敢係愛到別儕人 13.僥心个人無好尾 14.青山綠水好風光 15.日日看妹日日安 16.四季花開望哥來 17.人生難得半糊塗 18.爺娘恩情大過天 19.耕田阿哥摘茶妹。

八字部有，1.假使世間無酒好食。

九字部有，1.俚實在毋係絕情个人 2.暗哺夜月光特別亮 3.你永遠依然在俚心中 4.三洽水牛眼（龍眼）樹下。

今以何易峰作曲和作詞的「你永遠依然在俚心中」、呂金守作曲和作詞的「俚也係客家人」、顏志文的「借問」以及涂敏恆作曲和作詞的「客家本色」爲例：

一、你永遠依然在俚心中：

「自你離開俚已經有三年多
日日夜夜　思思念念　心中掛吊你一人
天變地變俚介心不變
你永遠依然在俚心中
千年萬年　生生世世
還係愛你　愛你」

二、俚也係客家人：

「俚也係客家人

憑侄介骨氣不會輸人
民族觀念侄特別注重
語言不要分人同化
客人就係客人。
珍惜侄等介鄉音
莫忘自己係何人
山南山北都有故鄉人。」

三、借問：

「借問這位阿哥　這條路要透那位
借問這位阿嫂　怎般轉去侄介老屋家
借問這位阿伯　河壩怎會沒水流
借問這位伯母　這頭榕樹怎會倒下了
想轉去侄介老屋家　毋知要樣般行
想再看到侄介老故鄉　已經都認毋識
承蒙這位阿哥　帶侄來轉到家門
承蒙這位阿嫂　毋莫笑侄毋識路。」

四、客家本色：

㈠唐山過台灣　無半點錢
剎猛打拚　耕山耕田
咬薑啜醋幾十年　毋識埋怨
世世代代就恁樣　勤儉傳家
兩三百年無改變
客家精神莫豁掉　永遠永遠
㈡時代在進步　社會改變

是非善惡　充滿人間
奉勸世間客家人　修好心田
正正當當作一個　良善介人
就像偲介老祖先
永久不忘祖宗言　千年萬年

客家唱片的談古說今

黑膠唱片，唱出多少陳年往事，而今隨著CD的流行，黑膠唱片幾乎銷聲匿跡。唱片的發展有起有落，客家音樂的穿越大時代，今天就讓我們隨著唱片的悠悠迴轉，一起回顧黑膠唱片在台灣的歷史。

根據卓怡君指出：一張唱片不只是一張唱片。以個人言，它是音樂創作者創意與想像的精華，不論是古典、爵士、嬉哈、RAP、藍調，總是能撫慰我們的心靈，安定我們的靈魂，更能夠鬆弛身心、紓解心情與壓力。這是音樂的魔力。以整體言，每首悠揚的樂曲背後的型塑者包括了出資者、製作人、歌者、宣傳行銷人員等，他們揉合了當代各種元素，其中包括政治、經濟、倫理、道德與歷史等，創造出一首又一首堪稱經典的歌曲，敘述並批判當時的社會氣氛，進而傳承、繼續感動世世代代，這就是音樂的力量。㉚

日治時期是台灣唱片剛開始的年代，由於早期的唱片大多是由日本進口。有趣的是，在當時並沒有代售店，唱片都是寄放在西藥房、文具店、鐘錶店、百貨公司等地出售。一九一〇年十一月，台北市衡陽路一帶成立了「株式會社日本蓄音機商會台北出張所」，除了製造留聲機外，並出版日語唱片。一九一一年在東京成立的「古倫美亞」蓄音器公司開始發行曲盤到台灣來，視台灣爲拓展資本主義實力的場域。在一九一四年四月時，岡本檻太郎帶領林石生、范連生、何阿文、何阿添、黃芳榮、巫石安、彭阿增等十五名客籍藝人，皆爲戲班人員，包括前場演出者及後場文武樂師齊備，且精通當時各種流行於民間的客家及閩南民歌、戲曲。這十五位在這樣的時空背景下，赴東京芝櫻田本鄉町營業所灌錄唱片，由美籍技師Holland錄製三十八枚唱片，商標是一隻老鷹，故以「鷹標」稱之。㉛音樂種類包含八音（〈一串年〉、〈大開門〉……）、北管（《三仙會》……）、山歌小調（〈病子歌〉、〈五更鬧〉……）、戲曲（有傳統的三腳採茶戲《茶郎歸家》，也有改良採茶戲《三伯英台》）等，此外尙有歌仔戲〈山伯英台〉（當時歌仔戲的名稱尙未被確定，因此唱片上以Formosa Song稱之），音樂類型無所不包。而當時的唱片，每面頂多只能錄三分鐘左右，以七十八轉的留聲機放送，因此這個時代的唱片就把它稱之爲七十八轉唱片。

台灣唱片普遍化是始於一九二五年，並進入曲盤大戰時期，「金鳥」唱片在本町的資生堂開始販售，其內容以北管、客家山歌及歌仔戲爲主。同時，金鳥唱片也邀請了新埔樂團，灌錄一系列的客家音樂，口白均以海陸爲主，別具一格。

一九三〇年柏野所主持的台灣古倫美亞公司，開始轉向客家音樂，邀來劉阿木、李氏春對唱客家採茶歌，蘇萬松演唱一系列的客家勸世文。在一九三〇年至一九四〇年之間，是日治時代是客家唱片出版的高潮期，其中又以「古倫美亞」、「OK」、「三榮」、「美樂」等四家公司最爲重視客家音樂。

在一九四〇年（民國29年）時，勝利唱片出版了客家八音〈一串蓮〉後，由於戰爭因素被迫劃上休止符。直到民國四十一年（西元1952年），由許石主持的中國唱片公司，首先在三重埔設立製片場，在中國唱片改爲「女王唱片」時，曾經出版過客家音樂，後來許石成立太王唱片在《台灣鄉土民謠全集》中，也收集了不少的客家歌謠。戰後受到政治環境、政府政策的關係，客家唱片分南北，在苗栗是美樂，在南部是惠美，客家音樂此時形成區域性的娛樂。在民國五十二年（西元1963年）中廣苗栗台舉辦第一屆全省山歌比賽，同年苗栗縣民謠研進會成立，八月二十三日民謠俱樂部開幕，鈴鈴、美樂、遠東、百合、惠美等五大客家唱片公司，大量爲得獎者出版唱片，掀起了客家唱片的第二個黃金時代。

自一九七〇年代台灣退出聯合國後，客家音樂被完全的禁制，而成了地下及社區音樂，但是傳統歌謠在苗栗、中壢、竹東等地、以及《李文古笑科劇》在南部客家庄仍然低調的流傳著。在民國六十二年（西元1973年）起，台北縣五股鄉的月球唱片廠，開始出版「客家之音」唱片，第一集從湯玉蘭主唱〈青春樂〉開啓，後來歐秀英、邱阿專、彭粉妹、范嬌蘭、徐木珍等藝人，也都在此錄製客家歌謠唱片。在有關客家唱片的行銷方面，在市場的選擇下，大部份所獲得的利潤無法回饋在製作的成本上，其情形有如，在日治時期的客家唱片興盛時期，甚至可以外銷，形成全球客家唱片的時代。戰後客家唱片市場萎縮，內銷變成是區域性的行銷，及至現代僅是偶爾幾張出現的窘況。㉜

註　解

① 黃體培著，《中華樂學通論》第一篇，樂史，頁2，台北：行政院文建會，1983。

② 顏文雄編著，《中國音樂文化與民謠》，頁74，台北：眾文圖書公司，1989。

③ 黃孝石著，《電視的原理與製作》，頁 199-206，台北：黎明出版公司，1984。

④ 參見廖年賦著，〈中華民國戶外遊憩學會七十九年度休閒教育研討會〉。

⑤ 黃孝石著，《電視的原理與製作》，頁 179、206，台北：黎明出版公司，1984。

⑥ 劉省齋註釋，《三字經註解》，（中華古典文學叢書），頁13，台北：六行出版，1984。

⑦ 中國時報美洲版，1984.7.12，以及新加坡南洋客屬總會 1984 年 11 月會訊第八期。

⑧ 葉俊琪報導，〈客家八音缺乏學術傳承，愈漸凋零〉，《客家郵報》第五版，92.9.24～30。

⑨ 參見聯合報 90.8.27。

⑩ 洪惟助等人，《客家文化季刊》，〈關西祖傳隴西八音團〉，NO.9，2004 秋季號，頁 1，台北：台北市政府客家事務委員會。

⑪ 參見自立晚報 90.8.25。

⑫ 參見劉慧真著，《台北客家人文腳蹤》，頁23，台北：台北市政府客家事務委員會，2002。

⑬ 同上，頁29。

⑭ 梁秀賢報導，〈追思鄧雨賢，引吭賽歌謠〉，自由時報，92.10.19。

⑮ 參見李筱峰、莊天賜編著，《快讀台灣歷史人物》，頁53、54，台北：玉山，2004年1月。。

⑯ 張嘉宏報導，〈八客家戲曲團拚台〉，《客家郵報》，2004.9.22～28。

⑰ 卓怡君著，《客家文化季刊》，〈客家唱片談古說今〉，NO.9，2004秋季號，頁14，台北：台北市政府客家事務委員會。

⑱ 參見萬陸著，《客家學概論》，頁320，江西高校出版社，1995。

⑲ 朱真一著，《台灣客家叢書（一）海外客家台灣人的心與情》，頁158，台北：客家雜誌陳康宏2003。

⑳ 黃心穎著，《台灣的客家戲劇》，頁29，台北：台灣書店出版，1998。

㉑ 朱真一著，《台灣客家叢書(一)海外客家台灣人的心與情》，頁159，台北：客家雜誌陳康宏，2003。

㉒ 謝俊逢著，徐正光主篇，《徘徊於族群和現實之間》，頁75，台北：正中，1991。

㉓ 參見楊兆楨著，《台灣客家系民歌》，頁4-7，台北：百科文化事業出版，1982。

㉔ 賴碧霞的《台灣客家民謠薪傳》，頁116，1993年8月。

㉕ 同上，頁117。

㉖ 參見林錫霞報導，〈蘇萬松 70 年前領風騷〉，聯合報，93.9.17。

㉗ 張嘉宏報導，〈八客家戲曲團拚台〉，《客家郵報》，2004.9.22～28。

㉘ 林志學著，「從公共場域看客語政策」研討會——留給客語一個完整的空間，〈如何創造客語的流行性，給客語一個完整的空間〉，財團法人寶島客家廣播電台FM 93.7，行政院客家委員會補助，93.12.24～25。

㉙ 參見劃主持人：潘英海，共同主持人：莊華堂，《桃園縣客家文化館軟體規劃及資料蒐集》，頁92，桃園：桃園縣文化局，2002。

㉚ 卓怡君著，《客家文化季刊》，〈客家音樂穿越大時代〉，NO.9，2004 秋季號，頁 8，台北：台北市政府客家事務委員會。

㉛ 羅佩倫整理報導，《客家文化季刊》，〈黑膠唱片唱出多少陳年往事〉，NO.9，2004 秋季號，頁 12，台北：台北市政府客家事務委員會。

㉜ 卓怡君著，《客家文化季刊》，〈客家音樂穿越大時代〉，NO.9，2004 秋季號，頁 10、11，台北：台北市政府客家事務委員會。

第八章：客家戲劇

在談到客家戲劇之前，首先介紹一下有關一般戲劇的概況如下，我國的戲劇，起源於古代「手之舞之，足之蹈之」的原始歌舞，胚胎於西漢的雜技百戲，萌牙於唐代的歌舞劇與滑稽表演，形成於宋元的雜劇與南戲，大備於明代傳奇。等到崑腔興盛一、二百年後，四大徽班相繼進京融合了崑曲、吹腔、二簧、西皮、漢調、梆子、高腔等戲劇的長處於一爐，使之我國的戲劇乃大致發展完備。在有關戲劇方面，戲劇乃集文學、語言、音樂、舞蹈、美術、照明等而成之綜合藝術。自古以來，戲曲的發生和地方上的群眾生活有密切關係。它最初是個人的娛樂，在演唱方面，常是互相問答、跳舞和演唱故事爲主。而看戲的農人、工人、小攤販……等，都不需買票，往往只是大家湊錢請演員吃一頓飯罷了！在它的往後發展上，大家都覺得這種娛樂很有意義，而彼此進一步的在農閒時唱、演起來。後來，又慢慢因宗教的賽會，需要熱鬧氣氛，而表演出平日未經文人或音樂家將之精緻化的娛樂，在地方上流行、琢磨、演進、慢慢普及全國。有的戲曲成爲劇壇盟主，有的戲曲諸如民間戲曲、山歌小調仍停留在娛樂階段，但也有的戲曲，其功能則被用於依附在宗教之上，諸如歌仔戲被用來酬神謝神；道士戲、傀儡戲則被用在除煞或喪事的演出。

在戲劇的類別上大致分爲「人戲」和「偶戲」兩大類。偶戲有傀儡戲、布袋戲和皮影戲。人戲有大戲、梨園戲、高甲戲、歌仔戲、平劇、話劇、民間劇場、兒童劇……等。戲劇藝術就其表現內容的性質，可分爲悲劇、喜劇、悲喜劇和鬧劇；就其題材而言，可分爲歷史劇和現代劇；按其形式來說，可分爲獨幕劇和多幕劇等。在戲劇的寫作理論上，根據元代著名的戲劇家喬吉，在論述散曲結構上說：「作樂府亦有法，曰『鳳頭、豬肚、豹尾』六字是也。大概起要美麗，中要浩蕩，結要響亮，尤貴在首尾貫穿，意思清新。」等理論。①後世，也常把它當做是一個重要的戲劇結構基礎。在現今所上演的戲劇方面，其故事內容大致，有神怪類、言情類、社會類、武俠類、寓言類……等。在所扮演的角色上，有帝王、忠臣、孝子、節婦、懦夫、俠客、佳人、才子、官僚、書生、歌伎、小市民……等。在比較嚴謹、古典的戲劇中，生、旦、淨、丑的安排，有各種的服裝造型，臉譜的勾畫，以及唱、做、唸、打等四功的配合。在比較現代化的戲劇表演上，諸如在小劇場方面，它似乎已經打破了過去的戲劇法則，而呈現出一種不按牌理出牌的表現手法，因而引起一般人民的反映爲：「一般人都能欣賞的戲劇不一定庸俗，極少數人能懂得也未必一定高明。」等情形。事實上，戲劇是一種大眾化的藝術，而戲劇又是人類文化的結晶，也是最真實最接近民眾的最具震憾力的藝術，它包含了詩歌、舞蹈（人物的動作、身段、表情等藝術）、音樂（歌唱和樂隊伴奏等藝術）、美術、繪畫、建築等內容，它更需要劇作家、演員、導演、舞台設計、編舞、音樂（音響）、燈光等各種藝術的配合，展現戲劇的力量，直接反映人生、服務觀眾，批評人生，刻劃人生善惡、分辨是非，以感性啓導心靈，潛移默化爲其表現手段，負起改造社會，變化國民氣質，提升文化和美化人生的責任。因此世界各國無不視戲劇爲一個重要社會教育工具，而予以提倡與獎勵的同時，對於戲劇也有一些的限制與規範，其情形，諸如在民國三十八年（西元1949年）大陸陷共後，國民黨政府播遷來台，而採取一、嚴審劇本。二、大力推銷所謂的「政令宣傳」劇等措施。在有關客家的各種娛樂性的戲劇中，其中在「大戲」方面，它和平劇相當類似，而且早已沒落，今將有關大戲或平劇方面，應有的架構，其情形大致如下：

一般說來，舞台劇著重「對話」，舞劇著重「舞蹈」，歌劇著重「歌唱」，而平劇卻是歌舞並重。平劇雖然沒有寫實繁複的布景，但似乎無所不有；而在演出上不用一物，也似乎無所不能，諸如四個龍套即代表十萬大軍。演員在不受時空限制的舞台上，以演員的「唱」、「唸」、「做」、「打」來演出具體的動作與抽象的觀念，有如以袖掩目代表哭，以兩食指相對而立代表做愛。「捶胸」、「頓足」表示悲憤，「跪步」、「甩髮」表示生死關頭或激動萬分。又如從甲地到乙地，他只在台上走著圓場或翻幾個跟斗，同時口裏唸著：「行行去去，去去行行，轉彎抹角，一時來到。」這便是由甲地到了乙地。又如從下場門進去，又從上場門出來，便表示已走了千山萬水的路，或是過了幾十年的時光。

一、器樂：專門爲舞台上的演出伴奏樂隊，行話稱之爲場面。場面分爲文、武二場，其中旋律樂器的部份叫「文場」，它通常是奏絲竹所製樂器（如笛、胡琴、二胡、三弦、嗩吶、月琴等），一般常用的少則二、三件，多則六、七件來從事或拉或彈或吹的演奏。打擊樂器的部份叫「武場」，它通常使用金木革所製樂器如（鼓、鑼、鐃、鈸之類等）五、六件，或敲或打或吹。打擊樂器的任務在於把舞台演出的節奏氣氛，甚至情緒性的喜、怒、哀、樂給予有力的渲染和烘托。旋律樂器的主要任務在於充當唱腔的伴奏和過場音樂演奏時的「托腔保調」以達到「托（烘托角色唱腔的感情）、裏（使伴奏與唱腔圓融合一）、襯（襯出腔調的韻味）、墊（有效地填補演唱中氣口停頓的空隙之處）」或是「迎（迎而不碰）、讓（不喧賓奪主）、包（與唱腔溶合一致）、送（墊補唱腔之不足）」等作用。至於文武場樂器的多少，在戲劇中視實際需要有所增減，但全部的文武場，都要受「鼓佬」的指揮。「鼓佬」左手執檀板，右手以鼓簽敲擊單皮鼓，他不但指揮樂隊的演奏，同時對全劇的進行，節奏的掌握，氣氛的營造，和演員表演的襯托，均由其掌握。

二、角色：演員的造型原則，就劇中人物，分爲若干類型，以人性分：如忠奸、善惡、聰敏、愚鈍、粗魯、文雅、英雄、懦夫等各種人物。以工作分：如士、農、工、商。以官職分：如帝王、諸侯、卿、相、大臣、地方官吏等。在演員的角色分工中，以年齡、性別、性格而言大略可以分成基本的「生」、「旦」、「淨」、「丑」四大類。「生」是扮演男性角色，根據實際情況細分爲文生、武生（長靠武生、短打武生）、老生、老武生、小生、紅生、雉尾生、窮生、官生……等。「旦」是扮演女性角色，依其專行細分爲青衣、老旦、花旦、武旦、刀馬旦、花衫、貼旦、丑旦。「淨」也叫「花臉」，可分爲銅錘、黑頭；二花面分架子二花、武二花。「丑」俗稱「小花臉」，可分爲「文丑」、「武丑」。文丑更分爲蘇丑、京丑。當「丑」扮演女性人物時又稱「彩旦」。除上述所扮演的四大類角色外，還有龍套、太監、宮女、上下手……等。

三、唱腔、唱詞及唸白：唱腔是戲曲音樂表達人物思想感情、刻劃人物性格的主要手段。所謂的「唱」，也就是在音樂伴奏下的歌唱。唸在戲劇中，主要的就是指唸引子和唸詩。所謂的「唸」，也就是「口白」，指角色帶有某種程度有節奏、有韻律、有接近音樂性的獨白或對白而言。它是用在主要戲劇人物方面，來概括地介紹他在這場戲中面臨的中心問題和他的基本態度與心情，以加深觀眾對該人物性格和戲劇情節理解的同時，也增強戲曲表現形式的和諧和統一。內行人有句話：「千斤唸白四兩唱」，它意謂著唸白是一種相當困難的藝術表現，諸如，唱有腔調、有音樂、有鑼鼓，唱起來既省力又動聽。引子，雖是乾唱，還有腔調可遵循，只不過費點力氣，唸白則不然，既無腔調亦無音樂，只以鼓板，調濟節奏，因此在唸白時，就須用丹田之氣，隨著故事情節，人物感情，把每一個字，每一句話激揚婉轉高低頓挫的一一表現出來。在唸的內容方面，除了上述唸引子和唸詩外，還有唸對、讀狀、獨白、對白、夾白、哭、笑、咳嗽等。在整個的唱腔、唱詞或唸白而言，除了各劇種有它自己的傳統特點外，一般各種角色行當的劃分，以其角色的性別、年齡、社會身份和性格爲依據，諸如小生是用小嗓演唱，老旦用大嗓演唱，淨角用粗而音量強大的聲音演唱。就同樣的用小嗓的小生和旦角，其演唱方式也有所不同，諸如旦角要唱得柔婉華美，小生則在秀美中不失男性的剛勁；就同是用小嗓的旦角而言，青衣則偏重於莊重柔美，花旦則偏重於活潑華麗等等。

四、身段：即做工與表情，具有我國傳統戲劇之特色，以歌舞爲重，唱之部份爲歌，做之部份爲舞。在平劇的表演中有四功（唱功、唸功、做功、打功）和五法（手、眼、身、法、步）之說。唱功是指腔調的塑造。唸功則注重（道白、對白、背供、夾白、旁白、搭架子、內白等。）做功可分爲三種，一、是以無當有法，二、是非徒手法，三、是它既不是生活的模擬，也不是藉物的表意，而完全是在舉手、投足間，予以藝術加工的表演。打功可分爲一、「毯子功」是專門訓練身體柔軟和翻、滾、捽、撲、跳、蹤、跌、躥等，有如撲虎、搶背、小翻、穿毛等動作的功夫。由於它在練習時，爲了安全起見，必須在地毯上習做，因而得其名。二、「基本功」是訓練腿部和身體等舉手投足的伸展架式與功夫，其動作有如飛腳、旋子、掃堂、雙飛燕和走邊等。三、「把子功」是專門訓練操作兵器或徒手對打的功夫。兩人以上的對打，徒手的叫手串子，用刀槍的，以武器之不同，名稱各異，三人以上相打的叫檔子，如三股檔、四股檔、八股檔（由八人在相打）等。就關於演員的動作部份，在其演出時的一舉一動或是一招一式可說是都有一定的模式。今從臉上、手上、身上、腿腳上來加以探討。1.臉上就是面部的表情，最重要的是透過眼神，把發自內心的喜、怒、哀、樂、焦慮、憂愁、驚懼、憐愛、高傲……等情緒加以表現出來。2.手上分爲兩部，一、是徒手而指，有指天、指地、指人、指事、指物等。二、是持物而指，有用槍指、刀指、扇指、馬鞭指、筆指……等。在手上的另一種功夫，就是水袖的舞動。常用的動作有表達憤怒不屑一顧的甩袖；有把水袖拋到空中，而立即一把抓回來表示堅強、果敢、剛毅的轉舞水袖；有表現出驚慌、恐懼的護頂抖袖；有表現嬌羞之情的掩袖，以及其他的翻袖、擺袖、繞袖、疊袖……等動作。3.身上，除身體軀幹外還包括手腳所配合的動作在內。其動作通常有上下場、上下山、上下樓、上下船、開關門、敲門、閂門、鎖門、行路、騎馬、過橋、乘轎、划船、用飯、飲酒、坐、臥、睡覺、撣鞋、拍腿、彈汗、舉槍、揚鞭、甩髮、抖髮、勒繮、攤手、擷手以及理鬚、捋鬚、托鬚、挑鬚、推鬚、咬鬚、抖鬚、甩鬚、和吹鬚等動作，依其不同年齡、性格、身份與情節狀況，而做出適切的舉止動作。4.腿、腳上，一個演員，在舞台上的行走、轉身、或慢跑等動作，隨著各角色之不同，以及劇情的需要，而有一些的步法招式。諸如根據齊如山學者的分析，有「正步、跑步、趨步、跺步、輾步、蹉步、快步、矮步、老人步、滑步、橫步、搖步、醉步、加官步、上下樓步、潛水步、龍形步、雀步、連三步、橫三步、蟹步、膝步、踏步、雲步、魂子步、跟步、蟄步、蹬步、丁字步、碎步……等五十三種。」②

五、行頭：平劇中的「服裝」，行話叫「行頭」。它是不分季節和朝代都是一樣，但對於文武、貴賤、番漢、貧富、老少和男女卻有差別。平劇的服裝，包括衣、盔、靴、鞋等，通常並分別放在所屬的衣箱之中。而衣箱共分爲三類，就是「大衣箱」、「二衣箱」與「三衣箱」。服裝的造型以明代服裝爲主，加以誇張或改變，以配合舞台需要。由於戲裝的名稱複雜，但最基本的文戲方面，有三種情況：一、是官衣（上朝、坐堂、出巡或其他隆重儀節之用），又稱朝服、補服、蟒袍，圓領大襟，右脅有扣，以黃、紅、紫、綠、白……以前後繡補顏色，分別等第。其中官爵最高的是用金色革絲全繡蟒龍圖案，稱爲蟒袍，有正龍、團龍、行龍之別，下擺繡水紋，稱爲海水江涯。二、是「帔」，（一般辦公、會客用）尖領，從中間裁開，繡花，多半以顏色分別貴賤老少。三、是褶子，及燕居之服，女服圓口有領，中間裁開，初具素色，今亦有繡花。另有舞衣，如「醉酒」之貴妃穿之。男服爲和尙領、大襟、右脅有扣，素色不繡花，俱以顏色分等第。武戲最基本的三種情況，爲一、鎧靠，正式會陣穿之；閱兵如帔。二、是開氅，常時穿之。三、是箭衣，激戰時穿之。其中也與身份地位有關，如偏末之將（如王朝、馬漢），只能穿箭衣，不能紮鎧靠，江湖英雄大多穿開氅，不紮鎧靠。在頭部的裝飾方面，一般說來，文官戴「帽」，武將戴「盔」，貴族戴「冠」，百姓戴「巾」，除「帽、巾、盔、冠」外，又有叫做「額子」、「殼」、「罩」、「套」……等。髯口除了有黑、灰、白顏色外，它在形式上還有疏密之分，以及長、短之別。諸如短髯口有（一字髯、二挑髯、八字髯、八字吊搭、四喜髯、五嘴髯……等。）

六、臉譜：勾勒臉譜是中國傳統戲劇的一大特色。臉譜雖然因時因地因人，稍有不同，但大體上的輪廓與顏色，用來顯示劇中人物之褒貶、身份、個性……則不會改變。就「化妝」部份而言，「生」、「旦」的角色化妝較趨於自然。所謂的自然，也就是說只是把平常的化妝，稍微誇張化，以適應舞台的立體效果要求。而「淨」與「丑」的化妝則根本就是另一種藝術的創造。「淨」的臉譜，基本上應是從面具的觀念延伸而來，因爲叫「譜」所以它的確有一定的基本畫法，唯其因爲它又是抽象的，所以也並不排除個別演員的再創造。原則上它是利用勾畫造型與顏色的混合使用，來表達象徵這個角色的一些個性與命運。諸如以顏色心理之說而言，大體上，金、銀色表示德高望重。白色表示奸詐、陰險。紅色表示忠勇、忠義。紫色代表誠謹、有毅力。粉紅色（或淺紅色）代表晚年忠貞。黑色表示憨直、粗獷。黃色表示精幹、陰沈、猛烈。雜色表示鷙猛。藍色、綠色表示凶悍、殘酷不受拘束，多表妖邪或綠林大盜之類。根據精靈人物之類別：神仙塗以金色。妖精勾成碎雜色。孫悟空勾成猴臉。豬八戒勾成豬形。金錢豹在額頭上畫有一張豹臉……等。根據生理上之缺陷或人格上之缺點而言，妓女以墨點破其面。鄭恩之隻眼。雷震子之鳥嘴。劉瑾被勾畫成似婦人的太監臉……等。根據人物之綽號而言，諸如一枝桃謝虎，在其臉上畫有一枝桃花。青臉虎許世英，在臉上被畫成一個青花碎面的樣子。根據人物在某種武器上，有特殊的武藝表現而言，有如典韋擅用雙戟，因而在其臉上畫有戟形。在人物的特殊才能上，諸如陰陽判官能司陰、陽兩地事務，故在臉上被畫成一半白、一半黑的情形。姜維、龐統，因他們既勇猛，又多陰謀，故在其額上畫有陰陽魚圖案等情形。此外，又以整個臉譜之圖案形象來看，又可分爲整臉，表示行爲正常，有如趙匡胤、包拯等。碎臉表示心無定見，性情暴戾急躁，有如單雄信、楊七郎等。歪臉表示心胸險惡，心術不正，有如劉彪、「李七長亭」中的李七等。老臉表示老成持重或表示年紀老矣，有如穆天王、黃蓋等。綜觀上述，在平劇舞台上的臉譜顏色通常有白臉（油白、水白）、紅臉、老紅臉、粉紅臉或大紅臉、黑臉、紫臉、藍臉、綠臉、淡青臉、蟹青臉、黃臉、灰臉、金臉、銀臉、赭色臉的出現，而其畫臉的形式有，整臉、三塊瓦臉（花碎三塊瓦臉、老三塊瓦）、碎臉、老臉、六分臉、花臉、十字臉、歪臉、元寶臉、英雄臉、隨意臉、蝴蝶臉、喜鵲眼臉、花碎綹臉、僧臉、兇僧臉、神仙臉、妖怪臉、精靈臉、太監臉、象形臉、無雙臉（不二臉）、鋼叉臉……等。

七、切末（道具）：說到「舞台」，從戶外的臨時性結構到永久性的戶內演出劇場，中國戲曲舞台發展到清代，也曾出現過豪華的三層樓大舞台，演出各種宮廷大戲。不過今天一般都已接受西方綜藝舞台的格局，只是舞台上仍保持傳統不設布景的情形。其原因是一切山川勝景、千軍萬馬、殘酷之戰場，甚至小的道路、橋樑、舟車、轎、馬都無法搬至舞台上作爲表演之用。因此以象徵性的各類大小道具來代表上至山、城、樓台，下至車、馬、舟、轎等景物。譬如，以桌子疊架代表山丘。一張桌子放上文房四寶或一、兩本書，便成了書房。若桌上擺了印匣、筆硯、驚堂木就代表官方的衙門。以撩小帳或大帳等撩轎簾動作，來代表坐轎子。以馬鞭代表馬匹。以兩片車旗代表車子。以一根槳代表一隻船……等外，在平劇中，經常出現的道具，還有聖旨、黃羅傘、牙笏、令箭架、旗類、扇子、臉盆、水桶、雨傘、香爐、拂塵、雲帚、碗筷、茶盤、茶杯……等。兵器方面，有刀、槍、劍、戟、斧、鉞、鉤、叉、鞭、鐧、錘、抓、鎲、棍、槊、棒、拐子、流星等十八般兵器。

戲劇大別爲「人戲」和「偶戲」兩大類。在客家的人戲方面，以「大戲」爲代表，在偶戲方面，則有傀儡戲、皮影戲和客家布袋戲。

第一節：客家大戲

採茶戲是一種廣義的概念，基本上採茶戲是茶區人民所創作的一種戲曲種類的泛稱。在客家戲曲方面，基本上是指全部或大部份用客語演出，並使用客家戲曲音樂的戲劇。台灣地區最被大家熟知的客家戲是「客家採茶戲」，這是屬於比較傳統的一種戲曲劇種，不過近年來也有一些新興劇種的出現。一般說來，除了演唱三腳採茶戲外，跑江湖、賣膏藥的藝人，爲了吸引顧客，通常還會在表演當中穿插了各項把戲：如吞劍、吐火、耍大刀、唱民謠、演奏西洋樂器（以薩克斯風和電子琴最爲普遍）、變魔術（如「三仙歸洞」、「空中取酒」、「假人跳舞」）、打拳……等，由於雜耍性質濃厚，客家人通稱其爲「撮把戲」（撮就是雜耍，把是把式之意），因此，有人把它譯成「串把戲」或「草把戲」。客家大戲淵源於採茶戲，流行於台灣的桃、竹、苗三縣。它是客家山歌、客家說唱和客家歌舞所綜合而成，並以客家文學劇本爲基礎，以演員表演爲形式，輔以道具、燈光、布景、化妝等各種手段所形成的一種具有戲劇性效果的綜合藝術。

壹、客家戲的發展簡史

在有關客家戲曲——採茶戲方面，客家人的第二原鄉之一廣東地方，因墾地狹窄，三餐溫飽不易，每天只過著「日出而作，日入而息」的呆板生活中，根本無法養戲子之外，而由中原所帶來的戲劇方面，也被山歌所取代，而不再流傳，因此，有人就說，客家人是中原人，又是貴族之後，那能像文化落後部族的「客家人只有山歌，沒有戲」的道理？

客家採茶戲，又叫「三腳戲」或「三腳採茶戲」，它是由民間歌舞配上扮飾，所發展而成的一個簡單故事的小戲。在大陸原鄉的採茶戲方面，它活躍於明末清初，根據《中國戲曲曲藝詞典》記載：「贛南採茶戲流行於江西南部和廣東東北部。明末、由贛南安遠縣九新山的採茶戲發展而成。因僅有二旦一丑，故名『三腳班』。清．乾隆年間增加弦樂伴奏。傳統劇目大多爲反映民間生活小戲，以喜劇、鬧劇爲主，風格輕鬆活潑。」又根據《大中國百科全書》述「江西採茶戲」爲：「最初爲茶農採茶時所唱的採茶歌，後與民間歌舞相結合，形成了載舞的採茶燈。每逢燈節或收茶季節，茶農常以這種形式即興演出以採茶爲內容的節目，因以茶籃爲道具，亦稱：『茶籃燈』。後來內容、唱腔、表演形式不斷豐富，逐漸發展成活躍於廣大農村的採茶戲。」在它的流傳方面，根據《中國戲曲劇種大辭典》對贛南採茶戲的解釋中曾提到：「……同源異流的兩支，以三角班爲主體，於清．乾隆年間（1736 — 1795）廣泛流行。……嘉慶（1796 — 1820）以後，江西、廣東兩省採茶戲班交流頻繁，不少贛南的採茶班社曾至粵東演出。……清末民初，贛南還有不少採茶戲班流入福建的武平、長汀、龍岩、上杭、湖南的桂東、桂陽等地」。其情形，有如清・乾隆年間李調元《南越筆記》提到：「粵俗歲之正元，飾兒童爲綵女，爲隊十二人，人持籃，籃中燃一寶燈，罩以絳紗，以恒爲大圈緣之，踏歌，歌十二月采茶。」至於，它爲什麼叫做「採茶戲」呢？根據《贛州府志》的說法是，採茶戲是由客家民間歌舞採茶燈和客家山歌的採茶歌發展而來。因爲客家山區產茶，而且客家人有飲茶的習慣，爲了茶葉的產銷而創造出「採茶戲」。在它的往後發展上，在題材上，除了大多是表現下階層的群眾生活面貌以及男女間的情愛爲主外，還發展出有燈腔、茶腔、路腔以及彩調等四種的腔調。③至於，其後爲什麼採茶戲又稱爲「三腳採茶戲」呢？顧名思義，即是由三人所表演的戲劇，這三個人的角色分配各地不一，有的是二旦一丑，有的是一旦一生一丑，甚至有的只有一丑一旦 。這三腳在劇情的巧妙的安排下，可以暢述人生的喜怒哀樂，即使是複雜的人際關係，也一樣可以搬上舞台。不過，比較正統的三腳採茶是特別注重舞蹈的模式、身段的追求以及唱腔完美的演出。④其中，在有關客家採茶的曲調與唱腔方面，由於「九腔十八調」和「客家三腳採茶」，這兩個名詞幾乎是同時的出現。所謂的「九腔十八調」是指在當代有許多的腔調和許多的曲調而言。而並非在當時，就僅只有九種的腔調，以及只有十八種的曲調而已！

在台灣方面，採茶戲發源於採茶歌謠的表演形式。在大陸約在明末形成，在清・乾隆年間傳入嘉應州一帶後，於清・道光年間開始隨著客家先民的渡海來台，而傳入台灣。在當時的表演，應該是屬於一種僅止於戲劇成份增加，並用山歌曲調演唱民間故事的表演歌舞秀階段。根據清・光緒二十年左右的《安平縣雜記》〈風俗現況篇〉中，記載：「酬神唱傀儡班，台慶、嘉慶、普渡唱官音班、四平班、福路班、掌中班、採茶唱、藝旦等戲」。由上可知，在當時，在中元普渡時，已有表演「採茶唱」了。在有關大陸傳來的原裝戲方面，根據民俗專家黃榮洛，在新竹竹東進行鄉土史的田野調查中說：「有關客家的『採茶戲』（另稱三腳戲）。所謂『三腳戲』，是客家人移墾來台灣時，由大陸原鄉所帶來的，僅由三人對唱對白演出的簡單迷你戲。在原鄉中，因爲所演的內容，主要是屬於男女間無忌憚露骨的唱、言有關男女的『性事』或『性器』的黃腔濫調，被蔑視爲下流，不能登場於公共場所的敗壞風俗之演出，故而只能被稱爲『採茶』，不被稱爲『採茶戲』的尷尬戲。觀其所演的戲名，如『採茶』、『捉龍』（尋風水之意）、『轉妹家』（指新婚的）等，如採茶、採柴、捉龍，就是男女在山上採茶、採柴中發生性行爲，捉龍之龍是指男人的生殖器，轉妹家則大談新婚床第間性行爲大膽唱白。」⑤在早期的採茶戲的演出方面，根據黃心穎的《台灣的客家戲》中指出：「由於宗教性的要求，三腳採茶小戲不能和四平、北管等『正戲』一樣，在廟前戲台演出，只能在廟附近的廣場、空地，豬圈、草寮、田邊圍起來便行演出，於廟前正戲演完之時，若有觀眾要求，有時廟方也同意讓三腳採茶班藝人上台演一段《送金釵》、《打海棠》等。」⑥綜觀上述，可以大致知悉，當代的採茶，可說是一種屬於不宜在神前演出，以免褻瀆神明，也不宜在公共場所演出，以免敗壞風俗的「採茶」（或是把它稱之爲老採茶），而不能稱之爲「採茶戲」。不過，在比較正式的三腳採茶方面，根據黃心穎的《台灣的客家戲劇》中指出：「三腳採茶戲班的文、武場有二、三人，文場所司樂器一般有椰胡、胖胡，武場所司有大、小鑼、通鼓、敲仔板（南梆子）、鈸等。戲班興盛時，演出其它小戲，也有多至十幾人的；演員服裝很隨便，穿著日常服飾就能上演，後來才漸有改良。」⑦

在清末民初，在受日本統治之前，台灣的戲團（班），大部份是說正音（北京話）唱外江。但日本於西元一八九五年（光緒 21 年，明治 28 年）統治台灣後，很快就出現所謂的「白字戲」（即是道白用閩南話或客家話，但唱仍舊唱外江的情形外，由於各戲班仍以民謠爲基礎，自編新劇目，並以丑、旦相互誇張戲謔、調情對唱，並注重對答、相褒有押韻等唱、唸佔了大部份爲主的同時，更擴展成故事性豐富、身段、唱腔更多變化的「相褒戲」，以娛樂民眾，而絕少有鑼鼓喧天，熱鬧慶戲的情形。至於，爲何會把它稱爲「相褒戲」方面，由於在客家的三腳採茶戲中，有許多相褒的情節，因此，有人就把它稱之爲「相褒戲」，其情形有如，在連雅堂的〈雅言〉之十一中說：「『竹枝』『柳枝』之詞，自唐以來久沿其調；而台北之『采茶歌』，可與伯仲。『采茶歌』者，亦日『褒歌』。爲採茶男女唱和之辭，語多褒刺，曼聲宛轉，比興言情，猶有『溱洧』之風焉。」外，又根據《台灣通史》〈風俗志〉中提到：「夫台灣演劇，多以賽神。坊里之間，醵資合奏。村橋野店，日夜喧闐。男女聚觀，履舄交錯，頗有驩虞之象。又有採茶戲者，出自台北，一男一女，互相唱酬，淫靡之風，侔於鄭衛，有司禁之。」其中，値得注意的是，在當代的戲班，無論演出歌仔戲、京劇、北管、南管、四平、流行歌、採茶戲等都難不倒他們，可以滿足各類觀眾點唱的需求，因此在民國初年（日本大正年間）時，出現了它的道白和歌唱都是使用閩南語（歌）或客家話（歌）的「歌仔戲」，而其中，又有以客語唱「歌仔調」的戲，就被稱之爲「客家歌仔戲了」。這個關鍵人物，就是生於咸豐八年，死於民國十年，享壽六十三歲的寶山新城村十鬮人——何阿文。當日本於西元一八九五年統治台灣時，何阿文正是三十七歲的壯年，可說是他一生的將近顚峰時期，在他的往後發展上，根據鄭榮興的《台灣客家三腳採茶戲研究》（2002, P.51）一書中，整理了其他師承的脈落，節錄如下：

　　　　→卓清雲→莊木桂
　　　　→阿才丑
何阿文→阿浪旦→魏乾任→曾先枝
　　　　→何火生

→梁阿才→鄭美妹⑧

相傳何阿文長得非常英俊，年輕時演旦角，年歲較大時則演丑角，所以後人就以「阿文丑」稱之外，又相傳有一次阿文丑，或有人說是名丑卓清雲，在入庄演採茶戲時，全村男男女女都忙著看戲去，沒有時間去從事正常的農耕工作，在夜間演戲時，有時觀眾還拿著火筒、火把去照明等現象，因而留下了一個著名的「採茶入莊，田地放荒」的俗諺產生。就在此時期，由於三腳採茶，漸漸深入民間，有了一席之地後，在商業性的考量下，於民國十年左右，有人卻說它是從西元一八〇〇年到西元一九二一年（民國前 112 年～民國 10 年）的一百二十年間，由於受到其它劇種的影響，有的戲團（班）仍保持延續「落地掃」即是「小戲」的形式生存。但也有的戲團（班），則採取除了上演情節較複雜，而且演員場面也較大的演出，即為採茶外台「大戲」的初步形成。

在民國十餘年後，台灣各種劇種，如福佬人的歌仔戲、廟會的北管戲、正音班、車鼓陣（戲）……等，相當盛行。三腳戲在此環境下，吸收了它們優點，諸如模仿他們的台步、服飾、布景、故事、身段、角色的同時，由於受到日本統治與日本文化的交錯下，除了逐漸打破三個角色（一丑二旦）表演形式的限制外，也逐漸走入專職，轉變成戲院的商業化模式，而形成所謂的「改良戲」。對客家戲而言，它可說是一種「改良戲」加上「採茶戲」的「改良採茶（戲）」。

在民國二十六年（西元 1937 年，昭和 12 年），日本在台推行「皇民化運動」，本土文化在政治力量的主導下，淪爲犧牲品，被斥之爲「浪費」，而禁止中國傳統戲劇與民俗活動之舉辦（稱爲「禁鼓樂」）。民國三十年十二月八日，日本向英美等國宣戰，爆發了「太平洋戰爭」。在民國三十一年三月組成「台灣演劇協會」，要求所上演的戲劇，要使用日本話、穿日本服裝，或是要先上演一小時的日本「寸」（短）劇，然後才准演自己的戲的規定。在此期間，內台戲班受到很大的打擊，有的戲班爲了求生存，而改演新型態的話劇，有的戲班把它的設備、樂器、配件、行頭等抛售或是將整個的戲班轉賣給「台灣演劇協會」，由其統一經營。當戰爭非常吃緊，尤其是八年抗戰的最後半年，幾乎所有的戲班均停演。

民國三十四年（西元 1945 年）八月十五日，日本宣佈無條件投降後，國民黨政府，於十月抵台接收台灣。由於戰後的混亂，於民國三十五年六月九日「聖烽演劇研究會」在台北市中山堂上演獨幕悲劇「壁」及三幕喜劇「羅漢赴會」的話劇。「壁」劇以一堵牆爲界，左鄰奸商囤積居奇，正在開著奢靡華麗的舞會，慶祝所囤積的米糧又漲價發財了；右鄰爲失業工人，全家面臨絕境，孩子餓得跑去隔壁家偷吃雞食。失業工人自己又得了肺癆，只好狠心毒死家人，自己亦仰藥自盡，以身撞牆，慘號「牆壁啊！牆壁啊！」而結束。此種至爲單純，反映社會混亂、民不聊生的寫實劇情，演至第三天，被解釋爲帶有挑動階級鬥爭的內容，及其劇本猶未依法送審，而遭禁演。在台灣的長官公署官員，有鑑於台灣長期接受「奴化」教育，缺之文化。於在民國三十五年年底，就派遣上海的「新中國劇社」，來台宣揚祖國的優良文化，而上演了「鄭成功」、「牛郎織女」、「日出」和「桃花扇」等，布景相當華麗、考究的戲劇。據說在當時看熱鬧的人很多，但在語言溝通的困難上，真正能夠領會這些劇情者，卻是寥寥無幾。不管如何？政府能夠有這種「戲劇」演出的安排，它對於台灣劇團的刺激與鼓勵，是有其正面的意義與價值。不幸的，是在民間三十六年的二月，爆發了「二二八」事件後，各種的報章雜誌均被迫停刊，而從事於戲劇工作者，諸如「壁」的作者簡國賢，被誣爲煽動、顛覆政府的共產黨而遭槍斃外，有的改行，有的遠走異域。至於，在台灣的客家戲方面，雖然大多是演男女私情或是傳統旳故事，而少上演有關反應當代社會現況或有關政治性旳話題，但是，基於簡國賢的被槍斃，而使之客家戲演員，人人無不捏把冷汗。

民國三十八年（西元 1949 年），國民黨政府從大陸播遷來台。政府基於在大陸上的慘痛經驗，對於戲劇的控制方面，採取兩項重大措施：

一、是嚴審劇本。

二、是大力推銷所謂的「政令宣傳」劇。

在嚴審劇本方面，劇團申請人必須塡妥劇情說明，腳色分類、扮像、服裝、用具、唱詞……等外，還須送給有關單位審查通過後，始可上演。在推銷政令宣傳劇方面，大約在民國四十年度起，就開始進入一個戰鬥戲劇的階段。在該階段中，所上演的戲劇，除了在抗戰時，所創作的宣揚民族意識或愛國情操的劇本爲主外，還大量上演形式相當僵硬、刻板的「反共抗俄」劇，來從事「馬列主義」之批判。⑨自台灣光復以來，政府有鑑於內台所演出的兒女私情、怪異荒誕的劇情過多外，其中又含有殘留「皇民化」的影子，因此，在民國四十一年時，有了「台灣省地方戲劇協進會」的誕生，其主要目標爲：「改良地方戲劇」、「充實地方戲劇工作人員業務知能」、「勵行文化改造運動」、「戰鬥文藝運動」等。在民國四十五、六年期間，台灣的客家戲可說是達到了巔峰狀態。其情形根據黃心穎的《台灣客家戲》指出，在台灣光復前、後的內台採茶戲班有：「新樂社」、「勝美園」、「玉美園」、「中明園」、「金龍」、「新興社」、「泰鵬」、「小月娥」、「新永光」、「金興社」、「義春園」、「金聲」、「華美園」、「永樂園」、「小美園」、「勝義」、「牛車順」、「新勝園」、「竹勝園」、「連進興」、「勝春園」、「明興社」、「永柑園」、「三義園」、「新光」、「共樂社」、「永光園」、「隆發興」、「嘉興社」、「紫星」、「南光」、「馮高山」、「藝華」等。而在當時著名的藝人有：「阿玉旦」、梁阿才（財）、曾新財、「阿生丑」、「阿運丑」、「修金仔」、「阿楚丑」、「阿荷妹」、「阿對妹」、「阿浪旦」、「巫安丑」、「巫運丑」、「彭登美」、「豆腐丑」、「大丁丑」、「小丁丑」、「阿完妹」、「阿緞旦」、「阿楚旦」、「牛車順」、「阿梅丑」、「阿文丑」等。⑩在有關在客家地區上演內台戲的戲院方面，根據徐進堯、謝一如的《台灣客家三腳採茶戲與客家採茶大戲》中，指出，根據藝人的回憶：竹東有三家戲院：文化戲院、永樂館、第一戲院。頭份有三家戲院：新生戲院、頭份戲院、珊瑚戲院。關西有兩家戲院：第一戲院、東泰戲院。龍潭有兩家戲院：鼎隆戲院、龍潭戲院。苗栗有四家戲院：苗栗戲院、中央戲院、國富戲院、上林戲院。另外又有：南庄戲院、三灣戲院（苗栗）、獅潭戲院、大湖戲院、北埔戲院（三義）、大坡戲院（新屋鄉）、三崎戲院（新豐）、竹北戲院、湖口戲院、富崗戲院，銅鑼有兩家戲院。⑪

民國四十八年七月十六日，省政府公佈了「台灣省改善民間習俗辦法」，以節約統一拜拜之美名，設法限制各種戲劇的上演。對於神前戲方面，也採取許可制，並且強制神前戲的安排，須配合國家的節慶，有如教師節、雙十節、光復節……等。使之許多的野台客家戲班紛紛結束營業外，有的戲班則爲了求生存，在不得已的情況下，被迫把該團人員，分爲多團（班）去上演不夠水準的戲劇。在有關電影對戲劇的打擊方面，自元西一八九五年十二月二十八日，法國盧米埃兄弟在巴黎試放電影，被世界各國公認爲「電影世紀」的開始之日，後的第六年，即是日據時代明治三十四年（清・光緒 27 年，民國前 10 年）十一月初旬，就有電影開始傳入台灣，在台北西門町放映。其後，不管是在日據時代，或是國民黨政府在台灣的時代都陸陸續續有自我影片的拍攝與放映。由於電影有它的相當吸引力，使之在民國四十四年至民國四十七年間，許多的戲院紛紛改爲電影院，而使之舞台劇的發展受到了或多或少的限制，或走向沒落之際，廣播電台卻在此時，興起錄製客家大戲，在廣播電台上播放。當時曾製播客家戲的電台，諸如有，桃園先聲、新竹台聲、新竹天聲、新埔大中華、苗栗中廣、竹南中廣、苗栗台聲……等。

在民國五十年後，迫使戲劇長期沒落的主要原因，可說是由於電視以及一些新式娛樂的紛紛興起。尤其，是在電視出現後，在相互的競爭、比較下，「大戲」的節奏顯得慢吞吞、內容有限外，而且一個故事一演再演，自然得不到觀眾的青睞，而只有在酬神時，才有上演的可能。在民國七十六年（西元 1987 年）七月十五日，國民黨政府在強大人民的民主壓力下，被迫宣佈解嚴外，於民國八十年四月三十日，又正式宣佈終止動員勘亂時期後，在一切均在逐漸恢復民主的狀態下，爲了挽救客家的「大戲」，以及提高其演藝水準，自民國八十一年開始，就有「台灣省客家戲劇比賽」的舉辦，其主辦單位是台灣省政府教育廳，承辦單位是台灣省立新竹社會教育館和新竹縣政府。這種的比賽活動，在民國八十四年時，已有新美蓮劇團、榮興劇團、金興社劇團、德泰劇團、新永光第一團、新永光第二團、居順劇團、新月蛾劇團、秀美樂劇團、龍鳳園劇團等十團（班）之多的參賽。近年來，又有一些諸如新樂園戲劇團、榮英劇團和松興劇團的積極招募新血的加入，開發新的表演形式，期望新一代的客家劇團能爲客家戲劇開創新的局面，並能找到一個新的生存空間。

貳、客家戲的組織與演出

在早期三腳採茶戲班的演員有二、三人。在文、武場方面，也有二、三人。其後，爲了擴大採茶戲的規模，在演員方面，人數不只是只有「三腳」，而在文、武場方面，諸如加入一些路人甲、路人乙的角色，使之人數共約有十幾人。至於，有導演、有燈光師、有佈景組等，完全移植了西方劇團組織架構的劇團方面，在較大場面的需求下，其人數也有七、八十人的組織。在有關目前台灣的客家戲曲演員方面，由於長期的逐漸沒落，在現今民國九十三年（西元 2004 年）時的台灣客家戲曲演員只剩下一百多人左右，其中百分之六十以上超過六十歲，四十歲以下只剩下百分之三十而已！其演出地點以桃竹苗客家庄，以及錄製客家電視台傳統戲曲節目爲主。⑫

參、客家戲的器樂

在早期上演採茶戲旳器樂，有椰胡、胖胡、大鑼、小鑼、通鼓、敲仔板（南梆子）、鈸……等。其後，隨著時代的演進，爲了使演出的聲音宏亮、優美，而有使用噴吶、小喇叭、爵士鼓、薩克斯風、電吉他、電子琴……等，當做其樂器的使用情形。

肆、客家戲的道具與裝備

在早期客家戲的演出，其常用的道具，諸如有手帕、茶籃、傘、扇、杯子、水桶……等。在布景中的文屏（坪）和武屏（坪）方面，常繪有各式圖樣與花紋，其中又以龍紋、花、草紋、鳥紋、雲紋、鱗紋等爲大宗。其後，隨著時代的進步，基於爲了配合劇情的需要，而須變換佈景或是營造氣氛的要求下，往往需要有音響、燈光、乾冰、鋼索、會縮回去的彈簧刀……等的設備外，至於，爲了擴大演員的音量，對於小蜜蜂（隱藏式麥克風）的裝備，可說是一種不可或缺的東西。

伍、客家戲的劇目

在有關客家的戲劇方面，它可說是隨著時代的演變，以及人民的需要而不斷的創新，或是在內容上做一些適當的調整。三腳採茶戲上演以前，丑角上揚，配合梆子和拍板唸出台詞，藉著清脆的聲響，製造詼諧的效果，並具有熱場的功能，這些的台詞，被稱爲「棚頭」。在有關客家戲班最常扮的「仙」方面，是《三仙會》、《酒仙》、《醉仙》和《壽仙》、《小八仙》等，在演完後所接的總是《加官》和《金榜》，而形成三齣聯演形式的同時，演員們通常還會說或拿著「天官賜福」、「加官晉祿」、「當朝一品」的道具，向人們祝福。至於，在有關其它的劇目方面，大致如下：「五虎平南」、「五虎平西」、「秦世郎吞六國」、「薛平貴征東」、「薛平貴征西」、「王文英認親」、「哪吒鬧東海」、「劉全（泉）進瓜」、「魏徵斬龍王」、「唐明皇遊地府」、「仙伯英台」、「陳三五娘」、「孟姜女」、「劉廷英賣身歌」、「賣茶郎」、「呂蒙正」、「姜安送米」、「胡忠慶」、「觀音得道」、「媽祖出世」、「周公鬥法」、「仙女下凡」、「薛（石）平貴與王寶釧」、「雪梅教子」、「三娘教子」、「白蛇傳」、「趙匡胤千里送京娘」、「十送金釵」、「目蓮救母」、「大拜壽」、「孫臏下山」、「貂蟬呂布」、「李旦失揚州」、「錯配姻緣」、「恩將仇報」、「魚美人求雙包公」、「乞米養狀元」、「太平天國」、「孝子不記恨」、「婆媳風雲」、「龍寶寺」、「打虎將軍」、「三國演義——關公出世」、「三國演義——桃園三結義」、「封神榜——姜子下山」、「紅樓殘夢」、「彭公案」、「西漢演義」、「西楚霸王」、「峰劍春秋」、「關東怪俠」、「火燒紅蓮寺」、「吳漢殺妻」、「關公戰周瑜」、「狸貓換太子」、「斬太保」、「盤古開天」、「八美圖」、「梅開二度」、「亡魂大俠」、「金華府慘案」、「金銀天狗」、「五龍陣」、「借荊州」、「古城會」、「真假狀元」、「新金龜記」……等。

陸、客家戲戲台的佈置

一般是觀眾面對戲台的右邊通常稱文場為「文片」、「文邊」，主司管弦樂器；面對戲台的左邊通常稱武場為

「武片」、「武邊」，主司敲擊樂器，其中司鼓者稱「頭手」、「頭手鼓」或「上手」，司鑼者爲「下手」。文武場不單只有樂隊的功能，有時也須配合著劇情跟演員答腔。舞台後方通常擺有桌椅，戲台上方掛有書寫戲班名稱的橫額，布幕的兩旁常有景片的搭配，有些則爲對聯，左爲上聯，右爲下聯。演員演戲自布幕左邊「上場門」出，自右邊「下場門」入，分稱「出將」、「入相」，但在野台演出時，常常不受此限制外，對於不按章法出入者也不在少數。

柒、客家戲的演出

一般客家戲戲班稱「一棚戲」，是指一天戲劇的演出，「一棚」亦稱「一台」。一天的演出通常包括扮仙、日戲和夜戲。扮仙戲的錢是由請主另外給予。在客家庄演出，扮仙的時間以早上十點（或十點半）演出最多，如果在閩南庄演出，通常是在下午日戲前的半小時左右。日戲通常開始於下午二點半，演出時間爲兩個半小時左右，而夜戲多始於晚間七點（或七點半），過去演出爲三小時，近來某些戲班已改作爲兩個半小時。（行政院客委員客家小小筆記書，戲曲篇）

捌、現今的客家戲團

近年來在行政院客委會的成立以來，爲了發揚客家戲劇的文化有或多或少的照顧下，傳統客家劇團又有逐漸興起的趨勢，今根據行政院客委會〈客家小小筆記書〉戲曲篇指出，台北區有 1. 客家劇團（林怡君，話劇）；2. 魅獻偶劇團（黃武山，布袋戲）。桃園區有 1. 貴鳳歌劇團（陳鳳祺，採茶戲）；2. 楊梅新永光戲劇團（陳玉珍，採茶戲）、黃秀滿歌劇團（黃秀滿，採茶戲）；3. 新月娥歌劇團（范姜新堯，採茶戲）；4. 德泰歌劇團（李正光，採茶戲）；5. 勝拱樂歌劇團（彭勝雄，採茶戲）；6. 連月歌劇團（朱秋霞，採茶戲）；7. 新明歌劇團（徐淑裕，採茶戲）。新竹區有 1. 金龍歌劇團（鄭長庚，採茶戲）；2. 金輝社歌劇團（彭盛文，採茶戲）；3. 新竹縣客家三腳採茶戲團（徐進堯，三腳採茶）；4. 新永光歌劇團（徐蘭妹，採茶戲）；5. 龍鳳園戲劇團（李永乾，採茶戲）；6. 新樂園戲劇團（劉秀鳳，採茶戲）；7. 慶美園戲劇團（梁月嬰，採茶戲）；8. 九讚頭布偶戲團（陳文正，布偶劇）。在苗栗地區有 1. 金興社歌劇團（徐先亮，採茶戲）；2. 雲華園歌劇團（蕭春蓮，採茶戲）；3. 榮興客家採茶劇團（鄭月景，採茶戲）；4. 惠風舞蹈工作室（紀文淵，舞劇）。另有 1. 歡喜扮戲團（彭雅玲）；2. 鬥鬧熱劇場（莊華堂）；3. 哄哩岸團體（溫淑玲），偶爾也演出客家戲。

戲班一般有五、六人，今僅以曾經最流行的《賣茶郎》十齣戲，來做個說明。《賣茶郎》採茶戲，在結構形式上，分成七個大段落和三個過場戲，其中，每一齣戲可單獨演出，也可連成連台劇演出，演員若只有三人，演出則一爲張三郎（通常爲丑），一爲張妻，一是張郎（或張妻）的妹妹。雖稱作「三腳」，有時只要兩人就能演出。在演出的方式方面則爲：一人敲打大、小鑼、通鼓、敲仔板（南梆子）、鈸等另一人則拉胡琴（椰胡或胖胡）；三個人時，多一人拉胡琴，相互配音，聽來較爲高低有致，身段、動作也就免了，這種編制「迷你」的團體，基本上，只能算是「唱」三腳採茶了。至於在它的內容方面其大概情形爲：

一、〈上山採茶〉：描寫婦女急忙上山採茶，把茶葉曬乾製成茶米的辛苦過程中，爲了對夫君的愛戀以及對家庭的眷顧，早已把辛勞忘記了。

二、〈送郎出門〉：描寫髮妻落淚，捨不得賣茶郎離家出外賣茶去的情形。

三、〈送郎送到十里亭〉、〈遮（傘）尾〉：其原文爲：「送郎一里又一里，囑郎食飯莫過飢，三餐食飯也要早，過飢食飯麼（無）藥醫……看見我夫就起身，丟別你妻真可憐，你今出屋他往去，妻子在家靠何人。」也就是當妻子含情默默的遠送丈夫到十里亭時，在即將離別時，還「掵遮（傘）尾」（拉住雨傘的尾巴），來表示依依不捨之情。

四、〈糶酒〉：賣茶郎賣完茶後，就到酒店找女人喝酒尋歡，而忘了髮妻在家期盼夫君早日回家的心情。

五、〈送茶郎轉屋（回家）〉、〈勸郎怪姊〉：由於酒娘（酒店小姐）又漂亮又熱情溫柔，使之賣茶郎一住進酒店就不想離去，直到錢將用光了，在酒娘的好言相勸回家去時，賣茶郎還責怪酒娘的無情無義。

六、〈賣茶郎轉屋（回家）〉、〈陳仕雲〉、〈接哥轉

屋（回家）〉：用三種曲調，來表達賣茶郎回家和髮妻見面，並相互傾訴離別之苦的情景。

七、〈山歌對〉、〈打海棠〉：原文爲：「那个又高高過天，那个又深海無邊，那个又硬硬過鐵，那个又阮阮（軟軟）過棉……。」用演唱曲調方式，做爲過場戲之用。

八、〈十送金釵〉：用演唱曲調方式，將對白唱完後，即喝「十送金釵」的一種過場戲。

九、〈盤茶〉、〈盤賭〉：爲此戲的高潮，髮妻知道丈夫的荒唐後，就開始盤問（責問）賣茶郎：「樣般（爲何）拿茶去賣沒錢轉（回來）？」賣茶郎很無奈的回答：「賣茶錢賭狗（博）全部輸掉了。」此時，賢妻一氣之下，就轉妹家（回娘家）去。其後，緊接著在賣茶郎的苦苦哀求，以及髮妻的原諒下，終於揹起賢妻轉屋家。

十、〈桃花過渡〉：它主要包括「撐船頭」、「尋夫歡」、「撐船歌」等三種曲調，做爲此戲的結尾之用。⑬

在有關現今的採茶戲方面，它常被客家人用來當作日常生活的娛樂外，也常作爲廟會酬神之用。客家的戲劇不僅種類少，而且演出的節目也相當有限。客家人的所謂「大戲」，除了源自於傳統的採茶歌外，它是一種「三腳戲」的擴展，以及以客家話演出的野台戲而已！在客家庄中，所上演的戲劇，以平安戲最爲有名外，其次就是美濃的二月戲了。

廟會與客家戲：

客家先民埋首壟畝與山林之間日出而作，日入而息，按部就班配合二十四節氣的春耕、夏耘、秋收、冬藏過著與世無爭的恬靜生活。在傳統的客家社會中，因爲生存環境的惡劣與資源的匱乏，客家人爲了生活，只有勤儉打拚，一年到頭，除了年節之外，大約只有兩次重要的鄉土休閒活動，一次是正月春耕農忙之前的迎神遶境遊庄，祈求五穀豐隆，國泰民安，上演春戲，又稱爲媽祖戲。另一次通常是在收冬之後，酬謝神明的庇佑而上演平安戲，又稱爲收冬戲。這兩次的大拜拜，除了能夠延續民間的傳統信仰外，廟中的香火資金也可得到相當挹注的同時，在戲棚下有各種形形色色的小吃、農產品與童玩的叫賣，使之有「大人看戲棚頂，細人仔看戲棚下」的現象出現。

一、平安戲

在沒有電視、少有收音機的時代，「七冬七冬倉，七冬七冬倉倉倉。」童年的喧天鑼鼓聲一直忘不了。客家女詩人杜潘芳格在七十六歲時所寫的〈平安戲〉一詩中，描述看戲場景的情形爲：「年年都是太平年，年年能演平安戲，只曉得順從的平安人，只曉得忍耐的平安人。圍繞著戲台，捧場著看戲，那是你容許他演出的。很多很多的平安人，寧願在戲台下，啃甘蔗，含李仔鹹，保持僅有的一條命。看——平安戲。」

平安戲又稱收冬戲，在客家文化中扮演著相當重要的角色。每年八月秋收後，基於「春祈、秋報」的傳統觀念中，爲了答謝眾神的庇佑，除了準備有豐富祭品祭祀外，爲了表示隆重起見，各地民間廟宇，往往會請野台戲在神明面前上演秋收平安戲，以示酬謝之意。在平安戲的上演方面，它通常是一庄演完，再換一庄上演，其情形，大概在同一個鄉鎮或是同一個祭祀區，可連續上演一、兩個月左右。在過去缺乏娛樂活動以及物質普通缺乏的時代，對於此種戲劇的演出，當然是屬於一種的大事，人們自然也會非常珍惜這一年一度美好時光的到來，而有今天到東庄看戲，明天到西村做客與親友交歡，順便熬夜看戲，並暫忘白天田事，而有「採茶入庄，田地翻荒」之諺。在國民黨政府領政期間，對於各村庄輪流上演平安戲的常民文化，被斥之爲「浪費」，而被限制在教師節、國慶日、光復節等少數幾個特定的固定假日裏。在民國五十年後，由於電視以及其他新式娛樂的紛紛興起，使之平安戲直到現今，雖然年年上演，但是熱鬧的廟會、無邪的童伴卻已消失無蹤，使之戲棚上演戲的演員比戲棚下的觀眾還多的場面出現。

二、美濃的二月戲

過去客家人的掃墓是在元宵之後的同時，美濃的客家人也藉此機會祭拜庇佑地方安靖的伯公（土地公）、賜水給人們水源的河神、玉皇大帝以及美濃地區所特有的護衛作物豐收的蛇神——里社真君等。在太平洋戰後，台灣被迫接受新政權的統治，台灣多了在清明節前一個星期左右的青年節。在五〇年代時，在政府的大力推廣節約拜拜下，青年節竟成爲美濃的統一掃墓之日，至於在過去有順便祭拜諸神的習慣方面，由於有人倡議募款請戲酬神的演出，而自然形成該鎮最爲熱鬧之日。大約在五、六〇年代時，爲它的最盛時期，有一連上演幾天幾夜的盛況，而似乎形成一個客家特有的節日。如今在河床上所上演的二月戲，依然年年舉行，但卻只有寥若晨星、零零落落的幾個老人，帶著椅子在戲台前看戲而已！

第二節：偶戲（一傀儡戲；二皮影戲；三客家布袋戲）

第一項：傀儡戲

傀儡戲在中國已有兩千年以上的歷史（從馬王堆三號漢墓出土的文物及史記孟嘗君傳）得以證明，可說是中國最古老的劇種。在傳統的戲劇界，也都有尊傀儡戲爲同行老大的習慣。傀儡戲的存在，它和宗教信仰、禮俗文化有非常密切的關係，除了酬神、驅鬼、除煞外，傀儡戲在古代中國也還有廣泛的娛樂價值。在傀儡戲的藝術方面，通常由一個演師，三個樂師，七、八個奇形怪狀的戲偶，以及一些活動布景、燈光、音效所組成。它透過演師的熟練技巧，把沒有生命的傀儡，演得像真人一樣，甚至比真人更具「真實性」的內涵與意義。傀儡戲的演出內容，多半以虛構故事爲主，透過豐富的人生經驗，並加以幻想和誇張，來反映國人的生活情感以對正史、野史、神怪小說……等故事、人物的敬仰、好惡與批判、學習。傀儡戲有它娛樂價值的一面，但也有另一種「祭煞」時的詭異陰森氣氛，諸如在深夜十一點至一點舉行祭煞儀式中，孩子必須驅離，孕婦爲免生「軟骨兒」之說，也須遠離，而在此時拉懸絲傀儡跳鍾馗的師傅也扮演起「道士」的角色，令人產生一種像「招魂」的怖慄之感。又由於此傀儡戲牽涉到甚多的法術部份，許多的藝人還有「傳子不傳女」，以免技藝外流的「家傳技藝」觀念。

「傀儡戲」，在臺灣即俗稱爲「加禮戲」也。它是以一種木頭或泥土製成的假人，模仿真人的動作，演故事。我國有「傀儡戲」，已有長遠的歷史。最初的來源是古代殉葬所用的俑，後來爲喪家所用。據「列子」載：「周穆王時，巧人有偃師者，爲木人，能歌舞。王與盛妃觀之。舞既終，木人瞬目，以手招之左右。王怒，欲斬偃師，偃師懼，壞之，皆丹黑膠漆之所爲也。」又《樂府雜錄》，謂：「漢高祖在平城爲冒頓所圍。其城一面，即冒頓妻閼氏，兵強於三面，壘中絕食。陳平訪知閼氏妒忌，即造木偶人，運機關舞於陴間。閼氏望謂：是生人也；慮下其城，冒頓心納妓女，遂退軍。後樂家翻爲戲具，即傀儡也。」上述二者之記載，可知在漢初以前已有精巧之傀儡。據杜佑通典所載：「窟礧子（即傀儡），作偶人戲，善歌舞，本喪家樂也。漢末始用於嘉會。」由此可知它已由喪樂擴大到娛樂用途了。魏書的「杜夔傳」記載：魏明帝時扶風人馬鈞，精於傀儡戲製作，能夠令木人擊鼓吹簫，作山岳，使木人跳丸，擲劍、緣絙倒立，出入自在。百官、行署、舂磨、鬥雞，變化百端。南北朝時，北齊後主高緯，嗜好傀儡戲。另有北齊博陵人崔士順也精於製作傀儡戲，比馬鈎更為奇巧機妙。又根據唐人馬溫的「鄴都故事」記載：崔士順在臨漳縣的「仙都苑」中的北海，製作一個浮在水上的堂，高達三層。「下層刻木人七，彈箏、琵琶、箜篌、胡鼓、銅鈸、拍板、弄盤等。衣以錦繡，進退俯仰，莫不中節。中層刻木僧七人；一僧執香奩立東南角，一僧執香爐立於東北角。五僧左傳行道，至香奩所，以手拈香，至香爐所。其僧授香爐於行道僧，僧以香置爐中，遂至佛前作禮，禮畢，整衣而行，周而復始，與人無異。上層作佛堂，旁列菩薩衛士，帳上作飛仙右轉，又刻紫雲左轉，往來交錯，終日不絕。」從上述記載可知傀儡戲只能做簡單的動作，到了隋唐時已能扮演簡單的故事了。根據唐人杜寶的「大業拾遺」記載：「隋煬帝有一次與群臣在曲水觀水飾，就有神龜負八卦出河授伏羲，呂望釣磻溪，劉備馬躍過檀溪，周處斬蛟，秋胡赴水等故事。所刻木人，長達二尺許，衣綺羅，裝金碧；奏音聲、擊磬、撞鐘、彈箏、鼓瑟，皆能成曲；又作跳劍、舞輪、擲繩等動作，也如生人無異。唐時，太原節度使辛景雪出葬之日，范陽節度使派人前往送喪，以傀儡戲為祭盤，也有尉遲恭突厥鬥將，項羽設鴻門宴等故事，機關動作，栩栩如生。」

傀儡戲發展到宋代，已到了極盛的時期，北宋人孟元老的《東京夢華錄》記載其情形為：「凡傀儡敷衍煙粉、靈怪、鐵騎、公案、史書，歷代君臣將相故事。話本或講史，或作雜劇，或如崖詞……大抵弄此，多虛少實，如巨靈神朱姬大仙等也。」由於製作和演出的方式不同，分為懸絲傀儡、藥發傀儡、內傀儡（肉傀儡）、水傀儡、仗頭傀儡等五類外，又有走絲傀儡（盤鈴傀儡）的名稱記錄傳聞。

1. 懸絲傀儡：又名提線木人戲，是以線牽提傀儡四肢及頭部。唐人梁鍠有詩詠其情況爲：「刻木牽絲作老翁，雞皮鶴髮與真同，須臾罷渾無事，還似人生一夢中。」
2. 仗頭傀儡：是用木杖擎著有頭、有手、無足，而手部是用竹竿作支架的傀儡，而操弄者由下而上，用手撐動的戲偶。
3. 藥發（法）傀儡：藉藥力爆炸使木偶活動，根據「都城記勝」的「雜手藝」中記載：「雜手藝皆有巧名……燒煙火、放爆仗、火戲兒、水戲兒、聖花撮藥、藏壓藥傀儡。」雖然製法不詳，但大概是像現今布袋戲用火藥、乾冰來製造演技效果。
4. 水傀儡：在水中表演，根據范成大記吳下節物詩：「旱船遙似泛，水儡近如生。」又據「夢華錄」的「駕幸臨水殿觀爭標錫宴」中記載：「近殿中列兩船，皆樂部。又有一小船，上結小綵樓，下有三門，如傀儡棚，正時水中樂船。上參軍色進致語，樂作，綵棚中門開，出小木偶人，小船上有一白衣人垂釣，復有小童棹划船，遼繞數回，作語。樂作，釣出活小魚一枚。又作樂，小船入棚。繼有木偶築毬，舞旋之類，亦各念致語，唱和，樂作而已。謂之水傀儡。」由上述可知，宋代的傀儡已能釣魚、築毬、舞旋，而且還能唸「致語」相唱和。

5. 肉傀儡：以小孩代替木偶表演，根據《都城記勝》中在肉傀儡下的註釋說：「以小兒後生輩爲之。」又據夢粱錄的「妓樂編」云：「街市有樂人三五爲隊，擎一二女童舞旋，唱小詞，專沿街趕趁；但犒亦不多，謂之荒鼓板。」以及「武林舊事」的「元夕篇」云：「都成自舊歲冬孟駕回，則已有乘肩小女，鼓吹舞綃者數十隊，以供貴邸豪家幕次之翫。自此以後，每夕皆然。三橋等處，客邸最盛，舞者往來最多，每夕樓燈初上，則簫鼓已紛然自獻於下。酒邊一笑，所費殊不多。」從上述可知肉傀儡，是以人藏在肉傀儡內，來表演動作和唱唸。而所演的內容有煙粉（愛情故事）、靈怪（神怪故事）、鐵騎（戰爭故事）、公案（偵探故事）、史書、歷代君臣將相長篇故事等。綜觀傀儡戲在宋代時，已有特定的音樂、樂器及相當豐富的故事情節，它不但在宮廷中受到歡迎，而且也盛行在瓦市從事民間的遊藝表演活動之一。根據「夢粱錄」記載杭州一城的元宵景物云：「正月十五日元夕節……更有喬宅眷、淠龍船、踢燈、鮑老、駞象社、官巷口、蘇家巷，二十四個家傀儡，衣裝鮮麗。」又根據黃庭堅詠詩描述其盛況云：「萬般盡被鬼神戲，看取人間傀儡棚，煩惱自無安腳處，從他鼓笛弄浮生。」可知傀儡戲在當時是一種多采多姿，而且具有寓教於樂的功能。

「傀儡戲」，何時傳入臺灣，書均無考，僅臺祀典武廟（大關帝廟）道光十五年（西元1835年）八月，「武廟禳熒祈安建醮牌記」中，列有「開演傀儡班三台，銀八元九角四（尖）四。」又據台南天公廟的例行演戲，在光緒二十四年（西元1898年）由小梨園改演傀儡戲的記載。上述可知清末時台灣已有了傀儡戲。滿清末年，在沒有得到臺灣人民同意下，被出賣的臺灣，傀儡戲也面臨了一次巨大的改變。在民國三十年（西元1941年）推行所謂「皇民化運動」下，此戲曾遭禁演。然因呂上訴之建議，認爲此戲之表演技術，尙有可取之處，再准其改良，繼續營業，並委任呂氏負責指導。呂氏乃編「城主與水蛙」一劇，由同樂春、錦華軒及慶華春三劇團排練，不但內容改爲日本故事，戲偶裝扮也改用日本髮式、日本服裝後，才特准此三劇團繼續營業。臺灣光復後，各傀儡戲班，紛紛復業。在民國四十三、四年間登記的戲班有二十三團。由於臺灣傀儡戲的演出意義全在宗教上的除煞、祈福之用，其娛樂方面是屬於附加的，也就是人民不會無故請此種戲來當作欣賞之用。因此平時各班均少人聘演。今就「臺灣省通誌」在民國六十年時，對該戲之組織及表演形式，列記於下：

㈠組織：一班六、七人分前後兩場，前場傀儡師，正一，副二或三，餘操樂器。

㈡音樂：分爲南管與北管二種。使用樂器，有羯鼓、唐鼓、大鑼、小鑼、小鈸、嗩納、笛、胡琴、板等。

㈢**戲台**：多在露天戲台表演，戲台又稱戲棚，棚上立兩短柱，上橫竹竿，懸布爲幕，兩側爲出入門。傀儡師立在幕後操縱傀儡，其後設一木架，以便於放置出場傀儡。樂手環繞其後奏樂。

㈣**開戲**：須先排仙，首先燒化金紙，連鑼數次，後操所奉祀之「相公爺」，在台上繞場三匝，信口唸出：「路里令，路里令，路里里路令，路令里令，令里里路令，令里里路令。」而後搬演本戲。

㈤**傀儡**：以木雕刻頭、手、足三部份，以篾編製軀體，各部以布縫製，成一人形，長約一尺七寸，全身擊以絲線，長約二尺二寸，或繫九條，或繫二十條，視各角色而異。絲線結在「竹筏」，木製一端爲柄，中央有一木鈎，出場前以此掛在架上。傀儡有目能轉動，口能開啓者，但其雕刻，均比掌中班之木偶爲拙。

㈥**操縱**：以左手持柄，翻轉「竹筏」，以左手食指及右手五指撥動絲線，傀儡即如其意開始活動。稍爲複雜之表演，則以副傀儡師助之拉線。

㈦**戲目**：喜慶或神誕，多演：大拜壽、打金枝、天水關、渭水河、三進宮、雌雄鞭等。平時則演：雙別磘、走三關、雷神洞、送京娘、困河東、龍虎鬥、探五陽、破五關、大行山、寶蓮燈、斬影、訓子、打洞、水滸傳、范瑞草、花子入城、遊天記、南芳草、秋湖戲妻、放關、花園得子、古洞寫詩、紫花宮、倒銅旗、過昭關、困南唐、登金基、三國誌等。在戲院表演時，則排演：觀音得道、天寶圖等連續戲文。⑭

目前在臺灣請傀儡戲演出的場合有下列情形：

1. 新屋、新廟、新戲院、新村莊聚落之落成有驅除邪煞討個吉利，以利居住、發展。
2. 作醮或中元普渡，有送孤，跳鍾馗驅邪的演出。
3. 在不幸災禍如車禍、淹溺、吊死、火災及其他災變等地，演傀儡戲有呼魂後，並跳鍾馗驅邪的情形。

在南部方面，傀儡戲還有被用在拜天公、謝土和結婚的喜慶宴會之上，其所表演的時間都很短，通常只有一、二十分鐘而已，然而在這些場合中，所演出的故事方面，都含有吉慶吉祥，有如薛仁貴封王、郭子儀封王、狀元回府、萬里封侯……等劇情，來為請戲人家討個吉祥之意。

第二項：皮影戲

皮影戲又稱皮猴戲、皮戲或影戲等。至於，在臺灣所稱的「皮猴戲」方面，「皮」是指牛皮，「猴」乃雕刻出來的臉形似猴，而得其名。皮影戲是亞洲人對表演藝術的一項貢獻，它以皮偶為本質，現今則研究以「紙偶」（經過描圖、染色、剪裁、複褙、結合等手續）替代，以燈光投影為特質，本著講唱文學為主體的演藝，密切配合音樂、舞蹈，藉著影子的表演以及一些營造氣氛的特技效果，帶給觀眾神祕、虛幻之美與夢結合的寓教於樂的綜合藝術。

皮影戲的正確起源，無書可考，但它可能源自穴居時代，當第一個穴居人發現他在火堆前走過或作手勢，影子可映在洞穴壁上時開始。皮影戲的影具選用皮製是經過許多的嘗試錯誤所得來的經驗。先人在自然的事物中，領悟了實物的投影，於是將樹葉泡水多日，除去葉綠層後加以上色、剪形發明了以樹葉爲影舞的道具。由於樹葉易損壞，而開始利用驢皮、羊皮或牛皮經過除毛、研磨、裁剪、雕鑿（透雕、半透雕）製成傳統一尺大小，有眼、鼻、口、耳、頭髮、冠衣裳……等的影偶，並施以黑、紅、藍、綠、黃等色彩後，再塗上桐油即成。影偶分成頭、上身、手（分腕、肘、掌三片）、下身四部份，以尼龍線穿連，肢節處並插有小棒以供走、坐、站、跪、武打之活動和旋舞之用。頸、手兩部份還安置機關，可供安插頭部，及其他武器、道具、如坐騎、舟車、桌椅、兵器、帳閣、令旗……等，在皮影戲的角色方面，也類似其他的戲劇，有生、旦、淨、末、丑等五大角色，諸如有文、武生，文、武丑，以及帝王、皇后、將帥、神道仙佛、妖魔鬼怪、貪官、番王……等。皮影戲的光源，早期是一盞油燈，後來改爲一個五百瓦燈泡，二個五百瓦燈泡，四個二百五十瓦燈泡或色彩燈等。影戲內容大致分爲文戲和武戲兩種。文戲唱曲較多、口白繁長，難以博記，多已不傳；現在演的多爲武戲，場面熱鬧，而且還穿插了許多武打過招的動作。皮影戲的表演人數大多在四至七人之間，一人主演兼口白，一助手，一燈光師，餘者爲操弄樂器及幫腔的樂師。道白和音樂方面，以地方性的方言，及其曲調來道白和歌唱。其演唱的曲調，有「一江風」、「哭相思」、「山波尾」、「下山虎」、「風人松」、「後庭花」、「甲朝元」、「魂飛」……等。在演出時，除有主唱人外，還常有幫腔協助。⑮（參見吳天泰，中國皮影戲的認識）演奏的樂器包括有羯鼓、唐鼓、大鑼、小鑼、大鈸、小鈸、板、南絃子、笛、二胡、四胡、月琴、胡琴、吶哨等等。（呂訴上・臺灣電影戲劇史）在變幻的情節中，爲使人物活現，而往往利用一些輔助性的道具來產生其特殊效果，其情形有如，上下左右搖動點燃的紙條，能產生有如蠕動的鬼火一般。將油燈巧妙的搖動，可以產生流水狀態。磨擦硫礦使其發生火光，而形成房子失火狀態。在影人之後，用一片玻璃塗上胭脂，而能呈現出流血狀態外，又根據沈平山學者，在「借燈取影」——談流傳民間的皮影戲一文中，指出「旋轉畫圈香火，就似神仙騰雲駕霧。旋轉彩色皮圈，就可使燈光彩奔猶如走馬燈……。豆油燈焰以及煙檯的移動，也有助於劇情的玄幻，看去猶似交戰時征塵滾滾的景象。香的移動可產生哭泣或下雨的效果。用扇子搖風，可產生風雲的變化。用青或藍色的布搖動，可產生海水幌動的感覺……等。」⑯皮影戲的演出場合，多在民眾酬神許願及神佛的壽誕中演出，此外家有喜慶，如娶妻、壽宴、生子滿週歲、新居落成時也會請戲來熱鬧一番。

皮影戲的淵源與發展：

由於皮影戲的正確起源，無書可考，但和皮影戲有關的故事、來源推測或描寫皮影戲的情形如下：

㈠西漢皇室傳說中的故事：相傳西漢文帝劉恆時，有宮妃抱太子時，剪桐葉作人形，映於窗玩耍的傳說。又根據宋代高承的「事物紀原」有關漢武帝見已故李夫人的故事。它說：「故老相承，言影戲之源，出于漢武帝，李夫人之亡，齊人少翁言能致其魂，上念夫人無已，迺使致之。少翁夜為方帷，張燈爐，帝坐他帳，自帳中望見之，彷彿夫人之像也，不得就視之，由是世間有影戲。」漢書「李夫人」篇上也有一段記載：「上思李夫人不已，方士齊人少翁，言能致其神，乃夜張燈燭，設帳帷，陳酒肉，而令上居他帳遙望，見好女如李夫人之貌，還幄坐而步，不得就視，上益思念悲感，為作詩曰：『是邪非邪？立而望之，偏何姍姍其來遲？』」此雖為穿鑿附會，來推測影戲之源，但它和影戲的基本原理，卻有相同之處。

㈡**源於唐代寺院俗講之說**：據近人孫楷第在宋傀儡影戲考中推論影戲之源云：「燉煌寫本王昭君變文上卷說唱訖作過階語云：『立鋪畢，此入下卷』。明當時俗講有圖像設備也。……余因疑五代僧徒夜講，或有裝屏設像之事，如余言果確，此當為影戲之濫觴。」從上述記載中，可推知在當時為了使傳經、講史能夠生動化、趣味化而有藉助圖像，來充當視聽教育的情形。此情形，再經過不斷的演變，而被認為是影戲之濫觴。

㈢**宋朝時**，影戲已經相當發達並普受歡迎：據高承的「事物紀源」云：「宋朝仁宗時，市有能講三國事者，或採其說加以喙飾，作影人，始為魏蜀吳三分戰事之象焉。」宋朝吳自牧的「夢粱錄」說：「更有弄影戲者，汴京初以素紙雕鏃，自後人巧工精，以羊皮雕形，用以彩色裝飾不致損壞……熟於擺布（佈），立講無差。其話本與講史書者頗同，大抵真假相半，公忠者雕以正貌，奸邪者刻以醜形，蓋亦寓褒貶於其間耳。」孟元老的「東京夢華錄」卷五記載：「崇、觀以來，在京瓦肆伎藝……董十五、趙七、曹保義、朱婆兒、沒困駝、風僧哥、組六姐，影戲。丁儀、瘦吉等，弄喬影戲。」周密的「武林舊事」卷六更指出當時的影戲藝人有：「賈震、賈雄、尙保義、三賈（賈偉、賈儀、賈佑），三伏（伏大、伏二、伏三）。沈顯、陳松、馬俊、馬通、王三郎、朱佑、蔡諮、張七、周瑞、郭直、李二娘、王潤卿、黑媽媽。」等二十餘人。從上述記載中，已有談三國事的故事情節，可推知不論在影偶造型，腳色分類，劇情安排等各方面，已有相當程度的發展外，又有眾多影戲藝人的記載，可知當時的影戲應該等是一種相當普遍的娛樂活動了。

元代蒙古入主中原，對於皮影戲深感興趣，經常在軍中播映。西元一二四一年，蒙古軍威大盛，在遠征南亞、中東、歐洲，以及莫斯科時，亦常帶著皮影戲道具，在晚上演出，當做一種的娛樂、消遣活動，而把中國的「燈影戲」傳播於該處。

明清時代，灤州影人由冀東傳出關外，甚得皇宮、王府的重視，而成爲普遍貴族欣賞的戲劇。滿清入關後，由於語言上無法與漢民族溝通，更無法欣賞當地的戲曲，於是各王府、貴族多在家中設有影戲箱以供娛樂之用的同時，又有雇用藝人開堂演唱競相炫耀的情形。由於滿清定都北平，達官貴人聚集於此，於是北平就成爲影戲文化中心的同時，在全國其他各地也有如筧橋（杭州）影戲、潮州影戲和四川影戲的出現。皮影戲從清初到清末，可說是一種最受歡迎的娛樂與教化方式之一，其原因，根據詹白翔學者，在「中國皮影戲」一文中，指出「皮影戲的演出內容，大都取材自中國古代文學和宗教故事，藉以闡揚社會道德與敘述歷史文物典故，加之表演方式既不淫猥也不低俗，當中上階層婦女被禁止外出觀戲時，皮影戲就成了一種家庭性的娛樂。皮影戲在最流行普及時，在許多的大城市中還有固定的演出場所。」⑰然而，到了清末民初時，柯秀蓮學者，在「臺灣皮影戲的技藝與淵源」一文中，指出「華北各地的農民鬧『白蓮教』，官府硬說皮影戲演員『用紙人興妖造反』，說他們是『玄燈匪』，到處捉拿皮影戲演員。辛亥革命前夕，浙江省嘉興府一帶，革命黨人活動繁多，因爲皮影戲演出都在夜裏，漆黑的聚合使滿清官吏覺得恐怖，許多皮影戲演員紛紛改業或因走脫不及而被治罪」⑱的情形。

臺灣皮影戲何時傳入？呂訴上學者在「中國電影戲劇史」中說：「據說在同治初年時期，由閩南人許陀、馬達、黃索等三人由閩南傳入臺灣。」⑲呂氏在戲劇學報第一期，有關臺灣皮猴戲之研究一文中，更進一步的指出：「皮猴戲在臺灣，大約在太平天國（西元 1850-1865 年）由海陸豐、潮州、汕頭一帶傳到福建的詔、漳浦等地，然後帶到臺灣。又聞是一百多年前，初是從廣東省潮州一帶傳到臺灣南部，流行於高雄縣的岡山和鳳山境內，在北二層行溪以南下溪以東的鄉村中，擁有廣大的農民群眾。」⑳又根據台南市普濟殿在嘉慶二四年（西元1819年）立的重興碑記中，有：「禁：大殿前埕，理宜潔淨，毋許積料以及演唱影戲……。」的記載，以及邱坤良學者，在「臺灣的皮影戲」一文中，談到「施博爾所搜訪到的嘉慶二十三年（西元1818年）的皮影抄本，」㉑可以推知在清朝嘉慶以前，臺灣已有皮影戲了。至於在皮影戲團的分佈方面，根據皮影藝人張天寶的描述，在他祖父時流傳下來的說法是，「清末岡山一地即有四十餘團，而路竹下寮一庄則有三十餘團。」民國四十九年（西元1960年）高雄縣志稿藝文誌記載，在該縣皮影戲團，有東華、安樂、飛鶴、新興、金蓮興、明壽興、太平興、竹興和福德等皮影戲團。由於皮影戲在各地所用的音樂與素材皆有不同，是一種頗具地方色彩的劇種。不過，不幸的這項傳統藝術不能跟現代的戲劇與變遷中的經濟狀況相競爭，在過去七十多年裏，皮影戲遭到激烈的打擊而紛紛解散，只留下極爲少數的戲團，如東華、合興、復興閣和永興樂等，有的力求保持傳統，不輕易改變演出方式，有的則力求革新，諸如把影偶尺寸加大，單眼改爲雙眼，顏色加多，刻上現代服裝和注重特殊效果的鑽研，但是他們的最終命運，還是偶爾從事扮演扮仙酬神的用途罷了！

第三項：客家布袋戲

「一口說出千古事，十指弄成百萬兵」、「千里路途兩三步、百萬雄兵六七人」的布袋戲是中國南方傳統地方木偶戲的一種，它結合文學、音樂、造型美術、燈光、舞台等各種藝術形式，透過「十指乾坤」的操作和「唱曲、口白」的聯合運用，而形成一種包含了視覺、聽覺和想像的藝術媒體。

布袋戲的藝術具有多種的特色、一、是在劇情內容上；呈現出典型的口傳文學特色，透過藝術豐富的人生經驗和口若懸河的嘴巴，把各種演義小說、傳奇故事、稗官野史或自己創作的故事，將以繪聲繪影，呼風喚雨，其說到壯烈激昂時，有如萬馬奔騰、鬼哭神號，令人熱血奔騰，說到淒涼悲慘時，令人含悲飲泣，說到滑稽時，又令人捧腹大笑的說唱出民間對現實生活的種種體認、批判與理想。二、是充分發揮肢體語言的特色，在木頭刻成中空的人頭和綴上各式縫繡的衣飾下，透過藝師的五指、手掌和手肘的靈巧操作出各種飛騰、撲打、跳躍、翻滾、一顰一笑、震怒、或悲切……等各種的肢體語言來反映人生舞台上的悲歡離合情景。三、是充滿著緊張、刺激和節奏感強烈變化的特色，它透過鑼鼓的喧鬧、燈光的變化、布景的調動和特技的運用，再加上時而嘆息、時而怨怒、時而滿臉笑容的來創造一波波豐富的意象和編織戲偶無邊魅力的情境。從上述布袋戲的種種特質中，一位成功的藝師，除了要勤練口白，生旦淨末丑五音分明外，最重要的是要把木偶的臉、身體及手腳之間做個充分的搭配，來表現出一種感人的喜怒哀樂神彩。

布袋戲的功能，除了在藝術形式上具備了文化概念和教育內涵的傳承外，它往往在民間迎神賽會和重要慶典上密切的與民間信仰、風俗習慣和節慶相結合。在它的演出中，也再度的強調和肯定了一個民族所特有的情緒和文化所共有的訊息及一個社會結構所具有的意象。

布袋戲的由來及其發展簡史：

布袋戲的發明，其由來有兩種的說法。一是據說，明朝有兩位秀才在赴京考試的途中路過揚州，借宿夢仙宮，當晚夢見福祿壽三仙獻寶的吉慶，第二天，兩人各抽了一根籤，兩人的籤文居然相同，籤上寫著：「三篇文章入朝廷，中得三等甲文魁，功名顯赫歸掌上，榮華富貴在眼前。」兩人大喜，以為功名有望，但放榜後，兩人雙雙落榜，只好回歸故里，以教學為生。一次出遊的因緣際會後，便著手改良傳統的傀戲，將傀儡頭部縮小成能在手中玩弄的木偶，並加上詩、詞對白，將它運用在教學上。由於演出新奇，對白文雅動人，再加上南管的音樂，便成為當時文人雅士的娛樂。㉒二是相傳在約三百年前，泉州有位梁炳麟，因屢試不第，到九鯉仙公廟卜夢，仙公執其手，題曰：功名在掌上，夢醒後，欣然赴考，但又名落孫山，廢然而歸。偶見鄰人用線操弄傀儡，他靈機一動，自雕木偶用手操之更見靈活，於是他就參閱稗官野史資料，編造戲文，演於鄉里。由於他的構想出眾，演技優異，加之他既有的滿腹經綸和詩詞文章，而名聞遐邇，爭相聘演，掌中戲就因此而誕生。至於掌中戲，其後又名爲布袋戲。其說法，有如下三種：

一、是木偶的軀體四肢均以粗布縫製而成，因其形狀似布袋而得其名。

二、是在演戲的彩樓，前垂布圍，內設布袋，橫一竹槓以放木偶而名爲「布袋」。

三、是昔時搬運木偶時，均把偶放在布袋內裝運，故名爲「布袋」。

布袋戲何時傳入台灣，其確實年代，並無記載，但在民國初年時，幾乎無處不有此戲，而且觀眾非常眾多，與本土的歌仔戲，相互匹敵。當布袋戲在台灣蓬勃發展之際，客家人向閩南人學習布袋戲者爲數不少，但其操演應是閩客夾雜，在客庄以客語發音、在閩南地區則以閩語發音，所形成的一種「客語布袋戲」，其情形有如位於屏東縣內埔鄉東寧村謝永貴先生的「新福興」劇團，就是以這種形式發展而成。㉓布袋戲能在台灣根植，而且歷年不衰，其中最大的原因是此戲的組織規模小，戲金便宜，表演技術又甚巧妙，故年節喜慶，迎神賽會，人爭聘之。布袋戲在台灣的發展至今，大致可分爲八個階段。1.南管戲時期（即籠底戲時期）。2.北管戲時期。3.古冊戲時期。4.劍俠戲時期。5.皇民化運動時期。6.反共抗俄劇時期。7.金光布袋戲時期。8.廣播電視布袋戲時期等，隨著時代的變遷，而有各種不同的表演方式。

布袋戲在台灣的發展，因戲路、詞調和樂調之不同而有南管、北管和潮調的派別。南管布袋戲，可說是台灣布袋戲的鼻祖，它來自泉州，以舊時台灣三大城「一府、二鹿、三艋舺」爲據點，其道白歌曲純爲泉州調，是屬文戲，曲詞典雅、行腔吐字柔慢，很講究排場，彩樓亦很高雅，整個演戲氣氛，深具文學氣息。其戲團的構成十分簡單，二人操縱，一人爲頭手師傅，另一人爲二手師傅，均能唱能道戲白，樂師則有四人，以古雅高尙繁縟的南管樂爲主，在後台拉琴、打鑼鼓、敲銅鐘、吹笛，十分熱鬧。上演的劇目如：陳三五娘（荔鏡記）、訓商輅（斷機教子）等等都是梨園戲的名劇。北管布袋戲，又名亂彈布袋戲。它的道白是以漳州調爲主。其所用的樂器有雙吹、南胡、達仔吹等。在上演的戲劇性質上，很少上演平靜幽雅的文戲，而以上演武戲爲主。在嘈雜喧鬧的鑼鼓聲中，操演著打鬥的戲作，似乎很是能夠滿足一般人們的喜愛。㉔潮調布袋戲，又稱爲百字布袋戲，以彰化縣溪州爲據點，漸漸在中南部流傳，樂曲和道白均爲高揚的潮調，戲路則與南管布袋戲近似。布袋戲的戲台命名紛雜，如以「興閣」爲團名的潮調布袋戲，曾經去掉「興」字只留「閣」字，現在有的又變成了「泉」，如「美玉泉」。又如宛若真，有古今奇觀、閣、園、堂、社等。民初以來，各地著名的布袋戲班，台北有金泉堂、龍鳳閣、小西園、宛若真；虎尾有五洲園；西螺有新興閣、玉華台；新港有寶興軒；斗南有復興園；麻豆有錦花園；台南有小飛虎、雙飛虎、萬華樓、玉泉閣；高雄有高洲園；東港有復興社等。

當上述的布袋戲，所演出的內容，大多是古代的民間故事，由於戲碼變化性有限，在觀眾的不甚滿意下，於是就創造出一種以劍客、俠客爲主角的「劍俠布袋戲」。此戲通常主角手中會拿著武器，並加入一些的特技元素，在表演時，劍俠不免有運功到丹田的畫面，接著武器就會出現，來一場武功大對決。㉕

民國二十九年（西元 1940 年），太平洋戰爭爆發後，第二年，日本在台灣全面推動「皇民化運動」時，曾經設立「台灣演劇協會」來嚴加管理或限制某些戲劇的上演。由於布袋戲具有一種高度的藝術價值，於是就委任台灣人黃得時加以改良。其改良情形，根據《台灣省通誌》記載：「三十一年四月二十三日，在『皇民奉公會本部』試演黃氏編作之現代劇『平和村』及日人近松左衛門原作，陳水井改編之古裝劇『國姓爺合戰』，改穿日式服裝，改用日語，作爲對白及解釋，添設立體佈景，以增加觀者之現實感，又採用西樂盡廢中樂。日當局大感滿足，始准許此戲繼續營業。」㉖之後，台北市有新國風人形劇團、小西園人形劇團；虎尾有五洲園；西螺有新興閣、旭勝座；岡山有東光；高雄有福光等獲准繼續營業外，餘皆被取消營業。

二次世界大戰結束後，民國三十四年，台灣光復，全省之「布袋戲」，紛紛復業。民國三十六年（西元 1947 年）爆發了「二二八」事件，不只是布袋戲，幾乎所有的戲劇均停頓。三十八年，大陸淪洺，國府遷台，先後施行了幾項重要政策，其中影響最大的是四十一年公佈實施的「改善民俗，節約拜拜」政策，停止各種拜拜及迎神賽會，更嚴格限制外台戲的演出，後經各界一再陳情，才准許每個鄉鎮每個月最多只能演出三天，而且需先向警察機關申請報備，於是在申請的理由中便出現了「復興中華文化」、「慶祝空軍節」、「各界民眾同樂會」……等種種名堂。㉗國府除消極的限制外，還積極的推行所謂安定民心的「文化列車」活動。劇本由黨部撰寫、排定、並選派各種地方戲團，每週至一個地區演出這種編劇粗糙，教條式的「政令宣傳」戲劇，來從事政治上的宣傳。至於在政治氣氛相當凝重的當代，各種劇團爲了求生存，而紛紛演些，諸如「保密防諜」、「煉獄」、「大義滅親」、「投向光明」、「望中央」……等官樣劇，來響應政府的政策。

布袋戲在台灣的發展上，隨著時代的演進，而有相當大的變化。今將民國六十年《台灣省通誌》所出版、記載的早期布袋戲之組織，及其表演形式，列記於下，以便參考：

㈠組織：北部一班七人，前場二人，後場五人；前場木偶師分正副，正木偶師，即一班班主；後場五人爲樂師而兼歌手。南部戲班，音樂改用錄音，樂師減爲二至三人，一兼管理電版。

㈡舞台：除「五洲園」、「新興閣」，經常在戲院表演，其餘均在露天搭棚表演。

㈢彩樓：各有自備彩樓，高約五尺，深約二尺，以木構成，狀似神龕，上蓋下台，兩端以四木柱撐住，正面裝一樓壁，上下留有六個門窗，門供木偶出入，窗供木偶縱跳。全樓雕刻花鳥圖案並飾金箔，晚間表演裝設電燈，甚爲富麗美觀。南部戲班一律改設布製實景。

㈣**木偶**：通稱「布袋戲尪仔」，頭、手、足三部份，以木雕成，各角色均依照京戲臉譜，施以粉墨。身長約一尺，頭至頸部，長約三寸，內空，以便操縱。昔均購自泉州塗門、花園兩地。南部戲班，一律採用本身自製，頭多倍大以上，不依照臉譜繪製，各角多可通用。

㈤**衣飾**：北部戲班，仍循平劇之制，官衣朝服褶子，各有分別；南部多隨意穿用，甚爲雜亂。

㈥**唱白**：北部仍用，半文半白之「流水白」；南部不分身份，盡用地方語。曲調，北部仍用皮黃調；南部亂彈戲調、歌仔戲調、流行歌互用，而不論與劇情合與不合。

㈦**音樂**：北部仍用北管，樂管使用皮鼓、鼓、鑼、鈸、笛、大吹、小吹、胡絃、檀板等；南部均利用錄音，以種種音樂，取悅觀眾。

㈧**表演**：操縱木偶，如穿手套，以手穿進木偶軀體，使用食指支持頭部，並以大姆指及中指支持兩手。步行時，以另一手彎曲墊住其掌，使用中指及食指推動兩足，則可自由行走。此僅一例，而視各種角色，各有不同操縱方法。但是南部各班之木偶頭部過大，操縱困難，多不如北部之木偶，生動逼真。

㈨**戲目**：文戲與武戲，各不相同，而北部與南部，亦大差異。文戲有「荔鏡傳」、「白兔記」、「真珠衣」、「秦世美」；武戲有：「包公案」、「施公案」、「濟公傳」、「封神傳」、「精忠傳」、「三國誌」。但近不分南北，多搬演新編之「武俠戲」，只見混鬥，而少有情節。㉘

金光布袋戲的誕生，及其改革：

台灣光復一段時期後，布袋戲的活動，如雨後春筍般的蓬勃發展。傳統布袋戲的固定僵化演出形式，以及鑼鼓喧天的配樂方式，逐漸爲觀眾所摒棄。通俗、親切、易懂，而且在戲偶身上會有特殊原料，諸如亮片設計等，在表演時觀眾會有較光鮮亮麗的新視覺享受的金光布袋戲乃應用而生，脫穎而出。六十年代初期，台灣布袋戲金光化的關鍵人物，一、是南投新世界劇團的陳俊然，在後場師傅日漸凋零以及減低演出成本的因素下，改用北管唱片取代後場師傅的伴奏，但演出型態與表演內容依舊承襲著北管戲的精神與技藝。另一位的全面改革者是崙背五洲園的黃俊雄。其改革情形與效果如下：

1. 戲台：捨棄巧奪天工之傳統精雕彩樓戲棚，採用木條、油彩、螢光漆繪製色彩鮮艷的華麗佈景（後來改用木板或三合板）釘成的長方體看板。雖然顯得粗糙，但造價便宜，搬運方便是其特點。在往後戲棚的創新與改革上，隨著科技的進步，而加入霓紅燈、流星管、噴火焰、使機關、電動布景……等現代特殊裝置，來創造奇幻怪異的絕招劍光、燈光幻化……等，充分發揮了金光布袋戲金光閃閃的特質。

2. 戲偶：在亮麗奪目的彩繪布景上，容易奪去木偶華麗的衣飾，甚至稍遠一些就看不出木偶的模樣，因此木偶愈做愈大，由原來三十公分的傳統戲偶，改成五、六十公分，甚至頭、手和身體不成比例的五花八門大型戲偶。臉譜也已脫離傳統京戲的造型，用誇大的手法給予美化或醜化，給人一種奇特而印象深刻的造型。它的缺點因戲偶大而無法靈活掌握住細膩的木偶動作，但相對的它給予遠處觀眾視覺上較佳的服務。

3. 戲服：戲偶在穿戴上，已經打破原有的服制規定，在重視視覺藝術造型的原則下，無奇不有的怪誕奇裝異服也紛紛出現。它雖然喪失傳統戲服唯美和象徵的寓意，但它卻能更突出角色的造型而賦予意義。

4. 音樂：不僅用唱片或錄音帶來取代後場，音樂的內容也改成現代化的音樂，如古典樂、國樂、流行歌曲，甚至西洋音樂，將其旋律好聽的部份，加以組合播放，當成背景音樂。它雖然失去了過去傳統後場（打鼓、打鑼、拉胡琴以及歌唱或配合上演時的咿呵謳唱聲響）的臨場感，但它這種音質優美，樂色豐富，旋律動人，而為大眾所熟悉的背景音樂，更容易為一般大眾所接納。

5. 唱白：取消半文半白的「漢白」或「韻白」，改為日常生活所使用的口語化「道白」發音。雖然失去了典雅漢文的節奏與韻味，但是它符合了觀眾完全聽得懂的目的，使之民眾易於享受、陶醉在無語言障礙的金光布袋戲中。

6. 演出：傳統布袋戲在上演古典戲曲故事時，其角色往往侷限在生、旦、淨、末、丑之中，而其技術則以「掌中藝」為主。㉙在現今講求快、變、奇詭的金光布袋戲裏，已經逐漸脫離了「掌中藝」的表演形態。尤其是在一個純粹以聲音傳遞的戲劇節目裏，它常透過各種道白、音效的密切配合，製造出有殺伐、有悲情、有笑果的，可以「只聽不看」的純「聲音」戲劇藝術了。

布袋戲在上述階段性的發展後，也有為迎合時代需要，設計出高一丈二，寬三丈八的所謂「三光台」大型舞台，並採用大型木偶操演，在新奇華麗的布景、道具與創新的演出技巧下，和傳統的布袋戲成強烈的對比。電視布袋戲是接續著金光布袋戲時代的需求，將戲偶更放大了許多，裏面暗藏著許多的機關，並用很多的棍子撐住戲偶來表演。在角色的個性上，也更趨人性化的角度去塑造劇中的人物。在布袋戲的發展上，不管是傳統派或金光改革派，兩者均逐漸走向沒落之途，其原因除了受到新娛樂如電影、歌舞團、電視……的影響外，社會風氣的改變以及速成享受功利主義的抬頭，使之很少人能夠靜下心來仔細品嘗、欣賞傳統的藝術之美。

客家布袋戲的誕生：

近年來有鑒於客家文化式微、客家語言消逝，許多有心的客家人便藉著某些的活動，企圖傳承客家文化，諸如在客家布袋戲方面，除了使用客家話演出，把戲偶的髮型、服飾……等造型，把它「客家」化外，也嘗試把客家人的文化內容，諸如加入客家山歌的演唱等元素，來創造出一種屬於客家人的「客家布袋戲」。

一、山宛然客家布袋戲：

山宛然客家布袋戲團成立於2004年（民國93年），它傳承於李天祿老師父的「亦宛然」，以傳統布袋戲的表演形式，進入學校、社區。根劇黃武山團長說：「山宛然的山，意指客家山歌；宛然是代表傳承之意。」由於過去在布袋戲的流源體系裏，一向都是屬於閩南福佬系，而「山宛然布袋戲團」的誕生，在打破傳統，以創新的思維，將客家語言、音樂、（老山歌、平板、山歌仔、小調）、文化等特質，融入布袋戲戲曲裏，透過布袋戲的演出，進而推廣客家文化。目前山宛然公開演出的兩部戲碼分別是「問卜」和「巧遇客家情」。「問卜」是傳統三腳採茶戲改編而成。「巧遇客家情」是由李天祿亦宛然掌中劇團「巧遇姻緣」老劇本改編而成。

二、魅戲客家布袋戲

魅戲可說是國內少數使用客家客全劇演出的偶戲團。團長湯昇榮表示，魅戲定位爲族群的故事、文學的作品，主要是改編自文學著作，再加上西洋樂團、中國文武場的節奏，是現代感很重的布袋戲。

魅戲的創團戲碼是改編流傳多年的古詩〈渡台悲歌〉，

將詩的情境變成布袋戲。藉由客頭與期望渡台展開新生活的羅漢腳，回溯在台灣華路藍縷、竭力開墾、落腳生根的感人故事。魅戲也將九讚頭繪本故事改變成《九讚頭的山狗大》，以兩隻可愛的山狗大（即蜥蜴）為主角，敘述牠們前往都市看星星的冒險故事，將繪本原始設計搬上舞台，以真人與偶戲一起演出。㉚

第三節：民間劇場

在談到客家民間劇場的興起方面，讓我們先回憶一下有關「小劇場」在台灣的發展及其特色，「小劇場」是八〇年代台灣藝文界的一大豐收。在一九八〇年暑假，蘭陵劇坊演出「荷珠新配」之前，台灣的現代劇場彷若一潭死水。早期的「話劇」，在開始時曾被視為異端，但不旋踵即發展成一個新劇種，由於話劇受到層層意識型態的束縛，加上嚴重的和朝夕萬變的台灣現實完全脫離而沒落。今日的「小型劇場」再度感染了西潮，隨著台灣社會急遽之變動，以往的鞏固權威，單一思考已經失敗，國內戲劇隨著整個社會的觀念開放、政治解嚴、開放黨禁、報禁、東歐貿易、大陸探親、大陸藝人來台……等一連串應接不暇的「開放」中，戲劇表現也百花爭放、蓬勃發展，突破了過去不符合「黨」的旨意，即以行政命令控制藝術創作的枷鎖。這些過去粉飾太平、虛矯為善、不許說真話的八股無病呻吟戲，已為大眾所唾棄，至於風花雪月、兒女情長一片「大好」的假象戲劇，也不為觀眾所喜愛，因此興起了切實反映與我們生活習習相關的時代「劇場」藝術，從不同的層面、體裁、形式致力於排除藝術與生活間的障礙，擊碎古老禁忌、驅除幻覺主義，以趣味、反諷、觀樂方式對體制、法令、跟不上時代變遷、政策反映不了民意的抗爭或喚起重人權、重環保、反種族歧視、反性別歧視……等重視人文思想、生活環境以及強烈表達被統治階層人們的願望、思想和感情的最直接、最有力的一種社會運動戲劇藝術。

劇場的演變與發展：

過去劇場的實驗，常是今日劇場的傳統。要維繫傳統劇場的生命，必須時時重創舞台的新生命並與現實生活「相映成劇」。一九八〇年四月，「耕莘實驗劇團」改名為「蘭陵劇坊」，根據吳靜吉學者認為，蘭陵王入陣曲，是中國古代有歌聲、有動作、有扮像，演出北齊蘭陵王衝鋒陷陣內心衝突的故事，也就是為了承續這個被認為是中國最早的戲劇演出而選擇蘭陵劇坊這個名稱。蘭陵劇坊的訓練工作及藝術指導，多半是取材自受到中國傳統劇場影響的西方實驗劇場之訓練方式和創造方法。在同年七月的「第一屆實驗劇展」中，蘭陵劇坊推出了金士傑導演的兩個作品：「包袱」和「荷珠新配」即可大致了解它的戲劇創作風格。「包袱」是個以演員肢體、聲音為主，由團員集體即興創作出來的典型西方現代實驗劇場作品。以劇場而言，「包袱」從傳統話劇跨出了一大步，成為以後劇場實驗發展的一個伏流。但是造成立即而明顯影響的卻是「荷珠新配」。根據吳靜吉學者，在「傳統劇場如何啓發現代實驗劇場的靈感」一文中，指出“「荷珠新配」在中國傳統劇場下豐富了實驗劇場的資源，諸如劇本的改編、語言的創新、演出的形式、導演的手法、服裝的設計、布景的運用，大都脫胎於平劇，而配樂部份則取材更廣。根據音樂專家許常惠說：「……陳建華在『荷珠新配』的配樂中採用的材料共有 *1.* 河南梆子的開台戲。*2.* 平劇鑼鼓點子。*3.* 潮州戲的木魚。*4.* 客家弦樂。*5.* 聖詩。*6.* 通俗歌曲等，相當多的材料，但都經過他的重新安排，或加以變奏，以傳統及現代樂器演奏，混合配樂，最後錄成一個錄音帶出來。毫無疑問的，這個錄音帶便是他所創作的新的舞台音樂……。」”㉚「小劇場運動」之所以能在八〇年代初期順利展開，除了融合西方現代劇場和中國傳統戲曲之創新，引起社會的注意，以及前面提到的大環境因素外，一九八〇年開始舉辦的「文藝季」、「實驗劇展」和新象活動推展中心的「國際藝術節」，也發揮了很大的推波助瀾之力。在這八〇年代前期的蘭陵劇坊、表演工作坊和屛風表演班等三大小劇場的主要貢獻是走出了傳統戲曲模式，而開創了一個具有一定觀眾人口的新劇種。在一九八五年後的第二代小劇場，不但小劇場數目增多，且更激進的把室內劇場，帶到了街頭，從事台灣各種社會批判和文化運動的坦途之上。

究竟什麼是小劇場呢？小劇場是一種唱、做、唸、打，和舞台、服裝、燈光、音樂、編導、行政、搬運、木工、電工、漆工等多方人才來共襄盛舉的「綜合藝術」。它的名稱除了小劇場或實驗劇場外，也有人稱它爲前衛劇場包括環境劇場、社區劇場、後現代劇場……等不同形式的演出。這些小劇場的演出目的，對於國家的開放以及台灣成爲亞洲最燦爛的自由民主燈塔有非凡的貢獻外，它希望藉著小劇場的演出，能夠掙脫現行主流的消費意識，使之觀眾在觀賞中，身心都能「參與演出」，進而建立一個隨著時代轉動的新文化劇種。在它的特性方面，根據鍾明德學者，在接受中國時報訪問時，表示：「小劇場除擁有『高能見度』和『高凝聚力』兩種特性外，它還有以低廉的製作費、不受票房或主流言論控制和高度的因時、因地制宜彈性等特徵，非常適合於『多元主義』下各族群、語言、地域、收入、職業、性別、年齡所構成的次文化團體所需。」㉜今將有關小劇場的題材與表現方式、人數和場地等方面來做個說明：

㈠題材與表現方式：感應靈敏，投入時代脈動的小型劇場演出，大多不講傳統故事，或用寫實主義的傳統敘事方式，而將有組織、有深度的整體性結構給予斷片化、離碎化，以便讓觀眾自行組合、聯想、解釋並賦予意義。在題材方面，不講風花雪月，或一把眼淚，一把鼻涕的訴情劇情，而是以當前社會中一些事件爲題材，透過「小劇場」的藝術手法，提醒國人，反省過去、關心現在，並思考未來。今以台灣現實狀況與本土文化爲探索主題的劇團爲例，諸如 *1.* 優劇團專心研究本土民俗文化、做田野調查，希望發展出有文化根源民族特色的戲劇創作。2.果陀劇團的「台灣第一」，是以四百年間不爲人知的人情風土爲架構，展望未來的台灣社會與人文狀態。3.臨界點劇團，關注台灣政經、社會怪現象以觸犯社會教條、反映社會弊病爲己任，透過激烈批判方式進行批判，呈現強烈的「顛覆性」，其演出的戲劇，諸如以批判封建獨裁心態的「割功送德台灣三百年史」，以及反 UO 劇團爭取校園民主的「血祭羅文嘉」等。社會行動劇場在蘭嶼演出反核劇。425 環境劇場抗議環境污染和地皮炒作的「孟母 3000」。除上述小劇場單獨演出外，也有聯合演出的情形，諸如環墟、河左岸、筆記在北岸聯合演出「拾月」等。

㈡人數：觀賞小劇場的觀眾，每場大約在兩、三百人左右，至於在街頭演出時，則依當時情況而定，有時有千餘人駐足觀賞的熱鬧場面，但有時也只有寥寥無幾的數十人罷了！

㈢場地：由於觀眾有限，場地不需太大，而且爲了縮短觀眾與演員之間的有形或無形距離，許多新劇院都以空曠的舞台直接伸入觀眾席，使之演員所要投訴於觀眾的思想、情感，能在無隔閡下互相交流溝通。至於在室外的場地，爲了引起一般人對劇場的興趣，而有選擇在街頭、夜市、公園、車站……等地的演出，希望藉著新觀眾的增多，而使得劇場獲得新的生命。

綜觀上述，小劇場雖有劇本荒、編導荒、觀眾接受程度的問題，以及在摸索、實驗的自習中，不乏意識矛盾、不知所云，或幼稚生澀的作品，但是這些有良知的藝術家們本著真誠的態度、處理社會中不可避免的問題，勇於進入現實生活、選擇藝術批判的方式關切社會，令人振奮。至於有些持負面看法之人，視小劇場為「洪水猛獸」，並認為它雖不會立即爆發成災的危險，但任其發展也不是沒有危害整體社會健康的可能性。這種「寧可讓藝術癱瘓，不許對群眾說一句真話」的看法是危險的。尤其在戒嚴近四十年所產生的種種弊端，需要透過劇場藝術喚起人們的覺醒，掃除社會進步的障礙，積極負起它在文化或健康社會成長的神聖任務。至於這小劇場的演出若涉及違反善良風俗，侵害他人權益或為「敵」宣傳等事情者，可依相關法律，加以限制或透過輿論的力量加以約束，不宜以行政命令強制框限或在推展「戲劇均富」政策下，政府對小劇場的補助給予特殊的「關照」。

兜搭劇團所演的客家舞台劇：

兜搭劇團的母團，名稱是客家劇團，在一九八九年成立於台北市客家會館。後來因團長有事，客家劇團解散。其後，高雄美濃人傅通貴於二〇〇三年七月，和一群有心朋友組成兜搭劇團。

兜搭劇團創團時，團員常思考、討論如何將台灣在地故事結合舞台劇表演形式，讓台灣客家故事可以呈現在觀眾面前。在二〇〇四年的二月，兜搭劇團受《客家雜誌》的邀請，演出「母語被打壓」的行動劇。四月二十四日，兜搭舉行「涼扇頂」戲劇公演，主要是改編自客籍文壇大老鍾肇政小說《涼扇頂秋雨曲》。故事是呈現清末民初底層老百姓的生活故事，描寫從南到北四處走唱維生的一對兄弟，因爲借宿涼扇頂客棧的過程中，介入了客棧主人一家的恩仇，並改變他們一生的故事外，在此劇中，還搭配有「十字道歌」、「乞食歌」等客家歌曲。㉝

註　解

① 張燕瑾著，《中國戲劇史》，頁323，台北：文津出版社，1993。
② 參見費雲天著，《中華戲劇史》（下冊），頁57-59，台北：復興劇校出版，1988。
③ 參見萬陸著，《客家學概論》，頁322，江西高校出版社，1995。
④ 參見聯合報，90.8.27。
⑤ 黃榮洛著，《台灣客家民俗文集》，頁181，新竹：新竹縣文化局，2000。
⑥ 黃心穎著，《台灣的客家戲劇》，頁 33，台北：台灣書店，1998。
⑦ 同上，頁33。
⑧ 徐進堯、謝一如著，《客家三腳採茶戲與客家採茶大戲》，頁160，新竹：新竹縣文化局，2002。
⑨ 曾逸昌編著，《文化發展與建設史綱》，頁 898，台北：文史哲出版社，1996。
⑩ 黃心穎著，《台灣的客家戲》，頁 50、51，台北：台灣書店，1998。
⑪ 徐進堯、謝一如著，《客家三腳採茶戲與客家採茶大戲》，頁193、194，新竹：新竹縣文化局，2002。
⑫ 郭佳馥著，《客家文化季刊》，〈客家戲劇團逆境突

圍〉，頁19，台北：台北市政府客家事務委員會，NO. 8，2004夏季號。

⑬ 曾喜城著，《台灣客家文化研究》，頁 172、173，屏東：屏東平原鄉土文化協會出版，1999，2版。

⑭ 《台灣省通誌》，卷六第一冊，頁 31，台灣省文獻委員會編印，1971。

⑮ 參見吳天泰，中華民國亞太地區偶戲觀摩展，〈中國皮影戲的認識〉。

⑯ 沈平山著，〈「借燈取影」——談流傳民間的皮影戲〉，頁58-67，台北：雄獅美術六七期，1977。

⑰ 詹白翔譯，中華民國亞太地區偶戲觀摩展，〈中國皮影戲〉。

⑱ 柯秀蓮著，〈台灣皮影戲的技藝與淵源〉，頁91.92，中華文化復興月刊，第十卷第一期，1977。

⑲ 呂訴上著，《中國電影戲劇史》，頁183，1961。

⑳ 呂訴上著，〈台灣皮猴戲之研究〉，頁111-116，戲劇學報第一期，1969。

㉑ 邱坤良著，〈台灣的皮影戲〉，頁 15，民俗曲藝第三期，1981。

㉒ 許瓊文、王遙瑋報導，〈霹靂布袋戲人物角色千變萬化〉，客家郵報，頁5，92.8.27。

㉓ 同上。

㉔ 參見高炳安報導，〈布袋戲的起源與藝術價值〉，80.5.9，中央日報。

㉕ 許瓊文、王遙瑋報導，〈霹靂布袋戲人物角色千變萬化〉，客家郵報，頁 5，92.8.27。

㉖ 《台灣省通誌》，卷六第一冊，頁 33-35，台灣省文獻委員會編印，1971。

㉗ 參見林勃仲、劉還月合著，《變遷中的台閩戲曲與文化》，頁 78，台北：台原，1990。

㉘ 《台灣省通誌》，卷六第一冊，頁 33-38，台灣省文獻委員會編印，1971。

㉙ 參見李凝報導，〈金光布袋戲〉，自晚，83.7.21。

㉚ 陳雅莉著，《客家文化季刊》，〈客家戲劇展現新創意〉，頁 23，台北：台北市政府客家事務委員會，NO8，2004 夏季號。

㉛ 吳靜吉著，《傳統文化與現代生活研討會論文集》，〈傳統劇場如何啓發現代實驗劇場的靈感〉，頁 476，台北：中華文化復興運動推行委員會，71 年 12 月。

㉜ 鍾明德，中時，78.2.16。

㉝ 陳雅莉著，《客家文化季刊》，〈客家戲劇展現新創意〉，頁 22，台北：台北市政府客家事務委員會，NO8，2004 夏季號。

第九章：客家舞蹈

自民國七十七年（西元 1988 年）十二月年底的客家運動之後，客家戲曲漸成爲眾所矚目的焦點。客家人擅長的傳統戲曲有很多種形式，例如客家大戲、三腳採茶戲、四平戲。但近年來有越來越多創新的客家戲曲、舞蹈，不但別具創意，也受到許多人的喜愛。其情形，有如光環舞集就是以舞蹈搭配客家山歌，來展現傳統與現代的新融合。現今讓我們來回憶中國數千年以來，各種舞蹈發展的同時，也希望在現今客家舞蹈的創造當中，能夠吸收前人的精華，再加上一些客家的元素，加以改造或加以創新，使之不管是宗廟性、民俗性、歌舞性或是流行性的舞蹈，能夠創造出既符合時代需求，而人人又喜歡的「客家舞蹈」。

第一節：中國舞蹈部份

壹、上古時代以及周代的舞蹈

舞蹈與人民的生活、勞動、愛情、婚姻、宗教信仰、風俗習慣等有極爲密切的關係。它是隨著人類的生存、繁衍，而長期的流傳與發展。在士大夫的封建思想下，有人認為中國是舞蹈藝術最不發達的國家。它雖含有部份的真理存在，然而中國的舞蹈藝術，自古以來就極為豐富、優美，有其悠久而優良的傳統，也是不爭的事實。

在人類早期文明中，語言與文字結構尙未成熟之際，人類透過各種的肢體語言，甚至舞蹈來相互傳達情意、訊息以及求生知識，乃孕育了舞蹈的因素。在漫長的舞蹈演化過程中，最早的舞蹈本無一定的形式，只是隨著自己的情感做出一些動作，由於情感的表現有喜怒哀樂，動作也有了快慢節拍的變化，當時的舞具方面也非常的簡陋，諸如原始的舞蹈拿著獸尾巴、禽類的羽毛或是拿著吃剩下的動物之角、爪、牙、貝殼以及樹枝、花、草做為跳舞裝飾之用。隨著整個社會的再進化，舞蹈有多方面的發展，諸如先民藉著舞蹈表達他們對天、地、祖先和氏族圖騰的崇敬（如祭拜天地山川神祇儀式以求狩獵豐收、慶祝對自然鬥爭勝利。祭祀祖先和氏族圖騰以教育後代、團結民族抵禦外侮……），對現實生活及生命的延續而產生悲喜之舞（如男女青年社交尋覓愛情的求偶之舞，婚、喪儀式之祝賀與祈禱……等），有抒發與生俱來自然流露的歡樂激情之舞，也有專供娛人取樂之舞……等。但簡單的說來，我國舞蹈的發展方向，可說是朝著輕鬆娛樂之表演性以及盛大莊嚴肅穆之祭祀性舞蹈兩大方向發展。

表演性的舞蹈，主要是提供娛樂欣賞之用。在「墨子・非樂」論述中談到：「（夏）啓乃淫溢康樂，野於飲食，將將銘（銘），莞磬以方，湛濁於酒，渝食於野，萬舞翼翼，章聞於天，天用弗式。」其中的「萬舞翼翼」可說是一種具有欣賞價值之規模龐大，場面壯觀，編排有序的舞蹈陣容了。又根據「史記・殷本記」載：「帝紂……好酒淫樂……於是使師涓（應作師延）作新淫聲，北里之舞，靡靡之樂……大聚樂戲於沙丘，以酒爲池，懸肉爲林，使男女裸相逐其間，爲長夜之飲。」在上述的「北里之舞」和「靡靡之樂」應當算是一種以男女情愛爲主的淫蕩音樂和舞蹈動作了。優伶是以娛樂君王與士民爲專業者。根據古書記載，黃帝時代，即有樂官伶倫，伶是專門從事音樂，或專以滑稽調笑娛樂之人，並不兼演歌舞，後來爲了適應需要，也習歌舞。到了春秋戰國時代，終於出現了，地位不高，但以歌舞兼調笑爲主的「優」了。當時最著名的優有，晉的優施（藉歌舞以說里克）、楚的優孟（效孫叔敖衣冠，以說楚莊王）、以及秦的優旃（爲諧笑以說秦始皇及二世）等。供人娛樂的優，在當時，通常是在宮廷內演出。然而在「左傳・襄公二十年」有「圉人爲優」和士兵觀優的記載中，在當時連管馬的、當兵的都可以觀看、表演優戲或優舞而言，可見它在民間的娛樂上也還有一定的地位與價值。

祭祀性的舞蹈方面，由於古代人民驚異於大自然的神秘，爲了避禍求福而有祭祀鬼神和用歌舞來娛神、敬神的儀式。這種帶有神秘恐怖氣氛的祭祀鬼神之舞叫做「巫舞」。而從事主持此種儀式之人，根據說文「巫」字爲：「巫祝也。女能事無形，以舞降神者也。」「覡」字爲：

「能齊（齋）肅事神明者。在男曰覡，在女曰巫。」究竟這個男覡、女巫所跳的「巫舞」是起於何時呢？雖然無法考證，但它盛行於商朝，諸如在商書中，有云：「恆舞於宮，酣歌於室，時謂巫風，商人好鬼，故舞風甚盛。」直到周公制禮，定祀典，官有常職，禮有常數，樂有常節，巫風才稍為減弱。在官方祭祀性的樂舞創作方面，根據「杜佑通典」說，伏羲：扶來（玄本）。神農：扶持（下謀）。黃帝：咸池（雲門大卷）。少皡：大淵。顓頊：六莖。帝嚳：王英。堯：大章。舜：大韶。禹：大夏。湯：大濩。周：大武。在這些聲調平靜、動作緩慢，而充滿著莊嚴肅穆、和諧安祥氣氛的樂舞中，大韶是用以歌頌舜的偉大品德。大夏是歌頌禹為治水英雄。大濩是歌頌商湯到桑林求雨，解救萬民之事蹟。大武是歌頌武王伐紂勝利之情景。這些樂舞在往後發展上，分別被用來充當祭祀宇宙、天地、山川、祖先之用。其情形有如「周禮春宮大司樂」所云：「舞雲門，以祀天神。舞咸池，以祀地祇。舞大韶，以祀四望（即指日、月、星、海）。舞大夏，以祭山川。舞大濩，以享先妣。舞大武，以享先祖。」自周統一天下後，根據李鍌學者，在「中華文化概論」一書中，說：「九夷八蠻六戎五狄之舞，相繼輸入中土，在周朝時，舞蹈設有專官（大司樂二人，中大夫；樂師四人，下大夫）。大司樂教大舞，以傳襲上述歷代祭祀之舞。樂師教小舞，所謂小舞，即年幼少時所教之舞。」②如帗舞（執全羽而舞，用於祭祀社稷）、羽舞（執摺羽而舞，用於祭祀四方神祇）、皇舞（戴羽帽，穿羽衣而舞，用於旱災祈雨）、旄舞（執諸如牛尾之類的東西而舞，用於辟雍祭禮）、干舞（執干「盾」而舞，用於兵事或祭祀山川）、人舞（不執任何舞具，徒手舞袖，用於祭祀星辰或宗廟）等。③

中國歷經夏、商、周政治社會的演進，體制也漸趨穩定。在舞蹈方面也逐漸脫離了本能性和專爲祭祀的舞蹈形態而進入藝術的領域。當時的宮廷和宗廟之舞，分爲文舞和武舞兩種。文舞是表示君王治國有道，以德服天下，而以籥、翟、鷺、翿爲舞飾。文舞又以象舞和勺舞等小舞爲代表。象舞爲武王所制，用以紀念文王之功，詠文王之德，又名文舞，由十五歲少年手執干戈扮演像用兵時刺伐之舞。勺舞的「勺」即酌之意，周公歿，嗣王制勺舞，由十三歲幼童手執樂器舞之，以資紀念周公輔成王，能斟酌文武之道而有成。另一，周代以武舞爲重，由成人舞之的大舞，其舞飾有干、戈、戚、揚、弓、矢等。此大舞的表演過程，首先是舞者總干而立，持盾立正，象用之威儀，先擊鼓許久，而後作武王和周公滅商及平定武庚叛亂，定天下之戰前準備或戰後勝利愉快之「旅進旅退」步伐一致之舞，來宣揚歌頌他們的武功和聲威。

周代在宮廷中，除了上述較嚴肅之富有紀念性或祭祀性舞蹈外，也還有一些禮儀性和宴饗性之樂舞。諸如，在禮儀性的樂舞方面，在舉行大射時，據「周禮」載：「大射，王出入令奏『王夏』，及射令奏『騶虞』。詔諸侯以『弓矢舞』。」也就是當跳此執弓夾矢舞時，須用弓和矢等武器，來充當臨時舞具而舞之。在宴饗樂舞方面，宮廷設有專官，由較低級樂官掌管，有關民間和少數族樂舞之「散樂」和「四裔樂」等。其中的「四裔樂」在當時的地位而言，依據禮記明堂位篇及白虎通禮樂篇有云：「合觀之樂，舞于堂。四夷之舞陳于右……。」可知當時的「四夷」樂舞，仍未登大雅之堂，僅供以佐宴饗罷了。

周代的舞蹈，除有奏樂外，絕大多數的舞者，手還執有舞器。在舞蹈的訂制方面，稱舞的行列爲佾。一般說來，天子用八佾，八佾爲排八行，每列八人形成方形，即八乘以八共六十四人。同理諸侯用六佾爲三十六人，（但另一說爲四十八人）。大夫用四佾爲十六人，（但另一說爲三十二人）。士用二佾爲四人，（但另一說爲十六人）。

春秋戰國時代，民間在舞蹈方面，已有傾向於自娛性、表演性和民俗祭祀性等歌舞形態的發展。

一、自娛性的民間歌舞方面：

在詩經小雅的車舝篇中，有「式歌且舞」；賓之初筵篇中，有「屢舞傞傞」；伐木篇中有，「籥舞笙歌」、「屢舞僊僊」、「屢舞僛僛」，以及「坎坎鼓我，蹲蹲舞我」等，大多是在宴飲時，有跳舞作樂，充當交誼性質之用。在東門之枌（陳風）：「東門之枌，宛丘之栩，子仲之子，婆娑其下。穀旦于差，南方之原，不績其痲，市也婆娑。」宛丘（陳風）：「坎擊其鼓，宛丘之下，無冬無夏，値得鷺羽。坎擊其缶，宛丘之道，無冬無夏，値其鷺翿。」以及君子陽陽（王風）：「君子陽陽，左執簧，右招我由房，其樂祇且。君子陶陶，左執翿，右招我敖，其樂祇且。」的記載中，可以知曉在當時的青年男女，有不分寒冬炎夏執著鷺羽充當舞飾，隨著鼓聲、缶聲節拍盡情跳舞，以及有邊吹笙樂，邊跳舞，或手揮著翿（鷺鷥羽毛）與姑娘共舞的情形了。

二、在表演性的歌舞方面：

在「史記・貨殖列傳」中，提到山東除盛產魚、鹽、漆、絲外，還有「聲邑」　。此被歸類爲富有商品價値的「聲邑」，可以推知在當時已經有了專業性供人娛樂的「樂舞藝人」了。在當時有那些流行的樂舞呢？它雖沒有詳細記載，但根據「拾遺記」中，在燕昭王時，廣延國曾獻舞女旋娟、提嫫兩人，透過柔軟身肢，表演輕巧飄逸，柔和流暢，縈繞旋轉入懷之縈塵、集羽和旋懷等水準相當高的娛樂性舞蹈。在南方，有扭細腰、曳長袖表現阿娜多姿風韻的「楚舞」外，還有情緒激越、昂揚磅礴富有悲壯色彩的「結風」、「激楚」……等。

三、民俗性祭祀歌舞方面：

在南方，楚人信巫，有以歌舞樂神的風俗。根據漢王逸的楚辭章句說：「楚國南郢之邑，沅湘之間，其俗信鬼而好祠，其祠必作歌樂鼓舞，以樂諸神。屈原見俗人祭祀之禮，歌舞之樂，其詞鄙俚，因爲作『九歌』之曲。」這祭祀天神、太陽神、雲神、河神、山神、主壽命之神、主子嗣之神以及人鬼等的九歌，可說是代表著南方楚人一種富有傾訴情愛、讚美、歌頌的祭祀性歌舞了。在北方方面，在詩經的魯頌閟宮中，有「萬舞洋洋，孝孫有慶」以及在商頌那中，有「庸鼓有斁，萬舞有奕」的記載，被今人推測爲，是當時用來祭祀祖先的舞詞而言，在當時可說是已存在著民間祭祀歌舞的情形了。至於在當時社會上，從農村到都市，甚至在宮廷中，有流行戴上面具驅逐瘟役，追趕惡鬼的「儺舞」情形。據「周禮」記載，主持驅鬼逐疫的主角「方相氏」曾經「掌蒙熊皮，黃金四目，玄衣朱裳，執戈揚盾」到宮中去趕鬼驅邪。在此民俗中，由於其儀式陣容相當壯觀，也很受到當代人的重視，因此在「論語·鄉黨」中，記載孔子遇到「鄉人儺，朝服而立於阼階」的情形了。至於在巫舞方面，不管是南方或北方，都存在著與巫術活動有關的娛神、求神舞蹈，稱之爲巫舞。

貳、漢代的舞蹈

漢時，中國成爲統一的大帝國後，其在被用作爲禮儀的頌舞方面，於高祖時，有文始舞、武德舞、五行舞；孝文帝時，有四時舞：孝景帝時，有昭德舞：孝宣帝時，有盛德舞：光武帝時，有雲翹舞、育命舞等。④在漢代舞蹈的發展中，值得注意的是，漢武帝於元鼎六年成立樂府官署，在龐大的音樂組織中，也設置有一百零六位的歌舞人員。此樂府歌舞的職稱與人數有：*1.*治等員（導演）5人。*2.*常從倡（歌舞員）30 人。*3.*常從象人（象人戲歌舞員）4 人。*4.*詔隨常從倡（應召歌舞員）16 人。*5.*秦倡員（地方歌舞員）29 人。*6.*蔡謳員（地方歌舞員）3 人。*7.*齊謳員（地方歌舞員）6 人。*8.*秦倡象人員（地方樂象人戲歌舞員）3 人。*9.*詔隨秦倡（應詔地方樂歌舞員）1 人。*10.*雅大人員（朝賀置酒爲樂）9 人。⑤漢代除有宮廷的樂府歌舞外，舞蹈風氣大開，全國從上到下皆懂得舞蹈的享受。在當時的歌舞有：

1. 驅儺：是穿獸皮戴假面，作爲「逐役」祭祀之用。根據「續漢書．禮儀志．大儺篇」記載表演情形大概是，方相氏，頭上戴著假面，在假面具上有四隻金光閃閃的眼睛，身穿黑衣，腰繫紅裙，手掌蒙上熊皮，一手拿著長戈，另一手揚起盾牌，率領著十二位由神獸轉變而來的神將。在這些戴著假面具的神將中，甲作能吃凶鬼，胇胃能吃老虎，雄伯能吃妖怪，以及騰簡、伯奇等神將，他們均能吃掉或清除一切危害人類的妖魔鬼怪。此外，還選了十至十二歲的侲子（小孩）一百二十人，跟隨著大聲吶喊，並齊唱趕鬼歌詞，以壯大聲勢。這隻由數百人組成的打鬼隊，在方相氏的長戈刺向四方，十二神將所表演的驅邪獸舞，以及跟隨者的震天吶喊下，到各陰暗處驅鬼，一直趕到端門以外，才算大功告成了。

2. 巴渝舞：是南方巴蜀英武雄健的民間舞蹈。根據後漢書的南蠻傳云：「閬中有渝水，其人多居水左右，天性勁勇，初爲漢前鋒，數陷陣。俗善歌舞，高祖觀之，曰：『此武王伐紂時歌也。』乃命樂人習之。所謂『巴渝舞』。」又根據晉書的樂志云：「（漢

高）自蜀漢將定三秦關中，范因率賨人從帝爲前鋒，號板楯蠻，勇而善鬥……舞曲有『矛渝』、『弩渝」、『安台』、『行辭』四曲。』由上可知，漢高祖在平秦中（巴蜀）時，住在渝水地區之賨人勇猛善戰，且曾爲漢軍衝鋒陷陣，漢高祖在感念之餘，數次觀賞其舞，並令樂人習之。由於該舞來自巴蜀渝水地區之民間舞蹈，故曰巴渝舞也。

3. 公莫舞：是演漢高祖赴鴻門宴時之歷史故事。據晉書樂志上說，公莫舞，晉宋謂之巾舞，相傳項莊舞劍，項伯以袖隔之，使不得害高祖，且語向項莊云：「公莫」！古人相呼曰公，言公莫害漢王也。漢人德之，故舞用巾，以像項伯之遺式。

4. 靈星舞：高祖八年，曾令天下建靈星祠，來祭祀后稷之神。在祭祀時還用十六位男童拿著鐮钁（大鋤）、鍬、鋤、竿（驅雀之用）、櫂、栶（連枷）、杴等道具，扮演「舞者像教田，初爲芟除，次耕種、蕓耨、驅雀及獲刈、舂簸之形，像其功也」等，從播種到收成的整個過程，並加以舞蹈化之舞。

5. 大風歌（舞）：高祖十二年，平定黥布叛亂後，路過故鄉沛縣時，所作的歌詞。劉邦逝世後，大風歌除成爲祭祀樂外，並加以配上舞蹈，充當祭祀劉邦之用。

在上述舞蹈中，似乎都含有一種紀念性或祭祀性的意義存在。對於娛樂性的舞蹈在當時有象人（是朝賀置酒時，歌舞者帶魚、蝦、獅子等假面具的舞蹈）和楚舞等比較傳統性的舞蹈。漢自通西域後，胡舞也隨之傳入中國，故漢時又有雅舞與雜舞之分。雅舞，莊嚴肅穆，屬於漢民族本身的舞蹈，除保留歷代僵化儀式的郊廟祭祀之舞蹈外，也會創作了一些具有民間風格的雅樂舞蹈，有如大風歌舞、靈星舞等。雜舞則是部份吸收胡舞技術以及充分利用舞具、舞服創造舞蹈形象與特色的自然演進發展下所產生之舞，其著名之舞有花舞、掌上舞、雲舞、袖舞（從事舉袖、揚袖、甩袖和擲袖之舞）、建鼓舞（是富於粗獷豪放，邊擊建鼓，邊舞蹈之舞）、拂舞（執拂而舞）、鞞舞（執鞞鼓而舞）、鐸舞（執大鈴而舞）、巾舞（執長巾而舞）、盤鼓舞（是用蒙有皮革的扁圓形之鼓，作爲舞具，放在地上供舞者在其上踩踏縱躍之舞。又由於它最多可用七個，故又稱爲七盤舞）等，皆步伐輕盈，搖曳生姿，娛樂價值甚高，可說是在宴會中不可缺少的節目。

參、魏晉南北朝的舞蹈

中國分裂割據達三百年的魏晉南北朝，在曹魏時代，曾設「清商令」和「清商丞」等官職來管理，並把民間音樂、舞蹈加以整理、改進以供統治階層享樂之用。由於該樂曲、歌曲、舞蹈等內容相當豐富生動，舞姿輕盈柔曼，並帶有哀怨，婉轉悱惻的情調，而逐漸形成所謂的「清商樂（舞）」風格。此清商樂（舞）又隨著晉朝南遷，吸收了南方的民間樂舞，而更加豐富。社會對於樂舞娛樂方面而言，雖然它在戰亂頻繁的時代，但它不亞於在安定時人們對於女樂的需求，諸如南史·徐勉傳云：「梁武帝後宮的女樂分吳聲和西曲兩部，並曾各擇以賞賜寵臣。」以及宋略·梁裴子野云：「王侯將相歌伎塡室，鴻商富賈，舞女成群，競相誇大，互有爭奪。」等情形看來，當時的舞蹈不分大江南北均非常盛行。然南北之舞，風格大異，南方之舞，具有漢魏之風，北方之舞，根據舊唐書音樂志記載，自北魏拓拔氏以來，即盛行於鮮卑的北歌歌舞，有「慕容可汗」、「吐谷渾」、「部落稽」、「巨鹿公主」、「白淨王太子」等。至於始於北齊，行列方正像城郭的「安樂」舞，後周叫做「城舞」，其舞容根據通典云：「舞者八十人，刻木爲面，狗緣獸耳，以金飾之，垂線爲髮，畫袄皮舞蹈，姿制猶作羌胡狀」的情形看來，也都充滿著塞外質樸雄壯之趣。

魏晉南北朝的樂舞，經過數百年的演化後，有的歌舞，進入廟堂，歸入雅樂，諸如巴渝舞在曹魏時，先被改變歌詞，歌頌曹魏的統治，其後再更名爲昭武舞，到了晉時又改稱爲宣武舞了。漢代的鞞舞流傳在晉代時，不但有了新的歌詞，舞蹈也由十六人表演，而變成了禮儀性的祭祀舞蹈了。同樣的鞞舞到了南朝梁時，有因舞人持巾持扇，以助舞姿的蹁躚而又易名爲「鞞扇舞」了。至於當代流行的西曲歌和吳歌方面，也有一些供作舞蹈之用的舞曲，根據古今樂錄說：「西曲歌有三十四曲，其中『石城樂』等十六曲並舞曲。舞歌均存。今按『石城樂』、『烏夜啼』、

『莫愁樂』、『估客樂』、『襄陽樂』、『三洲樂』、『襄陽蹋銅蹄』、『採桑度』、『江陵樂』、『青驄白馬』、『共戲樂』、『安東平』、『那呵灘』、『孟珠』、『翳樂』、『壽陽樂』」等，均爲隊舞。而當時常在宴樂時演奏的大垂手、小垂手等舞名，雖然其舞容已不得而知，但根據梁簡文的詩，可以知其一、二。「大垂手」詩爲：「垂手忽迢迢，飛燕掌中嬌。羅衣恣風引，輕帶任情搖，詎是長沙地，促舞不回腰。」又「小垂手」詩爲：「舞女出西秦，躡影舞陽春，且復小垂手，廣袖拂紅塵。折腰應兩袖，頓足轉雙巾……」等。

除了上述各種舞蹈外，在當代還有一些傑出藝人精心雕琢所創造的舞蹈，有如：

1. 杯盤舞，是在舞蹈中，配合手接杯盤的動作而得其名。又由於這個舞曲的歌詞是在歌頌西晉統一的情形，故又名爲晉世寧舞。
2. 巾舞，是在輕巧的舞姿下，表演拋擲、回收、揮舞著以長巾爲道具的精湛舞蹈技巧。
3. 明君舞，是晉代名舞者綠珠，首演漢代王昭君出塞和蕃爲背景故事的歌舞，由於她的歌舞演技非凡，而爲世人所熟知。
4. 前溪舞，以江南「前溪」地名爲舞名，舞出一種江南濃鬱婉轉纏綿的民間吳歌風格爲其特點。
5. 白紵舞，的來源，可說是在漢末童謠俳歌中，讚美女工所製造的精美白紵發展而來。到了三國時，流行於吳地，成爲民間的吳歌吳舞。自晉以後白紵歌舞更成爲宮廷富室的重要娛樂節目之一，而且留下了許多有關讚美白紵歌舞的詩歌，諸如：

△晉白紵舞歌詩云：「質如輕雲，色如銀，愛之遺誰贈佳人。製以爲袍餘作巾，袍以光軀巾拂塵。麗服在御會佳賓，醪醴盈樽美且淳。清歌舞降祇神四座歡樂胡可陳。」

△張率的白紵歌中，有：「妙聲屢唱輕體飛，流律染面散芬菲……時久翫夜明星稀。」「夜寒湛湛夜未央，華燈空蘭月懸光。從風衣起發芬香，爲君起舞幸不忘。」「歌兒流唱聲欲清，舞女趁節體自輕，歌舞並妙會人情，依弦度曲婉盈盈，楊蛾爲態誰目成。」

△楊衡的白紵辭云：「金壺半傾芳夜促，梁塵霏霏暗紅燭。」「躡珠履，步瓊筵，輕身起舞紅燭前。芳姿艷態妖且妍，回眸轉袖暗催弦。」

△唐代元稹的冬白紵歌：「吳宮夜長宮漏疑，簾幕四垂燈焰暖，西施自舞正自管，雪紵翻翻鶴翎散，促節牽繁舞腰懶。」

△唐末王建的白紵歌：「天河漫漫北斗粲，宮中烏啼知夜半。新縫白紵舞衣成，來遲邀得吳王迎。……酒多夜長夜未曉，月明燈光兩相照，後廷歌聲更窈窕。」

△四時白紵歌，是在漢末魏晉南北朝時，梁武帝命沈

約所作的「春白紵」、「夏白紵」、「秋白紵」、「冬白紵」以及「夜白紵」等五章紵歌。其內容爲：

春白紵：蘭葉參差桃半紅，飛芳舞穀戲春風，如嬌如怨狀不同，含笑流眄滿堂中。翡翠群飛飛不息，願在雲間長比翼。佩服瑤草駐容色，舜日堯年歡無極。

夏白紵：朱光灼爍照佳人，含情送意遙相親，嫣然宛轉亂心神，非子之故欲誰圖。（下四句同前）

秋白紵：白露欲凝草已黃，金瑲玉柱響洞房，雙心一意俱徊翔，吐情寄君君莫忘。（下四句同前）

冬白紵：寒閨晝寢羅晃垂，婉容麗心長相知，雙去雙還誓不移，長袖拂面爲君施。（下四句同前）

夜白紵：秦箏齊瑟燕趙女，一朝得意心相許。明月如規方襲予，夜長未央歌白紵。（下四句向前）

這白紵五章的演出情形，根據龍輔的「女紅餘志」記載爲：沈約「白紵歌」五章，舞用五女，中間起舞，四角各奏一曲，至「（翡翠群）飛以下，則合聲奏之，梁塵俱動。舞已，則舞者獨歌末曲以進酒。……」的情形看來，這個白紵舞是由五個人合舞而成。然而又根據梁武帝的「白紵辭」：「纖腰裊裊不任衣，嬌怨獨立特爲誰。」以及李白的「白紵辭」：「揚眉轉袖若雪飛，傾城獨立世所希。」的情形看來，這個白紵舞，又有獨舞演出的情形出現。⑥在舞服方面，根據上述晉白紵舞歌詩云：「質如輕雲，色如銀。」元稹的冬白紵歌云：「雲紵翻翻鶴翎散。」以及王建的白紵歌云：「新縫白紵舞成衣。」的情形看來，白紵舞是一種穿著質輕，雪白如鶴羽的薄紗舞服之舞蹈。白紵的演出方面，根據楊衡的白紵辭：「輕身起舞紅燭前。」王建的白紵歌：「月明燈光兩相照」的情形看來，大多是在夜晚輝煌的燭光下演出。在舞姿方面，根據晉白紵舞歌云：「輕軀徐起何洋洋，高舉兩手白鵠翔。」張率的白紵歌云：「妙聲屢唱輕體飛，流津染面散芬菲。」以及沈約的春白紵云：「翡翠群飛飛不息。」的情形看來，白紵舞是一種體態輕盈的美麗舞者，從輕歌慢舞開始，有時高舉，有時徐轉，有時則急速飛舞到香汗微漬朱顏酡的高尚華麗之舞了。

魏晉南北朝時代，是各民族由分裂而趨向混合的時代。在樂舞的融合方面，除了在大江南北相互吸收不同風格和情調的舞蹈優點外，就在此時期，西域新疆各族、波斯（伊朗）、中亞細亞的大秦（東羅馬），甚至印度的樂舞也大量流入中土，與中原的樂舞相互結合、相互影響，而奠下了我國古代舞蹈藝術黃金時代的到來。

肆、唐代的舞蹈

唐代舞蹈的發展，和唐代開國時的政策有密切的關係。

唐朝建國之初，經常受到突厥、吐谷渾、吐蕃的進攻，唐朝一方面用兵，另一方面用懷柔政策，諸如李世民打退了突厥和吐谷渾，又和吐蕃講和，把文成公主嫁給吐蕃王，結爲親戚。對於中原的少數民族，就讓他們安居樂業；對外國人來往、做生意，給予便利，以擴大對外貿易，增加稅收。當時北方可循著絲路經中亞細亞到波斯、印度和羅馬，南路就由海路通印度、南洋諸國以及其他國家。在這種文化大交流下，也促成了舞蹈方面的顯著成就。諸如旋轉、騰跳、軟度、力度、各種舞步、眼神的變化以及道具的創新，均能創造出美的意境的同時，使之娛樂表演性舞蹈有了長足的進步外，對於無論是寺院宗教活動或是民間風俗祭祀性之舞蹈，也逐漸走向娛神兼娛人的藝術化方向發展。

祭祀性舞蹈方面，唐代在太樂署下，設有文武二舞郎，其下有一百四十人從事雅舞。祖孝孫定樂時，改隋之文舞曰「治康」，武舞曰「凱安」。郊廟凡初獻，作文舞。亞獻、終獻則作武舞。「太廟」降神以文舞，「每室」酌獻各用其廟之樂舞。⑦在宮廷中，帶有紀念性和娛樂性立部伎燕樂有：

1. 破陣樂：唐太宗爲秦王時（西元 623 年），有一百二十八人披甲執戟的「七德舞」又名「秦王破陣樂」舞蹈。伴奏音樂，「皆擂大鼓，雜以龜茲之樂，聲震百里，動蕩山岳」，其舞圖根據「舊唐書・音樂誌」的文字描繪爲「左圓右方，先編後伍。魚麗鵝

鸛，箕張翼舒。交錯屈伸，首尾回互」等，其真實情形雖然不詳，但可以推知此舞是李世民根據作戰時隊伍的進退、回護、突破、包抄等行動所編製成的發揚踏厲，聲韻慷慨壯闊，饗宴時所用的戰鬥舞蹈。⑧

2. 九功舞，又名功成慶善樂舞：是太宗貞觀六年，爲了紀念他誕生於慶善宮，而由兒童六十人所組成的文舞。

3. 大定樂舞，又名爲「八紘同軌樂」：是高宗時（西元638年）有一百四十人，外披五采甲，持槊而舞，以象徵東征高麗必勝的舞蹈。

4. 聖壽樂舞：高宗武后時（西元655～683年），有一百四十人，頭戴金銅冠，身披五色畫衣，用隊形變化排出「經超千古，道泰百王，皇帝萬歲，寶祚彌昌」等十六個祝頌字形。此聖壽樂舞到了玄宗時，據「教坊記」云：舞人「衣襟各繡一大窠，㈠皆隨其衣本色，製純縵衫；㈡下才及帶，若短汗衫者以籠之，所以藏繡窠邊。舞人初出，樂次，皆是縵衣舞。至第二疊，相聚場中，即於眾中從領上抽去籠衫，各納懷中。觀者忽見眾女咸文繡炳煥，莫不驚異。」簡言之，這個隊形排字是增加了回身抽去外衫，而露出花圈繡衣的新創作藝術效果了。

5. 神宮大樂舞：在高宗武后時，由九百人上演的大樂舞。

6. 光聖樂舞：玄宗時，有混成紫極舞，以及有八十人，頭戴鳥冠，身披五綠畫衣，舞姿仿聖壽樂舞，歌頌其政績之舞。
7. 安樂（舞）：由八十人，戴獸面具，所跳的城舞。
8. 上元樂（舞）：由八十人，穿五色畫雲衣之舞。
9. 太平樂（舞）：由一百四十人，演各方的獅子舞。

其情形據通典云：「五常獅子」，又叫「五方獅子」，在進宮演出時，有分別披著代表五方顏色，各立其方位的五隻獅子外，另有一百四十人唱著「太平樂」，來隨和著這五隻獅子的演出。

宮廷燕樂的坐部支有：

1. 景雲舞：是由穿著綠雲冠、花錦袍、五色綾褲和烏皮靴等華麗服飾的舞者八人所組成。
2. 長壽樂：是祝武則天長壽而作，自穿有畫衣冠的舞者十二人所組成。
3. 天授樂：是歌頌武則天執政而作，由穿有畫衣五彩、鳳冠的舞者四人所組成。
4. 鳥歌萬歲樂：是歌頌武則天之用，有緋大袖，畫鸜鵒，冠作鳥像的舞者三人，從事於模擬飛鳥姿態的舞蹈。
5. 龍池樂：歌頌唐玄宗而作，其舞姿輕盈飄逸，冠飾以芙蓉的舞者有十二人。
6. 小破陣樂：玄宗時改編破陣樂，由著金甲的舞者四人組成。

在上述的讌樂外，還有四夷樂舞（據唐書禮樂志載，東夷樂有，高麗、百濟，北狄樂有鮮卑、吐谷渾、部落稽，南蠻樂有扶南、天竺、南詔、驃國、西戒樂有高昌、龜茲、疏勒、安國、康國，凡十四國）。其中的南詔奉聖樂，是德宗貞元十六年（西元 800 年），南詔王派遣使者向唐王獻樂舞中，有獨舞（億萬壽）、獨唱、眾人合唱以及用舞隊擺成「南、詔、奉、聖、樂」五個字的字舞等。由於該舞是以南詔樂舞爲主，並廣泛吸收中原漢族和西域龜茲樂舞編製而成，頗有藝術和欣賞價值。在獻樂結束後，成了往後宮廷的「保留節目」。到了太和中（西元 827～835 年）根據王建的宮詞云：「每遍舞時分兩向，太平萬歲字當中，則此事由來久矣。」的情形看來，當時還相當流行「字舞」的演出。至於馬舞方面，根據新唐書的禮樂志云：「玄宗嘗以馬百匹，盛飾，分左右。每千秋節，舞於勤政樓下。」也就是，在每年玄宗祝壽時，還有類似現今馬戲團之馴馬舞蹈的演出。

在宮廷中表現悲傷情緒的舞蹈作品方面，有：

1. 雨淋鈴：此悲調歌舞，是唐明皇於西元 756 年逃往四川劍閣途中，在滴滴雨聲，伴隨著陣陣鈴聲中，勾起了玄宗被迫處死愛妃（楊玉環）的哀思之作。
2. 何滿子：是開元天寶年間著名的悲歌，爲滄川何滿子所作。文宗於西元 835 年在「甘露之變」失敗後，被嚴密監視，心情鬱悶非凡，乃命宮人沈阿翹，以充滿悲憤哀痛情緒的何滿子編舞，來抒發其內心的苦悶。由於該歌舞聲辭風態哀婉動人，有令人柔腸寸斷之感而遺留後世。

3. 嘆百年：是唐代最豪華鋪張的悼念悲舞。西元 870 年唐懿宗和郭淑妃非常悲痛二十一歲同昌公主的病逝。宮廷伶官李可及特製「嘆百年曲」以資悼念外，並編了由數百位著盛裝的宮女，帶著肅穆悲痛之情載歌載舞。由於該舞能充分表現出一種哀婉的氣氛，再加上其聲詞哀怨悽惻，使之間者莫不拭淚流涕。

在宮廷中，表現輕鬆活潑愉快的舞蹈作品方面，有：

1. 凌波曲（舞）：是表現仙女優美形象的舞蹈。相傳唐明皇夢見龍女而作此舞。爲表現出她的特色，而讓舞者踏著凌波微步，來展現出龍女在水面上的輕盈飄逸狀態，把人帶入一個美麗虛幻的「仙境」之中，爲該舞蹈的特色。
2. 菩薩蠻舞：是唐懿宗時，伶官李可及吸收西南少數民族樂舞，由數百女子編織成形如仙女下凡之虛無飄渺舞蹈，在安國寺落成時，做爲禮佛首演之用。
3. 霓裳羽衣舞（曲）：這個有獨舞、雙人舞及群舞等多種表演形式的舞蹈，是始於唐開元（西元 712～741）年間。此舞的來源，有三種說法：

⑴爲西域東傳說，是根據「唐會要」卷三十三，天寶十三載改諸調名時，把「婆羅門曲」改爲「霓裳羽衣」。

⑵爲玄宗自創說，是根據名詩人劉禹錫云：「開元

天子萬事足，惟惜當時光景促，三鄉驛上望仙山，歸作『霓裳羽衣曲』」。

(3)為玄宗改編說，是根據「津陽門詩注」所云：「葉法善引明皇入月宮聞樂歸，笛寫其半，會西涼都督楊敬述進『婆羅門』，聲調吻合，遂以月中所聞為散序，敬述所進為其腔。制『霓裳羽衣』。」

不管上述的說法如何？這個得名於楊貴妃的著名舞曲，估且把它當做唐玄宗時，吸收了部份西涼節度使楊敬述所獻的婆羅門霓裳羽衣舞曲創編而成後，又加上詩人的詠嘆，更增加了它的聲譽。究竟這個艷如桃李的皇帝梨園弟子所演出的天上人間舞蹈極品，其內容如何呢？根據白居易的「霓裳羽衣舞歌和微之」詩中，回憶他在宮廷侍候皇帝時，所看到的該舞演出情形為：「案前舞者顏如玉，不著人家（間）俗衣服，虹裳霞帔步搖冠，鈿瓔累累珮珊珊，娉婷似不任羅綺，顧聽樂懸行復止。磬、簫、箏角遞相攙，擊、㩆、彈、吹聲邐迤。散序六奏未動衣，陽台素雲墉不飛。中序擘騞初入拍，秋竹竿裂春冰拆。飄然轉旋回雪輕，嫣然縱送游龍驚；小垂手後柳無力，斜曳裾時雲欲生。煙蛾斂略不勝態，風袖低昂如有情。上元點鬟招萼綠（萼綠華仙女名字），王母揮袂別飛瓊（許飛瓊仙女名字）。繁音急節十二遍，跳珠撼玉何鏗錚。翔鸞舞了卻收翅，唳鶴曲終長引聲。」又根據全唐詩卷一記載，楊貴妃的侍兒張雲容，曾贈楊貴妃善跳霓裳舞之詩為：「羅袖動香香不已，紅蕖裊裊秋煙裡，輕雲嶺上乍搖風，嫩柳池邊初拂水。」

從上述可知，舞蹈從中序慢板開始，入破以後，節奏變快，舞蹈變為激烈繁複，逐漸達到高潮後，突然中斷，在最後一個延長音中結束。在舞容方面，似乎均能表現出一種輕盈飄逸的高雅風格特質。

霓裳羽衣舞在往後的發展上，不管是在舞者的人數上或舞服上均有所改變。根據唐人的霓裳羽衣賦描述為：「被羽衣，披霓裳，始逶迤而並進，終宛轉以成行……退若遊龍之乍婉，進如驚鴻之欲翔……似到蓬萊之殿，見舞仙童。」宋王讜「唐語林」卷七記載為：「宣宗妙于音律，每賜宴前，必製新曲，俾宮婢習之。至日，出數百人，衣以珠翠錦繡，分行列隊，連袂而歌，……有『霓裳曲』者，率皆執幡節、被羽服，飄然有翔雲飛鶴之勢。」以及唐人陳嘏對霓裳羽衣舞的描寫為：「搖曳動容，婉似群仙之態，爾其絳節回互，霞袂飄颺。或眄盼似不動，或輕盈而欲翔」等情形看來，這霓裳羽衣舞已從獨舞發展到了數百人的群舞之外，還披上羽衣來表演一種輕盈而欲翔的高水準舞蹈。綜觀上述這個霓裳羽衣舞，不管是獨舞或群舞，有關這個不著人間俗衣服之令人目眩神搖，驚為絕藝的華麗歌舞演出，難怪白居易對於該舞的由衷感受是「千歌萬舞不可數，就中最愛霓裳舞」了。

唐代除了在宮廷中，創造了許多高水準的舞蹈外，在民間舞蹈方面的成就也是多方面的。其種類有，民間性的俚曲俗舞、娛樂大眾的表演性舞蹈，或配屬於「百戲」之技藝性歌舞等。其舞蹈大概有，撥頭舞、踏謠娘舞、代面舞、窟礧（傀儡）子舞、婆羅門舞、戲車、輪舞、弄椀珠舞、丹珠舞、火鳳舞（始於北魏）、玉樹後庭花（始於南朝陳後主）、泛龍舟（始於隋代）、伴侶（始於北齊）、安公子（始於隋末）、南歌子（出現於後梁）、採桑、龜茲樂、呂太后、踏金蓮、醉渾脫、蘇葩舞（作醉態之舞）、同心結、采蓮、落梅、突厥治、掉袖舞、紅袖舞、黃獐舞、堂堂、綠鈿、回波樂、烏夜啼、甘州、涼州、穿心蠻、綠腰、邯鄲舞、楊柳枝、劍器舞、春鶯轉、柘枝舞、石州、五天、胡旋舞、胡騰舞、骨鹿舞、孔雀舞（雲南傣族民間舞蹈）、赤白桃李花、薄媚、胡僧破、花舞、字舞、踏歌、潑胡乞寒戲……等。

今僅以列舉數個舞蹈加以說明：

1. 花舞：其形式有兩種，一種是手拿著花卉而舞，另一種是用舞隊，並配合著各種姿勢，來排成各種的花形之舞。
2. 潑胡乞寒戲：每年冬天要赤足露臂，用油囊盛水互相潑灑嬉戲、跳舞，盡情歡唱，籍以祓除不祥，以求風調雨順的民俗遊藝活動，原產於中亞的印度、伊朗、阿富汗和烏茲別克等地，之後，東傳到新疆、吐魯番。它於北周宣帝大象元年（西元 579 年）傳入中土。這個鑼鼓喧天、旗幟飄揚、舞時頭戴渾脫帽的歌舞遊戲叫做「渾脫舞」。又由於渾脫帽，胡語叫做蘇莫遮帽，因而在舞蹈時所唱的歌詞就叫做蘇莫遮了。這成群結隊舞渾脫的「潑胡乞寒戲」，在唐朝，從皇帝到王公大臣都很喜歡，更擴大了它的流行。但它到了中宗神龍二年（西元 706 年）時，并州清源縣尉呂元泰曾上疏諫阻觀「潑寒胡戲」（見全唐文 270 頁）。又根據舊唐書的張說傳云：「上疏謂『潑寒胡』未聞典故，裸體跳足，盛德何觀！揮水投泥，失容斯甚。」於唐玄宗開元元年（西元 713 年），官方開始下令禁止，終於結束了流行百餘年來的潑水狂歡民俗遊藝活動了。

3. 胡旋舞：原是中亞康國（即現今撒馬爾干）的民間舞蹈，大概於唐玄宗天寶年間傳入中土。在它的舞容方面，有矯捷明快、幅度大，和具有難度高的連續快速旋轉動作爲其特點，因此詩人白居易讚嘆此舞爲：「胡旋女，……弦鼓一聲雙袖舉，回雪飄颻轉蓬舞。左旋右轉不知疲，千匝萬周無已時。人間物類無可比，奔車輪緩旋風遲」的情形了。

4. 胡騰舞：原爲中亞石國（今之塔什干）的民間舞蹈。根據劉言史在王中丞宅夜觀舞胡騰的詩中記載爲：「石國胡兒人見少，蹲舞尊前急如鳥。織成蕃帽虛頂尖，細氎胡衫雙袖小。手中抛下葡萄盞，西顧忽思鄉路遠。跳身轉轂寶帶鳴，弄腳繽紛錦靴軟，四座無言皆瞠目，橫笛琵琶偏頻促。亂騰新毯雪朱毛，傍佛輕花下紅燭。」以及李端的「胡騰兒」詩云：「胡騰身是涼州兒，……揚眉動目踏花氈，紅汗交流珠帽偏。醉卻東傾又西倒，雙靴柔弱滿燈前。環行急蹴皆應節，反手叉腰如卻月，絲桐忽奏一曲終，嗚嗚畫角城頭發。」在上述的「跳身轉轂寶帶鳴」、「揚眉動目踏花氈」、以及「環行急蹴皆應節」的描述看來，其舞蹈動作非常迅速，並以騰跳和踢踏爲其主要的舞蹈風格了。

5. 柘枝舞：有人說它是來自於西域之舞。根據宋郭茂倩「樂府詩集」卷五十六「柘枝詞」小引云：「一說曰：柘枝本柘枝舞也，其後字訛爲柘枝。沈亞之賦云：（昔神祖之克戎，賓雜舞以混會；柘枝信其多妍，命佳人以繼態）然則似是戎夷之舞。按今舞人衣冠類蠻服，疑出南蠻諸國也。」又根據唐朝詩人劉禹錫的「觀舞柘枝」說：「胡服何葳蕤，仙仙登綺墀。……」可以推知它是一種屬於外來的樂舞了。自柘枝舞傳入中土後，根據樂府詩集卷五十六引崔令欽「教坊記」云：「凡棚車上擊鼓，非『柘枝』，則『阿遼破』也。」以及段安節的「樂府雜錄」云：「健舞曲有柘枝… …，軟舞曲有屈柘……等。」的情形看來，柘枝舞在當代可說是一個很流行的舞曲了。在舞容方面，根據李群玉「贈回雪」詩中有「腰支一把玉，只恐風吹折」。劉禹錫「觀柘枝舞」詩中，有「體輕似無骨，觀者皆聳神」以及「曲盡回身去，曾波猶注人」的情形看來，該舞不僅要求要腰肢纖柔，舞姿輕盈，飄逸敏捷外，還相當注重面部眼神的表達與配合了。

6. 劍器舞：劍器舞經常和渾脫舞連爲一曲，因而有「劍器渾脫」之稱。這個流行於甘肅西河地區的「劍器渾脫」民間舞曲，根據陳暘「樂書」說：「則天末年，即有『劍器入渾脫』之犯聲。」可知劍器舞在武則天時已傳入了中土。在當時舞劍器渾脫最著名的人莫過於公孫大娘了。根據唐鄭嵎的「津陽門」詩云：「公孫劍伎方神奇！」又根據杜甫「觀公孫大娘弟子舞〈劍器〉行」並序說：「昔有佳人公孫氏，一舞『劍器』動四方，觀者如山色沮喪，天地爲之久低昂。㸌如羿射九日落，矯如群帝驂龍翔，來如雷霆收震怒，罷如江海凝青光。」劍器舞在往後的發展上，根據敦煌卷子的劍器詞云：「排備白旗舞，先自有由來。合如花焰秀，散若電光開。喊聲天地裂，騰踏山岳摧。『劍器』呈多少，『渾脫』向前來。」以及姚合的「劍器詞」云：「聖朝能用將，破敵速如神。掉劍龍纏臂，開旗火滿身。積屍川沒岸，流血野無塵。今日當場舞，應知是戰人。」可知劍器舞已走向軍事方面的隊舞發展了。綜觀上述，有關劍器舞在往後的舞蹈表演發展上，可說是一種繼承傳統武術和武舞的基礎上，融以實戰操練之劍術，來表現其雄健、豪壯等，所向無敵的昂揚氣勢之舞了。

伍、宋代的舞蹈

宋承唐制，皇室貴族以欣賞舞蹈爲樂的風氣仍然存在。但大體而言，宋元以後，創新性的著名舞蹈不多，而且部份舞蹈已含有表演及敘述人物故事的成份存在。在民間歌舞方面，有許多的藝人在瓦市中相互學習、競爭而成爲一個職業性的表演藝人。其爲滿足市民口味的表演風格，與唐代被達官貴人所栽培的女樂或音樂舞蹈家，在節目風格上自然有所不同外，對於從事於專以營利爲目的的歌舞人才，也自然被稱之爲伎，其地位通常不爲一般士大夫所尊重。僅管如此，達官貴人，基於養伎作樂以及社會上交際之實際需要，仍有一些能歌善舞的家伎、營伎、和官伎等，活動在上層社會之中。

在宋代的舞蹈方面大概有，舞姿輕盈，以舞袖爲容的「綠腰」（或稱之爲六么）。邊擊鼓、邊舞蹈，有時還加上歌唱的「花鼓」。手持旗子、滾翻、騰躍的「撲旗子」。有五人齊舞，兩人對舞以及一人邊歌邊舞等形式變化的「采蓮舞」。在「勸客飲酒」爲背景的安排上，舞者邊跳舞歌唱，邊把擺設在盆中的花插在頭上的「花舞」。有爲皇帝祝禱活動的「漁夫舞」……等。

有關宋代的宮廷舞蹈方面，根據文獻通考云：「宋朝循舊制，教坊凡四部。……每春秋聖節三大宴，其第一皇帝升座，宰相進酒，庭中吹觱篥以眾樂和之，賜眾臣酒，皆就坐，宰相飲，作『傾杯樂』；百官飲，作『三合』。

……第四百戲皆作。……第六樂工致辭。繼以詩一，謂之口號。皆述德美及中外蹈詠之情。初致辭群臣皆起，聽辭畢再拜。……第九小兒隊舞，亦致辭以述美德。……第十四女弟子隊舞，亦致辭如小兒隊。第十五雜劇。……」這是宮廷大宴時所安排的節目。其中在隊舞方面，有七十二人的小兒隊和一百五十三人的女弟子隊來扮演且歌且舞的活動。根據宋孟元老東京夢華錄記載，有關他們的舞飾和道具方面如下：

小兒隊：

一、柘枝隊：衣五色繡羅寬袍，戴胡帽繫銀帶。

二、劍器隊：衣五色繡羅襦裹交腳幞頭，紅羅繡抹額，帶器仗。

三、波羅門隊：紫羅僧衣，緋掛子，執錫鐶柱杖。

四、醉胡騰隊：衣紅錦襦繫銀鞊鞢戴氈帽。

五、諢臣萬歲樂隊：衣紫緋綠羅寬衫，諢裹簇花幞頭。

六、兒童感聖樂隊：衣青羅生色衫，繫勒帛，總兩角。

七、玉兔渾脫隊：四色繡羅襦繫銀帶，冠玉兔冠。

八、異域朝天隊：衣錦襖繫銀束帶，冠夷冠，執寶盤。

九、兒童解紅隊：衣紫緋繡襦，繫銀帶，冠花砌鳳冠綬帶。

十、射雕回鶻隊：衣盤雕錦襦，繫銀鞊鞢，射鵰盤（盛箭囊）。

女弟子隊：

一、菩薩蠻隊：衣緋生色窄砌衣，冠卷雲冠。

二、感化樂隊：衣青羅生色通衣，背梳髻繫綏帶。
三、拋球樂隊：衣四色繡羅寬衫，繫銀帶奉繡球。
四、佳人剪牡丹隊：衣紅生色砌衣，戴金冠，剪牡丹花。
五、拂霓裳隊：衣紅僊砌衣，碧霞帔戴仙冠紅繡抹額。
六、採蓮隊：衣紅羅生色綽子，繫暈裙，戴雲鬟髻，乘綵船，執蓮花。
七、鳳迎樂隊：衣紅仙砌衣，戴雲鬟鳳髻。
八、菩薩獻香花隊：衣生色窄砌衣，戴寶冠，執香花盤。
九、綵雲仙隊：衣黃生色道衣，紫霞帔，冠仙冠，執旌節鶴扇。
十、打球樂隊：衣四色窄繡羅襦，繫銀帶，裹順風腳，簇花幞頭，執球仗。

在民間歌舞方面，有儺舞和民間雜舞等兩大類。相傳非常久遠的儺舞，在宋代，由於受到戲曲角色安排的影響，有戴上假面，身穿綠衣，腳穿長鞋，手拿竹簡扮演鍾馗的「舞判」外；還有扮成將軍、門神、判官、灶君、土地公、六丁六甲、小妹……等驅鬼逐疫的陣容。

在民間雜舞方面，根據「武林舊事」云：「都城自舊歲冬孟駕回，則已有乘肩小女，鼓吹舞綰者數十隊，以供貴邸豪家幕次之玩。……至節後，漸有大隊如『四國朝』、『傀儡』、『杵歌』之類，日趨於盛，其多至數十百隊。……至五夜，則京尹乘小提轎，諸舞隊次第簇擁前後，連亙十餘里，錦繡填委，簫鼓振作，耳目不暇給。」關於舞隊的記述，有大小全棚傀儡，自「查查鬼」以下，名目有七十種，諸如有「快活三郎」、「快樂三娘」、「男女竹馬」、「男女杵歌」、「大小斫刀鮑老」、「交衮鮑老」、「諸國獻寶」、「穿心國入貢」、「六國朝」、「四國朝」、「撲蝴蝶」、「喬三教」、「喬迎酒」、「喬親事」、「喬樂神（馬明王）」、「喬捉蛇」、「喬學堂」、「喬宅眷」、「喬像生」、「喬師娘」、「獨自喬」、「地仙」、「旱划船」、「村田樂」、「踏蹺」、「抱鑼裝鬼」、「蠻牌獅豹」、「耍和尚」、「劉衮」、「貨郎」、「打嬌惜」等。又根據西湖老人「繁勝錄」所記載的民間雜舞有：「村田樂」、「喬謝神」、「喬做親」、「喬迎酒」、「喬教學」、「喬捉蛇」、「喬焦錘」、「喬賣藥」、「喬像生」、「喬教象」、「習待詔」、「青果社」、「喬宅眷」、「穿心國進奉」、「波斯國進奉」及「全場傀儡」、「陰山七騎」、「小兒竹馬」、「蠻牌獅豹」、「胡女番婆」、「踏蹺竹馬」、「交衮鮑老」、「快活三郎」、「神鬼砍刀」等。又清樂社（有數社每不下百人）：「韃靼舞老番人」、「耍和尚」，鬥鼓社：「大敦兒」、「瞎判官」、「神杖兒」、「捕蝴蝶」、「耍師姨」、「池仙子」、「女杆歌」、「旱龍船」。福建鮑老一社，有三百餘人；川鮑老亦有一百餘人。在上述的名目中，足以知曉，當時的雜舞是相當的繁多與豐富了。在民俗性的舞蹈活動方面，其中以秧歌舞和花鼓燈舞較爲有名。它們都是從前農人插秧、耕田時，爲了助興所發展出來的一種集體性的民間舞蹈。根據常任俠學者，在「中國舞蹈史話」一書中，引用唐趙磷「因話錄」中，有關扭秧歌的說明為：「舞名『扭綰』這種『扭』的名稱，唐代便已有了。就扭的身段說，他們在一種舒徐靈活的舞姿下，颺起了兩隻臂膀，如春風中的飛鳥蹁躚而來。他們有時腳尖點地，有時用腳跟擦地，進三步，退三步，極灑落活潑之致。就扭的花子說，在中國的民間群舞裡，可稱為一種特色。他們在舞步行進裡走成各種花子，像梅花、方勝、盤長（腸）、葫蘆、連燈、飄帶、金牌、連環……等等圖案，並依方形、圓形或過街的舞列不斷變化，每種花子又各有一種鑼鼓點子和它相配。秧歌原有一面大牛皮鼓，作為興歌節舞之用，由於北方扭秧歌更向舞蹈發展行進，由演唱人自打鑼鼓，將鑼鼓和舞姿安排聯繫得更加妥貼，這時歌唱已居次要的地位，鑼鼓更加傾向為身段和舞步助勢，它的節奏已成為與花子相輔的枝葉了。由於舞的方式複雜，鑼鼓點子也增加複雜，發展得更為豐富多彩。」⑨花鼓燈的由來已久，已不可考，但它和秧歌可說是一對孿生的藝術。它通常在農閒時，尤其是在元宵節期間，往往有人徹夜在花燈照耀的廣場上，以手巾、扇子和岔傘為道具外，並打著花鼓來助興的有歌有舞，有問有答的觀眾與演者（扮男的叫鼓架子，扮女的叫拉花）之間，界線不甚明顯的一種群眾性的舞蹈活動。

綜觀宋代的舞蹈，由於戲曲藝術的興起，充實了歌唱和舞蹈的藝術成果，而形成一種具有歌舞劇形式的特色外，另一方面，宋代的歌舞，則走向廣泛群眾性的民俗遊藝活動發展，諸如李延壽「南史・循吏列傳」載：宋初「凡百戶之鄉，布市之邑，歌謠舞蹈，觸處成群。」而項朝棻在「秧歌詩序」中，對「秧歌」的記述爲：「南宋燈宵舞隊之村田樂，所扮演的花和尙、花公子、打花鼓、拉花姊、田公、漁婦、裝態貨郎、雜沓鐙街等以博觀之笑。」的情形觀之，足以知曉，歌謠舞蹈在當時是相當盛行而且普遍化了。

陸、元代的舞蹈

元代的舞蹈，在世祖，元二年（西元 1264 年）時，始用「宮懸」及「登歌」之樂，備有文武二舞。宮懸之樂用於郊廟，登歌之樂用於社稷。文舞名曰「武定文綏」之舞，武舞名曰「內平外成」之舞。文武兩舞之舞生各有六十四人。⑩在朝會、宴饗所用之燕樂方面，根據「元史・世祖本紀」記載：「丁未日（元二十一年，西元1284 年）括江南工。」「從江南樂工八百家於京師。」這對於元代宮廷樂舞制度的制定，有了一定的影響。元代的宮廷「樂隊」即是舞隊，其結構龐大、複雜。根據「元史・樂誌」記載有元旦用的樂音王隊，天壽節用的壽星隊，朝會時用的禮樂隊，和讚佛時用的說法隊等四部。各隊之樂舞，又各分十小隊，並依次出之。

一、樂音王隊：

引隊之一：大樂官員二，冠展角幞頭，紫袍，塗金帶，執笏。舞蹈隊式，從東階昇，至御前，以次而西，折繞而南、北向立。

引隊之二：二人，執戲竹，服飾同上，樂工八人，冠花幞頭，紫窄衫，銅束帶。樂器有龍笛三，杖鼓三，金鞚小鼓一，板一等，奏「萬年歡」之曲。

二隊之一：婦女十人，冠展角幞頭，紫袍。舞蹈隊式，隨樂聲進至御前，分左右相向立。

二隊之二：婦女一人，冠唐帽，黃袍。奏「長春柳」之曲。舞蹈隊式，進北向立定，樂止，念致語。

三隊之一：男三人，戴紅髮青面具，染彩衣。

三隊之二：一人，冠唐帽，綠襴袍，角帶。舞蹈而進，立於前隊之右。

四隊：男子一人，戴孔雀明王像面具，披金甲，執叉，從者二人，戴毗沙神像面具，紅袍，執斧。

五隊：男子五人，冠五梁冠，戴龍王面具，繡氅，執圭。與前隊同進，北向立。

六隊：男五人，爲飛天，夜叉之像。舞蹈以進。

七隊：樂工八人，冠霸王冠，青面具，錦繡衣。龍笛三，觱篥三，杖鼓二。與前大樂合奏「吉利牙」曲。

八隊：婦女二十人，冠廣翠冠，銷金綠衣，執牡丹花。舞唱前曲，與樂聲相和。舞蹈隊式，進至御前，北向，列爲九（應爲五）重，重四人，曲終，再起，與后隊相和。

九隊：婦女二十人，冠盒，梳翠花鈿，繡衣。執花鞚稍子鼓。舞唱前曲，與前隊相和。

十隊之一：婦女八人，花髻，服銷金桃紅衣。搖日月空鞘稍子鼓。舞唱同前。

十隊之二：男子五人，作五方菩薩梵像。搖日月鼓。

十隊之三：一人作樂音王菩薩梵像。執花鞚稍子鼓。齊聲舞前曲一闋，樂止。

十隊之四：婦女三人。歌「新水令」、「沽美酒」、「太平令」之曲終。念口號、畢，舞唱相和，以次而出（表演完畢下場）。

二、壽星隊：

引隊：禮官樂工大樂冠服同（樂音王隊）。

二隊之一：婦女十八，冠唐巾，服銷金紫衣，銅束帶。

二隊之二：婦女一人，冠太平冠，服繡鶴氅，方心曲領，執圭。奏「長春柳」之曲。舞隊以次進至御前，立定，樂止，念致語畢。

三隊：男子三人，冠服。舞蹈，與樂音王隊同。

四隊：男子一人，冠金漆弁冠，服緋袍，塗金帶，執笏。從者二人，錦帽，繡衣，執金字福祿牌。

五隊：男子一人，冠捲雲冠，青面具，綠袍，塗金帶，分執梅、竹、松、椿、石。同前隊而進，北向立。

六隊：男子五人，爲烏鴉之像。作飛舞之態，進立於前隊之左，樂止。

七隊：樂工十二人，冠雲頭冠，銷金緋袍，白裙，龍笛三，篳篥三，紮鼓三，和鼓一，板一。合奏「山荊子」帶「襖神急」之曲。

八隊：婦女二十人，冠鳳翘冠翠花鈿，服寬袖衣，加雲肩、霞綬、玉佩、執寶蓋。舞唱前曲。

九隊：婦女三十人，冠玉女冠，翠花鈿，服青銷金寬袖衣，加雲肩、霞綬、玉佩、執稷毛日月扇。唱舞前曲與前隊相和。

十隊之一：婦女八人，服染彩衣，被槲葉。魚鼓、簡子爲樂器。

十隊之二：男子八人，冠束髮冠，金掩心甲，銷金緋袍執戟。

十隊之三：扮龜、鶴之像各一。

十隊之四：男子五人，冠黑紗冠服繡鶴氅，朱履，策龍頭藜杖。齊唱前曲一闋，樂止。

十隊之五：婦女三人，歌「新水令」、「沽美酒」、「太平令」之曲終。念口號畢，舞唱相合，以次而出（表演完畢下場）。

三、禮樂隊：

引隊：禮宮、樂工、大樂冠服，並同（樂音王隊）。

二隊之一：婦女十人，冠黑漆弁冠，服青素袍，方心曲領，白裙，束帶，執圭。

二隊之二：：婦女一人，冠九龍冠，服繡紅袍，玉束帶。奏「長春柳」之曲。至御前，立定，樂止念致語畢，樂作。

三隊：男子三人，冠服同（樂音王隊）。舞蹈同（樂音王隊）。

四隊：男三人，冠捲雲冠，服黃袍，塗金帶，執圭。

五隊：男子五人，冠三龍冠，服紅袍，執劈正金斧。同前隊而進北向立。

六隊：童子五人，三髻，素衣，執香花。舞蹈而進，樂止。

七隊：樂工八人，冠束髮冠，服錦衣白袍。龍笛三。篳篥三，杖鼓二。合奏「新水令」、「水仙子」之曲。

八隊：婦女二十人，冠籠巾，服紫袍，金帶，執笏。歌「新水令」之曲、「水仙子」曲一闋，再歌「青山口」曲，與後隊相和。舞隊進御前，分爲四行，北向立，鞠躬拜，興、舞蹈，叩頭，山呼，就拜，再拜，畢。

九隊：婦女二十人，冠車髻冠，服銷金藍衣，雲肩，佩綬，執孔雀幢。舞唱與前隊相和。

十隊之一：婦女八人，冠翠花唐巾，服錦繡衣，執寶蓋。舞唱前曲。

十隊之二：男子八人，冠鳳翅兜牟，披金甲，執金戟。

十隊之三：男子一人，冠平大冠，服繡鶴氅，執圭。齊舞唱前曲一闋，樂止。

十隊之四：婦女三人。歌「新水令」、「沽美酒」、「太平令」之曲終。念口號畢，舞唱相和，以次而出。

四、說法隊：

引隊：禮官樂工大樂冠服，同（樂音王隊）。

二隊之一：婦女十人冠僧伽帽，服紫禪衣，皀條。

二隊之二：婦女一人，服錦袈裟，餘如前，執數珠。奏「長春柳」之曲。進至御前，北向立定，樂止，念致語畢，樂作。

三隊：男子三人，冠服同（樂音王隊）。舞蹈同（樂音王隊）。

四隊：男子一人，冠隱士冠，服白紗道袍，皀絛，執麈拂，從者二人，冠黃包巾，服錦繡衣，執令旗子。

五隊：男子五人，冠金冠披金甲，錦袍，執戟。同前隊而進，北向立。

六隊：男子五人，爲金翅雕之像，舞蹈而進，樂止。

七隊：樂工十六人，冠五福冠，服錦繡衣。龍笛六，篳篥六，杖鼓四。合奏「金字西番經」曲。

八隊：婦女二十人，冠珠子菩薩冠，服銷金黃衣，瓔珞佩綬，執金浮圖白傘蓋。舞唱前曲，與樂聲相和，進至御前，分爲五重，每重四人，曲終，再起，與後隊相和。

九隊：婦女二十人，冠金翠菩薩冠，服銷金紅衣，執寶蓋。舞唱與前隊相和。

十隊之一：婦女八人，冠青螺髻冠，服白銷金衣，執金蓮花。

十隊之二：男子八人，披金甲，爲八金剛像。

十隊之三：一人爲文殊像，執如意：一人爲普賢像，執西蕃蓮；一人爲如來像。齊舞唱前曲一闋，樂止。

十隊之四：婦女三人。歌「新水令」、「沽美酒」、「太平令」曲終。念口號畢，舞唱相和，以次而出。

元順帝至正十四年（西元 1355 年）時，又製天魔舞列入燕樂。根據唐王建宮詞中有「十六天魔舞袖長」，可知此舞並非創始於元朝。又根據「元史・順帝紀」云：「荒于游宴，以宮女十六人珠瓔盛飾，爲佛菩薩相而舞，謂之『天魔舞』。」在它的舞容方面，經後人研究爲，以宮女三聖奴、妙樂奴、文殊奴等十六人，首垂髮數辮，戴象牙佛冠。身披瓔珞，著大紅銷金長裙，金雜襖、雲肩、合袖天衣、綬帶。各執法器作佛教之舞。由於此舞之樂聲或舞態相當優美，它不僅被用來娛佛、或宮宴之用，也廣泛流傳於民間。「踏歌」，是民眾三、五人連臂牽挽所跳的富有熱情奔放等特質的民間歌舞。至於「倒喇」，它是一種頭上頂著燃燈的獨舞，隨著舞者的輕盈飄移與旋轉，使之燈火搖曳，尤其在夜晚的演出，更是令人驚嘆，引人入勝。

柒、明代的舞蹈

明代的舞蹈，在祭祀時，有歌有舞。文曰「文德」之舞，武曰「武功」之舞。洪武十五年，重定宴樂時，有獻「平定天下」之舞（武舞）、獻「撫安四夷」之舞，以及獻「車書會同」之舞（文舞）等三舞之規定的同時，又規定，大祀慶成大宴，用「萬國來朝隊舞」、「纓鞭得勝隊舞」。萬壽聖節（皇帝生日）大宴，用「九夷進寶隊舞」、「壽星隊舞」。冬至大宴，用「讚聖喜隊舞」、「百花聖朝隊舞」。正旦大宴，用「百戲蓮花盆隊舞」、「勝鼓采蓮隊舞」。⑪明永樂年間（西元 1403～1424 年）又規定在獻「撫安四夷」之舞後，要表演均由四人合舞的「高麗舞」、「北番舞」和「回回舞」等。在招待各少數民族來朝貢時，於大宴禮上，規定須舞「諸國來朝」之舞和「長生隊」之舞。⑫在民間舞蹈方面，扮演著一姑一嫂或一老一少，並在身上背有小鑼和腰鼓爲道具，而到處演出的「鳳陽花鼓」；有手執小涼傘的「涼傘舞」；有手執檀板，舞出如飛花著身的「花板舞」；有苗族最具代表性，擊大鼓，邊吹蘆笙邊舞蹈的「蘆笙舞」；有參卓戚繼光盾牌舞，加以改編而流行於福建的藤牌舞等。

捌、清代的舞蹈

清代的舞蹈，在「釋奠」之舞方面，迎神奏咸平之曲；初獻：樂奏「寧平之曲」，舞作「寧平之舞」；亞獻：樂奏「安平之曲」，舞作「安平之舞」；終獻：樂奏「景平之曲」，舞作「景平之舞」；徹饌、送神，樂奏咸平之曲。在祈雨的舞雩方面，在乾隆七年（西元 1742 年）特旨所定，其規制如下：「每歲三月，擇日行常雩禮，如冬至郊壇之祭，旱甚，乃大雩。用舞童十六人，衣玄衣爲八列，各執羽翳歌御制雲漢詩八章。」（見清稗類鈔）在宮廷宴樂方面，樂舞是以滿族的傳統民間舞蹈爲主，其最初的「隊舞」總名爲「莽式舞」（亦稱爲瑪克式舞）。所謂的莽式，根據「柳邊記略」載：「滿洲有大宴會，主家男女必更疊起舞，大率舉一袖於額，反一袖於背，盤旋作勢，曰莽式，中一人歌，眾皆以空齊二字和之謂之曰空齊。猶之漢人之歌舞蓋以此爲壽也。」乾隆八年（西元 1743 年）改各色隊舞總名爲「慶隆舞」。在宮中慶賀宴饗的慶隆舞中，首先上場的是踩高蹺騎假馬射野獸的揚烈舞，⑬在用琵琶、三弦各八、奚琴、箏各一，司節、有拍板、司抃者各十六等樂器所組合的滿族音樂配合下，⑭用來反映東北各民族的狩獵生活和歌頌清初開疆拓土的功蹟。乾隆十四年（西元 1749 年），清朝擴大疆域，清軍進入金川，作世德舞，以資紀念，並作爲宴宗室之用。乾隆二十五年（西元 1760 年），清朝向西域拓展疆土，而製德勝舞，作爲慶祝凱旋筵宴之用。在上述歌功頌德儀式化的清宮宴樂舞蹈外，還包括各邊疆民族或鄰國的樂舞，有朝鮮國徘，瓦爾格部樂舞（女真族的民間樂舞），蒙古樂（舞），回部樂（舞），番子樂（藏族樂舞），廓爾喀部樂（尼泊爾樂舞），緬甸國樂，安南國樂（越南樂舞）等。⑮民間舞蹈方面，有每春，農者在田插秧時，在田埂擊鼓爲節，群歌舞蹈於田中以爲戲的明快豪放，並富有風趣潑辣之「東北秧歌」。有每逢年節，壯族男女木棍對擊或敲擊木樁以爲節奏，所跳的「扁擔舞」或稱之爲「打樁舞」。有滿人在「跳神」祭祀活動時，敲擊太平鼓以爲節奏跳舞娛神之「太平鼓舞」。有每年藏曆四月十五日，在布達拉宮後面，龍王塘所表演的室內燕樂歌舞，而流傳爲民間舞蹈節奏跳躍，氣氛熱烈的西藏「囊瑪」古典歌舞。在湘西土家族，鳴鑼擊鼓，集體狂舞中，有模擬戲虎、鬥虎的狩獵動作舞蹈，以及挖土、栽秧等農事動作的「擺手舞」。至於漢族的採茶燈、高蹺、霸王鞭（或稱花棍）、以及藏族的「諧」（弦子舞）、「堆諧（謝）」（踢踏舞）、熱巴（面具舞）等民間舞蹈在當代也是十分的流行。

第二節：台灣舞蹈部份

前　言

台灣之舞蹈，有原住民之原始舞蹈，有傳自大陸之中國舞蹈，亦有來自海外之西洋舞蹈。台灣之鄉土舞，可分爲「山地舞」和「雜舞」兩種。山地舞多帶原始色彩，雜舞則僅具舞蹈之形態，而無完整之舞蹈形式。根據「台灣省通誌」記載：「台灣之擁有豐富動人的舞蹈，是昔時，本省地大人稀，山胞播居各地，……生活無憂無慮，而嗜歌舞。收成則舞，獵歸則舞，出戰則舞，酬神則舞，舞則徹夜而不知疲。其類繁多，有生活舞，有戰鬥舞，有宗教舞……等。雜舞方面，有由大陸傳播而來者，亦有本省創篇者。」⑯在本省創篇者有，駛犁歌舞、車鼓歌舞、跳鼓陣……等。由大陸傳來者有，舞龍、舞獅、宋江陣、八家將……等。至於南管、北管、正音、歌仔戲這些戲曲表演中也有許多優美的舞蹈動作。今列舉一、二分述如下：

壹、傳統舞蹈

㈠山地舞：台灣少數的原住民，生長在深山幽谷裡，生性自然純淨無邪，他們並不直接讚美大自然之美，但對月亮卻情有獨鐘，每每感於月亮的靈光而通宵達旦手舞足蹈。原住民也常在慶豐收或有特殊慶祝活動時，常用跳歡樂舞來表達他們對工作的熱愛和幸福生活的嚮往。

1. 阿美族：分佈在花蓮和台東兩地的阿美族，臨海而生，心胸開闊，喜愛歌舞，不論任何慶典，或日常生活、捕魚、捉蝦、伐木甚至田野工作等，人人總是歌不離口，有時還三五成群，或者數十人圍成圓圈邊舞邊唱，用甩手、頓足等動作來貫穿全舞，盡情歡唱，奮力舞蹈。他們有名的歌舞，有鈴舞、男性的成年祭舞、女性的賞月舞、以及充滿原始生命力的豐年祭歌舞——基路馬安等。其中，諸如在這個原意爲暫時放下工作，重返家園團聚的「基路馬安」慶典歌舞中，還有用花傘象徵著長矛來層層護衛長者的「護衛舞」，以及邊吟誦、邊踩著傳統舞步的「歡樂舞」等。

2. 雅美族：位在蘭嶼島上的雅美族，是台灣唯一的捕魚民族，他們在頭尾翹起，並有雕刻精美的刳木拼板船下水典禮時，有各種的舞蹈活動。在婦女方面，有聞名遐邇的「頭髮舞」身著鑽有金、銀、琉璃珠打造成的服飾，在歌舞中甩動長髮來象徵對海洋波濤之美的敬慕情懷。與「頭髮舞」異曲同工之妙的是「勇士舞」。他們在捕飛魚祭的禮儀過程中，勇士們身著丁字褲，在古銅色的皮膚襯托下，透過豪邁的旋律，來表現出他們充滿著「力」的陽剛之美。

3. 曹族：是一個能歌善舞的部族，他們喜歡把狩獵、農稼以及日常生活用歌舞來表現。而每年中秋時，有全鄉歌舞狂歡慶豐收的「豐年祭」，來表達他們對蒼天以及祖宗庇佑的感恩情懷。

4. 賽夏族：分佈在苗栗縣南庄的賽夏族，他們的百步蛇形迎神舞，可說是一種用相當感傷的氣氛以及舞蹈動作，來紀念「矮人之叮嚀」的舞蹈。當賽夏族人，把米臼推到祭場中間，唱「WoLo WoLon」的迎接雷女或矮人之歌時，全體族人，必須肅立，並且手牽著手，面向東方歌唱。⑰在唱完有如賽夏族人的「國歌」後，在跳動的舞帽（Kilakil或稱爲肩旗）所發出的鈴鐺聲響，以及臀鈴所發出的清脆聲伴奏下，賽夏族人開始跑步，並配合著哀訴矮人跌入漩渦溺斃的淒惻悲涼歌聲中，該跑動的舞隊，像漩渦般地捲入又捲出，有如一條百步蛇在游動時，把尾巴捲入，而後又再伸展開來的反覆動作，來象徵著老前輩雷女或是矮人的一個「歌如泣訴、舞似蛇游」的紀念性舞蹈。

5. 布農族：「搶婚」在南投山地，早已成歷史名詞，但在布農族的心目中，他們依然回味無窮，而把這個習俗化成歌舞，以供後世追憶。⑱

至於泰雅族男女求愛的口琴舞、排灣族五年祭的群舞以及魯凱族結婚儀式中男女成群的歡樂舞等，都有其獨特而富有意義的歌舞形式。

(二)駛犁歌舞：駛犁歌舞爲台灣所特有。它流傳於台灣中南部鄉間，而以台南縣爲最盛。此駛犁歌舞的來源是昔日台灣農業社會時代，到處可見農夫牽牛犁田的農事情景，因觸景生情而產生了「牛犁歌」和「駛犁歌舞」的民間藝術，並於迎神賽會時，參加遊行行列或以短劇方式演出。

1. 在牛犁歌方面：它原是農人們在耕作勞動之時，哼哼唱唱，聊以自娛的曲子，後經文人墨士的作詞、作曲而成爲人人愛哼、愛唱的歌曲，諸如在光復後有描述農家樂的「牛犁歌」，其歌詞爲：「手握犁尾卜耕田。小妹做後兄做前。風調雨順永不變。感謝上天眾佛仙。田溝犁好卜落種。中華××真光榮。文化發達好光景。萬年如意見太平。小妹做後會種子。全望眾神來扶持。士農工商大得利。安居樂業大賺錢。手把犁腳踏刈把。兄妹同心賢握家。農村進步應時世。下種快速就出芽。」
2. 駛犁歌舞方面：在早期迎神賽會時，它的最初標準形態，根據「台灣省通誌」記載爲：「一團十數人，以一小人頭戴紙糊牛頭，佝僂前行，以作犁田之狀：一扮農夫一手揚鞭，一手執索，隨在牛後，叱牛耕耘。另有兩人扮演農村少女，隨在左右，手持紙傘，一進一退，載歌曼舞；其後另有二人，一扮老翁，頭戴碗帽，身穿長衫、馬掛，手執長桿煙吹，狀似清代耆老：一扮老嫗，身穿黑布衫裙，頭梳大頭鬃（清代已嫁女人，均作此髮式），插一『針仔香火』，口嚼檳榔，手執大面檳榔扇，似爲兩女父母，而不同意其女與農夫談愛，互談互罵，舞來舞去，詼諧百出，別饒興趣。後有樂手數人，彈琴操絃，敲打銅鉦伴奏。」⑲

駛犁歌舞的「牛犁陣」，在往後的發展上，其基本角色有田頭家、犁兄、犁妹、舞牛者、推犁者、犁田歌仔丑、犁田歌仔旦、和挑夫等八人。表演的內容包羅萬象，從平日耕田、播種、收割等生活點點滴滴，到民間故事、街頭議論、新聞傳奇、男女私情和即興應時事件等，配合著牛犁歌的韻律，一來一往而舞出，或扭或擺，或蹲或站，或弄或戲的滑稽動作以及伴隨著一唱一和、相嘲相褒的幽默笑料，即成為具有濃厚鄉土性的牛犁陣內容了。

㈢車鼓歌舞：具有濃厚台灣鄉土氣息的車鼓歌舞，是台灣農業時代鄉下農人、工廠男女工人藉以消除工作疲勞的精神食糧。

車鼓歌舞的來源，相傳清代時，台灣南部，久旱不雨，地裂糧荒，民不聊生，於是人們嘗試用彈琴敲竹、載歌載舞的方式來取悅蒼天、祈求甘霖，不久，即成為事實，而流傳至今。車鼓又稱撐渡，車鼓的「車」字，在台語裡有「翻滾」或「舞動」之意，其表演稱之弄車鼓或車鼓弄。而「弄」字同樣又含有「舞蹈」之意。因此顧名思義，車鼓戲就是一種以歌謠方式，載歌載舞，邊說邊演民間故事的滑稽小型歌劇。其演出內容，大多是描寫男女私情為題材，詞白通俗詼諧，以七言四句為原則，用台語唱之。

車鼓陣的表演方面，可分為前場和後場。前場的演員，人數不定，但以三對（六人）爲多，基本上以小丑和小旦爲主，二人一組輪流演出，但有時，也有數組同時演出的情形。演員的造型，沒有特別的限制，但通常丑角的扮裝是頭戴草帽、身穿古代黑色漢服，臉上有黑痣、鼻端抹上白粉、嘴上掛有八字鬍等爲其特徵。後場音樂人數不定，兩、三人演奏不算少，八、九人演奏也不算多。音樂內容通常取材於流行久遠的地方民謠，諸如：「共君斷約」、「萬年香」、「陳三過度」和「元宵十四五」爲主外，頗受人們喜愛的民間小調，如桃花過渡點燈紅、五更鼓、十八摸、牽紅姨、病子歌、番婆弄……等，也常被演奏。車鼓歌舞的另一部份音樂，則是取自南管的精華片斷做即興方式的演出，其常用的南管樂器有二弦、三弦、大廣弦、殼仔弦、月琴和品仔（橫笛）等數種。在迎神賽會時，有時還加上小鼓、小鑼、小銅鐘、小鐃等，以增加熱鬧場面。車鼓歌舞在迎神賽會時，在演出方面，首先是丑角雙手拿著竹製的「四塊」（四寶）隨著歌舞節拍打出「咔！咔！」節奏表演「踏大小門」及「踏四門」等，來向神明及觀眾「致意」。在致意完後，丑角引出左手拿著「四串布」的絲巾，右手執著摺扇的華麗旦角，來表演「共君走到」、「拜謝神明」等曲，以示對神明的崇高敬意，然後再搭配丑角，左右扭擺或前後進退的邊歌邊舞，來表演其他的曲子。若兩組聯合演出時，通常另一組的丑角是以空手拍打身體、膝、肩等七個部位，或手拿錢鼓以和之。這個車鼓歌舞，在往後的發展上，有時爲了劇情的需要，常有另配道具的情形，諸如在表演「桃花過渡」時，有手提木槳，扮成船夫的情形，而在「補甕」中，有挑著一擔箱子，扮成補甕匠以增加戲劇效果的安排了。⑳

㈣跳鼓陣：跳鼓陣，是以「跳躍」和「擊鼓」爲表演內容的陣頭。跳鼓源自明末鄭成功據台後，整軍經武演練部隊搏擊競技時擊鼓助威演變而來。後來清兵入台，不甘臣服清廷的志士，隱入農村從事耕讀，閒時將這種軍中鼓樂改編成跳鼓來充當娛樂，又由於其跳躍進退及舞蹈腳步亦能諧和著鑼鼓節拍韻律，舞出無限的青春與活力而世代相傳下來。在跳鼓中，有一人背著鼓（胸腹前），且以背鼓者爲活動的中心，一人撐旗，二人舞弄涼綵傘，四人打鑼。在表演時相互舞弄跳躍，並配合節奏么喝，花樣百出，所以叫做「跳花鼓」，又由於表演內容著重陣式的變化，故又稱爲「跳鼓陣」。跳鼓陣在往後的發展上有很大的變化。在組成人員的擴大方面，則增加銅鑼，或另設「三角旗」等；在名稱方面，因各地之不同，而有「大鼓陣」、「大鼓弄」、「大鼓花」、「鼓花陣」、「花鼓陣」等；在表演內容方面，民間表演團體比較偏重在特技的表演及拜神儀式；而學校表演團體則比較偏重在陣式或隊形的變化。跳鼓又有「文陣」和「武陣」之別，通常在學校，前者爲女生所扮演，後者爲男生所扮演。這一種跳鼓陣在現今已慢慢成爲一種健身與娛樂兼具的表演活動了。

貳、近代舞蹈

台灣近代舞蹈簡史方面：台灣接受西洋舞蹈的歷史不深，在日據時代，台灣有留日學生學習舞蹈藝術者，但一般人均不甚了解，而不受重視。蔡瑞月，在她的日本老師石井漠留學德國，受到表現主義舞蹈的影響下，於民國三十六年所演出的「讚歌」，也只可說是台灣已有了現代舞的開端。民國三十八年國府來晝，爲教學之用編了許多舞蹈形式之舞，如「東北太平鼓」、「苗女弄杯」、「蒙古筷子舞」、「新疆舞」、「山地舞」……等民族舞蹈。在舞蹈另一方向發展是從戲曲或民間拳術中吸取精華編出「劍舞」、「翎舞」、「拂舞」、「宮燈舞」、「霓裳羽衣舞」……等古裝舞。民國四十二年，成立「民族舞蹈推行委員會」，並製定了戰鬥舞、勞動舞、禮節舞及聯歡舞等四種舞蹈基本形式，頒行全省舞蹈家努力發展民族新舞蹈。民國四十三年，第一次的「民族舞蹈大競賽會」，共有一百組參賽，計有欣賞舞二十八組（自由之歌、花燈舞、嫦娥下凡、春之神、小狗與口哨……）。戰鬥舞二十四組（干戈舞、雪恥復國、持槍舞、壯志凌雲、國旗舞、精忠報國……）。勞動舞十二組（採茶舞、採桑舞、棍舞、農家樂、豐收樂……）。聯歡有組（勝利的笑聲、天山戀、慶祝、春光舞、迎賓舞、萬國聯歡、收獲祭祖曲……）。古裝舞十組（燈舞、巾幗英雄、羅扇舞、太湖船、昭君怨……）。山地舞五組（行獵舞、賞月舞、農家樂、寶島姑娘、阿眉族舞）。邊疆舞五組（喀什喀爾舞、新疆舞、青春舞……）。禮節舞二組（羽扇舞、八佾舞）。藝術舞一組（卻爾斯登舞）、土風舞一組（黑人土風舞）。和現代舞一組（勝利的火花）等。㉑

民國五〇年代末，六〇年代初，民族舞蹈與「文化觀光」結合，有出國公演或在國內觀光大飯店以及山地文化村充當迎賓之用。電視在台灣普及後，台灣的綜藝節目逐漸取代了民族舞蹈的娛樂功能。民國六十二年，曾於紐約葛蘭姆舞校習舞的青年作家林懷民和文化學院、藝專舞蹈科系以及師大體育系畢業生創辦了由「中國人作曲、中國人編舞、中國人跳給中國人看」的第一個中國人的現代舞團——「雲門舞集」。民國六十七年，音樂家許博允創辦了「新象活動中心」，帶來各國音舞、戲劇、舞蹈的表演，開展了台灣劇場藝術的新紀元。㉒從此以後年輕編舞家輩出，舞蹈的風格也呈多元發展，而學院派的舞蹈表演也走向了專業化。

在二十世紀末，台灣邁向國際化的坦途上，因與世界各國文化的交流頻繁以及在文建會的大力推動下，舞蹈慢慢爲國人所接受與重視外，並積極引進各國舞蹈的精華來台演出，諸如深具日本傳統「耽美」民族風格的「上方舞」又名「地唄舞」是發展於京阪地區花街柳巷間，而以纖細、簡潔、柔美、抑歛的傳統內省手法表現仕女之閨怨和哀傷情懷的舞蹈。韓國風山假面劇舞團，結合音樂、舞蹈和戲劇特色，運用詩歌的對白，演員身著鮮麗戲服，帶著強烈的社會批判方式來上演韓國傳統宗教祭祀舞蹈，民族歌舞和巫術葬禮儀式等。俄國的民族舞蹈，女性舞蹈溫婉秀美，有時又俏皮可愛，男性舞蹈往往有翻、滾、蹦、躍等高難度的技巧動作，以及激烈的旋轉和快速的節奏等風格。英國民間傳統舞蹈「莫利斯舞」，發源於農村、慶祝春耕、秋收時的歡樂、活潑、簡單的儀式，後來逐漸擴展各地，成爲不拘時令或場地的露天表演，來充分表現盎格魯薩克森民族的民間愉悅和生命力。㉓至於其他舞蹈如，芭蕾舞是一個歷史悠久，很靈性，很典雅的舞蹈，它在各國各民族的特性發展下，根據舞蹈家徐進豐，在「舞出歐洲各民族特性」一文中，指出，「義大利民族著重技巧的開發。法國則注重浪漫、抒情、華麗的舞風（仙女的風格）。英國則以高貴、優雅的特質著稱。丹麥又以島國民族情感所發展出來的輕盈，甜美小跳聞名於世等的舞蹈風格。」爵士舞來自於非洲，它強調骨盤的移動和胸部的搖動充滿性的暗示，它的奔放賁張以及平凡化和親切感，很能與現代青年人的生活結合。探戈、華爾滋、吉魯巴……等交際舞，在這個人際關係漸次疏離的生活裡，提供人們一種，精緻的、肯切的人性交流。而現代的舞蹈家也不斷擷取各種舞蹈的精華，以形式、神韻、境界爲三個重點，超脫嚴格的舞蹈格局，走向浪漫優雅，增添了幾分趣味性和娛樂性的舞蹈紛紛出籠。在近年來，舞蹈也將跨出藝術表現和視覺娛樂，而走向健身素材的領域。這些舞蹈如健身房的韻律操、有氧舞蹈、公園裡的媽媽土風舞班……等，其練舞習舞的目的不是在培養表演舞蹈的人才，而是將舞蹈之美的藝術融入在日常生活中的同時，對人們身心做深度的認知，了解自己肢體的可塑性，有規律地去應用自己的肢體活動能力產生較高的敏感性。

總之，上述除了懂得欣賞舞蹈藝術之美外，對於一般健身或交際性的舞蹈，也不可輕忽，倘若您們要從舞蹈中獲得對人生的益處，必須要摒棄世俗的雜務，讓自己靜下心來接受舞蹈的洗禮。

一、「光環」舞出客家故事：

舞齡超過三十五年的劉紹爐表示，光環在一九八四年成立到一九九二年，都是以鄉土題材爲創作路線。一九九三年至今是探索「氣身合一」的舞蹈理念，也獨創出嬰兒油上的現代舞。二〇〇一年之後，試著在「氣身心合一」之外，加入聲音的元素，探索身體與聲音的關係。

光環舞集最近推出的「光環二十年・精華再現」，挑選了光環二十年來具重要意義的作品，包括《浪上飄》、《扛石頭的老人》、《現象》、《念天地之悠悠》、《鏈》、《立體結構》。主要是回顧光環從鄉土創作一路走來，再到結合現代舞的歷史。

《扛石頭的老人》是一九八五年的作品，原名《挖石頭的老人》，取材自客籍作家鍾理和的文章，描述美濃有一個老人，只要颱風一來，沖走道路，他就會挖石頭重新舖路的故事。

《浪上飄》是一九九四年的作品，原名《空中飄》。

舞者們在大型的布幔上下穿梭游走，鼓動布幅，以氣相應的方式來舞動，是劉紹爐「氣身合一」理念的初探。㉕

《平板》原本是一種客家即興歌謠，從老山歌及山歌子演變而來，爲了編舞，劉紹爐努力學習唱客家山歌，希望透過客家音樂和現代舞蹈能夠有新的融合。《平板》是光環首次以客家農村背景出發，回溯先民開山打林、團結奮鬥的精神，並採用客家山歌，描述和大地之間的關係。㉖

二、黃澄客家舞蹈家：

黃澄是一位平凡無奇的客家婦女，她在舞蹈裡找到了自己，也找到了生命中的光與熱。自三十八歲決定用「舞蹈」來健身，走出陰霾的人生以來，似乎注定她一生與「舞」爲伍了。她曾經跳過以色列、波蘭、巴爾幹、德國、日本等各國的舞蹈。她指出，以色列舞重節奏、強調腳步動作，波蘭舞屬男女雙人舞，巴爾幹及德國舞強調腳步替換、更迭，它們動作激烈，基本上適合年輕人跳，比較不宜中老年人學。至於，日本的傳統舞，因爲它動作溫婉，比較適合中老年婦女跳。黃澄老師是全台知名的舞蹈家，目前仍身兼青年會、內湖區公所、大同區公所、以及中山區公所的舞蹈老師，來教導台北市各地學員學習各國的舞蹈。㉗

註　解

① 林蔥著，《中國音樂史講義》，頁 12，台北：三泰出版社，70.2.25。

② 李鍌編著，《中華文化概論》，頁 226，台北：三民，60 年 8 月。

③ 參見王克芬著，《中國舞蹈發展史》，頁 50，台北：天南，80 年 10 月。

④ 史煥章編著，《中華國劇史》，頁 11，台北：台灣商務，74 年 11 月。

⑤ 林蔥著，《中國音樂史講義》，頁 30，台北：三泰，70.2.25。

⑥ 常任俠著，《中國舞蹈史話》，頁 36、37，台北：明文書局，74 年 7 月。

⑦ 黃體培著，《中國樂學通論》第一編樂史，頁 56，台北：行政院文建會，72 年 10 月。

⑧ 參見歐陽予倩主編，《中國舞蹈史》，頁 150。

⑨ 常任俠著，《中國舞蹈史話》頁 135、136，台北：明文書局，74 年 7 月，。

⑩ 參見黃體培著，《中國樂學通論》第一篇樂史，頁 123～128，台北：行政院文建會，72 年 11 月。

⑪ 明史・樂志。

⑫ 參見王克芬著，《中國舞蹈發展史》，頁 298，台北：

南天，80 年 10 月。

⑬ 同上，頁 299～302。

⑭ 王耀華著，《中國傳統音樂概論》，頁 136，台北：海棠事業文化公司，79 年 9 月。

⑮ 參見王克芬著，《中國舞蹈發展史》，頁 299、300、301、302、339，台北：南天，80 年 10 月。

⑯ 《台灣省通誌》卷六第二冊，頁 65～71，南投：台灣省文獻委員會編印。

⑰ 參見胡台麗報導，〈矮人的叮嚀〉，自晚 83.4.6。

⑱ 參見《台灣省七十九年觀光節第二屆，中華民國華會記實》，頁 40～48，台灣省政府交通處旅遊事業管理局出版。

⑲ 《台灣省通誌》卷六第二冊，頁 65～71，南投：台灣省文獻委員會，60 年。

⑳ 參見簡上仁著，《台灣民謠（民族文化叢書）第十九種》，頁 115、116，72 年 6 月。

㉑ 《台灣省通誌》卷六第二冊，頁 72～75，南投：台灣省文獻委員會，60 年。

㉒ 參見林懷民，《七十八年度中華民國文化發展之評估與展望》，頁 153～159，79 年 3 月。

㉓ 中時，78.1.11。

㉔ 徐進豐報導，〈舞出歐洲和民族特性〉，民生報 80.4.6。

㉕ 陳雅莉著，《客家文化季刊》，〈客家戲劇展現新創意〉，頁 21，台北：台北市政府客家事務委員會，NO.

8，2004 夏季號。

㉖ 同上，頁 22。

㉗ 葉俊琪報導，《客家郵報》，〈黃澄在舞蹈裡，找到了自己，也找到了生命中的光和熱〉，2004.11.3～9。

第十章：客家美術（學）

一般說來，美術（學）教育的普及以及美術水準的提昇可以變化氣質，美化人生，提高國民生活品質。廣義的美術（學），它包括繪畫（岩畫、地畫、壁畫、石刻線畫、彩陶畫、銅器圖紋、絹帛畫、漆畫、紙畫、木板畫、墓室磚畫、版畫、民間年畫……），雕塑（歷代雕塑、石窟雕刻……），工藝美術（陶瓷、青銅器、印染織繡、漆器、玉器、金銀玻璃琺瑯器、竹木牙角器、民間玩具剪紙皮影……）、書法篆刻（歷代的名書法、璽印篆刻……），影像藝術（照相、電影、電視），建築（宮殿、陵墓、園林、宗教、民居、壇廟……）等之各式各樣的美術藝術。狹義的美術（學）而言，就是一般學校所上的美術教育之類爲其範疇。

不管是居住在大陸、台灣或是世界上的客家人，雖然對於上述種種的美術（學），並不是樣樣都有驚人的表現，但在這世上眾多的客家人當中，在他們所從事的各式各樣美術（學）工作範疇中，必會有一些的成就，乃是不可否認之事，不過，在目前方面，尚未有人在上述各項藝術當中，逐一的把它收集、整理介紹出來，而現今本人只能將一些書畫、手工藝品、照相、廣電作品介紹而已！

第一節：繪畫

書畫藝術是我國傳統文化的精粹之一，在國際藝術領域中享有優越高超的地位，其風格的發展歷經數千年，一脈相承有豐富的面貌。許多人都說，看畫真不容易，因此有「會看的看門道，不會看的看熱鬧」的說法。在歷代評鑑家心血所凝聚的欣賞「行話」，如山水畫上的皴法、苔點，人物畫上的衣摺描法，花鳥畫上的寫生、寫意，墨竹畫上的點節、排葉、結梢……等，欣賞竅訣外，尚須根據謝赫的「古畫品錄」六法理論，其內容爲：「一、氣韻生動；二、骨法用筆；三、應物象形；四、隨類賦彩；五、經營位置；六、傳移模寫」，以及根據荊浩的「筆記法」六要之說，其內容爲：「一曰氣，二曰韻，三曰思，四曰景，五曰筆，六曰墨」等，來加以評估的同時，用現今更簡單的「形、色、質、意」等四要素來欣賞的話，就更能事半功倍。所謂的：

一、形：不管是在人物、靜物、風景、抽象的圖案構思中，是否不僅是在追求外表的「形似」，而是，有時基於某種因素的考量，而要生動，不矯揉造作的，把它的「部份奇趣」充分的表現出來。

二、色：用色的高低、雅俗、深淺，是否往往隨著畫家的觀察與判斷，透過濃、淡、乾、濕的暈染，來加以表現。

三、質：在筆觸的體法風格上，是否隨著畫家的心靈起伏，透過厚實、雄健、勁挺、流暢、秀潤、或清曠等手法，來傳達該繪畫的生命與情感。

四、意：是在捕捉該繪畫的精神與理念時，是否抓住妙要，並富創造性地，把物象的神韻，能夠充分的發揮出來。

在談到繪畫的發展方面，幾乎是有人類就有繪畫，它是一種非常自由的表現，自由選擇的畫法，上下古今，不分東西南北，心之所至，隨手就畫，不受時間、地點、景物、形態、光線的限制。繪畫不管是透過藝術家導源於自然或導源於他們思想的藝術靈感，利用濃淡、濕燥、明暗、冷暖色彩，方、圓、粗、細的直線、曲線、折線、斜線、波浪線、蛇形線等線條，和主次、大小、繁簡、疏密、形神、虛實、隱顯等構圖，在二度空間的平面上表現物象的形體和神韻，來再現或憧憬過去、現在和未來人們的生活方式、風俗習慣以及自然景觀的藝術。

繪畫藝術的種類很多，按照使用的工具材料的不同，分爲中國畫、油畫、版畫、水彩畫、水粉畫等畫種；按照表現對象的不同，分爲歷史畫、故事畫、仕女畫、肖像畫、風俗畫、風景畫、靜物畫，甚至鬼神宗教畫等。由於各種繪畫所使用的物質材料與工具不完全相同，諸如它已不限於紙筆、墨水、色料，即使樹皮、柏油、砂石等亦可作畫，因此其表現技巧也有所不同，而各自都有其獨自的特點。但大體上在繪畫的態度和精神上，中國畫不論在那一個時代，或多或少都在重視作者的主觀而不過份重視客觀的真實，其處理畫面的方法是重視作者的思想而不過份重視寫生的把每一個透視單位融接而黏繫起來。今以山水畫的構圖方面爲例，在自然景物中，常有花木不時，屋小人大、樹高於山或橋不登於岸的情形，其目的莫非是畫家嘗試著抓住最重要最美好的一點，加以組合與發揮，並透過思想和技法，將它「虛」、「實」、「遠」、「近」，甚至講求從俯瞰、平視、仰視的角度把景象立體化的「氣韻」和「神態」完滿的表現出來。在圖像畫方面，根據劉靖華學者，在《攝影美學》一書中，說：「它不但要能畫出人像的基本面貌外，還須進一步的能傳達出圖像的內涵外表之美惡，使人一見到，就能產生一種景仰或警誡的感應，以收『成效化，助人倫』之功能。」①在印象派、未來派、立體派方面，雖然他們一味的講求色彩的運用，在畫面上，全是形、色、線的合奏，連物體的形狀都看不清楚，但是它們還是具有一種能夠充分表現該事物之質感、量感、空間感和運動感等所特有的一種氣韻與神態。目前一些畫家都在挖空心思，設法求變創新，有所謂印象派、超現實派、野獸派等奇特作品，這些作品雖然很難爲大眾所看得懂和領悟這些畫的意境，但是對於學有專長的藝術家言，卻有非常高的評價。

在中國的繪畫演進方面：人類繪畫思想的產生，歷史極爲悠久，遠在人類未啓文明創造之前，在原始的岩石繪畫中，大都走著寫實的路線。他們所繪畫的對象，不管是天上飛的、地上爬的或是水中游的動物外，也繪畫著與日常生活較爲密切的圖紋有如日月星辰、戰爭、舞蹈、祈禱、交媾、人面像、骷髏、神像與圖騰崇拜等物。在我國所出土的彩陶文化與黑陶文化的遺品中，雖然沒有純粹繪畫的出現，但這些器物表面的幾何形式圖案、簡單線條的動物圖紋，可說是夠得上成功的繪畫要素了。至於往後出土的陶器上的紋飾，大體上可以把它歸納爲人形（人面、裸身）、鳥獸蟲魚、花瓣草木雲水和幾何圖紋（從線的粗細、長短、橫豎、曲折、交叉和圓點所組成的弧形三角紋、同心圓紋、波紋、方格紋、繩紋、弦紋、帶狀網紋……）等四大類。在這些種類繁多，變化無窮的圖案中，可說是大都與當時人民之農、牧、漁、獵生活有著密切的關係。究竟我國的繪畫起源於何時呢？這是眾說紛云之事。有人說，它是始於伏羲的畫八卦以及倉頡的創造象形文字爲其開端。但也有人認爲，它是起源於黃帝的染衣裳、畫衣冠爲其濫觴。根據尚書〈皐陶謨〉中，有關舜對禹說：「予欲觀古人之象、日、月、星辰、山、龍、華蟲，作（繪）；宗彝、藻、火、粉米、黻，絺繡以五采（彩），彰施於五色，作服，汝明」的記載看來，在舜禹時代，繪畫可說是已經相當發達了。

在台灣的繪畫方面：被譽稱爲「美麗之島」的台灣，先後受到一序列不同種族與政權的統治，其歷史際遇之盤根錯節，堪稱史無前例，再加上台灣位於太平洋盆地西緣，孤懸歐亞大陸東岸海上，具有高度通航與戰略敏感的地理位置上，更使其不時面對外來因素的衝擊，導致內部不斷的變化與調整。至於在美術的發展方面，也不例外。在有關台灣美術的發展方面，台灣初爲海外荒陬，原住民與大自然爲伍，過著比較原始的生活。他們在傳統中，雖然沒有什麼了不起的作品，不過，卻也留下了一些具有特殊風味的雕刻與繪畫，以供後人追憶。

在滿清時代，台灣隨著自南而北的開發而日漸繁榮。在當時來台的富戶商賈、游宦幕僚，有不少是博於詩書藝文者，然而在台人士亦不乏風雅之文人墨客，加之經濟條件充裕，使之知識份子常藉書畫交往，一般民眾也因宗教信仰之關係，和期望福祿添壽等生活習慣因素，而有宗教彩繪和民俗版畫的應用在日常生活之中。在當時的書畫內容方面，以傳統的山水畫、花鳥畫、人物畫、龍虎畫、竹梅蘭畫以及以忠孝節義爲題材的繪畫爲主。

台灣的美術在滿清時代，可以說是未曾受到官方的鼓勵與提昇，而畫家在社會上也不是一個被重視的行業。日據時代的教育之所以能夠積極的影響台灣青年獻身於學習美術的行列，並非只憑著一個美麗的口號和空洞的信念而已。它除了須具備有先進小學、中學的美術基礎教育以及東渡日本深造成專業人才的教育外，還須要有完善的文化制度來獎勵和推廣。在此教育啓蒙中，在西元一九二四年以前，台灣只有日籍畫家所組成的「墨壺會」以及「日本畫協會」兩個組織而已。然而，在西元一九二四年（民國13年），學習寫生的東洋畫以及寫實的西洋畫者逐漸增多，他們以互相觀摩、砥礪並啓發台灣美術思想爲宗旨，而於當年號召、組成了「七星畫壇」和「台灣水彩畫會」來舉辦每年一次的展覽與活動。在西元一九二七年（民國 16 年）時，留日學生，相繼返鄉，在台北成立「赤島社」舉行會員作品展覽外，不久以後，又開放會場，鼓勵會員以外的青年畫家參加，以提高同仁之藝術水準。在首次的官辦美展方面，西元一九二七年，留學英國，並受推奉為「台灣美術之父」的水彩畫家石川欽一郎（台北師範學校）、東洋畫家鄉原古統（台北第三高女子學校）、木下靜涯（長居淡水，卻不授課的畫家）、以及西畫家鹽月桃甫（台北高等學校教員）等四人，力促當局設立官辦美展。日總督府接受他們的建議，並囑咐台灣教育會於一九二七年主辦台灣美術展覽會，略稱為「台展」。由於台展是在官方支持下的活動，不但受到社會的更多肯定，也使得台灣美術運動更為蓬勃。台展活動到了第十屆（西元 1936 年）後，因西元一九三七年（民國 26 年），蘆溝橋事變爆發，中日正式宣戰，「台展」在該政府無暇兼顧下，決定停止辦理活動。所幸在有心人士的積極奔走、遊說下，同性質的展覽活動，經官方同意，於西元一九三八年（民國 27 年）將主辦權由台灣教育會移交給總督府，並更名為「台灣總督府展覽」（簡稱府展），繼續舉行了六次後，終因太平洋戰爭爆發，以及中日戰爭進入末期膠著狀態下而草草落幕。

台陽美術協會（簡稱台陽展），是日據時代由台灣畫家為主導的最大民間美術團體，其成立的動機根據廖繼春所言：「……我們只不過因為看到秋天的台灣島已有了『台展』在修飾著它，所以才想起應該以什麼來修飾台灣的春天。」為了使台灣的美術運動，從官方擴大到民間，由被動走向主動，來適應日益熱鬧活躍的美術活動共識下，以赤島社同人為骨幹——陳澄波、廖繼春、陳清汾、顏水龍、李梅樹、楊三郎、李石樵及立石鐵臣（日籍畫家）等八人共同發起，並獲得台灣名士蔡培火、楊肇嘉之聲援，在西元一九三四年（民國23年）十一月十日，假台灣鐵路大飯店舉行成立大會。在慶祝台陽展創立十週年紀念（即民國33年）之後，因盟軍空襲猛烈，無法繼續舉行，遂暫中輟，直到戰後復甦之際，台陽展又再度承擔了組織與舉辦全省美術展覽的大業。

在清末民初時，在西方近代思潮的激發下，海峽兩岸，有志開拓美術新境界的畫家，均會不約而同的到法國和日本兩大先進國家，去吸收新觀念和新的技法。在西元一九三八年（民國27年），原稱為（Mouve Artists Society）的「動向美術集團」成立展出時已見端倪。這由張萬傳、陳德旺、洪瑞麟、陳春德、呂基正和黃清埕等六人所組成的「MOUVE」集團，以在野的姿態，來發表該集團之藝術傾向似含有反抗從來之靜的藝術，以不斷創作研究變動及可塑的性質上。在意識上，它可能與「未來派」之藝術思想，有共通之處，然在其往後展出的作品中，因無法和「未來派」的演變與發展保持同步或繼續追隨，而呈現出與「未來派」之表現方法，大不相同的作品。僅管如此，這些作品，由於它充滿著意氣旺盛、熱情奔放的新鮮感覺，在當時仍然頗受藝術界人士的注目。

在民國三十四年，第二次世界大戰結束，以及國民黨政府來台後，所產生的省籍情結糾葛與對峙方面，台灣的畫家因日本無條件投降，而那些過去經由日本美術體制中，所取得的豐富資歷與榮譽，不但頓時喪失怠盡外，還要時時面對仇日高漲情緒所形成的有形、無形壓力，其情形，經常發生的是，中國畫人往往動不動就指責台灣藝術爲日本畫等奴化問題。然而，當時台灣畫家們也自衛性的反駁與指責，來台的先頭部隊，缺乏高瞻遠矚胸襟的同時，又對整個中國藝術史的認知，只憑著才立國三十餘年的淺度，而妄加論定。殊不知，中國上千年的過去，也曾吸收了各民族的繪畫精華，而創造了中國美術之輝煌歷史。至於，以「正統」自居的大陸畫家們所面臨的艱苦困境方面，則是他們脫離了大陸博大的人文與廣大的腹地，而無法反映時代真實面貌的同時，又不敢大力倡導「繪畫中國化」，以免遭到不測之禍等問題。

一九五〇年韓戰爆發，六月二十九日，美國第七艦隊駛入了台灣海峽，也象徵著美國時代的來臨。本土畫派首先遭到第一波訊號，是在西元一九五〇年（民國 39 年），由何鐵華在台北創刊的《新藝術》雜誌。他在〈新藝術運動概說〉中，開宗明義：「作爲二十世紀的現代人物的我們，欲達到創造新的藝術，必須發動一個中國的新藝術運動。無疑地，這運動是要把因襲傳統的東西剷除，同時把世界新的藝術作品與理論，用批判的方式介紹進來，作暫時鞏固我們的新力量。」他除了主編雜誌外，還在報紙上鼓吹現代藝術思潮，雖然在當時，並沒有激起應有的回響而草草收場。不過，他有其不可忽視的貢獻，諸如抽象主義、表現主義、立體主義、未來主義……等，西方美術觀念與作品，從此開始源源不斷的介紹、輸入台灣。

一九五七年春天，國際三大美展之一的聖保羅雙年展，首度邀請台灣參加。我國送去了三十多件作品，結果出人意料的蕭明賢之畫竟獲得了一個榮譽獎回來。同年，五月，在師大教授廖繼春的鼓勵下，由劉國松、郭豫倫、李芳枝、郭東榮、陳景容和鄭瓊娟等六人共同發起，成立「五月畫會」，並用法文的 SALON DEMAI（意爲五月沙龍）做爲其外文名稱的目的，有如劉國松之言：「五月沙龍是我們的偶像，在全盤西化的過程中，我們用最開放的心胸、最高的創造性，有意領導和推展台灣的現代藝術，並期待台灣的五月畫會成爲像法國的五月沙龍一般。」②在一九五七年的十一月，又有一批鼓吹更新傳統和創造時代藝術的先進藝術團體之誕生。這個由夏陽、李元佳、吳昊、陳道明、歐陽文苑、霍學剛、蕭明賢和蕭勤等八人所組成的「東方畫會」，由於它給人一種「不知天高地厚」或是給人一種像土匪般的顛覆了台灣一直以來的視覺美術經驗之感受，因此專欄作家何凡在報上戲稱他們爲「八大響馬」。

自上述受到世界性藝術潮流刺激與影響下的兩個畫會成立後，本省畫壇就呈現出一種保守與急進兩極化的對峙形態產生。其情形有如一九五九年六月「五月畫會」的劉國松首先在《筆匯》雜誌上公開向保守派所發動的攻勢，他說：「七百年來，我國繪畫被美術界的惰性與懦弱窒息了，被千萬次重覆與翻版腐蝕了，它就像釘在板子上的標本，早已僵化了。我們要拯救中國美術文化於死亡，必須以蓬勃的、人性的、實在存在的源泉，才能達到真正的空靈超脫；大膽的接受西洋近代藝術的人本思想，用真正生命之火，來燃燒東方傳統固有的空靈飄逸吧！」他在十月間，又在同一雜誌上發表了：我們已經不只一次地呼籲政府教育當局，重視這「扼殺民族文化、打擊國粹藝術」的集團。這所謂的「國畫部」，大半以上是中華民族的歷史傳統中找不到的，琳瑯滿目掛的全是「日本畫」。③僅管在他的大聲疾呼下，於展覽會場上，保守派的觀眾數量依舊佔據著壓倒性的優勢。因爲台灣究竟不是歐美，這裏缺少主觀繪畫抬頭以來逐漸脫離自然過程的抽象主義歷史背景外，如今突然看到的全是憑著形（造型）、色（色彩）、線（線條）等元素所構成的光怪陸離畫面，來表達「心靈內在的真實」，不但許多傳統畫家無法接受與認同，而一般民眾更無法欣賞這個令人捉摸不清的所謂「抽象」、「非具像」、「不定形」或「無象畫」等一種「形象解散」的「奇怪」畫面。然而狂熱的抽象主義信徒們，卻擅於把繪畫革新推向詩人、小說家、音樂家及其他專門學者的結合，並透過大眾傳播媒體管道的宣傳，造成「抽象」即是「現代」的觀念而迅速蔚成一種新的獨斷風氣，逼得許多從事寫實基礎的畫家，不得不做適度的調整，或選擇走向通往「抽象」的途徑之上。

在六〇年代中期，正當抽象主義在台灣大盛特盛之際，西方的第二次新潮普普(POP)與歐普（OP 視覺藝術）的到來，使之台北畫壇頓時呈現癱瘓狀態。普普藝術，簡單的說是對抽象主義的反抗，因為抽象畫太高深到無法輕易了解的地步，而普普藝術，它是以樂觀進取的態度，結合美術的敏感與工商業的活力，面對通俗文化及傳播媒體所呈現的一切，（諸如電影偶像、新聞圖片、廣告招牌、流行商品及印刷、製版的技術）把藝術溶入日常生活的一種通俗藝術、大眾藝術和人人看得懂的藝術之中。歐普藝術（視覺藝術），是一種充分掌握美術材料的物理特性，並大量引用現代工業產品（如紙、布、油漆、反光漆、不銹鋼、人造的光影……等），來構成誘導性視覺官能主動反應的繪畫創作。④由於普普和歐普藝術是一種與日常生活息息相關，且為非常實用，並能改善、美化周遭生活環境的大眾化藝術，因此它的發展非常快速，不但為從事美術行業者所樂於推廣，且為大眾所樂於接納。

鄉土繪畫的崛起方面：自民國六十年至民國七十一年間，中華民國在「漢賊不兩立」的情況下，被迫退出聯合國，以及稍早日本欲併吞釣魚台，在大有為國民黨政府的抗議無效、控訴無門的刺激下，掀起了全國上下反抗西潮、關懷鄉土、認同鄉土以及肯定鄉土的覺醒。於民國六十二年起，過去曾經致力於默默描繪台灣島民生活以及鄉間景緻的畫家有如洪通、朱銘、席德進、鄭善禧……等，在大眾傳播媒體的頌揚下，而成為社會英雄人物的同時，藝術家們爲了擺脫台灣近四百年來的歷史邊緣性格角色，而重新思考島嶼的特質、民情風俗、以及將來的發展，來奠定台灣美術性格的形成。在此如火如荼的推展之際，又產生以中國情結爲中心的鄉土畫派和以台灣本土爲中心的鄉土畫派之爭。

畫會眾多的階段方面：在中國美術史裏，沒有一個時代是像二十世紀以來有過那麼大的變貌，而且在中國近代美術活動，也沒有一個地區比台灣能在短短歷程中發展得那麼多彩多姿。四十餘年來美術屆所產生的弊病，乃是「極端化」所致。有一派人認爲要中國富強，必須徹底粉碎中國文化，另一派則抱著老骨董終其一生，形成「崇洋」和「復古」的大論戰，事實上，不管中外都一樣，文化是進化的，繪畫也不例外。尤其在藝術資訊發達、普遍的今日，在台灣美術發展的性質與內容，從材料、技法，到形式、題材以及表達的理念都已走向多元化的途徑，諸如，在繪畫風格上，有的人注重台灣本土風情的描寫，有的人則仍堅持大中國情結的畫風，有的人則嘗試將中國繪畫精神融注於西洋畫的表現之中，有的人則追隨著西洋近代以來的各種畫派，不一而足，而且各畫派相互尊重，可說是我國近代美術活動上的一大特色外，而新興的美術團體在一九八〇年後，根據王福東學者，在〈台灣美術新生代〉一文中，指出，有新畫會、饕餮現代畫會、台北新藝術聯盟、當代畫會、夔藝術聯盟、現代眼畫會、中華民國現代畫學會、一〇一現代藝術群、笨島藝術群、新思潮藝術聯盟、台北前進者畫會、新粒子現代藝術群、異度空間、華岡現代藝術協會、南台灣新風格畫會、息壤、333、GROUP、現代藝術工作室 SOCA、高雄現代畫學會、伊通公園、二號公寓、台灣檔案室、泛色會、NO-1 藝術空間……等，⑤畫會如雨後春筍，而形成台灣畫壇的新氣象。

客家繪畫的崛起：自民國七十六年（西元 1987 年）解嚴後，在台灣不論城市或鄉村皆掀起一種重新檢驗固有文化歷史的風潮，而一向經濟能力處於劣勢，能生存已屬不易，而處於隱形在社會上的客家文化，在此時也開始受到重視。此情形直到民國八十九年（西元 2000 年）中華民國第十屆總統大選，並由反對黨（民進黨）贏得了總統大選後的本土意識就不斷的高漲，根據謝里法畫家，在此時對「本土化」的一詞把它解釋爲：「政治民主化之後，地方意識的抬頭，使民間的力量足以逼迫台北中央釋放主導權，致使近百年外來政權利用強勢政治力所塑造的文化架構逐步解體，原來根植這塊土地的本土文化才獲得陽光而成長茁壯，使文化的重心落實地方回歸平民，成爲屬於台灣全民的文化，重新掌握文化的原創性，建立以台灣爲主體的世界觀。」⑥後，客家族群也無不在沙漠般的空白狀態下，積極的探索有關客家繪畫方面的問題，今根據張秋台的〈當代客籍畫家之藝術風格〉一文中指出：族群風格在繪畫整體表現上，既然難以顯現，但繪畫作品背後，客籍畫家，個人作畫態度，學習歷程，生活窘況，題材選擇，人際狀況，或可顯現若干特有表徵：

一、（在台灣）前輩畫家，大多為閩籍，而晚近內地各族群之接踵而至，水墨畫家獨領風騷，畫壇幾無客籍畫家之立足地，誠如何肇衢說：「當到台北，連站腳之立足點都沒有，環境逼迫，只好步步踏實，刻苦奮鬥，除了吃苦，還是吃苦，……。」這是諸多客籍畫家的共同心聲，也是畫家共同之遭遇，因此客籍畫家在作畫態度上，有一共同之風格，即是客家族群共同之生命觀——刻苦耐勞、努力、奮鬥、吃苦，此一共同之作畫風格，促使了先天不足，後天失調之畫者，在發揮了族群生活上所累積之吃苦精神，彌補了不足，而達於有成的境界。

二、其次客籍畫家，態度上比較保守，不善於包裝和推銷，有十分實力，只敢顯現三分，而且大都步步鉤針，踏實成長，很少有名過於實之愛現或汲汲名利之強勢作風，因此在繪畫之過程中，大都如倒吃甘蔗者，由淡而濃，由鹹轉甜，而漸入佳境，以實力顯出位階，實至而名歸。

三、客籍畫家，生命觀之保守傾向，其顯現在繪畫之風格上，大致趨於堅實，保守之繪畫作風。⑦

從上述可知，吃苦、耐勞、步步踏實，可說是一般客籍畫家所具有的共同特點，也是他們從艱困環境中，邁向成功的基石。至於，在有關本土性的題材方面，其情形，有如根據陳明宏學者於民國八十九年，在《客家》雜誌中，指出所謂的客家繪畫作品，應該大致可從如下幾點去思索：

㈠以客家意識做思考或表現動機。

㈡以客家族群聚落為地域範圍的人事物。

㈢以客家人的生活環境爲表現手法，不限客家庄。

㈣以客家史或客家民變事變作爲表現手法。

㈤以傳統客家婦女作爲素材。

㈥以客家野史掌故來作爲題材。

㈦以客家運動作爲題材的畫作。

㈧以展現客家精神的畫作。⑧

在上述的思維下，其作品諸如有，曾文忠的「美濃煙樓」、「四合院」，呂誠敏的「義民保護家園」圖，陳康宏的「客家電台立法院抗議」圖，謝耀承的「客家婦女救宋帝」圖，范姜明華的「客家農村生活」，葉祥的「農村生活」……等。

在談到有關客家的畫家方面，雖然客家繪畫在上述的台灣繪畫史上，並沒有處於主導的地位，但卻無人敢說，它和台灣的繪畫沒有絲毫的關係。不過在客觀的事實上，由於客家畫家在人數上仍屬不多，而且絕大多數的畫家在其繪畫風格尚未定型下，無法一一把它分類介紹，故今僅根據張秋台的〈當代客籍畫家之藝術風格〉（民國83年，行政院文建會出版的客家文化研討會）、陳運通的《客家書畫》（上冊）、《頭份鎮志》（2002年）、以及《客家》雜誌第118期（陳明宏著）等書籍、雜誌中，將一些比較著名的畫家摘錄、整理如下，以供參考：

1.邱潤銀（1909～）

高雄縣美濃鎮人，現今旅居美國。於一九三二年考入日本多摩美術學校，一九三七年以優等生資格免試進入該校研究科繼續深造。隔年以「黃昏之廢墟」入選首屆台灣總督府美展。其後，還曾數次入選府展。在他的多種繪畫中，在當代有極其大膽的裸女畫作，不斷的散發著大地的母性，頗獲好評。⑨

2.鄭世璠（1915～）

生於新竹，早年居住新竹縣關西鎮，後遷居新竹市。台北師範畢業，歷任教師、記者、編輯等職。在日據時代向石川及小原學習水彩及油畫，曾獲省展、台陽……等獎。其繪畫沒有固定形式，用色主觀，喜用鮮艷色彩，是位全方位的畫家。

3.羅美棧（1919～）

生於新竹縣，日本東北大學工業博士，作品曾參加日本東北美術展、省展、台陽展，獲入選、特選、金牌獎等。其油畫創作，專注鄉土寫實景物及人物之描繪，是位生活化的畫家。

4.蕭如松（1922～1992）

生於新竹縣竹東鎮，在國內各大展中，得獎多次，在光復初期，曾因同事三人被拘不知去向，而改變他的人生，因此他所繪畫的對象以不離面盆寮十里週遭的事物爲主，其情形諸如畫有乾草、乾花、玻璃杯……等。是一位當代被肯定的水彩畫家。

5.賴傳鑑（1926～）

生於桃園縣中壢市，從小受到日籍教師的指導，從事寫生習畫，在戰爭期間前往日本遊學習畫，之後向李石樵學習油畫，曾獲中山文藝獎及吳三連文藝獎之殊榮。著作有「天才的悲劇」及「巨匠的足跡」等書，其繪畫歷程從具象進入立體風格，再走向抽象表現之探索。⑩

6.曾石欽（1927～1984）

苗栗縣頭份鎮人，他的作品以光復後農村生活情景、山川名勝、國外著名風景爲主。他曾參加全國美展、全省美展、全省教師美展、台陽美展等均獲得優選獎。在民國七十五年五月時，榮獲縣府美術傑出人才文藝獎。

7.曾現澄（1928～）

生於桃園縣，台北師範藝術科畢業，曾參加多項美展及邀請展，個展二次，六十八年得金爵獎，作品以描寫古厝、巷道、廟會、鄉村景緻爲主。

8.何肇衢（1931～）

生於新竹縣，台北師範學校畢業，曾獲台北扶輪社美術獎、金爵獎、中山文藝獎、東京亞細亞現代美展國際獎及國內重要美展獲獎二十九次，個人畫展二十一次，出版《何肇衢畫集》兩冊，其繪畫風格的演變，早期從事抽象的表現，後期則以淡水風景、靜物爲主要的表現對象。

9.陳樹業（1930～）

生於苗栗大湖，師大美術國訓班結業，曾獲二十九屆、三十屆全省美展第二、三名及優選多次，並曾參加全國美展、中日韓交換展、亞洲水彩畫聯盟展等。其繪畫題材，以大湖附近的風景爲主。

10.馮騰慶（1933～）

生於桃園新埤，台北師範藝術科畢業，作品曾在教師展中十多次獲獎，北市展，省展前三名多次，並獲油畫金爵獎。在寒暑假期間曾向李石樵先生學習素描，其作畫題材，以鄉土的巷弄、家禽、睡蓮、廟宇、少女等為主。

11.曾茂煌（1934～）

生於新竹市，台北師專畢業，作品曾獲北市第二、六屆美展第一名，四十屆台陽展油畫金牌獎等。曾舉辦個展八次，其繪畫以鄉土風景、靜物花卉為主。

12.曾與平（1934～）

生於花蓮縣玉里鎮，中國文化大學美術系，藝術研究所畢業。曾獲中興文藝水彩獎，其作品以水彩畫為主，並以描繪台灣東海之風景見長。

13.曾文忠（1935～）

高雄縣美濃鎮人，畢業於台南師專藝術科。除油畫外專攻水彩畫，其作品大多以描寫大自然的風光為主，畫有小巷、曲巷人家、農家、庄頭伯公下……等。在美濃故鄉成立有「曾文忠美術館」，協助當地推動社區美術教育。

14.虞曾富美（1937～）

高雄縣美濃鎮人，現居美國紐約。畢業於美國科羅拉多大學藝術碩士後，即定居紐約，並在蘇豪區設立畫室。喜歡繪畫面幅巨大的作品，諸如在民國七十八年（西元1989年）三月十日，在台中省立美術館所展出的作品中，就有三十多幅，每幅均在（107×183cm）以上的巨大作品。其作畫風格相當宏偉、渾厚，令人讚嘆不已！

15.潘朝森（1938～）

生於新竹，台北師範藝術科畢業。作品在省展、教員展、北市美展、台灣展等得獎多次，作品代表我國參加巴西聖保羅國際雙年展被收藏，代表我國參加法國坎城國際展榮獲國家榮譽獎，一九七五年獲頒金爵獎，一九九二年獲法國貝茲耶國際沙龍藝術成就獎章，曾在國內外舉行個展二十次以上。其繪畫主題以漁夫、魚販、卑微人物、魚村等爲主。

16.張秋台（1938～）

生於苗栗縣，新竹師範畢業。七〇年以前曾參加省級各項美展，並得獎二次。早期以風景爲主，七〇年代以後，以台灣客家農村耕作爲主。先後舉行個展十次，一九八八年曾獲東京亞細亞美展銅牌獎。他也曾與行政院農委會合作，彩繪台灣早期農耕系列，水彩畫作六十幅，並將編印成冊，作爲教育及農業史之參考。

17.謝孝德（1940～）

生於桃園新屋，師大藝術系畢業，並任教於師範大學。自他旅歐回來後，有新寫實主義之畫作出現，諸如「禮品」的作品，就曾引起爭議。近期則以提倡關懷環保爲其繪畫的題材。

18.鄭香龍（1940～）

生於新竹縣六家，台北師專藝術科畢業。擅長水彩畫，個展十二次，曾獲文藝創作獎，台北市、台灣省、全國美展……等多項獎。其繪畫題材以風景、街景等出現較多。

19.張恆（1941～）

新竹縣關西鎮人，其本名爲陳張弘，現旅居加拿大溫哥華。他擅長繪畫山水、花鳥、蟲魚、瓜果、飛禽走獸外，對於正楷、草書、隸書、篆書等書法，均有佳作，並能融書於畫，是一位標準的傳統書畫作家。

20.何恆雄（1942～）

生於桃園新屋，國立藝專美術科畢業，一九八八年獲美國密蘇里芳邦藝術學院 M.F.A 碩士，專攻雕塑，透過雙手，傳達宇宙地球之生命及希望。曾獲國家文藝獎，中山文藝獎及省展等雕塑第一名。

21.向明光（1943～）

苗栗縣頭份鎮人，畢業於台灣師範大學美術學系。在中學任教後，於民國七十七年轉任輔仁大學應用美術系講師。在民國八十二年至民國八十六年間，多次擔任行政院新聞局金鼎獎評審委員外，還擔任台灣國際水彩畫協會常務理事。在著作方面，包括有繪畫與素描研究（1895 年）、應用美術與人文社會科學之研究（1999 年）、試論設計素描的內涵（1999 年）、向明光作品集（2000 年）等。⑪

22.戴武光（1943～）

生於新竹，師範大學畢業，擅長水墨畫，個展十三次，參加全國美展，國際水墨畫特展等聯展。出版有個人畫集三冊。

23.羅秋昭（1946～）

出生於廣東省蕉嶺縣，是台灣抗日烈士羅福星的孫女，一歲時，即隨父母來台居住在苗栗。她自高雄師大畢業後，向陶壽伯、傅狷夫、顏小仙等大師學習繪畫山水、花鳥、四君子……等，均能掌握其內涵與意境。在民國八十一年時，出版有《羅秋昭畫選》及《中國藝術裏的氣韻》等著作。

24.楊識宏（1947～）

生於桃園縣，國立藝專畢業，後入紐約普拉特版畫中心研究，一九七九年移居美國，一九八九年獲紐約州長頒傑出華裔藝術家獎。著有現代美術思潮，在國內外舉行個展三十餘次。

25.劉捷生（1948～）

高雄縣美濃鎮人，畢業於國立台灣藝專美術科，以及中國文化大學藝術研究所碩士。其作品大多在展現其土生土長的「原鄉」（美濃）情境，諸如畫有油麻菜田、傳統古屋、（美濃）煙樓……等，無不令人想起早期客家先民移居台灣的艱苦歷程。在得獎方面，曾獲首屆 SOHO 全球華人藝術獎章、台北市美術館水墨創作大展，以及入編《台灣美術年鑑》、大陸《中國書畫名人錄》等榮譽。

26.賴添雲（1948～）

苗栗縣人，有深厚的素描、寫生基礎。在得獎方面，在民國五十六年起入選二十六屆省美展，並獲四十屆、四十四屆大會獎及多次優選，台陽展四十六屆、四十七屆銅牌獎及優選多次。省交通部美展第五屆、第六屆第一名。⑫

27.江隆芳（1950～）

生於苗栗，師大美術系、比利時剛勃高等藝術院繪畫系畢業，新竹師院講師，曾在國內外舉行個展七次，作品深受西方表現主義之影響，近期以狂野的動物為其題材。⑫

28.林振洋（1951～）

新竹縣新埔鎮人，畢業於國立藝專美術科。其畫風細膩而寫實，著有《水彩靜物圖解》一書。

29.魏慶發（1952～）

苗栗縣頭份鎮人，自幼即對繪畫以及立體工藝具有濃厚興趣。在民國六十二年，畢業於美術專業學校後，即不斷的獲得各項殊榮，其情形諸如獲有 1.部隊陸光美展西畫組第一名。2.亞洲國畫巡迴展水墨銀牌獎。3.台灣北區七縣市青年寫生比賽第二名。4.全國青年雕塑創作獎入選。5.全省美展水彩入選。6.兩度獲苗栗縣推廣社會美術教育有功人員獎。7.作品獲登錄世界華人美術名家年鑑。⑬。

30.劉松炎（1955～）

新竹縣芎林鄉人，畢業於新竹師專美勞組。對於各種書體及水墨畫多有涉獵。其書法表現蒼勁，有線條靈動之美的特色。在得獎方面，曾獲國語文競賽教師書法台北市第一名及台灣區第一名，日本全日展書道特優獎等多項獎賞。出版有第一輯的《劉松炎書畫集》。

31.于彭（1955～）

台北市士林區外雙溪，平陽堂人。沒有學院式的背景，卻造就了其更開闊的藝術領域。他的作品從水彩、油畫、版畫、陶藝到水墨，均有自然之美。常為英國大英博物館、藝術中心、畫廊典藏的對象。

32.宋瑞和（1955～）

高雄縣美濃鎮人，畢業於中國文化大學美術系，對於山水、花鳥、蟲魚、飛禽走獸、人物等，有特別的愛好，其作品造型優美、逸趣横生。在得獎方面，於一九七九年時，榮獲農友種曲國畫展第一名。在一九八五年時，獲得台北市美展、台灣省佳作、優選。在一九八六年，在第十一屆全國美展時，榮獲第一名金龍獎，且爲永久免審作家。

33.張秋停（1959～）

屏東縣新埤鄉人。其作品佈局精湛，章法嚴謹，有鮮明的、傳統的風貌。在得獎方面，張女士曾參加基隆市繪畫比賽，並榮獲第二名。

34.魏美雲（1960～）

桃園縣龍潭鄉人，畢業於師範大學美術系，是劉松炎畫家的夫人。她的作品，無論楷書、行書、山水、花鳥、筆墨均清淨雅緻，端裝秀麗，頗有沈靜的內斂。在得獎方面，曾獲國語文競賽教師書法台北市第一名，及台灣區第四名等。

35.呂誠敏（1960～）

新竹縣新埔鎮人，畢業於台灣師範大學美術系。擅長油畫，諸如畫有「青春夢覺」、「老街之夢」、「義民保護家園」……等外，並有現代詩集出版，文人氣息十分濃厚。

36.葉仁正（1964～）

葉仁正，字澄懷，號墨泊，新竹縣新埔鎮人，出生於台北市，自幼即嗜好書畫，曾隨鍾壽仁先生畫竹，倪占靈先生畫花鳥。在台北縣新店市，設有「墨耘坊藝術中心」，常展出其手卷、冊頁、屛風、摺扇、木雕、古書畫等藝品，對於推動藝術交流，成績蜚然。

37.彭賢祥（1968～）

苗栗縣苗栗市人，畢業於台南藝術學院造形藝術研究所碩士。其作品有「家族肖像系列」、「鱒魚之夢系列」、「記憶與死亡系列」……等。

38.曾盈齊

優雅、細緻的曾盈齊，以獨具風格的彩墨獲選爲日本亞細亞水墨特優作品、二屆台中大墩美展入選。擅長抽象畫的曾小姐，以創新客家藝術爲目標，將流動於血脈中的客家藝術細胞，以及對客家生活、民俗節慶等的觀察，融於筆畫之中，以潑、灑、渲染、層層拓印的技法，勾勒出一幅幅介於寫實與抽象之間的動人客家彩墨作品。⑭

第二節：刺繡

衣冠是文明的象徵，在所有的動物當中，能懂得對自己身體加以裝飾的大概只有人類。人類雖有文明與野蠻之別，但對「美」的追求卻是不遺餘力，諸如人類學家所言，在許多原始民族中，有不穿衣服的民族，但卻沒有不裝飾的民族。刺繡爲我國古老的手工藝術之一，在人類物質的服飾文明中具有重要的地位，其發展的歷史早於世界任何其他民族，而其所塑造的典雅藝術風格，尤爲世人所鍾愛。

嚴格的說起來，刺繡應該算是有蠶絲布帛發明之後的加工產物。它的最初用途，應是一種作爲祭祀禮服和禮法制度中從天子至文武百官以表身份尊卑之用，其後漸漸普及到車輿、旌旗、服飾、佛像、佛經和供器，以及日常生活用品或欣賞用品之類的裝飾。在刺繡的技法上，從最原始的鎖繡法到平針繡法、辮子繡法、正搶、反搶、穿珠、打點、挑繡、堆絹、貼綾、亂針繡法……以及雕、挖、鑲、噴印等多種技法，而且在不斷的進步之中。所刺繡的對象有佛幔、經幡、神衣、神帳、旗幟、門簾、窗簾、椅墊、餐套、錢包、手提包、粉盒、首飾盒、香囊、領帶、衣領、衣裙、披肩、枕套、床罩、帳沿、帽子、鞋面、手套、戲服……等。所繡的圖案有龍、獅、鴛鴦、仙鶴、竹葉、芙蓉、菊花、山石樹木、亭台樓閣、小橋流水、草蟲小景、車馬帆船、花卉瓜果、鳥獸蟲魚、人物仕女、麒麟送子、八仙過海、春、福、壽、吉、寶、萬事如意……以及神像、菩薩像等的刺繡枚不勝舉。

在有關台灣的刺繡方面，台灣的刺繡工藝曾經甚爲發達，根據台灣府志云：「台灣婦女，不事紡織而善刺繡。刺繡之巧幾邁蘇杭。」在清時，台灣婦女的刺繡，可分爲用於日用品和用於神明方面的刺繡品爲主。在日用品方面，常在荷包、枕頭、帽子、鞋面、被面、床帳、椅墊、門巾、色褲、袖口、裙幅上，繡以花鳥、瑞獸、山水、人物以及富有特殊意義之吉祥圖案，諸如繡以蝙蝠（代表福氣）、鹿（代表祿位）、魚（代表年年有餘或鯉魚躍龍門）、龜

（代表長壽）……等之刺繡。用於神壇或家中有喜慶以增加美觀或熱鬧氣氛的刺繡品，有神像（佛像、財神、壽神）、神衣、神帳、佛旛、涼傘、繡旗、桌幃、門楣彩（因繡有八仙，故又稱八仙彩）、宮燈、戲服、戲帽……等，在這些刺繡品中，往往有龍鳳、獅頭、三星或八仙的圖案出現。在日據時代，對於五年級以上的女生則教以刺繡的技藝，除出嫁時，為備粧奩，自繡手帕、荷包、桌巾外，平時雖不多作女紅，但一般家庭婦女，則多能編能繡。光復後，政府雖重視刺繡工藝的教育，但由於車繡、機繡、電繡的發達，而使之在學的刺繡教育，成為一種業餘性的知識教育而已。在商業上的刺繡方面，也由於機器代替了手工，使之曾經豐富過我們祖先生活，擴展了民族藝術領域的刺繡藝術，益見衰微沒落之際，兼以人工昂貴，牽制了工藝品的發展，更使得刺繡的傳承發展日益困難。

第三節：雕塑

在藝術生活化的時代裏，人們往往能在學校、體育館、文化廳、美術館、劇場、公園、廣場、街頭、地下廊道或長堤上，無時無不可以見到利用雕塑點綴環境、美化環境的情形。所謂的雕塑藝術，是指以各種可塑的或硬質的材料，透過塑造、雕琢或刻劃出可視、可觸的物體形態或表情的一門與熔鑄造形、雕塑造形和結構造形所結合而成的「雕塑」藝術。雕塑的取材範圍非常廣泛，從人物到鳥獸蟲魚，都是它的反映對象。雕塑的藝術可分爲「雕」、「刻」與「塑」三部份。在「雕」的物質對象，通常有木雕、石雕、玉雕、牙雕、皮雕、竹雕、漆雕以及獸骨、獸角或龜甲的雕刻等等。它在藝術上的表現方法大體可分爲三種，一、是圓雕（又名立體雕、六面雕）是立體的、單個的和沒有背景的形象表現，人們可以從四周不同的角度和方向去欣賞。二、是浮雕，它是在平面上雕出凸起的形象，依形象凸起的厚度之不同，又可分爲高浮雕（是將圖案以外的部份深雕去除，使之所雕鑿的物體或圖案很明顯的浮凸出來）、半浮雕（是保留邊框，並將圖案以外的部份逐層鑿去）和淺浮雕（也稱爲線雕，是將圖案以外的部份淺薄鑿雕，去除一層，有如刻印章的情形）等三種方法。由於這種浮雕的藝術形象和周圍的環境有密切的關係，因此在欣賞時，不但要把握主題形態姿勢的表現外，對於四周環境的安排也成爲欣賞的重點。三、是透雕（也稱爲漏雕），其物象雖是立體，但它卻與平面背景連接而不分離，因此人們在欣賞主題雕塑外，對於與主題雕塑連結所構成的整體畫面，也成爲審美的欣賞對象之一。

「刻」是以刀刻劃，凡是諸如上述可雕的物質，均可適用在「刻」的藝術之上，但通常它的藝術則表現在木刻、銅版畫、碑刻以及金石刻等方面。在「刻」的藝術表現方法方面大體上可分三種，一、是陰刻，即是在平面上刻出線條來表現物象。二、是陽刻，它是在平面上保留物象的線與面，而將空餘的部份剔除。三、是陰陽混合刻，即是綜合上述兩種刻法做適度的運用。

「塑」是一種利用可塑的素材諸如粘土、人造油土、陶土、水泥……等，透過塑、堆、捏、貼、刻所做成的一種形體。

在上述「雕」、「刻」、「塑」等藝術的運用下，早在遠古時代就曾利用「雕」的藝術，把堅硬的石塊雕出有用的日常生活工具，也雕出了一些藝術作品，諸如殷墟出土的大理石石虎、鴞、龜……等。在三、四千年前利用「刻」的藝術，在龜甲、獸骨上創造了原始文字和美麗的圖案。在「塑」的藝術上，製造了彩陶與黑陶的文化。在「雕」、「刻」、「塑」的綜合藝術下，創造了青銅器時代，它在造形上有鼎、簋、盤、豆、尊、角、觚、鬲、罍、觶……，在圖案花紋上有雷紋、雲紋、夔鳳紋、帶紋、虎紋、龍紋……在銘文上有記事或富有教育後人的激勵之語……等。隨著歷史的演進，「雕」、「刻」、「塑」等藝術也逐漸的被大規模的使用，諸如用兵器來熔鑄十二個各重千石，長五丈餘，足六尺大的金人；用石來雕宮殿石階、露台、欄杆、橋樑、華表、石人、石獸、石佛像、石窟、皇室地下宮殿；用木來雕雍和宮的七丈高大佛像；用陶土塑造與人等身的上千個兵馬秦俑……等。在雕塑的藝術發展方面，也逐漸的提高它對整體的雕塑藝術上，不但要講求均衡、和諧和統一，它對於人的雕塑，除力求面貌酷似外，還要兼具表情，顯露出該人的人格與氣宇；對於物的雕塑也要使一些無靈性、無表情的東西，能夠散發出它的感情和神態。

壹、石雕：

在談到我國的石雕藝術之前，首先介紹打石的工具方面，它在過去非常的簡單，只需角尺、竹筆、石鍬和三磅重的四方鐵鎚，現今則隨著時代的進步，打石的工具也逐漸的機械化，因此所雕出的作品，也比較精細優美。在有關自然界的岩石方面，它可分爲火成岩（有玄武岩、花崗岩、安山岩、斑糲岩、橄欖岩）、沈積岩（爍岩、砂岩、頁岩、石灰岩）、變質岩（大理石、片麻岩、角頁岩、綠泥片岩）等三大類。我國地大多高山，因此在石雕藝術的遺產方面相當豐富。但根據外國研究中國藝術史的奧國藝術家佛萊，認爲，雕刻在中國，於佛教東傳中土之前，紀念人像的雕刻極少。在佛教的影響下，才有以「人」爲雕塑表現之情形，因此可以說是中國的雕刻濫觴是動物而非人物。

佛萊藝術家，對中國石雕藝術的看法，可說是相當的中肯，因爲中國人在利用美術造形表現的紀念象徵意義上，大抵可說是缺乏人像雕刻，而以文字碑或動物雕刻來代替。中國的石雕在量上可能遠遜於西方，但質而言，它和世界其他地區民族的石雕比較，則並不遜色。遠在我國舊石器和新石器時代的初民生活，當他們與石或石材的關係，有著一日不可分割的關係之時，先人們就懂得善於就地取材，把天然的石塊，如玄武岩、片麻岩、石英岩、花岡岩、閃長岩、變質岩……等石質較硬的石塊，經過敲砸做成各種形狀，諸如橢圓形、菱形、蠶豆形、長方形、正方形、三角形、長條形之「砍砸器」、「刮削器」、「尖狀器」等器形，而按其用途之不同，更進一步製成石錛、石鏟、石鋤、石球、石珠、石斧、石鐮、石鎚、石刀、石刮刀、石鏃（箭頭）、石鑽、石砧、石鑿、石矛、石臼、石犁、石杵、石磨盤……等謀生工具和自衛武器。有的工具不只是為使石器光滑美觀，且使之工整、鋒利與定型。最後有的還進行鑽孔，使之便於裝柄，或便利於攜帶。諸如湖北省所出土的一個佈滿樹枝狀紋理的藍灰色石鏟，其弧形的鏟口和圓形的鑽孔，除符合上述之目的外，也能和天然的紋理相配得十分協調。這些都反映了當時先人們已具有樸素的審美觀念和藝術手法。然而中國真正的比較有藝術性的石雕，是在民國二十三年中央研究院從事河南安陽殷墟遺址的發掘，在西北崗一〇〇一號大墓，發現了十餘件大型石雕動物以後，證明了中國遠在三千餘年前的殷商時代，石雕藝術就已經達到很高的成就，而且具有世界性的地位。殷墟出土的石雕，有坐人、虎首人身像、虎、臥牛、鴟鴞、鷺鷥、蟬、蛙等。⑮這些圓雕，手法簡樸，形象生動而且掌握了對稱平衡的法則，而其中有暨像人又像鳥、獸的立體動物石雕，如高 341 公分、寬 248 公分的石梟，它具有鳥身、獸足、下垂三角形的貓頭鷹嘴臉、人耳、和卷曲貼頭的羊角等輪廓造形，其器身並刻有鱗狀羽毛、蟠龍紋和獸面紋等紋飾。在白色黃斑的大理石石虎方面，它具有虎首、跪坐形人身和獸爪所組合成半獸半人的造形，其器身並刻滿其他觀念動物及雲雷紋等紋飾。這種多借助於幾種動物特徵綜合而成，也是一種人、鳥、神、獸等的結合產物，可以說是明確的體現了當時具有某種之社會、政治和宗教方面的特殊觀念與意義了。

在台灣的石雕方面，不甚發達，主要是早期的漢人未到深山開採適合雕刻的石材，而幾乎都是靠著福建運來花岡石和色澤帶綠，無細孔，可細鑿，不易風化的青斗石，來當做石雕材料的來源。有關石雕藝術在台灣被廣泛應用在寺廟裝飾和紀念性建築之上，大約是在清・道光前後，才開始盛行。

㈠石雕被應用在寺廟、大宅第方面，它往往被雕成，石台基、石階梯、石門檻、石柱、石柱礎、石柱頭、石珠（多雕魚、蟹、龜、蝦、螺等水族或八寶、葫蘆、獅角等吉祥圖案）、石欄杆、石鼓、石盾、石窗、石壁、龍陛、石龜、石獸（如龍、虎、獅、麒麟……）、石碣……等各種枚不勝舉的石雕裝飾。

㈡石雕被應用在紀念性建築上時，它又可分爲被應用在牌坊、碑碣及墳墓等三方面的情形。在有關旌表善行或功績的牌坊方面，它是最令人發思古之幽情的建築。有時牌坊的建立是透過地方推薦層層上報，甚至有的經由皇帝審核下諭恩准立坊，因此它的威信很大，榮譽很受重視。在碑碣方面，碑碣在台灣各地均有，雖然絕大多數的碑碣，並沒有把它雕刻成非常的宏偉與精緻，但它仍舊是一個相當寶貴的歷史資料。在有關墳墓及其裝飾的石雕方面，它往往有石供桌、墓碑和石香爐等，至於達官貴人和富有人家的墓園，則往往還有墳亭、石柱、石筆、石燈籠、石翁仲、石獸、石壁、石土地公……等或大或小，或精或粗的石雕裝飾。

石雕，除了用於寺廟、大宅第、石拱橋、神佛雕刻和墓園裝飾外，石雕的作品也有被用於日常生活之中，其情形諸如有石磨、石臼、鄉野田埂、硯台、筆筒、花屏、插花檯、擺飾、書鎮、筆架、桌椅、棋盤、各種動物……等。尤其台灣近二十餘年來不斷的開發台東與花蓮之間，綿延約二百公里，蘊藏豐富、品質優良的大理石，目前不論其是被用來屬於純藝術或是工藝，乃至於景觀環境美之雕鑿，都有它的無限前程。

貳、陶器

陶器的出現，是新石器時代的主要特徵之一，陶器在人類生活中具有很重要的意義，不僅豐富了生活用具，而且也加強了定居的穩定性。陶器可說是一種物質的產品，也是一種精神的財富，它是科學技術與藝術的綜合成果。當我們的老祖先開始懂得用火的時候，就具備了製作陶藝的條件了。先民把製陶用的粘土用水調合，利用粘土的可塑性，塑成適合生活的容器。這些陶土容器一旦經攝氏六百度左右的火溫燒過，就會產生固化作用，因而不再溶於水，而使得土形得以不變，這就是原始的陶。最初的陶器製品是被要求實用，燒製各種汲水器、炊煮器、飲食器和儲藏器，以解決日常生活的需要，但接著就要求美觀，設計出實用與審美相結合的各式不同造型，有如甕、壺、罐、盆、鉢、盂、豆、盌、鼎、盉、缸、尊……等。在裝飾上，除了比較普遍的人形紋、動物紋、鳥紋、水族紋、昆蟲紋、植物紋、圖案紋外，也創造了繩紋、篦紋、嵌紋、壓印紋、指甲紋、錐刺紋以及堆貼、彩繪、鏤空等手法，使陶器在日用器皿的基礎上，發展爲原始社會燦爛的藝術之花。

我國之製陶技術發達甚早，歷代製品，蜚聲遐邇，至今不衰。彩陶是近代考古發掘的新文物。民國十年（西元1921年）瑞典地質學家安特生博士(Dr. J. G. Anderson)在河南澠池縣仰韶村，首先發現彩陶文化遺址，由於它被發現在仰韶村，故又有仰韶文化之稱。接著我國考古學家吳金鼎氏於民國十九年（西元1930年），在山東省歷城縣龍山鎮的城子崖發現了以灰色陶器爲主之另一系統，其特徵爲質地黑，製作得光而薄的黑陶文化的陶器，被稱之爲龍山文化的代表。

在台灣的製陶方面，在玻璃、塑膠製品尚未普遍被大量使用之前，陶器用品則廣範的被使用在日常生活之中，其情形諸如有碗、盤、壺、罐、盎、盆、甕、爐、缸、盒……等外，也有被用於一些常擺設在寺廟或廳堂的用品，諸如有武聖關公、文昌帝君、南極仙翁、西王母像、財子壽像、燭台、香爐、文房、獅子……等的陶器製品。在它的功能方面，在早期客家人的日常生活中，無一不脫瓶瓶罐罐的狀態，其情形諸如有盛裝炒菜用的豬油盎，製作醬瓜、醬菜、酸菜用的盎缸，喝茶用的茶壺，盛裝餿水用的陶缸，儲藏飲用水用的水缸，裝往生者骨頭用的金斗甕，官宦人家或大戶存放錢幣用的龍銀甕……等。

參、漆器

漆器是我國古代工藝品中發源甚早，存續極久的一項精緻工藝，是中國最獨特的發明，由於它本身具有柔潤華麗的光澤，並能使器物堅牢耐用、利於裝飾等特質，數千年來在民眾生活上佔有重要地位，是一份珍貴的文化資產。

漆樹是一種高達數十公尺的落葉喬木，原生於我國長江流域的四川、兩湖及浙江諸省。古人製作器物，多半是就地取材，所以我國最早的漆器，以上述這幾處的出產爲多，而且技術最爲發達。漆是漆樹皮內的樹脂，爲無色液體，其所含漆酸接觸空氣後，即氧化而凝結，經醱酵作用，表面呈栗殼色，乾固後變成黑褐色的乾漆。根據漆的特質，它具有膠粘、抗酸、耐熱、防潮、防腐、防銹以及加上色料後之美化等作用。要完成一個漆器，它須有製坯、漆灰打底、塗表面漆、畫花、刻字、安裝銅耳、打磨、檢驗等八個基本步驟。漆器隨著時代的演進，漆器的器胎可由金、銀、銅、錫、鐵、竹、木、籐、皮、紙、麻布、陶瓷、塑膠……等各種質料製作。器表的色彩也由乾漆原本的黑色增摻朱砂變成紅色，以及加入其他色料調配出彩繪所需的各種顏色，並藉著雕刻、充填、鑲嵌等工藝裝飾技巧，製作出平脫、嵌螺鈿、雕漆、剔犀、填漆、款彩、戧金、戧銀、夾紵、周制……等類別的漆器。在漆器上所雕刻的圖案花紋，有亭榭樓塔、人物故事、草蟲小景、花鳥翎毛、雲石竹木……等圖案，枚不勝舉。就漆器的用途而言，其種類繁多，大略言之，有如碗、盤、盒、壺、杯、勺、箱、盂、匜、奩、筆床、酒器、茶器、硯匣、卷簽、軸頭、桌、椅、床、榻、書架、書箱、樹窗、屏風、匾額、鼓、瑟、琴、鐘架、弓箭、劍鞘、盾、矛秘、皮甲、矢箙，甚至還用於專供安葬的器物等等。

在有關台灣的漆器方面，台灣的漆器工藝發展，自明清以來，雕漆神像均塗罩金，來滿足「人要衣裝，佛要金裝」的基本要求。在製造大型家俱，几榻、屏風、廚具、書架、盤籃等物時，經常以朱漆、黑漆為主，有時還畫上花紋或施以螺鈿，給人一種純樸高雅之感。日據時代，台灣之漆器，有盒、碗、盤、盆、箱、奩、匾額……等，其中有作五色金鈿縹霞之山水人物製品。光復後，根據台灣省通誌卷六記載：「台灣漆器多使用木胎及竹編織品。產品種類，有托盤、糖果盒、水果盒、小盒、檯電花瓶、色拉盆、湯盌等，產量不多，但可供市場之需。⑯在雕漆方面，現今已改變傳統的製作方式，而用暨便捷，又美觀的樹脂模塑，可隨工匠的藝心，任意模塑出各種巧妙的器形。

第四節：工藝

實用工藝，是指建築以外，所有日常生活用品的製造工藝而言。在實用工藝器物的製造中，往往根據其不同之種類，有如竹木、砂石、泥土、玻璃、金屬和塑料等特性，因材施藝，加以美化，而終以藝術爲體，工業爲用的產品，稱之爲工藝品。工藝品不同於藝術品和工業品。因爲工藝品是講究實用，而不像藝術品，注重在表現藝術家之唯美思想，而不問實用的情形。由於現今工業產品也逐漸重視藝術化，使之工藝品、工業品和藝術品三者間逐漸難以區分。若要勉強劃分則可視爲，藝術品之生命在於美觀；工業品之生命，在於實用；工藝品之生命則兼顧了美觀和實用的產品。在工藝品的發展上，每個族群均有其特性，每個國家亦有其獨特風格，而民間工藝作品絕少矯揉造作，不受學院式僵化的外殼所侷限，它更沒有嚴格的規範約束，隨時間而更新，隨地方的風俗習慣、氣候、特產而擴大取材範圍，它可說是代表一個民族最具體和最普遍文化傳統的同時，也充分的反映了當代人們的基本生活方式、審美情趣，及其風土特徵。雖然目前由於科技與石化工業的發達，鋼鐵及塑膠用品取代了大部份的傳統民藝品，僅存的民間工藝品大多也失去日常用品的功能，而轉趨裝飾品方向發展，但傳統的民間工藝品，尤其是早在清末民初時，仍是台灣民俗或是日常生活中，相當重要的項類，今將陪伴客家人走過多個世紀的老祖宗智慧遺產，把它分爲一、農作器物；二、畜牧、水產器物；三、食的器物；四、住的器物等方面，做個簡單的介紹。

一、農作器物：

1. 犁：翻鬆泥土的器具。
2. 牛擔：套在牛脖子上，以便拖拉的弓形器具。
3. 蓑衣：用棕鬚編織而成，爲農人遮雨，並有抗寒、防風功能的工具。
4. 斗笠：用竹殼編成，有防雨、防曬功能。
5. 龜甲笠（龜殼）：農人在田中除草時，以防背部被日曬雨淋的工具。
6. 水車：用腳踏，使木葉轉動，將水隨著木葉由低處往高處輸送，以便灌溉的器具。
7. 而字耙：牛在前面拉，而人在後面操作，使耕地高低大致一致的器具。
8. 割耙：在水田中，牛在前面拉，而人站在割耙上，使犁過的土塊，將它打碎打爛的器具。
9. 碌碡：在裝有七片木葉的轉輪上，在牛拉時，能將雜草掩埋在水田土裏的器具。
10. 秧籃：盛秧苗，以便肩挑的籃子。
11. 秧盆：插秧時，放置在田中，盛秧苗的器具。
12. 撐草機：又名除草機，可將雜草拔起的一種農具。
13. 摔穀桶：在桶的四周用布圍著，防止稻穀與稻管分離外落，以便盛裝稻穀的容器。
14. 穀扒（鐺耙）：曬穀時，用來翻動、集中或分散稻穀的木製扒身，以及用竹製成的把手器物。
15. 風鼓：在轉動時，可將碎禾以及空殼的稻穀吹走，而由滑板溜下來的，則爲精穀的器具。

16.米籮：盛裝稻穀，以便用肩挑起輸送的容器。

17.土礱：經過碾轉，使稻穀脫殼，變成糙米的器具。

18.木杵：通常選用結實的楠木製成，常被用來打糬粑、搗米的器具。

19.舂臼：用杵搗糙米，使米糠脫落變成白米的器具。

20.篩米機：篩選米質和米糠的過濾器。

21.攬仔：在內地稱「連茄」，是用竹杆和木頭組織而成。它是專門設計來打豆子和脫殼之用。

22.木儲桶：儲存稻穀或白米的木質容器。

23.碾石：是中小農戶製作禾埕、修築農路、壓平地基等約一百六十台斤重，兩側邊各鑿一個二分平方之小孔，以便置入木軸套上繩索拖行滾動的石頭。

24.採茶籠：竹片編織而成，供採茶時裝茶葉的器具。

25.剪茶器：其形狀類似剪刀，在其中的一邊下擺裝有布袋，當剪茶器在一開一闔間，茶葉就應聲落袋，完成初步採茶工作的器具。

26.絞繩機：絞麻繩必須三人合作無間，兩人分別操作前、後絞，一人操作羊頭器併股等，把黃麻樹皮或瓊麻製成麻繩的機器。

二、畜牧、水產器物：

1.豬槽：餵豬時，裝菜渣的食槽。

2.雞槽：盛雞食的器具。

3.雞籠：供雞住宿，或送禮時裝雞的竹器。

4.雞擒：用竹篾編織，體積比長、圓形的雞籠稍大，約一百公分高，上有一平面開口，配上一個栓子，以防較大雞隻向上跳出的器具。

5. 魚罩：放在溪流中，捕捉魚類的器具。

6. 長魚罩：爲捕捉鱸鰻的器具。

7. 蝦罩：爲捕捉蝦類的器具。

8. 魚簍：爲放在溪流中，捕捉魚蝦的器具。

三、食的器物：

1. 碗類：分陶、瓷兩種質地。通常大的用來裝湯，小的用來盛飯。

2. 盤、碟類：分陶、瓷兩種質地。通常盤類用來裝菜，小的碟類，用來當佐料沾食之用。

3. 匙類：分陶、瓷兩種質地，爲喝湯的器皿。

4. 酒甕：俗稱石頭甕，質地堅硬，在清代時爲盛酒的容器，而現今則被用來醃製覆菜之用。

5. 陶缸：用來盛水或當米缸之用。

6. 鹽罐：裝食鹽的容器。

7. 糖罐：裝糖的器具。

8. 豬油罐：裝豬油的容器。

9. 茶葉罐：錫製品，罐蓋緊密，做爲儲存上等茶葉之用。

10. 茶壺：盛裝茶水的容器。

11. 茶藪：用稻稈編製，內藏棉花，用來保溫茶壺的用具。

12. 小水壺：煮草藥之用的器具。

13.錫酒壺：斟酒飲用時的裝酒器。

14.燉鍋：燉爌肉用的器具。

15.竹飯撈：洗滌米食及燙米粉、麵條時撈取之用的器具。

16.竹棧：由竹篾編織而成，內外透空通風；除放置剩菜剩飯外，還可盛裝碗、盤、湯瓢……等，過去家家戶戶必備的餐具之一。

17.杓子：盛湯或粥之用的木製器具。

18.水瓢：盛水用的器具。

19.飯桶：裝飯用的木製桶子。

20.筷筒：底部有小孔，可通風濾水，裝筷子的容器。

21.供盤：爲盛裝祭品用的器具。

22.木茶盤：端茶用的木製盤子。

23.量斗：量米器具，分一斗、五升、一升、五合、二合五勺及一合五勺等。

24.石磨：爲逢年過節時，用來研磨成米漿的器具。

25.竹磨石：可將曬乾的稻穀放入，而搗出脫殼糙米出來的一種小型的碾米工具。

26.粄印：印製糕點時所用的器具。

27.蒸籠：客家語稱爲「籠床」，是逢年過節時蒸年糕、蘿蔔糕的木質器具。

28.防蟻底座：多用石頭製成，在溝內盛水，以防螞蟻、蟑螂爬上的器具。

四、住的器物：

1. 錢櫃：放置錢財之用的櫃子。
2. 蓋櫃：放置衣物之用的櫃子。
3. 化粧台：婦女們梳粧的傢俱。
4. 飯桌：吃飯時用的桌子。
5. 長板凳：長條形木製的凳子。
6. 四方凳：四方形木製的凳子。
7. 書桌：讀書用的桌子。
8. 竹椅：沒扶手，配合書桌使用的椅子。
9. 竹製校椅：鑲有彩瓷的華麗竹椅，它常擺設在正廳兩側，配茶几使用。
10. 躺椅：可供臥躺休息之用的椅子。
11. 搖籃：客家話稱「槓槓」，它大部份是用竹製而成，可前後晃動搖擺，是農忙的好幫手。
12. 竹枕：睡覺或休息時墊頭用的竹製枕頭。
13. 竹背簍：背在肩上盛物的器具。
14. 木水桶：盛水用的木製水桶。
15. 洗澡盆：洗澡用的木製澡盆。
16. 洗臉盆：洗臉用的盆子。
17. 洗臉架：放置洗臉盆的架子。
18. 提籃：提菜用的籃子。
19. 榭籃：為婚嫁、小孩滿月送禮及祭拜謝神用的竹編提籠。
20. 籮篙：由細竹編製而成的盛具，榭籃較小只有一層，手提居多，提把是圓弧形，籮篙較高可放兩層東西，結構是爲挑擔而設計。

21. 油壺：儲存燈油的陶、瓷容器。

22. 油燈：將燈蕊一端浸入油瓶中的油內，而另一端則伸出在油瓶外，點燃以供照明之用的器具。

23. 算盤：結帳時所用的器物。

24. 熨斗：在鐵製的熨斗內，放置燒紅的木炭，用以燙平衣服之用的器具。

25. 惜字籠：放字紙之用的籠子。

26. 衣籠：盛裝新娘喜氣與衣裳，可供肩挑遠行的竹籠。

27. 竹火籠：客家話稱爲火沖，它是在爐外用竹篾編織包裹，不會導熱而在爐內放置熱火炭，爲年老人提在手上取暖的器具。

28. 水龜（水鴨嫲）：在睡覺時，放在被窩內的保暖器具。

29. 泥磚木模：將泥漿注入木模，以供建造房子的木質器具。

30. 竹煙桿：一般民家抽旱煙時，所用的煙斗。

31. 夜壺：常放置於床下，供人小便的器具。⑰

在民國三十四年（西元 1945 年），第二次世界大戰結束以後，耕耘機、插秧機、塑膠類製品、以及不銹鋼製品等不斷的出現。在工藝品方面，不但材料增多，而且也打破了各個族群所特有的領域，而逐漸朝向市場化發展，其情形，在一般常見的工藝材料諸如有：

1. 雕刻品，有用牛角、骨、珊瑚、石、貝殼、木材、金屬……等。

2. 編織品，有用竹、藺草、月桃、籐、麻、林投葉、海草……等。

3. 窯業產品，有陶、瓷、琺瑯、玻璃……等。

4. 金屬品，有銅、金、銀、鐵、鋁、鉛、錫、合金……等。

今以竹材、籐材、木材、蓆草、海草、金屬、大理石、文石、珊瑚……等，所做成的各種工藝品，有如下列：

1. 竹材方面：有竹笛、米簍、筷子、簾篩、行李籠、竹枕、斗笠、竹蓆、菜籃、衣籃、龜殼（遮雨器具）、竹盒、炭籠、火籠、香蕉籠、桌椅、簸箕、籮鬲、手巾盤、托盤、花籃、簏公（魚簍）、茶簍、採茶簍、酒龍、櫥櫃、睡床、書架、帽架、屏風、嬰兒車、椅轎，以及裝飾品有如富貴雙喜聯、竹梅蘭菊四君子竹雕、竹籤吊燈飾……等。

2. 籐材方面：有籐椅、籐桌蓋、籐桌、籐箱、籐籃，及其它各種生活器具。

3. 木材方面：有信插、酒杯、湯匙、木桶、煙管、洗臉盆、杵、臼、甑、鼓、盾牌、木船、耳飾、刀柄、刀鞘、飯杓、曲木、車床、衣箱、酒櫃、屏風、桌椅、茶几、寶石盒、檯燈、宮燈、神像、寺廟裝飾以及裝飾品之類的人物、山水、神仙、花鳥、瓜果、吉祥動物等應有盡有。在成品中，有的還有各種美麗的圖案，浮雕、透雕、嵌入金屬或貝殼之精美工藝品。

4. 蓆草方面：有草帽、草蓆、煙袋、提包……等。

5. 海草方面：有臥蓆、拖鞋、包蓆、地毯、草繩等。

6. 金屬方面：有錶殼、鎖鏈、戒指、手鐲、耳環、胸飾、別針、髮飾、袖扣、酒杯、徽章、花瓶、眼鏡框、佛像以及各種動、植物模型……等。

7. 大理石方面：有桌椅、桌面、椅面、煙灰缸、鋼筆台、花瓶、文鎮。

8. 文石方面：有雕刻檯燈、帆船模型、掛飾、別針、耳墜、手鐲、胸飾、頸飾、印材、戒指。

9. 珊瑚方面：有襟口、項圈、腕鐲、耳餌、胸針、簪、指環、印章、佛珠、獅子、觀音、壽星、漁翁……等。

在上述台灣的許多工藝品製作領域中，客家人往往有其一定的貢獻及其傑出的表現，只是未被後人，將其作品加以收集、保存、展示，並加以表揚，而往往不爲大眾所知而已！今將舉個行政院客家委員會主辦的二〇〇三客家女性生活映象展，於九月三日到十四日在台北新光三越信義新天地（台北市信義區松高路十二號七樓）所展出現代客家女性，憑著自己的信念，就能開拓出屬於自己的另一片天空的作品。今參見〈客家郵報〉王瑤瑋的報導如下：

1. 花蓮瑞穗拔仔庄阿婆們的印染繪畫藝術：一群平均八十六歲的阿婆們，用一支畫筆，帶領我們走向記憶的長廊，回到孩提時期的農村景象。她們把原本該是屬於自然的色彩，全部轉移到畫布上，也將原是屬於田野間的回憶，呈現在一塊塊的布匹上，讓純白的畫布染上繽紛的五彩，也染上每個屬於阿婆年輕時代的故事，希望讓大家都能夠一起分享她們的青春色彩與記憶。

2. 鍾琴的彩繪玻璃：她認爲玻璃彩繪非常容易入門，不管有沒有繪畫的基礎，只要隨著玻璃器皿的弧度、造型，加上自己的想像力，任何一道色彩，一筆線條都能創造出有別於傳統的新畫風。

3. 周美純布雕藝術：布雕藝術可以很藝術，也可以很平易近人，只要一把剪刀、幾片碎布，就能貼成一小幅圖案，甚至配上一些的祝福文字，就能成爲一個能「化腐朽爲神奇」的藝術。

4. 張綢妹的貝殼藝術：張綢妹堅持採用自然素材，不染色也不修剪形狀的方式用貝殼畫畫。很難想像，原本毫不起眼、髒兮兮的貝殼，經過她充分的了解每一顆貝殼的優點後，再透過她的慧心巧手所拼排出的種種圖樣，使之該貝殼彷彿又活出了新的生命。

5. 曾淑珠的木雕藝術：不曾拜師學藝，雕出另個人生的曾淑珠，在她的作品中，似乎沒有講究構圖、沒有精細的刀工、也沒有精確的比例，有的只是一股想表達「心裏話」的衝動。這個被譽稱爲「素人雕刻家」的曾淑珠，她說：「人不能低估自己的潛力，只要有機會就要努力嘗試，抓住適當的機會，一定可以發揮自己的潛力，開闢屬於自己的一片天空。」

6. 陳李梅菊的陶藝創作藝術：從事陶藝創作數十年的陳李梅菊女士，在她的作品裏充滿著客家農村生活的點點滴滴外，也反映出她給人的印象一如客家女性的文靜、婉約和與世無爭。

7. 黃紫環的木刻版畫藝術：熱愛藝術創作的黃紫環，她的創作靈感皆來自於日常生活的種種。黃紫環說：「藝術創作這條路十分漫長，常常有一頓沒一頓的，雖然收入不固定，但是自己既然喜歡這條路，就會好好的走下去。」她的作品，不但獲得國內的獎項，也曾到日本和大陸等地展出。「老奶奶的甕」這張作品，不但表達了她對祖母的思念，也表達了對客家傳統農庄的依戀。

8. 徐景亭的裝置藝術：家住東勢，喜愛繪畫的她，把原本單調的「東海醫院」，經過她的巧手佈置後，一幢老舊的房子，終於拾回了當年的風華，而成爲一個愉快的遊樂園。⑱

至於，在客家庄一些比較集體性的手工藝成就方面，有如下列：

一、圓滿吉祥的美濃油紙傘

油紙傘是美濃傳統客家文化重要的一環。位於高雄縣美濃鎮中正湖畔，聚集了數家專門製作最具鄉土風情的美濃油紙傘民俗工藝中心，據說它源自於廣東潮州，大約在六十多年前，有幾位製傘師傅從廣東到美濃傳授技藝，之後便有人在美濃成立紙傘業，學做紙傘的人愈來愈多，紙傘也一家家的開設，因而此項手工藝也在美濃紮了根。在客家人的傳統觀念中，油紙傘本身就是代表一種的吉祥之物。油紙傘的「油」字，在客家話中，與「有」字相似，而「紙」字，則與「子」字相似。在「傘」字方面，在字形內，有四個「人」，代表多子多孫之意。在傘打開後，呈現圓形狀，而有代表著「圓滿」之意。

在這充滿著圓滿吉祥的油紙傘中，在功用上，當它被用來送給青年男女結婚時，有象徵著早生貴子、婚姻圓滿之意。當它被用在迎神賽會，撐在神轎上時，除有遮日避雨的實際功用外，還有驅惡辟邪象徵的同時，也常在結婚典禮中，在新娘下轎時，被用來遮蔽，當做辟邪的器物。

在有關油紙傘的製作，及其發展方面：在製作油紙傘時，首先須挑選上等的孟宗竹，經過鋸、防蛀整理後，再以竹筒製作傘骨，而後穿洞、編排、穿線、定型、貼傘紙、套傘柄、裝傘碼、套傘頭、塗上防水桐油等手續，乃大功告成。自從洋傘大量生產後，由於油紙傘的笨拙、價昂、不便（不能折疊），曾經在一九六〇、七〇年代時，被布傘與洋傘所取代。然而，在它的復出，已不再是一種單純的素色傘面，並充當爲遮雨工具之用的同時，經過適當的彩繪、題字，而成爲一種的裝飾品和藝術品了。在它的使用方面，它除了常被人們擺設在客廳當做裝飾之用，或被攝影專家拿去當成道具背景之用外，又由於傘有團圓、緣份之意，目前收藏者比使用者多，爲了能夠使該傘保存的更爲長久，而有絹布製的傘面出現。

二、三義的木雕

位於苗栗縣南端有「雕刻之鄉」美譽之稱的三義鄉，有鐵、公路與全台各地聯絡，交通十分方便，尤其是每年的八月，三義即成爲觀賞、親近木雕的天堂。

在三義鄉縱貫公路中正路兩旁，木刻藝品館林立。有關它的起源方面，三義木雕的興起，其實是無心插柳、柳成蔭。在木雕產業成形之前，三義的樟腦產量曾高居全台之冠。在民國前十年時，有位姓岡崎的日本人，隨軍來台，住在三義。有一天，他出外閒逛，發現三義到處有香味奇佳的樟樹後，他就雇人開採，製作茶盤、火爐具和屏風等日常用品販售。由於銷路不錯，他就成立「岡崎商社」，擴大經營。民國三十四年（西元 1945 年），日本戰敗，撤離台灣時，由當地青年，繼續經營。由於生意不錯，而又吸引了不少當地從事木刻行業之人的投入。在六〇年代左右時，由於木雕業大盛，而三義便從此逐漸成爲馳名中外的專業木雕城。在另一種的說法方面，在西元一九一八年（民國七年）時的日治時期，三義鄉民吳進寶在開發山坡地時，無意間發現山中遍佈樟木的枯樹頭，因形狀極爲怪異美麗，於是便將這些枯木帶回家，並加以修飾，作爲擺飾品。後來，日本人剛崎發現此一木雕裝飾品極有藝術收藏價值，於是與吳進寶研究如何大量加工生產。吳進寶之子吳羅松，頗富藝術創作天份，他向日本人學習雕刻技術，之後並以此技藝在三義生根，並經營木雕生意，由於漸具名聲且頗具發展商機，學習木雕技藝的鄉民越來越多，久而久之，木雕業乃發展成三義的主流產業。至於，在當時與吳羅松一起向日本美術教師學習雕刻的李金川，其後則前往苗栗通宵發展，後來收了不少得意門生，諸如台灣雕刻界大師——朱銘，就是他的著名座下弟子。民國五十五年（西元1966年）到民國六十五年是三義木雕業最興盛的時期，據統計當時經營雕刻工藝品爲生的生產店，有一百七十多家，可謂盛況空前。民國六十四年，受全球經濟危機影響，三義木雕業盛景開始走下坡，許多老字號的木雕店接二連三不預警的關門停業，專業級的雕刻師傅面臨生計，也不得不轉業，另謀他圖。⑲

在有關雕刻方面，一般而言，「硬木」因爲密度、材質比較細膩且重，以往較少作爲人工雕刻的材料，所以多使用「軟木」來雕刻，因爲密度小、縫細間藏有水份和樹油，因此須先風乾，再上漆或貼金作防腐處理，而現在因爲器具、技術和進步，或是爲了呈現原材的美，木材是否容易雕刻已不是考量重點。現今三義木刻所採用的木料，以樟木爲主，有時也用硬度較高的檜木、檀香木、九骨木等。起源於一九二〇年日治時期的木雕產業，經過了繁華的階段，也歷經了衰退，從早期的佛像、神像和實用器具的木雕品，到如今走向藝術化、高附加價值的創作方向前進，其所雕刻的種類，有動物、人物和靜物等三大類。諸如，在動物方面，有鷲、鷹、虎、獅、龍、馬、象、猴、魚、蟾蜍……等。在人物方面，有農夫、漁翁、孔子、壽星、觀音、關公、彌勒佛、釋迦牟尼、聖母瑪利亞、維納斯美女……等。在靜物方面，有桌、椅、花瓶、屛風、刀劍、水果……等。它除了內銷外，還廣銷亞洲、歐美等地，尤其非常受到日本觀光客的喜愛。在木雕博物館的建立方面，三義鄉於民國八十四年（西元 1995）四月九日，在神雕村成立一座木雕博物館，該木雕博物館建館之理念，便是要展示三義的木雕精品，以及台灣木雕品的蒐集、保存、典藏、展示、研究與推廣等，希望藉由此博物館的成立，可以提昇三義木雕藝術的水準與推廣三義的木雕藝術至大眾的生活之中外，⑳在民國八十二年，爲了帶動地方特色發展、配合客家風情文化所推動的「三義木雕藝術節」，經過這幾年的演進，已經成爲三義鄉最盛大的活動的同時，也是交通部觀光局所規劃台灣地區十二項大型地方節慶國際宣傳活動計劃之一。尤其，是在民國九十三年的木雕藝術節方面，是以提昇木雕文化、藝術及產業之交流爲目的，以發現三義「生態」之美、活絡木雕產業「生機」、以及發揚木雕藝術的「生命」做爲主旨，並利用工藝、演藝與遊藝互相結合之方式，整合中央與地方、政府部門與民間資源，精心打造一個不同以往的「二○○四三義木雕國際藝術節」。㉑

三、九讚頭的滿月娃娃

客家滿月布娃娃是新竹橫山九讚頭文化協會人文公社所發展出來的特有幸運娃娃。其中一根衝天炮頭的就是男娃娃，而有兩支小辮子的就是女娃娃。

在有關九讚頭滿月娃娃的由來方面，這是一個很美的故事的同時，也充分展現出客家人的一個相當有情有義的族群，今參見游淨妃在〈客家郵報〉中，報導指出：相傳在清・嘉慶年間，有位少女從台灣南部到新竹橫山做助產士，在鬼門關前救回了許多的婦女和嬰兒。由於她一生未婚，在習俗的關係上，往生後不能上神牌桌被人祭祀，因此，使之感念她的人，不得不把她的香爐掛在竹林裏，經過不斷的風吹日曬雨淋後，她就顯靈懇請耆老們替她蓋個棲身之地，而當地的父老們於是就蓋了現今尙存的「覡婆廟」，來完成她的心願。自該廟蓋好後，在當地凡是家中有小娃娃不好帶的人，都會到該廟去求取平安符，具說還十分靈驗，而現今在當地的客家婦女，利用裁衣裳剩下的小塊花布，再塡入棉花，縫上繡線，就成了一個大約四分之一手掌大的小娃娃，可說是過去或目前求取平安符的另一種延伸。

民國八十七年，九讚頭文化協會正式立案，而位於十分寮舊台三線的人文公社，是九讚頭文化協會在近幾年成立的一個對外窗口，根據九讚頭文化協會人文公社的成員周紅君說：「九讚頭的滿月娃娃不僅性別分明，而且每個娃娃還都有一張可驗明正身的身分證。由於娃娃都出生於九讚頭，所以每個娃娃都要姓『九』，不過後面的名字可由買的人自取，而我們會以客人買的當日，做爲娃娃的出生日。此外，這個來自九讚頭的幸運娃娃，還有一項特別之處，也是它之所以被稱爲滿月娃娃的原因，是我們人文公社有一項特別的服務，就是凡是這裡出去的幸運娃娃，在滿月時都會收到我們寄出的『滿月卡』，卡片上會寫著娃娃滿月該做的俚俗故事，以及客家諺語。」外，她又說：「在當地習俗裡，到了娃娃滿月時，家中的長輩就要抱著寶寶去操場上追老鷹，並且口唸著客家諺語：『老鷹飛過來，寶貝做秀才；老鷹飛過去，寶貝當皇帝』。而到了娃娃滿四個月時，人文公社會再寄上一張收涎卡，因爲寶寶四個月後就會開始收口水，所以家中的長輩就要先以十二或十四個餅乾串成一串，然後拿起其中一塊餅乾擦過寶寶的嘴巴，代表寶寶從此不再流口水了。」㉒

這個來自相當溫馨美好故事的發展，對當地客家婦女而言，它不但可以在家裡邊帶小孩邊做滿月娃娃，售後服務又佳的一種富有人情味的副業開創，是值得鼓勵並把它發揚光大。

四、獅潭的「紙湖」村

位於苗栗獅潭的百壽村，別名爲「紙湖」。所謂的紙湖就是當地過去每個工廠都有數十個浸紙的湖塘。

獅潭從清朝末年就開始發展製紙行業。當時所製造的粗紙，每年五月時就砍下嫩桂竹，放在鄉民稱爲紙湖的長方形石槽浸泡，由於水槽中有石灰窯燒出的灰，竹子因而日漸腐化，當地人稱爲「滷」竹子，到了十月左右，經過牛拉輪石將竹子磨成紙漿、撈紙等過程，一直忙到隔年的三月。至於，所生產的紙質由於容易脆化斷裂，因此將所製成的粗紙方面，則運往後龍、竹南做爲金銀紙的原料。在日治時代，豐原株式會社來此投資，廣爲栽種桂竹，面積逐漸增加到七、八百公頃，而蔚然成林。直到民國六十年代時，由於爲現代化製紙工廠所取代，使之獅潭的傳統紙業終於銷聲匿跡，紙湖後來也易名爲百壽。近年來，台灣興起本土文化的保存與建設，於民國九十二年（西元2003年）年底，終於在苗栗縣獅潭鄉義民廟旁，完成了一座仿古法製作的竹屋紙寮，內有形制與紙湖相仿只是尺寸較小的浸紙槽，來讓人追憶當年紙湖的風華。㉓

五、窯業

陶土不像瓷土一樣必須從外國進口，完全能就地取材，更能充分展現本土特色，客家人對陶器、瓷器皆稱爲「硘仔」，從事此行業的稱作「做硘仔」，而燒製陶器的場所稱爲「硘窯」。在所製作的陶製大水缸，一般叫「大硘」，做大水缸的師傅稱爲「大硘手」。另外，拉胚技法福州式的稱爲「福州車」，日式的則稱爲「日本車」。

台灣的燒陶業大約在清・道光年間開始普及，各地皆有或大或小的窯廠，生產各種的生活器皿，其中以歸仁陶、南投陶、大甲陶、沙鹿陶、苗栗陶、新竹陶、鶯歌陶、北投陶等較爲有名。在塑膠製品大量製造取代陶瓷用品以來，在七〇年代雖曾生產陶瓷娃娃外銷而有短暫的榮景，但現在大多數已經關廠或是隨著休閒產樂的發展，而轉型爲陶藝創作工作室。目前在客家地區比較有名的有新竹北埔的客家窯，苗栗的吳開興陶藝館、華陶窯、明德窯，南投水里的蛇窯，美濃的菸樓陶藝、美濃窯等。

㈠苗栗的窯業：

台灣陶藝除了北部以鶯歌爲主外，中北部的苗栗、南部的美濃等客家庄，都是現今台灣陶藝發展的重鎮。客家地區大型的陶窯多集中在苗栗、新竹一帶。在苗栗方面，大約在西元一八九七年（明治30年），日本人岩本東作在今苗栗市西山發現了粗質黏土，以製造土管以及本島人日用的粗陶，而設立了一座小型的窯廠，開啓了苗栗陶的發展紀元。其後，因公館庄大坑（今大坑村）、蜂仔坑（今福星村）一帶發現優良的陶土，遷廠於大坑。在一九一〇年代末期開始發展製陶株式會社及工廠，在製陶技術的傳入方面，首先引進的是岩本東作的常滑燒方法，以及會津燒方法的觀協釜次郎等人，除了日本技師外，還聘請大陸福州的陶藝師傅前來指導，並培養當地的製陶師傅，如林水金、邱連全、李依細、李依伍、江萬木、林依犁、邱創耀、林烏妹、吳開源、吳開興等，奠定了公館陶的發展基礎。第一個由苗栗本地人開設的窯廠，是吳開興的舅舅劉進雲所投資設立的「福興窯業」，其後再由吳開興傳至其子吳松葵繼續經營。福興窯業一直都是在從事水缸、陶甕、陶管、酒罈、金斗甕……等的生產，如今福興窯業已傳至第三代，在公館大部份窯業已轉型經營休閒產業之際，它仍堅持傳統的陶器生產。

過去苗栗最有名的陶器就是酒甕，好比我們客家人在做月子時，都會用小酒甕煮雞酒吃，那個小酒甕完全只以陶土做成，不上釉采，煮出來的雞酒，味道十分特別外，由於苗栗陶土透氣性佳，加上擁有絕佳的抗酸性，因此一直是埔里紹興酒罈的主要製造地。它在全盛時期，整個苗栗地區至少有二百家到三百家的陶場。在有關苗栗的陶藝方面，明德窯的女主人李菊梅表示，也許是客家簡樸的天性使然，所以沒有釉藥花俏多變的色彩，也沒有純藝術刻意的外型，有的只是充滿古樸風情，著重其生活實用性的「生活陶」。㉔近年來，政府日漸重視本土文化，而大力推廣將傳統窯場轉型為客家文化創意的產業。其情形，有如位於苑裡的華陶窯，堅持以苗栗所產的陶土當主要原料，結合生活藝術之造型概念，以對土地人文特有的美學，緊密融入生活創作中，並用十年以上的相思樹為新柴燒窯，作品上金黃珠沙的天然色澤和紋路，散發出不經修飾的粗獷與豐富扎實的質感，不論花器、茶器、食器或景觀雕塑等創作，都有相當精彩的風味。在金龍窯方面，第三代窯主李錦明表示，目前仍沿襲傳統製作手拉坯產品，但為求家傳窯業永續經營，已積極思考結合傳統技藝與現代藝術創作的可能，逐漸把傳統窯場轉型，接受陶藝工作者來創作，同時推展苗栗地方特色的生活陶。㉕

㈡新竹的窯業：

在新竹方面，在新竹市有「金煉成」、「林振興」、「金勝興」，新竹北埔有「林益興」，新竹新埔有「裕和」，新竹關西有「新禾興」。其中北埔陶是新竹地區最早的窯廠，與苗栗陶同時期，比新竹地區其他的窯廠早上十幾年。在位於關西下三屯、牛欄河畔的東安古橋橋頭的「新泉興窯」，因專門生產飯碗、碗公、盤子、湯匙等餐具，而被稱為「碗窯」。這座窯廠最初是由福州人以「禾興窯」爲名經營，在民國三十幾年時，由陳泉興接手，改名爲「新泉興」，直到民國七十年初時才歇業。

金山面的地勢爲東南向西北連綿數里之廣的傾斜平坦台地，從竹塹城（今新竹市）遠眺，山狀爲圓形，因五行「金」屬圓形，故把它稱之爲「金山面」。金山面地名一詞最早出現於清・雍正十一年（西元 1733 年），當時爲原住民的居住區域，是屬於竹塹城東南方的化外之地。清・乾隆三十七年，始有來自六張犁（今竹北六家）客家人林特魁與竹塹城閩籍合組的「林合成」墾號來此拓墾。金山面的窯多爲登窯（目仔窯），燒窯師傅大多是福佬人。業者每三個月燒窯二次，燒一次窯須花費十天，前三天採溫火，後七天爲大火，其所生產的器皿，以甕、盆、缸、磚、瓦爲主。在家族式的經營下，彭木成、林景振、黃金海和汪其輝是其中窯業經營的佼佼者。彭木成爲客家人，以燒製金斗甕爲主，是金山面較早從事燒窯的業主。林景振是福州人，因娶當地客家人范氏爲妻，在妻家與頭重埔林家的資助下，成立「林振興」商號經營窯業，由於他相當熟悉燒窯的技術，所生產的陶製品深受消費者的喜愛。定居於風空，從事米籮編造業的黃金海四縣客家人，由於風空耕地有限，使之部份家族成員不得不遷出風空，從事紅磚、紅瓦、陶製品的生產，並以「新福興」爲店號。汪其輝爲福佬人，本身不懂窯技，多聘請福州師傅燒窯，因釉藥好而名聞四方，商號爲「金煉成」，以生產缸、甕、缽爲大宗。

在昭和十一年（民國 25 年，西元 1936 年）的日治時期，在光復路南側天然氣探採成功後，更加速了金山面窯業的發展，在它的全盛時期，曾經成爲全台著名的陶藝品發展中心，但經短短五十年的繁榮後，因爲玻璃、塑膠製品的出現，使之一度繁華的金山面窯業逐漸沒落。民國六十九年（西元 1980 年）科學園區設立，三分之二的金山面土地，被政府徵收，已擴建成台灣具有相當產值的新竹科技工業園區了。㉖

第五節：影像藝術

第一項：照相

照相機是用以攝取照片的儀器。它的基本構造是一只暗箱，箱內的一面裝有能感光的軟片，軟片之前則有個小孔。光由小孔透過玻璃或塑膠製的鏡頭（一組透鏡），使軟片曝光，而形成一個像。遮闥（俗稱快門）打開的時候，會讓光進入照相機內。遮闥開關的速率，決定軟片曝光多久。在鏡頭後方，或鏡頭中的透鏡之間，有一項叫光闌（俗稱光圈）的裝置，它可以收縮或擴大，以控制影像整體的清晰度和到達軟片的光量。大部份的照相機都可附裝並配合閃光燈，以便在打開遮闥時放出強光，而得以在陰暗光度下，用很短的曝光時間攝影。許多小型相機的常用鏡頭，可以換成有特定用途的鏡頭，例如長鏡頭或廣角鏡頭。長鏡頭使物體看起來比真實情況更大且更近。廣角鏡頭使物體顯得較小而遠。加上一些特殊附件後，許多小型相機能透過顯微鏡、望遠鏡或在水底下攝影。

自有了相機的發明後，自然就產生了一些與它有關的藝術發展，今將介紹一些著名的照相專家如下：

1. 彭瑞麟（1904-1984），新竹竹東人，是台灣第一位的攝影學士，也是台灣最早的本土攝影教育工作者。根據劉慧真的《台北客家人文腳蹤》指出：一九二四年，彭瑞麟自台北師範學校畢業後，曾受教於日本名畫家石川欽一郎，以增進美學的涵養。一九二八年，彭瑞麟進入東京攝影專門學校，二年級時，以一幅天然色攝影作品入選當時日本攝影屆最高榮譽的寫真研究會年度比賽。一九三一年，彭瑞麟為開拓台灣的攝影文化，在台灣人聚居的太平町（今台北市延平北路）開設了「亞圃盧寫真館」（古希臘藝術與光線之神 Apollo「阿波羅」之音譯）。他除了每天替人拍照外，還開辦「寫真講習」，以每三個月為一期，傳授理論與技術並重的攝影課程的同時，還在該館闢出展示空間，定期展出研習之作品。他的學生除來自台灣全島外，還有來自澎湖、廈門、印尼等各地，在學生最多時，曾有高達七十餘位的紀錄。在台北活動期間，彭瑞麟曾在博物館（現今的台灣博物館）舉辦過三次的作品展覽，在他的作品中，有用紅外線拍攝的「大屯遠望」、「新綠的動物園」、「仲春的總督府」、北海岸的「滿

潮」、「岩塊之美」等台北名景，可說是在台灣攝影史料中，少見的經典之作。二次世界大戰結束後，由於時局發展不如預期，此攝影界的先驅，不得不草率結束台北的寫真館，返回新竹老家，改行從事中醫，直到去世爲止，而逐漸爲攝影界所遺忘。㉗

2. 鄧南光（1907-1971），本名鄧騰煇，新竹北埔人，是一位立足台北，對焦全台灣的光影先行者。他的攝影題材相當廣泛，舉凡市井人物、街巷風情、沙龍、肖像、舞台、靜物、風景……等景觀，皆以影片構成數以萬計且橫跨四十年的影像語言，直到一九七一年逝世，畫下完美的句點爲止。

一九二四年，鄧南光赴日本東京名教中學就讀高一時，就買了生命中的第一部相機。一九二九年就讀法政大學經濟系期間參加了攝影社，其作品並屢獲日本雜誌的入選。一九三五年，返台後，在台北的京町（今博愛路）開設「南光寫真機店」，決心以攝影爲業。他不僅用小小的相機深刻記錄北埔鎮種種的變遷，同時也將觸角伸向各縣市，未滿二十歲之前，鄧南光的足跡已遍及全省，留下近六千張的底片。台灣光復初期，鄧南光與張才、李鳴鵰三位攝影家，分別在台北中正堂附近，延平北路和衡陽路經營照相器材店。㉘在一九四六年時，鄧南光在衡陽路開設了「南光照相機材行」。在四、五〇年代，鄧南光與張才、李鳴鵰等三人，以器材公司會主腦地位，聯手創辦「月展」，並出任評審委員。他們三人各以不同的寫實風格，領導「台北攝影沙龍」，每月有四次的定期演講、欣賞、討論以及持續辦過數百次以上的展覽，因而有被當代攝影界稱為「快門三劍客」的美譽。由於鄧南光主張自己新穎的攝影風格，而於一九五四年時，領導成立「自由影展」，第一屆的影展，即在一九五三年在博愛路 114 號四樓所成立的「美而廉畫廊」舉行，此後約每年舉辦一次外，他還擔任「中國攝影學會」台灣復會發起人之一，成立「台北市攝影學會」。在一九六〇年時，由於營運困難，結束營業後，鄧南光轉赴設於台大醫院內的「美國海軍第二醫學研究所」負責醫學攝影的工作。一九六三年，鄧南光又發起創立「台灣省攝影學會」，其最初會址設於台北市武昌街二段 76 號（現址為台北市長安東路一段 52 巷 14 號）。鄧南光除了被推舉為首任理事長外，由於他對於會務極為熱心、負責，而歷任七屆的台灣省攝影學會理事長，直到一九七一年病逝為止。㉙

3. 紀國章，曾以「黑白律動」影像創作系列，在歷史最悠久、全世界最重要盛大的第 28 屆法國阿爾國際攝影節，舉辦他生平的首次國外攝影個展；這是當時近二十年來，首度有台灣本土的攝影家站上這個被世人公認為全世界最重要的國際攝影舞台。展出期間受到法國及歐洲藝術界關注的眼光及媒體的詳

加報導。他的攝影藝術能在世界性的文化藝術舞台上佔有一席之地，可說是一種的客家族群之光。㉚

第二項：電影

電影是現今最通俗的一種藝術，它除了娛樂外，電影也是一種最有力的傳播工具。

數千年來，人類一直都是靠著以文字爲主和以圖畫爲輔的方式，來記述、傳續人類的活動。但自電影發明後，這個古老的傳統方式就有了相當大的改變。在電影的發展上，大致可分爲劇情片和紀錄片兩大類。然而，在它的往後發展上，又有風俗影片、喜劇影片、西部影片、新聞小說連續電影、象徵主義電影、街頭電影、新潮電影、前衛電影、災難電影、科幻電影、色情影片、音樂影片、愛情影片、恐怖影片、教育影片、功夫電影、健康電影、剝皮電影（頹廢性的電影）……等，使人們能夠看到更多新奇的景物，啓發了人類的智慧，擴大了全民的視野，以及完成娛樂大眾功能的同時，在電子媒體尚未發達，而文字媒體，有如報章、雜誌又受到文盲人口的限制之時，各國政府無不將電影視爲一種最有力的宣傳工具，而賦予一種，有形或無形爲「政治而服務」的使命。這種現象，直到電視發明，取代了電影的地位之後，才給予電影從業人員擁有更寬廣的純藝術創作空間。電影的產生，是起源於攝影。本來在所有的藝術當中，沒有電影，因爲電影是一門年輕的藝術，從一八九五年誕生影片算起，只有一個世紀的歷史。電影藝術雖然年輕，但它發展很快，位居文學、音樂、繪畫、演劇、建築、雕刻和舞蹈等七種之外的第八種，所以又稱之爲第八藝術。

在電影的成長階段中，它最初是無聲的，後來配上聲音，使電影又增加了一項音樂效果的藝術。過了一段時間，黑白電影變成了彩色，又使電影美化了很多，到現在電影一再改進，除銀幕的大小（由 16 米厘至 70 米厘），聲與光的變化（由綜藝體至新藝拉瑪、立體電影，四聲道八音路，身歷聲等）到煙幕電影、雷射電影……等，尚有無窮的發展。特別是特技的研究，透過電腦的協助下，幾乎是到了無所不能拍和無所不能做的地步了。

究竟什麼是電影藝術呢？

電影是一個綜合藝術，它幾乎沒有一件是自己的，唯一能勉強被指出的，就是攝影。電影吸收了其他的藝術，也侵佔了其他的藝術（如戲劇、文學、繪畫、音樂、舞蹈、雕塑、建築……等各種藝術的因素）而自成新體。電影藝術雖然吸取了各門藝術的長處，但它不是萬能，不能取代其它的藝術。因爲各門藝術都有它們自己的長處，也有它們自己的局限，電影藝術也不例外，它只不過能夠化短爲長，創造出自己所特有的藝術而已。電影之所以能夠把其他藝術表現得那麼美好，最重要的是靠攝影技術的運用。它運用大遠景、遠景、全景、中景、近景、特寫、大特寫、極端大特寫、俯拍、仰拍、推、拉、跟蹤、繞攝、搖、移、升、降、反向動作、快動作、慢動作、暗房技巧的運用，來表達諸如體語方面，大致可分為：

1. 人體語言——頭部體語（仰頭、俯首、側轉、搖頭、點頭、凝穩）、臉部體語、肩部體語、手部體語、臂部體語、胸部體語、腰部體語、腹部體語、臀部體語、腿部體語、腳部體語等。
2. 體態的體語——立姿體語、行姿體語、坐姿體語、睡姿體語等。
3. 群像的體語——如群眾活動的喜、怒、哀、樂、驚恐、忿怒……等。

它可以把一樣東西放大、縮小，表現一部份或全部外，也可增加一樣東西的快慢，或是控制其明暗。當物體透過鏡頭時，還可以再經過其他藝術的配合，諸如經過選擇、淨化、加添、陪襯、組合等手段，透過蒙太奇（Montage）的安排，把影片、語言（對白、旁白、獨白、靈白、囈語）、音效（音樂、歌唱、音響如雷聲、雨聲、野獸的吼叫聲、人的尖叫聲……等）加以組合連接，來造成呼應、懸疑、對比、暗示、聯想等藝術效果的處理工作，而達到我們眼睛所看的，耳朵所聽的都是最富有意義的電影藝術安排。

電影的製作：

好萊塢可說是世界的電影中心，各國製片公司的製作過程或許稍有不同，但大體上是一致的。在電影的製作程序上，攝製一部電影，需要上百種專業人才，如木匠、電工、畫家、化粧師……等，但其中專屬於電影的，約有下述八種：⑴製片⑵導演⑶編劇⑷攝影⑸演員⑹設計⑺剪接⑻作曲。

⑴製片：製片者是唯一從策劃到上映皆參與其事之人。當製片者發現故事適合拍攝影片時，即核計預算，聘請導演、編劇，三人共同擬定劇本。製片者除了參與挑選演員、設計道具，在拍攝時隨時提供意見外，還要拍完影片時，展開公共關係，爲影片上映製造聲勢。

⑵導演：導演是實際拍攝影片時最重要的一個人。他除了安排拍攝進度，參與布景與道具的指導外，最重要的是在指導演員的表演，以及決定每一場景或每一鏡頭的如何表現與拍攝。

⑶編劇：編劇負責劇本的編寫，他除了自行構思外，有時還要和製片者、導演等合力構造。

⑷攝影：好的攝影師必須能靈活運用各種攝影機、各種鏡頭，以及知道如何利用光線效果、色彩效果外，應有良好的構圖素養，使之人物與物體在畫面中的安排，能夠產生預期的效果。

⑸演員：演舞台劇，整個過程是連貫的，但演電影是一場一場的演，其拍攝次序常與故事的自然過程顚倒，因此，電影演員必須掌握其所演的角色，使故事的發展能夠合情合理。

⑹設計：道具師負責各種道具的設計，服裝師負責設計各個角色的衣著。倘若故事背景爲某一特定的時代時，他們須研究該時代人的穿著、建築、傢具……等等的設計。

⑺剪接：剪接人員須與導演在一起，從所拍攝的膠片中，選出適用的片段，並做適當的連接，使之該部影片能夠成爲讓人看得懂的影片。

⑻作曲：作曲即配樂。它的來源，有來自自編，或唱片、錄音帶的節錄。其中，電影中的插曲或主題曲，則多爲自編，常能隨著電影風行一時。

電影東傳的概況：

在滿清時代，有關外國人在中國所從事的放映影片方面：法國廬米埃兄弟，於一八九五年十二月二十八日，在巴黎試放電影，被世界各國認爲「電影世紀」開始之日的第二年，即一八九六年（光緒22年），法國人呂美葉（Lumiere）兄弟率領二十多位電影技師，帶著這個新世紀的產物，來到香港放映電影外，也在香港拍了一些的風景影片。同年八月十一日，根據「申報」記載，於上海「徐園」的「又一邨」內，在變戲法、玩焰火等遊戲雜耍節目中，穿插有「西洋影戲」的放映，直到八月十四日爲止。但該報並未載明當時的放映者，是否就是法國呂美葉兄弟組成的團體。在台灣影片的放映方面，在明治三十四年（清・光緒27年，西元1901年，民國前10年）十一月初旬時，傳入台灣。當時有一位，名叫高松豐次郎的日本映畫巡業家（即巡迴電影隊老闆）之一，攜帶一架放映機及數十部影片，在台北西門町台灣日日新聞報社前的廣場上，搭蓋了一間小木屋，來放映影片，可說是台灣最早的電影放映紀錄了。

在滿清時代的國人自製影片方面：清・光緒三十一年（西元 1905 年），在北京開設豐泰照相館以及大觀樓戲團的任景豐老闆，有鑑於在放映外國影片時，往往有缺乏影片的情形，而有嘗試自我拍片的打算，於是他就買了一架木殼手搖攝影機和十餘卷的軟片，拍攝譚鑫培在「定軍山」中，演「黃忠」自願從軍報國、舞刀等場面的平劇短片，而成爲中國第一部自行攝製的影片外，任景豐本人則成爲中國電影界的「祖師爺」了。至於藝名爲「蓋叫天」，又爲平劇「譚派」創始人的譚鑫培方面，則又有被稱之爲「影星」的祖師爺了。

在台灣的影片攝製方面，可分爲下列數點介紹：

1. 明治三十四年（清・光緒 27 年）時，日本人高豐次郎，在台灣拍有兩萬呎的紀錄片，被放映在日本東京帝國會議的預算總會席上，做爲日本在台的「統治」說明。
2. 民國十年（西元 1921 年）時，來自日本東京的電影攝影師荻屋，受到台北州廳衛生課的委託，以台北最豪華的大稻埕江山樓酒家當做攝影場，拍有「預防霍亂」影片二本，可說是台灣最早的一部衛生宣傳影片。
3. 民國十一年時，日本松竹蒲田映畫株式會社的電影先輩，田中欽，爲找尋他的哥哥，來台順便攝製影片，他以板橋林本源花園、大龍峒保安宮和圓山劍潭寺爲背景，拍有某位大官到佛寺燒香，擄獲了一位美女，並逼她成婚時，一位日本青年前來搶救，爲官兵所擒，在危急之際，大佛的眼睛突然射出光芒，嚇退該位大官的台灣第一部劇情片——「大佛的瞳孔」。在拍此片時，由於有劉喜陽和黃梁夢台灣青年的參與，而被視爲是最早的台籍演員。

4. 民國十四年五月二十三日，由劉喜陽、李書（松峰）、鄭超人、李延旭、姜鼎元、張雲鶴、李竹麟、楊承基、陳華階和連雲仙等愛好電影人士，所參加成立的「台灣映畫研究會」，可說是台灣最早的電影研究和製片團體。該研究會擁有環球牌愛模攝影機一架，並拍攝了一部片長八本的「誰之過」影片。這個「英雄救美」的故事片，於同年九月在台北永樂座放映時，由於製作水準不高，沒有引起觀眾興趣以及社會大眾注意的同時，「台灣映畫研究會」就自然消失。

電影在台灣的拍攝，不管是在日本時代，或是在國民黨政府時代，都拍攝有相當多的影片。不過，以拍攝客家劇情、客家人所編寫的劇本或是由客家人所主導的影片製作方面，則是相當的稀少外，傳統客家電影，不是以客家庄爲杜撰故事背景，就是劇中引用客家話爲對白。隨著時代的演進，以及政府的開始重視本土文化，客家電影遂逐漸採用透過電影手法的表現，來走出傳統的藩籬。今將列舉一些與客家電影有關的人士及其影片如下：

1. 饒錦春：由於當代除有閩南語片外，也有國語片的上映，饒錦春基於客家情感，想替客家人爭一口氣，並爲客家文化盡一份心力，而於民國四十七年（西元 1958 年）籌劃拍攝一部以客家文化爲題材的「茶山情歌」電影。於民國四十九年時，饒錦春先生終於找到億萬電影公司老闆——（客家子弟）馮堯昌先生投入拍片工作。

「茶山情歌」劇情是在描述一位出生於苗栗縣的客家子弟黃鴻彬，不惜違背父親送其出國深造的用心，情願回歸故里研究收集客家山歌的故事。黃鴻彬畢生最大的心願是將客家音樂發揚光大，並進而使之揚名國際。回到苗栗後，黃鴻彬積極收集客家茶歌、山歌，在伯父「阿水伯」的引導下，阿鴻彬（客語發音）常常到村內茶園聆聽客家女採茶時哼唱的九腔十八調，廣泛收集之餘，也常攜帶所收的資料前往村長家中，與村長探詢它的起源、來路。

有一天，阿鴻彬偶然走在鄉間小路，途中驚見一群小朋友在溪邊捉泥鰍，正當他在拍照取景時，一名外貌清秀的女子（女主角彭美華）趨前而來，兩人一時四目交接，好感油然而生，此爲第一次邂逅。另有一回，阿鴻彬在廟會取景後退時，再次巧遇阿美華，此次碰面再度加深彼此的愛意，雙方第三次邂逅發生在村長家，適巧阿鴻彬前來詢問村長客家山歌起源，阿美華（村長女，擔任護士一職）正好返家，兩人又因緣見了第三次面，三次的邂逅加深

了彼此心中的好感，自此兩人便展開一段純純動人的男女之戀……。㉛

在有關票房方面，當「茶山情歌」上映時，饒錦春先生先後到新竹、苗栗二縣觀察觀眾反應是：「很有意思，劇情好、畫面佳，對客家人很有意義。」

在拍片投資方面，根據饒錦春先生表示：「拍攝這部電影，我賠了不少錢，不過我並不後悔，相反地我感到非常欣慰，它代表著我客家人驕傲的光采。」

2. 侯孝賢：廣東梅縣人，他在民國七十八年（西元1989年）所拍攝完成的「悲情城市」，雖然它並不是一部純粹描述有關客家的電影。不過，該部影片可說是他的成名之作，而且和他在往後所拍攝的客家「好男好女」影片有一定的關係，因此，在此順便介紹一下。「悲情城市」在威尼斯影展中獲金獅獎，此部影片處理了從台灣脫離日本統治到國民政府進駐台灣的這段歷史，可說是一九八〇年代最重要，而且最具挑戰性的電影。「悲情城市」這部影片，雖然它並沒有把當時的事實真相全部呈現出來，但是它是台灣第一部直接觸及到二二八事件及認同台灣文化的敏感問題。在這個過去不能說，在銀幕上也看不到的故事，侯孝賢在這影片中，安排了一個啞巴來替台灣人「說話」，其用意莫非是在當時的環境下，究意台灣人又能說些什麼呢？

侯孝賢於民國八十四年（西元1995年）所執導的一

部「好男好女」電影，此部影片不是純粹描寫客家生活、客家文化的電影，而是在描寫已故客家文學家鍾浩東在二二八事件中，與蔣碧玉在白色恐怖時代的革命同志愛情故事。其內容大致爲：一九四〇年，留日的鍾浩東結束在日本的學業，組了醫療團回到中國，爲正在對日抗戰的祖國貢獻己力，但生於台灣的他卻因爲台灣當時是日本的統治地而得不到國民黨政府信任，差點被誤認爲間諜遭到槍斃。對日抗戰結束之後，鍾浩東擔任基隆中學校長，並且辦了一份光明報，討論土地分配不均等社會問題，不久後國民黨退守台灣，剝奪人民的言論自由，鍾浩東與蔣碧玉也因爲光明報被捕，鍾並遭到槍決。㉜

3. 小野：本名李遠，福建武平人，一九五一年生，曾任中央電影公司企劃部組長、副理。曾獲聯合報第二屆小說獎首獎、中華民國文藝期刊金筆獎、中華民國編劇學會第四屆編劇魁星獎、金馬獎及亞太影展最佳劇本獎。在他的許多著作中，在戲劇方面有《擎天鳥》、《寧靜海》。

4. 吳錦發：高雄美濃人，一九五四年生。中興大學社會系畢業。曾任電影編導、《台灣時報》副刊主編、《民眾日報》副刊主編和新聞評論員、行政院文建會副主任委員。在他的許多著作中，《燕鳴的街道》、《春秋茶室》、以及《秋菊》等中、短篇小說，其中「秋菊」還把它改編爲電影。

5. 周晏子：外省第二代，東吳英文系畢業後，前往美國紐約大學深造電影碩士。他認爲本土文化應該包含本土的所有族群，因此他視客家文學爲心中的「玫瑰」，並且發願致力於讓客族文化影像化。他除了把吳錦發的小說「秋菊」加以改編，拍攝首部正統客家劇情片——「青春無悔」外，其後更完成了「人性的凱歌——鍾理和」、「傳火炬的長跑者——鍾肇政」等二部客籍作家的傳記片。在有關於民國八十一年（西元 1992 年）才誕生上映的「青春無悔」方面，這是一部國客語混合發音，且著重客家生活細節與景觀特徵的呈現，而被評爲台灣電影史上首部的正統客家劇情片。該片全劇以客家重鎮美濃爲背景，訴說客家青年與採菸葉少女單純的愛戀故事。

第六節：傳播藝術

全世界十幾億的華人，大家說普通話，方便溝通，是有必要，不過國民黨來台強力打壓台灣母語，在小學說母語要罰錢，還要掛狗牌，受到屈辱，是世界難找的。另外，最明顯的就是宋楚瑜擔任新聞局長期間，硬性規定收音機和電視播放母語，每天只有一、兩個小時，連布袋戲也要國語配音，真是欺人太甚。㉝

第一項：廣播

廣播是二十世紀新興的大眾傳播媒體。它的主要特點是「傳聲」，在時間、空間及成本上占有極大優勢。

無線電廣播對於聲音的傳送，可分爲三個部份。第一部份是在成音方面，主要工具是麥克風和聲音控制盤。第二部份是在發射方面，主要工具是發射機和發射天線。第三部份是在接收方面，主要工具是接收天線和接收機。在週率和波長方面，週率是無線電波在一秒鐘內所產生的週波數，而波長乃是無線電波一週波的長度。週率和波長的相互關係，通常是週率愈低，波長愈長，反之，週率愈高，波長就愈短。對於週率的區分，國際無線電會議曾規定從最低週率到最高週率分爲八段：

1. 特低週率（VLF）從 10 千赫到 30 千赫。
2. 低週率（LF）從 30 千赫到 300 千赫。
3. 中週率（MF）後 300 千赫到 3000 千赫。
4. 高週率（HF）從 3000 千赫到 3 萬千赫。
5. 特高週率（VHF）從 3 萬千赫到 30 萬千赫。
6. 超高週率（UHF）從 30 萬千赫到 300 萬千赫。
7. 極高週率（SHF）從 300 萬千赫到 3000 萬千赫。
8. 至高週率（EHF）從 3000 萬千赫到 3 萬萬千赫。

通常用於無線電廣播方面的週率爲三種，第一爲長波廣播（使用 30 千赫至 300 千赫的低週率）。第二爲中波廣播（使用從 300 千赫到 3000 千赫的中週率）。在調幅廣播

（amplitude modulation broadcast）和調頻廣播（frequency modulation broadcast）是廣播中調整電波的兩種不同的發射方式。調幅是指調整無線電主波的幅度，而頻率不變。調頻是調整無線電主波的頻率，而波的幅度不變。調幅廣播使用的標準頻率，經國際協商決定，自535千赫至1605千赫，亦即中週率波帶中的標準廣播帶。調頻廣播採用從88兆赫至108兆赫，屬於較高頻率部份。在調幅廣播發射時，會形成地波和天波兩種不同的波道。地波沿著地球表面的曲度前進，傳送距離有限。天波是放射到空中，當它接觸到大氣中的電離層時，便會反射回地面。這種反射的原理，使得調幅電波能傳送到離電台很遠的地區。調頻廣播所使用的頻率帶方面，兩調頻電台所使用的頻率，按照國際規定，至少相距20千赫，波帶很寬，不會相互干擾外，調頻廣播不受天空靜電的干擾，所以聲音特別清晰，適宜播送音樂，不過，它是利用直射波，中間不能有高山、大廈、森林等任何障礙物的阻擋的同時，由於直射波射程不遠，也可說是它的缺點之一。㉞

廣播簡史：

在西元一八九五年，義大利科學家馬可尼，在英國政府的鼓勵下，完成無線電廣播的初步發明。一八九六年，他在英國郵政總局總工程師普瑞斯爵士面前表演發信號有效距離，只有一百碼的無線電發明，但一年後，其有效距離則增至三十四哩。一八九七年，無線電報公司，在英國成立。一八九九年，馬可尼訪問美國，同年美國馬可尼無線電報公司隨之成立。一九〇六年，西屋電氣公司工程師及匹茲堡大學物理學教授范斯頓，在靠近紐約地方設立一個實驗台，並在聖誕夜播出布道演說及音樂，這是無線電直接廣播聲音的開始。一九〇八年，法人福萊斯特曾在巴黎設立無線電實驗台。一九〇九年，福萊斯特到美國以無線電播出著名歌唱家卡羅素在紐約「大都會歌劇院」歌唱的歌聲。一九一七年，在紐約州設立實驗台，曾播出演說、歌唱及音樂，並在該年年底播出有關選舉的新聞。一九一九年，美國威斯康辛大學首先成立廣播電台，當時只播報市場行情及氣象。一九二〇年十一月二日，美國匹茲堡西屋電氣公司，成立 KDKA 電台，通常被認爲是世界廣播電台的鼻祖，它的首次播出內容，是哈定當選總統的新聞，使之美國報業大爲吃驚。㉟

自從美國正式設立廣播電台後，各國隨之紛紛設立電台。一九二二年，法國、英國均正式設立廣播電台。在中華民國廣播事業的發展方面，自美國匹茲堡 KDKA 電台成立後兩年，即民國十一年（1922 年）十二月，美商奧斯本在上海開辦了中國無線電公司。民國十六年（1927 年）五月一日，交通部在天津成立廣播電台，這是中華民國第一座的公營電台，它的呼號爲 COTN。其節目以娛樂節目爲主，在收費方面，凡在附近收聽的收音機，真空管的月徵聽費 1 元，礦石機 5 角。民國十六年（1927 年）十月，國人在上海新新公司六層大廈屋頂上，設立 50 瓦特的電台，呼號爲 SSC，做間歇性的播音四小時，此電台以商業廣告及娛樂節目爲主，是中國第一座的民營電台。民國十七年二月北伐成功，定都南京。黨國元老陳果夫、戴傳賢、葉楚傖等首倡設立廣播電台，以利宣傳。於是向美商訂購500瓦特的中波播音機全套，七月中著手裝機，名稱爲「中國國民黨中央執行委員會廣播無線電台」，簡稱「中央廣播電台」，呼號爲XKM，於八月一日下午五點在首都南京中央黨部大禮堂正式開播。同年十一月，該台呼號改爲XGZ。民國二十一年一月十二日，擴充中廣播電台電力爲75瓩，成爲東亞地區最大的廣播電台，稱爲「中央大台」。民國二十五年，中央廣播事業指導委員會成立，此時中國共有公營民營電台七十六座，總電力爲94,000瓦特。民國二十六年，七七事變爆發，國民政府西遷，南京中央廣播電台停播，而由「長沙廣播電台」替代。民國二十七年，國民政府在武漢裝設250瓦特的漢口短波電台，向國際廣播。同年三月十日，中央廣播電台在重慶恢復播音。民國二十八年三月「中央短波廣播電台」，裝有35瓩的短波機，在重慶正式開播，每天播音十小時，使用中、英、法、日、俄、馬來、粵、廈門等九種語言，播報抗戰消息。六月中央短波台與中波台合併爲中央廣播電台。重慶在遭敵機的不斷轟炸下，仍然不斷播音，因而有「炸不死的重慶之蛙」之稱。民國三十四年八月十五日，日本宣佈無條件投降，中央廣播事業管理處在三十四年八月底前，派員接收二十一座敵僞電台，其中大小發射機四十一座，總電力約274,000瓦特。民國三十五年五月五日，政府還都南京。民國三十六年行憲後，中央廣播電台改組爲中國廣播公司，與民營電台立於相同的地位。在大陸淪陷前，中國廣播公司共有電台三十九座，發射機七十四部，總電力 41 萬瓦特。

台灣的廣播事業方面：

民國三十八年，國民政府撤退來台，隨政府來台以及在台的廣播電台共有十座，公營的電台有軍中台、空軍台，民營的電台僅有民本台，另外中國廣播公司有七座電台。其後，隨著時代的進步，在成音及節目傳送方面有許多的更新與改進外，在節目方面，數量由少而多，種類由簡而繁的同時，播音時間也延長了不少。在民國五十四年起，設有廣播節目「金鐘獎」以資鼓勵優良的廣播人員。在民國五十七年七月三十一日，我國的廣播事業邁入調頻時代，中廣公司的台北地區調頻電台正式播音，節目以新聞及音樂爲主。

根據我國的廣播媒介，依其經營型態大致可分成下列四種：

一、民營電台：是由民間出資興辦的電台，有正聲公司、民本廣播電台、民聲廣播公司、益世廣播公司、鳳鳴、天南、中華、中聲、國聲、勝利之聲、台聲、華聲、先聲、中興、燕聲、建國、民天、電聲、成功、民立、震華、天聲、寶島……等電台。

二、黨營電台：是由黨經營的電台，有中廣公司，其中中廣於六十二年八月在台北成立新聞專業電台；六十三年八月，在台中成立交通專業電台；六十四年八月，在台中成立農業專業電台。

三、軍營電台：是由軍中經營的電台，有空軍廣播電台、復興廣播電台、正義之聲電台、光華之聲廣播電台、復興崗廣播電台。

四、公營電台：是由政府行政機構經營，有警察電台（其中台北交通電台於六十年三月一日，開始播音）、教育電台（教育部用來辦理教育而設的專業性電台）、民防電台（台北市政府在平時播報防空常識，在緊急狀況以發佈警報為特定任務）、幼獅電台（屬中國青年反共救國團，經費全由政府負擔）等電台。

廣播節目的種類與製作：

廣播節目的種類，就單純的以表達方式來分，只有語言節目和音樂節目兩種。若以節目內容來分，則有新聞、評論、歌唱、戲劇、音樂、教育、宗教和廣告等。我國廣播電視法把所有節目分為：一、新聞及政令宣導節目。二、教育文化節目。三、公共服務節目。四、大眾娛樂節目等四大類。在新聞節目中，除有定時新聞時段外，還有錄音訪問、特寫、新聞座談、實況轉播、電話訪問……等。在政令宣導節目中，則常把當前各項行政措施，分別報導或列論，以供民眾參考。在教育文化節目中，有各種語言教學、成年人的補習教育、未入學青年的空中大學課程、以及教育廣播電台所製作的各種教學節目等。在服務性節目中，有尋人、失物招領、氣象預報、颱風動態、預報、交通情況、市場動態、交通安全、醫藥衛生、家事常識……

等。大眾娛樂節目中，有音樂節目、廣播劇、綜合節目、國劇、地方戲劇、民間藝術（如彈詞、相聲、說書、評話、講古、大鼓、南方滑稽）……等。在廣播節目的製作方面，自節目觀念產生後，計劃小組便會考慮該節目對於國家政策、電台宗旨、人力財力負擔、社會需要、以及未來預期效果等方面，做個愼密的評估。在評估可行後，在節目製作過程中，其重要步驟有，研讀底稿、演員的安排、製作分析、播音室的安排、排演（第一是讀稿，第二是試播，第三是正式排演）、以及播出。

客家節目的製播：

在國民黨政府來台後，在廣電法上即採取限制使用地方語言的比率，再加上客家族群是屬於弱勢族群，因此很少專門有製播客語節目，服務客家鄉親。不過，有時在接近客家地區的電台，諸如位於苗栗縣竹南鎭的天聲廣播電台，除了在偏僻的時段有客家節目外，它的大部份經營狀態是爲了賣藥、推銷產品，而有使用客語向聽眾兜攬生意的情形。在經過漫長的三十餘年時光，在民國七十七（西元 1988 年）十二月二十八日的還我母語大遊行中，該運動的三大訴求爲：「開放客語廣播、電視節目，實行雙語教育、建立平等語言政策，修改廣電法二十條對方言之限制條款爲保障條款。」政府爲了安撫客家族群，於民國七十九年、八十年間，行政院文建會在客家子弟曾逸昌的承辦下，邀請警察廣播電台、中國廣播公司、漢聲電台（原爲軍中電台）以及花蓮的燕聲電台委託製播客家節目。自曾研究員離開文建會後，客家節目就被取消了。民國八十三年九月十日，在台灣客協部份成員的協助下，設立「寶島客家電台」，以客語播音，經過數次新聞局的抄台，直到民國八十五年（西元 1996 年）七月，始核准在台北市設立，其波音範圍涵蓋苗栗以北縣市，其節目方面有，報導客家活動、介紹新知、評論時事、客語教學、播放傳統客家歌謠戲曲、開放客家創作流行歌曲園地、介紹客家人的開拓歷史、衣、食、住、行、生命禮俗……等節目。位於桃園縣平鎮市環南路的新客家廣播電台（FM 93.5），成立於民國八十六年（西元 1997 年）初，它是一個中功率電台，發射範圍涵蓋桃園、新竹及部份苗栗、台北地區。它是全台第一家客家商業電台，不只是一個以客家話發聲的電台，更重要的是，它是一個精緻嚴謹的專業電台，並結合文化活動的舉辦，讓客家文化能夠源遠流長的同時，也讓客家的聲音能夠永遠的流傳下去。

「哈客網路廣播網」成立於民國九十三年（西元 2004 年）八月三日，其目的是為了加強服務國內及旅居海外的客家鄉親，藉廣播和網路科技的力量來傳承客語、宣傳客家文化，因此特別結合了寶島客家廣播電台、新客家廣播電台、大漢之音廣播電台、全球通廣播電台、新竹勞工之聲廣播電台、高屏溪客家與原住民母語廣播電台、高雄電台、台北電台、中央電台、教育電台、中廣客家頻道等十一家電台，將上百個的客語廣播節目的資源，全部整合在一個網路平台上，來服務客家鄉親外，於民國九十三年（西元 2004 年）十一月二十五日，行政院客委會又開設了全球第一個客家文化教學網站——「哈客網路學院」，希望能夠突破時間、空間的限制，使之年輕的客家族群以及想要更深入了解客家的朋友，能夠隨時隨地的認識「客家」。

中廣瘦身客家頻道將成歷史，AM 747 客家頻道前身是 AM 1258 千赫功率是當時副主席吳伯雄擔任秘書長時，應客家鄉親要求，在中廣公司成立頻道之一，基於國民黨選票考量，用二十小時節目時間服務苗栗以北客家鄉親，用心經營客家文化之推動與傳承，經過六、七年的經營，根據中廣李建榮副總表示，過去七年，中廣公司每年編列預算，長期貼補客語頻道節目的播出，如今面臨新買主，每個頻道都需以利潤為考量，因此客家頻道幾乎可以確定是變成「歷史」名稱，不再出現瘦身後的中廣公司。㊱

第二項：電視

電視事業的興起是二十世紀人類的重大事件之一。一般人都有「百聞不如一見」的觀念，而電視便是可以透過空間傳播聲音和影像，把很遠的東西傳送到我們眼前的一種最好的大眾傳播媒介。電視一詞，其原文含有見於遠方活動景像的意思。電視英文為 Television,Tele 源於古希臘文，含有「遠」之意，與「視」字 Vision 拼合而成今名。電視的主要功能，除了傳播新聞和知識外，它還提供了諸如戲劇、影片、體育、音樂、舞蹈、歌唱、猜謎、綜藝節目……等娛樂性的節目給觀眾。

電視的發明：

一八一七年，瑞典人布爾茲列斯（Jons Berzelius），發現一種具有質光體（Selenium）的物質。一八七三年，英人約瑟夫・梅（Joseph May）發現這種質光體可用電能傳遞外，在理論上證明任何的物體的形像，可用電子訊號傳播。一八八四年，德國科學家尼普庫（Paul Nipkow）發明旋轉盤掃瞄式的播送方式，爲現代電視的發明奠定基礎。一八九七年，布勞恩（Ferdinand Braun）發明電波映像原理，一九〇七年，俄人魯新（Boris Rosing）完成第一步電子映像機，一九二七年，美人范華斯（Philo T. Fransworth）發明電視攝影機。這些的發明使得現代電視由夢想成爲事實。

電視事業的發展：

現代的電視事業，始於英國。一九二六年，英人貝爾德（John L. Baird）首先播出實驗電視。一九二九年，英國廣播公司與貝爾德簽訂合約後，他的實驗電視經常在倫敦電台播出。一九三六年，英國廣播公司即經常播出電視節目，這是現代電視的開始。在我國電視事業的發展方面，民國五十一年（西元 1962 年）二月十四日，設於台北市南海路國立教育資料館的公營教育電視實驗廣播電台的開播。由於此電台是屬草創階段，技術水準不夠，電台設備也相當簡陋，國人對這嶄新的電子媒體，並未有深刻的印象。民國五十一年十月三日，台視開始試播一周，於同年十月十日正午十二點時，正式開播，爲我國第一座的商業電視台。該台成立之初，資本額爲台幣三千萬元，台灣省政府出資 49 %，民間資金 11 %，日本富士、日立、東芝、日電等四家廠商投資40 %，並提供技術合作。在開播之初，台視每天播出五小時，發射機二部，電功率五千瓦，天線輸出電力七萬瓦，收視地區僅限於北部。由於演藝人才以及節目製作操作人員的缺乏，節目以進口外國影片為主。中國電視公司，於民國五十八年十月三十一日開播，並首播國語連續劇「晶晶」，開了今日電視連續劇之先河。在該公司的組成方面，資本額為新台幣一億元，其中中國廣播公司佔 50 %，二十八家民營廣播電台佔 28 %，民間企業人士佔22 %。中華電視台於民國六十年十月三十一日開播，資金來自國防部、教育部以及部份民間投資人士，公股佔 40 %。民國五十八年九月二十五日，台視宣佈試播彩色電視成功，自此我國電視節目進入彩色化的時代，而且節目的自製率佔播映時間的 80 %以上。民國六十五年四月二十七日，台視啓用ENG手提電子新聞攝影機，使之在現場新聞採訪完畢後，即可播出，在爭取時效上，跨進了一大步。

電視節目製作的程序：

電視節目之製作，由原始資料之蒐集、構想、設計、編排、到演出為止，它包括節目寫作、場景設計、劇本選擇、演員聘僱、服裝道具的使用、廣告提供的方式、以及演出合約的簽訂等，均須經過周詳的策劃。電視節目大多是在攝影場內攝製，也有在電影攝影棚內，或是在街道、叢林、運動場上，甚至在水底進行拍攝。現場節目，可立即播出，也可先錄於錄影帶上或是用肯尼錄影機製成影片，而後播出。在有關節目的設計與策劃方面，參見《環華百科全書》指出，有下列幾項重點：

一、製作人：一項節目的成敗，其主要責任在於製作人。他是整個節目中，負責組織與行政的首腦。理想的製作人，要確立概念並負責選擇劇本、導播和演藝人才，而後再著手擬定詳細計劃。他必須編訂預算，確定每一需要經費的項目和分配的數字。此外，他還須顧到美工設計、燈光、音效、化妝、服裝，甚至機器的操作，以至於錄影、播出爲止，沒有一項是可以疏忽的。

二、編劇：他除了是電視劇本之執筆人外，還要對於電視攝影技術中，有關鏡頭之組合與連接中經常使用之「遠景」、「近景」、「特寫」、「疊映」等術語及其意義有充分的了解。其情形諸如，編劇人於編撰劇本之際，尙需顧慮到攝影機與麥克風之轉換位置，以及調換攝影機鏡頭等需費數秒鐘之時間，因此在劇本中須有緩衝之安排，否則該劇本須經修改後，才能使用。

三、導播：導播的主要任務，是準備節目及播出節目。他在各種節目排演完畢後，就需在控制室中，負責：1.指揮攝影師攝取所需的圖像。2.指示轉換器的操作者，用那種方式將各式圖像銜接播出等任務。

四、預演：預演英文稱爲「Camera Rehearsal」，亦可稱爲「彩排」，爲演播前使用攝影機、麥克風、以及化妝過的演員，首先在各場景中，逐節排練一次後，再做一次整個的排演，稱之為預演。

五、正式演出：播出前五分鐘，工作人員即進入工作位置上預備。在播出前一分鐘時，再發出「請注意，還有一分鐘」的通知。在前十秒鐘時，則發出倒數計秒「10、9、8、7、6、5、4、3、2、1 到！」的信號。此刻影片放映室所投映之字幕首先出現，而開始正式播出。㊲

客家節目在電視上的播出方面：

1. 民國七十七年（西元 1988 年）十二月二十八日的「一二二八還我母語大遊行」抗爭活動後，在國民黨政府安撫性的回應方面，是在民國七十八年一月一日上午八時，台視頻道開播了有史以來第一個電視客語節目——「鄉親鄉情」，每週日在台視的冷僻時段播出三十分鐘。

2. 民國七十九年（西元 1990 年），公共電視「客家風情」的開播，節目長度為二十二分鐘。第一季為十集，第二季為十集，第三季為十五集。全季節目在民國八十三年三月一日播完。

3. 為實現陳水扁在二〇〇〇年總統大選的諾言，客家電視台於民國九十二年（西元 2003 年）七月一日，正式開播。該十七頻道，全天候由客語發音，並由客家子弟擔綱的節目方面，其內容多元豐富，包括有客家美食、客籍菁英訪談、客語教學、客語發音的卡通、財經、新聞、戲劇、音樂……等。

4. 客家英雄傳——西螺七坎，是由客家演藝人員協會製作、拍攝、演出的第一部客家大戲，於民國九十三年九

月在客家電視台上檔。自客家電視台開台以來的「老嫩大細」、「客家心舅」兩部客語連續劇，雖以客語發音，但卻缺乏代表客家精神的元素，而「客家英雄傳」則是以歷史留名的客家英雄爲代表，進而發揚客家精神。「客家英雄傳——西螺七坎」的內容，是描寫阿善師來台尋父的故事。他自小被父親交給少林寺教養，長大後渡海來台尋親，只知道父親是客家人，於是他就從客家庄找起，最後在西螺七坎與當地居民一同對抗盜賊，而成爲客家英雄。㊳

註解

① 劉靖華著，《攝影美學》，頁94，台北：五洲出版社，1981。
② 〈台灣美術新風貌〉，訪五月畫會的劉國松、簡丹，自立晚報，82.8.3。
③ 《談全省美展、筆匯月刊革新號》，頁173-175，第一卷第六期，48.10.20出版。
④ 參見林惺嶽著，《台灣美術風雲40年》，台北：自立晚報出版，1987。
⑤ 王福東著，〈台灣美術新生代〉，自立晚報，82.8.6。
⑥ 謝里法著，〈宜蘭畫家王攀元獲獎之震憾〉，自由時報，90.11.14，第15版。
⑦ 張秋台著，〈當代客籍畫家之藝術風格〉，《客家文化研討會論文集》，頁 111、112，台北：行政院文建會，1994。
⑧ 陳明宏著，「客家」雜誌第118期，頁35，89.4.1出版。
⑨ 參見陳運通著，《客家書畫》（上冊），頁 59，1999.12.11出版。
⑩ 張秋台著，〈當代客籍畫家之藝術風格〉，《客家文化研討會論文集》，頁 107，台北：行政院文建會，1994。
⑪ 參見《頭份鎮志》，頁560，苗栗：頭份鎮公所，2002。

⑫ 參見「客家」雜誌，第118期，頁24，89.4.1出版。

⑬ 參見《頭份鎮志》，頁559，苗栗：頭份鎮公所，2002。

⑭ 編輯部，《客家文化季刊》，〈活動及展覽介紹〉，NO.9，2004秋季號，頁30，台北：台北市政府客家事務委員會。

⑮ 參見宋龍飛著，《中華文物》（文化資產觀光叢書），頁9，台北：觀光局出版，1990。

⑯ 《台灣省通誌》卷六第二冊，頁143、144，台灣省文獻委員會編印，60.6.30。

⑰ 參見《頭份鎮志》，頁583-588，苗栗：頭份鎮公所，2002。

⑱ 王瑤瑋報導，〈客家女性藝術家，展現多元才華〉，《客家郵報》，2003.9.10。

⑲ 葉俊琪報導，〈樟木枯樹頭，雕出一片天〉，《客家郵報》，第三版，2004.8.4～10。

⑳ 曾逸昌編著，《希望之島》，頁223、224，自印，2000。

㉑ 洪禮甫報導，〈三義木雕展「藝」氣風發〉，《客家郵報》，第三版，2004.8.4～10。

㉒ 游淨妃報導，〈九讚頭滿月娃娃充滿客家獨特魅力〉，《客家郵報》，2003.9.10。

㉓ 參見陳彥豪報導，〈「紙湖」村獅潭造紙話當年〉，聯合報2004.2.7。

㉔ 游淨妃報導，〈李菊梅標榜親子玩陶，希望帶動下一

代玩陶興趣〉，《客家郵報》，2004.8.25～31。

㉕ 許惠就報導，〈老窯場巡禮，再現陶燒風華〉，中國時報，93.9.3。

㉖ 參見葉俊琪報導，〈金山面「窯」身變竹科〉，《客家郵報》，2004.9.22～28。

㉗ 參見劉慧真著，《台北客家人文腳蹤》，頁 59，台北：台北市政府客家事務委員會，2002。

㉘ 葉俊琪報導，〈鄧南光、龍瑛宗北埔客庄文藝家〉，客家郵報，2003.11.12～18。

㉙ 參見劉慧真著，《台北客家人文腳蹤》，頁 63、64，台北：台北市政府客家事務委員會，2002。

㉚ 編輯部，《客家文化季刊》，〈活動及展覽介紹〉，NO.9，2004 秋季號，頁 30，台北：台北市政府客家事務委員會。

㉛ 葉俊琪報導，〈取材客家文化，茶山情歌首登大銀幕〉，《客家郵報》，2003.10.29。

㉜ 李思儀報導，〈好男好女，訴說一個客家文學家在白色恐怖時代革命同志愛情〉，《客家郵報》，2003.10.29。

㉝ 黎登鑫著，「從公共場域看客語政策」研討會——留給客語一個完整的空間。〈客語流失與客語政策的關係〉，台北：行政院客家委員會補助，財團法人寶島廣播電台 FM 93.7，2004.12.24～25。

㉞ 參見張之傑主編，《環華百科全書》，頁 500，台北：

兒童教育出版社，1986 再版，第八冊。

㊱ 同上，第八冊，頁 509、510。

㊱ 李純思報導，〈中廣瘦身客家頻道將成歷史〉，《客家郵報》，2004.12.8～14。

㊲ 參見張之傑主編，《環華百科全書》，第四冊，頁 482，台北：兒童教育出版社，1986 再版。

㊳ 李思儀報導，〈客家英雄傳，西螺七坎，正本清源〉，《客家郵報》，2004.5.26～6.1。

第十一章 休 閒

在民國九十年（西元 2001 年）行政院推動「一鄉鎮一休閒農漁園區」計劃時，當時的農委會主委陳希煌先生說：「時勢所趨，台灣農業必須走向綠色科技、知識經濟的經營模式，方能在激烈的全球競爭中圖存，而且必須結合文化、休閒與生態資源，激發國人的鄉土情感、迎合消費需求，才能贏得國人對本土農業的認同與支持。」在客家庄參訪的口語文字論述中，經常可以聽到或看到「休閒」、「懷古」、「踏青」、「自然」、「農家」、「好山好水」、「享受山水之美、田園之樂」……等的用詞。在現今台灣快速邁向都市工業資訊科技國家的轉變當中，「自然」、「純樸」、「傳統」、「非工業」或「具真實性」的客家鄉鎮，確實爲大都會城市人口提供了一種舒適、安全、便利的另類休閒或是懷古之旅。

台灣客家人所居住的地方，大多是位於好山好水的丘陵美麗山城景緻之地，倘若客家人能把周圍的環境加以整頓，或做一些諸如草坪、原木以及石頭的美化建設，則是一種屬於生活在世外桃源的環境之中，在談到客家人的生活建設之前，也把一些有關「休閒」的認知方面做一些的介紹。在我國過去農業社會的觀念中，一向認爲休閒娛樂乃是工作完成後的調劑，甚或是不必要的。但近代社會學、人類學、心理學等各種社會行爲科學的興起，證實了人類不僅需要娛樂來調劑身心的同時，因爲整個娛樂休閒制度的建立，更可以促進文化氣質以及民族個性的改變。

究竟我們對於「休閒」要採取什麼樣的態度呢？在基本上應該被確認的是，休閒娛樂是人的一種基本需求，國民的基本權利。它的活動是社會文明的產物，文化的表徵，也是時代的潮流與世界的趨勢。休閒不只是吃、喝、賭，也不只是閒來無事時所做的看電影、看電視、聽音響、擠遊樂區、漫無目的踩馬路、找人閒磨牙、殺時間……等活動。休閒還有更積極的其他許許多多有益個人、他人、社會及自然環境的活動可從事。因此大凡一國或一社會之正常休閒時間及休閒時間內休閒活動項目的多樣性或性質，常被用爲衡量該國、該社會、生活素質之重要指標。倡導休閒教育的目的，在於灌輸正確休閒之意義，指導如何分配及利用自由時間，從事休閒活動，學習活動之技藝，規範及愛護資源設施外，提昇休閒品質，透過積極、熱衷的從事，改變消極性、消遣性、輕鬆性的觀賞和參與，爲有創意性、成就性、發展性之投入。

壹、休閒的意義、功能與種類

Re-create 是「休閒」的原文，有「再造」、「復原」之義。

一、Anderson, J.M.：認爲休閒是個人志願選擇而且可以從實行中獲得直接歡樂，並使參加者恢復其元氣、豐富其人生的活動。

二、松田岩男：認爲欲了解「休閒」，首先應認識其從事該項活動當時的心理問題，有時認爲是消遣，有時認爲是休養或娛樂。以積極性的立場而言，休閒活動乃活動本身的再生產過程。（林清山學者譯）

三、傳播學者史蒂文生（Stephenson 1967）：主張「遊戲理論」，認爲人類的傳播行爲都只爲了娛樂及輕鬆罷了；如果就休閒娛樂的內容而論，其範圍包羅萬象，包括社交、體育活動，如奕棋、橋藝、郊遊、聊天、舞蹈、球類運動等；具有文化意義的活動有慶典、祭祀、文藝活動、觀賞表演等。①

四、柴松林學者：認爲「休閒」一詞有兩種意義，㈠是改造或再創造的意思，㈡是安慰或娛樂的意思。深言之，休閒可分爲，⑴具有再創造意味的休閒意義：即是使緊張的壓力得到舒緩，疲憊的身體得到恢復，倦怠的精神得到鼓舞，以提高做事效率，豐富人生。⑵自我娛樂的休閒意義：即是不受外力的強制，而根據自己的能力與興趣來決定參加的項目，在從參加的項目中享有樂趣，得到心靈上的歡樂、情緒上的滿足和生理上的健康。⑶具有建設性的休閒意義：即是不違背善良風俗，不違反法律禁制與道德規範，不破壞環境傷害他人：對於自己的身心有益，對社會和諧有促進作用。②

自由休閒時間的分析與探討：個人生活的時間大致可

分爲三種，第一種，是指睡眠、飲食、身邊雜事等維持生活與生理功能的時間。第二種，是指工作勞動謀生、維持家庭功能如購物、照顧小孩、家庭雜事所需之必要時間。第三種，是指上述兩種之外，不受拘束的自由時間或稱爲休閒時間。今就第三種，有關休閒時間的構成，大概有晨間、午間、晚間休閒時間以及假日、年節休閒時間，甚至也包括了退休後的休閒時間在內。在這休閒時間內的休閒活動種類，枚不勝舉，今大致把它分爲四類：

一、消遣性娛樂活動：散步、郊遊、旅遊、參觀（美術館、博物館）、逛街（看櫥窗、禮品店、服飾店、藝品店）、觀賞花鳥、下棋、釣魚……等。

二、知識、文化、藝術性活動：閱讀報章雜誌小說、美術、雕刻、唱歌、影劇、音樂、舞蹈、刺繡、集郵、攝影、學術訪問……等。

三、體能性活動：登山、越野、打球、游泳、、滑水、溜冰、露營、射擊、健身、飛鏢、體操、國術、跳繩、踢毽、衝浪、熱汽球、滑翔翼……等。

四、社交性活動：社交應酬、社會服務、宗教活動……等。

從上述種種休閒活動中，根據辛晚教學者在「休閒活動研討會」中，分析，大致有下列五項的功能：

一、消遣功能：消磨時間、排遣無聊時間、回憶往事。

二、醫療功能：鬆弛緊張神經、疏解生活壓力、治療焦慮不安及憂傷之心情。

三、充實生活：積極性之休閒生活，使人在感性、知性及靈性方面，均可獲得滿足感、愉悅感，因而可充實生活豐富人生。

四、教育及社會功能：積極性之休閒活動可增廣見聞增加智識、學習到技藝、增強體能、灌輸社會價值及民族歷史之意識、團體休閒活動並可培養開闊心胸、習慣團體生活、可以防治個人偏狹孤獨心態、可以促進團隊合作意識。總之，正當之積極性休閒活動，實具德、智、體、群之教育及社會功能。

五、造就人才及保護珍貴休閒活動資源功能：由於休閒生活之需要，因而可以造就社會許多文藝，遊藝及體育等之專業人才及就業機會，再者並可促進自然及人文珍貴休閒活動資源之保護及利用。③

但從上述種種有益於身心健康的休閒活動中，也有諸如，誨淫誨盜，腐蝕身心之惡劣影片及頹廢的作品、黃色報章雜誌、戕害心靈的電動玩具、燈光昏暗人多進出複雜的舞廳、飆車……等行爲或所從事的休閒活動，對於身心的健康均有負面的影響。

貳、休閒文化建設的方針與藍圖

根據先總統蔣公爲了完成民生主義的內容以及爲了建立自由安全的社會，而有「育、樂兩篇補述」之作。在解決「樂」的問題方面，其內容大概如下：大凡一個人有了健康，才有快樂。農業社會健康的大敵是病菌，疾病大多來自生理；工業社會的人口向城市集中，城市生活的特點是緊張、擁擠與流動，城市人口的大敵除病菌外，還有疲勞、生理與心理均易罹患疾病。因此要解決康樂問題必須從三方面去著手：

一、康樂的環境——

在國家建設計劃中，必須重視山林川原的整理與設計，使國民在不知不覺中獲致身心的康樂。城市中不僅住宅能夠寬舒，並且公共體育場和遊憩場所也以人口的比例來開闢建設。對鄉村要使之能享受公共衛生和公共事業的便利。質言之，就是要做到城市鄉村化，鄉村城市化。唯有如此，才能同時解決群眾的身心康樂問題。

二、心理的康樂——

蔣總統說：「人生最高的娛樂就是藝術。」中國古代的教育，以六藝爲本，六藝就是禮、樂、射、御、書、數。文藝與武藝都包括在內。在心理的康樂方面，必須注意下列幾點：

1. 發掘純真優美和表揚民族文化的文藝作品。
2. 音樂足以表現民族盛衰與國家興亡，而且是群育的工具，必須使之能培養民族正氣，與鼓舞戰鬥精神、發揚蹈厲氣概、篤實光明風度的音樂歌曲。
3. 美術既要注重實質，又要力求美觀，因此特別要體會只有內在的真，才能發揚外在的美之外，要將美術普及一般國民。
4. 電化教育應由國家創導，對電影、廣播、電視等，充實其內容，提高其品質。

5. 此外並應認識，惟有宗教信仰和人生哲學的基本思想，才能使國民收拾破碎的心理，養成完整的人格。

三、身體的康樂——

首先要使國民養成健康的習慣、保持清潔與秩序。飲食要講究營養，更要有節制，其次要推行國民體育，養成其合作與服務的精神外，普設體育館，經常舉行運動會。有計劃、有組織的普遍推行團體旅行、野外露營活動。定期研討改進體育規劃、教育期使各項運動在教學的同時，也是一個公民道德訓練。第三，是培養國民必要的藝能，使之國民體育，不僅是運動場上的各種球類與體育之競賽，更要提倡山林川原的各種運動和技術，（如射擊、駕駛、操舟、游泳、滑水與滑雪、國術、舞蹈）等技藝。④

休閒活動實施之必然性與今後因應對策

台灣休閒環境現況：

民國七十四年（西元 1985 年）教育部統計，以目前台灣地區將近二千萬人口而言，文化場所僅有一七九座圖書館、六座博物館、十座社會教育館、二十座文化中心、十八座體育館及二十一座公園，文化場所確有增擴之必要。

民國七十六年，行政院主計處統計台灣地區文化設施可供休閒參觀活動之文化設施或場所為：一級古蹟十九處，二級古蹟三十八處，三級古蹟一七一處，教育部在全省成立文化中心計二十所。

自然文化景觀方面，計已劃設玉山、陽明山、太魯閣等三座國家公園。

台灣地區文化場所計一一二九處，其中圖書館僅一九九個，平均一圖書館服務 98.857 人口數。文化場所還不敷所需。

娛樂休閒設施方面：電影院計五六八家，平均每九人 24.3 座位。

休閒空地方面：民國六十四年時，平均每一萬人中可使用到 26.88 公頃的休閒空地，七十四年時，縮小至 23.86 公頃，七十六年時，休閒空地，包括已登錄之原野、公園及堤防用地面積計四六公頃，平均每萬人 23.84 公頃。⑤

近年來，台灣省旅遊局公佈了本省合法標章的風景遊樂區，公營部份計有二十四家，民營部份計有四十八家，其分佈情形為：

1. 台北縣：公營風景遊樂區有：烏來風景特定區、野柳風景特定區。民營風景遊樂區有：雲仙樂園、達樂花園、野人谷桃花源渡假村、湖山原野樂園、八仙樂園、海洋世界、樂樂谷、海王星樂園、珍珠嶺遊樂區、大自然遊樂區、林口渡假村。
2. 桃園縣：公營風景遊樂區有：石門水庫風景特定區。民營風景遊樂區有：亞洲樂園、小人國、龍珠灣樂園、味全埔心牧場。
3. 新竹縣、市：民營風景遊樂區有：六福村主題遊樂園、金鳥海族樂園、童話世界、小叮噹科學遊樂園、萬瑞森林遊樂園、大聖遊樂世界、古奇峰育樂園。

4. 苗栗縣：公營風景遊樂區有：明德水庫風景特定區。民營風景遊樂區有：西湖渡假村、火炎山西遊記遊樂區、香格里拉遊樂園、長青谷森林遊樂區。

5. 台中縣、市：公營風景遊樂區有：鐵砧山風景特定區、武陵農場、台灣電影文化城。民營風景遊樂區有：龍谷遊樂園、東勢林場、亞哥花園、東山樂園、卡多里山上樂園。

6. 彰化縣：公營風景遊樂區有：百果山風景區。民營風景遊樂區有：新百果山遊樂園、大佛遊樂區、台灣民俗村。

7. 雲林縣：民營風景遊樂區有：劍湖山世界、天元莊育樂中心。

8. 南投縣：公營風景遊樂區有：日月潭風景特定區、清境農場、霧社風景特定區。民營風景遊樂區有：杉林溪遊樂區、九族文化村。

9. 嘉義縣：公營風景遊樂區有：嘉義農場。民營風景遊樂區有：觀音瀑布風景區、阿里山遊樂世界。

10. 台南縣、市：公營風景遊樂區有：尖山埤風景特定區、曾文水庫風景特定區、烏山頭水庫風景特定區、虎頭埤風景特定區。民營風景遊樂區有：走馬瀨農場、悟智樂園、元寶樂園。

11. 高雄縣：公營風景遊樂區有：澄清湖風景特定區、茂林風景區。民營風景遊樂區有：阿公店湖濱樂園。

12.屏東縣：公營風景遊樂區有：海鷗森林遊樂區、琉球風景特定區。民營風景遊樂區有：假期樂園、小琉球觀光潛水船。

13.宜蘭縣：公營風景遊樂區有：棲蘭森林遊樂園、冬山河風景區。

14.花蓮縣：民營風景遊樂區有：東方夏威夷遊樂園。

15.台東縣：公營風景遊樂區有：知本風景特定區。

16.澎湖縣：公營風景遊樂區有：林投風景特定區。

然而，以台灣地區高居世界第二位的人口密度而言，未來休閒空地仍會繼續縮小和不敷使用，因此除了陸上可資開發之休閒場地設施外，今後宜注重水上和空中的發展，諸如，台灣四周環海，擁有一千五百公里之海岸線。在這海岸區域中，幾乎各種形式的海岸都可以看到，諸如，沙岸、岩岸、礁岸、泥岸以及河口沼澤等，每個區域都有它的高度利用價值，而且目前只開發了四十多公里，僅佔全長的三十分之一，因此未來對於海岸天然資源在觀光或休閒活動的開發與利用方面，須積極的配合人工設施，以滿足國人接近陽光、水與綠地之需求（如：衝浪、競艇、划舟、潛水、垂釣……等。）在空中的發展方面，對於大都市、風景區之空中鳥瞰或滑翔休閒活動，也是未來值得開發的一種活動，然而目前在它的發展和海岸發展一樣，均面臨了解嚴後之過去部份戒嚴時期，所遺留下來的法令限制。但在可預見的未來，於海、空休閒活動的強烈要求下，必會逐漸克服它們的困難。

如何落實我國的休閒文化建設方面：

我國對於重視休閒教育與休閒活動場所之建設的歷史並不很長，因而在很多風景區及遊樂區內，固然缺乏完善設施（衛生、安全、交通）、解說服務外，遊客亦多缺乏使用這些休閒設施之知識、技術及良好習慣，導致產生對休閒活動環境的有意或無意的破壞與傷害。在戶外休閒藝術創作方面，由於我國近代曾興起，強調個人社會地位或價值，而在各大都市、道路要衝或風景區內塑造一種社會的永恆紀念情形，然而在現代的的戶外藝術則強調與社會、生活相連結，它融合了環境藝術家的觀念，加上了更多公共的涵構訊息和精神的參與，藉由好的藝術作品來反應民主社會中的多元價值和生活品質。在未來大眾文化休閒活動取向之規劃，以休閒設備多元化、大眾化精緻化，加強都會區及社區休閒特色，推廣家庭化的休閒活動以及創意性的休閒設計等四大目標。這四大目標根據從事之活動種類、頻率、時間分配及長短、地點性質及分佈之不同，而有其不同的特色與風格。但是一般的休閒活動設計是根據年齡之大小，分為兒童、青少年、成人、老人等不同的需要加以規劃。諸如：

一、兒童休閒：必須學習與娛樂兼顧，因此活動宜明朗簡易、著重親子同樂，使兒童產生興趣。在兒童成長過程中，在體育運動方面，應有讓兒童跑、跳、擲、滾、翻、爬之設備和教導正確之動作以利於未來學習運動技能。

二、青少年休閒：在人生的目標智能方面，應注重感情的培養與自我的認知。在體力活動方面，這個階段的人們體力充沛、精力旺盛且具好奇心，尤其渴求刺激與冒險等挑戰性高的活動爲主，因此鼓勵青少年走向大自然，欣賞與享受大自然，其活動有如露營、爬山、滑水、衝浪、騎馬、滑翔……等。在其他的休閒娛樂活動方面，有如球賽、舞蹈、彈琴……等。

三、成人休閒：要注意市民的性別、職業、教育程度、休閒時間、婚姻狀況、年齡、住所的差異，進行社交性、休憩性活動，如寶石鑑賞、棋藝、花藝、騎自行車、慢跑、健行、釣魚、文化專題列車……等。

四、老人休閒：老人文康休閒，以「享受老年」、「創造老年」追求「快樂的泉源」爲宗旨，因此在設計上，須注意體力問題，了解實際從事休閒活動對老人身心的變化，以及對老人經濟狀況與生活適應的限制等爲考慮，故應以室內、靜態、不需太多體力的活動爲主，如憶當年演講比賽、相片之謎、口述歷史會等。在適當的運動方面，可採散步、太極拳、外丹功……等低強度的運動。

城、鄉休閒計劃

一、都市景觀休閒計劃方面：

任何環境均可供從事休閒活動，各式各樣休閒活動環境在形質上差異甚大，適宜供從事休閒活動之場所，基本上應具備某些自然條件，如開闊、景緻優美、自然、寧靜等特質，使活動者能享用自然、感覺愉悅、舒適。在都市景觀休閒計劃方面，大致分為區域性觀光遊憩帶、都會區自然遊憩帶、都市社區型休閒活動帶及社區休閒活動帶。今以內政部營建署對「淡水河系水域及水岸休閒設施發展」初步規劃為例，其規劃為，在淡水河主流（淡水河、大漢溪交會處）及基隆河截彎取直部份與其下游的行水區，陸域面積七〇〇公頃，水域一三〇〇公頃，全線設置六處旅遊據點，包括淡水舊市街、五股公園、蘆洲公園、延平公園、龍山公園及圓山藝文活動區；並在河面上開闢觀光遊艇及渡輪運輸路線，除現有淡水等三處碼頭外，將只增設挖子尾、紅毛城、社子島、圓山、五股、蘆洲、三重、龍山公園、延平公園及沙洲花圃等十處直立式消波碼頭，其中挖子尾是大型遊艇港，紅毛城亦設停艇場，其餘均為遊艇及渡輪停靠站。

觀光遊艇將沿河各據點環繞行駛，提供餐飲、休閒、音樂、娛樂，預計每小時一班次。計劃內容並包含三處大型發展據點：八里觀光度假區、社子島河濱原野公園，及濱江運動公園。其中八里規劃為水舞廣場、狄斯耐樂園、競技場、水上活動區、度假旅館區、生態展示區、觀賞花園、高爾夫球場等，度假區內將以輕型捷運中環系統、自行車道系統及內環步道系統作為內部交通運輸之用。

營建署估計十二年建成的淡水河休閒遊憩設施系統完成後，可提供台北都會區二分之一的遊憩旅次需求。到民國九十年觀光活動參與人次將達七八〇〇萬人次，平均每天可達二十一萬人次。（民生報 79.1.12）

二、廣闢公園：

公園是指依都市計劃興建，以供公眾遊憩之場地而言。根據台北市公園管理辦法第五條之規定，公園內得視規模性質及環境需要設置下列設施以供參考。

1. 飾景設施：樹木、草坪、花壇、綠籬、花鐘、棚架、綠廊、噴泉、水流、池塘、瀑布、假山、雕塑、石踏。
2. 休憩設施：亭榭、樓閣、迴廊、椅凳、野宴場地等。
3. 遊樂設施：砂坑、塗寫板、浪木、搖椅、鞦韆架、蹺蹺板、迴轉環、滑梯、迷陣、爬竿架、攀登架、戲水池等。
4. 運動設施：籃球場、排球場、足球場、羽毛球場、棒球場、手球場、曲棍球場、網球場、高爾夫練習場、橄欖球場、小型田徑場、游泳池、遊艇場、滑水場、溜冰場、射箭場、跳傘塔、單雙槓、吊環、跑馬練習場、戰鬥訓練營、看台……等。
5. 社教設施：植物標本園、溫室、觀賞性動物之籠舍、水族館、露天戲場、音樂台、圖書館、美術館、博物館、陳列室、螢火營、戶外廣播圈、電視圈、日晷台、天體氣象觀測設施、牌坊、雕像、紀念碑、瞭望台、古物遺跡等。以上這些的設施依據環境之需要，而做選擇性的建設，以滿足並符合當地居民的休閒娛樂活動。⑥

三、充實遊樂設施：

以根據「文化資產保存法」中的風景特定區管理規則，第一章，第二條之規定做爲參考。

1. 機械遊樂設施：包括纜車、電車、雲霄飛車及迴轉遊樂等設施。
2. 水面及水中遊樂設施：包括遊艇、帆船、玻璃底遊艇、海水浴場、游泳池、潛水場、滑水、衝浪、水上拖曳傘、海洋公園、水族館、海洋動物表演場、海底展望塔（台）等。
3. 陸上遊樂設施：包括高爾夫球場、野餐地、露營地、動物園、禽鳥園、昆蟲園、植物園、博物館、騎馬場、滑雪場、跳傘場、滑翔場、野外健身場……等。⑦

四、郊區、農業休閒景觀方面：

爲使農業發揮生長、觀光與教育等多元化功能，農委會自七十二年度起辦理發展觀光農業計劃，鼓勵農民種花，開放果園，供遊客賞花、採果，以突破傳統農業的經營方式，並帶動周邊地區的經濟繁榮；七十四年度起又大力倡導開闢森林遊樂事業；現在則更進一步配合整體觀光環境，活用自然景觀，田園資源以及簡易鄉土民俗、民宿之裝飾，如古時的水缸、碗、瓶、扇子、文玩、雨傘、蓑衣、竹草編織器物等，來開闢或營造假日休憩農場的氣氛，使之嚮往大自然的都市人，也能享受到農村文化、民俗與人文等簡樸生活內涵的薰陶。

五、國民休閒樂園及度假村的興建：

隨著觀光旅遊風氣的盛行，我國近三十年來，具代表性的休閒建設，有烏來雲仙樂園、板橋大同水上樂園、六福村動物園、小人國、九族文化村、八里八仙樂園、各地高爾夫球場的開發等，然近幾年來，又興起以「度假村」爲定點旅遊之自主性較高的精緻化旅遊及知性之旅的新潮休閒方式。不管上述休閒方式如何演變，政府在文化休閒方面，相當鼓勵民間企業，開發多元化的度假村，有多種的運動設備如（游詠池、網球場、健身房、鄉間小木屋、餐廳、酒吧、夜總會……）等，可讓前往度假的人，在村內放鬆心情，度過一個悠閒、舒適的假期生活。

六、家庭綠化以及自我修繕休閒活動方面：

歐洲先進國家的人民，擁有精緻的花園和美麗的窗台而感到驕傲。我國在家庭綠化的歷史並不算短。在農村方面，各鄉鎮農會及各鄰里單位均有推動在住家四周種花植樹的宣導，然在鄉村人民以「食」爲重，利用周圍空地種植蔬菜、果樹來取代政府所推動的家庭綠化目標。在都市方面，諸如，台北市政府先後推動輔導市民設置屋頂花園、美化陽台、綠壁（種植九重葛、爬牆虎、爬藤）、鐵窗綠化等活動，其間還設置了建國花市，希望逐步帶動市民栽培園藝，綠化居家環境的風氣。但市民無法突破寸土寸金的住家環境，把屋頂加蓋房子以便住人，把陽蓋當做曬衣之處，以及「有錢無閒」的觀念下，未建立起綠化的共識。在此現實環境之下，對於往後所倡導的綠化休閒活動，須從「知」開始，來幫助人們建立正確的綠化休閒觀念、態度、知識和技能，使之人人能重視家庭綠化、環境美化的重要而明智的參與。至於，在簡單的動手修繕休閒活動方面，爲了使之自我家庭佈置的精緻化，以及裝璜修繕工人的難覓下，目前在市場上很容易就能購買到有關居家修繕所需的釘槌、油漆、燈飾、水管電器、廚衛設備，甚至磁磚地板等工具、建材和原料，利用休閒之時，能夠隨著你自己的興趣或奇想，來佈置屬於你的天地。

根據上述的種種休閒觀念，在內政部、交通部、觀光局、省旅遊局的配合下，編印手冊、摺頁、製作視聽節目，以提高民眾對正當休閒活動的認知外，還須長期培養休閒活動的規劃人才，以及鼓勵工商企業、民間團體的參與，來擴大喚起民眾對於參與戶內、外文化性休閒活動的重視。

㈠創建居住的悠雅「休閒」環境：

客家人大多是居住在好山好水的丘陵之地，不管是古厝或是現代化的鋼筋水泥建築，除了須注重衛生設備之外，客家人應該充分利用這種天然的美好環境加以整頓，諸如在廣大的草坪中種些四時的花草樹木、開闢果園、利用天然的石頭加以美化、建些涼亭、石桌椅或在天然森林中開闢步道等，可說是目前台灣客家人改善居家環境的不二法門。

㈡古厝民宿古味濃：

環顧全台各地客家鄉鎮，將祖傳古厝整理成「參訪古蹟」的客家人越來越多，有些人不捨離棄老屋仍世居於內；但也有人搬離於外，專供奉祖先牌位，將其轉化成古蹟供遊客憑弔。古厝民宿以古早伙房建築爲特色，雖然它不同於一般飯店、旅館講究設備豪華，不過，目前它卻是國內許多出外人旅遊相當喜愛的一種度假方式之一。將客家老屋經營成「民宿」，一方面可藉機活化老屋的價值，另一方面也能讓外人藉旅遊之便，體會客家建築之美。古厝民宿與一般民宿的最大不同之處，在於它環境清幽、靜謐、風景秀麗，還有別處享受不到的「古早」風味。這裡所提的「古早」風味，並非特定專指客家美食，它包括老屋環境、建築格局、早期農用器具、日常生活用具（有如大灶小鑊、水缸、八卦床、縫衣機、巡山用的玻璃罩燈盞火、老桌椅、嫁娶用的托盤……）等的多元層面，使之很多遊客很喜歡住老屋，他們認爲住老屋有一種無法言喻的喜悅感，心靈特別舒服，而且可享受一份純樸自然的薰陶等特色，不是其他民宿業者所能提供遊客欣賞及體會的地方。⑧

㈢美濃「湖美茵」從豬舍變成花園民宿：

美濃的客家人，對家鄉都有「走上走下，不如美濃山下」的深愛之情。位於高雄美濃，面對金字山和人頭山美麗景緻的「湖美茵」，原是宋永松在旗山農工教書時，從幾十頭豬邊教邊養，到退休後擴大飼養到約三千頭豬的養豬場。他及其家人歷經八年斷斷續續的把以前養豬時，所開挖的蓄水池塘，順便養魚，以及培育水生植物、養些觀賞用的雞、鴨、鵝外，在該池塘的四周還遍植草皮，並種有各種花草樹木、架設木造平台及坐椅等。在豬舍方面，則把它改建爲民宿的同時，並利用犁、牛車輪、甕、木頭等過去農業的時代的器具，來裝飾民宿的牆壁。現今來湖美茵住宿的顧客，以中北部居多，南部人較少，也有一些的公司、團體常借用這個樸素高雅的園區來辦講習或是聯誼活動。

註　解

① 《我國當前文化政策及其文化活動形態之實例研究》，頁 68，台北：行政院文建會，74 年。

② 柴松林，中時，79.2.3。

③ 辛晚教，《休閒活動研討會》。

④ 國父遺教，頁 390，台北：必成關係事業出版。

⑤ 《社會指標統計》，台北：行政院主計處統計，76 年。

⑥ 《文化法規》，頁 831，台北：行政院文建會，72 年 6 月。

⑦ 《文化資產保存法》，頁 831，台北：行政院文建會，72 年 6 月。

⑧ 參見葉俊琪報導，〈古厝民宿，古味濃〉，《客家郵報》，2004.8.25～31。

第十二章：生命禮俗

婚喪喜慶是我們日常生活的一部份，不要說現在的年輕人對傳統文化不了解，就連長一輩的人，也未必知道傳統客家婚禮、喪禮是怎麼一回事。在現今科技發達的時代裏，傳統的客家禮俗在時代變遷中慢慢失去原貌，許多習俗也已不再被過度堅持，年輕的客家族群更不再依循黃曆行事，甚至有更多人已看不懂黃曆，而這無疑是文化轉變過程中的一件憾事。至於，在有關其他日常生活的禮俗方面，諸如「祝文撰讀」、「三獻吉禮」、「哀章告靈告祖告天神撰讀」、「請神祈福還老愿套語」、「作七拜王官」、「山頭呼龍」、「祭祖掛紙祝文撰寫」、「婚禮司儀」、「喪禮司儀」……等的認知，也相當陌生。

第一節：結婚、生育習俗以及家族制度

第一項：在結婚方面

自從民國六〇年代之後，台灣經濟起飛，台灣人與西方世界接觸頻繁，文化交流密切，也使得傳統封建社會逐漸西化，西方的性開放觀念全盤移植過來，尤其自七〇年

代全面開放觀光之後，台灣人的性觀念之開放程度比起歐美國家可能不相上下。據政府統計資料顯示，民國九十一年（西元 2002 年）在台灣的新生兒為 24.75 萬人，其中非婚生子女約一萬九千人，其所佔比例確實相當高。在這近二萬人的非婚生子女中，十八歲以下之未婚媽媽就有 31 %，十八歲到二十歲間有 22 %，換句話說，有一半以上的未婚媽媽是心智未完全成熟的少女。其中，又據統計資料顯示，造成未婚生子有 73 %是和固定男友的性關係，有 16 %是不知道與哪個性伴侶的結晶。在有關大陸的富豪徵婚方面，在徵婚廣告中，自稱傳統守舊，他拒絕的八種女人包括：觀念前衛、行為出位的性經歷者；奇裝異服、舉止另類的哈韓族；用身體寫作的美女作家；拋頭露臉、賣弄風情的明星；嬌生慣養、自視清高的傲慢千金；只會讀書、不會生活的書呆子；風風火火、拚搶風頭的女強人；海外女士免談……。其中，在廣告中特別強調要女方「冰清玉潔」（即指無性經歷）的要求①。在報導中說，這幾年在大陸一些時髦女性對於婚姻的看法為：「幹得好不如嫁得好」、「好婚姻可以少奮鬥二十年」、「要現貨不要期貨」之類的愛情宣言。其中，最讓人驚訝的是，在該徵婚廣告中，有位女孩直言不諱地寫下「我是女孩，符合條件，想來應徵，你既不瀟灑也不帥，我只看中你的錢」的留言。②在台灣方面，現年三十一歲，具有大專學歷，面貌美麗，身材有如名模的陳姓女子，她認為由於工作相當疲累，若能找個家境優渥的男士作為依靠，不愁吃穿，交往或結婚才有意義。最近她透過婚姻介紹業者安排與未婚男士見面，陳女開出對方需給一輛進口轎車、一張信用卡，且每月給付三十萬元零用錢的擇偶條件，令許多男士感到「自卑」，紛紛打退堂鼓，業者也認為這個「任務」過於艱鉅，乾脆將陳女列為拒絕往來戶。③

有人戲稱，女性找對象要「三高」：學歷高、收入高及身材高高的，年紀當然要比女方大，這樣的「向上婚配」，學術界稱為「婚姻斜坡」現象，這樣的婚配框架至今仍在。不過，近年來隨著經濟環境及價值觀念的變遷，台灣的婚育現象也有很大的改變。愈來愈多的青年男女傾向婚嫁只是人生的「選項之一」，而有晚婚，甚至不婚等情形，其中，尤以高學歷族群最為明顯。台灣職場高度繁忙、生活節奏太快，加上社交文化貧乏，因此有許多的人不是不想結婚，而是碰不到適當的對象外，也有人寧可選擇「自由」而不願進入婚姻，當然也避免生養子女，其中也有一些人因為經濟難以獨立，而選擇繼續「賴」在父母的家。這種不婚、不生、不立等「新三不」現象的形成，有經濟因素、有社會因素、還有傳統及現代價值的掙扎，使之想像披上婚紗，與想像婚姻是兩回事的狀態下，台灣社會可說是已經進入了一個未婚族群的漫長等待期。

社會文化就是人與人方面的文化，這種文化通常表現在民俗（Folkway）、風俗（Custom）、民德（Mores）和制度（Institution）等各方面，這些屬於非物質文化的群體生活規範，我國古時叫做「禮」。「禮」，為社會生活之規範，以禮節之，則爲禮俗。俗先於禮，禮本於俗。禮俗云者，習俗之中有禮之成份，禮節緣於習俗也。在中國的傳統社會中，是以家族爲核心，其家族制度就建立在生子的觀念之上。所謂的生子觀念，它含有兩種的意義：一、爲生子養活，目的在求自我的生存，就是生子防窮，養兒防老。二、爲生子傳代，目的在求家族的綿延，就是傳宗接代，生子防絕。④在「防老」和「防絕」的兩種主要因素考慮下，而有所謂的男婚女嫁的習俗。古曰：「男大當婚，女大當嫁」。爾雅曰：「婿之父母曰婚，女之父母曰姻。」婚姻，由男女配偶，結爲夫婦，生兒育女，傳宗接代，所謂「人倫伊始」，「教化之原」是也。

中華民族的婚姻制度起源甚早。根據古代歷史記載，在三皇時代，人皇氏開始就有「夫婦之道」，此夫婦之道，即爲婚姻制度的開端。自周公制禮，三千餘年來，禮儀刪繁就簡，婚禮可分爲三個階段即婚前禮、正婚禮、婚後禮，婚前禮即訂婚，表示對婚姻的敬愼；正婚禮即結婚或成婚，表示夫婦的合體；婚後禮即成妻與成婦之禮，表婦順之意。在遠古時代的婚禮，婚姻是一種生物需要和社會需求，故古代婚姻有掠奪及買賣兩種：

掠奪：親迎必以昏者，則古代劫掠婦女，必乘婦家之不備，故必以昏之，後世沿用其法，婚禮因而得名。

買賣：「儷皮之禮，即買賣婚之俗也，後世婚姻，行納采、納吉、問名、納徵、請期、親迎六禮，納采、納吉，皆奠雁，而納徵則用玄纁束帛，所以沿買賣婦女之俗也。」

（劉師培全集）

在有關結婚方面，結婚的「婚」字，古時只作「昏」，後來爲了區別黃昏的「昏」字，所以在其偏旁加上「女」字，而爲現今的「婚」字。什麼叫做婚禮呢？東漢鄭玄在《三禮目錄》說：「士娶妻之禮，以昏爲期，因而名焉。」在《儀禮》的〈士昏禮〉中，又提到在「初昏」新郎親迎時，必須「執燭前馬」，可見古代婚禮是在黃昏舉行。目前，在台灣客家人的婚禮，已經隨著農耕時的「日出而作，日入而息」的習慣，已經改在早晨舉行。然而，福佬人的婚禮，則仍維持在傍晚舉行。在有關由母系制度到父系制度的演變方面，在人類的最初時期，子女只知有母而不知有父，而形成以女性爲中心的母系社會。其後，因時代演進，家庭職務逐漸變化，戶外勞動與戰鬥之工作，大半由男性負擔，而逐漸發展爲以父系爲主的家庭社會。在結婚的對象範圍方面，最初是以在界限以內範圍而選擇結婚對象者，稱爲內婚制。在界限以外爲範圍而選擇結婚對象者，稱爲外婚制。由於婚制界限因時、空之不同，而界限也不太一致，有以部落爲界限者，有以階級爲界限者，有以種族甚至國別爲界限者。根據「禮記大傳」記載：「繫之以姓而弗別，綴之以食而弗殊，雖百世而婚姻不通者，周道然也。」由上可知，大概我國在周代時，就開始採取所謂的同姓不婚情形了。在有關人倫、宗法制度方面，根據《周易・序掛》云：「有天地然後有萬物，有萬物然後有男女，有男女然後有夫婦，有夫婦然後有父子，有父子然後有君臣，有君臣然後有上下，有上下然後禮儀有所錯」。外，又根據《禮記・婚義》云：「婚禮者，將以合二姓之好，上以事宗廟，而下以繼後世也。」由上述之描述，大致可以推演出，婚姻含有繁榮子孫、保存家世和祭祀祖先等多重意義。

在客家地區，早婚現象比較普遍，在過去農業社會時代，習俗是男性十八歲至二十歲，女性十六歲至十八歲，便考慮操辦婚事。不過，在目前工商社會、文憑掛帥，以及人生七十已經不是什麼古來稀的大環境下，男子三、四十而娶，女子三十而嫁，已經不算什麼晚婚了。在客家的婦女婚姻方面，在過去，一生只准嫁一次，有嫁雞隨雞，嫁狗隨狗的現象外，男人可以一夫多妻，如喪妻可續娶，女子若喪夫，只能守寡，以守貞節。然而，在現今講求男女平等的時代裏，似乎改變了不少的古老習俗的同時，在法律上也增添了一些規定與限制。諸如在民法第九百七十三條規定：「男未滿十七歲，女未滿十五歲者不得訂定婚約。」民法第九百八十條規定：「男未滿十八歲，女未滿十六歲者，不得結婚。」在近親結婚之限制方面，與下列親屬不得結婚者，有「一、直系血親及直系姻親。二、旁系血親在六親等以內者。但因收養而成立之四親等及六親等旁系血親，輩份相同者，不在此限。三、旁系姻親在五親等以內，輩份不相同者。」至於，對於我國古代，常有所謂的「指腹爲婚」方面，也可聲請撤銷等之規定。

漢人的婚姻類型，主要可分爲嫁娶婚（大婚）、童養媳婚（小婚）和招贅婚等。在傳統農業社會的生活形態下，一般人都比較早婚，家長也鼓勵年輕人早婚，在這裏所謂的早婚乃相對於目前情況而言，大約是在二十歲以前結婚。在婚域方面，在早期男子的結婚對象，以同村、同鄉的少女為其找尋的目標。其後，隨著工商業以及交通事業的發達，女性嫁給同縣市及其他縣市或是他國之人的比例，則逐漸增加。至於，在結婚的儀式方面，一般除了遵循傳統的結婚儀式外，目前，還有所謂的公證結婚、集團結婚，以及宗教儀式的結婚。

一、嫁娶婚：

在嫁娶婚（大婚）方面，客家人的婚姻觀念，以傳統的「傳宗接代」為其主要目的。在求婚的方式方面，一般是由男方提出，女方總是羞於啓口談婚姻，而且有「一家有女百家求」的現象。在男女的相識以及往後婚姻的進行方面，媒妁自始至終均扮演著重要的角色。「媒」原是謀，有謀和異類使和成者之意。「妁」是酌，也含有媒的意思。因此，媒妁具有居間人的性質，是男女婚嫁的媒介。根據禮記曲禮：「男女非有行媒，不相知名。」禮記坊記：「男女無媒不交。」詩經南山：「娶妻如之何？匪媒不得。」等情形看來，在古代依傳統習俗，沒有透過「媒妁」方式所介入的「明媒正娶」婚姻，可說是一種屬於違反社會禮法的行為。在台灣居間撮合的人稱為「媒人」，如果是男性就稱為「媒人公」，女性則稱為「媒人婆」。這些媒人，往往具有「圓話圓成，扁話四方」、「媒人口，無量斗」、

「媒人不扯泡，婚姻唔得到」的本領。不過，也有一般人不願做媒的原因是，除了「媒人好做，狗屎好食」外，還有「不做媒人不做保，一世無煩惱」等現象。

在婚姻的決定方面，在古代大多憑著「父母之命，媒妁之言」的擺佈。在早期的選擇婚姻對象，是要求「門當戶對」，對於「同姓不婚」以及另有少數被認爲是同宗異姓如「張、廖、簡」、「余、涂、徐」等，不准通婚外，也有祖先因結怨仇而發誓，此後互不通婚，而其子孫也不敢破例的情形發生。在選擇女婿方面，普遍對女兒嫁出去後希望能夠安樂與幸福。在過去時代的考慮條件，首先考慮的是生存條件，是否有無家產？是否有權有勢？後，再考慮女婿個人的能力，諸如讀書程度的高低、是否有暗病、有無手藝在身、以及人品是否忠厚老實等，而根本沒有考慮所謂的男女自由戀愛之事。隨著時代的進步，男女同時出外打工賺錢的社會裏，開始有了從嫁「物」轉到嫁「人」的觀念時，諸如在忠厚老實上，又增添了許多新的內涵，如正直、聰明、有應變能力等條件外，對於男子的其他條件，也開始注重，有如性格要相投，教育水準要相近，高矮、相貌、年齡要匹配……等，均被列爲重要的考慮對象。相對的，在選擇媳婦方面，爲了保證生育、繁衍，在過去有「矮腳、臀大、乳房大」的不成文標準說法，他們認爲矮腳的女子生子多，臀大的女子，骨盆大容易分娩，乳房大的女子，生育時奶水足外，對於女方家長的生育情況也被一併做爲考量的要素，諸如丈母娘是否生育多？育兒成活率高不高？家庭中有無遺傳性疾病？長壽不長壽？外，做家娘的爲了減少往後和媳婦在生活上有過多的矛盾，因此在挑選、考察媳婦時，往往也考慮該媳婦是否能和妯娌和睦相處？是否尊敬婆婆等因素，也被一併考慮在內。

在結婚過程方面，在近代以前，一直是依循著出自《儀禮》的〈昏婚〉和《禮記》的〈昏儀〉兩部書所記載的六種婚姻過程儀式，被稱之爲「六禮」，其內容爲一、納采；二、問名；三、納吉；四、納徵；五、請期；六、親迎等六禮。其後，隨著社會的變遷，而有所改變，諸如在宋朝時，把它改爲一、納采；二、納吉；三、納徵；四、親迎等四禮。在清朝時，把它改爲一、議婚；二、納采；三、納幣；四、請期；五、親迎等五禮。⑤在日治時代，把它改爲議婚、過定、完聘、送日子以及親迎等五禮。在台灣光復後，又改爲議婚、過定、送日子以及親迎等四種過程。到了現今，由於不斷受到歐美自由戀愛之風的影響，婚禮儀式更形簡略，只有爲婚姻準備的「訂婚」以及完成婚姻的「結婚」兩個過程而已！外，也有所謂的訂婚和結婚同時舉行的情形發生。

今將在大陸的六禮，以及在台灣的婚禮過程簡述如下：在大陸方面的六禮，所謂的「納采」（說媒或有時把它說成合婚），是男方透過媒人持帖到女家所行的一種求婚儀注，若可，乃以雁爲禮，用雁有兩種意義：其一是以雁爲候鳥，來去有時，引申男女雙方信守不渝。其二是以雁行長幼排列，從不逾越，引申嫁娶長幼有序，不相跨越。「問名」（合八字），是請問女方的姓名以及出生年月日。如果雙方生辰八字相合，並無沖剋，則稱之爲「合婚」。「納吉」，是男方用金銀鐲環、衣裙、果餅行聘，云下定。一旦女方收下納吉禮，即表明雙方的婚姻關係已經確定，所以有的客家地區又稱之爲「小定」。「納徵」（定盟、送定、完聘），納徵指納聘財也。徵，成也；先納聘財，而後婚成。定盟是婚約成立的開始及結婚的約定，且要送禮金，俗稱「送定」、「小聘」、「攜定」、「小定」、「文定」，它通常是男方具書及餅餌、羊、豬、幣、帛、衣、釵等物，送至女家，此種儀式在客家地區，又被稱之爲「過茶」。「請期」（送日頭），是男方定下婚嫁日期，以徵求女方的意見，此過程在客家地區，又被稱之爲「送日子」。「親迎」（迎娶），是男方備彩轎、鼓樂、儀仗等到女方家迎娶的正式婚嫁儀式，爲婚禮中最受矚目的一項，它綜合了喜悅及嚴肅的兩種氣氛。⑥從上述的六禮，簡單說「納采」（即提親）、「問名」（即問生辰八字）、「納吉」（即雙方占卜合婚）、「納徵」（即男方將聘禮送往女家）、「請期」（即報結婚日子）、「迎親」（即接新娘）等的六個過程。

由於婚姻習俗各階層繁簡不盡相同，不過，在客家婚禮中，最特別的即是帶路雞、潑面盆水與掛尾蔗，俗稱「三寶」，後來亦演變成閩南婚禮中常見的習俗。今將過去在台灣的客家六禮過程簡述如下：

㈠說親：是男方請媒人到女方家說明男方家庭、男子年齡、品貌等。在過去，在納采之日，男方會請媒人帶著裏面放有全帖、盈門帖、婦人帖等拜帖的帖盒以及外裹紅線，內盛翠花（人造的金色紙花）二枝，兩旁襯以石榴、狀元紅（意謂祝子孫高中狀元，發達富貴）、柏樹葉（意謂長命百歲、糕餅十包的籮鬲到女方家說親。若女方父母同意，便進一步相親，謂之「探人家」。所謂的探人家就是女方父母請幾位親友到男方家觀看郎貌，了解對方家庭後，若滿意則會把女方的出生年月日（即庚書）送給男方，謂之「送庚」。男方得此庚書後，會恭恭敬敬的把它放置祖先神位之前的神桌上，燃香點燭，稟告祖宗。經過三天或七天，如果在家庭中，沒有發生官非、盜賊、傷害人畜、毀損器物或發生其他一切不順利之事後，即視該婚姻可以繼續進行外，有的保守家庭還會把雙方的出生年月日委託星命術士為之推合，如果雙方的生辰八字相合，並無沖剋，則稱之為「合婚」。否則，則請媒人將女方的庚書送回女方家，此婚事就到此，而宣告結束。

㈡送定（紮定）：是說親合適後，女方首先提出條件，要聘金若干，豬、酒、雞、魚、桔餅、糖果若干，農村加上米、豆、粉、麵若干的同時，男方則提出要妝奩若干，在雙方講定後，即用書面形式，稱「寫婚約」或「寫合婚字」，正面寫「文字厥祥」，底面寫「天作之合」，由雙方家長及媒人簽字畫押，各執一份，以為憑證。④定婚，客家人稱之為「過聘」。女方接受過聘的聘禮，表示婚約完全成立，在男家稱之為聘定，女家則稱之為許嫁。於定婚當天，媒人會陪同準新郎、準新郎父母、以及親戚等，前往女家，人數要合雙數，如六、八、十、十二都可以，其中以六人爲最普遍，因爲客家話的「六」與「祿」同音，取其諧音以沾其福氣之意。男方當天會帶去婚書（是用龍箋全圈寫成，作爲男家贈送女家的婚書，稱之爲乾書），以及過定的禮物，如定金（分爲大聘金和小聘金）、金器（如鐲子、項鍊、戒指等）、其他禮物（如豬、羊、禮餅、冬瓜糖、冰糖、茶葉一包或二包、桂圓、檳榔、閹雞兩隻、母鴨兩隻、喜酒、大燭、爆竹、紅蛋若干……等。）其中，也有包括送豬腳一隻（俗稱肚痛肉，以感謝女方母親生養之恩）的情形，到女方家。女方則把這些部份過定禮品，供奉於祖先神明案前，焚香祭告後，準新娘則由一位全福婦人導引出堂敬奉甜茶。此時，準新郎以及同來之人，就可仔細端詳準新娘的身裁、容貌以及舉止行動。當男家來客喝完甜茶後，準新娘則會再度出廳堂收茶杯時，準新郎就須拿一個大紅包及金器等，放在茶盤上，讓她收回，客家人就叫做「扛茶壓茶盤」，然後媒人就請女家主婚人出來收定。收定後，即開宴席款待來賓。宴後男方須送「阿公桌」（由男方支付女方所準備的酒席，古時稱爲「阿公桌」，現今稱爲「壓桌錢」）以及「六禮」（共有廚儀、攜儀、簪儀、捧茶儀、捧菜儀、盥洗儀等六禮外，也有人說是修容禮、接客禮、面盆禮、廚房禮、端茶禮、牽新娘禮等六個女方工作人員紅包）。當準新郎要離開女家時，女方會把部份男方送來的禮物，做爲「還禮」的禮物外，還要回復婚書（此婚書，是用鳳柬金圈寫成的婚書，稱之爲坤書）以及回贈六件，或十二件、十六件的禮物。在這些禮物中，其中必須包含女子生庚一件，其餘的則爲新郎的西裝料、襯衫、錶鍊、鞋襪、皮包……等。在比較周到的儀式中，當準新郎即將離開女家時，在大門口準新郎還會送給準新娘一個辭行的紅包，謂之「辭行禮」外，還須準備一個，當男方回家時必須給媒人的「媒人禮」。

㈢報日子：通常在結婚前一個月之前，男方會寫「謹詹於某月某日某時于歸吉」的拜帖，交給媒人，送至女方家，把接親的日期告知女方，叫做「報日子」的同時，媒人也會將尚未交清的聘金餘額送給女家，因此，又有「完聘」之稱。至於，在女方方面，倘若女方對於帖內註明的婚期無異議時，則會寫「謹依台命于歸」的帖子，交給媒人帶回男方。

㈣盤嫁粧：是在新娘出嫁的前一、兩天，會派且郎把衣服、鞋帽、手巾、梳妝台、桌椅、腳桶、尿桶、面盆、衣櫥、木箱、皮箱、門簾、綾羅綢緞、被褥毛毯、金銀手飾、火燭一對、象徵添丁的繡燈一對、子孫袋……等（其中，在子孫袋方面，有的家娘很在意這兩隻一擔大的紅布袋和一個小的紅布袋的有無。其原因是，大的一對紅布袋常被比喻爲「夫和妻」兩人，而小的紅布袋被比喻爲其「子」外，也有人說，兩個大的紅布袋被比喻爲其「子」外，也有人說，兩個大的紅布袋，分別是祖父和新郎兩代，然而小的袋子是指孫子，共有「祖孫三代（袋）之意」。）

送到男家。在此時，凡幫新娘搬運嫁粧禮物的且郎，都可自男家獲得紅包，稱爲「且郎錢」。

㈤**接親與送親**：在結婚的前一天，男方會請全福的老翁老婦依占卜家所占定的時辰安置新床，垂掛蚊帳。按照傳統習俗新床安置妥當後，晚上不得空著或一人獨睡，必須有一位男人或男童陪新郎同睡新床，直到結婚之日。在女方方面，在結婚的前一天，女子須請一位「好命」、「富貴」的長輩，用線拔除面毛，以兆吉祥，叫做「開面」。在結婚的當天，新娘必須早起，用抹草煮水洗浴，以避邪去污後，即穿戴禮服。在古時的新娘禮服，在富家方面是穿蟒袍戴鳳冠，而一般人家，是穿大紅長衫，披紅頭巾，頭插一朵鮮花。在現在方面，大部份是穿戴在禮服店所租來的西式禮服。在古時，迎娶時仍不行親迎之禮，而由媒人或新郎之弟代迎之。在迎娶的行列，大致如下：1.放炮者。2.子婿燈。3.媒人轎。4.新娘轎。5.八音隊。6.迎嫁者。7.禮品。在出嫁的行列，依序大致如下：1.放炮者。2.拖青（即一童子，曳桃枝開路，謂之拖青，取拔除不祥之意）。3.子婿燈。4.媒人轎。5.八音隊。6.舅仔燈（打燈轎）7.迎嫁者。8.嫁粧。9.新娘轎。10.隨嫁轎。11.子孫桶（腳盆）及馬桶（尿桶）。在民國初年，即日據大正時期之後，新郎開始穿西裝胸前佩花以爲禮服，並且開始有親迎之舉。在行列中，在新娘轎之前，多了一頂新郎轎，俗稱「雙頂娶」。迎嫁者大多爲六人。在日據末期，在行列中，不再使用樂隊，也取消了「打燈」的同時，在行列中，也看不到嫁粧，其原因是嫁粧已在前一日之前就送往男家了。在現今完全以汽車代步的時代，除了很少看到轎子外，也很少看到，和過去男方帶來的拖青，做爲前後防護的朱畫八卦太極圖的米篩。而目前大部份，僅在花車上圍上紅色綵帶及綵球，做爲新娘禮車而已。⑧

在日據初期時，在結婚當天，在臨行前，男方沐浴盛裝後，由主婚人陪至廳堂祖先牌位前禮拜下跪，奉告祖先，而後再請媒人上轎出迎。在比較近代的結婚儀式方面，男方須備雞、魚、香燭、喜炮、水果等，以敬奉女家的列祖列宗及各路神靈之用外，還須準備好分贈女方父母、弟妹以及親友，做爲答謝之意的紅包，其情形諸如有所謂的十二禮——廚儀、燃儀各二份，迎儀、書儀、祀儀、容儀、簪儀、裁儀、袂儀、粉儀……等十二個紅包的同時，也有所謂的六禮（①給新娘開裁新衣的「開剪禮」。②爲新娘化妝的「修容禮」。③幫新娘梳妝插花的「簪花禮」。④爲女家烹煮酒席的「廚房禮」。⑤祭祖點臘燭的「點燭禮」兩個⑥分送新娘姊妹錢的「探房禮」。等）外，有時還須準備請神禮、加冠禮、接客禮、面盆禮、牽新娘禮、媒人禮（不一定）、送嫁禮（不一定）、紅卵…等。當到女方家時，女方會燃放鞭炮迎接。在拜辭祖先時，新娘須由全福婦人牽引至正廳中央，在祖宗牌位前，由女方的族長及母舅「點燭」、「上香」、祝四句賀詞，其賀詞大致如下：

1. 龍燭光輝照廳堂，兩姓合婚名譽香，
   男大當婚女大嫁，雙竹透尾壽年長。

2.新婚誌喜結成親，點起燭火照天廷，
望得蒼天多庇佑，夫和妻順長久情。
3.吉日良時來娶親，點起龍燭照門庭，
今日過門從孝順，雙竹透尾發萬金。

在北部客家人，在新娘上轎前，還有象徵性的一同吃「姐妹飯」時，新娘先吃一口，緊接著由長輩說些以取吉利的好話後，兄弟姐妹依次象徵性的吃些東西，然後長輩開始分發姐妹錢，首先發給新娘，然後再發給兄弟姊妹。在女方送客方面，一般是由新娘的伯叔母、兄弟以及親友等組成，但人數一定要成雙數。在新娘出門前，須向列祖列宗以及父母親人跪拜辭別後，蒙上白紗（過去爲大紅頭蓋），由高壽、兒孫滿堂的至親牽引出正廳。前面須用表示「多眼」能看清楚四面八方，不怕任何兇神惡煞的米篩抵擋頭開路，並跨過置於花轎前面下方，表示能夠順順利利早生貴子的一大把筷子。在新娘上轎時，父母伯叔輩要送「上轎錢」的同時，並由女方德高望重、子孫滿堂的伯、叔父唱入轎歌。歌曰：「茶香酒香，子孫滿堂，百年偕老，五世其昌。糕子團團圓，十子九狀元。糕子帕呀起，養哩兒子入學又中舉。」歌唱完後，由男家前來迎親的代表將轎門鎖上，並貼上用朱砂所寫的某官某年某月某日吉時的封條。至於，爲什麼會寫上「某官」的字眼，乃是古代客家人都是中原望族，路上常遭強盜搶婚，由於強盜一般都怕官方所致。此時，轎夫就以茶酒灑到轎槓索上，並口誦贊詞說：「茶香酒香，千孫滿堂；夫榮子貴，五代同堂。」

女家要賞紅包給轎夫，叫做「小心包」。在新娘轎起程時，爲了提示嫁出去的女兒能夠善待夫婿、永浴愛河、白首偕老，不要再回娘家（指離婚），而有主持人（或岳母）「潑水」（稱爲行嫁水）在轎頂之舉（其故事，來自於會稽太守朱買臣，把一盆水潑在馬前，倘若其前妻能夠善待夫婿、永浴愛河、收回該盆水，就能破鏡重圓的故事）。新娘爲了不把娘家的脾氣帶到夫家，而有做「揮扇」或拋下扇子之別的舉動。當昔日以坐轎爲主的出嫁的行列，倘若在路上又碰到別人的結婚的行嫁隊伍時，雙方媒婆就要互換榕樹枝、紅花或錢，俗語稱「換青」或「換花」。當出嫁的行列到了男方家門時，會有好命者兩人佇立接燈，新郎則立於祠外，等候轎子的到來。當轎子抵達時，除了把榕樹枝拋到屋頂上，並且有鼓炮相迎外，新郎須用扇子敲擊轎頂，說是可以使神煞避去，其後，就揭開轎簾封皮之際，新娘要往外撒花生、棗子、栗子，以取得「早立子」的兆頭。當媒人開鎖，由七、八歲的小男童捧著內盛蜜柑一對或冰糖的盤子拜轎，新娘則會贈以紅包或禮物後，就由全福婦人導引新娘下轎。當新娘步出轎子時，媒人就將轎背的米篩遮蓋在新娘的頭上，步入新房。但也有人在此時是用「傘」代替米篩，尤其是用「油紙傘」，因爲油紙傘在台灣客家風俗裏是吉祥的象徵。由於「紙」和「子」諧音，而且「傘」字中有四個人，也象徵「多子多孫」之意。在油紙傘張開後，是圓形的，有「圓滿」之意。在新娘進屋時，須特別小心，不可踩到門檻，以免觸怒門神，罪及尊長，而帶來病患或倒霉之事。

(六)**拜堂、吃麵碗雞與喝交杯酒**：在古時，當新娘進入洞房後，要坐三件東西。當坐斗時就說：「坐下斗，斗量金。」坐籮時就說：「坐下籮，做大婆。」坐凳時就說：「坐下凳，身家大過縣。」自新娘「坐帳」後，依占定的時辰一到，新郎新娘就走到正廳，先拜天地，次拜祖宗，再拜父母，最後夫妻對拜。其中，值得注意的是，大部份的客家人，只有拜祖的習慣，而往往省略其他的三拜，尤其是在拜祖時，須由族中長老福壽雙全者及母家代表各一人，在燭面上畫有龍鳳，寫有「百年偕老，五世其昌」的龍燭上點燭，並致祝詞，其祝詞大致爲：

1. 點起龍燭最光榮，照見金雞對芙蓉，
   夫妻恩愛同協力，世代子孫永興隆。
2. 長命富貴永吉祥，點起龍燭照廳堂，
   夫和妻順從孝義，世代子孫出賢郎。
3. 龍燭光輝照廳堂，照見金雞對鳳凰，
   夫和妻順從孝道，子孫滿廳福滿堂。

在新郎新娘向列祖列宗上香行三拜禮爲：

一拜。一拜祖宗在高堂。

二拜。二拜乾坤福壽長。

三拜。三拜三元三及第。榮華富貴發其祥。⑨

在夫妻交拜後，即進入洞房休息。此時，在洞房內點著紅燭，在桌上放著雞肉、麵條和兩個雞蛋，以備新郎和新娘在吉時時，共同進餐之用。一般所謂的「吃交杯酒」，就是兩個蛋分盛兩碗，新婚夫婦各端一碗，互相交換，新郎先吃第一個蛋後，接著新娘手上的第二個蛋，往往也交給新郎吃。吃完蛋後，吊帳伯母就會撿起一顆糖圓放進碗裏，並倒一些酒去磨溶後，繼續用酒倒滿該碗，並叫屋內所有看熱鬧的人，每人均喝一口，來分享這種的喜悅。至於，在新床上所放的東西，也是相當的講究，民間一般會放貼有「喜」字的四個柚子，取其「柚子」與「有子」的諧音。在鄉間會放一個裝滿白米的紅斗，以及尺、秤、算盤、剪刀等日常用品，象徵婚後生活富裕，會劃會算外，另放一盞紅燈取其「添丁」之意的擺設。

㈦鬧房：鬧房有的有，有的無，已經不屬於上述的結婚儀式之一。一般在賓客宴散後，一些青年男女親友會進入新房，與新郎新娘逗樂，其情形諸如要新郎抱新娘咬紅花（紅包），新郎新娘合吃一顆糖……等。在有關新婚之夜鬧新房的「唱四句」方面，賀客們所唱的吉利四句，大致爲要求看新娘、勸新娘喝甜茶、要求新娘吃冬瓜糖、壓茶甌、稱讚新娘美麗、婚後生活幸福、子孫繁衍之句，今僅舉下列幾首如下：

根據廖祖堯老先生指出：*1.* 當親戚朋友向新郎要求「看新娘」時，所唱的吉利四句爲：「新郎生做好人才，夫生妻旦即應該，新娘是美不是醜，大家愛看隨我來。」*2.* 勸新娘「喝甜茶」時，所講的四句爲：「新娘暗暗爽，夫婿是將相，若是考文武，定著一筆中。」*3.* 要求新娘吃「冬瓜糖」時，所說的四句爲：「一對好夫妻，恭敬捧茶甌，不但要喝茶，亦要咬冬瓜。」4.在「壓茶甌」時，所說的四句為：「甜茶喝乾乾，揮袋落玄搔，紅包壓茶甌，新娘生生葩。」外，還有一些「唱四句」的祝福話語如下：

1. 兩手撥開芙蓉帳，素馨茉莉上牙床；
鷹爪交加同共枕，二人含笑到天光。
2. 一粒花生幾粒仁，八仙台上滿枝燈；
新郎今年行好運，出入平安遇貴人。
3. 四四方方一塊田，新娘修整十多年；
今晚新郎修整過，明年添個狀元郎。
4. 你叫我唱我就唱，唱出太陽對月光；
唱出麒麟對獅子，唱出金雞對鳳凰。⑩
5. 月光光，看新娘，新娘肚笥圓丁當，
今朝下種子，明年八月生出貴子滿天香。

(八)圓房：在有關洞房的掛帳方面，在古時當竹竿穿帳簾時，口中要唸「竹竿一捅，七古八弄」，其意思是通過這種模擬男女做愛的動作，希望能夠生下七男八女之意。至於，在有些地方在過去，還有所謂的「圓房驗貞」之俗，也就是在三朝回門之時，是否有隨送「燒豬」，以示新娘貞節完好的情形。根據嶺南對此舊俗，曾詠一首詩如下：

閭巷誰教臂印紅，洞房花影總朦朧；
何人為定青廬禮，三口燒豬代守宮。

(九)歸寧：回門舊俗是先由岳家父母具帖來請，屆期新婚夫婦備禮相偕回門。根據《中華舊禮俗》的記載：新郎第一次去探望岳父母，叫做「謁外祖」，也叫做「上門」、「轉門」，即是歸寧，俗稱回門、回娘家，客家話叫做「轉外家」。在傳統的客家習俗中，選定歸寧的日期不盡相同。有三日、四日、六日、九日、十二日、以及至滿月時，才回門等情形。在台灣方面，在日據後，以婚後第六日、九日、或十二日居多，如果沒有「邏三朝」，就在第三日回門。在光復後，多以第二日、第三日，或第六日回門，其中，爲了方便起見，以第二日回門者居多。在回門時，由小舅子先到男家來迎接新婚夫婦，而男家須送紅包給小舅子外，通常並帶著糕餅、酒之類的禮物，前往岳家作客。當新婚夫婦要返家時，仍由小舅子送新婚夫婦回家外，岳家會備有糯飯、帶路雞（祖婆雞）雌雄兩對、連根帶尾的甘蔗兩對、連蕉兩棵等具有象徵意義的禮物送給新婚夫婦帶回。由於，近年來爲了簡化結婚的過程，將回門時岳家要贈送給新婚夫婦的禮物，諸如以示具有光明、除穢黯、生命繁衍的帶路雞、以示堅貞有節而甜蜜的連根帶尾的「有頭有尾」的紅甘蔗、以示連招貴子的連蕉，以及送給男方親友，以示粒粒有情的檳榔外，有的人還把毛筆硯台，及稻穀、豆子、芋頭等種子，以示帶去讀書以及農產豐收的好種子……等禮物，一併於結婚當日就送往男家了。⑪

在現今的訂婚和結婚方面，在訂婚時，往往會在親友的讚美祝福聲中，在左手無名指上戴上戒指或簡便的交換信物外，還會分別贈送各親友一盒喜糖（餅），象徵通告諸親友有這麼一回事的同時，也讓諸親友們能夠分享他們的喜悅。在結婚時的婚禮程序方面，一般爲新郎與伴娶隨媒人乘車至新娘家迎娶，此時新娘乃身披羅帕，出堂接受新郎的獻花後，拜別女方祖先，話別女方家族，並在親友的護送下，與新郎一同登車，至男方家拜謁祖先，進洞房，攝影留念即成。至於，在宴客儀式方面，大致有如下的步驟：

1. 結婚典禮開始（鳴炮）
2. 奏樂
3. 證婚人入席
4. 介紹人入席
5. 來賓及親屬入席
6. 主婚人入席
7. 儐相引新郎新娘入席
8. 證婚人宣讀結婚證書
9. 新郎新娘用印（由儐相代理）
10. 證婚人用印
11. 介紹人用印
12. 主婚人用印
13. 新郎新娘相對三鞠躬禮
14. 新郎新娘交換信物（由儐相代理）
15. 證婚人致詞
16. 介紹人致詞
17. 來賓致詞
18. 主婚人致詞

19.新郎新娘謝證婚人一鞠躬（證婚人退）

20.新郎新娘謝介紹人一鞠躬（介紹人退）

21.新郎新娘謝主婚人一鞠躬（主婚人退）

22.新郎新娘謝來賓及親屬一鞠躬

23.奏樂（新郎新娘退）

24.禮成（鳴炮攝影）

二、童養媳婚：

在有關童養媳婚方面，所謂的童養媳或稱等郎妹，意同東北一帶的「小丈夫」，俗稱「新婢子」，一般是指女兒在未達成年或在幼小時，便被父母先訂了婚約，將女孩先送到男家撫養，做爲「小媳婦」，等到男女雙方當事人都成年後，再擇日完成其婚禮。其中，也有因爲沒有先生兒子，就先買了一個妹子來等丈夫因而有「抱在手上七斤重，放在床上一尺長。廿歲大姐七歲郎，夜夜睡目抱上床。等到郎大姐已老，等到花開葉已黃。」的情形發生。在古時，有位等郎妹，在家官家娘去世後，仍然撫養著一位小丈夫，每晚帶他睡覺，就像帶兒子一樣。有一天晚上，她就唱一首相當感嘆的歌說：

「十八姊嫁七歲郎，晡晡兜凳郎上床；
唔係看爾爺娘面，三拳兩腳打下床。」

隔壁叔婆聽到後就解勸說：

「隔壁孫嫂你愛賢，你愛帶大（丈夫）三五年！
初三初四蛾眉月，十五十六月團圓。有雙有對似神仙。」

等郎嫂就回答叔婆的話說：

「隔壁叔婆你唔知，等得郎大吾老哩。

等得花開花又謝，等得團圓日落西。

千金難買少年時。」⑫

在台灣社會，爲什麼曾經流行童養媳或養女呢？在收養者方面，其主要原因是過去貧苦之家，深恐其兒子日後無法成婚，於是就及早收養他人的幼女，做爲日後結婚對象的準備。在送養者方面，其主要原因，也是受到經濟環境不良，又加上子女眾多，負擔過重，除了可以減少舉行婚禮的費用，諸如在嫁娶婚中，嫁妝不僅可使女兒往後的生活有資憑藉，同時還象徵著女家地位，有時還可以補償其不理想的條件……等，許多的考慮外，在當時「女大當嫁」的傳統社會，提早把女兒「嫁」出去，似乎也是一種的良策。在有關童養媳的結婚方面，童養媳往往比一般人早結婚，大約在十五、六歲就結婚的人就有不少。在有關童養媳婚（小婚）的儀式方面，它通常選在除夕夜舉行，叫做「送做堆」。其原因是，這天人間的諸神都已回天庭報到，可以隨便些外，也有人認爲除夕那天的日子最好，不必再另外選擇所謂的黃道吉日了。在儀式方面，因人而異，沒有一定的標準，有的有拜祖，有的沒拜祖；有的有設宴請客，有的沒有設宴請客，似乎一切都以從簡爲主，不過，通常會在除夕日吃過飯後便同房，俗稱「合巹」或「圓房」的同時，還會增添一些的新枕頭和新棉被而已！

三、招贅婚：

在招贅婚方面，是一種男進女家的婚姻。此種的婚姻不限於親女、養女或養媳，都可以招贅。美濃流傳一句俚語——「招招招氣難消，三月兩月被人趕走，一付本錢又告消。」很傳神地描述了被招男性屈辱與無奈；他們還經常成為地方上人們茶餘飯後的嘲笑對象。因此，在父權尊嚴的強烈支撐下，一般入贅的男子大多迫於家庭經濟的困窘，並有女方家庭較為豐厚的財產作為前題，才願意「下嫁」。⑬在有關招贅婚的形成方面，其最主要的原因，是家中沒有男嗣傳宗，延續香火為主外，也有因需要勞動力的關係而招贅。至於，在一般招贅中，除了上述原因外，也有因第一任丈夫去世後，因子女尚年幼，而再招夫，來家結婚「打合同」的情形。在有關招贅婚的儀式方面，大多男方不出聘金，女方也無所謂的嫁妝，但男方可以繼承女方父母的財產。在有關招贅婚的子女姓氏方面，除了有隨父姓，以及隨母姓均有外，也有把子女分成幾個，分別隨父姓或隨母姓的情形。在財產的分配上，一般而言是冠父姓的男嗣吃虧，但也有在不同姓氏的兄弟中，享有同等財產分配的權力發生。至於，在祖宗牌位的問題方面，有的男方亦能在祭祀空間的分配上，取得同等的地位，使之原本一姓一堂的女方祖堂，變成了兩姓共一堂的局面。其配置情形，大致一種是兩父系各佔牌，另一種則是兩父系共同一塊祖牌，等兩種情形。

四、改嫁婚：

離婚婦女的再婚，過去在客家社會是不受尊重，甚至會受到歧視。其結婚儀式除了較簡便外，通常是不能穿紅衣，不能在廳堂正門走出，要提前一兩天離開原來的夫家，有的地方還規定要半路上轎，接親時間不能在晚上而須在白天……等的規定。⑭

五、寄禮：

寄禮不等於入贅，它可說是一種草率處理女兒終身大事，省了嫁妝，還多了人力的一種台灣早期特殊時空背景下的另類結髮盟。根據日治時期台灣人以田野調查方式所編寫的「台日大辭典」中，記述了並不多見的「寄禮」婚約習俗。入贅等同男性「嫁」入女方家，必須把戶籍遷入女方家，所生兒子要冠母姓，可分配女方的財產。寄禮則是男方與女方成親後住到女方家，由女方供應吃、住、穿等基本生活所需，男方則必須奉獻勞力，但不必遷入戶籍，兒女冠父姓，無權分配女方的財產，有如到女方家當長工，以後自立門戶後，再補辦大禮儀式，風風光光的把妻子迎娶回家。⑮

第二項：在生育方面

在客家地區的社會，由於受到傳統禮教，不孝有三，無後爲大的影響極深外，鄉人除了以多子多孫爲榮的同時，他們都希望家族興旺，有一個四世五世同堂的大家庭，因此在過去有關生育之事，一切順其自然，全無刻意節制生育的意圖，因此，在坊間流傳著許多有關生育的諺語，其情形，有如「早生貴子」、「多子多福」、「養兒防老」、「有子窮幾年，無子一世窮」、「有子就有媳，有媳就有孫」……等外，由於中國是屬於一種的父系社會，男性是繼承宗族的主幹，負有傳宗接代的重任，而在女性方面，當女兒長大後，即將出嫁的同時，還要付出巨額的出嫁費用，因而認爲女孩子是賠錢貨，而自然產生了重男輕女的思想，甚至在過去客家社會也曾流行「溺女」的慘事。

1. 懷孕：婦女懷孕，俗稱「有喜」、「有身妊」、「有哩子」等，而一般人們也有叫孕婦爲「四眼姉娘」之稱。客家人以爲一個人生下後，具備有「精」、「氣」、「神」三樣於一身，神就是人的元神，也就是人的靈魂。當婦女懷孕時，元神就存在於胎盤上，這時也就有了所謂胎神的存在。婦女在懷孕期間，一舉一動都必須特別謹愼小心，尤其應該注意「胎神」。因爲家裏的房廳門戶床廁磨碓廚灶等一切的物件，都與胎神有關，而且胎神每天所佔的地方不同，因此，尤其在孕婦房中，須禁止隨便移動器物，釘東西，修牆壁、門窗、屋頂，以及用針線裁製衣服，以免觸犯胎神，使之嬰兒變成畸形、殘廢或流產等現象。倘若孕婦過份操勞、跌倒動到胎氣或觸犯胎神時，應該及時設法安胎，其方法爲：在醫藥方面，須服用「十三味」或「安胎散」。在符咒方面，須買安胎符放於身上、床上或棉被下，或是把安胎符燒了灑在蚊帳上，或是把燒了的安胎符與鹽混合，沿著觸犯胎神的東西搬出路線，灑在地上。在習俗上，在有身妊的婦女，通常有不隨便去抱或撫摸別人的小孩，以免產生肚裏小孩夜臥不安寧的「爭花」現象。在懷孕第十個月時，常有親朋好友會在初三、十三、二十三等日，送蛋粉給孕婦吃，稱之為「催生」。

2. 做月日：婦人分娩叫做「輕」，過去普通都在家裏床上穿上「大肚裙」生孩子，而由「產婆」接生。當婦女分娩後，須把胎盤用紙包好，埋於自宅旁的土地裏，不宜隨便丟棄，被狗吃掉，此即為客家人稱自己的出生地為「胞衣跡」的由來。不過，現今大多數的婦女都到醫院去生產，沒有所謂對於胎盤的處理問題。婦女產後的一個月內，叫做「做月日」，生下的嬰兒，叫做「赤孩子」。婦女在「做月日」期間，除了頭裹羅帕保暖、夫婦不同床、洗臉洗澡需用開水外，須吃麻油雞酒補身體的同時，切忌洗髮，以免得「頭風」。自婦女生下小孩後，就會收到一些的賀詞。若是生子，就會收到天賜石麟、啼試英聲、玉種藍田、弄璋誌喜、德門生輝、熊夢徵祥、澤緜瓜瓞的賀詞。若生女，就會收到明珠入掌、弄瓦徵祥、設帨凝輝、掌上明珠、女界增輝、輝增彩帨、喜顏如玉的賀詞。若生雙子，則會收到雙芝競秀、璧合聯珠、玉樹聯芬、雙雄競秀、棠棣聯輝、花蕚欣榮、玉筍並茂的賀詞。

3. 洗三朝：嬰兒出生後的第三天，沒有夭折，而產婦也平安，就須備雞酒糯飯祭祖先及「床公婆」，祈求庇佑外，還會用桂花心、柑葉煮水，名爲「香湯」，並在盆中放下希望小兒「頭殼堅」（健壯）的三塊小石和期望使他帶來財運的十二個銅錢，然後從頭部洗到雙腳的「三朝洗兒」之禮。有人在此時，還會給嬰兒取個名字，叫做「三朝名」（即爲乳名）之由來。

4. 報婆綖與送庚：在十二朝時，須備辦肉圓、紅蛋、糖薑雞、酒等，送到外祖母家，稱爲「報婆綖」的同時，也須向媒人報喜。在外婆以及媒人會回贈東西叫做「送庚」的同時，一些的親友也會開始送些布、麵乾、雞或蛋等禮物給產婦。至於，在十二朝之後，有的人還會請算命先生占卜嬰孩的終身命運，俗稱爲「造流年」。

5. 做滿月：在孩子被生後一個月，做滿月時，除須祀神祭祖，稟報喜獲子孫消息，且在廳堂祖先牌位案前，用朱筆寫下嬰兒名字、出生年月日時於家譜上，來表示合法的香火承嗣外，還要「剃滿月頭」，並宴請親友的同時，外祖父母還會餽贈帶鏈八卦、背帶、衣服鞋帽等禮物，叫做「做滿月」。通常在做滿月時，對於參與吃庚酒的親友，一般是要送有上面寫著「長命百歲」或「長命富貴」等吉利話的紅包，送給嬰孩。此時，嬰兒的父母也會回贈紅蛋、肉圓或蛋糕給親友的同時，對於嬰孩而言，於此時始正式稱名外，嬰孩也才可以抱出大門。在有關孩子的取名方面，首先是考慮生男或是生女，在男性方面，常有人取××寶、××雄……。在女性方面，常有人取××妹、××珠……等。其原因是，在早期客家鄉親的取名，有看到什麼或想到什麼，就將子女命名爲什麼的隨性主義傾向。而在當代最常見的命名由來，諸如在女性方面，有金銀類：金、銀、寶、珠。植物類：梅、蘭、竹、菊、桃、李、桂、茶、蕉……。動物類：燕、兔、鵝。四季：春、夏、秋、冬。數字：一、二、三……九。天干地支：甲、乙、丙、丁、戊、己、庚、辛……。尤其在「妹」字的命名方面，非常多，根據「客家山歌特有名，條條山歌有妹名，條條山歌有妹份，一條無妹唱不成。」即可知曉。有人說用「妹」字是一種屬於約定俗成、內含敬稱之字，就好像日本女子的名字最末常用「子」，蘇聯女子名字常用「娃」字一樣，而客語中對未婚女子的稱呼就是「細妹」，因此，「妹」字就成爲女子命名時順理成章的用字了。其後，隨著時代的變遷，知識資源的不斷進步下，在命名方面，則考慮的更多，其情形有如：一、是根據顧名可以思義的方式，諸如取佛保、佛佑、阿佛、觀生、觀保、觀養、觀福……等，具有希望神佛、觀音能保佑孩子生長平安順利之意。在取新興、新旺、來福、來興、來發、來盛、慶寶、慶昌、勝昌……等，具有興盛得福之意。二、是根據出生的年、月、日、時，依照干支（其內有陰有陽、有五行、有四時、有方位、有生育、有相合、有相沖、有相生、有相剋）所排定的八字命理方式取名，諸如在金、木、水、火、土等五行中，倘若命理缺少金，就取金生、鑫盛……；缺少木，就取木生、阿森、秀森……等；缺少火，就取火生、阿炎、炎昌……等。三、是最近又興起須注意姓名筆劃的命名方式。

6. 百日：在嬰兒誕生百日時，通常會做一些簡單的慶賀時，外祖父母通常也會攜帶一些禮物來看看外孫或外孫女。

7. 周歲：在嬰孩滿一年時，除祭祖祀神，設宴款待親友（叫做「周際酒」）外，外祖父母還會餽贈鞋帽、衣服、玩具……等禮物，叫做「做對歲」。在這做對歲之時，有些人家的父母，還會玩些「抓周」遊戲，而在嬰孩面前擺些東西，若是男性，則會擺些書籍、筆墨、糕餅、酒壺、賭具、胭脂粉、錢幣、寶盒……等東西；若是女性，則會擺些剪刀、尺、針線、珠寶玩器……等，各有含意的東西，讓嬰孩來拿，以揣測這小孩的未來傾向，叫做試兒，又名「晬盤會」。諸如，如果小孩抓到筆墨，則被解釋爲，將來是要做文官；如果是男孩抓到胭脂粉，則被解釋爲，將來可能是花花公子；如果抓到的是賭具，則被解釋爲，將來可能是個敗家子。

除了上述的種種禮節外，在孩子的漫長成長過程中，也常把小孩託庇給註生娘娘、七娘、媽祖、觀音、床公婆等，遇到神明生日時，父母還會抱小孩到廟裏燒香，並把穿以銅錢的紅絲繩，掛在孩子脖子上，叫做「帶絭」。每年循例敬神，並且拿新紅絲繩換下舊紅絲繩，叫做「換絭」。此情形，直到十六歲時的七夕，再到廟裏脫去頸繩，叫做「脫絭」，表示小孩已經長成外，此情形，據說還具有象徵著「成年禮」的意思。

第三項：在家庭制度方面

中國人之倫理觀念，自古即重視孝道，所謂「百行孝爲先」。孔子有入則孝、出則弟之訓，由此觀念形成之結果，遂有大家庭制度之產生。

家庭是社會群體中最基本和最重要的一個單位。民族學上的家庭，是指共生產、共消費、共居處，其份子的關係則是由血緣、婚姻或收養等關係所組成。家族制度不僅盛行於客家地區，而且還普遍盛行於中國的其它各地。《白虎通・宗族篇》：云「族者何也，族者湊也，聚也，謂恩愛相流湊也。上湊高祖，下至玄孫，一家有吉，百家聚之，合而爲親。生相親愛，死相哀痛，有會聚之道，故謂之族。」客家先人在中原地區輾轉南遷的艱苦與險惡過程中，並沒有隔斷其原有的家族血緣關係。相反的，更增強了其血緣之間的相互照顧與扶持。日本學者茂木計一郎等，在參觀了大陸的土樓後，在《中國民居研究》中，無不感慨地說：「幾世同堂的大家族制度在中國是自古就可見的習俗制度，但像客家人那樣，……至今保持了富於共同協作的家族觀念的大家族制度的，想來是非常罕見的。」⑯在有關一般外國人對家庭的功能看法方面，根據荷頓（Horton）及亨脫（Hunt），將家庭的功能分爲有下列七種：

㈠性愛功能：男女兩性性慾的滿足，家庭是個合法的履行場所。

㈡生殖功能：家庭是生兒育女的地方。

㈢社會化功能：家庭爲兒童社會化的第一個亦是最重要的團體。

㈣感情功能：家庭是一個最親密的團體。

㈤地位功能：家庭中每一份子都有其角色及地位。如年齡、性別、出生次序等由家庭賦予。

㈥保護功能：家庭能給予其分子身體的、金錢的、心理的保護。

㈦經濟功能：在許多原始社會，家庭是基本的經濟單位，家庭成員工作在一起，享受在一起。家庭也生產一切必須的物品。⑰

在有關在中國大家族的功能方面，在不同的時期以及不同的地區，雖然不盡相同，但其主要功能，除了共同開拓原野、建築住屋外，有下列幾個重要的功能：

一、爲主持家族的祭祀活動，在有關大家族的祠廟方面，根據溫仲和的《光緒嘉應州志》卷 8，《禮俗》記載，在客家地區「俗重宗支，凡大小姓莫不有祠。一村之中，聚族而居，必有家廟」。祖祠既是家族凝聚全族向心力的議事、執法場所，也是整個家族尊祖敬宗的主要祭祀所在。在祭祀時，通常由族長主持，並分春秋二祭舉行。它所祭祀的對象，不限五服（己輩、父輩、祖輩、曾祖輩、高祖輩）之內的祖先，而是一直上溯至最早由北方遷入大本營地區的那一代始祖。除了在家有祭祀外，對於墓祀也相當的注重。

二、爲興辦族學，族內的幼童到了一定的年齡，都要進入從外延聘的教師或由族內知書達禮者所擔任的私塾，去讀書識字。

三、爲舉辦年時節慶、迎神賽會等活動，其情形有如每年在元旦、元宵節、端午節、中秋節……等，重大節日時，會有盛大的慶祝活動。諸如，根據明・嘉靖《惠州府志》，卷5，《地理》風俗條記載，在元宵節時，在各家族祖廟內，會有「張燈結彩，士女嬉遊達曙。放花燒爆，羅酒肴相聚爲樂，或作燈謎，俟觀燈者射焉」的活動。

四、爲調停排解家族內、外矛盾、衝突與權益糾紛，當家族成員與鄰近家族成員有衝突時，往往會由家族出面協調糾紛，至於在家族或家庭內部的矛盾方面，則會由該族中的長者，或是具有影響力的公正人士，去主持公道，平息雙方的矛盾與衝突。

在台灣的客家人方面，由於山多田少、交通又不便的總體地理格局下，使得客家人的傳統聚落，呈現出分散和零星的狀態。在各個分散、獨立的血緣家族內部，其家庭形態，大致可分爲核心家庭和擴展家庭兩種外，在其組成家庭的份子中，在過去還有所謂收養「養女」的習慣。在有關此風俗盛行之原因，大致有下列三點：一、是深恐其子日後無法成婚，於是及早收養他人的幼女，做爲其兒子日後的結婚對象。二、協助家事的操作，以及在出嫁時，可坐獲聘金的打算。三、是家中乏人繼承，乃抱養養女，以待他日爲之招贅之用。在所謂的「核心家庭」方面，它是指由一對夫妻及其子女所組成的家庭。在「擴展家庭」方面，它是指由兩對或兩對以上的夫妻及其子女所組成的家庭，但它通常在意義上，是指三代或三代以上同堂的家庭而言。在早期的台灣客家人，爲了共同開拓維繫生存的田園，房屋的修繕、興建，水利設施的興築，以至修橋、舖路等建設外，還要從事家族的祭祀及其他活動等工作，須要較龐大的人力配合，大多是處於生活在擴展家庭之中。在現今工商業時代裏，雖然仍有許多客家人，尤其是在鄉間過著三代同堂的擴展家庭生活，但絕大多數的年青一代，爲了出外謀生，以及在大都市的房地產又奇貴無比下，而不得不過著一對小夫妻與子女同住的核心家庭生活。

至於，在有關「樹大分枝」的分家方面，一般說來，它具有㈠實質的分開而另組一家庭。㈡財產的重新分配。㈢祖先牌位的分開以及分別祭祀等三項意義。在所謂的分家儀式方面，它通常選在農曆十五月圓之時，表示具有兄弟團圓之意，但也有另外請人擇日的情形。在分家的當天，較傳統的分家儀式，大多會請族內公親來主持，中午兄弟共聚午餐，用湯圓祭拜祖先後，父母會對兒子們訓勉一番，其情形有如：「從現在開始，你們要各自去發揮、奮鬥……」等話語後，除了保留父母的蒸嘗，也就是俗稱的「老本」外，將田地、房產、傢具、現款……等，分成幾份，用抓鬮方式決定各人所得的一份的同時，並將湯圓分給兒子們各一鍋，此即所謂的分家。在過去，在分家的當天或之前，媳婦的娘家，往往會送鍋、鑊、碗、盤、桌、椅……等日常用品，爲女婿「徑灶」，並祝賀他們家道興旺。在分家後，如果兒子們的工作地點離家不遠，年老的父母大多會在諸子之間有固定或不固定時間的輪吃或輪住等現象，稱之爲「吃伙頭」。在祭祖方面，在漢族社會因各家情況不同，有在公廳祭拜、自家祭拜、或用口頭呼請祖先回來接受祭拜等方式。一般說來，在客家社會的習慣方面，祖先牌位大多被供奉在祠堂或公廳裏，除非不得已，才將祖先牌位「塡出」，而自成一個家庭的祭祀單位。

第二節：慶壽

「壽」應該是指年高望重，子孫滿堂，或是對國家、社會有某種特殊貢獻者而言。曲禮云：「人生十年曰幼學，二十曰弱冠，三十曰壯有室，四十曰強而仕，五十曰艾服官政，六十曰耆指使，七十曰老而傳，八十九十曰耄，百年曰期頤。」

俗謂：「不是尋常之人，必定是具有奇異之生成；有大德行之聖人，必定得最高之年壽。」通常人活在五、六十歲以上，才有慶祝生辰的「做壽」之舉。在做壽中，在古時百歲曰上壽，八十曰中壽，六十曰下壽的分別。然而，現今也有人稱慶祝六十一歲，年周花甲爲下壽；七十歲，年達古稀稱爲中壽；八十歲以上，稱爲上壽的說法。在客家人的祝壽方面，它分爲兩種，一種是娘家爲女婿所做的生日，有兩次，一次是新婚後的頭一次生日，叫做「新生日」。另一次是女婿在三十一歲時所做的生日，俗稱爲「做三十一」。然而在另一種的祝壽方面，是在過去醫藥不發達，人生七十古來稀的狀態下，從五十一歲開始，就有人開始祝壽，並且每經過十年就慶祝一次的祝壽，叫做「做大生日」。也就是一般人所說的「五十杖家，六十杖鄉，七十杖國，八十杖朝」的說法。不過，也有人認爲未滿周甲有不得稱壽的情形發生。在有關祝壽的其他習俗方面，諸如有夫婦健在，則逢十一，即五十一、六十一、七十一、八十一……祝壽。喪偶者則逢十祝壽的情形發生外，又有「男做齊頭，女做出頭」的習俗，即是男人逢十，即 60 歲、70 歲、80 歲…，女人逢一，即 61 歲、71 歲、81 歲……時做壽。至於，一個人雖在五、六十歲以上，男人不是逢十，女人不是逢一的生日時，雖有設宴慶祝，但不稱爲做壽，而叫做「做生日」。在有關做冥壽方面，凡在六十一歲以前逝世之人，其子孫必須和他（或她）做冥壽。其方式和做陽壽一樣拜壽宴客，不過另須具備一些的冥間用品，以供祭祀之用。

在現今慶祝祝禱的辦法上，除有稱觴祝嘏外，有的還刊印紀念專輯、印行本人的著作、或是將所收的壽儀捐贈或興辦某種慈善事業等方式。在祝壽的期間，第一日爲暖壽，第二日爲正日，第三日爲酬謝執事，及遠道之親友。在壽堂的佈置方面，在壽堂上，往往有用金紙剪貼的大「壽」字，或掛有南極仙翁（男壽用）、瑤池王母（女壽用）、八仙慶壽圖、三星圖……等，象徵高壽的畫軸外，兩旁還貼有壽聯，並掛壽幛佈置的同時，在結有紅色桌幃的禮桌上，還陳設有壽桃、壽糕、壽麵、香花、水果等。在祝壽的儀式方面，它沒有一定的儀式，通常是晚輩賓客，向壽堂行三鞠躬禮，壽星也可定時出堂受賀外，也有壽星本人避居他處，此即所謂不敢遠勞親友祝賀的「避壽」情形。在新式的祝壽方式，是由壽星親手切開蛋糕，分餉賓客。至於，在客家較具有規模的祝壽儀式中，有告天地神開始，接著祀祖祈延齡、拜壽酒、拜壽桃、晉爵、晉帛、晉燭、晉禮、沃龍池、兒孫親朋拜壽、龍池畔嵩呼、奏雅樂、八仙獻壽、壽星進壽食、延壽贊、錫福贊、華堂彩耀、八拜壽星、祀灶、開生、植樹、放生（放烏龜及鳥）、送神祈福、望燎等二十四個程序。在壽宴方面，它與一般的喜宴差不多，不過該喜宴的第一道菜是麵條，叫做壽麵。廚師還要到席前加麵，叫做「添壽」。

在有關壽幛的題辭方面，有一個字的，如「壽」字，也有四個字的，如「壽比南山」等。在祝男壽通用幛語方面，諸如有松柏長春、松鶴延年、詩頌九如、南山獻瑞、壽域宏開、壽考維祺、壽山福海、仁者必壽、大德有年、鶴算龜年、壽考吉祥，南極星輝、極星拱壽、南山之壽……等。在祝女壽幛語方面，諸如有寶婺星輝、婺宿騰輝、婺煥中天、萱堂日永、瑤島春長、瑤池春永、北堂萱茂、萱堂集祜、蟠桃獻瑞、萱花永茂、璇閣長春、慈竹風和、慈竹增輝、慈闈日永、桃熟三千、瑞凝萱室、松鶴遐齡、懿德延年、王母長生、金母晉桃……等。在祝雙壽幛語方面，諸如有椿萱並茂、琴瑟百年、笙簫合奏、日月齊輝、鴻案齊眉、華堂偕老、雙星並耀、壽域同登、福壽雙輝、弧帨雙懸、極婺聯輝、松柏同春、福祿鴛鴦、酒介齊眉、玉液同斟……等。在祝男壽通用聯方面，諸如有「頌獻南山壽，祥開北海樽」、「松齡長歲月，鶴算紀春秋」、「身似西方無量佛，壽如南嶽老人星」、「三祝筵開歌大壽，九如詩頌樂嘉賓」……等。在祝女壽通用聯方面，諸如有「瑤池春不老，壽域日方長」、「慈竹蔭東閣，靈萱茂北堂」、「蓬壺春不老，萱室日原長」、「寶婺輝聯南極曉，斑衣綵舞北堂春」、「瑤池桃熟登瓊席，玉樹柯榮絢綵衣」、「風和璇閣恆春樹，日暖萱幃長樂花」……等。在祝六十歲男壽，有「杯歡北海辰初度，頌獻南山甲再周」、「春秋不老臻高壽，甲子重新晉古稀」。在祝七十歲男壽，有「一德傳家徵福祉，三千熟果祝稀年」、「盛世祥徵長壽宇，華堂慶衍古稀年」。在祝八十歲男壽，有「十里枌榆推老宿，一竿風雨待安車」、「西伯訪賢飛熊入夢，申公待聘駟馬來迎」。在祝九十歲男壽，有「桃實三千獻仙果，椿蔭九十駐春光」、「壽宇宏開圖陳百福，名楣喜溢頌獻九如」。在祝百歲男壽，有「稱觴共慶千秋節，祝嘏高懸百壽圖」、「期頤百歲稱人瑞，福壽雙全蔚國華」。在祝六十歲女壽，有「笑逐顏開桃花擎實，年徵耳順萱艸忘憂」、「萱花堂北周榮甲，桃實池西獻及辰」。在祝七十歲女壽，有「花甲重新晉十，萊衣競舞古來稀」、「鶴籌添算尊慈壽，兕酒稱觥祝古稀」。在祝八十歲女壽，有「上壽籌添春二十，西池桃熟歲三千」、「奉觴載進常珍酒，設帨多簪益壽花」。在祝九十歲女壽，有「蟠桃果熟三千歲，慈籌添九十春」、「慈壽延齡日增康樂，旬年屈指歲允期頤」。在祝百歲女壽，有「百歷延齡留晷景，九天華彩護慈雲」、「蕭引玉娥八璈具奏，筵開金母百歷長綿」。在祝雙壽六十歲，有「偕老歌詩祥徵六秩，同年益壽頌獻三多」、「繞膝含飴萊衣競舞，齊眉舉案花甲同周」。在祝雙壽七十歲，有「鶴算頻添七旬覽揆，鹿車共挽百歲長生」、「日月雙輝惟仁者壽，陰陽合德真古來稀」。在祝雙壽八十歲，有「弧帨同懸年齊八秩，極婻並耀光照千秋」、「鸞笙合奏和聲樂，鶴算同添大耄年」。在祝雙壽九十歲，有「凝眸極婺騰雙彩，屈指期頤晉一旬」、「鴻案齊眉諧伉儷，鶴籌添算即晉期頤」。在祝雙壽百歲，有「九世同居如木之長如流之遠，百年偕老吾聞其語吾見其人」、「孫子生孫五世其昌稱國瑞，老人偕老百年共樂合家歡」。

祝八十歲壽詩爲：

柳隄花港且徜徉，八十如君鬃未霜。

喜數鶴籌添海屋，快扶鳩杖出滄海；
才名自昔推三鳳，文采於今燦七襄。
此去期頤知不遠，百年還醉六千觴。
祝九十歲壽詩爲：
翩翩風度甚雍好，弧矢新懸瑞氣濃。
清酒留賓常十日，談經奪席已三重；
問年獨冠香山首，稽古休誇伏勝胸！
最喜稱觴集謝鳳，亭亭綠水立芙蓉。
祝百歲期頤詩爲：
玉露盈盈丹桂榮，欣瞻風度冠耆英。
彩雲常向歌筵繞，春酒頻將舞袖傾；
四代衣冠真接武，百年琴瑟喜同聲。
更看鳳羽聯翩起，應有蒲輪谷口迎。

第三節：喪葬以及洗骨改葬的習俗

在世界上的幾個文明古國裏，人民對於人類的生死，幾乎均有一套相當神秘的說法。古埃及人在尼羅河泛舟漫遊，他們觀看太陽每天上升、落下猶如一個航程，「在穿過死亡之國後，它在每天早晨復出，重新充滿活力！」這種日出日落、循環往復的過程，啓發古埃及人的生死觀，死亡象徵向新生命過渡的旅程，來世是個旅程。放置在墓葬區最前端的「亡靈書」，無異是這場來世之旅的「旅遊指南」。「亡靈書」或稱作「重見天日書」，其實不是一本書，而是圖文並茂的長卷，詳述往生者進入冥界之後必經的階段和各式「通關密語」。根據後人分類，在最完整狀態下，「亡靈書」包含一百九十二個篇章，並描繪通往來世之旅各個階段最重要的關卡，俗稱爲「最後的審判」的「稱心儀式」是亡者能否進入樂土的關鍵。這場審判的主審官是冥王歐西里斯，另有四十二位陪審神明，亡者除了得交代一生所行，還得通過「稱心儀式」——在天平的一端放一根羽毛或瑪特女神的雕像，另一端是死者的心臟，兩者必須平衡，無罪者獲釋得永生，否則一隻專吃死人的怪獸會吞噬亡者，讓他二次死亡的說法。⑱在中國方面，對於人類的生死方面，也有一套的說法，其情形大致爲：福壽康寧，人所同求；疾病死亡，世不能免。喪葬，乃是人生在世的最終歷程，也是自然界的新陳代謝作用。在「愼終追遠」的禮俗下，雖有「一鄉一俗，一彎一曲」之分。畢竟原則相同，南北無別，都須經過入殮、置靈、打齋、祭奠、出殯及服喪等過程的同時，在中國古代認爲人是由「魂」（精神）與「魄」（軀體）組成，人死就是魂魄分離，當時是重魂而輕魄，因此葬禮是藏形（魄）於土，迎精（魂）而歸，並在家中立神主以安其魂。

一個人生命的結束，代表了親人的天人永隔，不論古今中外，都被認爲是一件大事，因而自古以來，爲人辦後事的喪禮就十分隆重。其目的，除了一則爲死者送終，二則以慰生者遭逢家人他去的哀慟外，也藉著喪禮的儀節，讓生者以爲死者的靈魂已經到了幽靈世界的同時，隨著喪禮的進行，而讓生者也能逐漸忘去心中的憂傷。在我國《儀禮》中，就有〈士喪禮〉、〈既夕禮〉、〈士虞禮〉等三篇來說明喪禮，此足以說明我國自古以來，儒家文化對喪禮就十分重視。不過，它在過去農業社會的大家族裏，經常爲了父母的喪葬，有葬務從厚，禮務從奢。豐富筵宴，醉飽靈側，鼓樂奠別……等乖常之舉。因此清人楊瀾曾對於脫離「哀」、「儉」二字喪葬原則，給予猛烈的抨擊爲：「……送死必極奢，酒席尤豐。稍不如俗，群斥爲不孝。中人之產立破。士大夫知其非而於俗，議不平異……彼豐於酒食，幾等樂憂，不但破家親，必非孝也。」（《臨汀匯孝．風俗》）上述這種弄得傾家蕩產現象，固然是一種不良的習俗。但現今工商業社會，對於養生送死的問題，似乎又顯得太過澆薄。現今將一些與人死有關的名稱方面簡述如下，諸如人死在床上稱「尸」，下棺稱「柩」。到親友家報喪稱「訃」，到親友家慰孝稱「唁」。在古時帝王死稱「崩」，諸侯死稱「薨」，大夫死稱「卒」，士人死稱「不祿」，庶人死稱「死」。在三十歲以下死叫「夭」，二十歲以下死叫「殤」。父亡母在稱「孤子」，母亡父在稱「哀子」，父母均亡稱「孤哀子」。詩經云：「無父何怙，無母何恃。」怙恃是指依靠之意，所以父死叫「失怙」，母死叫「失恃」。又禮記云：「生曰父，死曰考；生曰母，死曰妣。」「考」者成也，已成事業；「妣」者媲也，可媲匹父親。

在古代的治喪過程中，有一、襲；二、撫棺而哭；三、殯；四、虞等四種的過程。所謂的「襲」，是爲剛去世的親友襲上布幔，表示親友雖已去世，但又似乎靜睡在家的感覺。「撫棺而哭」，是靈柩在堂，親人總以爲死者還在堂上，但是已經無法再見到，只得撫棺而哭。「殯」是指靈柩在堂，生者有爲死去親人晨昏定省、早晚喪哭，並有逐漸療傷之意。「虞」，是安葬以後卒哭的意思，也就是死者暨已安葬，正式到了陰間的世界，而生者也應該停哭，以過寧靜的日子。⑲在與死者的關係方面，由於人有親疏的關係，因而在使用喪服方面，有五服四等的分別。五服，即斬衰、齊衰、大功、小功和緦麻等。所謂的「斬衰」是粗麻不縫邊，三年的喪服。「齊衰」是細麻縫邊，一年的喪服。「大功」是九個月的喪服。「小功」是五個月的喪服。「緦麻」是三個月的喪服。在「四等」方面，即正服、加服、降服和義服等。正服是子爲父母。加服是孫爲祖父母。降服爲姊妹服，如已出嫁，降一等，只服「大功」。義服是爲母妗，業師本無服，以其情義而服之。古時，以財物助喪謂之「賻」，以車馬助喪謂之「賵」，以衣斂死者之身，謂之「襚」，以珠玉塡入屍口，謂之「琀」。問終曰「弔」，祭死曰「奠」。送人出喪稱「執紼」，駕起靈柩稱「駕輀」。卜到吉地稱「牛眠」，把棺木葬下墓穴稱「窀穸夜台」，封土成墳稱「馬鬣」。四時祭祀的名稱，春祭叫「礿」，夏祭叫「禘」，秋祭叫「嘗」，冬祭叫「烝」。……等，相當多的專有名詞。

在客家人的習俗方面，除了遵守並增添一些諸如死者不能穿著生者衣飾，以及死者不得穿著皮鞋入土等，繁瑣而又複雜的以「送終」爲中心、「殯殮」爲中心以及以「安葬」爲中心的三大階段喪葬禮俗外，又有所謂的長盛不衰的「二次葬」習俗。其中值得注意的是，一般客家人有停屍兩個星期左右的早早埋葬的習俗，而不像閩南人，有放置七七（四十九日）或百日的情形。其原因不外是除了經濟因素和有早日「入土爲安」的觀念外，而且又有「二次葬」的關係，不須像閩南人，須花較長的時間去找尋吉地，然後才選擇出殯日的關係所致。

第一項：在喪葬方面

子曰：「父母者，生、事之以禮；死、葬之以禮；祭祀之以禮。」當人病危無法救活，被抬放於廳堂，叫做「出廳下」。擺放的位置是「男左女右」。

1. 著壽衣：當病人垂危之際，便將事先準備好的「壽衣」給病人穿上。在過去有所謂的「上六下四」之說。「上六」，即是上身要穿六重衣衫，表示六六大順。「下四」，取其「能夠下世」諧音，即下身要穿四重褲子，夾衣褲可算兩重外，還要穿鞋、襪，戴手套以及男士須戴帽子等。至於，在男人所戴的帽子方面，無論冬夏，大多是戴冬帽。
2. 送終：兒孫們看著他（或她）最後斷氣，被認爲是老人最大的福氣。當病人彌留之際，除了在家的女子要守候在床前外，由於送終是生與死的訣別，在出門在外的親人也要設法趕回來，聆聽他老人家的最後遺囑，或是見上最後一面，俗稱爲「奔喪」。在老人家壽終後，在古時須「男子解辮髮，婦女撤簪珥。衣反穿，跣足而哭，婦人不跣」外，在過去又有所謂的到河邊向「河伯」買水淨身之舉，其取水方法是「即用侍者一人，竹筐掛燈，盛香燭，告於河神。主人以下跣笠哭從，投銅錢三枚，以新瓦罐汲水而歸，曰買水」。用水替死者洗面、擦身叫做「沐屍」。沐屍後，如果是男人就要理頭髮，如果是婦女，就由媳婦們爲她梳頭、擦粉點紅、戴上手環耳鈎的同時，燒紙轎、焚冥紙，並請些道士爲他（她）「開路」送終。

3. 報喪：在派遣族奔告親戚稱爲「報喪」。如果死者是男性，則一般是向五服之內的親屬報喪。如果死者是女性，則是要「啓蒙告外（娘）家男女」。在訃告的方式方面，大多是口頭報告，在其內容方面，一般是包括死者的生卒年月日、享年多少歲、死因以及祭葬的時間和地點等。至於，在五、六天後，開始寄送給親友的訃聞內容方面，除了包括上述的內容外，還有遺族親友名單、治喪委員會名單、死者的遺照、以及生平事略等。其中，值得注意的是，在訃文中，一般稱女性都用「太夫人」，在客家的訃文中，在女性方面，也有人把她稱之爲「太孺人」外，一般父死寫壽終正寢，母死寫壽終內寢。若死者在六十歲以上，方可寫陽壽，至於，低於六十歲以下者，只可寫陽年，不可寫陽壽。在訃文的顏色方面，在一般喪禮中，「白色」代表悲哀、痛哭和死亡，所以喪禮的禮儀大多用白色來表示外，不過，目前在台灣，爲了尊重或區別活得更長壽的老人，諸如年齡在八十歲以上者的去世，是用粉紅色的訃文，在活到九十歲以上者的去世，是用紅色的訃文等現象。

4. 擺孝堂：父死曰嚴制，母死曰慈制（貼門外男左女右）。忌中二字亦可。如孫主喪，則貼家祖喪制、祖母喪制。在正門結白布封門。若父母俱亡，則用全封，長度勿達門檻。倘若有一人存，則用二開（二片）（男故左短七寸，女故右短七寸），不論年齡以白色爲主，不過，現今在八十歲以上去世者，改用粉紅色亦可。在堂上，若有奉祀神位時，須用米篩或紅紙遮蓋。在喪家的左鄰右舍方面，須在其牆上貼上紅紙，以示吉門之意。至於，在遺體方面，在遺體前須掛白布，擺香桌，桌上放有靈位牌和遺像，請和尚或道士唸經外，在死者腳下，供有上置鴨蛋（由於卵有圓滿脫俗之意），並插有筷子的一碗飯，俗稱爲「腳尾飯」，用來表示死者像生前一樣照常飲食之意的同時，在近死者的頭側邊，還須點一盞小燈，叫做「點頭燈」，以便死者照冥路之用。

5. 小殮：在小殮，即入棺時，要選擇吉時爲之。所謂的小殮，是在棺木內舖放一寸的黃紙，然後將屍體抬入棺內，頭墊菱角枕，左手握中扇，右手握桃椊串的粄，叫「打狗粄」，口須含用紅紙包好的硬幣（古時用龍銀），俗稱「含口銀」（古禮天子含玉、諸侯含珠、大夫含米、士含貝，貝即古時的錢）。接著將至親所送的冥席蓋上，俗稱「蓋面被」。然後，依其須要，將陪葬物如煙筒、酒尊、枴杖、梳子、照身鏡（適女性）……等，放於屍旁，並用銀紙充滿填實，再用冥席蓋之。

6. 大殮：在大殮，即蓋棺時，要選擇吉日爲之。在大殮開始前須敲打銅鑼三響。倘若死者是男性，則由族內父兄主持；倘若死是是女性，則由其娘家父兄主持。在主持時，先由主持人以小鐵釘串五色布釘於蓋頭，然後，由孝子孝孫之代表，用口咬起置於靈位前的香爐內，俗稱「子孫釘」；以四枝粗釘，釘於四角，俗稱「四支釘」。在此封棺之時，須唸如下四句：「一釘，添丁及進則。二釘，福祿天降來。三釘，三元生貴子。四釘，子孫滿廳台。子孫釘。子團圓。子孫富貴萬萬年。」或是唸「入殮蓋棺吉良時，金童玉女等候你；接到西方靈山去，極樂世界永安居。」外，有的執行者或道士還會在口中唸著：「晚上靈魂回家要輕手輕腳，不要驚嚇後生子弟」等語。在大殮以後，靈前每日三餐必須供茶、飯，並備有面巾、盆水等。

7. 成服奠祭：客家喪俗有「毋過黃河心毋死，一過黃河死了心」的一句話，是說人死靈魂首先須經過那又寬又深，巨浪翻滾的黃河。因此，在出葬前，親屬得誠心誠意的爲他（或她）做道場，求得觀音菩薩的慈航，讓死者靈魂能夠安穩地渡過黃河外，客家舊俗又認爲女人死後，必入地獄血盆內受苦，若要使女人死後靈魂不受此折磨，孝子必須請和尚唸經做「血盆勝會」，如此罪女就可超生佛地了。⑳在有關成服奠祭方面，成服奠祭，俗稱做齋，又名「做道場」（佛事），是由宋朝佛教盛行以後才有。其主要程序，有告靈、告祖、題諡、祭麻。其中，題諡就是替死者取個能夠代表其一生言行的陰間名號。祭麻就是在長輩的授與且須看好時辰，在靈前穿麻衣戴孝的儀式。在延僧誦經超渡亡魂方面，在古時帝王官府，有做七七四十九日的齋。然而，一般人民有做一日、二日、或三、四日者，其不及一日者，謂之「救苦」，其意思是：「其父母有罪，本當受苦，今請和尚唸經，請求佛爺打救，並燒些紙錢來贖罪外，並爲他提供一些陰間的費用。」

8. 治椁：是對墓葬之地，進行開挖、修整。它通常是在營葬之前一天或幾天前爲之。在所開挖的場地方面，是相當的講究「風水」。其情形，有如在墳後要築「地墳頭」，承接「龍脈」，墳前要築半圓形的「地墳塘」，以及墓碑前要有「祭台」等的造型。

9. 鬧喪、普渡與場地安排：通常在出殯的前一天，就開始有奏哀樂或鼓樂喧天的排場活動外，在晚上時，還有替死者普渡眾生的祭祀活動。在普渡後，立即把鮮花、果盆、弔輓對聯、花圈等，隨著祭壇，做適當的安排與佈置，做為第二天的告別式場。其中，在有關弔輓對聯的佈置方面，有因關係的親疏而有所不同，其情形，諸如有祭弔政界、學界、軍界、農界、工界、商界等各階層的輓聯用詞外，也有因關係之不同，諸如祭弔祖父母、父母、伯叔父母、胞兄弟姊妹、嫂嫂、弟媳、兒子、媳婦、姪兒、姪女、丈夫、妻子、堂兄弟姊妹、外祖父母、舅父母、外甥、外甥女、姑父、姑母、姨丈、姨媽、太岳父母、岳父母、女婿、姊夫、妹夫、表兄弟姊妹、親家父、親家母、結拜兄弟姊妹、義父母、業師、師母、同學、學生、朋友……等的不太相同用詞。在一般常用的四字輓老年男喪，有福壽全歸、範典永垂、碩德永昭、道範常存……等。輓老年女喪，有駕返瑤池、母儀垂範、懿德流芳、慈竹風淒、女宗安仰……等。輓中年男喪，有音容宛在、哲人其萎、千秋永訣、懋績永昭、英靈永在……等。輓中年女喪，有永懷賢母、持家有則、彤雲流芳、流方千古、母儀足式……等。在輓聯的對聯用詞方面，諸如輓祖父聯，有「一夜秋風狂摧祖竹，三更涼露淚灑孫蘭。」輓祖母聯，有「慈訓長昭謹守燕謀毋或失，深恩未報情陳烏哺永難忘。」輓父親聯，有「搶地呼天靈椿長逝，椎心泣血風木同悲。」、「空留惆悵柔腸寸斷哀思無限永難忘，那堪父親永難人世劬育恩深憾未報。」輓丈夫聯，有「今失依靠落寞孤寂滿懷惆悵，同甘共苦胼手胝足無限感傷。」、「今失依靠落寞孤寂滿懷惆悵，同甘共苦胼手胝足無限感傷。」輓母親聯，有「終天惟有思親淚，寸草痛無益母靈。」、「反哺未能忽聽慈烏啼夜月，荻灰空畫難將寸草報春暉。」輓岳母聯，有「半子荷深恩玉鏡台前承色笑，一朝悲怛化璇閨堂上失慈暉」輓叔父聯，有「白馬素車愁入夢，青天碧海悵招魂。」輓胞弟聯，有「同氣遽分途原隰秋風魂不返，異時誰共被池塘春草夢難通。」……等，這些子孫輩、親族輩、政府官員、各級民意代表、朋友等，所寫給死者的弔輓對聯，均須做個妥善的安排。

10. 安葬：所謂的安葬即是出殯，俗稱「還山」。在出殯的當天，有「家祭」和親朋好友的「公祭」儀式。在家祭方面，其程序大致為：1.遺族引爐（轉柩）。2.襄禮者就位（禮生）。3.奠禮開始（指名）。4.奏樂。5.遺族上香。6.道士召靈（法師誦經）。7.護喪夫（妻）拜奠。8.內外孫拜奠。9.新媳（孫媳）拜奠。10.義子女（媳)(孫）拜奠。11.親族拜奠。12.親戚拜奠。㉑其中，在行三獻禮中，有由執事者率孝眷繞祭品自桌三繞三退，需費不少時間，此儀式對老一輩的人比較通行。對年輕一輩的人則多持反對的態度，有日漸式微的傾向。在公祭方面，其程序大致爲：1.祭禮開始。2.全體肅立。3.主祭者就位。4.陪祭者就位。5.奏樂或奏哀樂。6.上香。7.獻祭品（獻花、獻果、獻酒）。8.報告故人生平事略。9.讀祭文（宗親、親友、長官、民意代表、士紳……等）。10.各團體公祭。11.唁文（電）代讀。12.遺族謝詞（並聲明有否準備餐點遺薦）。13.來賓拈香。14.禮成。15.奏樂。其中，在讀祭文方面，其情形大致如下：

壹：家屬讀祭弔文：

一、母親的呼喚！

親愛的母親：

媽！自您臥病以來，內心的感傷，莫可言宣，您靜靜的躺在床上，受病魔的煎熬，強忍身體的傷痛，默默的承受一切病痛！

媽！您一生勞碌，操持家務，逆來順受，從無怨言，您一生篤信佛緣，寬以待人，嚴以律己，看盡世態炎涼，忍世間難忍的事，多年來子女的煩惱一肩挑，教育子女，潛移默化，身教重於言教，您那堅強的毅力，過人的智慧，含蓄的內在美，代表母性的光輝。

半年來病痛的折磨，看您疲倦的眼神，老邁的身軀，無助的躺在床上心痛不已，白天內心的寂寞，日日期盼子女的早歸，雖爲輕聲的問候，至感慰藉，每每憶及此情，徹夜難眠，內心的悲痛，不言可喻。

當您離開的前夕，痛苦的呼喚，子女的不孝，未能隨侍在側，次日您竟默默的與世長辭！

天啊！噩耗傳來，晴天霹靂，上天何以如此苛待我母親？媽！當您大殮時，慈祥的面容，半閉的眼瞼，令人無限的感慨，您的千言萬語卻無從交代，您有太多的願望未能實現，似有萬般的無奈，子女含淚相送，但親痛仇快的情景，永遠難以磨滅！望您在天之靈！保佑子女，母親！安息吧！母親！

兒○○敬拜

二、感念阿公一生慈祥與關愛的追思

親愛的阿公：

猶記得前不久的過年期間，曾多次去醫院探望加護病房的您，那時病情尙稱穩定，大家都說您的情況逐漸有好轉的跡象，年後還轉入普通病房，正以爲有好轉希望的時候，卻突然傳來令人難以置信的噩耗，真不敢相信這是事實，已經九十一歲高齡的您，竟然就這樣與世長辭，相距不過匆匆數天，竟已是天人永隔的別離……

回想起過去的一切種種，您的慈愛、您的關懷，祖孫共處的時光是多麼令人懷念，您一向是家庭中的最大感情維繫、精神寄託，即使今天，您必須遠去，您的的身影和恩情，都將是我們永難忘懷的思念。

印象中的您，是一位非常重視家庭、關心家人的慈祥長者，出自天性的關懷，您把一生的心血全都投注給這個家，付出您的全部精神來愛護家人、關心地方，悉心培育子孫，熱衷鄉里事務。在這之中，尤其令我印象深刻的是您對於祭祀、敬祖等事務的重視和虔誠，總是事必躬親，帶領子孫身體力行，時時以身作則提醒家人慎終追遠、惜福知足的重要。從你慎重、恭敬的態度中，我們深刻的體會到了您治家的用心，對於傳統禮教的尊重，以及為子孫設想長遠的用心良苦。

因為沒有長期住在一起的關係，孫子輩的我們和阿公實際相處的時間並不多。雖然如此，但我們都能清楚的感受到您的關愛，與期望子孫早日成龍、成鳳的熱切心情，每逢年節回到這裡，您總不忘語帶關心的詢問我們課業上的進展，生活上有沒有什麼問題，並殷切的叮嚀我們讀書、做人的道理，期勉子孫們能夠力求上進，發揮所長，在學業、事業上有所成就。雖然仁慈的您從不多說，也不曾對頑皮的我們發過脾氣，然而，卻在言行舉止之間不經意的表露出您的無限關愛與掛念。

感覺上，篤信佛教的您，總是一本虔誠的執著於敬神、祭祖的奉獻、熱心公益，也許就是因為在您的心中，是如此感激諸神佛的庇佑，讓家人能夠過著衣食無虞的平安生活，基於感恩，所以格外用心的希望能夠盡力做出回饋。如今，您的最後一程，就讓身為子孫的我們，敬上我們最虔敬的心意，為您一輩子的付出，獻上我們永遠不夠的感激與深深的哀慟。

孫女○○敬拜

貳：親友讀祭弔文

一、男喪通用祭文為：

維

中華民國○年○月○日。○○等謹以剛鬣牲醴之儀。致祭於

○公○○先生之靈。曰。嗚呼。天之生人兮。厥賦惟同。民之秉彝兮。獨厚我公。雍容庭宇兮。愷悌是崇。優游鄉里兮。禮義是宗。方期盛德兮。福履比嵩。胡天不佑兮。倏忽黃泉。悵望不見兮。追憶高風。備牲與醴兮。匍奠以供。冀公降靈兮。鑒我微衷。洋洋在上兮。來格來嘗。伏惟尚饗。

二、女喪通用祭文為：

維

中華民國○年○月○日。○○等謹以清酌庶羞。致祭於

○母○○太夫人之靈。曰。嗚呼。夫人之德。鍾郝流芳。夫人之譽。彤管休揚。早爲人婦。相夫有光。及爲人母。教子有方。待人以慈。內外皆康。持家以儉。巨細咸藏。豈期大數。遽夢黃梁。幽明永隔。實爲可傷。忝叨眷屬。聞訃徬徨。爰具牲醴。奠祭於堂。仰祈靈爫。是格是嘗。伏維尚饗。

在公祭完後，鳴炮，並由大鑼開路，各種儀杖花車，

僧尼樂隊先行。其次，爲靈柩，孝子孝孫隨柩而行，至於，親朋好友則跟隨相送。在出殯途中，領隊者會一邊放鞭炮（即連炮，目的在於驅趕孤魂野鬼）、一邊散紙錢，遇到神壇或渡橋頭，紙錢以紅紙捲起，這種禮俗稱爲「散路紙」；在墓地半路上，隨行的親友準備牲醴停棺祭拜，俗稱爲「路祭」。一般喪家在出殯當天還會以抹草泡水，供參加拈香、送喪的親友洗臉及手腳潔身，以袪除穢氣。在喪事已畢後，有的仍須繼續未完成每七日所做的一次拜靈，俗稱「做七」，在七七當中的「四七」俗稱「妹子七」，是由孝女備物祭奠。「七七」又稱爲「完七」。死者去世屆滿百日的祭拜，俗稱「做百日」。出服也叫「出孝」、「開孝」，就是喪家完成孝服。有開小孝、大孝之別。周年舉行祭禮，叫開小孝，古代周禮謂之小祥，孫兒輩孝服期滿。三年舉行祭禮，叫開大孝，古代周禮謂之大祥，兒女輩孝服期滿。㉒在台灣一般保守的家庭，一直要到對年或三年，乃除靈，其原因是，古時服三年之喪，是「報本反始」，以報答父母生我，所賜三年襁褓之慈愛的意思，然後才將死者神位放於正廳神龕入祀。每逢死者出生或去世之日祭拜者稱爲「做冥誕」，後者稱爲「做忌日」。其中，值得注意的是，客家人守孝是不別麻或黑紗，因爲客家人是以心帶孝，不同於閩南人比較外顯於外。

在談到有關「做七」之前，首先須了解一般人對於有關人死下陰間的認知方面，根據目連救母遊地獄的說法，有鬼門關、孽鏡台、剝衣亭、寒水池、油鍋獄、血池、滑油山、枉死城、鋸解獄、破肚抽腸、挨磨地獄、奈河橋、驅忘台（又名孟婆庄）、碓舂獄、阿鼻地獄等故事。在做七方面，一般在做頭七，所祭拜的對象是秦廣明王，二七是楚江明王，三七是宋帝明王，四七是伍官明王，五七是閻羅明王，六七是變成明王，七七（又名圓七）是泰山明王，百日是平政明王，對年是都市明王，三年是轉輪明王。在其陰間的狀況，相傳其大致情形為：

頭七來到惡狗村，惡狗如狼怕煞人；
為善之人仙童護，作惡之人不敢行；
靈魂嚇得心驚碎，惡狗咬得血淋淋；
在生常念彌陀佛，惡狗低頭不敢聲。
二七來到鬼門關，鬼門判官不容情；
在生不念彌陀佛，黃泉路上沒毫分；
為善放你人身去，作惡拷打不容情；
只見罪人身叫苦，冤家債主盡隨身。
三七來到宋帝王，披枷帶鎖響叮噹；
有罪推入獄中去，只望陽間後代昌；
若要地獄重放出，除非孝子食齋人；
齋戒三年完滿日，爺娘地獄罪脫身。
四七來到破錢山，破錢山下好艱難；
奉勸陽間燒錢紙，未曾燒過莫多煩；
亡魂接去無用處，將來積在破錢山；
思量地獄千重苦，事到頭來悔也難。
五七來到望鄉台，望見家中正做齋；

滿堂兒女披麻孝，六親眷屬盡悲哀；
要回家時回不得，悽惶哭到望鄉台；
低頭便把閻君拜，痴心還想放回來。
六七來到變成王，變成大王不敢當；
牛頭馬面來把秤，都是秤過善惡人；
作惡之人重一秤，爲善之人兩平分；
善者判福超昇去，惡者沈淪地獄門。
過了變成第六殿，孽鏡台前怕煞人；
勸君休要殺牲靈，皮肉知痛一般形；
與爾黃金千百兩，誰肯將刀割自身？
殺牲害命終有報，一身罪孽苦難當。
七七來到泰山王，低頭下拜泪汪汪；
死到陰司七七滿，再不放你轉還鄉；
鐵面閻君發慈憫，判官查薄甚分明。
頭帶長枷千斤重，夜裏押在門外停；
指望親人來相見，誰知押在門外停；
靈前白紙來燒化，夜子帶轉便登程；
亡魂只得哀哀哭，在生何不苦修行。
陽間不念彌陀佛，陰司路上沒人情；
早知地獄多受苦，何不當初苦修行；
地獄若要親人見，鐵樹開花那得生？
念得佛來光明現，永劫不落地獄門，
金童玉女來接引，堂堂大路往西天，
閻王天子來拱手，判官小鬼盡抬身，

靈山會上來掛號，判官簿內就除名。

不信修行成證果，但看世間貧富人；

富貴生前種多福，貧窮生前作孽深；

忙裏偷閒來念佛，龍華會上證尊名；

有人誦得七七卷，亡靈處處得超昇。㉓

在祭七時，覡公所唱用來安慰靈魂的招魂歌（即系勸酒的歌）方面：

㈠在一般通用的招魂歌爲：

1. 人死如燈滅，猶如湯潑雪；
若要轉還陽，水裏撈明月。

2. 渺渺黃泉路，冥冥地府關；
只見人多去，那見一人還。

3. 光陰一夢中，榮華總是空；
浮生能有幾，貧富一般同。

4. 人生大幻古今同，誰肯將身入夢中；
百歲光陰彈指過，一場世事轉頭空。

5. 人生百歲夢中遊，世事如同水上漚；
正得春光今轉夏，又經冬景換殘秋。

6. 人生大幻古今同，暫寄南柯一夢中；
適去適來皆是幻，方生方死總成空。

7. 靈前燭燄燄，不見亡靈面；
空燒一柱香，哭得肝腸斷。

8. 逝水東流去，南柯一夢中；
白雲風颯颯，何處是家鄉？

9. 往事多如雲，流年只斷魂；
青山與綠水，相對寂無言。

10. 自古人無千歲壽，花無百日色鮮紅。
樽前有酒須當醉，一滴何曾到九泉？

11. 三杯奉獻表衷腸，身後身前熱短長；
惟有香煙傳姓字，雲礽奕葉享蒸嘗。

12. 本期龜鶴望百年，豈料雙鸞表一邊；
堪嘆好花容易謝，應知明月不長圓。

13. 五湖浪闊人難到，三島雲深信莫傳；
無可相酬思愛重，惟憑道力薦靈前。

14. 夕陽西去水東流，春去夏來冬又秋；
昔日高車乘駟馬，百年光景夢中遊。

15. 遠觀天上星和月，近看人間水共山；
星月水山長在世，不知人換幾多番。

16. 陽魂陰魄杳無蹤，一去幽冥再不逢；
只望百年成骨肉，何期大限各西東。

17. 衹園漫長萋萋草，松柏旋回颯颯風；
滴盡滿堂兒女淚，相逢除是夢魂中。

㈡嗟嘆青少年的招魂歌爲：

1. 亡靈去後懶梳裝，靜靜回音絕查無；
繡閣不聞聲笑語，空教來往哭嗚呼。

2. 英靈不幸少年亡，瞬息光陰可嘆傷；
玉兔正圓沈海底，金烏纔出落西鄉。
牡丹初綻遭晨雪，芍藥方開遇曉霜；

如此妙齡留不住，合家骨肉痛肝腸。

3.青春琴瑟正和鳴，豈料如今隔此生；

雪魄霜魂空入夢，雙眼淚滴幾會停。

4.梢頭荳蔻空酴鼻，枝上丁香漫惱情；

便好割除恩和愛，彩雲平步上紫清。

5.結髮夫妻望百年，怎知限短是前緣；

拋別嬌妻（夫君）難見面，除非夢裏再團圓。

6.鶴歸華表已千年，人生人死事杳然；

世態浮雲何足問，醉拼來眼便神仙。

㈢對老年人的招魂歌爲：

1.南斗光芒北斗明，水流花謝兩無情；

相逢不飮空歸去，辜負酬君唱渭城。

2.愁城攻破莫傷悲，七十人生自古稀；

一醉也能和萬事，休言古是與今非。

3.一度思量一度悲，二度思量珠淚垂；

三度思量人不見，低頭只見紙錢灰。

4.電光石火豈堪留，人到無常萬事休；

一日魂隨莊蝶去，江山依舊水空流。

5.亡靈一去永無蹤，生死陽陰路不同；

若要相逢難見面，除非夢裏正相逢。

6.罷了休時罷了休，一條絲線繫孤舟；

風吹線斷舟流去，叫盡千聲不轉頭。

7.夫婦恩情望久長，誰知一旦兩分張；

父子恩情難割斷，由在家中淚染裳。

8.去年此日在家堂，今朝反見一爐香；
白木靈牌書姓字，不淒涼處也悽惶。
9.哭一場時痛一場，悲悲切切未爲傷；
想起生前言共語，恰如刀割斷肝腸。
10.人生恰似浮渠水，住世猶如獨在風；
置下千般拿不去，空留名字在家中。
11.人生恰似一孤舟，彎彎曲曲水中浮；
孤舟破了還堪整，人死何曾得轉頭。
12.人生恰似採花蜂，朝往西時晚轉東；
採得百花成蜜後，到頭辛苦一場空。
13.金杯滿酌泛瓊漿，誰識壺中日月長；
一醉也能和萬事，醒來殘月曉風涼。
14.一杯奠罷再杯催，那見亡靈把酒杯；
不信且看長流水，滔滔流去不流回。
15.三杯美酒泛金鍾，富貴浮雲盡是空；
人面不知何處去，桃花依舊笑春風。
16.一杯聊效表追思，酌獻靈筵意尙微；
盞泛葡萄光瀲艷，翁頭春釀獻靈儀。
17.再斟玉斝莫嫌輕，夢覺華胥萬事醒；
醍壺美味須殊勝，半盞清泉自有情。㉔

至於，一般人爲何會求觀音大士廣度天下眾生方面，一般人大多相信觀音大士天心慈悲，不分四生六道，只要肯回頭，肯改過自新，一律慈航濟度，此乃觀音大士之宏願。在有關觀音大士對往生者的「說法」方面，根據《地獄遊記》一書指出：「人自無始以來，死死生生，但形體雖死，靈性不滅，你們今日魂到陰府，未能了悟幻身是假，慧性方真，個個情愛難捨，怨嗔不消，應悟世景如夢，親緣乃因果所就，循環相報，一抵一消，不可再痴迷不悟，如念頭不息，凡心不死，輪迴無期。今逢叔世，人心不古，慧根淺靈，幼兒出世，聰明乖巧，雖說天機早露，但風中火燭，難以持久，所以習性一生，本性易失，以致聰明自誤，慧光不明。傷天害理，損德乖戾之行層出不窮，世間因而混亂，人倫頹敗，你們就是墮落深坑，但肉體已失，罪孽隨身。須知影隨人身，勿謂無光而影不現，一思一念，心神機關發生作用，業障立即纏身，今墮幽冥，尚存一點良知不昧，知過懺悔，吾今勸你們了悟，好好受罰多磨，以消罪孽，忍耐痛苦，按下怨嗔之心，吾自來相度。」㉕

第二項：在洗骨改葬方面

依照殯葬管理條例，未經核准設置的寺廟納骨塔至民國九十三年（西元2004四年）七月，全台有四百五十座違規的寺廟納骨塔，若要全面執行必會引起宗教團體，以及民間的一陣恐慌。今以桃竹苗地區而言，至少有十六萬個以上納骨塔違法經營。其原因是法令太過嚴苛，諸如寺廟納骨塔須與學校、醫院、幼稚園、托兒所或戶口繁盛地區保持五百公尺以上的距離，不過，但寺廟興建時，附近並沒有這些的設施，況且十幾年前爲避免死人與活人爭地，政府還鼓勵並補助寺廟興建納骨塔，如今卻又要取締，實在太不合理。至於，在公墓方面，公墓應屬於臨時性埋葬之用，政府沒有好好管理，而讓人民擅自興建祖塔，使之公墓幾乎已無空地，又加上政府無理的取締私墓，使之台灣人民真是死無葬身之地。

在許多的民間神祇中，陰到不能再陰的則有兩大類，一是所謂的應公或萬善祠，另一是淑女墓或姑娘廟；百姓雖蓋廟供奉，但心裡也都認定祂們是孤魂野鬼；不同的是前者多是無名無姓的男性流浪漢，後者則是有「家」歸不得的女性未婚親人。由於現代人不結婚的情況越來越多，過去祖塔都是存放男性骨甕爲主，甚少聽過有讓未出嫁女兒入塔的情形。新竹縣近年來有幾個宗親的家塚，有如張六和宗族、戴性宗族、周姓宗族、廖姓宗族……等，已經開始接納未出嫁即過世女兒的骨罈，這種的作法相對於傳統而言，確是跨出了一大步。

在中國歷史上曾經流行過「二次葬」，但在明清時期，已經基本廢除，但嘉應州所屬各縣卻特別盛行，而且屢禁不止。根據明黎媿曾《托素齋文集》曾痛切言及啓棺檢骸之事云：「起扞檢筋之惡俗，獨盛于汀州。每至大寒前後，攜鋤執篓，齊詣墳頭，自行開視，如骨安好，則仍按原所，否則檢骨瓦罌，挑往他處。明歲此時，又再開看此。視祖父之骸如兒戲，誠王法所必誅。」其說法非常正確，太過頻繁的改葬，不但對祖先不敬，而且還會禍害子孫，不得不愼。在有關客家人的洗骨改葬方面，一般中國人將屍體入殮，直接埋入墳地建立墓卑，而客家人則不然，其原因，在生活上，客家族群在長年流徙的不確定中，往往進駐一個地方，又丟棄一個地方，始終不能再回到原來的中原故土。在不能忘懷「中原正朔血脈」的情懷下，有背著祖骸一起流浪的情形外，在文化上，在人們的心靈中存在著，人是魂和魄的結合，人一旦死了魂就歸土，靈魂則離開肉身而永遠留在宇宙之間的靈魂不滅和轉世的信仰外，認爲「靈魂可以自由離開軀體，但是必須依附在某物之上，它同屍體聯繫在一起，而當皮肉腐爛的時候，它就走入到骨頭裏去，主要是頭蓋骨。」㉖的同時，認爲血肉是屬於人間的，必須等待血肉全部腐爛後，死者靈魂方可進入陰間，才能做最後的埋葬。

在「柩葬」方面，是屬於暫時性的埋葬原則下，所以在葬後三年至十年間，必須請撿骨師開棺撿收先人骨骸，其中值得注意的是，當撿骨時，常有遇到屍骸木乃伊化或蠟化等，佛教人士所常說的，「金剛不壞之身」時，通常撿骨師會用米酒灑在屍體上，或是把一些的泥土撒進棺木之中後，把棺蓋蓋上，再掩土回去。根據傳統的說法，屍體很快就會腐化，須在半年或一年之內，就須再撿骨一次，否則就會連骨頭都會完全腐化的危險。至於，在正常可撿骨的情況下，撿骨師會把骨骸拂式曝曬後，由下而上，以趾、足、腿、股、脊、胸、手、頭的順序，放於高約三尺，徑約一尺的「金斗甕」內後，交給家屬，以備往後擇吉日立墓豎碑，所形成的一種洗骨改葬遺俗。在它的優點方面，一、如果不經過挖開墓地、清洗遺骨、放進陶甕等手續，其屍體不久就會腐化變成泥土，不能保持其長久的完整。二、如果誤葬不吉之地，要改葬時亦相當的方便。至於，在撿骨後，在尚未找到吉地安葬時，常有把它放置於廢屋、大眾廟或蓬蒿坎頭、竹圍、大樹下，而形成在客家住區，到處可見這種罐罐纍纍的「金斗甕」景象外，還可看到每年清明、中秋之時，其子孫們還會到寄放金斗甕的地方，焚香掛紙，叩首祈禱的情形。

在墓穴的選定方面，在台灣流行有「九葬九遷，十葬萬年」的說法，也就是改葬於他人遷走的墓穴也無妨之意。至於，非常注重風水方面，一般客家人認爲一個人的成功與失敗和祖墳的風水有密切的關係。評定風水的好壞，一般是要看主人丁的「龍」、主功名的「局」、以及主財路的「水」等三項。所謂的「龍」，是指山嶺脈路的發脈要雄壯奔騰，落頸要俊秀靈活，結基要豐滿寬敞。所謂的「局」，就是對景，自總脈分出的支脈要重重圍繞，在羅列的各峰中，有「旗」、有「鼓」，或有「印」、有「案」。所謂的「水」，就是基地前面的水勢，須逆水，但不宜直沖基地，水口要迴環，並有種種攔水口的山嶺或沙洲，其中又以看不見水的出口爲佳。

在「諡法」方面，爲逝世者，他（或她）在世時，能代表他（或她）一生的言行，所取的名字，其一般男性的諡法如下：文章名世曰文、堅忍力行曰毅、小心敬謹曰謹、言語剛直曰侃、揚名顯親曰孝、性厚而勉曰惇、堅強不屈曰剛、盡此不欺曰忠、公正不曲曰直、質素無文曰樸、肇創家業曰創、持身敬謹曰恭、好施樂善曰惠、純厚而固曰篤、清潔自持曰廉、親和宗族曰睦、才能拔類曰穎、多見多聞曰博、存心勵志曰仁、恭謹質寬曰恂、秉性純良曰善、致命遂志曰烈、真實無妄曰誠、守約不奪曰儉、裁製合宜曰義、厚重過人曰敦……等。一般女性的謚法：和順適理曰宜、和從和違曰順、善事父母曰孝、德性良善曰淑、性情和緩曰柔、和順而美曰婉、矢志守節曰節、致命遂志曰烈、容儀雅靠曰嫻、善持家務曰操、惠愛子孫曰慈……等。諸如一位男性，他在世時，能存心勵志，而且性情、為人又純厚而固，故取之為「仁篤」。同樣的一位女性，她在世時，除善持家務外，又惠愛子孫，故取之為「操慈」。在納骨塔、納骨堂（土墳）的幕碑、石刻對聯方面。在刻墓碑時的字數，其數法順序為「生老病死苦」，在年月日及子孫數字上應 1、6、11、16、21、26 合「生」字。在中央顯考、妣等字數應 2、7、12、17、22、27 合「老」字。至於，也有人在墓碑上方左右刻有住處如魯邑兩字時，則上述所有字數之總合，亦須合「生」字或「老」字的俗例。在石刻對聯方面，它通常註明有堂號、昭穆、先祖名字、謚法、吉穴分金、地方地形或有特殊事蹟，作為對聯的頭字較為有紀念性，其情形諸如：

一、劉姓：（納骨塔）

1. 堂號：<u>彭城</u>堂佳城：<u>彭</u>郡傳來宗族發揮承世澤。
<u>城</u>池居聚子孫興盛振家聲。

2. 昭穆：<u>孟尚</u>國師：<u>孟</u>義孔仁子孝孫賢昌百世。

尙文偃武宗功祖德著千秋。

3. 祖名：普照劉公：普得山川秀。

照臨日月光。

4. 諡法：剛直普照：剛是屬乾吉穴先公先祖得。

直能行道芳源福地福人居。

5. 地方：地形龜山：龜得山靈臻萬壽。

山凝地脈旺千年。㉗

二、曾姓：（納骨堂兩夫婦）

1. 諡法：仁德、慈賢：仁德昭彰。

慈賢流芳。

2. 祖名：新旺、玉英：新開門戶大富貴。

旺財田園糧萬畝。

玉光福兒孫。

英才顯文章。

3. 一般：通用對聯：萬世念宗功

後裔懷祖德。

4. 一般：通用對聯：勤儉宏世澤

孝悌振家聲。

5. 一般：通用對聯：福星高照

世代昌隆。

6. 一般：通用對聯：山明騰瑞氣

水秀起祥雲。

7. 一般：通用對聯：孝行永彰

事親養志。

在碑文方面，碑是刻文於石，以紀行誼功德，多立於墓前。目的在示範子孫，宣揚於後世。文宜質而閎，意應深而遠，雖有表彰，但應實而無譁。今以曾母黃太夫人的碑文爲例如下，以供參考：

曾母黃太夫人事略：

太夫人諱玉英、氏曾，生於民前二年六月六日（農曆四月廿七日），係出苗栗縣頭份望族，爲台灣總督府評議委員黃維生先生之長女，太夫人秉賦仁慈溫良、謙恭處世，相夫教子、勤儉持家爲美德，一生勞碌、操持家務，逆來順受、從無怨言，篤信佛緣、寬以待人、嚴以律己，教育子女潛移默化，身教重於言教。堅強的毅力、過人的智慧、含蓄的內在美，代表母性的光輝。

太夫人於民國八十二年四月十三日（癸酉年農曆三月廿二日）與世長辭，享壽八十有四，夙仰太夫人閂範淑德。謹述涯略，以彰懿行，並誌哀思。

曾母黃太夫人治喪委員會　謹述

曾公新旺老先生事略：

曾公新旺老先生，生於民前三年三月三十日，係頭份望族，貴秀公三男，自幼聰穎，畢業於日治台北土木測量講習所，年長隨父沐雨櫛風，開闢大隘富興原野，有良田阡陌外，並協助其父經營糖、茶、米穀致富，民國十九年營造華屋於頭份宅第，頗具特色。

先生一生敬天尊祖、篤信佛教，歲時祭祀，誠肅以對，樂善好施，在其父指引下，造橋鋪路，佈施獅頭山元光寺，協助策劃興建峨眉隆聖宮、修建文昌寺、頭份土地公等，爲繁榮地方經濟，央請台灣銀行總裁毛松年到頭份設立分行外，治家勤儉，常以「詩書傳家，榮宗耀祖」爲懷，教誨子孫依循「父慈子孝，兄友弟恭」爲念，力求功名顯達，以振家聲的同時，教忠教孝，子女出類拔萃，於民國六十七年榮膺苗栗縣模範家庭。

先生志節高超，仁德是宗，生平淡泊自守，性厚質樸，爲人光明磊落，坦蕩高潔，是鄉親心目中的慈祥長者，不幸於民國八十八年三月四日與世長辭，享壽九十有一，特述梗概，以彰德行，並申懷思之意。

曾公新旺先生治喪委員會　謹述

註　解

① 大陸新聞中心／綜合報導,〈富豪徵婚，拒絕八種女人〉，聯合報，93.7.10。

② 大陸新聞中心／綜合報導，〈富豪徵婚，女郎表態，唯物不唯心〉，聯合報，93.7.12。

③ 湯世名報導，〈零用錢三十萬，她就嫁給你〉，自由時報，93.8.27。

④ 《頭份鎮志》，頁 501，苗栗：頭份鎮公所，2002。

⑤ 阮昌銳著，《民俗與民藝》，頁 41，台北：台灣省立博物館，1984。

⑥ 參見王東著，《客家學導論》，頁 299、300，台北：南天書局，1998。

⑦ 參見《客家民俗文化》，頁 55，台北：台北市客家公共事務協會，1997。

⑧ 參見《頭份鎮志》，頁 508，苗栗：頭份鎮公所，2002。

⑨ 劉守松編著，《家禮常識》，頁 11、12，自印，1986。

⑩ 張祖基等著，《客家舊禮俗》，頁 120，台北：眾文圖書公司，1986。

⑪ 參見曾喜城著，《台灣客家文化研究》，2 版，頁 142、143，屏東：屏東平原鄉土文化協會，1999。

⑫ 張祖基等著，《客家舊禮俗》，頁 86、87，台北：眾文圖書公司，1986。

⑬ 參見魏麗華編著，《客家民俗文化》，頁 62，台北：愛華出版社，2002。

⑭ 鍾永豐著，〈客家人的家族與婚姻〉，《客家文化研討會論文

集》，頁 289，台北：行政院文建會，1994。

⑮ 參見余雪蘭報導，〈寄禮另類結髮盟〉，頁 24，自由時報，93.9.23。

⑮ 林嘉書、林浩著，《客家土樓與客家文化》，頁 261、262。

⑰ 沙依仁著，《婚姻與家庭》，頁 6、7，自印，1986 年 12 月初版。

⑱ 周美惠報導，〈亡靈書，來世之旅指南〉，聯合報 92.11.29。

⑲ 參見曾城著，《台灣客家文化研究》，2 版，頁 145，屏東：屏東平原鄉土文化協會，1999。

⑳ 參見魏麗華編著，《客家民俗文化》，頁 67、68，台北：愛華出版社，2002。

㉑ 參見楊炯山編著，《最新婚喪喜慶禮儀大全》，頁 94，新竹：南興行有限公司，1980。

㉒ 魏麗華編著，《客家民俗文化》，頁 69，台北：愛華出版社，2002。

㉓ 《敦煌卷第五輯》，總 43 冊，文山補錄，頁 23，台北：新文豐，1984。

㉔ 張祖基等著，《客家舊禮俗》，頁 183～189，台北：眾文圖書公司，1986。

㉕ 台中聖賢堂扶鸞著作，《地獄遊記》，頁 29，台中：聖賢雜誌社，94 年 2 月再版。

㉖ 拉法格著，《思想起源論》，頁 124，台北：三聯書店，1963。

㉗ 劉守松編著，《家禮常識》，頁 432、433，自印，1986。

第十三章：客家生活雜記

一、客家婦女的「孺人」稱呼

爲何客家婦女在死後，不管是在墓碑上或是在祖宗牌位上均有「孺人」的稱呼，而與其他族群之「太夫人」稱謂有別。其原因是在宋朝末年，元兵大舉來犯，宋室南遷，偏安於福建廣東一隅，有一次少帝（趙昺）出遊，被元兵偵知，立即派小隊人馬追殺，少帝急忙逃往粵東客家地區山中，眼看皇帝就要被追上之際，幸遇有好幾隊正在山上叢林打柴的客家婦女，每個人都揹著一支很長，而且像刺槍的棍棒，蒙古人誤以爲她們是一支體格強壯、訓練有素的女伏兵後，就急忙撤退外，另一種的說法是，當少帝被元兵追殺時，粵東婦女個個見義勇爲，分持鐮刀及挑草用的竹槓協力抵抗，終於把小隊元兵擊退，解除了少帝之危。由於此役客家婦女或多或少有些死傷，當皇帝回朝後，爲了感念她們的救駕有功。就立刻下令以後所有的客家婦女都把她們尊稱爲屬於七品封號的「孺人」（大夫的妻子）。因而有張淦金在＜客家婦女死後均稱孺人考略＞中指出：「宋文天祥在宋末三數年間率勤王之師，轉戰閩粵贛地區，巧遇客家列陣樵婦之助脫困，奏請端宗封客家婦女死後均稱『孺人』」。①的故事。

二、客家婦女的拒絕纏足

客家女子過去視勞動生產、分擔生活是一種的天職，而「勤勉」、「能幹」是她們最重要的德行。纏足是封建時代的中國視女性爲玩物而發展出的一種惡習。中國婦女的纏足始於唐代，它到了宋朝時，儒家大學者朱熹（西元1130年～1200年），還在提倡、推廣纏足，做爲教導男女有別的方法之一，但它最流行是在明代。在清．康熙時，時常發出禁止令，但連滿州族的女子間也開始廣泛流行。其原因是由於小腳走起路來有阿娜多姿的韻味，被當代人認爲是一種代表美麗與社會地位的象徵。然而，在客家婦女方面，不管是在家庭上或是在社會上，基於爲了更能享有獨立自主、公平競爭以及積極進取的精神，而拒絕接受或是忍受被人嘲笑是「大腳蠻婆」（大足的野蠻女）不能接受過去中國傳統慘無人道的纏足陋習的同時，也拒絕在婚姻上利用這種所謂「三寸金蓮」腳愈小，愈能增加美觀的方式，來吸引男性。

當中國尚處於男尊女卑的時期，由於客家婦女擁有一雙美麗、健康的天足，能夠從事諸如農耕、手工藝、保護祖傳土地、維持家庭經濟、防衛村莊……等各種工作，因此，在家庭上，她除了能夠擁有更多的影響力外，在社會上，也開啓了兩性平等對待的先河。

三、雞臂

去頭去尾的雞臂（腿），是轉外家（回娘家）必備的等路（伴手禮）。第一次客家新婦回娘家，是在新婚第二天。在新婚夫婦返家時，岳家會贈送兩根帶根連尾的甘蔗，來祝福他們的婚姻「甜甜蜜蜜，有頭有尾」。在每年的新年，在過去客家已婚婦女會帶著兩瓶酒以及一支雞臂回娘家，去孝敬老人家。雞臂在工商業發達、物質豐富的現今，不算什麼，但在過去確是一種代表著沈穩厚實的精神力量，其原因，是在物質艱困的時代裏，還能有這麼油亮肥腴的大雞臂孝敬老人家，使之老人家能在一整年對女兒不管是在經濟上或其他方面的牽掛，得到一點點的放心與安慰。

四、神豬競賽

神豬比賽，是一種客家人在節慶或作醮爲增加熱鬧氣氛所發展出來的活動外，如果所飼養神豬能夠擠進排行榜二十名以內，將會是件光宗耀祖，親友亦有榮焉的盛事。究竟神豬競賽的習俗從何而來？早在先秦就已經有所謂的「少牢之禮」，也就是用全豬全羊爲牲醴，做爲該集體性人們內心深處最虔敬的感恩。在有關義民祭典的神豬競賽由來方面，根據新竹縣長林光華說：「清・道光十一年（西元 1831 年），林爽文事件發生四十五年後，褒忠亭建廟四十一年後，林先坤後裔……因爲中了武舉人，得到了功名，爲了向義民爺還願，特別邀請當地大戶及仕紳，將花紅賞金拿來宰豬羊宴請賓客。酒宴當中，眾人提議由當時的四大庄輪流殺豬宴客……，就這樣慢慢形成了每年輪值的庄頭大宰豬羊的習俗。」②

在神豬競賽的演變方面，已從原本儀式性的祭拜，演變成競相誇大性的競賽，它除了原本只有幾百斤的豬，演變成現今要入等，必須千斤以上外，在裝置神豬的豬公架方面，從清代末葉的毫無裝飾，到日據時代開始有了比較繁複的豬羊棚。它到了現今已經發展成一種炫麗奪目的彩棚外，連電子花車、熱歌勁舞都成爲神豬競賽的一部份。

在有關養神豬方面，養神豬的農家大概會在神豬比賽前一年，就會開始物色好的豬種，並接回小豬回家飼養。神豬很注重「血統」，通常業者都會找具有優良血統的母豬來和公豬配種，以及人工授孕的方式培育下一代，小豬仔能否具備神豬條件，通常母豬佔六成比重，公豬只佔四成。根據范振勳業者指出，過去豬種都以桃園黑豬爲主，但桃園豬肚子大，肉質鬆軟，重量不足影響參賽成績，因此，他專挑大黑豬和美國、加拿大蘭多拉斯白豬交配所生的體型高大、體態三尖——屁股尖、頭部尖、背部尖，鼻孔直、尾巴軟、腳關節有分寸，另外還需性情溫的仔豬來飼養。也有相關的業者表示，挑選小豬仔時，可從三部分觀察：第一、從頭部到頸部判斷，豬農說，神豬的脖子最好長一點，因爲脖子長，氣管和食道才會長，這樣不但餵食方便，食量也會相對變大，鼻子要微濕，不可太乾燥，這樣才顯示豬隻的健康。第二、小豬仔整個身軀要長、高度要高、背脊弧度要大、骨骼要強硬、四肢要粗壯，且毛要黑，未來長成時，神豬的體型才會龐大。第三、看屁股。神豬的尾巴要漂亮，所謂「漂亮」，即是尾巴要勻稱的由大到小，形體要完整，不可受損且要長及翹，後腿肉不宜過多，有點鬆垮比較好，最重要的是，肛門到尾巴的距離要越寬越好，豬農說，只要此處的寬度長達四指以上，將來一定可以養成上千斤的神豬外，當用來祭拜神明的豬，通常不用母豬，而用公豬，當牠被養到二百公斤左右時，就要行醃割之禮，豬農強調醃過後的神豬不會有交配慾望，情緒較穩定，且比較吃得下，可大幅增重，往神豬目標邁進。③

在飼養期間，通常飼主在公開秤重之前，不會輕易的把神豬給外人看，其原因是，一方面怕會帶來不乾淨的東西，對神豬造成危害外，另一方面也是爲了保密的關係，而拒絕外人參觀。在飼養過程中，往往會隔一間比較好的豬舍，以及餵以由蛋、牛奶、稀飯、糙米、麥皮、黃豆餅、消化粉……等所組合而成的高蛋白飼料外，在夏天時，還會給牠吹電扇、吃西瓜等細心的照料。在養到四、五百斤時，神豬的活動力就會大大減退之際，在餵時，乾脆就不讓牠站起來，以免消耗體力，甚至不能採用自然餵養方式，而要靠「灌食」方式進行。大約養了半年，神豬大到六百斤至一千斤時，每天中午還要替牠清洗淋浴以及翻身，其原因是，此時的神豬已經大到不能自己翻身，如果不替牠翻身，肉就會長在一邊，成爲不能入等的故障豬。大約在祭祀前十天到一星期左右，由地方士紳所組成的評審委員團，就會帶著公秤到飼養神豬的農家去量豬公。在農曆七月二十的午夜一過，飼主就會先餵神豬兩粒飯糰，在鞭炮聲中，請人用刀殺豬公，經過放血、適度刮毛、清理內臟，剔除贅肉等程序外，並開始裝飾神豬，使之神豬背上留有各種形狀的紋飾、掛著成串的銅錢、嘴裏咬著鳳梨、兩耳旁邊插著一對金花等的裝扮後，把牠載到廟前去祭拜天公。在有關得獎的神豬方面，在得獎的神豬棚上，往往會掛滿金牌、匾額……等，光采的紀念品以及貼滿親友所贈的賞金。凡在十等以內的得獎人家，往往又會僱請花車、歌舞團來表演以供謝神。在祭祀完畢後，則會切割豬肉分送鄰里親友以及獎賞給神豬的朋友，讓他們也能分享神豬的餘蔭。在送神過後，豬棚被拆了，養豬用的「貴賓室」也被空了出來，僅剩下金牌、匾額，被高掛在客廳最重要的壁上，以資紀念。

五、客家人添丁的「新丁粄」

農曆十月十五日，依傳統客家庄習俗，是天神爺誕辰，一年內有子女誕生的家庭，多會在晚間以「新丁粄」向天神爺獻祭。

「粄」是由糯米所做成的食品名稱。「新丁」是指家人所新增添的男丁而言。所謂的「新丁粄」，即是爲慶賀新增添男丁的糯米粄。過去只有生男才有新丁粄，現在講求男女平等，女孩誕生則用「桃形粄」，前者是橢圓形印上龜狀紋路代表長壽，後者呈桃狀，並寫上一個「壽」字。

新丁粄雖是客家米食，各地做法仍有些許不同，獅潭鄉整塊新丁粄都上紅色染料，大湖、卓蘭等地，僅在正上方單面上色。④至於，位於台中縣東勢鎭上南平里、東安里、北興里和中寧里等四里的居民，每年在元宵時，會相互競爭製做競賽時所用的「新丁粄」，謂之「鬥粄」。在有關鬥粄方面，它並沒有什麼神奇的源起傳說，根據一九八一年二月二十三日所出版的《山城週刊》指出：「據老一輩表示，『新丁粄』比賽由來已久，主要是叩謝伯公添丁賜福之意，參加的人，依例繳納會費做爲公賞賞金，會員中是年添丁或家中新婚者，需要製作紅龜給所有會員分享，凡是米粄做得最大最重者，由公賞發給賞金嘉許，其他會員則依交情之深淺，賞給奉敬者或多或少的賞金，以壯其志，由於頭等公、私賞金俱豐，又可名揚一時，因此參加者越做越大，深恐他人搶去頭采。」由上可知新丁粄的起源，最初是希望將添丁的喜氣，能與父老鄉親們共同分享，並叩謝伯公添丁賜福之意而已！其後，竟演成爲每年分別在每里的角頭廟，諸如南平里在太子廟及福安祠，東安里在永安宮，北興里在雙福祠，中寧里在巧聖仙師廟等祠廟，分別在元宵節當晚舉行看看誰家的「新丁粄」做得最大的活動。

六、美濃婦女面朝河岸的洗衣方式以及萬巒鄉的鹿寮公共洗衣場

在美濃地區，相傳有人看見一個頭被砍掉的無頭婦人，在河邊雙手依舊在洗著髒污衣服的悲淒故事。

在農業社會時代，在河岸邊洗衣服乃是正常之事，不過，美濃人站在河中，或是背朝著溪流，面對河岸洗衣服之事，則是一種與眾不同的奇觀。其原因是，在美濃開庄之初，在河岸邊洗衣服的婦女，容易遭受原住民從背後的偷襲，取下其頭顱帶回部落，而發展出一種成群結隊站在

河中洗衣服的方式，使之敵人不管是從正面或是從背面，涉水而過時，除了容易發現外，而且有足夠的時間來逃離之故。自美濃開庄以來，雖然已有兩、三百年的歷史，而原住民的獵取人頭的習俗，也早已廢除。不過，現今美濃的客家婦人，仍然保存著過去一群婦女站在河中浣衣的方式，而成爲現今美濃客家的重要風土文化之一。

在位於屏東萬巒鄉「國王宮」右後方的鹿寮公共洗衣場方面，由於過去湧泉量極爲豐富，故全村婦女都會利用清晨或傍晚，集中在此地洗滌衣物，順便交換訊息，爲本庄最重要的社會交誼中心，鹿寮也因此意外地成爲全台洗衣機最少的村莊。目前湧泉水量減少，枯水期必須藉助抽水機抽水，庄民爲維持公共洗衣的優良傳統，由全體使用者以年繳三百元的方式，支應抽水所需的油、電費用，讓此一特有的傳統得以長久傳承。⑤

七、石敢當

「敢當」，代表所向無敵之意。在一般民間的傳統觀念中，會在巷陌、三叉路口直衝等不祥之地，設置刻有「石敢當」或「泰山石敢當」等字樣的鎮邪碑石，以保平安的作法。

什麼叫做石敢當呢？根據辭源的注釋爲：「立石於里巷之口，以禁壓不祥者。」又根據輿地紀勝一書記載：「慶曆中，張緯宰莆田。再新縣治。得一石，銘其文曰：石敢當，鎮百鬼，壓災殃，官吏福，百姓康，風教盛，禮樂張。唐大歷五年，縣令鄭押字記。」由上可知石敢當是屬於一種的能驅邪魔，保宅安康之物。有關它的由來方面，在原始社會，由於不了解大自然的風、雨、雷、電，以及洪水、猛獸、蟲災……等，往往帶給人類的巨大災難，而認為在宇宙間必然存在著一種不可知的力量，而逐漸產生一種宗教性的信仰，並認為大自然的變幻莫測，是有主意、有動機、有情慾的神靈，必須加以祭拜，才能得到安康。設置石敢當就是這種原始信仰的一種。為什麼泰山石特別受到人們的崇祀呢？根據《孝經援神契》一書所載：「泰山一曰天孫，言為天帝孫也。主召人魂魄。東方萬物始成，知人生命之長短。」又加上，在古代，要朝拜一次泰山並不是一件簡單的事。人既然能創造神，必然能利用神，最初人們從泰山取得一塊石頭帶回家，刻上「泰山石敢當」的字樣，便算請到了「泰山神」了。在客家人南遷的過程中，房屋往往建在崗巒溝壑、山谷風口等山多田少之地，由於山風猛烈，常發生傷及人畜之事，於是就流傳著許多關於「風煞」、「巷煞」的說法。因此人們就請出「石敢當」這個神靈來擋煞，以求消災解厄。這就是為什麼在客家地區會特別多的石敢當原因了。

八、幫工、「公嘗」、「義倉」，以及相互扶助的各種「會」、「幫」的組織

「石窟一徵」中，對於客家人團結自衛的特色，有著這樣的描述：「鄉中農忙時，皆通力合作，插蒔收割，皆婦功為之。唯聚族而居，故無畛域之見，有友助之美。無事則各爨，有事則合食，徵召於臨時，不必養之於平日，

屯聚於平日，不致失之於臨時。其餉則瓜藷芋豆也，其人則妯娌娣姒也，其器則篝車錢鎛也。井里之制，寓兵于農，三代以後不可復矣，不意於吾鄉田婦見之。」客家人的「幫工」，也叫做「換工」，是孕育於長期的移民生活。客家地區的工人，在過去「請」是請不來，也沒有人願意接受「請」，只能說是「幫」的原因，是一、在逃難時，每逢毒蛇猛獸或土匪強盜侵襲時，只有你「幫」我忙，我「幫」你忙，才能共渡難關。二、在寄居在別人不要，或沒法征服的貧瘠丘陵和山地間時，土著民必會成群結隊前來，想用武力驅逐或是受到欺侮時，全莊的左鄰右舍必會主動前來幫忙，有關這種玩命的事情，不是「請」得來，而是今天你幫我，明天我幫你，所養成「幫」的好習慣。三、客家人所住的地方，絕大多數是窮地方，大家都有地，但地都不多，不像別的地區，有大地主，也有沒有田的佃農，可以用「請」來解決耕作之事。生活在自食其力環境下的客家人，尤其是在農忙人手不夠時，左鄰右舍大多會發自於內心的友愛和真誠，主動的去發揮「請」是請不來的幫工精神。

在有關相互扶助的各種社會組織方面，客家流行吟唱一句話：「中國是一個，客家是一個。」由於客家人常受到非漢民族子孫的種種歧視，因而產生一種強烈的民族主義。大鄉宴是一種如同客家「國會」的自治組織，所謂的「家法嚴於國法」或「鄉案大似公案」的說法，在這裏所決定的事情即爲習慣法，至今仍繼續存在於客家人之間。

客家人在我群意識下，爲聯繫個人，而組成的各種社會組織，在過去有「嘗會」與「義倉」的設置，在現今則有「同鄉會」、「崇正會」、「世界客屬總會」的組織，其情形，有如遠赴海外的華僑中，客家人所佔的比率約百分之八而已，可是以「同鄉會」之名，所組成的數目，則以客家爲華僑中最多。由此可知，客家人是多麼的喜歡各種的「會」。

在有關「公嘗」（大家一起接受之意）、「義倉」系統方面，在大陸的所謂「族田」，根據溫仲和的《光緒嘉應州志》，卷八，《禮俗》云：舉凡族田，「歲收其入，祭祀之外，其用有三：朔日進子弟於祠，以課文示童子者，助以卷金；列膠序者，助以膏火；及科歲用度，捷秋榜赴禮闈者，助以路費。年登六十者，祭則頒以肉，歲給以米，有貧困殘疾者，論其家口給穀。無力婚嫁喪葬者，亦給焉。遇大荒，則又計丁發粟。可謂敦睦宗族矣。」外，又根據同治《興國縣志》，卷十一，《風俗》云：「每祠必置產以供祭祀，名曰公堂。眾舉一二人司其出入。子孫登科第，入鄉校者，則給以花紅銀。赴試亦助其資斧，或歲分穀若干擔以贍之。」

在台灣方面，「嘗」是秋祭，也是中國源遠流長的古老祭祖儀式。過去有所謂的「祖嘗」，它是一種父母的養老田，自父母去世後而成爲一族的共有財產，是一般所說的祭祀公業或蒸嘗。其運作方式，是把祖先遺產，包括所規劃的公嘗田、公嘗山在內，由其後代子孫，於八月初一，商討祖祠未來工作計劃，並清理一年來的祖嘗會分，俗稱

「算會」的輪值經營，其收益除做爲祭祀祖先之用外，也做爲其他公益事業，有如成爲子弟的教育基金，以供全體族人之用。「義倉」，是大多由慈善人士出資購穀貯存，或是由家族單位提供所收成的一部份穀物，儲存在共同的倉庫裏，以備飢饉、災害或青黃不接之時之用外，往往會以很低的利率借貸給貧農，藉以有效救濟貧窮農民的同時，對於社會的安定也會有所裨益。在「會」的組織方面，它是不限於一姓一族，也分別擁有產業，按年由會員輪値經營管理。其目的，不外乎敬祀神明、舉辦公益事業和謀取會員利益等三種。在按季節集合所舉行節慶的「會」方面，諸如有燈會、清明會、端陽會、盂蘭會、中秋會、重陽會、冬至會、年會等。以祭典的神名爲名者，諸如有關聖會、觀音會、公王會、伯公會……等。以舉辦公益事業爲名者，諸如有負責某橋的修理以及重建的「橋會」，爲興學育才而設的「文昌會」，爲興辦慈善事業而設的「慈善會」，爲減輕喪家負擔而組設的「長生會」或「老人會」，以及只限女性參加的「女人會」等。⑥至於，出門在外的客家人，往往也會組設有同鄉會，俗稱會館，諸如有遍布世界各地的崇正會、同鄉會，以及在西元一九七四年（民國63年），在台灣所成立的「世界客屬總會」組織等。這些「會」，並不限於同族或是同鄉，只要客家人，甚至是只要是認同「客家」的任何人，均可參加外，其黨派性或意識形態也極爲淡薄，可說是一種純粹的、完全的相互扶助的組織。

在海外的「幫」、「會」方面，當客家人遠離中國來到陌生之地時，他們靠的是撒播在各地的客家網脈，相互交換情報，經濟上相互支援、合作，幫助鄉人渡海出國，徵募新娘，管理墓園，與其他民族或幫派發生糾紛時，有時則出面與當地官署交涉……等。在這種自保、自衛的團結基礎下，隨著世界各地工商業時代的來臨，已從早期推翻滿清爲目的秘密結社形態，而不斷地走向影響著亞洲，甚至世界的經濟金融網的狀態下，尤其對中國改革開放以來，不管是在經濟上、文化上或是思想上，均有相當的影響，其情形諸如在急速增加的海外華僑投資中，在一九八九年時，廣東省的經濟成長率爲百分之十三，而整個中國爲百分之六。

九、產業職業與謀生

客家祖先來自北方各省，在入贛、閩、粵交接的叢山峻嶺，因無田可耕，男子不得不遠走他鄉，而家庭力役諸如採薪、治田、任臼杵、謀交易等工作，則全爲女子爲之。

至於，自鄧小平上台，經過姓「資」和姓「社」的激烈辯論後，終於走上了資本主義的不歸路。近年來，考上大學應該非常高興，但對大陸窮困的農民，以及生活在偏遠地區的客家人，卻可能是噩耗。近兩個月，大陸頻傳農民因無力負擔子女大學學費而自殺的消息，「學費殺人」現象成爲大陸大學學費不斷飆漲下的社會問題。遼寧瀋陽一名成績優異的女學生周娜考上北京應用科技大學電腦系。原本將擁有人人欣羨的大好前途，然而當看到入學通知書上寫著要繳人民幣八千多元（約台幣三萬三千多元）的學雜費時，周娜就黯然將通知書藏起來，改申請只要五千元學費的瀋陽英才信息專修學院。即使如此，周娜失業的母親劉淑杰仍然籌不出學費，留下「我不是合格的媽媽，對不起」的遺書，服藥自盡。所幸周娜即時發現，救活了母親，並且在善心人士的協助下籌集學費。香港明報指出，劉淑杰自殺獲救，算是不幸中的大幸。但在大陸其他農村，卻有其他的貧困父母被幾千塊的學費逼死。其情形有如：八月初，遼寧省瀋陽市小祁家鎮竇雙樹村的孫大朋，考上錦州師範高等專科學校，然而他的父親孫守軍卻因籌不出人民幣五千多元的學費而服毒自殺，在遺書裡向兒子「謝罪」。吉林一名身罹重病的婦人趙麗芹，爲了省下醫藥供兒子上大學，上吊身亡；福建永春也有一名寡婦林冰心，因爲籌不出兒子的大學學費，絕望地服毒自盡；四川成都的高考狀元張強考上廣州中山大學，學費高達人民幣七千元。張強爲籌錢在酒店打工，工作兩個月就得腳氣病，十個腳趾頭全部潰爛，連六百元工資都還沒拿到，被迫回家養傷。而窮到三餐不繼的張家，只能每天一碗米飯爲兒子補身體。（大陸新聞／綜合報導，〈高學費逼死窮父母，農村屢傳悲劇〉，聯合報，93.8.29）

在十三億眾多人口的中國，在生存競爭不易下，對於女性要做公務員的要求，也無奇不有，尤其是客家人對於服務公職有著極高的濃厚興趣下，根據北京「中國婦女報」報導，湖南省在錄用公務員的體檢標準中，對女生做了很多帶有「歧視性」的規定，甚至要求女性任職公務員必須「乳房對稱」。該報導說，根據《湖南省國家公務員錄用體檢試行辦法》，第二十一條規定：「婦科體檢包括：詢問月經初潮年齡、週期、出血量及持續時間；有無痛經、白帶、有無伴隨症狀（如外陰搔癢、腹痛、排尿狀況等」及其程度。已婚婦女做陰道抹片檢查。第二十二條規定：女性「第二性徵發育正常，乳房對稱、無包塊，外陰無炎症、潰瘍、腫瘤、無子宮脫垂，爲合格。」他們認爲公務員應該擇優錄用，這個「優」不僅包括成績優，也應該包括身體優。（中國時報，93.2.20）⑦至於，在大陸客家人比較聚集的地區方面，是否會有過之而無不及的規定，目前則是呈現未知狀態。

在台灣方面，客家人與田地的依存關係極爲密切，對田地的仰賴也很深，土地是客家人安身立命、家族生脈之所託。早期來台的客家移民，大部份選擇在山間田野，從事農耕其中，值得一提的是，在客家人因應耕田的生活形態中，衍生出許多的詞彙，如農人就有「耕田人」、「耕種人」、「著水褲載」、「掐泥卵介」……等自謙的說詞。在傳統產業中較爲人所熟知的，諸如在焗腦業方面，台灣早期樟腦的開發是以客家人爲主力。在茶葉方面，以北部客家山區，爲其主要的經濟作物種植區。在日據時代，客家人除了繼續原有的農耕生活外，在台灣東部有著名池上、關山等產米地區的開拓，以及美濃大量菸草的種植的同時，男丁多半外出出賣勞力外，也到大城市商店擔任伙計，像米店、食品行、飼料行……等須勞力密集的買賣業求職。至於，婦女方面，則外出從事幫傭的工作。

在台灣光復後，日本人紛紛返回日本，原本在商店從事伙計、店員的客家人，有自成一家的機會，不過，大部份的客家人，則選擇了回收快，以及立即收益的民生消費行業居多，影響了客家人在台灣從事未來經濟活動的走向外，在台灣光復後，客家子弟更是紛紛以讀書、考試、公家機關、教職、軍警界爲第一目標，或是入大商社、大企業謀職，以求收入穩定、家庭溫飽、以及安定的工作空間，而減少對事業的開創性。⑧

今將簡單介紹一些在農業社會中比較特殊的產業後，再介紹客家人比較集中的縣、市或地區的一般產業或職業。

㈠熬製樟腦的「焗腦」

樟樹是生長在中、低海拔的常綠喬木，在化學工業尚未發達前，樟腦是一種十分珍貴的天然原料，它除了一般被製成驅蟲藥外，更是火藥、醫療藥劑、合成塑膠賽璐璐等軍需化學的重要原料。

在清代「開山撫番」政策下，當時開發苗栗獅潭的黃南球、劉絹光，開發大湖的是吳定新、吳定連，三義有李騰華的「金華生」、吳紹遠的「金隆盛」，南庄的黃祈英，新竹北埔姜秀鑾的「金廣福」等，都是因拓墾業務獲得經營伐樟煉腦的利益，而累積財富的大墾首。台灣在清・光緒二十一年（明治 28 年，西元 1895 年）割讓給日本。在日治時期的一八九九年六月二十二日，日本政府開始全面實施樟腦專賣制，台灣樟腦年產量占世界百分之七十，和茶、糖同爲台灣三大出口物產。在樟腦專賣後的第二年，即西元一九〇〇年二月二十八日，開始實施官辦造林，包括樟林及保安林，在「樟樹造林獎勵規則」中，業者可以免費租用國有林野、樹苗也免費，造林成功，即擁有業主權。日本政府在苗栗山區廣泛造林，種植大片樟樹，而奠定了苗栗山城成爲樟腦的重要產區地位。在一九〇七年時，日本政府又開始獎勵民造樟林，使之樟林面積因而逐年增加。在一九三五年時，台灣的粗製樟腦產量一度達到全球的百分之六十以上，爲日本政府賺取了不少的外匯。

在有關「焗腦」方面，根據行政院客委會的《客家小小筆記書——生活產業篇》中，指出昔時煉腦的場所稱爲「腦寮」，備有簡單的蒸餾設備，而實際執行煉腦工作的人則稱爲「腦丁」。腦丁在煉腦時，首先將砍下的樟樹刨成木片，再將樟木片置入炊樟腦用的木桶稱爲「腦炊」中蒸熟。在腦炊的上面放置有一個倒覆的陶缸來收集蒸氣，當蒸氣碰到溫度較低的倒置缸時，便會開始凝結，約八、九天後取下陶缸，缸內半凝結的樟腦一遇到冷空氣再凝固成霜狀結晶，此即爲樟腦。

自台灣光復後樟腦業開始式微，目前在苗栗沿台十三線從三義到銅鑼間仍可看到一些販賣樟腦油的店家。而在苗栗銅鑼的樟樹村還有一家生產天然樟腦產的「東華樟腦廠」，它除了生產樟腦條、樟腦膏、樟腦皀外，還生產有檜木油精、香茅油精等產品。⑨

㈡驅蚊防瘧的「香茅油」

香茅本是一種的野草，它除可製成香水和驅蚊預防瘧疾等功效後，身價百倍。苗栗到處可見香茅草的栽植，而香茅油蒸餾廠在最盛時期有上百家之多。苗栗縣的香茅田以大湖爲最多，在民國四、五十年台灣的香茅油產量一直是全球第一，佔世界總產量的一半以上。在台灣東部的香茅也是由苗栗傳入。台灣的香茅在民國五十年中期，由於受到東南亞國家的競爭而逐漸沒落。在現今休閒產業興盛的時代裡，位於苗栗銅鑼鄉盛隆村的葉先生，爲了重振香茅油的風華，而鍥而不捨的去製作它、發揚它。

㈢台中東勢和苗栗卓蘭曾被譽稱爲台灣的「水果王國」

台中東勢和苗栗卓蘭兩地相隔鄰，都是以種植水果而聞名全台。這些地方一年四季皆盛產水果，除了東勢的高接梨、卓蘭的葡萄素享盛名外，還有柑橘、桃子、李子、梅子和楊桃等。自一九八八年中美貿易談判挫敗，開放國外水果進口以來，嚴重影響果農的生計後，如今台灣又加入 WTO，台產水果更是雪上加霜。

㈣在九降風下做「柿餅」

一般柿餅大致有外表帶白色點狀的「柿霜」，以及乾燥度約六至八分的「柿臍」等兩種，在夏末秋初（十月中旬至十一月下旬）「九降風」的吹拂下，新竹的北埔、新埔、以及苗栗公館的柿子開始成熟，製柿餅的品種通常爲「牛心柿」和「石柿」。在柿餅的加工方面，首先是將柿子用機器削皮後，再用人工削去蒂頭、果頂或有病蟲害的部份。然後經過除濕、乾燥、反覆四次的捻壓、以及曬乾或用機器烘乾等過程後，即可整形、包裝到市面。其中，值得一提的是，新竹縣新埔鎮所栽種的柿園面積約有五十公頃，除了柿餅產量居全台之冠外，當地客家住民所從事的柿餅加工也已有一百六十餘年的歷史，可說是一個道地的「台灣柿餅之鄉」。

㈤花東縱谷的「金針花」

金針花不但花美，而且含有豐富的鐵質，也可說是一種一般人常吃的食物之一。金針花除了可當食材外，它的葉片還可成爲製宣紙的上等材料外，它的根莖也可製成爲消腫、退火的中藥材。

台灣東部海岸山脈平均海拔八、九百公尺處，非常適合金針花的生長。在位於花蓮縣玉里鎮的赤科山、富里鄉的六十石山、以及台東縣的太麻里鄉可說是花東最大的金針花產地，每年夏末秋初是金針花盛產的時候，黃澄澄的花海以及曝曬殺菁的金針花苞，吸引了不少遊客的駐足觀賞。

今又以客家人人數較多的高屏六堆、苗栗縣和新竹縣爲例：

在有關高屏六堆的農業方面，參見黃正仁在《客家風雲》第十二期，所發表的〈青仔青，茶泡紅，六堆農家好過冬〉一文中指出：在四十年前也許可以一起談，現在需區分美濃一個世界，其他五堆爲一個世界。由於美濃、高樹緯度較高接近亞熱帶氣候，其它五堆如地處屏東的長治、麟洛、竹田、內埔、萬巒、新埤、佳冬等七個鄉鎮，則位於熱帶性氣候區。熱帶氣候一切早熟，作物成長快速，能夠搶先上市，剛好符合市場機能的利益。原來的水田及種植香蕉的旱田，有百分之六十以上已經轉作爲果園。至於，在位於美濃地區的農業發展方面，大多仍維持一年種水稻，一年種煙草，某些旱田則種香蕉的情形。⑩

菸草是美濃鎭稱冠全國的經濟作物，在日本政府的保護政策下，種菸要經過許可、不准私留，而且按菸葉品質分級的收購價格由政府片面決定，使之美濃的菸農成爲一種受僱於國家的「公務農」。在此菸農在拚命工作之餘，還要受到政府的箝制，因而有菸業就是「冤業」的無奈自嘲。每年的十二月至翌年三月，美濃鄉間各處的菸樓，不斷的飄出淡淡的輕煙，整個小鎭沉醉在濃郁的烤菸香味之中，蔚爲美濃的特殊風光。

美濃菸草的種植始於日治時代，昭和十四年（西元 1939 年）間，日本人將菸草作物引進美濃，他們在屏東里港一帶大力種植並推廣，菸草種植地區包括高雄大寮、鳳山、大樹、旗山、杉林、美濃、六龜、及屏東九如、高樹、里港、萬丹、新埔等高屏兩地。自國民黨政府遷播來台設置公賣局，實施公賣利益後，高屏地區的菸田不減反增，種植區域最多曾達一萬三千公頃。美濃以優越的地理、溫暖的氣候、四通八達的灌溉水圳，創造了「菸草世代」，也塑造了美濃鎭特殊的客家農村文化。民國六十四年（西元 1975 年）至六十五年期間，是美濃地區種植菸草的黃金時期，種植面積高達二千二百三十五公頃，佔全國百分之二十二，產量佔台灣總產量四分之一。根據菸農的表示，在菸草的生產過程中有七個階段，即苗床準備、播種初步移植，到最後移植上土、收成與烘存揀選、分類包裝、出售，大約需要七百九十個工作天。由於收成與揀選需耗費大量人工，形成美濃地區一種特殊勞力可互通有無，並相互調節需求的「勞力交換」工作方式。菸草業鼎盛時期，美濃地區處處可見屋頂上設有斜背通風口的美濃舊式菸樓，俗稱大阪式菸樓，該菸樓的主要燻菸室「本灶」一律採四坪建築，只有兩層樓高，加上可用來通風與控制菸樓內水份的天窗；在其左、右兩側，可依菸農調理菸草的需要，加蓋一側或兩側的片舍、下舍，供作烤菸、貯菸及勞動的空間。在民國七十年左右，大阪式菸樓終於被「堆積循環式乾燥機」（俗稱電腦）取代，只要兩個人即可操作，比起過去的菸樓，省了六分之一的人力，卻多出三倍的烘焙量，對農民來說，的確是省時又省力。美濃菸草興盛了六十多個年頭，直到一九六〇年代，在台灣經濟及產業結構的轉變，及大量農村人口外移的衝擊下，逐漸走下坡，壯觀的「菸樓景象」也開始沒落。民國九十年，台灣加入WTO之後，原本保障菸樓收購的保護傘完全喪失，這使得國內菸樓毫無國際競爭力，加上公賣局菸酒不與菸農制定收購價格，產價逐年下滑，間接促使美濃菸業式微，今日取而代之的是雜作。⑪

旗山舊稱蕃薯寮，日治時代以山產集散地著稱，兼發展糖業與蕉業。香蕉原種於印度喜馬拉雅山麓，有北蕉、芭蕉、粉蕉、仙人蕉等種類。台灣栽培香蕉已有兩百年以上的歷史，據說台灣的香蕉在清・乾隆年間，自福建引進蕉苗開始，初期種植面積不廣，但到了日治時代，由於日本人嗜食香蕉，於是在台灣各地廣爲試種，除中南部地區之外，其他各地土壤種植出來的香蕉味道不甚理想，因此日本人將其主要產地集中在中南部地區，中部蕉主要內銷，南部蕉則外銷。在香蕉興盛時期，台灣的香蕉出口曾佔外銷金額八分之一強，賺取大量外匯，因此又有「綠色黃金」之稱。高雄旗山由於氣候溫暖，又有旗山溪流經過，土地肥沃，生產的香蕉又大、又香、又甜，在日本人的主導發展下，旗山成爲台灣生產香蕉的重鎮，以鄉鎮而言，它是全台生產面積與產量最多的地區，因此有「香蕉王國」之稱。旗山種植香蕉以一九三〇年至一九六〇年爲其黃金期。民國五十四年（西元 1965 年），因「金碗與蕉蟲案」發生，此一事件鬧得風風雨雨，旗山蕉業的盛況逐漸走下坡。五十八年以後，由於日本商人在菲律賓及南美洲投資蕉園成功，台蕉的市場逐漸被外蕉所取代，加上黃葉病肆虐、臨海工業區興起，旗山的香蕉產業就漸漸衰退、人口外流，地方建設也開始停頓。⑫

在民國五十多年時，六堆稻作單位收穫量全台第一，所有水稻新品種的推展成功，多半是六堆農民的傑作。六堆水稻一年兩熟，在兩季水稻之間還可種植一季大豆、甘薯、苦瓜、香瓜、四季豆或辣椒等農作物。在民國六十多年時，由於台灣生活習慣快速變遷，麵食增加，米食減少，台灣開始有稻米生產過量的壓力時，六堆農民選擇了「茶泡」作爲轉作標的。民國六十八年到七十三、四年之間，由於賀爾蒙催花，剪枝、施肥及灌水技術的改進，「屏東黑珍珠」聲譽鵲起，農民獲利甚豐，大大的改善了六堆人民的生活水準。在民國七十年起，六堆農民又興起「青仔」（即檳榔）的種植。在有百萬元左右的年收益額下，從民國七十四、五年起，六堆的住家景觀有了重大的變遷，一棟棟雙層別墅紛紛在果園內興建起來。至於，在檳榔產量過剩時，六堆農民就開始從事蘭花、盆景、鮮花、奇樹、水耕蔬菜……等精緻農業的開拓與發展。⑬

在有關苗栗縣的一般職業狀態爲：苗栗縣十之七八爲客家人所定居，不管是執教經商、理髮、做工、力田……等各種職業，均有女子插足其間。根據民國四十五年（西元 1956 年）的統計，全縣三九五、六二二人之中，女子一九七、五九七人，除未滿十二歲者七三、〇一〇人，學生一一、一〇六人，家庭管理者六九、六〇一人，無業者九、四六四人之外；其餘從事於農業者計二四、七七七人，漁業者六三六人，礦業者七八人，工業者四、〇九〇人，商業者九四六人，交通運輸業者一二九人，人事服務者二八、八五三人，公共關係者一九六人，國防事業者五人，自由職業六二一人，其他職業五五人。由此可見苗栗女子職業部門之廣泛。至於各汽車公司站及車上售票員、各戲院售票員等，則均由女子任之外，對於三輪車夫方面，亦有不少妙齡少女，插足其間。⑭台灣科技產業的興起，尤其是在多山、交通不甚發達的苗栗縣，在一九七〇年代，由於受到石油危機的衝擊，台灣推動了第二次進口替代政策及出口擴張政策，利用當時相對的低勞力成本優勢，生產大量的輕工業產品，如玩具、腳踏車、傘雨、成衣、誕辰燈泡、汽車零件……等，藉由出口國外賺取外匯。不過，在位於苗栗縣頭份鎮的產業方面，其變遷大致可分為墾殖時期、農業時期、工業時期、以及高科技時期。尤其是在近年來，有生物科學園區的設立，更是加強了苗栗縣在工業生產方面的提升。

在有關新竹的農業經營方面，根據彭作奎、彭克仲的〈新竹客家地區農業經營的理念〉一文中，指出，自光復以來，台灣經濟以農業為主的經濟體系變為以工商為主，至 1992 年為止，台灣農業的產值佔全國國內生產毛額（GDP）的比例已降為 3.5%，農業就業人口佔總就業人口的比例亦降為 12.3%。1990 年新竹縣的農牧戶有 28,015 戶左右，比十年前減少 4.7%，農牧戶數佔總戶數之比例為 35% 左右，農業人口數佔全縣人口仍多達 41%。農業就業人口佔新竹縣總就業人口數的比例為 26%，高出全省平均數頗多，而水田面積佔總耕地面積有 58%左右，是屬於典型的農業縣。

在 1990 年的農業普查中，新竹縣的耕地面積為 23,440 公頃，其中分佈以關西鎮最多（4,160 公頃），其次為新埔鎮（2,870 公頃）、竹北市再次之（2,450 公頃），其次依序為湖口鄉（2,150 公頃）、芎林鄉（1,930 公頃）、新豐鄉

（1,880 公頃）、寶山鄉（1,840 公頃）、竹東鎮（1,820 公頃），最少的三個鄉鎮爲橫山鄉、峨眉鄉及北埔鄉。新竹縣每戶農家的耕地面積爲 0.83 公頃（1990 年），較全省平均每戶 0.77 公頃爲大，其中水田面積佔 58%，旱田佔 42%。

在光復初期，新竹縣境內主要作物以水稻及甘藷爲主，而在山區則以香水茅、黃麻、甘蔗、蠶桑及茶葉等特用作物，以及柑橘、柿子、龍眼、水梨等園藝作物爲主。另外，幾乎每戶農家均會飼養毛豬、家禽當做副業。近年來，新竹縣境內的工廠設立相當普遍，如工業園區、湖口工業區、芎林工業區、新埔工業區，工廠數超過 3,200 家。使之，新竹縣的居民以工廠上班爲主，其次才是做生意的情況下，根據 1991 年的調查，指出新竹縣的農家所得中的 71%左右，來自非農業所得，僅有 29%來自農業所得。⑮

在有關新竹的工業方面，隨著台灣經濟結構的改變，如果說，民國六〇年代，台灣青年心目中最想當的風雲人物是台塑董事長王永慶，民國七〇年代是宏碁董事長施振榮，那麼到了民國八〇年代末期，學子心目中排行第一的人物，無疑是台灣積體電路公司董事長張忠謀。一九七九年新竹科學園區成立，這項建設日後證實對於台灣的經濟發展極具關鍵性，也是二十年後台灣高科技產業得以崛起之始。值得一提的是，「竹科」的成立本質上是美國高科技重鎮矽谷的翻版，而清華和交通兩所大學，又吸收或是容納了不少高等學府的優秀人才，而有竹科在人才、技術資訊、市場資訊和產銷網路上連成一體的規劃。到了一九八〇年時，根據以上的思維而訂定有二大（市場潛力大、產業關聯性大）、二高（技術層次高、附加價值高）、二低（污染低、能源依存低）的原則，經過一段時間的累積，而於一九八七年開始設有大型的晶圓廠，解決了不少當地客家的求職問題。⑯

在台北大都市的客家人方面，第一期，光復前，在分佈上，不但人數少，而且呈分散狀態。第二期，光復後十年左右，北部丘陵地的客家人落腳於南門外一帶，也就是今日的青年公園到克難街、廈門街、南昌街地區旁及中永和。第三期，光復後二十年，即民國五十年代起，政府開始實施一連串的四年經建計劃，全力發展勞工密集工業，本期客家人則移入房地產價格較低廉的地區，如今日的三張犂（通化街一帶）、六張犂（臥龍街一帶）、五分埔（虎林街一帶）、合江街、五常街和士林、北投都居住了不少的客家人。第四期，約在民國七十年代時，工商業已經高度發展，鄉村人口繼續流入台北就業、就學，而且有年輕化的傾向，其中舉家遷入者，大多居住在內湖地區和淡水河、新店溪左岸的衛星市鎮。⑰在有關謀生狀態方面，早期客家人多半保守，生意都只在可控制範圍中，不敢有太多的改變。又如在光復後，位於台北市通化街、合江街、師大附近、南機場附近的客家移民大本營，他們在當地所從事的商業活動，大多仍以小生意、生活日常用品、飲食店、文具店、鞋店、藥房……等爲主，而少有所謂的大型企業外，而桃、竹、苗客家鄉親來到台北拉三輪車、賣菜賣肉做小生意、做木匠、做泥水工，甚至到台北橋受雇當苦力者也相當的普遍。自民國50年代之後，台灣客家人因教育、社會變遷，60年代工商社會蓬勃，逐次改變客家人的經營方向，其中以新一代大都會的移民，最爲明顯，也開始大膽選擇新興行業，有些開店面、開公司如早期萬家香、徐外科、資生堂……等，但是仍不脫眷戀情懷，及傳統中對資金保守的看法而影響了創業的規模。七〇年代台北市政全面更新，南京東路、松江路、中山北路變成金融、商業中心、百貨公司林立。八〇年代從繁榮西門町轉移日益繁榮的台北東區，九〇年代舊社區全面迎接社區總體營造，日益更新繁榮之際，在台灣現今五百大企業中，客家人所經營大企業的比率仍舊甚低。

十、客家人在「政治」上的何去何從？

過去祖先的成功、失敗隱退對客家子孫又能封閉多久？社會的變遷、政治的開放，究竟客家的舞台在哪裡？客家運動大致始於民國七十七年（西元1988年）十二月二十八日的「還我母語」運動，爲其訴求主軸。今就一個多元族群的國家而言，在台灣的客家族群，不論就政治權力、經濟資源或是人口數目而言，客家人應該不能算是一個明顯，而且需要國家保障的少數民族，不過，它確實需要適度的關懷。

每當選舉即將來臨之時，各黨各派的候選人大多會在客家的各種傳播媒體，大量廣告對客家人的貢獻或是做訪問性質的自我介紹來推銷自己的同時，客家人口似乎也會突然的變多了起來，很多候選人會說他（她）也是客家人，或是她是客家媳婦，他是客家女婿、客家親戚，或是說他（她）曾住客家庄、常吃客家菜、有很多客家朋友……等，甚至講幾句應付場面的客家話等，來爭取或騙取客家人的認同與選票。台北市客家人口數據說有五十萬以上，但卻選不出一位市議員爲客家人代言，此現象的產生，不是客家人缺乏參政人才，而是客家人不團結的顯示。

原是中原衣冠之後的客家人，經過多次大遷徒後，到七百年前宋朝時才遷到嶺南「作客」，開始被稱爲客家人。台灣客家人在經歷三、四百年的自然與文化生態洗禮下，與台灣的其他族群似乎有某種程度的差異，其中對於政治的態度與價值取向方面，似乎對於外來的影響，有反對強權、與特權抗衡，永不屈服的強烈「隱形抵抗」的「硬耿」性格，而造成了客族不易與他族融合的特性。尤其，在現今「數人頭」的制度下，倘若客族不稍微改變原有的特性，而慢慢的認同本土化，並與其他的族群，從事既「合作」又「競爭」的基礎上，努力邁進，否則只有走上沒落或是失敗之途。

回顧百餘年來，在外來政權的統治下，客家人有被批評爲比較退縮怯懦的指述，然而它並非全是事實。其情形有如，在台灣人爭自主、爭尊嚴的奮鬥歷史上，無論客家人或是福佬人都曾流過鮮血。同樣的，也有少部份同胞曾無知的犯下錯誤，任何民系都有光明的一面，也有黑暗不光彩的一面，我們願意在此開誠佈公的把歷史攤在陽光下，來共同檢視。西元一八九四年（清·光緒20年），中日甲午戰爭，中國戰敗把台灣割讓給日本。台灣人不服，於是就在西元一八九五年五月二十五日組織台灣民主國，準備抗日。民主國的三巨頭，都是客家人，他們是民主國大總統唐景崧、民主國大將軍劉永福、民主國副總統兼義勇軍統領丘逢甲。同年五月二十九日，日軍從基隆澳底登陸後，有姜紹祖、吳湯興、徐驤等「客家三秀才」的為保衛鄉土而壯烈犧牲。其詳情為：六月十三日，日軍即將抵達新竹以北的湖口客家庄時，就開始遭到苗栗銅鑼的吳湯興、苗栗頭份的徐驤、新竹北埔姜秀鑾曾孫姜紹祖，還有桃園平鎮的胡阿錦等首領，率領客家子弟的抗日戰役中，姜紹祖年僅二十就壯烈的犧牲了。八月二十六日，在彰化所爆發的八卦山抗日戰爭中，義勇軍統領吳湯興終於戰死，而他的太太黃賢妹聞悉丈夫戰死，就自盡殉夫。未戰死的徐驤到台南見劉永福說：「南部還有勇敢的民系就是六堆。我去六堆召募義軍繼續抗戰。」徐驤一到屏東內埔就召募了七百多位客家子弟義勇軍到雲林繼續抗戰。就在斗南一戰徐驤壯烈戰死了，七百多位義勇軍生還者只剩二百七十餘人而已！日軍登陸枋寮後，爆發了客家人的佳冬抗日戰爭。佳冬是小庄，但比大城市嘉義打得更為轟轟烈烈。嘉義抗日戰爭，日軍戰死者只有一人，但佳冬抗日戰爭，日軍戰死者包括軍官在內有十五人，負傷者有五十六人。日軍再從東港、鳳山等地直逼台南。十月二十日，劉永福認為抗日無望，就潛回大陸。十月二十一日，日軍又無血進入台南城。台灣民主國表面上就因此而滅亡。可是客家的火燒庄（屏東北鄉），在民主國滅亡二十日後的十一月九日及十日，又和日軍爆發了相當慘烈的戰鬥。⑱在日據時期的前期，有胡嘉猶、江振源、黃國鎮、林少貓等客家人的武裝抗日，造成統治者的震撼倉惶。在西元一九〇七年至西元一九一四年間，有「北埔蔡清琳事件」、「林杞埔事件」、「李阿齊事件」、「賴來事件」、「詹惡事件」、「羅福星事件」等事件中，其領導者、死難者幾乎全是客籍人士。在西元一九二一年所成立的「台灣文化協會」，雖然客家人參與者較少，但因文化協會的演講所引起的反響，卻是相當的強烈，其情形諸如有台北師範二次反抗行動，以及後台中師範的衝突事件，客籍青年菁英無一缺席。在西元一九二六年的全島性「農民組合」成立，「文化協會」左傾，佔農勞階級多數的客家農民爲了自保，而有郭常、劉雙鼎、謝武烈等客家知識青年，站在第一線從事反抗的行動。

在台灣光復後，於民國三十六年（西元 1947 年）二月所爆發的二二八事件中，有吳鴻麒、張七郎父子、李瑞漢兄弟、葉秋木……等人的離奇失蹤或被處死。在白色恐怖的十年間，在桃、竹、苗等客家庄涉案被捕者極多。其中「基隆中學鍾浩東案」、「竹南李建章案」、「苗栗徐金生案」、「苗栗油廠彰新貴案」、「桃園周耀旋案」等，都是全島性的大案。據「台灣民眾史」作者鍾紀東根據「國防部叛亂案資料彙編」估計：「一九五〇年代初期台灣赤色政治犯中至少三分之一是台灣客籍人士。以當時被捕人士總共六〇〇〇人來算，客系人可佔二〇〇〇名左右。」⑲

在上述的客家人中，不管是爲了自保，或是悍衛正義，或是爭取台灣的民主與自由當中，所做的貢獻與犧牲，可說是有目共睹。自中華民國三十八年（西元 1949 年）撤退台灣以來，客家人投身選舉事業的仕途際遇方面，大約在民國七十六年（西元 1987 年）解嚴之前，在國民黨政府執政期間，能夠在省議員或縣長任期屆滿以後出人頭地的，嚴格的算起來，也只有桃園縣長張芳燮和吳伯雄、苗栗縣劉濶才、花蓮縣吳水雲四人而已！自民國七十六年（西元 1987 年）七月解嚴後的台灣社會呈現前所未有的朝氣、活力，各黨派團體無不磨拳擦掌，意圖爭取更多的資源分配，擴展更大的生存空。國民黨的在台執政，如何照顧客家人？對於客家政策又是如何？大家心知肚明，今僅以在上層的政治職務方面，若從統計數字來看，實已低得不成比例。根據民國八十一年，世界客屬懇親大會在高雄市舉行時，高雄縣美濃客家籍的國民黨中央社工主任鍾榮吉就語重心長的說，現不僅五院正副院長沒有一位是客家人，行政院政務委員與內閣閣員中只有吳伯雄一位是客家人，四百零二位增額國大代表中，客家人只有三十六位，前年當選的一百六十一位立法委員，客家人也只有十一位，不但無法跟閩南、外省族群比，在分配上不成比例，若以人口數來比，甚至比有六席保障名額的原住民立委都還少外，又參見何來美在民國八十三年，在〈客家宗族派系與選舉〉一文中，指出台北市與台北縣合起來至少有七、八十萬以上的客家人，但是台北市只有一席客家籍議員，台北市與台北縣甚至連一席客家籍立委都選不出，比起外省籍於民國三十八年，來台的六十萬，第二代在都市地區的高當選率來比，根本是不成比例，值得客家人深思。⑳

由上可知，在台灣社會的客家人是一種的「隱形人」，他的真實面貌似乎很模糊。在政治上的客家人，不僅是一個「沈默的大多數」，而在決策權力核心方面，更是一個「裝飾」而已！不過，在上述種種的悲觀事實中，也有值得我們興奮與學習的，乃是遠在民國五十三年或五十四年時，當許信良與邱連輝還跟著國民黨屁股走的時候，屏東縣的全客家庄就變成了台灣唯一的「民主聖地」外，就屏東縣而言，高屏六堆地區，客家人所佔的比例甚低，生爲客家人的邱連輝，他不但能當上立委，而且還當上了屏東縣的縣長。由此可以推知，南部的客家人，除了較有政治危機意識外，它所表現的就是在團結中更團結，而不像北部的客家人，尤其是在台北縣市，客家人所展現的卻是一種的「一盤散沙」，或是具有嚴重的「牛欄肚鬥牛嫲」的內鬥內行，外鬥外行的弊病與心態的同時，所謂的「政治」就是講求實力與資源分配的事務。在促進台灣「本土化」以及政治「民主化」的大方向的共識當中，客家人不必自我設限，也並不一定要去跟人家區分什麼？一定要有開闊的心胸，去接納別人、歡迎別人，分頭努力、共同奮鬥，而不做政治上的「缺席者」，如此才能廣結善緣、突破藩籬，獲得他人或他族的尊重與讚賞的同時，才會有美好的明天，以及光明的未來。

至於，在民國八十九年（西元 2000 年），改由民主進步黨執政以來，不斷的加強本土化的教育，尤其是在民國九十三年（西元 2004 年）三月二十日，在「天佑台灣」下，民進黨又贏得總統大選，再度執政而做更深入的社會思想改造，尤其在客家人方面，大多是停留在「我本是中原貴族，自魏晉以降，歷經多次大遷徙，三百多年前遷徙至台灣」的印象甚深，不過，教育部最近在頒佈高中歷史課程暫行綱要中，一再希望課程要面對事實，一定要加強台灣各族群發展的歷史篇幅，讓學生了解台灣是多族群共存的國家外，也希望不管是先來或是後到的人們，除了能對這塊共同居住的土地，享有平等權利的同時，也應有如客家「義勇之民，忠於斯土，護佑人民」的忠義精神，來保護這塊土地的神聖任務。

十一、客家電視台一定要增志（爭氣）

語言是一個民族文化最直接方便的「載體」，語言與族群的關係在某種程度上，幾乎是共形的，我們絕對贊成政府推動共通的「國語」，但因此而極力打壓，甚至要消滅各族群的母語，這是錯誤的政策，因爲一個語言的消失，就等於宣告一個族群的滅亡。

最近十五、六年來風起風湧的客家文化復興運動，其實是清代客家義民「自力救濟，保鄉衛土」精神的發揚。十幾年來在籌辦雜誌和廣播電台的過程中，又充分展現了義民精神，事業有成者慷慨捐百萬，受薪階級或農工大眾也盡力而爲，連許多鄉下大伯、伯母都不落人後，紛紛拿出多年積蓄的「老本」共襄盛舉。「客家話上電視」，是十六、七年前（民國77年，西元1988年）所發起的「還我客家話」大遊行中，一個非常卑微的訴求。當年客家人把戴著口罩的國父銅像在台北市遊行，其目的不是怕孫逸仙感染S.A.R.S，而是在反對當年國民黨政府的語言政策與廣播電視法第二十條所附加的限制條款，使之偉大國父孫中山先生即使參加電視節目的訪談或演出，也不可能使用優美客家話母語說話的情況下，倘若當時沒有客家先賢、勇士發起萬人戴口罩、上街頭、爭權益，行政院新聞局及交通部就不可能核准財團法人寶島客家廣播電台；沒有關心客家文化之政治家、語文學家、社團負責人的奉獻與規劃，二○○○年總統大選，各組候選人不可能推出客家政策；沒有國會協商，立法院院會就不可能快速三讀通過行政院客家委員會組織條例；沒有朝野立委的共識，立法院委員會聯席會議就不可能審查九十二年度有關客語電視頻道預算新台幣三億三千萬；沒有行政院客委會及台視員工的努力與計劃，客家電視就不可能在民國九十二年（西元2003年）七月一日，阿扁總統巧扮主播、葉菊蘭主委客串記者的開播情景發生。㉑

台灣客族在近十六、七年的力爭平等、艱苦奮鬥之後，我們終於領受了有些收穫的歡欣，可以讓客家鄉親隨時打開電視就聽到親切的母語，看到熟悉的影像，而感覺自己是個有尊嚴的國民的同時，也摒除了客語「只適於家庭裡使用」的小媳婦地位外，在教學以及學習層面而言，客家電視台可以提供客語教育的情境，讓小孩子覺得學客家話是自然的、合理的，而非只是鄉下阿公、阿婆的語言，或區域性的方言而已！然而，自客家電視台從籌備到開台僅短短四十五天，以及沒有台視就沒有客家電視台，去年（西元2003年）客家電視台招標時無人競標，最後台視臨危受命接下經營客台任務的同時，客家電視台的經費又相當拮据，很多的人力、硬體資源須與台視共用，才能順利誕生。在此客家電視台草創之初，爲了讓客家鄉親們能夠隨時打開電視就能收看到客語節目的情況下，把許多的陳年舊片配上客語拿來塡充時段，這是事實，不過節目中心副總監謝志文表示，客家電視台至今經過一年的摸索，雖然觀眾的口味還是處於測試階段，但是已能掌握主要收視群較喜愛的節目類型；目前在節目安排上，早上播放銀髮族節目，傍晚有兒童性節目，晚餐時段則是政論性節目；至於在連續劇方面，在感覺上，大家還是比較青睞客家傳統的東西。此外，現在客家電視台主要以文化走向爲主，包括客家庄、人文、歷史、產業等等，這些方向都是客家電視台在安排、製作節目時的指標。㉒

我們知道第十七頻道——客家電視台籌備的時間倉促，人員的職前訓練不足，開播初期或許不該過於苛求，但長遠之計，則決不能一味因循苟且，或一直因陋就簡，我們除了本著「愛之深，責之切」的態度，要求當局努力提升節目內容、品質的精緻度外，尤其是在「語文的傳承」方面，希望他們能在一定期限內提升咬音或用詞的語言駕馭能力，因爲這是全球「第一家」而且是目前，「唯一」的一家客家電視頻道。它的營運成敗，不單只是一個頻道或一家公司的得失盈虧，而是關係到整個客家族群能否繼續存在的生死存亡的關鍵的同時，對於一個想了解客語的非客籍同胞，更是應該成爲他們的一個有利的學習途徑和一個美好的對話平台。㉓在電視台的播報政策上，也應拿出專業的精神，以及媒體人應有的理性、公正和客觀的風骨，不要使觀眾誤以爲客家電視是在假復興客家文化之名，而行一黨或是少數人名利之實的電視台外，更不應該讓觀眾產生一種該台是客委會的政令宣導台的印象的同時，我們除了誠摯的希望客家電視台能獲得充分的自主發展空間外，更希望客語電視事業能夠早日步上不會綠化，也不會藍化，只會客家化、公共化和制度化的坦途。

最後，我在此呼籲客家電視台，在此客家語言、文化重返公共領域的重要時刻裡，一定要增志（爭氣），因爲我相信在此知識爆炸、傳播迅速的劃時代的一籮筐期許當中，客家電視頻道的設立，只是一個起點，我們希望它更能在這四通八達，而國際來往日益密切的地球村裏，與各族群共同努力，延續客家香火的同時，並積極提升、塑造出一個能符合時代需求的客家文化，是所爲禱！

註解

① 禮記檀弓篇。
② 阿不滴著，《翻翻客家》，NO.5，頁 19，台北：台北市政府民政局，2001 年秋季。
③ 葉玉萍報導，〈血統優身型讚公豬，上選〉，《客家郵報》，2004.8.4～10。
④ 陳彥豪報導，〈客家人添丁新丁粄獻神〉，聯合報，92.11.8。
⑤ 潘朝陽、邱榮裕編纂，《客家風情》，頁 175，台北：台北市政府客家事務委員會，2000 年 8 月。
⑥ 參見雨青編著，《客家尋根》，頁 212～214，台北：武陵，1996。
⑦ 大陸新聞中心，〈乳房對稱，才准當湖南公務員〉，中國時報，93.2.20，A13。
⑧ 參見張典婉著，〈客家工商人的文化理念〉，《客家文化研討會論文集》，頁 359，台北：行政院文建會，1994。
⑨ 鍾仁嫻撰稿，《客家小小筆記書——生活產業篇》，頁 45～53，台北：行政院客委會，92 年 11 月。
⑩ 參見黃正仁著，〈青仔青，茶泡紅，六堆農家過好冬〉台北：《客家風雲》第十二期，頁 67、68，1998.10.1。
⑪ 游淨妃報導，〈美濃菸草，旗山香蕉近黃昏〉，《客

家郵報》，2004.7.21～27。

⑫ 葉俊琪報導，〈旗山蕉園，只見老農身影〉，《客家郵報》，2004.7.21～27。

⑬ 參見黃正仁著，〈青仔青，茶泡紅，六堆農家過好冬〉，台北：《客家風雲》第十二期，頁 67、68，1998.10.1。

⑭ 張祖基等著，《客家舊禮俗》，頁 374，台北：眾文圖書公司，1986。

⑮ 彭作奎、彭克仲著，〈新竹客家地區農業經營的理念〉，《客家文化研討會論文集》，頁 333～343，台北：行政院文建會，1994。

⑯ 參見徐宗懋著，〈高科技產業崛起〉，《二十世紀台灣一九九九》，頁 13、14，台北：大地地理，2002 年 3 月。

⑰ 參見彭鑫著，〈何處是「客家」四十萬台北客家人的分佈〉，《客家風雲》第九期，頁 27，77.7.1。

⑱ 參見鍾孝上著，〈福佬兄弟，加油吧！〉，《客家風雲》第十一期，頁 47-49，台北：客家風雲雜誌社，77.9.11。

⑲ 李喬著，〈台灣客家人的政治態度〉，《客家文化研討會論文集》，頁 415，台北：行政院文建會，1994。

⑳ 參見何來美著，〈客家宗族派系與選舉〉，《客家文化研討會論文集》，頁 433，台北：行政院文建會，1994。

㉑ 參見范佐雙著，〈客家電視開播前後——感恩與期許〉，《客家》，頁76，台北：客家雜誌社，2003.8.1。

㉒ 李思儀、游淨妃報導，〈客家電視台節目品質愈見細緻〉，《客家郵報》，2004.5.19～25。

㉓ 參見張美煜著，〈我看客家電視頻道——略論電視客語的若干問題〉，《客家》，頁 70、71，台北：客家雜誌社，2003.8.1。

第十四章：客家文化的淪喪與振興

客家人在台灣現今二千三百萬人口中，有四百五十萬，約佔全台的五分之一，與外省族群大約相當，但卻沒有享有過統治權，也沒有像閩南族群享有實質的經濟權。爲使客家文化免於「兒童見面不相識，笑問客從何處來」的無奈與悲情。在尊重各個族群的母語以及給予發展空間的大原則下，凡我客家人均須本著飲水思源的懷舊情懷，以及落地生根的開拓精神，來挽救「族難」的危機。在有關現今客家文化的失落方面，其原因大致有如下四點：

一、居住地成點狀孤立分佈，容易被國語、閩南語兩大主流文化的包圍下，一點一滴的流失，或甚至被各個擊破，其情形，有如分佈在桃園、新竹、台中、彰化、雲林、台東、花蓮等。

二、性格保守、隱藏、冷漠、畏縮，政經力量不足，常導致被支配或淪爲外圍組織的命運。

三、爲保護自己，力求模糊族群身份，來適應環境，力求物質改善，而沒有在思想意識上，去努力維護客家文化與意志。

四、在政府的強力推行國語政策上，透過學校教育和大眾傳播媒體的日夜侵襲下，使之客家語言蒙受嚴重的消失與傷害。

從上述之種種因素，大致可以得知，由於客家人基於生活環境先天的不利因素，有過於保守外，長期在心態上，除非常忌諱說自己是客家人的同時，在文化資產方面，又有認爲不值得保存，以及甚至認爲以此文化爲恥的現象。在近年來，在台灣民主化過程中，除了政治理念沒有把客家人的本色、特色表現出來外，在文化上、經濟上，只知經濟掛帥、賺錢謀生，像是個隱藏人，導致每一代大約有百分之二十的小孩不會講客家母語，如果現今客家人再不主動參與或從事客語的文化復興運動，幾乎不到一百年的光景，客家語言就會完全消失，而成爲一個末代的黃昏客家族群。

爲了讓客家文化不致失落，而能永續、健康的發展，必須從如下多方面的發展：

一、在政府方面：

過去政府不把被統治族群的文化、歷史當成一般百姓生活或做爲一個公民所應享有的社會權，諸如過去廣電法對各族群文化或族群發展的環境，常有不公平的待遇，而強調所謂的國語節目，使之原住民文化在消失，客家文化在消失，閩南文化也在流失。爲了落實各個族群平等原則，須透過立法院編列預算來維護，有如立法院通過撥款支持公視、政行院文建會一樣外，客家人更須在各項民主選擇中，透過選票來要求。

二、在學校方面：

由於五、六十年來，學校教育太過強調過去中國傳統文化，而忽略了現存本土文化的存在。因此在搶救客語文化的消失方面，須從事客語教學師資培訓、增設客家語文學系、雙語言教學、編纂母語課本、字典或各種領域的專用母語字典……等來著手。

三、建立客家博物館或客家文化資訊中心方面：

由於過去客家本土文化是中國文化的邊陲再邊陲，不但得不到政府的重視，也不受民間的青垂，導致失去保存與發揚的機會，為保存、維護正在消失的文化資產，對於先民所走過篳路藍縷的歷史，以及現今的生活過程、生活經驗，要做有系統的整理、蒐集。其範圍包括民俗、民謠、民間故事、傳說……等。

四、結合學術界、傳播媒體以及民間社團方面：

在學術界方面，須透過中央研究院，或其他大學舉辦客家文化發展研討會外，並獎助各大學客家社團的活動，或進行客家族群的田野調查。尤其在客家學的研究方面，雖然目前對於客家族群的遷徙和形成方面，已有相當的成果，但仍然尚未提升到系統的學科建設和理論構建階段。在有關客家學的研究領域方面，簡單的說，它須從歷史學、社會學、民族學、人類學……等眾多科學的角度出發，來探討客家民系的源流、社會經濟、語言習俗、心理情感、民系意識的發生、發展及其演進。在具體的研究與拓展方面，共識是前提、策略是關鍵、推動是環節、科目是基礎，根據㈠陳運棟學者的〈客家學研究導論〉中，指出，須從事如下之研究：1.客家族群的發展史之研究。2.客家文化之研究。3.客家民俗之研究。4.客家地區之區域研究。5.客家語言之研究。6.客家人口分佈之研究。7.客家地區之社會學調查分析。8.客家地區之人類學研究。9.客家地區之經濟學研究。10.客家族群意識之研究。11.客家地區民間文學之蒐集整理及其他地區之比較研究，包括故事歌謠諺語。㈡根據凌雙匡學者認為客家學的構件大致有：1.客家學導論。2.客家民系學。3.客家歷史學。4.客家方言學。5.客家文化人類學。6.客家民俗學。7.客家民間文學。8.客家學研究發展史等八個科目。㈢根據楊國鑫學者在《台灣客家人新論》一書中，有關客家基礎工程的研究如下，今以先天的環境、資料的收集以及田野工作而言，其研究對象為有如台灣客家的源流、台灣客家的分佈及人口、台灣客家的居住環境、台灣客家的語言、台灣客家人的特質、台灣客家與近代台灣史的關係、台灣客家代表人物的思考想法、台灣客家人的生活民俗活動、台灣客家人與其他語群關係。台灣客家人與其他國家客家人的關係……等。②在傳播界方面，須力求電影或電視劇有配客語的發音，並長期培訓客家演員、廣播電視人才。在民間社團方面，其活動由各縣市鄉鎮為單位輪流主辦，諸如鼓勵出版客家母語刊物，舉辦嘉年華會、夏令營、冬令營、客家話演講比賽、客家音樂會或八音團比賽、客家歌謠演唱比賽、客家戲劇（客家傳統劇團、客家現代劇團、客家兒童劇團）的演出、客家民俗技藝的表演……等。

五、在國際關係拓展方面：

出訪國際少數族群或弱勢團體的交流，加強國際華人地區客屬團體的聯繫，舉辦國際性客家學術研討會，以及鼓勵客家文化技藝團體國際巡迴交流表演等。

在目前方面，在民國八十二年（西元 1993 年）七月間，立法院已經通過廢除廣電法的限制方言播放，以及在學校禁止學生說方言的規定的同時，教育部也已同意開放各級學校實施雙語教學外，在民國九十二年（西元 2003 年）七月一日，客家電視台也已正式開播，服務客家鄉親，在台的客家人應該好好珍惜現有的權益，繼續努力，並視它爲一種應有的任務與使命，來把它發揚光大。

現今讓我們來回顧一下，在國民黨政府統治時代，有關客家文化的沒落，及其在民進黨政府時代的企圖振興過程如下：

第一節：國民黨政府的語言政策與客家文化的沒落

民國三十四年（西元 1945 年），台灣光復後，陳儀向教育部推行委員會請求派遣專家，來台協助推行國語。民國三十五年，台灣省國語推行委員會正式成立。根據當時教育部的全國性「國語運動綱領」爲：

一、實行中國字讀音標準化，統一全國的讀音。

二、推行國語，使能通行全國，並作爲外國人學習我國語言的標準。

三、推行注音國字，普及識字教育，奠定民主基礎。

四、推行注音符號，溝通邊疆語文。

五、研究國語教學法，增進教育效率。

由於台灣環境特殊，被日本統治五十年之事實，爲了因應實際的需要，在上述的五條包括大陸在內的全國性國語運動綱領中，又另外頒佈了如下六條的台灣省國語運動綱領：

一、實行台語復原，從方言比較來學習國語。

二、注重國字讀音，由孔子白引渡到國音。

三、刷新日語句法，以國音直接讀文，達成文章還原。

四、研究詞類對照，充實語文內容，建設新生國語。

五、利用注音符號，溝通民族意志，融貫中華文化。

六、鼓勵學習心理，增進教學效能。

在執行上的態度方面，根據陳儀在民國三十五年二月的宣示中，指出「對於國文，我希望我們要剛性的推行，不能稍有柔性。……俾可增加效率」

在民國三十八年（西元 1949 年），國民黨政府準備播遷來台後，對於推行國語運動，則又進一步的加強，它大致可分爲一、行政體系的運作。二、大眾傳播媒體的掌控等兩大方面進行。

壹、在行政體系的運作方面：

政府除了訂定許多的法律規定外，又以具體方式限制機關、學校、公共場所等語言的使用，使之母語，只能退縮至家庭生活流通。今將其有關的行政命令以及相關的法規列舉如下：

一、在民國三十八年時，教育廳頒佈「台灣省各級學校國語正音補救辦法」規定「凡讀音不合標準之教員，指定限期補習國音」，並規定「師範學院、師範學校應加強國音教學。」

二、在民國四十年時，教育廳下令「各級學校應以國語教學，嚴禁以日語或方言教學」、「聘請教員時應注意其國語程度，如屬太差，應不予聘用。」

三、在民國四十四年時，教育廳修正「台灣省中等學校獎懲辦法」，規定「不講國語者，應予記缺點或警告。」

四、在民國四十五年時，教育廳頒佈「台灣省立小學國民學校辦理成績考核標準」更規定「確切實施國語教學，各科教學及課外活動，一律使用標準國語。」

五、在民國五十五年時，省政府頒佈「各縣市政府各級學校加強推行國語計劃，其中第二項爲嚴禁電影院播放方言、外語。第三項爲嚴加勸導街頭宣傳勿用方言、外語。第四項爲各級運動會禁止使用方言報告。

六、在民國五十六年時，文復會通過「加強國語運動推行辦法」中，有一項爲：「規定各機關、學校及公共場所一律使用國語。」

七、在民國五十九年五月，立委穆超載在立法院質詢時，要求政府盡速訂定國語推行計劃。同年六月十日，文復會通過加強推行國語，其辦法如下：

1. 立刻恢復教育部國語推行委員會，統一規劃，積極督導各級國語推行委員會。
2. 充實省市和各縣市國語推行委員會人員經費，加強督導實施。
3. 推行國語應從五方面同時著手：

⑴加強學校國語教學。

⑵加強社會國語教學，舉辦鄉村、工廠、山地成人與失學民眾補習教育。

⑶改進廣播電視台節目，減少外語和方言節目，增加國語節目。

⑷加強海外華僑國語教育。

⑸規定各級機關、學校辦公室、各種公共場所一律使用國語。

八、在民國六十五年時，台灣省政府函知各縣市政府「重申貫徹推行國語運動，並規定凡公務機關、公共場所、學校教學以及師生同學交談應一律使用國語。」

九、在民國六十八年，教育部行文給研考會之建議辦法給教育廳，其中規定：「中央或地方公職人員選舉登記，能說國語應列爲必要條件之一。」

貳、在大衆傳播媒體的掌控方面：

統治當局透過傳播媒體的掌控語言政策，不但使得國語地位高於台灣本土語言外，也使得台灣各族群的母語一點一滴的在加速流失當中。

一、報紙方面：

國民黨政府爲了鼓吹國語的重要性，不斷在報紙、雜誌發表專論外，由於當時台灣人民習於日文，而不得不暫准新聞紙、雜誌副刊的日文版存在。不過，在行政官署接收台灣一年後，就被禁止。民國三十七年，教育部在台北市設置「教育部國語推行委員會閩台區辦事處」，其目的在於促成國語日報的誕生。在經費無著落，銷路又無法擴展下，於民國三十八年初，將編輯印刷遷至省國語推行委員會，同年三月成立董事會。在民國四十四年初，國語日報脫離省國語推行委員會，成立國語日報社股份有限公司，來繼續推行國語。

二、廣播、電視方面：

1. 在民國三十四年十二月時，台灣廣播電台，開辦有林忠所編著的《國語廣播課本》講座，每天分上、下午兩次播講。
2. 在民國三十五年時，有國語示範廣播，且頒佈有「教育處國語讀音示範廣播辦法」，規定台灣省各中、小學國語教師、民眾教育人員、國語推行員，均應收聽。

3. 在民國五十二年七月時，行政院公佈「廣播及電視無線電台設置及管理規則」，第三十四條規定「電視節目所用語言，除因特殊原因經奉主管機關核准外，應以國語為主。」同年十月，行政院再公佈「廣播及電視無線電台節目輔導準則」，其中第三條規定「電台對國內廣播，其播音語言應以國語為主，方言節目時間比率不得超過百分之五十，如分設國語和方言兩廣播部份，其方言節目時間之比率，合併計算仍以不超過百分之五十為限。」
4. 在民國六十五年時，所公佈的「廣播電視法」（簡稱廣電法）中，對廣播語言所做的限制，其情形，有如廣電法第二十條：「電台對國內廣播播音語言應以國語為主，方言應逐年減少；其所佔比率，應由新聞局視實際需要訂之。」在廣電法施行細則第十九條為：「電台對國內廣播應用國語播音之比率，調幅廣播電台不得少於百分之五十五，調頻電台及電視台不得少於百分之七十。使用方言播音應逐年減少，其所佔比率，由新聞局視實際需要檢討訂定。」

三、電影方面：

自台灣省行政長官公署宣傳委員會的人員來台後，就自行訂定有關台灣的電影檢查單行法規。規定不管在國內（大陸）是否取得准映執照，在台灣放映時，必須經由長官公署「宣傳委員會」和中國國民黨「台灣省黨部宣傳處」

會辦、審查通過後，始得放映。民國三十五年秋，宣傳委員會被撤銷，改由教育處主辦，繼續執行「放映審查」。到了民國三十六年時，省府改組，把「放映檢查」改爲「臨場檢查」外，並停止發行台灣省所單獨發行的「准演證」。各戲院只要持有「中央准演證」，並符合所註之規定即可上映。不過，不久後，又修正爲在遵照內政部中央電影檢查處的規定外，由於台灣情況特殊，除了禁止放映日本影片外，在其他的影片上，不得有日語發音、日文字幕和日文廣告等方面的規定。其後，國民黨政府雖然對於台灣本土所產生的影片，在語言上沒有什麼很大的限制，不過，它在民國五十二年新聞局所公佈的「輔導攝製國語影片貸款辦法」中，非國語片，不但得不到任何輔導外，並且還被排斥於金馬獎之外。在民國七十二年時，鄉土寫實電影興起，國片中開始大量使用台語對白，如「小畢的故事」、「兒子的大玩偶」、「搭錯車」、「油麻菜仔」、「嫁妝一牛車」等，在上演後，卻遭到報紙以及所謂「衛道人士」的猛烈抨擊，認爲台語片粗製濫造，又不能配合國家的國語政策，乃是開國語推行的倒車。③

第二節：客家文化的復興

世界客屬總會成立於民國六十三年（西元 1974 年）十月十一日，置有會館於台北市華陰街四十一號三樓，其直屬會員有一千七百人，以聯絡世界崇尚自由之客屬人士，發揚傳統忠義精神，團結合作，共謀國內外文化交流與經濟發展，尊重當地政府法令，服務人群，獎助繼起人才爲宗旨。根據陳石山的〈客家社團的凝聚與衝突〉一文中，指出據聞當初之成立目的，爲防止海峽對岸之中共欲整合海外之客屬社團而先其成立，該會關係團體，遍佈全球，台灣有十三個縣市設立分會，此外在海外地區，凡是客屬社團或爲該會分會或爲團體會員，均與該會有密切的聯繫，因此該會自然而然成爲全球鄉親聯絡、協調、溝通、統合、服務的中心，除了上述牢不可破的聯絡網外，每隔二年，由該會策劃輪流在各國重要都市，舉行世界客屬懇親大會，……親切聯誼，交換意見，商討問題，或互相組團訪問等等，多方保持聯繫，並發刊「客總會刊」，報導海內外鄉親活動的聯誼與消息。④

在有關客家文化的復興方面，自八〇年代，即民國七十六年七月解除戒嚴令的前後幾年，隨著台灣社會的轉變，人民的聲音獲得較受政府的重視，而有各種的社會運動，諸如農運、工運、學運、婦女運動、環保運動、原住民運動、老兵自救運動……等，而客家運動也適時的活躍起來。至於，要再造客家文化的生命力方面，「語言、藝術、社區」可喻爲客家文化的三根重要支柱，因此，要傳承客家文化、珍視客家價值，三者不可偏廢。

壹：在民國七十六年（西元 1987 年）時，有以爭取「客家尊嚴」爲其訴求的《客家風雲》雜誌的創辦，以及客家研究中心的設置。客家風雲雜誌成立於民國七十六年

（西 1987 年）十月二十五日。由全省客家菁英知識青年共同創辦，發行人胡鴻仁，社長梁景峰，副社長林一雄、邱榮舉，總編輯陳文和，副總編輯鍾春蘭，業務經理魏廷昱，發行經理黃安滄，主筆陳國祥、李永得、鍾鐵民、戴興民。每月出刊一期。在它的發刊詞中指出：「目前台灣客家人口約四百萬，無疑是台灣邁向多元化、開放民主社會極重要的一環；然而客家人並未獲得政治、經濟、社會和文化上應有的地位和尊嚴。……無論如何，我們不能坐視客家人被忽視……。」因此它宣稱要「站在客家人的人文主義」的基礎上，「提昇客家人的族群意識」、「促進客家人的內聚力」、「團結客家人的力量」、「爭取客家人的共同利益」，最後目標，是要「提高客家人在政治上、經濟上、社會上和文化上的地位及功能，讓客家人在多元民主的社會扮演更積極主動的角色。」在出刊期間，該社亦在台北市首次舉辦以客家爲主題的夏令營，用演講、參觀、比賽等方式，介紹客家人的奮鬥史、客家人與台灣文學、變局中客家人應有的認識、客家古蹟與客家話教授……等等，其目的在於保存母語、傳承客家文化，來凝聚客家人的自我認同。在民國七十九年一月時，《客家風雲》雜誌，更名爲《客家》雜誌。社址設於台北市莒光路一二三之一號，在其發刊詞中，揭櫫了「延續客家文化香火，爭取客家族群權益」爲其奮鬥目標外，在該刊的內容方面，則轉向於對客家傳統文化、民俗、歷史的探討爲主。

貳：民國七十六年台北客家鄉賢陳庚金、宋鎭源、李彭煙、彭煥堂、李榮堂等三十二位人士共同發起懷念中原原鄉的「台北市中原客家崇正會」社團法人，其社址設在南昌路一段，至民國八十八年時，遷移至今復興南路二段五號九樓，可說是台北市會員最多最大的客家社團。在此會內，還設有南港、三興、長春、忠義、北投、文山、內湖、永建、木柵、大安、松山、螢橋等十二個客家民謠社，以保存客家文化。⑤

參：在民國七十七年（西元 1988 年），有「世界客屬文教基金會」的籌設、「客家權益促進會」的成立，以及「一二二八還我母語大遊行」的抗爭活動。在十二月二十八日的「還侭客話」——還我母語大遊行中，其成員有客家風雲雜誌社、世界客屬總會及各分會、世界客屬文教基金會、各縣市旅北同鄉會、大專客家青年聯誼會、中原週刊社外，亦有不少非客家的弱勢團體加入聲援，如原權會、台灣文化促進會、農民聯盟、桃竹苗勞工服務中心等。該運動的三大訴求爲：「開放客語廣播、電視節目，實行雙語教育、建立平等語言政策，修改廣電法二十條對方言之限制條款爲保障條款。」在遊行方面，有一萬多名來自世界各地的客家鄉親，帶著悲憤的心情在台北街頭遊行示威，並把孫中山戴上口罩，代表客家人「有口難言」的歷史悲情，引起各地媒體的關注及發表評論。在政府安撫性的回應方面，是在民國七十八年一月一日上午八時，台視頻道開播了有史以來第一個電視客語節目。此節目是由省政府補助台視文化公司製作了「鄉親鄉情」——型態屬於社教類，內容分政令宣導、客家風情、新聞集錦和諺語歌謠等四個單元的客語節目，每週日在台視的冷僻時段播出三十分鐘。台視、中視、華視等三家電視台也開始在中午，播報國語、閩南語新聞時段前，增播十五分鐘的客語新聞氣象。

至於，在有關「鄉親鄉情」節目的往後發展方面，根據張致遠在〈電視客語節目的現況與改進〉一文中，指出在「今日寶島」單元方面，報導省政建設與政令宣導，長度五分鐘，大致以社會治安、均衡經濟發展、發展精緻農業、均衡教育發展、擴展社會福利、加強公害防治、和諧勞資關係、加速交通建設、倡導正當休閒等省政府施政目標為主題。在「新聞集錦」單元方面，由於觀眾對於新聞性需求不高，在節目播出數月後，改為「文化講座」，由鍾肇政和羅肇錦共同主持，長度為七分鐘。鍾肇政主講客家人的遷台史、開拓史以及抗日史，羅肇錦則主講客家的語文問題。一年後，鍾肇政因客家公共事務太忙，改由陳運棟主講客家典故與詩詞解說。「文化講座」播到一百五十五集後，單元改為「城鄉客談」。八十一年一月十二日起，主持人訪問第一位來賓吳伯雄，接著每週一位來賓，有政界、藝文界、教育界的客籍人士，長度六分鐘，訪談內容以客家精神文化及新的客家理念為主題。在「客家風情」單元方面，長度為十分鐘，將全省三百零九個鄉鎮市，選定七十個客家鄉親比率較高的鄉鎮市，作外景採訪，單元內容包括沿革、山川、地理、人口分佈、文物特產、信仰風俗、名勝古蹟等，紀錄成專輯。另外以客家的食、衣、住、行、育、樂、傳說趣聞，以及以三百六十行中傑出而令人懷念的行業做訴求，探討族群關係、社會變遷、耕讀傳家、客家尊嚴、客曲薪傳、母語運動等問題外，還遠赴美國、大陸、泰國、馬來西亞各地區，拍攝客籍華僑的萬種風情。在「客家歌謠」方面，每位錄影兩首歌曲爲原則。一般歌謠分傳統與創新兩大類，歌曲伴奏分現場與錄音兩種，每首歌曲長度約三至四分鐘，並儘量避免出現歌曲的重複。⑥

肆：民國七十九年（西元 1990 年），公共電視「客家風情」的開播，節目長度爲二十二分鐘。第一季十集，介紹大陸移民渡台二百多年來，客家人在台灣的整體發展風貌，包容了濃濃的原鄉情，也兼具台灣本土文化的特色。第二季十集，報導台灣幾個客家人聚集的重鎮，了解他們如何在當地生存紮根，其中也包含了第一次大陸移民來台，以及台灣本土境內的移民。第三季十五集，以移民的觀點來看客家族群錯綜複雜的族群關係和行爲模式，並以人類學的態度做田野調查的報導。全季節目在八十三年三月一日播完，每集製作費爲十六萬五千元。⑦

伍：民國七十九年、八十年，爲響應政府對客家人的照顧，在行政院文建會曾逸昌研究員的主導下，邀請警察廣播電台、中國廣播公司、漢聲電台（原爲軍中電台）以及花蓮的燕聲電台委託製播客家節目。其中，中廣公司在苗栗台所製播的「人和年豐」方面，它是以藝文及民俗爲主的地方色彩極爲濃厚的節目，曾多次獲得新聞局獎勉。

在漢聲電台所委託製播的「客家風情」方面，它是屬於一種的文化性節目，由於該節目內涵豐富，在文建會所委託製播的節目中，每年評鑑均名列第一。

陸：在民國七十九年（西元 1990 年）十二月一日，台灣客家公共事務協會（簡稱台灣客協）正式成立。會址設於台北市民權東路三段六十巷五號三樓，由名作家鍾肇政創會，羅能平為秘書長。該會宗旨為：「母語解放、文化重生、民主參與、奉獻本土」等四項。在成立之初，鍾肇政客家大老即提出「新个客家人」的主張，其宣示內容為：

「史冊上曾經輝煌光耀的我們客族，曾幾何時成了弱勢的族群，或曰『隱藏的一群』，或曰『冷漠退縮』，譏誚詆諷，無所不至。而目睹客家語言之瀕臨流失，客族尊嚴之幾近潰散，能不懍懍於懷而瞿然心驚？

新的客家人之出現，此其時矣！

我們雖未敢以此自許，然而我們確不願徒然陶醉於過去創造歷史的萬丈光芒中，更不願自滿於以往英才輩出並管領風騷，我們所深信不疑者，厥為客家潛力至今猶存；在此世局詭譎、社會擾攘、新的人文景觀亟待建立之際，我們願意為尋回我們的尊嚴，再創我們的光輝而努力，更願意與其他族群，不論福佬，各省抑原住民各族攜手同心，為我們的光明未來而戮力以赴。」

在台灣客協的發展工作上，有 1.開闢客家專欄以及出版專書，其情形，諸如在自立晚報開闢有「客家專欄」，在自由時報設有「客家人月報」。在專書的出版方面，編輯出版有《新介客家人》、《台灣客家人新論》等。2.舉辦夏令營、冬令營，以及客家研討會等。3.協助成立在校的客家社團以及參與校外之事務策劃，其情形，諸如在校內協助台大、師大、文化、逢甲、靜宜、中央、政大等校成立客家社團。在校外，則從事於客語教學、客語廣播製作，以及田野調查等工作的協助。在它的分會方面，六推分會成立於 1993 年 10 月 3 日，該分會會員有八十餘人，由吳應文任理事長，李智期任總幹事。

柒：在民國八十三年（西元 1994 年），解嚴（民國 76 年）後，台北市第一次開放直轄市市長民選，許多客家人和台灣客協走出傳統客家社團長期為國民黨外圍團體的現況，向市長候選人陳水扁提出建言，爭取客家應有的基本福利。隨著陳水扁市長的上任，在其四年任內，有客家會館與客家藝文中心的設立、客家文化節的舉辦、台北電台客家節目的開播、台北市客家族群史的編纂等客家政策的推動。在文化節的活動內容方面，除了有傳統的義民祭典（其目的，在希望台灣所有族群均能記取先祖開發台灣的歷史，共同為族群和諧相處、國泰民安祈福，祈求台灣子孫世世代代永遠均不要再有戰爭。）、客家戲曲表演與客家光影記事外，還有族群關係與客家發展論文的發表等。

捌：民國八十三年九月十日，在台灣客協部份成員協助下，設立「寶島客家電台」，以客語全天候播音。該台的設立宗旨為：「以保存發揚客家文化為出發點，提升客家人在社會、政治方面的地位，並希望客家人在台灣政治發展過程中不要缺席。」同年，寶島客家電台向新聞局申請未獲核准後，遭到數次新聞局的抄台，直到民國八十五年（西元 1996 年）七月，始核准在台北市設立，其波音範圍，涵蓋苗栗以北縣市。在其節目方面，不只介紹新知、評論時事、播放傳統客家歌謠戲曲、客語教學外，並開放客家創作流行歌曲園地，以吸引各階層客家鄉親的收聽。

玖：在民國八十四年十一月十日，台灣客協在鍾肇政客家大老的領導下，爲民國八十五年的總統大選，而成立「新客家助選團」。該會理事長梁榮茂表示：「由於目前檯面上各候選人仍未提出具體的客家政策，因此本會已準備推出一位客家人士，代表四百萬客家族群參選明年 1996 年總統大選。」該助選團所提出的「客家說帖」，包括經濟、社會、教育，以及有關客家權益等兩大部份的「客家說帖」如下：

㈠經濟、社會、教育等方面

1. 徹底革除貪污腐敗、枉法徇私之貪官污吏及特權；建立自由、民主、法治、廉能之大有爲政府。
2. 訂定經濟、社會、教育等資源合理分配之政策，制訂各種民生法案，照顧全民之福利，對於弱勢族群之權益尤應特別立法以保障之。
3. 司法獨立、軍警國家化、行政中立化。

㈡關於客家權益方面

1. 在台灣省政府及北、高兩市政府設立客家事務委員會，負責處理客家事務。

2. 立法規定國中、小學全面實施母語必須教學，各種母語師資之培訓、教材及客語辭典之編撰，應由政府負責。
3. 規定北京話、閩南語、客家話及原住民話等四種方言爲官方語言，於開會時任意擇用，並設同步翻譯。
4. 廣電法應增列弱勢族群母語保障條款，依族群比率分配各種電子媒體頻道（含公視節目）。
5. 桃、竹、苗、台中、高縣、屏縣、花縣、宜蘭縣、台東縣及北、高兩市應各核准至少一個客語廣播電台專用頻道。
6. 依族群人口比率任用政務、主管人員。
7. 規定車站、車廂、航站等公共場所要有客語播音。
8. 編列專款擇一客家縣份設立完備之客家文化村，於北、高兩市各設一客家文化館。
9. 國立戲劇院校應設客家戲劇系。
10. 編修台灣客家族群史。

拾：於民國八十五年十月十九日至二十八日的第一屆「客家文化節」，在台北市正式誕生。

拾壹：民國八十六年，中華世界客家婦女協會正式成立。該創會會長古胡玉美是楊梅鎮選出的第一位女性議員，也是楊梅鎮首位立法委員，她於擔任世界客屬總會秘書長任內，爲了讓國人重視客家文化，在各地大力推展客家民俗文化活動；過程中，她深切體認應順應時代趨勢提昇婦女權益，尤其必須供以多元聲音及管道，因此開始積極爲客家婦女請命，獲得客家賢達人士的熱烈支持，而於民國八十六年正式成立「中華世界客家婦女協會」，該協會以聯絡世界客家婦女，發揚傳統婦女美德、團結合作、服務社會、獎勵繼起人才爲宗旨；並以發揚客家文化、提倡親子教育、幸福家庭之宣導、協助解決家庭糾紛、爭取婦女人權等爲主要任務。在民國九十三年六月五日，在接任第三屆理事長的曾麗卿表示，未來除了積極推展本會既定會務外，更將期許邁向「落實客家母語的推動」、「創造客家婦女事業的第二春」、「不定期舉辦義賣活動等三個方向」。⑧

拾貳：民國八十七年二月二十二日，位於台北市新生南路和仁愛路之間的客家藝文活動中心，正式掛牌運作。它可說是台北市政府第一個爲客家族群所成立的市政單位。在客家藝文中心的外觀上，它有鵝卵石的牆腳，以及由方形石塊所組成的牆壁。在內部的佈置方面，它除有增進情感交流的交誼大廳外，尚有豐富客家史料書籍的圖書室、介紹客家藝術作品的展覽室、以及可容納近百人的大會議室等。在功能方面，它除了從事推廣客家語言，以及成爲客家學的研究中心外，還致力於成爲一個客家族群的資訊交流據點。⑨

拾參：民國八十七年十月三日，在台北市的客家文化會館正式開館營運。會館以文化生活化爲主要目標，創造社團、館際交流的機會，一方面策劃不定期的文化活動，一方面以吸納新的生命元素鼓勵創作，培育新一代文化種籽。客家文化會館原址爲已有二十七年歷史的大安區公所建築物。在該會館外壁採用傳統客家建築常見的火燒磚以及卵石基礎。室內裝璜是設有精緻的木格窗櫺，而立面的金屬外牆和玻璃帷幕則透露出強烈的現代感外，在一樓設有客家餐廳、書店，二樓設有飲食文化、宗教信仰、客家人與客家人認同展示區，三樓設有客家分佈、產業文化、以及建築文化展示區等。至於，其他館室，主要爲辦公室、志工工作、項樓休閒等區域，有多用途教室、多媒體視聽中心、文化教室、兒童教室、客語劇場……等，來匯集並整理都市客家族群的基礎資料，以及成爲客家族群的資訊中心。

拾肆：世界客屬第十四次懇親大會，於民國八十七年（西元 1998 年）十月七日在台北召開，會中陳運通提案說明，居住在世界各地的客屬同胞眾多（約一億多人），爲團結各地鄉親，應訂「客家節」以統一慶祝，由於客屬的國父孫中山先生爲國際推崇的偉大人物，因此建議訂國父誕辰日爲「客家節」以發揚客家精神。此提案提出後，立即獲得三十四個國家（地區）六十二個團體，二千一百七十二人的一致通過。

拾伍：在民國八十七年年底，在台北市市長馬英九時，台北市市政府籌備成立「客家事務委員會」，設有諮詢委員十九人至二十五人，定期召開會議。在人員編制方面，有主任委員、主任秘書、專門委員、企劃組四人、活動組六人、秘書室二至三人、人事室一人、會計室一人、政風室一人，來從事客家語言維護、文化保存、城鄉交流以及國際關係等事務，來搶救客家文化之淪喪，以及客家母語之流失。此會於民國九十一年六月十七日時，乃正式成立爲「台北市政府客家事務委員會」，使台北客家事務由民政局的三級單位，預算三千萬元，提昇至市府一級單位，預算初年度一億二千五百萬元，數倍增加服務台北客家的功能。

拾陸：自民國八十八年（西元 1999 年），台北市政府開始舉辦一年一度追尋先民步履，保鄉衛土，護國衛民的「台北市客家義民祭典」活動，來彰顯客家先民的「忠義」精神。其中，在此活動中，在台北市政府中庭所舉辦的挑擔奉飯犒軍儀式爲其特色。在此「義民祭」的往後發展方面，還有大規模的遊行，並沿途廣設香案，方便鄉親們的祭拜。

拾柒：在民國八十九年（西元 2000 年）三月十一日，離中華民國第十屆總統大選三月十八日前一星期，爲了讓客語能夠進入「公共領域」，由客家學者、專家，在台北市（大安區）客家文化會館，所發表的台灣客家人的主張，其大綱爲：

㈠應實施徹底的民主與法治及發展公民文化。

㈡修憲時應增訂「母語條款」。

㈢應訂定「語言平等使用法」等相關法律。

㈣應增設中央部會級客家事務委員會統籌一切客家事務。

㈤應尊重客家族群並保障客家族群文化之生存與發揚。

㈥應有適當比例拔擢和任用客籍人才。

㈦應支持與增強大學院校之客家研究與教學。

㈧應重視台灣各族群之調查與研究且分配國家的資源要合理化。

㈨應有國家級具有濃厚客家色彩的文化建設。

㈩應設置國家級的「客家文化發展基金會」。

拾捌：民國八十九年（西元2000年），第十屆總統大選，陳水扁陣營，在新埔鎮義民廟會議室，公開發表針對客家人的需求，所提出的「客家政策白皮書」大綱如下：

一、成立「義民大學」。

㈠一般性大學、設客家學系、研究所。

㈡客語列為必選課程、不分學系。

㈢客語師資培訓。

㈣於桃、竹、苗地區擇地設校。

二、設立「客家文化局」

㈠行政院直屬機關，或「文化部」所屬一級單位。

㈡首長為政務官。

㈢統籌客家文化事務：

1. 蒐集保存。
2. 研究出版（含統一母語教材、客語辭典）。
3. 活動推廣與獎助。
4. 客語傳播事業單位（公辦民營）。

a.有線電視頻道。

b.全國廣播節目。

c.編列預算補助。

三、設置「客語頻道」

頻道項目為：

1. 有線電視：含製作、播出、並納入系統經營者必須播出之頻道表內。
2. 全國性調頻廣播網：全國分北、中、南、東區，保留中、小功率供申設客語電台，聯成全國性廣播網。
3. 無線電視：每日下午六時至十一時時段，每週至少播出三小時客語節目。

四、制訂「語言平等法」

㈠立法明訂「福佬、普通話（北京話）、客家、原住民語」為通用語。

㈡官方之政令宣導、檔案、語言系統、凡涉及語音部份均應附具各通用語之版本。

㈢立法院、縣市議會，應設通用語即時口譯系統。

㈣輔導民間語音服務系統增設通用語版本。

五、舉辦「客家文化節」：一年一度全國性客家文化多種類大型活動。

六、「客家社區學院」與「客家幼稚園」。

七、輔導獎助成立各類客家禮俗技藝研習班，包括音樂、戲劇、歌謠、舞蹈、雕刻、手工藝及婚喪節慶禮俗。

八、設立「客家文化園區」。

拾玖：在民國八十九年九月一日，正式成立行政院客家事務委員會籌備處後，並於民國九十年三月所出版的「行政院客家事務委員會說帖」中，指出其施政重點如下：

一、建立客家語言的存續機制

1. 成立客語教育推動委員會，協助教育部推動鄉土語言教學、培訓客語師資、編寫客語教材、促進客語文字化。
2. 推動語言平等使用法案，以法制化方式建立語言平等環境並保障其發展，例如公共場所與公共機關之客語播音與服務等。
3. 獎助幼稚園客語實驗教學，奠定母語傳承的基礎。
4. 表揚對客家母語教學有貢獻之老師及學校。

二、推動媒體資源之使用與分享

1. 協調新聞局及公共電視培訓客家語言文化節目之製播、主持及編採人才。
2. 與廣電媒體合作製播客語文化節目。
3. 輔導成立全國性客家廣播網或客家文化電台。

三、客家知識體系之重建，掌握文化與歷史詮釋權

1. 協助教育部籌設客家大專院校或成立客家相關系所，開設客家研究課程，推動客家歷史、語言、文學、音樂、戲劇、宗教、建築之研究。
2. 編纂客家重要史料與文獻彙編。
3. 編纂客語大辭典。
4. 出版客家文化資產叢書。

四、文化發展與推動

1. 舉辦客家文化研討會暨研習營活動。

2. 獎助客家地區文史工作者或團體，從事客家地區、鄉鎮、村里之文化保存、延續與發展之相關工作。
3. 輔助在不同客家地區舉辦文化節或音樂節。
4. 舉辦客家文化薪傳獎，表揚對推動客家文化有卓著貢獻者。
5. 協助文化建設委員會推動客家文化園區及文物館的籌設。

五、培養客家領袖人才

1. 培訓現代社團人才，強化社團領導與轉型。
2. 鼓勵大專院校客籍青年積極投入新興且具有創意的活動。
3. 舉辦客家婦女成長營，協助婦女及婦女相關團體積極參與公共活動。
4. 舉辦媒體、音樂、戲劇、文史專業人才培訓營。

六、建立與海外客家的聯繫與交流

1. 召開全球客家大會，促進海內外客家的團結與發展。
2. 邀請海外客家人士回國參與國家慶典與國內活動。
3. 組織客家藝術與表演團體到海外訪問表演。
4. 組織國內客家代表團參訪海外各地社團。

七、推動客家農業產業的轉型

與農業建設委員會或文化建設委員會合作，促進客家產業與文化的結合，使產業走向文化化、精緻化、生態科技化和休閒化。

八、促進族群間的交流與合作

1. 舉辦多元族群文化博覽會，建構新世紀台灣族群關係新形象。
2. 與其他族群合辦研討會，探討在台灣歷史發展過程中族群間的互動與交流。
3. 與其他族群合辦文化節與藝術節。

貳拾：在民國九十年一月時，即在馬英九擔任台北市長期間，在熱鬧喧囂的北投區石牌商圈，規劃了（台北市）客家會館北區分館，又稱爲「客家戲曲、音樂主題館」，並簡稱「北館」。其原因是，在台北市 270 萬人口中，大約有 30 幾萬的客家人分佈在通化街、羅斯福路、和平東路、金門街、文山區一帶較爲密集外，在士林、北投、萬華一帶也有爲數不少的客家人居住。爲了讓更多民眾了解客家人在台北市的生活歷程，以及客家文化的多元面貌，故台北市民政局在北投明德路一百六十一號一樓（帕拉迪奧大廈），規劃一處含有大廳區、主題展示區、小型劇場以及戶外活動區的北區客家會館，來增加客家藝文的展演，及其活動，以便更能深入社區的計劃與實踐。⑩其中，值得注意的是，北區客家文化會館已於民國九十年八月二十四日，正式開館，並且從事於以戲劇和音樂爲主的研究與推展，來服務客家鄉親外，於民國九十三年（西元 2004 年）六月又進行擴館，擴增爲一個完整的樓板面，期望能擁有一個完整而永久的客家戲劇、音樂主題館。

貳拾壹：行政院客家委員會，於民國九十年（西元 2001 年）六月十三日正式掛牌成立，在政治上的意義是佔有台灣人口至少百分之十五（四百萬）的客家人，首度被國家體制承認，這也是客家菁英十多年來從事社會運動的一項重大成就。此行政院客委會，除特任范光群爲主任委員，劉永斌爲政務副主委外，還依「行政院客家委員會組織條例」通過二十七位的客委會委員，其名單爲：1.地區代表：鍾春蘭、林一雄、張貴木、陳邦畛、黃晄秀、范振宗、陳運棟、曾年有、徐登志、利錦祥、李坤錦、古秀妃、鍾寶珠。2.機關代表：李智期（屏東縣政府）、鍾永豐（高雄縣政府）。3.學者專家：蕭新煌、梁榮茂、范振乾、羅肇錦、劉毓秀、李能祺、吳錦發、鍾鐵民、黃肇松、曾貴海、廖運塘、李旺台等，客籍菁英及學者專家，來從事客家事務的發展。⑪

貳拾貳：台北市客委會於民國九十一年（西元 2002 年）六月十七日，在馬市長、台北市議會議員及全體台北市鄉親市民呵護下成立，是全國第一個地方政府所設立的客家事務專責機構。

貳拾參：屏東縣境客族約有二十幾萬人，政府爲了挽救逐漸沒落的客家文化及語言，於民國九十一年八月時成立客家事務局，負責客家文化的傳承保存及創新的歷史使命。

貳拾肆：在民國九十一年（西元 2002 年）時，由於受到客家文化的研究不夠深入、師資的極度缺乏、以及只招到區區幾十位學生的影響下，客家人所期盼的義民大學，已被打散，而改爲分別在中央大學、交通大學以及即在苗栗即將升爲大學的聯合工專等三所學校，設置義民學院，做爲往後成立義民大學的基礎。⑫

貳拾伍：二〇〇二年（民國 91 年）台北客家「山歌節」正式成立。在台北市政府客家事務委員會的輔導、主辦下，在每年年末收冬時，由各個客家山歌班輪唱傳統客家三大調、小調等。在第三屆時，在台北市客家戲劇音樂主題館演出，並由往年的一天輪唱，改爲從十月十二日起，至十二月八日止，一整個季節的吟唱即興表演。在演出內容方面，除有傳統客家三大調、小調外，還有新加入的八音、弦樂、鼓陣等表演團體的演出。

貳拾陸：二〇〇三年（民國 92 年）三月八日，在大陸贛縣所成立的客家文化研究會，在總會之下，設有民間習俗、風水文化、民間文藝、建築文化、飲食文化、風景名勝、服飾文化、姓氏淵源、歷史文化、軼聞趣事等十個分會，來編輯相關資料。

貳拾柒：國立聯合技術學院「全球客家研究中心」與「苗栗學研究中心」，於民國九十二年三月二十日，由客家委員會主委葉菊蘭、校長金重勳等共同揭牌成立，未來以推動客家文化爲目的，肩負整合國內客家研究、規劃客家族群政策、促進客家文化傳承等重大使命，以加深客家學深度及廣度的方式，提振客家族群在台的地位。

貳拾捌：台灣在大學中的客家研究，於一九九七年一月首先在中央大學成立「客家文化研究中心籌備處」，一九九九年十二月經校務會議通過定名爲「客家研究中心」，在民國九十二年（西元 2003 年）六月十二日時，陳水扁總統親臨主持，正式成立全國第一個「客家學院」的中央大學，爲推廣客家文化教育，將舉辦客家文化研習課程，並邀請到客家宗教禮俗專家羅烈師、客家語言專家涂春景、耆老李漢銘、客家戲劇界名角黃秀滿等現場指導，其課程內容包括：

㈠客家社會與民俗：內容採取互動式教學，除講授客家生命禮俗與客家特色外，將引導學員主動參與學習認識自己的社區，進一步以自己所住的客家社區爲觀察對象進行田野調查。

㈡認識客家話：深入淺出介紹客語詞彙、語音、句法及語用外，並指導學員如何記音以及分析客語的變調、特色。

㈢客語古籍誦讀：指導學員以四縣客話誦讀千家詩、增廣賢文等。

㈣客家小戲入門：內容融合文學、音樂、舞蹈、以「十送金釵」作爲教學主題，帶領學員在活潑輕鬆的漸進式教學方式下，學習客家戲曲唱腔及身段表演。⑬

它除了在今年，先成立客家社會文化研究所外，預定明年成立客家語文、政經研究所，未來再成立民俗研究所。⑭

貳拾玖：爲實現陳水扁在二〇〇〇年總統大選的諾言，客家電視台於民國九十二年（西元 2003 年）六月中旬成立、試播，並於七月一日正式開播。

全國第一個的客家電視頻道（十七頻道），是行政院客家事務委員會斥資二億二千萬元，由台視承包，目前有員工一百二十位，全天候播送節目。對於客家電視台的成立方面，客委會主委葉菊蘭說：「等待了四十年，我們客家的老人家，終於能夠看到聽得懂的電視節目，這樣的使命，是推動這項工作最大的動力。希望藉由客家電視節目的傳遞，讓客家年輕一輩能重新看見自己的文化、非客家族群認識客家，並凝聚客家人對客家的認同與情感，讓客家的下一代能在公共領域中自然、驕傲的告訴別人：『我是客家人』！」陳水扁總統在致詞時表示，成立客家電視台不僅是要服務少數聽不懂國語的客家阿伯、阿嬤，同時也要讓更多不懂客家話的客家子弟和非客家人，也有機會認識客家語言和文化的同時，強調客家電視是政府對多元文化的尊重，以及社會多元價值的承諾。客家電視今天不做，明天就會後悔；能在最短時間內，完成過去執政者幾十年不願意去做的事情，這不但是客家鄉親自己努力的結果，也是政黨輪替的意義所在。

在有關十七頻道，全天候由客語發音，並由客家子弟擔綱的節目方面，其內容多元豐富，包括客家美食、客籍菁英訪談、客語教學、客語發音的卡通、財經、新聞、戲劇、音樂……等。⑮

參拾：新竹市客家文化會館於民國九十二年（西元2003 年）七月五日，在「千人揭幕」的儀式下正式成立。客家文化發展協會理事長李永乾表示，客家文化嚴重流失，客家文化會館成立後，除積極發揚客家精神、培養行政工作人才，也提供民眾休憩活動空間，透過客家山歌、母語研習、八音演奏等活動，豐富客家文化，重視客家人的「硬耿」精神外，希望有朝一日，台灣能成爲全世界的客家文化中心。⑯

參拾壹：立法院於民國九十二年（西元2003）十二月九日通過修正有線廣播電視法第三十七條之一規定：「爲保障客家、原住民語言、文化，中央主管機關得視情形，指定系統經營者免費提供固定頻道，播送客家語言、原住民語言之節目。」如有違反的系統業者，可處新台幣十萬元以上一百萬元以下罰鍰，並通知限期改正，逾期不改者，得按次連續處罰；情節重大者，得撤銷籌設許可或營運許可，並註銷籌設許可證或營運許可證。這種將過去方言限制條款改爲母語保障條款，可說是我國在多元文化價值上的共識已經充分進步、成熟的同時，對於本土文化的尊重也有大幅的提昇。

參拾貳：國立交通大學客家文化學院中的「國際客家研究中心」，於民國九十二年十二月二十九日正式揭牌。至於交大的「客家文化學院」，於民國九十三年二月獲教育部審核通過，並於同年三月七日由陳水扁總統的揭牌下正式成立。在民國九十三年七月時，首度招收大學部新生。交大指出，該學院最大的特色，就是學生入學後，大一、大二不分系，待廣泛研習人文社會共同基礎課程後，大三、大四時，除了必修的客家學程外，還能視其性向、興趣及未來發展，另外選擇一主修學程，培養專長。至於，在該校的規劃方面，除了有「客家社會文化」學程外，還有「社會與文化」、「創意文化」、「數位媒體」以及「傳播研究」等，完整、多元的專業領域學程設計。

參拾參：在行政院「客家委員會」的預算方面，在九十一年時，爲四億二千萬；九十二年時，爲九億六千萬；九十三年時，爲十二億七千萬。在施政項目方面，在九十一年度時，「一般行政」一億一千四百零二萬八千元，包括人員維持費及基本行政工作維持費、「綜合規劃發展」六千一百五十萬元，涵蓋辦理客家語言復甦事務、推動客語文化研究及研習與舉辦客家政策研討與發行客家事務通訊。「文化教育推廣」二億一千二百九十八萬，包括辦理客家演藝、節慶與宗教禮俗活動，獎勵文化創作及表彰傑出人士，建立電子化客家文化資產等。「海外合作交流」三千三百二十萬，花費在建立客家聯繫網站及輔助客家社團參訪活動；另外「第一預備金」則編列了一百五十萬元。在九十三年度的施政目標訂在「全面推動客語教學」、「創造客家文化復興環境」、「提升客家電視客家電影之製播」、「振興客家文化產業」、「促進客家社會力凝聚」、「強化海內外客家活動交流」及「發展客家知識體系」等七大方針之上。⑰

參拾肆：行政院客委會的預算約十二億，卻被凍結十億，比例高達 82.27％。提案者主要是親民黨立委陳進興客家人（曾任新竹縣長）。當初提出的理由是以客委會主委葉菊蘭積極投入輔選的情況，擔心客委會將一整年的預算都先投入與總統大選有關的活動中，造成日後相關計劃無法執行的缺失，因此，才決定凍結大部份的預算。不過，其後客委會表明，一旦預算遭凍結，部份屬於發包性質的計劃將無法執行，影響業務推動，國、親認為有理，最後同意撤案。在民國九十三年一月十三日，同屬於客家人的親民黨立委鍾榮吉、鍾紹和，於當日早上，在立法院被抗議人士團團圍住，並指出原住民四十萬人口，政府每年就撥五十億來照顧。在外省族群方面，政府每年撥下數以百億、千億來改建眷村或照顧榮民，而有四百萬的客家族群，預算才約十二億，卻被凍結了十億的火爆場面中，在被罵「客家人的走狗、敗類」以及感嘆客家人在「做長工」實在太久的狀態下，該兩位立委於混亂過程中，背部和腰部被挨了好幾拳。⑱

參拾伍：民進黨政府於民國九十三年（西元2004年）成立國家級客家文化中心「苗栗園區」及「六堆園區」，同時補助各地方政府興建客家文化館，如「台北縣客家文化園區」、「桃園縣客家文化館」、「新竹縣客家發展史料館」、「花蓮縣客家民俗會館」、「台東縣客家文化園區」、「桃園縣新屋鄉客家社教文化館」、「苗栗縣三義鄉客家書院」、「雲林縣崙背鄉詔安客家文化館」、「花蓮縣鳳林鎮客家文物館」、「台東縣鹿野鄉客家文物館」等等。

參拾陸：行政院客家委員會自成立以來，舉辦各式客家文化與節慶活動，包括有：「客家文化藝術節」、「客家桐花祭」、「收冬戲」、「夏客風全省巡迴演唱會」、

「全球客家文化會議」、「客家女性生活印象展」……等的系列活動，並結合「擂茶」、「客家麻薯」、「薑絲炒大腸」……等的客家美食，而成爲人人嚮往的客家生活體驗。其中在有關桐花祭方面，油桐樹曾經是台灣客家庄的重要產物之一，油桐之用，最普遍的說法是榨桐油，做紙傘、家具、農具塗料、肥皂、油漆、印刷油墨的材料，或取木材造紙、製造箱櫃、牙籤、木屐以及破碎後當作栽培香菇的太空包原料等。每到春末夏初，正是油桐花開放的季節，滿山的油桐花隨風飄散，猶如下起一場雪白的桐花雨，比起櫻花的飄落還要漂亮，每每吸引許多遊客的前來觀賞。在有關舉辦桐花祭的意義上，根據客委會主委葉菊蘭說：「客家桐花祭是全國唯一整合中央部會、地方政府及民間企業和社團資源所舉辦的大型生態文化旅遊饗宴，也是北台灣客家人的總動員，一年一度的文化盛會，我們希望透過這樣的合作方式，在大家共同努力下，不僅再現桐花山林之美，亦讓國人能充分體會客家人的智慧，欣賞客家文化的內涵，讓客家桐花祭真正能達到深耕文化、振興產業、帶動觀光、活化客家庄的目的。」

參拾柒：新竹市客委會於民國九十三年（西元 2004 年）八月二日正式成立，受聘委員來自學術界的有：余作輝、劉福勳、陳彩鵬、張維安、黃運喜、黃美鴻，來自民間的民意代表有：鄭劉淑妹、徐信芳、姜森泰，客家社團代表有：溫阿樓、姜義水，來自府方代表有：陳清和、張本賢、李榮勝、林政則。在委員會無異議通過後，宣佈民政局長張本賢擔任執行秘書，另請民政局戶政課呂美榮小姐兼任實際負責委員會的日常會務工作。

參拾捌：哈客網路廣播網成立於民國九十三年八月三日，由於客家廣播 e 時代的正式來臨！由行政院客委會主委羅文嘉按鈕上線的『哈客網路廣播網』平台，是政府繼成立客家電視台之後，爲了加強服務國內及旅居海外的客家鄉親，藉廣播和網路科技的力量來傳承客語、宣傳客家文化，因此特別結合了寶島客家廣播電台、新客家廣播電台、大漢之音廣播電台、全球通廣播電台、新竹勞工之聲廣播電台、高屏溪客家與原住民母語廣播電台、高雄電台、台北電台、中央電台、教育電台、中廣客家頻道等十一家電台，將上百個的客語廣播節目的資源，全部整合在一個網路平台上。

參拾玖：研考會於九十三年八月底，以「多案並呈」的方式，向行政院重提「政府組織再造」最新版本，退輔會、僑委會已確定併入其他部會，客家委員會與原住民族委員會則傾向與蒙藏委員會整拼爲「族群平等委員會」，海洋事務部則牽涉到民進黨政府「要不要海洋立國」的政策，是研考會最頭痛的思考。至於，在客委會的反應方面，羅文嘉表示：「如果要裁，當初何必設置？」⑲其後，在民進黨政府經過多方面的考慮後，客家委員會終於維持原樣，未被合併。

肆拾：台北市客家事務委員會黃正宗博士，於民國九十三年九月六日在《客家精神流行歌本》NO.1 序中，表示該會九十三年度以「客語復興元年」爲工作重點，透過設置六十六個「客語教育中心」，建置五千個「客語家庭」，發行一萬二千本「客語學習護照」（客語入門篇），推動「台北客家書院客語學堂」課程與「客家文化學習營」、「空中客語學堂」、「客語 e 學堂」（網路教育）、發行「生趣介人公書」客語教本、補助幼稚園與托兒所客語教學，及各項客家文化活動，帶動客語學習風潮，完成永續傳承客家語言文化的使命。⑳

肆拾壹：民國九十三年十月二十八日，客委會主委羅文嘉爲高雄師範大學客家文化研究所主持揭牌儀式，這是南台灣大專院校中的第一個客家文化研究所，希望將來能整合高師大、屏科大、以及美和技術學院的學術資源，在南部成立客家文化研究中心，讓客家文化能在南台灣發揮更大的影響力。㉑

肆拾貳：民國九十三年 2004 a-ha 客家藝術節自十月二十三日至十一月十四日，分別於台北縣市、桃園縣、新竹縣、苗栗縣、彰化縣、台南縣、高雄縣市、屏東縣、宜蘭縣等地，隆重舉辦精彩的客家音樂、舞蹈藝術展演活動。十月二十三日，歡喜扮戲團在國立豐原高商活動中心表演「春天來的時候」；光環舞集在高雄縣立美濃國中禮堂表演「平板」。十月二十四日，築夢舞集在苗栗縣文化局中正堂演藝廳表演「天足」。十月三十日，歡喜扮戲團在苗栗縣獅潭鄉獅潭國小視聽中心表演「春天來的時候」；惠風舞蹈工作室在彰化員林演藝廳表演「阿婆講古」。十月三十一日，台灣客家山歌團在台北縣新莊市文化藝術中心表演「客家世紀新聲」；福爾摩沙合唱團在苗栗縣頭份鎮公所中山堂表演「青山綠水好風光」；宙斯愛樂管弦樂團在宜蘭縣立蘭陽女中禮堂表演「客家詩篇」。十一月五日，光環舞集在新竹縣沙湖壢藝術村湖景廣場表演「平板」。十一月六日，鹿寮坑客家地景音樂會在新竹縣鹿寮坑表演音樂；惠風舞蹈工作室在桃園縣平鎮市社教文化中心演藝廳表演「阿婆講古」；高雄市交響樂團在國立台南社教館演藝廳表演「彈歌戲音——客樂新奏」。十一月七日，宙斯愛樂管弦樂團在高雄美濃國中禮堂表演「客家詩篇」。十一月十三日，台灣客家山歌團在屏東縣立運動公園表演「客家世紀新聲」；築夢舞集在台北縣政府多功能集會堂表演「天足」；福爾摩沙合唱團在新竹縣竹東鎮樹杞林文化館演藝廳表演「青山綠水好風光」。十一月十四日，高雄市交響樂團在高雄音樂館戶外廣場表演「彈歌戲音——客樂新奏」。

肆拾參：民國九十三年，財團法人群策會李登輝學校，公告招生「客家文化研究班第一期」。凡具有下列資格之一者，皆可提出申請：*1.*辦理客家文化之各級政府機關公職人員簡任職或資深薦任職以上職務者。*2.*推展客家文化之民間團體相當職務者。*3.*大專院校文化相關領域助理教授以上，或教育文化機構相當職務者。*4.*對客家文化研究推廣熱心且著有貢獻者。正取四十名，備取五名（正取者未能報到者，由備取者依序遞補；備取者未能排入遞補者，列入下一期優先參加名單）。研習時間，每兩週研習一次，從二〇〇四年十一月十三日（六）至二〇〇五年三月六日止。

肆拾肆：六堆鄉親的「哈客園遊會」於民國九十三年（西元 2004 年）十一月十三日、十四日，首次在台北中正紀念堂舉辦園遊會，當天高屏十二鄉鎮來了十二台遊覽車助陣，在六、七百位六堆鄉親的共同鬥鬧熱之下，渡過了南部客家人在台北難得的客家活動。

肆拾伍：民國九十三年（西元 2004 年）十一月十四日至十二月二十六日，週六或週日，由行政院客家委員會假台北國際藝術村（台北市北平東路七號）所主辦的「客家知識論壇」，其場次有：*1.*音樂論（客家音樂創意行）。*2.*經營篇（發現客家觀光潛力）。*3.*遷徙篇（客家遷徙的故事）。*4.*信仰篇（午茶講古）。*5.*建築篇（客家建築面面觀）。*6.*女性篇（女性私房話）。*7.*語言篇（客家物語）。*8.*教育篇（客家教養的啓發）。*9.*社政篇（現代社會與客家社群網路）。*10.*產業篇（多元客家新向度）。

肆拾陸：客家菜在漢菜中，以豐腴肥美、味濃氣重爲主要特色，爲提升客家文化吃的品質，於民國九十三年（西元 2004 年）十一月，苗栗縣客家餐廳邁入認證第二年，除了講究料理技術，更把餐廳的衛生、布置等納入評鑑，七家簡餐餐廳也加入，共有三十九家客家餐廳有認證標章，名單如下：

餐廳類：鶴山、錦水、龍華、丹楓、簞食樂、傳家堡、棗莊、福欣園、臻閣、桂花園、日出、石門客棧、川味仙、敬慈、香格里拉——古早味、天廚、瑞園、老金龍、綠色山莊、青松園、勝興、騰龍、正宗、華興、口美味、唯我獨尊、福樂、定點客菜、陳師傅、金葉山莊、首烏之家、大廣興。

簡餐類：頤和園、鹿野觀雲、油桐花坊、荷塘居、敬慈、歡樂田園、西雅圖。㉒

肆拾柒：全球第一個客家文化教學網站「哈客網路學院」，於民國九十三年（西元 2004 年）十一月二十五日，正式開站。由於時代不斷的進步，客家文化學習也須跟上時代，網路上的「哈客網路學院」是一項推廣客家文化的創新嘗試，希望能夠突破時間、空間的限制，使之年輕的客家族群以及想更深入了解客家的朋友，能夠隨時隨地的認識客家。

肆拾捌：苗栗縣政府文化局於民國九十三年（西元 2004）十二月四日，所正式登場的「二〇〇四苗栗客家藝術節」系列活動，是以衣、食、住、行、育、樂等方式，透過有系統、有組織的推廣，將客家文化深入而全面的介紹給其他族群認識與了解。其活動內容有「推動客家新建築成果展」、「苗栗縣文化創意產業推廣成果展」、「文化創意及農特產品展售」、以及「扶植團隊聯合公演」等四大主題。

肆拾玖：行政院客家委員會於民國九十三年（西元 2004 年）十二月十六日舉行「六堆客家文化園區」主體設

施之第一期多媒體展映開工典禮，該館未來將提供六百席坐位的藝文表演設施，並提供對六堆地區旅遊、導覽等相關之資料媒介場所。

客委會表示，六堆客家文化園區興闢經費已納入行政院特別預算，自九十四年度起編列十二億元，園區現階段已由屏東縣政府先行完成各項基礎整地及停車場工程，並協助發包主體設施之第一期展映館工程及其附屬工程，後續各期則由客委會接手負責，包括設置客家學術文化及產業工藝教育中心，研習住宿設施，以及規劃廣大開放空間，供為六堆地方團體舉辦節慶文化活動之使用。㉓

伍拾：在台北市政府客家事務委員會主委黃正宗博士的領導下，九十四年度預定以「客家讀書年」為工作重點，繼續整合本會預算資源，強化本會輔導設置的台北市「客語教育中心」，推動客語讀書學習風潮，永續台北市「客語社會」，持續為傳承客家語言文化而努力。謹就本會「客家讀書年」工作重點說明如下：

1. 客家山歌節：

預定於九月至十二月分別使本會輔導之至少六十個核心「客語教育中心」（包含所有的客家民謠班、八音班、弦樂班、國樂班、禮俗班、鼓陣、語言班、讀書會等）發表其持續客語情境教育之成果，以真正落實營建台北市永續存在的「客語社會」，使其成為台北市傳承客語之永久性場所。

2. 客家文化節：預定於三月至八月中旬，透過全部至

少六十個台北市客語教育中心，全面推動至少五千個客語家庭的客語讀書學習工作，將以「客語學習護照親子教育手冊」、（或「生趣介人公書」）、「台北客家書院客語學堂」、「台北客家書院客家文化學堂（客家文化學習營）」爲重心，持續推展客語讀書學習風潮，落實台北市客語教育中心之實際內涵。

3. 義民祭典等客家文化活動：

本會將持續舉辦客家文化考察、長慶廟伯公生、三山國王信仰文化節、客家野薑花粽節、義民祭典、八月半拜月光等客家文化活動，以營建台北都會型的客家文化，凝聚台北市「客語教育中心」工作幹部及客語家庭，並除客語情境教育與家庭教育以外，亦透過本會「台北客家聯合服務中心」之輔導推展「服務教育」。義民祭典並將成爲核心的客家文化節工作。

4. 客家文化週：

本會客家文化志工到校推廣客家文化工作，仍將以「客家文化週」形式繼續預定二年內巡迴完台北市一百五十所國民小學。

5. 師資增訓及教材改善：

本會將繼續培訓客語師資，並依據教育心理學改善客語教材，重心預定置於「生趣介人公書」修正本及「客語學習護照」之「親子教育手冊」。

6. 輔導幼稚園及托兒所之客語教學：

繼續補助台北市重點幼稚園及托兒所之客語教學，使

其成爲長久性的台北市幼教「客語教育中心」。㉔

伍拾壹：位於高雄市的莊敬國小約有學生三千多名，其中約有五分之一到四分之一的學童是客家族群，他們主要是來自屏東和美濃這兩個地方。該客語教學資源中心成立於民國九十一年（西元2002年）一月，至今已滿三年多了。目前在中心工作的團隊成員共有八人，每個成員各有所長，並一起製作推行各種客語教育活動。根據吳淑惠老師指出，她們所自編的圖片教材與一般客語教材有所不同之處，在於教材本身是從學生所熟悉的「生活經驗」引進客語教學，而後再逐步融入客家文化與特色的介紹。其情形有如，第一冊的「起床」、「上學」，第二冊的「鄉下生活」、「大豬公」、「木棉花」、「上菜市場」，第三冊的「澄清湖」、「端午節」，第四冊的「美濃遊記」、「作粄」，第五冊的「高雄港」、「山三國王」、「萬巒豬腳」、「詩」，第六冊的「逛街」、「六合夜市」、「文學家鍾理和」、「六堆」、「客家人由來」、「唱山歌」、「割稻」等，這些主題除了活潑多樣，兼顧了生活化也具備文化傳承的功用。㉕

伍拾貳：「高雄市政府客家事務委員會」於民國九十四年（西元2005年）一月一日成立，並於一月二十七日在高雄市客家文物館（高雄市三民區同盟二路256號）隆重揭牌。在揭牌活動後，高雄市客家事務將進入有如推動市內大型醫院及戶政事務所客語無障礙環境、客語教學、客家產業、客家文化……等的新的里程碑。

伍拾參：在民國九十四年（西元 2005 年）三月初，爲彰顯客家文化的精深與博大，位於新竹市香山郊區的玄奘大學正式成立「客家研究中心」。該中心首屆主任黃運喜教授指出，客家研究中心的成立，意在建構一個客家平台，把社團、社區、媒體一元化，透過聯盟關係，訓練接棒人才，更可按照社團專長將客家活動辦得更精緻、更有內涵，如此客家文化方能淵遠流長。

伍拾肆：民國九十四年（西元 2005 年）三月二十六日，北台灣第一屆春祭義民及客家成年禮祈福大會，在新竹縣新埔鎮義民廟舉行。此項活動是由新竹市客家民俗文化促進會主辦，邀請立法院副院長鍾榮吉、台灣省主席林光華、新竹縣長鄭永金、客委會處長鍾萬梅等人參與。其中立法院副院長鍾榮吉、台北市府客家委員會主秘龐治郎、新竹市府民政局局民張本賢、行政院客家委員會綜合計劃處處長鍾萬梅、前横山國小校長鍾文欽等五人，還穿上長袍馬褂，巧扮天、地、君、親、師。

成年禮儀式皆遵循古禮進行，接受洗禮的七名青年學子戴上黑色弱冠，披上象徵慈悲與智慧的黃色披肩，在義民爺的見證下，跪著唸完將做一個有爲的青年，追求高深學問和技能，爲國家、社會、家人、朋友盡心盡力的誓詞後，做父母長輩的，則將小女弱冠背後的兩條黑絲帶往前改披到胸前，接著子女向父母行鞠躬禮，感謝養育之恩，並跪拜象徵天地君親師的客家耆老，完成儀式，向世人宣示「我已長大成人」了。

伍拾伍：民國九十四年（西元 2005 年）五月二十一日，苗栗市公所舉行一場別開生面的貓狸伯公故事系列活動青少年講古比賽，參賽的國中、小學生必須在台上生動講述有關伯公廟的傳奇、沿革等故事。苗栗市公所還會在五月二十二日晚上七點三十分，在恭敬里謝家祠堂前埕廣場，舉辦阿公講古阿婆講笑的活動，在現場還展示有一些的古老照片。㉖

伍拾陸：由部份客籍基層民代與學界、府方代表所組成的新竹市客委會，自去年（民國 93 年）八月二日成立迄今即將屆滿週年，卻尚未端出一般牛肉以饗鄉親。根據全球客家郵報溫火隆者專訪數位委員與社團負責人，並於六月一日報導、刊載，表示關於長久處於弱勢的客家文化其來有自，爲改善新竹市客家族群以往的宿命，而強烈建議新竹市客委會應扮演更積極的角色與功能，其建言如下：

1. 積極督促市政府並主導擬定「客家政策白皮書」。
2. 擔任客家文物館經營管理主體，主導文物館未來走向。
3. 從速整合客家社區與文化團體，成爲客家社團聯絡中心。
4. 去政治化，建立以客家人「自覺」、「自決」爲前提的運作機制。
5. 完成新竹市客家文化分佈與特色的建檔管理，舉辦客家文化研討會與客家事務青年育成工作營，並從速揚棄飲宴陋習創建客家優質文化。

6. 研擬相關客家文化活動時程（籌辦具有客家文化特色的活動，例如語言、宗教、歌謠研習營）。
7. 結合關帝廟、內天后宮、金山寺等客家人管理的寺廟，推動廟宇文化與客家文化的連結，讓這些擁有廣大信徒的寺廟成爲推動客家文化的火車頭。
8. 推動客家尋根，發行相關出版品，舉辦客家寺廟、聚落和老地名尋根之旅等。
9. 客家事務需要更多的年輕人的參與和傳承，應積極培養與挖掘客家人才，辦理培訓課程，並檢視母語教學成效，來替代文化之紮根。
10. 推廣包括客家平面媒體、電子媒體等刊物，讓社區和社團了解客家脈動。
11. 會同中央級、地方級民意代表、教育主管單位、傳播媒體等，不定期訪視國民中、小學，監督並落實客家母語教學成效。

伍拾柒：行政院客委會主委羅文嘉，因投入台北縣縣長的選戰後，李永得奉命代理主委，在民國九十四年六月八日真除。他表示過去政策是「客家看客家」，以搶救客語，讓客家人重拾信心爲主。未來五年將繼續推廣客家文化，不僅客家人會說客家話，也希望其他族群能夠互相學習彼此語言，「讓台灣看到客家」。

伍拾捌：行政院客委會擬在民國九十四年（西元2005年）十一月六日，舉辦初級、中級、高級等三級的客語認證考試。未來在客家地區任何機關工作的行政公務員，以及在各級學校上母語課程的老師，必須通過該族群的語言認識考試，或嘗試發給認證考試的其他誘因，例如：語言加級方面。這項認證考試訂於十一月六日分北、中、南、東四區舉行，並依台灣各縣市保有的腔調，分四縣、海陸、詔安、大埔、饒平等五種腔調，其中筆試佔百分之二十、口試佔百分之八十。（全球客家郵報，2005.7.5）

伍拾玖：首屆台灣客家美食嘉年華會，於民國九十四年（西元2005年）八月四日至七日，由全國五十八隊，在台北世貿中心共同展示及其決選。在客家美食中，常用的食材有客家鹹菜、梅干菜、金桔醬、豆子乾、豆鼓、蘿蔔絲、蘿蔔乾、筍乾、紅槽……等。其中，代表性的客家菜諸如有筍干燉焢肉、酸甜肉、客家小炒、焢肉、薑絲大腸、鹹豬肉、紅槽雞等數十道菜。

註　解

① 陳運棟著，徐正光主編，《徘徊於族群和現實之間：客家社會與文化》，頁 14，台北：正中書局，1991。

② 楊國鑫著，〈加強基礎工程研究〉，《台灣客家人新論》，頁 72，台北：台灣客家公共事務協會，1993。

③ 參見黃宣範著，《語言、社會與族群意識——台灣語言社會學的研究》，頁 53、54，台北：文鶴公司，1994。

④ 陳石山著，〈客家社團的凝聚與衝突〉，《客家文化研討會論文集》，頁 322，台北：行政院文建會，1994。

⑤ 劉慧真著，《台北客家人文腳蹤》，頁 9，台北：台北市政府客家事務委員會，2002。

⑥ 張致遠著，〈電視客語節目的現況與改進〉，《客家文化研討會論文集》，頁 185～187，台北：行政院文建會，1994。

⑦ 同上，頁 188。

⑧ 參見游淨妃報導〈曾麗卿接世界客家婦協理事長〉，客家郵報，2004.6.9～15。

⑨ 參見《翻翻客家》，NO.6，頁 16，台北：台北市政府民政局，2001 年 12 月。

⑩ 參見自由時報，90.1.18。

⑪ 參見自由時報，90.6.14。

⑫ 參見民眾日報，91.9.26。

⑬ 鄭滄杰報導，中國時報，92.3.20。

⑭ 曾增勳報導，〈中大設客家學院〉，聯合報，92.5.28。

⑮ 林瑞益報導，〈星星出擊十七頻道最閃亮〉，台灣日報，92.7.2。

⑯ 張耀仁報導，〈竹市客家會館成立千人揭幕〉，聯合報，92.7.6。

⑰ 葉俊琪報導，〈預算爭取，客委會老神在在〉，客家郵報2004.6.23～29。

⑱ 參見林修全、劉淑婉報導，〈客委會預算凍結？國親立委挨拳〉，聯合晚報，93.1.13。

⑲ 李順德報導，〈客委會擬裁併，羅文嘉反彈〉，聯合報，93.8.29。

⑳ 黃正宗序，《客家精神流行歌本》，龍閣文化傳播有限公司出版，93 年 10 月。

㉑ 陳璧琳報導，〈高師大客家研究所揭牌〉，中國時報，93.10.29。

㉒ 林錫霞報導，〈客家餐廳認證，三十九家上好菜〉，聯合報，93.11.20。

㉓ 邱貴雄報導，〈六堆客家文化園區第一期多媒體展映館開工典禮〉，《六堆雜誌》，頁 37，屏東：六堆文化教育基金會，94.2.1。

㉔ 黃正宗著，《客家文化季刊》，〈鮮活的創意思維〉，NO.10，2004 冬季號，頁 5，台北：台北市政府客家事

務委員會。

㉕ 林慧珍著，《客家文化季刊》，〈自編圖片教材，活化客語教學〉，NO.10，2004 冬季號，頁 30、31，台北：台北市政府客家事務委員會。

㉖ 陳彥豪報導，〈學生講古，客家溜〉，聯合報，94.5.22。

附錄一

鄭用錫的「勸和論」（1853年）

甚矣！人心之變也，自分類始，甚禍倡於匪徒；後遂燎原莫遏，玉石俱焚。雖正人君子，亦受其牽制，而朋從之也。夫人與禽各爲一類，邪與正各爲一類，此不可不分，乃同此血氣，同此官骸；同爲國家之良民，同爲鄉閭之善人；無分土，無分民，即子夏所言，四海皆兄弟是已。況共處一隅乎！揆諸出入相友之義，古聖賢所望於同鄉共井者，各盡友道，勿相殘害。在字義，友字從兩手，朋友從兩肉。是朋友如一身之左右手，即吾身之肉也。今試執塗人而言之曰：爾其自戕爾手，爾其自噬爾肉。鮮不怫然而怒。何今分類至於此極耶！

顧分類之害莫甚於台灣，最不可解者莫甚於淡之新艋。台爲五方雜處，林逆倡亂以來，有分閩粵焉；有分爲漳泉焉。閩粵以其異省也；漳泉以其異府也。然同自內地播遷而來，則同爲台人而已。今以異省、異府，苦分畛域，王法在所必誅。矧同爲一府而亦有秦越之異；是變本加厲，非奇而又奇者哉！夫人未有不親其所親，而能親其所　。

同居一府猶同室之兄弟至親也。迺以同室而操戈，更安能由親及　，而親隔府之漳人，親隔省之粵人乎？淡屬素敦古處，新艋尤爲菁華所聚之區；遊斯土者，嘖嘖羨之。自分類興，而元氣剝削殆盡，未有如去年之甚也。干戈之禍愈烈，村市多成邱墟，問爲漳泉而至此乎？無有也，問爲閩粵而至此乎？無有也，蓋由自作，覺起　牆；大抵在非漳泉、非閩粵間耳。自來物窮必變，慘極知悔。天地有好生之德，人心無不轉之時，僕生長是邦，自念士爲四民之首；不能與當軸及在事諸公，竭誠化導，有挽而更張之；滋愧實甚！願今以後，父誡其子，兄告其弟；各革面、各洗心，勿懷夙念，忽蹈前愆。既親其所親，亦親其所　；一體同仁，斯肉患不生，外禍不至；漳泉、閩粵之氣習，默消於無形。譬如人身血脈，節節相通，自無他病；數年以後；仍成樂土，豈不休哉？

附錄二：

2000 年總統大選——台灣客家人的主張

於民國八十九年三月十一日，在台灣客家教授會籌備會、財團法人寶島客家電台、以及客家雜誌的主辦下，假台北市客家文化會館，發表有關台灣客家人的主張，其內容如下：

客家宣言

客家族群做爲台灣生命共同體的一員，與其他族群共同攜手，淚血交織地爲台灣的生存與發展打拚在一起，已有四百年以上的歷史。在拓荒、深耕與收獲的悲歡歲月中，台灣客家族群的骨血已和其他族群一樣，融入台灣母親的軀體中，早已濃得化不開了！

解嚴後隨著民主化、本土化的潮流，台灣昂然成爲國際政經發展的典範，然而不幸地，族群動員及其沙文主義的陰影，竟也偷渡成功爲政治、社會發展的逆流，傷害了台灣母親的整體健康，也傷透了許多愛台人士的心肝，作爲少數族群的客家人更深刻地感受到各種有形、無形的無情擠壓。爲了台灣的未來，期待全民早日跳脫族群沙文主義的心魔宰制！

客家族群立此千禧年，前瞻二十一世紀的來臨，誓秉先民爲台灣流血流汗之光榮傳承，繼續結合所有愛護台灣，願意爲台灣犧牲奉獻的仁人志士，制止族群沙文主義的肆虐，保障各族群尊嚴，爲台灣的前途努力奮鬥！

我們的基本主張

針對 2000 年總統大選，我們站在台灣客家人亦爲台灣主人的立場，以整個台灣作主體性思考，考量到國家的永續發展，對此次五組總統、副總統候選人先後分別提出〈客家政策〉，固然感到高興，但是何種客家政策才是最符合全體台灣客家人的需求、最有利於維護台灣客家人的尊嚴、保障其應有的基本權益、有效地搶救客家文化、進而有助於保存與發揚，這些問題皆是我們最爲關心且迫切地需要解決的困難問題，因此我們藉此機會宣示台灣客家人的基本主張，茲簡要說明如下：

第一、應實施徹底的民主與法治及發展公民文化

民主與法治爲國家發展的法寶。我國未來的新總統應實施徹底的民主政治，厲行法治，揚棄「市場法則」的「假民主」，以利「尊重少數」及「包容多元」之公民文化的發展，使我國成爲真正的民主國、法治國、文化國和科技國。

第二、修憲時應增訂「母語條款」

20世紀的台灣，許多族群的母語早已嚴重流失。21世紀的台灣，必須在修憲時增訂「母語條款」，以利調整過去的國語政策，增列多種共通語，讓各族群得到應有的尊重，且其母語能得到適度的發展空間。

第三、應訂定「語言平等使用法」等相關法律

㈠應將台灣的福佬語（河洛語）、客家人語、原住民語與現在使用的國語並列為通用語言，在我國所有公共場所和廣播、電視節目，平等使用各種共通語言。

㈡我們要求政府要用實際的行動來表示對各族群的尊重：

1. 要求各級學校推動各族群之母語教育；
2. 要求我國國會在議事運作時應設置各族群母語之同步翻譯；
3. 要求在公共場所的播音應根據該地區族群人數比例，依序使用各種母語；
4. 要求在各種重要會議中，應適度地備有通曉不同族群語言之通譯人才；
5. 要求各廣播電台和電視台應有適當比例的族群語言發音或專門製作的節目。

㈢政府應放棄狹隘的本位主義，研擬採行通用拼音法，以利九年一貫課程中包括福佬語（河洛語）、客家語、原住民語等母語教學的推行，並速編定各族群簡易用語，實施全面教學，以利各族群之間的相互尊重、溝通與和諧。

第四、應增設中央部會級客家事務委員會統籌一切客家事務

㈠應落實我國憲法第七條關於平等權的民主政治真諦，讓台灣各族群的不同文化與語言均應有公平合理的生存與發展空間，藉以創造、豐富台灣生命共同體的內涵。

㈡應以寬廣的族群相互尊重、合作與融和視野，增設中央部會級客家事務委員會，採類似於經濟建設委員會之組織方式，統籌一切客家事務，以增進客家族群的尊嚴，並免於被「孤立化」、「邊緣化」的命運。

㈢除了中央政府應增設中央部會級客家事務委員會，亦應在台灣客家人居住地區的地方政府增設民主協商機制的客家事務委員會，廣聘客家籍學者專家及客家族群各方代表爲委員，與政府相關機構成員共同組成，負責有關客家事務之政策規劃、決策及評估。

第五、應尊重客家族群並保障客家族群文化之生存與發揚

㈠台灣有四大族群：1.南島語系台灣人（即原住民）；2.福佬語（河洛語）系台灣人（即福佬人或河洛人）；3.客家語系台灣人（即客家人）；4.外省語系台灣人（即新住民），皆爲台灣的主人，因而各族群之間必須相互尊重、共存共榮。

㈡客家文化與語言是台灣珍貴的人文資產，也是台灣客家族群的最愛，但是目前客家文化與語言已經大量流失，客家文化與客家語已出現嚴重的斷層現象，這是現在台灣客家人最憂心、最憤怒、最無奈的困難問題，台灣客家族群將與客家文化和客家語共存亡，因而迫切地要求能立即改善現況。

㈢國家在未來國土重劃、區分生活圈和從事國家建設時應特別注意到客家族群的實際要求和感受，及客家文化的保存與發揚。爲搶救與保障最具台灣客家文化色彩及最具台灣客家代表性之地區，我們堅決主張政府應尊重台灣長期發展出來的自然與人文生態法則，做爲劃分行政區域的依據，因此我們反對將苗栗縣從「桃竹苗生活圈」劃出而歸入「中部生活圈」，因苗栗台中間的縣界「大安溪」，不只是台灣南北氣候溫度、自然生態的天然分界，更是三、四百年來自然形成的桃竹苗社會人文生活圈的南界。再者，高雄美濃是台灣客家文化最爲濃厚，且最具台灣客家特色的代表性地區之一，因此我們堅決反對在美濃地區興建水庫。

第六、應有適當比例拔擢和任用客家籍人才

㈠台灣客家人約四、五百萬人，勤奮努力，對國家與社會貢獻甚大，政府和各政黨在未來人才的拔擢和任用上，應考慮到要有適當的比例。

㈡客家籍婦女勤樸持家之風範，政府和各政黨宜鼓勵其多參與各項社會活動，且應將客家婦女人才的培養和任用納入其婦女政策中。

第七、應支持與增強大學院校之客家研究與教學

㈠長期以來，台灣客家人在台灣史上應有的地位常遭受扭曲與誤解，今後應成立專案小組檢修官方文書及教科書，恢復台灣客家應有的正確記載。

㈡爲做好台灣客家文化的保存與發揚，應支持與增強大學院校之客家研究與教學。

第八、應重視台灣各族群之調查與研究且分配國家的資源要合理化

㈠國家應重視調查統計，增列以國家經費獎助與族群相關之研究，注重呈現族群面向，以供提昇各族群權益之參考。

㈡行政院主計處在 2000 年實施住宅與戶口普查時，應比照新加坡、瑞士、比利時、加拿大、荷蘭、紐西蘭等多語族國家，以自願認同的方式，增列國民所屬族群的調查，並以其結果作爲政府施政及學術研究的科學根據。

第九、應有國家級具有濃厚客家色彩的文化建設

我國應有國家級具有濃厚客家色彩的文化建設，例如：「客家文化園區」、「客家文化會館」、「客家藝文活動中心」、「客家頻道」、「客家文化節」、「客家文化大獎」、「台灣客家嘉年華會」等。

第十、應設置國家級的「客家文化發展基金會」

台灣客家文化和客家語已大量流失，爲有效搶救台灣客家文化，讓台灣客家文化得以繼續保存與發揚，實有必要設置一個國家級的「客家文化發展基金會」，基金約新台幣 10 億元，由政府逐年編列預算撥款支持並配合民間捐款，共同籌募基金，獎勵客家學研究、培養客家人才、補助客家文化活動、促進國內外推動客家文化交流，以利台灣客家文化能蓬勃發展。

附錄三：

2000年總統大選——陳水扁的「客家政策白皮書」

民國八十九年（2000年），第十屆總統大選——陳水扁先生的「客家政策白皮書」，其政策主張爲：

客家所面臨的困境和迫切需要獲得協助與解決的問題幾乎全屬文化範疇，在其他部份，不論在生活能力、教育和就業各方面，都有優異的適應和發展，並沒有遭逢其自身無法克服的困難；因此，我們提出的客家政策主要內容率皆以文化的保存與發展爲主，少數涉及有限共有資源的分配與使用部份，亦爲確保客家族群的平等地位與自信自尊所必需，並不會因而對其他族群造成排擠和壓迫。針對客家文化弱勢乃至發生傳承危機的根本原因在於：認同基礎受到無法自癒的摧折，傳媒資源的匱乏，以及因而導致的個體孤立隱形。我們提出下列的主張：

一、成立義民大學。

二、設立「客家文化局」，為行政院直轄機關，或未來增設的「文化部」下所屬一級單位。

三、設置客語頻道：包含專屬的有線電視頻道，全國性的廣播網，以及現有無線電視和大功率廣播電台的客語時段。

四、制訂「語言平等法」：明定普通話（現行國語），福佬、客家、原住民語爲通行語言，廢除現行「國語」名稱。

五、每年舉辦全國性的客家文化節。

六、設立「客家社區學院」與客家幼稚園。

㈠全國客家人口佔四十％以上鄉、鎮分別設立。

㈡台北市、高雄市於客家人口較密集區擇地設立。

㈢經費來源：中央政府六十％、地方政府二十五％、社區配合十五％。

七、輔導獎助成立各類客家禮俗、技藝研習班：包括音樂、戲劇、歌謠、舞蹈、雕刻、手工藝及婚喪節慶禮俗等。

八、設立「客家文化園區」。

㈠台灣北部、南部各規劃一座。

㈡區內設置：

1.客家文化旅遊資訊中心：提供旅遊資訊服務。

2.客家媒體中心：媒體連結、發展、研習及展示。

3.客家源流館：陳列展示客家源流相關史料資訊。

4.客家禮俗館：詮釋客家信仰及禮俗介紹。

5.客家藝文館：陳列、展示及發表藝文成就及創作。

6.客家生活館：介紹食、衣、住、行等生活經營。

7.客家生活體驗區：提供住宿、體驗客家生活。

8.客家市集：展售客家產業各項產品。

(三)公辦民營

政策說明：

一、義民大學：

(一)一般性大學，含客家學系、研究所。

(二)客語列為必選課程、不分學系。

(三)客語師資培訓。

(四)於桃、竹、苗地區擇地成立。

台灣客家的信仰中心除傳統的「三山國王」外，更發展出獨特的「義民」信仰，在客家的年度活動中，最能號召凝聚族群參與的「義民祭典」，每年農曆七月，各縣市客家代表團體齊集位於新竹縣新埔鎮的義民本廟，蔚為一大盛事，對於非客家族群而言，「義民」亦能與其產生直接的印象連結。

在客家傳統中，除了「硬頸」和勤儉的一般印象外，最受重視的厥為祭祖與讀書受教；「義民」本為客家 開台先民，祭祀「義民」實為廣義敬祖的表現；「字紙亭」更為客家所獨有的文化特色，凡書印字跡的紙張皆受敬重，不敢褻瀆污損而集中於「字紙亭」火化，充分表現讀書受教在客家人心中近乎神聖的地位。結合客家最受重視的兩項價值，同時凸顯台灣客家的本土性和獨特性，「義民大學」的設立，可以確立客家族群自尊，成為重建認同基礎的強力支柱。此外，「義民」為台灣民眾所普遍熟悉的專有名詞，其與客家的緊密連結，經由「義民大學」設立，更可增進非客家族群對客家進一步的認識與接納。

再就積極功能而言，「義民大學」可以連結目前散處各地，缺乏整合的客家文化資產，作爲有系統研究的客家學中心，除發揚客家文化外並培養未來母語教學的師資人力。

二、設立「客家文化局」

㈠行政院直屬機關、或「文化部」所屬一級單位。

㈡首長爲政務官。

㈢統籌客家文化事務：

1. 蒐集保存。
2. 研究出版、編印統一母語教材、客語辭典。
3. 活動推廣與獎助。
4. 客語傳播事業單位（公辦民營）。
   a. 有線電視頻道。
   b. 全國性廣播網（調頻）。
   c. 編列預算補助。
5. 國際客家聯繫。

客家族群在一般的社會生活能力上相當優越，在各階層領域都有高度活動力，因此並無設置包含就業、居住及救濟等全面性功能機構之必要，而僅就文化延續傳承所必須的部份規劃設立「客家文化局」，做爲綜理客家文化的專責機構。

爲發揮有效統合全台客家文化事務的功能，避免地方各自爲政的資源重疊浪費和治絲愈棼，事權必須統一，位階必須爲中央部會等級，或至少爲「文化部」所屬一級單位。另因本機構主要限於文化範疇，因此規模自無須過度擴張，以「局」的編制爲最適切的選擇。

首長的任命，以「客家文化局」爲統籌全台客家事務專責機構的功能而論，缺乏實際決策權限的事務官並不足以勝任此項艱鉅，故而需由能夠參贊決策折衝的政務官出任，使能有效運作推展相關業務。

業務內容的規劃，必須同時具備文化保存及發展推廣功能，並兼顧精簡編制以有效運用政府有限資源原則，包括：蒐集保存，研究出版，活動推廣與獎助，以及國際客家聯繫四大項，另附設客語有線電視頻道，廣播事業單位，則以公辦民營爲宜，並編列預算補助，茲分述如下：

⑴蒐集保存：歷經長期弱勢地位及強勢文化的侵襲，諸多珍貴的客家文化資產日益破敗佚失，加之傳承斷層，老成凋謝，亟待有組織、有系統地進行調查蒐集，包括文獻、先民遺跡，以及禮俗、技藝、語法歌謠、戲劇等進行記錄整理，以搶救正面臨快速流失的文化資產。

⑵研究出版：客家注重傳統，對本身文化傳承亦盡心盡力，故在各地客家庄落仍各保留一定程度的文化特色；但在資源匱乏及環境壓力下，各地所保存者皆不完整，甚至抱殘守缺。唯有透過廣泛的調查研究整理，才能重建原貌，恢復客家豐富的文化內涵。此外，出版各式研究調查成果，不僅有助於客家重建己身文化，對非客語族群而言，亦可提供認

識、瞭解客家的豐富資料，於促進族群和諧有莫大裨益。

⑶活動推廣與獎勵：客家文化中有許多極具族群文化特色的禮俗和技藝，但在環境不利下，這些饒富內涵意義的技藝和活動日漸式微，各地客家庄落雖有心維護保存，也因力量不足而無法達到全面和完整，呈現零星散落的現象，儘管有熱心的客家人士努力奔走，每年持續辦理部份活動，終究因規模過小，內容侷限，無法引起外界的注意和關心，對族群本身而言，也僅成爲奮鬥求存的象徵，距離積極的傳承推廣功能仍是遙不可及。因此，唯有經由專責單位挹注資源，統合各地尚存的文化力量，將零星保存的內容予以匯集與整理，擴大活動規模，一方面提供各界直接接觸參與客家活動的機會場合，一方面也扮演凝聚客家文化力量的火車頭角色，再配合平日對客家禮俗技藝研習的獎助措施，將可有效接續文化生機。

⑷附設有線電視、廣播事業單位：此項將另與獨立說明，於此不贅。

⑸國際客家聯繫：世界客家人口估計達一億二千萬之譜，分佈以東南亞最爲集中，但歐、美乃至於非洲亦皆有客家居留；以客家人族群聚力極強的族性特質，異國客家聯繫，不僅可豐富文化內容，且密切的民間交流，亦可擴大我經濟合作領域。

三、設置「客語頻道」

㈠頻道項目：

1. 有線電視：包含製作、播出，並納入系統經營者必須播出之頻道表內。

2. 全國性調頻廣播網：以中、小功率電台搭配，結合成全國性廣播網。

3. 無線電視：每日下午六時至十一時時段內，每週至少播出三個小時客語節目。

㈡頻道經營：

1. 有線電視、廣播網：公辦民營。

2. 無線電視：客語節目。

⑴第一期，二至三年，委託製作播出。

⑵第二期，電視台自行製播，由「客家文化局」評審獎助。

㈢經費支應：

1. 有線電視：

⑴第一期：籌設電台、硬體設備、營運支出等，政府全額支應，時限三年。

⑵第二期：完成公辦民營，政府編列預算補助，補助金額不低於平均年營業成本50％，為期五年。

⑶第三期：重點獎助、委製，不再編列預算補助，頻道自負盈虧。

2. 全國性調頻廣播網：

⑴全台分北、中、南、東區，各保留中、小功率廣

播頻道供申設客家電台，組成全國廣播網。

⑵政府編列預算補助電台年營運成本30％～50％，為期四年。

⑶建台第五年起，重點委製，獎助節目，停止預算補助。

3. 無線電視時段

⑴節目委製。

⑵重點獎助。

資訊時代，傳播媒體的重要性和影響力已無庸多言。近年來，客家弱勢現象與客語流失日益加速惡化，主要原因之一厥為欠缺媒體空間。追根究底，客語的弱勢地位導致族群資源匱乏，孤立而隱形的個體無法形成立即明顯的市場誘因，更難以吸引商業性的媒體青睞，這些狀況環環相扣，層層相因，形成惡性循環，抵銷、侵蝕了一切客家為求文化延續所付出的作為和努力。唯一的突破解決的方法，在於經由公共資源的挹注運用，協助客家扭轉循環方向，改善處境，而後逐步達到自立發展的目標。

當然，國家的資源不可能無限期、無限制地單向補助；而客家族群的真正困境在於被割裂、壓抑乃至於孤立和隱形，無力自行重整以扭轉惡性循環方向。實際上，以個體型態存在社會上的客家人口，其經濟、社會活動力仍然相當充沛，因此，政府的責任就在於協助客家突破無法自行克服的障礙，使其回歸發展正軌，其後則賴客家繼續為延續己族文化付出努力。

有線電視、廣播電台的設置營運，初期需要大量資源和專業人力，此正客家困弱所在，故而需由政府提供高比例乃至全額的補助，俟頻道成立，逐漸發揮聚集、整合功能，分散的客家資源和力量匯集之後，政府再逐漸降低補助額度，到最終由客家自立營運。

頻道項目和範圍的保障是必要的，用以保護弱勢族群基本的傳播管道，特別是無線電視的頻道資源極爲稀有，更需適度保障其需求，避免弱勢族群成爲資訊時代的缺席者，在無人問聞中默默消失。

四、製訂「語言平等法」

㈠立法明定「福佬、普通話（北京語）、客家、原住民語」爲通用語言。

㈡政府官方檔案、政令宣傳、語音系統、凡涉語音部份，均需附具各通行用語版本。

㈢立法院、縣市議會，應設通行用語即時口譯。

㈣輔導公共場所語言服務增設通行用語版本。

「語言平等法」的最大目的在於打破「國語」相對「方言」的尊卑優劣區分，語言本系生活、文化的產物，各有其存在的絕對意義，不能強爲優劣區分。而「國語政策」正爲戕害「非國語」語系的禍首，因此取消「國語」此一具強烈排它獨尊意含的名稱用語，改以中性平等的「通用語言」名稱，以尊重四大族群的平等地位，並符合憲法第五條所訂：「……各民族一律平等」及第七條：「……無分……宗教、種族……在法律上一律平等」之精神。

「語言平等法」主要功能在規範政府在措施上需尊重各語言的平等地位，對民間生活習慣中，除特別需要加以保障者予以最低限度上之保護外，並不以強制方式加以干涉語言之使用。是為保障族群平等，促進族群關係和諧之必要立法。

伍、舉辦「客家文化節」

㈠一年一度全國性客家文化大型活動。

㈡經費由「客家文化局」編列預算支應。

㈢活動舉辦地點由各縣市政府擬定計畫配合甄選。

舉辦全國性大型活動是凝聚客家文化力量最有效的方法，透過活動舉辦，散處各地近於休眠狀態的資產人力都可被動員活化，復甦之外更萌發新芽，進而帶動全面開展。

「客家文化節」以全國為範圍，每年定期舉辦；地點則由全國各縣市擬定配合計畫甄選，經由中央的「客家文化局」與活動舉辦各地所在的縣市政府合作，以使活動的影響更形深入、擴大；而每年重新擇定地點也可造成巡迴效果，讓各地方的民眾都能感受到「客家」其實就在你我身邊，是我們社會組成的一員。

簡言之，這樣每年定期舉辦的多種類客家大型活動，一方面提倡客家展示各種獨特習俗，技藝的理想場合，驅動客家對自身文化的傳承創新，同時也提倡社會各界對客家的接觸、認識、乃至參與、互動的絕佳場所。不但在促進族群和諧關係上有其不可替代的功能，並且豐富了我們社會多元文化的特色。

六、設立「客家社區學院」與「客家幼稚園」

㈠全國客家人口佔四十％以上鄉、鎮分別設立。

㈡台北市、高雄市於客家人口較密集區擇地設立。

㈢經費來源：中央政府六十％、地方政府二十五％、社區配合十五％。

客家文化資產能量絕大部份集中於中、老年齡層，尤其較年長的耆宿大老，更是內蘊豐富的寶藏。常言「家有一老、如有一寶」，對客家文化來說，這句話尤其真確，必須要及時建立一套機制，讓存在客家耆老腦中的文化精髓重現在下一代、二代的身上，才能恢復客家文化豐富內涵的原貌。

老年人體力狀況不似青壯年般禁得起奔波、勞頓，此外客家內涵是有機的，具有本身的生命，既不能生吞活剝，也難以用文字完整描繪；蜻蜓點水式的巡迴傳授，樸樸風塵地來回奔波，既是成耆老體力的沈重負荷，更不能真正達到文化傳承的效果。因此，定點設置「客家社區學院」是滿足各項條件需求的最佳方案。

耆老與社區的結合，熟悉的道路，走過的一草一木，自然流洩出耆老腦中的久遠掌故和記憶；圍繞身邊的人、事、物構成的動人故事，輕鬆地吸引、抓住兒孫輩的心；在最自然的情況下完成文化的傳承和重建。社會大學型式的「客家社區學院」除本身的既定功能外，同時可以滿足部份老人和社交生活的需求，具有聯誼、資訊交流、以及活動中心的功能，以單一的資源投注獲致多重的社會效果。

「客家幼稚園的設置」，主因目前年紀三十歲以下的客家人口有超過半數已無法流利運用母語，必須仰賴外在協助才能完成母語教育；此外，客家族群個體孤立的社會處境和相對單薄的聯繫網絡，難以形成有效率、無障礙的客語環境，故而需自小建立客語子弟間的人際互動聯繫，以營造未來的客語空間。

經由「客語社區大學」及「客家幼稚園」的設立，所構成的老、幼世代連結，將成為跨越傳承斷層的紐帶，接補十年來的文化裂縫。

七、輔導獎助成立各類客家禮俗技藝研習

包括音樂、戲劇、歌謠、舞蹈、雕刻、手工工藝及婚喪節慶禮俗等。

客家最主要的族群標誌為「客家語」，在此之外，客家因為信仰、生活環境等各種因素，發展出許多內涵極為豐富的生活技藝、藝術創作和獨特的禮俗。舉例而言，客家的「山歌」，不論唱腔、運氣、轉韻等，都有其獨特的技巧和品評標準，不僅與時下流行的音樂風格大不相同，就與其它的族群民歌比較，也有明顯的差異；而其悠美、婉轉，富於感情的表現方式，也在眾多的族群歌曲中別樹一幟，極具傳唱、保存的價值。

「客家話」的傳承是客家延續的命脈主幹，而豐富內容的血肉則必須仰賴各項特有技藝禮俗的遞沿；獎助各類禮俗技藝研習班設立的功能目標也在於此。基本上，政府在這項議題上不採取主動設立的方式，但以較優惠的方式創造良好的發展空間，用實際狀況所許可的最大可能額度，接受民眾申設各類研習班，在申請程序、場地使用及活動舉辦上給予充分協助；設置評鑑標準，對半粒績效導致正常者予以部份經費補助，對績效良好及特優者另予適當獎助。以客家堅韌的族性，政府主要改善文化土壤，適時澆淋施肥，客家的文化種子必能在短期內枝繁葉茂，開出亮眼的花朵。

八、設立「客家文化園區」

㈠台灣北部、南部各規劃一座。

㈡區內設置：

1. 客家文化旅遊資訊中心：提供旅遊資訊服務。
2. 客家媒體中心：媒體連結、發展、研習及展示。
3. 客家源流館：陳列展示客家源流相關史料資訊。
4. 客家禮俗館：詮釋客家信仰及禮俗介紹。
5. 客家藝文館：陳列、展示及發表藝文成就及創作。
6. 客家生活館：介紹食、衣、住、行等生活經營。
7. 客家生活體驗區：提供住宿、體驗客家生活。
8. 客家市集：展售客家產業各項產品。

㈢公辦民營

規劃上，「客家文化園區」屬較長期的目標，主要原因在於：土地取得不易，建園經費規模大，對目前客家困境與危機不易產生立即有效的影響。有前述的困難因素，但就長遠而言，「客家文化園區」的設立有其重大而不可取代功能：

1. 文化脈絡的完整呈現：任何文化都是有機、具有生命的、隨著時空條件的轉變更易，必然發生老化、更新的現象，每一個時點所呈現的面貌必然有異於其它時點的表現和特有的時代意義；同時，文化發展過程的每一階段又都是相互關連而不可割離的；記錄軌跡、從歷史汲取先人智慧和經驗，是人類知識累積和進乎的重要原因。呈現一個族群文化發展的完整脈絡，對族群生命的延續更具有無比意義的影響，特別是在這條族群軌跡的末端直接連結現今狀態的「客家文化園區」，不僅是對客家、就整個台灣的未來發展而言，都有極大的價值和裨益。
2. 客家文化的濃縮版：要確實深入瞭解一項文化，耗費時間往往以十年爲單位，但在今年繁忙的工商資訊社會、除專家學者外，常人是不可能達到這種程度；然而，對族群文化缺乏基本瞭解，則有可能因陌生而形成疏離，甚至因而採取排斥態度，此對台灣這樣一個多族群的社會而言，無疑是十分不利的。「客家文化園區」將客家文化的輪廓和精華濃縮呈現，讓人們於最短的時間內瞭解客家文化的精要，正符合今日快速社會的需要，營造台灣的和諧族群關係，充分達到族群互補的效果。
3. 強化台灣與世界的聯繫：客家雖僅爲世界眾多族群之一，但以一億二千萬的族群總人口，分佈遍及七海五洲；人數之多、分佈之廣，所產生的影響力自不容忽視；此外，客家文化本身極具特色，經由適當的匯集整理，可與世界其它族群進行良好的交流互動。以今日台灣向於歷史政治因素，每每被排拒於國際舞臺之外，而文化交流恰爲一個適切的切入口，透過國際客家的連結，以及與其它族群的互動交流，不僅提昇台灣的國際能見度，而因素交流形成的網絡，也將爲台灣帶來經濟，政治的助力，強化與世界的連結。

「客家文化園區」的規劃設立絕對有其必要，但必需考量當前客家需求的緩急與國家資源分配來作適當的安排。直言之，五年內完成第一階段客家文化復原重建及再出發的準備工作後，第六年起進行的第二階段中開始進行「客家文化園區」的籌設。

附錄四

全國大專院校客家社團

一、成大客家社：

成大客家社的社團宗旨是「認識、了解及學習客家社會、歷史、語言、文學、音樂及文化內涵。鼓勵同學們關心客家事務，協助客家社區工作，發揚客家文化及精神。提供學生交流及聯誼管道，聯繫客家社團同學之感情，並增進族群和諧。」

成大客家社是台灣大學院校中，少數幾個早期就成立的客家社團，初創於民國七十三年（西元1984年），當時名爲客家文化研習社，至少存活了四年後，面臨倒社的命運，直到民國九十一年九月，在校內有心人士的推動下，重新開辦，其平常例行性活動有客家山歌教唱、客家音樂欣賞、客家詩詞研讀、客家電影賞析、客家歷史研討、客家美食介紹等，在動態活動方面，諸如有走訪客家庄外，也常參與校內外一些活動的舉辦。

二、國立台灣大學客家研究社：

客家族群給人的印象總是「會讀書」，因此在台灣第一學府台大當然也聚集了許多客家子弟。在民國七十七年（西元 1988 年）還我母語運動大遊行中，客家族群面臨了「文化語言消失的困境」爲成社的主要導火線。加上在一九九〇年一月，台大台語文社邀請羅肇錦演講，首開客語演講之例，客家子弟第一次在校園裡聽著自己的母語危機，激發起「講客語、救客家」的心志，從此凝聚起客家子弟的認同感。

國立台灣大學客家研究社成立於民國八十年（西元 1991 年）三月二十日，由哲學系吳錦勳擔任創社社長，並由台大中文系教授梁榮茂以指導老師的立場勉勵社員。該社團舉辦過不少的校內外活動，如發行「台大客家」刊物、舉辦客語演講比賽、實地田野調查，邀請名人演講等；校內的例行社團活動亦安排過客家音樂、客家美食、客家建築、宗教信仰、田調經驗分享等相關的課程外，也舉辦一些的相關活動，例如客家文化藝術節等，來讓社員對客家文化有更多的了解。

三、國立台灣師範大學客家文化研究社：

國立台灣師範大學客家文化研究社，是由劉慧真創立於八〇年代之初，當時係受到「還我母語運動」的影響而成立。該社團的運作，一般說來，平均每兩週舉辦一次例會活動，活動內容除了對客家語言、文化的認識之外，也有比較輕鬆的課程如客家美食、音樂的介紹，另外每學期都會舉辦出遊，主要是到各客家庄做參訪的活動，還有也會與其他大學的客家社團互相交流，共同舉辦活動。

四、國立政治大學客家文化研究社：

民國八十五年（西元 1996 年）三月，英語系的彭欽清教授與一群民族系的學生決定要合力創立客家社。這個小小的願望，曾經受到許多人的質疑，認爲這樣的社團不可能辦得起來，也曾因爲經驗不足而受到挫折。然而，無論如何 " 它 " 還是站了起來。

五、中國文化大學哈客社：

民國八十三年秋，在發起人羅傑的號召下，在學校內聯合了十多位同學向課外指導組申請核准成立社團，初期社名爲「客家語言文化研究社」，性質上是屬於研究性學藝類社團。但爲了便於社團長期運作及凝聚社團年輕一輩向心力，於是深思改名爲「客家風情社」。該社團經過多年的運作後，由於社會環境的變遷，加上種種的因素之下，於民國九十一年宣佈休社。休社一年多後，身爲客家子弟的趙志學同學因有感於客家文化的日漸式微，乃決心重整客家社，讓美麗、優質的客家文化繼續在文大校園內發揚光大，因此重向學校申請定名爲「哈客社」，英譯爲「Hakka Association」的社團。該社團和以前偏重於客家文化課程傳授的「客家風情社」有所不同，而是走時代新潮流，以舉辦活動爲主，採寓教於樂的方式，來讓社員體驗全新的客家。

六、淡江大學客家語研習社：

最早成立於民國八十二年（西元 1993 年）三月，由台語文社中的客語組分出來。成立之初，是由傳其中帶領一群很想對客家語言、文化和歷史做一個基本的介紹與發揚的客家同袍共同創立。該社團於民國九十一年六月時，由於社團經營不易，加上人力資源不足，經過全體社員的同意，還有學校的指導下，暫時休社。

七、逢甲大學客家社：

本社由逢甲大學中文系研究所邱春美所發起，於民國八十一年（西元1992年）十月十三日召開成立大會，並於民國八十二年三月登記爲正式社團。創立之初，以介紹客族遷徙歷史源流、山歌、草編、童謠等客家傳統文化爲主外，還曾邀請鄭榮興博士的「榮興客家採茶劇團」來本校參與文藝月盛會，並曾邀請鍾肇政先生、李喬先生、劉還月先生、鍾肇錦先生等多位著名的客籍學者來校演講。

八、花蓮師院哈客族：

花蓮師院哈客族於民國八十七年（西元1998年）復社。在復社之時，由於"客家社"的名稱已經給人刻板印象，較不吸引年輕學子的加入，而把它命名爲「後生人 ge 原鄉——哈客族」，並由吳青樺擔任社長，蔡依舫擔任副社長。該社團除了有「Easy Hakka——簡易客語彙話」、「老古人言」、「童謠教唱」、「It's Show Time——客家特色服裝走秀」、「客家美食DIY」、「客家音樂入門和鑑賞」、「客家頭擺童玩」……等外，還舉辦參加了「客家週」、「社團藝術週」、「專題講座——李喬開講」、「花東地區客家巡禮」，受邀「公視客家新聞雜誌」專訪的同時，還不時的參加各級機關所舉辦之客家研習營。

九、台東大學客家社：

客家社成立於民國九十一年，是屬於一種學術性的社團。雖然它沒有像其他服務性社團或康樂性社團，有充分的資源與人力，但它卻擁有客家青年的活力和很高的團結向心力，能夠把客家有趣的一切介紹給其他的人。

十、屏師客家文化研究社：

屏師客家文化研究社，是由一群對客家文化有熱忱、有興趣的學生，在鍾屏蘭老師的指導下，所組合而成。該社以客家教唱、客家話談天、或是請校內外客語老師以上課方式，教授正確的發音方法及發音原則，來學習客家話爲其主要活動的同時，各社員除了蒐集自己家鄉的客家文化，深入客家鄉村親身體驗客家文化外，有時還聘請有專業知識的老師，來對不同的客家文化做個詳細的介紹與比較，使之該社團吸引了不少非客家人的參與。

「全國大學客家聯合會」成立宣言

全國大學客家聯合會，在台大教授邱榮舉的主持下，假台大社會科學院行政大樓二樓第一會議室，於民國九十三年（西元2004年）十一月九日正式成立，其宣言內容如下：

「全國大學客家聯合會」成立宣言

全球化的時代，後冷戰初期思維！

寫在一九八八年那一場「還我母語運動」的十六年之後。

繼承著一九八八的風骨與血脈，我們客家後生們風起雲湧地在多個大學成立了學生客家社團，那是個台灣社會運動高漲、本土意識漸強的年代。所有對當時執政黨的抗爭皆被視爲絕對的合理。

後冷戰時期的台灣，面臨的是中國大陸自一九八〇年代經濟改革以來的後起直追，政治上台灣的民主化波動，即是在強化台灣經濟國力以外的政治實力。這一股政治波動造就的是台灣內部極端本土與在地的思維。台灣客家運動即是當時政治氣氛下所風起雲湧的一股勢潮。

在那樣的氣氛下，在那樣的國際政經架構下，所造就出來的台灣經驗與台灣奇蹟，正好培養了台灣民主運動所需要的中產階級養分，，也提供了知識上的衝擊。面對那樣的結構，一九八八年的訴求便是正面地呼應當下最迫切的議題。

寫在十六年後全球化的台灣！

全球化的台灣，後冷戰初期的思維，這是台灣客家運動十六年來的窘境與泥沼。在國際政經環境與國內政治情勢、經濟發展及社會變遷，皆已呈現出不同面貌的同時，當今台灣客家運動的訴求比照十六年前當時世界冷戰格局下的思維，訴求沒有進步多少，雖然一一達成目標，但也不過就是完成一件十六年前就應該完成的事。

客家（事務）委員會的成立、客家專屬媒體頻道的設立、客語（母語）教育、客語的公共領域化這些都是早就應該進行到一定段落的成果。

身現在全球化的台灣，沉溺在後冷戰初期的思維，這是台灣客家運動十六年來的窘境與泥沼。我們認爲：不能算是成功，也沒有開創出新局。除了喊喊那十六年前就已經呼喊過的口號與訴求之外，後生輩的我們，企圖與十六年前的那場運動對話。這是一場屬於我們後生發聲的年代。

有麥克風就有發言權，有發言權就有詮釋權，有詮釋權就是一種權力的展現。

因此我們的主要訴求有：

一、力倡多元文化主義，客家要的是公平的對待：

客家需要的是一場公平的社會環境、我們不侷限於每年百分之幾的客家專屬預算，我們要的是那應該在教育、交通、國防、內政、青年、文化建設、社會治安、社會保障制度等的公平對待與多元視角，讓社會實踐與政府施政，處處都有對多元文化的認識，不該視族群的差異爲特異。

二、客家可以是一種對台灣有助益的黏合劑：

因爲我們不是最大、也不是最小，所以更能體會夾雜在大與小之間彌補差異所帶來的裂痕是多麼的必要。

三、客家是台灣對外交流的資本與利器：

客家應該是一個對台灣整體生存環境有創造力的族群，因爲我們擁有的是不論對海外歐美國家而言甚至東南亞地區華僑（客僑）都能溝通的客家話，這是台灣客家的資本而不是累贅，這是台灣客家走出國際，創造台灣豐富多元文化的利器。

客家在台灣不是累贅，而是一種多元豐富的美麗元素，期待給新一代後生人一個更寬廣而走得出來的發展空間。

所以我們在此聚集成立。

創會會長　葉日嘉撰

「台灣客家青年工作團」說帖

婆娑之洋，美麗之島。世人常喜歡稱呼台灣（Taiwan）為福爾摩沙（Formosa）。「台灣客家青年工作團」的成立，將為台灣注入活水，增加活力。其主要目的有二：一是為全體台灣人民謀幸福，共同建設台灣；二是為搶救台灣客家文化，爭取客家台灣人應有的尊嚴與基本權益，其具體目標是：台灣族群共治，兩岸和平共存。

二十一世紀初的台灣，已是一個主權獨立的國家，地理位置位於美國、中國、日本、北韓、南韓、越南、菲律賓、印尼、紐西蘭、澳大利亞諸國之間，為環太平洋中的一個海洋國家，且自一九九六年起經由全國人民直選台灣的總統、副總統，台灣現今已儼然成為一個獨立自主的民主國、法治國及文化國。

現階段台灣客家為台灣四大族群（原住民、Holo、Hakka、新住民）中的第二大族群。現今客家台灣人多為祖先是自十七世紀中葉開始從中國的福建、廣東一帶陸續移民至台灣，落地生根，與原住民台灣人共同結合成為生命共同體的台灣人，進而開花結果，成為台灣的共同主人，不是過客，故全體客家台灣人必須認同台灣、熱愛台灣、建設台灣，為台灣作出貢獻。

然而，眼前可悲的事實是：客家台灣人唯一所賴以維繫的客家話即將被滅絕，台灣客家人也將快速消失得無影無蹤，終而恐將遭致客家族群在台灣滅絕之悲慘命運。

過去，三、四百年來，台灣客家人的生存處境相當悲慘，史書記載「渡台悲歌」、「六死三生一回頭」、「客家人渡台禁令」、「分類械鬥」、「閩客鬥爭」等；再者，散戶人少力量弱，常被迫放棄田產家園，爲求生存而群聚於客家聚落，令人不勝噓吁而感慨萬千！

時至今日，隨著時代巨輪的轉動，台灣人民面對世界各國人民，已能昂首闊步向前進！台灣內部各族群必須「相互尊重、和平共處」，並且共體時艱，攜手合作，共同面對來自外部的強大壓力，這樣台灣才能繼續獨立自主運作與永續發展。

台灣客家青年爲搶救台灣客家文化，爭取客家台灣人應有的尊嚴與基本權益，曾於一九八七年首創《客家風雲雜誌》（1987.10.25 創刊，後改組爲現今《客家雜誌》），後來又籌組成立「客家權益促進會」，進而主導辦理一九八八年十二月二十八日的「1228 還我母語運動」萬人大遊行，然後推動一系列有關台灣客家文化運動的各種相關活動，我們站在客家台灣人的立場，提昇客家人的族群意識，促進客家人的內聚力，團結客家人的力量，爭取客家人的共同利益，進而提高客家人在政治上、經濟上、社會上和文化上的地位及功能，讓客家人在多元民主的台灣社會扮演更積極主動的角色，讓客家真正作爲台灣的共同主人，共同建設台灣。

二〇〇〇年後台灣政黨輪替，始有客家政策出現，並設立行政院客家委員會，在大學設立客家學院、客家相關研究所、客家研究中心等，且有客家電視台正式開播，台灣客家始展現一線生機，稍有起死回生，由客家危機變轉機之希望。

台灣客家青年工作團是由一群其有理想色彩、熱愛客家台灣，又富實踐力的台灣客家青年人所發起的；獨立自主運作，純粹是發自於民間，不分黨派；具有智庫功能，也具有戰鬥功能；是一種類似於「台灣智庫」、「慈濟功德會」的性質，又參考「台灣救國團」、「天地會」、「台灣義勇軍」等之優點的台灣青年義工團；我們願與各相關團體聯繫，且將與國際接軌，共謀台灣永續發展。

我們的三大基本主張：

一、謀求台灣人民幸福：

客家為台灣的共同主人，認同台灣，熱愛台灣，建設台灣，為謀求台灣人民幸福而戰。

二、搶救台灣客家文化：

長程推動客家文藝復興，短程推動台灣客家文化運動，為搶救台灣客家文化而戰。

三、促進兩岸和平共存：

客家擺中間，政黨放兩邊，不分藍綠和統獨，團結海內外客家有志之士，促進兩岸和平共存而戰。

籌備會召集人　邱榮舉教授

附錄五：客家社團與會館

社團名稱	負責人	地址
世界客屬總會	劉盛良	台北市華陰街41號3樓
台北市桃園同鄉會	葉斯平	台北市林森北路107巷46號
台北市新竹縣同鄉會	范姜瑞	台北市遼寧街45巷31號6樓
台北市苗栗縣同鄉會	謝豐旭	台北市基隆路一段109-6號5樓
六堆旅北同鄉會	吳仁春	台北市復興北路369號9樓
台北市飛鳳祥和促進會	羅美宏	台北市基隆路一段163號14樓
彩鳳文化協會	羅吉鴻	台北市大安區潮州街50號
台北市龍潭旅北同鄉會	陳添順	台北市寧波西街87號3樓之1
台北市中原客家崇正會	范振宗	台北市復興南路二段35號9樓之2
台北市客家自強會	彭耀斌	台北市和平西路二段70巷8弄8號
台北市東區客家會	張鄧芳	台北市吳興街156巷2弄22號1樓
台北市北區客家會	彭勝祿	台北市北投區公館路366號
財團法人伯仲文教基金會	吳志揚	台北市開封街二段40號13樓
台北市客家文化研究推廣協會	鍾年修	台北市永吉路53號1樓
台北市客家文化協會	張隆盛	台北市南京東路二段87號12樓
台灣客家文經發展協會	溫錦泉	台北市民權西路92號3樓
台北市客家長青會	莊于德	台北市漢中街147巷22號
台灣客家論壇協會	黃達業	台北市羅斯福路四段1號
台北市客家公共事務協會	梁榮茂	台北市溫州街18巷16號1樓
中華道教褒忠義民崇正總會	李彭煙	台北市中華路二段305巷5號1樓
台北市南庄同鄉會	溫松富	台北市復興南路一段295巷30號3樓
中華民國流民拳協會	李光銘	台北市八德路二段251號3樓之2
中廣客家顏道	鍾惠文	台北市松江路375號12樓
財團法人寶島客家電台	梁榮茂	台北市羅斯福路二段91號17樓之2
客家雜誌社	陳石山	台北市莒光路103-1號
財團法人台北市客家文化基金會	梁榮茂	台北市東豐街60號2樓
台北市客家民謠社社長聯誼會	李榮堂	台北市中華路二段305巷13號
開心會	溫送珍	台北市南昌路一段119號3樓
台北手語團康研究會	傅俊箕	台北市客家文化會館B1
三山國王慈善會基金會	曾安福	台北市民權東路三段191巷43弄1號
北區客家文化會館		台北市北投區明德路161號
客家電視台		台北市八德路3段10號8樓

· · ·

台北市客家藝文活動中心	台北市新生南路一段 157 巷 19 號 3 樓
台北市政府客家事務委員會	台北市市府路一號六樓東南區
台北客家文化會館	台北市信義路三段 157 巷 11 號
台北市大腳盤登山會	台北市汀州路一段 23 號 7 樓
觀音文化工作陣	桃園縣觀音鄉新坡村 1 鄰 10 號
大隘文化生活圈協進會	新竹縣北埔鄉中正路 30 號
九讚頭文化協會	新竹縣橫山鄉新興村 18 號
台中縣客家文化協會	台中縣東勢鎮第二橫街 44 號
寮下文化工作室	台中縣東勢鎮中寧里匠寮巷 42 號
美濃愛鄉協進會	高雄縣美濃鎮福安里福安街 12 號
美濃客家文物館	高雄縣美濃鎮中正路一段 191 號
鍾理和紀念館	高雄縣美濃鎮廣林里朝元 96 號
文堆文化教育基金會	屏東縣內埔鄉美和村屏光路 23 號
六推風雲雜誌	屏東市民享路 19 號

附錄六：歷年世界客屬懇親大會

	區域	時間	活動地點
第一屆懇親大會	香港	一九七一年	香港九龍彌敦道「國際大酒樓」及香港崇正會大禮堂
第二屆懇親大會	台灣	一九七三年	台北市延平南路「中山堂」
第三屆懇親大會	台灣	一九七六年	台北市延平南路「中山堂」
第四屆懇親大會	美國	一九七八年	舊金山「皇后大酒店」
第五屆懇親大會	日本	一九八〇年	日本東京「太平洋飯店」與大阪「寶冢大飯店」
第六屆懇親大會	泰國	一九八二年	曼谷市「那萊大飯店」
第七屆懇親大會	台灣	一九八四年	台北市敦化北路「環亞大飯店」
第八屆懇親大會	模里西斯	一九八六年	首都波累市「甘地學院」大會堂
第九屆懇親大會	美國	一九八八年	舊金山「教堂峰大飯店」
第十屆懇親大會	馬來西亞	一九九〇年	沙巴州首府亞庇市
第十一屆懇親大會	台灣	一九九二年	國賓飯店及高雄市文化中心
第十二屆懇親大會	中國	一九九四年	廣州梅縣市
第十三屆懇親大會	新加坡	一九九六年	新加坡國際會議中心
第十四屆懇親大會	台灣	一九九八年	台北市國賓大飯店及陽明山中山樓
第十五屆懇親大會	馬來西亞	一九九九年	吉隆坡雙威酒店
第十六屆懇親大會	中國	二〇〇〇年	福建龍岩藝文體育活動中心
第十七屆懇親大會	印尼	二〇〇二年	雅加達國際會議中心
第十八屆懇親大會	中國	二〇〇三年	河南鄭州市
第十九屆懇親大會	中國	二〇〇四年	江西贛州市

參考書目

王東著，《客家學導論》，台北：南天書局，1998。

中華民國內政部發行，《二十四節氣與農漁生活》，台北：內政部，1991。

台灣客家公共事務協會／主編，《台灣客家人新論》，台北：台原出版社，1993。

台灣客家公共事務協會／主編，《新个客家人》，台北：台原出版社，1998。

台灣省政府發行，《台灣史蹟文物簡介》，南投：中興新村，2000年7月。

史明著，《台灣人四百年史》，台北：蓬島文化公司，1980。

江運貴著、徐漢彬譯，《客家與台灣》，台北：常民文化，1996。

朱真一著《台灣客家叢書㈠海外客家台灣人的心與情》，台北：客家雜誌陳康宏，2003。

吳騰達著，《民俗遊藝》，台北：行政院文建會，1990。

李寶鑫編，《大時代客家兒女創作流行歌曲1》，桃園：龍閣文化傳播公司，1996。

李寶鑫編，《台灣客家山歌》，桃園：龍閣文化傳播公司，1998。

李寶鑫編，《客家創作流行歌曲3》，桃園：龍閣文化傳播公司，1998。
李乾朗著，《台灣建築史》，台北：雄獅公司，1995。
阮昌銳著，《民俗與民藝》，台北：台灣省立博物館，1984。
何石松、劉醇鑫編著，《現代客語詞彙彙編》，台北：台北市政府民政局，2002。
房學嘉著，《客家源流探奧》，台北：武陵，1996。
邱彥貴、吳中杰著，《台灣客家地圖》，台北：貓頭鷹出版社，2001。
邱燮友等編著，《國學常識》，台北：東大圖書公司，1989。
雨青編著，《客家人尋根》，台北：武陵，1996。
松本一男著，《客家人的力量》，台北：國際村文庫書店，1996。
客家雜誌社承辦，《客家文化研討會論文集》，台北：行政院文建會，1994。
郁永河，《裨海紀遊》，台北：台灣銀行經濟研究室，1963。
馬以工撰稿主篇，《中國人傳承的歲時》，台北：行政院文建會，1990。
施正鋒著，《台灣客家族群政治與政策》，台中：新新台灣文化教育基金會，2004。
徐正光，《徘徊在族群與現實之間——客家社會與文化》，台北：正中書局，1991a。
徐進堯、謝一如著，《台灣客家三腳採茶戲與客家採茶大戲》，新竹：新竹縣文化局，2002。

高宗熹編著，《客家人——東方猶太人》，台北：武陵，1992。
高木桂藏著、關屋牧譯，《客家》，台北：台北市松江路206號4樓406室，1991。
高木桂藏著、陳蒼杰譯，《由客家了解亞洲》，台北：大展出版社，2001。
張祖基等著，《客家舊禮俗》，台北：眾文圖書公司，1986。
張之傑主編，《環華百科全書》，台北：兒童教育出版社，1986再版。
張燦鍙著，《文化：台灣問題的根源》，台北：前衛，2003。
莊英章著，《家族與婚姻——台灣兩個閩客村落之研究》，台北：中央研究院民族研究所，1994。
陳支平著，《客家源流新論——誰是客家人》，台北：台原，1998。
陳水扁，《客家政策白皮書》，台北：陳水扁總統大選競選辦公室，2000。
陳運棟著，《台灣的客家人》，台北：台原，1989。
陳運棟著，《台灣的客家禮俗》，台北：台原，1991。
陳運棟主編，《頭份鎮誌》，苗栗：頭份鎮公所，2002。
陳運通著，《客家書畫》（上冊），1999。
曾喜城著，《台灣客家文化研究》，屏東：屏東平原鄉土文化協會，1999。
曾逸昌編著，《文化發展與建設史綱》，台北：文史哲，1996。

曾逸昌編著，《希望之島》，台北：自印，2000。
曾彩金、張春菊編撰，《六堆客家地區祭拜入門》，屏東：六堆文化研究學會，2004。
馮輝岳著，《客家童謠大家唸》，台北：武陵，1991。
馮輝岳著，《客家謠諺賞析》，台北：武陵，1999。
黃心穎著，《台灣的客家戲》，台北：台灣書店，1998。
黃恆秋著，《台灣客家文學史概論》，台北：愛華出版社，1998。
黃重添等著，《台灣新文學概觀》，台北：稻禾出版社，1992。
黃文博著，《台灣民間信仰見聞錄》，台南：台南縣市文化中心，1998。
黃文博著，《台灣藝陣傳奇》，台北：台原，1991。
黃鼎松著，《苗栗開拓史話》，苗栗：苗栗縣立文化中心，1991。
黃鼎松著，《苗栗的開拓與史蹟》，台北：常民文化，1998。
黃榮洛著，《渡台悲歌》，台北：台原，1990。
黃榮洛著，《台灣客家傳統山歌詞》，新竹：新竹縣立文化中心，1997。
黃榮洛著，《台灣客家民俗文集》，新竹：新竹縣文化局，2000。
楊炯山編著，《最新婚喪喜慶》，新竹：南興行，1980。
楊兆禎著，《台灣客家系民歌》，台北：百科文化，1982。
楊兆禎撰著，《客家諺語拾穗》，台北：文化圖書公司，

1998。
楊長鎮，《客家事務委員會說帖》，台北：行政院客家事務委員會籌備處，2001。
楊曾文著，《佛教的起源》，台北：佛光出版社，1991。
漢聲特刊的《台灣的客家人專集》，台北：英文漢聲出版公司，1989。
練記（錫齡）著，《地理叢談》，苗栗：張致遠文化工作室，2002。
劉兆祐著，《中國古文字》，台北：行政院文建會，1989。
劉錦雲著，《客家民俗文化謾談》，台北：武陵，1998。
劉還月著，《台灣的客家族群與信仰》台北：常民文化，1999。
劉還月著，《台灣客家風土誌》，台北：常民文化，1999。
劉還月著，《台灣的客家人》，台北：常民文化，2000。
劉守松編著，《家禮常識》，自印，1986。
劉慧真著，《台北客家人文腳蹤》，台北：台北市政府客家事務委員會，2002。
潘英海（計劃主持人）、莊華堂（共同主持人），《桃園客家文化館軟體規劃及資料蒐集》，桃園：桃園縣文化局，2002。
蔡相煇著，《台灣祠祀與宗教》，台北：台原，1989。
蔡策著，《客家民俗——談贛南》，台北：老古文化事業，1997。
鄧榮坤著，《生趣客家話》，台北：武陵，1999。

簡炯仁著，《屏東平原開發與族群》，屏東：屏東縣立文化中心，1997。

謝重光著，《客家源流新探》，台北：武陵，1999。

謝重光著，《海峽兩岸的客家人》，台北：幼獅文化，1999。

謝劍、房學嘉著，《圍不住的圍龍屋——記一個客家宗族的復甦》，嘉義：南華大學，1999。

鍾肇政、徐正光等著，戴興明、邱浩然主編，《客家文化論叢》，台北：中華文化復興運動總會，1994。

魏麗華編著，《客家民俗文化》，台北：台北縣新莊市客家台灣文史工作室，2002。

戴鎂珍主編，《古厝老宅院》，台北：Mook台灣好迌迌，No.16，2003。

國立圖書館出版品預行編目資料

客家通論／曾逸昌著.--初版,--苗栗縣頭份鎮：
曾逸昌，2005〔民94〕
面；　　公分
參考書目：
ISBN　957-41-3005-3（平裝）

1.客家

536.211　　　　　　94014394

客家通論

出 版 者／曾逸昌
著　　者／曾逸昌
地　　址／苗栗縣頭份鎮土牛里八鄰一四五號
電　　話／(037)663008、(02)23417811
法律顧問／曾肇昌律師
客家概論
初　　版／西元2003年2月
增 訂 版／西元2003年9月
再增訂版／西元2004年9月
客家通論
初　　版／西元2005年9月
排　　版／佳佳電腦排版公司
封面設計／佳佳電腦排版公司
電　　話／(02)2597-8866
定　　價／新台幣一二〇〇元